C000116355

Gerhard Helbig · Joachim Buscha

Deutsche Grammatik

Ein Handbuch für den Ausländerunterricht

GERHARD HELBIG · JOACHIM BUSCHA

Deutsche Grammatik

Ein Handbuch für den Ausländerunterricht

VEB VERLAG ENZYKLOPÄDIE LEIPZIG

Helbig, Gerhard:
Deutsche Grammatik : e. Handbuch für d. Ausländerunterricht / Gerhard Helbig ; Joachim Buscha. – 11., unveränd. Aufl. – Leipzig : Verlag Enzyklopädie, 1988. – 737 S.

ISBN 3-324-00118-8

NE: 2. Verf.:

ISBN 3-324-00118-8

11., unveränderte Auflage
© VEB Verlag Enzyklopädie Leipzig, 1988
Verlagslizenz-Nr. 434–130/143/88
Printed in the German Democratic Republic
Gesamtherstellung:
Karl-Marx-Werk Pößneck, Graphischer Großbetrieb V 15/30
Schutzumschlag- und Einbandentwurf: Hans-Jörg Sittauer
Redaktionsschluß für die 8., nb. Auflage: September 1981
LSV 0815
Best.-Nr.: 577 402 6
01560

Inhaltsverzeichnis

Abkürzungsverzeichnis

(Dieses Verzeichnis enthält die Abkürzungen, die im gesamten Buch verwendet werden. Abkürzungen, die nur in einzelnen Kapiteln erscheinen, werden dort erläutert.)

Sing.	= Singular	neg	= Negation
Pl.	= Plural	obl.	= obligatorisch
Pers.	= Person	fak.	= fakultativ
Präs.	= Präsens	*	= ungrammatischer Satz
Prät.	= Präterium		
Perf.	= Perfekt	(*)	= halbgrammatischer (unüblicher) Satz
Plusq.	= Plusquamperfekt		
Fut. I	= Futur I	→	= wird zu, ist transformierbar in
Fut. II	= Futur II		
Mask.	= Maskulinum	←	= wird aus, ist transformierbar aus, geht zurück auf
Neutr.	= Neutrum		
Fem.	= Feminium		
Akk. bzw. A	= Akkusativ	↛	= wird nicht zu, ist nicht transformierbar in
Dat. bzw. D	= Dativ		
Gen. bzw. G	= Genitiv		
Nom. bzw. N	= Nominativ	↚	= wird nicht aus, ist nicht transformierbar aus, geht nicht zurück auf
Präp.	= Präposition		
Inf.	= Infinitiv		
Part.	= Partizip		
S	= Subjekt	ugs.	= umgangssprachlich
O	= Objekt	lit.	= literarisch
HS	= Hauptsatz	vgl.	= vergleiche
NS	= Nebensatz	u. ä.	= und ähnliches
SG	= Satzglied		
Subst.	= Substantiv		

Vorwort

Die Überarbeitung der „Deutschen Grammatik" – zehn Jahre nach Erscheinen der 1. Auflage – ist notwendig geworden sowohl auf Grund eigener Arbeiten der Verfasser als auch auf Grund der zahlreichen neu gewonnenen Erkenntnisse zu grammatischen Fragen im In- und Ausland. Die vorliegende Auflage will diesem Erkenntnisstand Rechnung tragen und zugleich zahlreiche Hinweise aufgreifen, für die sich die Autoren an dieser Stelle bedanken.
Bei der Neubearbeitung ist die Anlage des Buches erhalten geblieben, die sich aus den Besonderheiten einer Grammatik für den Fremdsprachenunterricht ergibt: Dem Muttersprachler dient eine Grammatik vornehmlich dazu, etwas bewußtzumachen oder zu systematisieren, was er ohnehin – auf Grund seines „Sprachgefühls" (d. h. seiner in der Kindheit erworbenen Sicherheit in der Handhabung der sprachlichen Regeln) – richtig bildet und verwendet. Dem Ausländer fehlt dieses Sprachgefühl, die „Kompetenz" in der betreffenden Sprache. Deshalb verlangt eine Grammatik für den Fremdsprachenunterricht explizitere Regeln, die möglichst genau angeben, wie richtige deutsche Sätze gebildet, interpretiert und verwendet werden. Die Grammatik für den Muttersprachunterricht kann von der Kompetenz ausgehen, eine Grammatik für den Fremdsprachenunterricht dient (als ein neben anderen auf Kenntnisvermittlung gerichtetes Mittel) dazu, diese Kompetenz erst aufzubauen.
Mit dieser unterschiedlichen Zielsetzung sind andere Spezifika einer Grammatik für den Fremdsprachenunterricht verbunden: So muß sie andere Proportionen haben als eine Grammatik für den Muttersprachunterricht, da es viele Bereiche gibt, die für den Ausländer wichtig sind, während sie für den Muttersprachler relativ unwesentlich, weil selbstverständlich sind und kaum jemals zu Fehlern führen. Beispiele sind die Rektion der Verben und Adjektive, das Passiv, der Artikelgebrauch, die Deklination der Substantive, die Satzgliedstellung und andere Bereiche, die dem Ausländer – auch unabhängig vom System seiner eigenen Sprache – viele Schwierigkeiten bereiten und deshalb eine weitaus ausführlichere Darstellung als in den Muttersprachgrammatiken verlangen.
Ein weiteres Charakteristikum der vorliegenden Grammatik für den Fremdsprachenunterricht ist, daß sie eine Resultatsgrammatik, keine Problemgrammatik ist, d. h., daß sie auf Gebrauchsregeln in der Oberflächenstruktur abzielt, nicht aber die Wege erörtert, wie die Verfasser zu ihren Resultaten gekommen sind, wie und warum sie sich in ihren Auffassungen von anderen Autoren unterscheiden. Es wurde auf Auseinandersetzungen mit anderen Autoren und auf Anmerkungen innerhalb des Textes verzichtet, statt dessen wird auf die im Literaturverzeichnis enthaltenen Spezialarbeiten der Autoren verwiesen.

Zum Wesen einer Grammatik für den Fremdsprachenunterricht gehört auch, daß sie die Norm der Standardsprache (Schriftsprache) beschreibt und nicht die Sprache spezifischer Textsorten oder die verkürzte (elliptische) Sprache in bestimmten kommunikativ-situativen Verwendungen, die für den Ausländer erst auf der Basis der Normsprache verständlich werden. Da diese Standardsprache relativ vollständig dargestellt werden muß, erscheinen in manchen Fällen (wo dies vom Lernwert her sinnvoll ist – z. B. in den Kapiteln „Präpositionen", „Konjunktionen" oder „Partikeln") ausführliche Listen, mußten auch linguistische Verfahren und Methoden verwendet werden, die in unterschiedlichen Richtungen entwickelt worden sind und in unterschiedlicher Weise zur Beschreibung der sprachlichen Sachverhalte beitragen.

Während Anlage und Aufbau des Buches – bedingt durch die gleiche Zielsetzung – erhalten geblieben sind, haben die Autoren in dieser Auflage gegenüber den bisherigen Auflagen zahlreiche, zum Teil auch einschneidende Veränderungen in der Fassung der einzelnen Kapitel vorgenommen. In Abhängigkeit vom Stand der internationalen Forschung auf dem Gebiet der deutschen Grammatik wurden einzelne Kapitel (so die Kapitel „Funktionsverben", „Hilfsverben", „Genera verbi", „Reflexive Verben", „Partikeln", „Modalwörter", „Satzarten" und „Satzmodelle") konzeptionell neu gefaßt, andere Kapitel wurden teilweise verändert, einige konnten im wesentlichen erhalten bleiben. Es wurde überall versucht – noch stärker als in den bisherigen Auflagen –, für die syntaktischen Erscheinungen eine semantische Motivierung zu finden und dem kommunikativen Aspekt so weit wie möglich Rechnung zu tragen. Weil die Sprache eine kommunikative und eine kognitive Funktion hat, d. h. sowohl als Mittel der gesellschaftlichen Verständigung als auch als materielle Hülle des Gedankens fungiert, waren die Verfasser stets bemüht, sowohl die Dialektik zwischen Struktur und Funktion als auch die Dialektik zwischen Sprachsystem und Sprachverwendung sichtbar zu machen.

Außer diesen inhaltlichen Veränderungen wurde, um die praktische Verwendung zu erleichtern, die äußere Gliederung des Buches vereinfacht, und es wurde auch ein Literaturverzeichnis angefügt. Zu Dank sind die Autoren verpflichtet in institutioneller Hinsicht dem Herder-Institut der Karl-Marx-Universität Leipzig (an dem die Arbeiten durchgeführt worden sind), den Mitarbeitern der Arbeitsgruppe Linguistik der Forschungsabteilung des Herder-Instituts (A. Buscha, S. Czichocki, H.-J. Grimm, E. Forstreuter, H. Georgi, W. Schenkel), deren Vorlagen als Diskussionsmaterial der Ausarbeitung der 1. Auflage zugrunde lagen, den Gutachtern (Prof. Dr. R. Große, Dr. W. Flämig, Dr. J. Schröder), der Germanistenkommission der DDR – VR Polen (deren Sektion Grammatik Vorarbeiten zur 1. Auflage diskutiert hat), den Deutschlektoraten einiger Universitäten der DDR und nicht zuletzt dem Verlag (für die Mühe der technischen Bearbeitung).

Einleitung: Einteilung der Wortklassen

In dem vorliegenden Buch ist der Wortschatz der deutschen Sprache nach syntaktischen Kriterien in bestimmte Wortklassen eingeteilt worden. Weder eine Wortarteinteilung nach semantischen Kriterien noch eine solche nach morphologischen Kriterien kann alle Wortarten erfassen, weil zwar die Sprache im allgemeinen und die Sätze im besonderen, nicht aber alle Wortarten einen direkten Wirklichkeitsbezug aufweisen und auch nicht alle Wortarten eine Formveränderlichkeit zeigen. Umgekehrt müssen aber alle Wortarten bestimmte syntaktische Funktionen, d. h. bestimmte Stellenwerte im internen Relationsgefüge des Satzes haben. Sonst könnte die Sprache als Kommunikationsmittel nicht funktionieren. Wenn das syntaktische Prinzip bei der Einteilung der Wortklassen gewählt wurde, bedeutet das natürlich keine Leugnung der morphologischen und semantischen Merkmale, im Gegenteil: ein Teil der Wortarten hat zusätzlich morphologische und semantische Kennzeichen, die in den einzelnen Kapiteln genau beschrieben werden.
Eine syntaktische Klassifizierung der Wortarten fordert zunächst die Einsetzung in bestimmte Substitutionsrahmen:

(1) Der ... arbeitet fleißig.
(2) Der Lehrer ... fleißig.
(3) Er sieht einen ... Arbeiter.
(4) Der Lehrer arbeitet ...

Nach dem Prinzip der Distribution kann in den Rahmen (1) nur ein Substantiv, in den Rahmen (2) nur ein Verb, in den Rahmen (3) nur ein Adjektiv, in den Rahmen (4) nur ein Adverb eingesetzt werden. Wortarten im syntaktischen Sinne (in diesem Sinne sprechen wir fortan von *Wortklassen*) werden also gefunden durch den Stellenwert im Satz, durch die Substituierbarkeit in einem gegebenen Satzrahmen, durch das Vorkommen in einer bestimmten Umgebung, durch die syntaktische Funktion oder Position im Satz. Alle Wörter, die an der offenen Stelle in den Rahmen (1) eingesetzt werden können, gehören zur gleichen Wortklasse (der Substantive), alle Wörter, die an der offenen Stelle in den Rahmen (2) eingesetzt werden können, gehören zu einer Wortklasse (der Verben) usw. Maßstab ist jeweils, ob bei dieser Substitution ein grammatisch korrekter Satz entsteht; das muß nicht notwendig auch ein semantisch korrekter, d. h. ein sinnvoller Satz sein. In den Rahmen (1) kann man z. B. einsetzen:

(1a) Der Lehrer arbeitet fleißig.
(1b) *Der Tisch arbeitet fleißig.

(1a) und (1b) sind syntaktisch korrekt, aber nur (1a) ist auch semantisch korrekt. Grammatikalität ist also hier im engeren Sinne (unter Ausschluß bestimmter Selektionsbeschränkungen und Verträglichkeitsbeziehungen), nicht im weiteren Sinne verstanden. Weiterhin bedarf es schon im syntaktischen Bereich einer Subklassifizierung der Wortklassen; so muß z. B. die Wortart „Verb" weiter untergliedert werden, weil nicht jedes Verb in den Rahmen (2) eingesetzt werden kann, so etwa nicht ein solches Verb, das notwendig einen Akkusativ bei sich haben muß (etwa: *besuchen, beerben*). Diese Subklassifizierung (sowohl syntaktischer als auch semantischer Art) wird jeweils innerhalb der Kapitel zu den einzelnen Wortklassen – zusammen mit der Abgrenzung der entsprechenden Wortklasse selbst – vorgenommen.

Allerdings wird man sich im Deutschen – als einer Sprache mit relativ wenig geregelter Satzgliedstellung – oftmals nicht mit der Feststellung der bloßen Position begnügen können, sondern die Distribution, d. h. das Vorkommen der Elemente in Relation zu anderen Elementen, bei einer syntaktischen Wortartklassifizierung einbeziehen müssen. Vor allem aber wird man sich nicht auf die Position in der Oberfläche der aktual gegebenen Sätze beschränken können. Manche deutlichen Unterschiede wird man weder von der Position noch von der Distribution im Satz her adäquat erfassen können, sondern allein dadurch, daß man die in der Oberfläche gleichen Sätze mit Hilfe von Transformationen auf zugrunde liegende Strukturen zurückführt und damit Einsichten in die Wortklassenzugehörigkeit gewinnt. Das gilt beispielsweise für die Unterschiede zwischen Adverb und prädikativem Attribut:

(5) Der Vater kam *schnell* zurück.
(6) Der Vater kam *gesund* zurück.

Satz (6) ist zurückführbar auf *Der Vater kam zurück – Er war gesund* oder auf *Der Vater war gesund, als er zurückkam.* Das ist bei Satz (5) nicht möglich. Auf diese Weise erweist sich *gesund* als zu einer anderen Wortklasse (zu der der Adjektive) gehörig als *schnell.* Diese Einsicht bestätigt sich durch eine Nominalisierungstransformation, durch die ein unterschiedliches Resultat entsteht:

(5a) → das schnelle *Zurückkommen*
(6a) → der gesunde *Vater*

Dabei handelt es sich um intuitiv erfaßbare Unterschiede, die jedoch – vor allem für den Unterricht an Ausländer, denen das entsprechende Sprachgefühl fehlt – nicht nur intuitiv motiviert werden dürfen; sie werden durchsichtig auf syntaktischem Wege auch dann, wenn die Position im konkreten Satz keinen unmittelbaren Aufschluß liefert.

Aus dem genannten syntaktischen Prinzip erklären sich nun auch die Unterschiede unserer Wortklassen zu den zehn Wortarten der herkömmlichen Schulgrammatik. Einerseits fehlen bei unserer Einteilung einige traditionelle Wortarten, so die Numeralien, die Pronomina und die Interjektionen. Numeralia und Pronomina stellen keine Wortklassen im syntaktischen Sinne dar, sondern füllen verschiedene syntaktische Funktionen aus: Sie fungieren teils als Substantive, teils als Adjektive, teils als Artikelwörter (die ihrerseits als syntaktische Wortklasse einen wesentlich größeren Umfang haben im Vergleich zu der traditionellen Wortart „Artikel"). Die Interjektionen werden der – auch andere Elemente umfassenden – Klasse der Satzäquivalente zugerechnet. Auf der anderen Seite gibt es bei unserer Einteilung einige Wortklassen, die in den meisten herkömmlichen Grammatiken nicht als selbständige Wortarten erscheinen, die aber durchaus syntaktische Besonderheiten haben, so daß ihre Aussonderung als besondere Wortklasse legitimiert ist: das gilt im besonderen für die Modalwörter und die Partikeln (worin diese Besonderheiten bestehen, wird jeweils in den einzelnen Kapiteln beschrieben). Das gilt nicht für die Negationswörter, die zwar keine syntaktisch motivierbare Klasse darstellen (die einzelnen Elemente können mühelos anderen Wortklassen zugeordnet werden), die jedoch – ebenso wie das Pronomen *es* – als eine Art Querschnittskapitel aus Gründen der praktischen Wichtigkeit im Unterricht für Ausländer verselbständigt worden sind.

Von den Wortklassen werden zunächst die vier hauptsächlichen Wortklassen (Verb, Substantiv, Adjektiv, Adverb) dargestellt. Danach folgen die „Funktionswörter": Diese unterscheiden sich von den zuerst genannten Haupt-Wortklassen dadurch, daß ihre Elemente im wesentlichen grammatische Funktionen ausüben (von diesen grammatischen Funktionen kann nicht immer eine spezifische lexikalische Bedeutung getrennt werden), daß ihre Elemente ziemlich gering an Zahl, aber sehr häufig im Vorkommen sind und daß sie geschlossene (d. h. nicht beliebig erweiterbare und offene) Klassen darstellen.

Die einzelnen Wortklassen

Verb 1.

Formensystem 1.1.

Konjugation 1.1.1.

Die Verben sind die einzige Wortklasse, deren Elemente konjugiert werden können, d. h. in Person, Numerus, Tempus, Genus und Modus (zu diesen Kategorien vgl. 1.1.3. und 1.2.1.) verändert werden können. Dagegen verfügen sie nicht über die Kategorie des Kasus wie die deklinierbaren Wörter (Substantive, Pronomina, Adjektive, Artikelwörter). Die folgende Konjugationstabelle zeigt die Formveränderungen, die bei der Konjugation des regelmäßigen Verbs *fragen* vor sich gehen:

		Aktiv		Vorgangspassiv	
		Präsens			
		Indikativ	*Konjunktiv*	*Indikativ*	*Konjunktiv*
Sing.					
1. Pers.	ich	frage	frage	werde gefragt	werde gefragt
2. Pers.	du	fragst	fragest	wirst gefragt	werdest gefragt
3. Pers.	er, sie, es	fragt	frage	wird gefragt	werde gefragt
Pl.					
1. Pers.	wir	fragen	fragen	werden gefragt	werden gefragt
2. Pers.	ihr	fragt	fraget	werdet gefragt	werdet gefragt
3. Pers.	sie	fragen	fragen	werden gefragt	werden gefragt

	Aktiv		Vorgangspassiv	

Präteritum

	Indikativ	*Konjunktiv*	*Indikativ*	*Konjunktiv*
Sing.				
1. Pers. ich	fragte	fragte	wurde gefragt	würde gefragt
2. Pers. du	fragtest	fragtest	wurdest gefragt	würdest gefragt
3. Pers. er, sie, es	fragte	fragte	wurde gefragt	würde gefragt
Pl.				
1. Pers. wir	fragten	fragten	wurden gefragt	würden gefragt
2. Pers. ihr	fragtet	fragtet	wurdet gefragt	würdet gefragt
3. Pers. sie	fragten	fragten	wurden gefragt	würden gefragt

Perfekt

	Indikativ	*Konjunktiv*	*Indikativ*	*Konjunktiv*
Sing.				
1. Pers. ich	habe gefragt	habe gefragt	bin gefragt worden	sei gefragt worden
2. Pers. du	hast gefragt	habest gefragt	bist gefragt worden	sei(e)st gefragt worden
3. Pers. er, sie, es	hat gefragt	habe gefragt	ist gefragt worden	sei gefragt worden
Pl.				
1. Pers. wir	haben gefragt	haben gefragt	sind gefragt worden	seien gefragt worden
2. Pers. ihr	habt gefragt	habet gefragt	seid gefragt worden	seiet gefragt worden
3. Pers. sie	haben gefragt	haben gefragt	sind gefragt worden	seien gefragt worden

Plusquamperfekt

	Indikativ	*Konjunktiv*	*Indikativ*	*Konjunktiv*
Sing.				
1. Pers. ich	hatte gefragt	hätte gefragt	war gefragt worden	wäre gefragt worden
2. Pers. du	hattest gefragt	hättest gefragt	warst gefragt worden	wär(e)st gefragt worden
3. Pers. er, sie, es	hatte gefragt	hätte gefragt	war gefragt worden	wäre gefragt worden

	Aktiv		Vorgangspassiv	
	Plusquamperfekt			
	Indikativ	*Konjunktiv*	*Indikativ*	*Konjunktiv*
Pl.				
1. Pers. wir	hatten gefragt	hätten gefragt	waren gefragt worden	wären gefragt worden
2. Pers. ihr	hattet gefragt	hättet gefragt	wart gefragt worden	wär(e)t gefragt worden
3. Pers. sie	hatten gefragt	hätten gefragt	waren gefragt worden	wären gefragt worden

Futur I

	Indikativ	*Konjunktiv*	*Indikativ*	*Konjunktiv*
Sing.				
1. Pers. ich	werde fragen	werde fragen	werde gefragt werden	werde gefragt werden
2. Pers. du	wirst fragen	werdest fragen	wirst gefragt werden	werdest gefragt werden
3. Pers. er, sie, es	wird fragen	werde fragen	wird gefragt werden	werde gefragt werden
Pl.				
1. Pers. wir	werden fragen	werden fragen	werden gefragt werden	werden gefragt werden
2. Pers. ihr	werdet fragen	werdet fragen	werdet gefragt werden	werdet gefragt werden
3. Pers. sie	werden fragen	werden fragen	werden gefragt werden	werden gefragt werden

Futur II

Aktiv

	Indikativ	*Konjunktiv*
Sing.		
1. Pers. ich	werde gefragt haben	werde gefragt haben
2. Pers. du	wirst gefragt haben	werdest gefragt haben
3. Pers. er, sie, es	wird gefragt haben	werde gefragt haben
Pl.		
1. Pers. wir	werden gefragt haben	werden gefragt haben
2. Pers. ihr	werdet gefragt haben	werdet gefragt haben
3. Pers. sie	werden gefragt haben	werden gefragt haben

Vorgangspassiv

		Indikativ	*Konjunktiv*
Sing.			
1. Pers.	ich	werde gefragt worden sein	werde gefragt worden sein
2. Pers.	du	wirst gefragt worden sein	werdest gefragt worden sein
3. Pers.	er, sie, es	wird gefragt worden sein	werde gefragt worden sein
Pl.			
1. Pers.	wir	werden gefragt worden sein	werden gefragt worden sein
2. Pers.	ihr	werdet gefragt worden sein	werdet gefragt worden sein
3. Pers.	sie	werden gefragt worden sein	werden gefragt worden sein

1.1.2. Formenbildung

1.1.2.1. Präsens

Der Indikativ des Präsens wird bei regelmäßigen und unregelmäßigen Verben gebildet, indem an den Stamm des Verbs folgende Personalendungen angefügt werden:

1. Pers. Sing.: *-e*	1. Pers. Pl.: *-en*
2. Pers. Sing.: *-st*	2. Pers. Pl.: *-t*
3. Pers. Sing.: *-t*	3. Pers. Pl.: *-en*

Zur Bildung des Konjunktivs vgl. 1.9.1.1., zur Bildung des Passivs vgl. 1.8.1.

Anmerkungen:
1. In der 2. Pers. Sing., 3. Pers. Sing. und 2. Pers. Pl. wird zwischen Stamm und Personalendung ein *e* eingefügt, wenn der Stamm auf *-d* oder *-t* endet:

du red*est*, er red*et*, ihr red*et*
du arbeit*est*, er arbeit*et*, ihr arbeit*et*

Ebenso: baden, bedeuten, bluten, fasten, mästen, retten, sieden, tasten, trösten u. a.

2. Ebenso wird in der 2. Pers. Sing., 3. Pers. Sing. und 2. Pers. Pl. zwischen Stamm und Endung ein *e* eingefügt, wenn der Stamm auf *-m* oder *-n* endet und diesem *m* oder *n* ein weiterer Konsonant (außer *l* oder *r*) vorausgeht:

du atm*est*, er atm*et*, ihr atm*et*
du rechn*est*, er rechn*et*, ihr rechn*et*

Ebenso: ebnen, zeichnen

Steht dagegen vor dem *-m* oder *-n* im Stammauslaut ein *l* oder *r*, wird kein *e* eingefügt:

du le*rn*st, du fi*lm*st

3. In der Endung der 2. Pers. Sing. fällt das *s* weg, wenn der Stamm des Verbs auf *-s* (*-ß*), *-x* oder *-z* ausgeht:

du ra*st*, du grü*ßt*, du mi*xt*, du hei*zt*

4. In der 1. Pers. Sing. wird im Stamm das *e* ausgestoßen, wenn der Infinitiv auf *-eln* ausgeht:

hand*eln* – ich han*dle*
kling*eln* – ich klin*gle*

Ebenso: angeln, rütteln, schütteln, wackeln

5. Ebenso wird (umgangssprachlich) in der 1. Pers. Sing. fakultativ im Stamm das *e* ausgestoßen, wenn der Infinitiv auf *-ern* ausgeht:

rud*ern* – ich rud*ere* / ich rud*re*
bewund*ern* – ich bewund*ere* / ich bewund*re*

Ebenso: ändern, erinnern, erschüttern, klettern, plaudern, verbessern

6. In der 1. Pers. und 3. Pers. Pl. tritt statt *-en* nur die Endung *-n* auf, wenn der Infinitiv auf *-eln* oder *-ern* ausgeht:

wir hand*eln*, sie hand*eln*
wir rud*ern*, sie rud*ern*
wir padd*eln*, sie padd*eln*

Präteritum 1.1.2.2.

Der Indikativ des Präteritums wird bei regelmäßigen Verben gebildet, indem zwischen Stamm und Personalendung ein *-te-* eingefügt wird:

ich frag – te – Ø	wir frag – te – n
du frag – te – st	ihr frag – te – t
er frag – te – Ø	sie frag – te – n

Zur Bildung des Konjunktivs vgl. 1.9.1.1.2., zur Bildung des Passivs vgl. 1.8.1.2.

Anmerkungen:
1. Durch die Einfügung des präteritalen Morphems *-te-* ändern sich die Personalendungen im Vergleich zum Präsens (vgl. 1.1.2.1.), indem

(1) in der 1. und 3. Pers. Sing. eine Nullendung auftritt;

(2) in der 1. und 3. Pers. Pl. das *e* vor dem *n* eliminiert wird.

2. In allen Personen Sing. und Pl. wird zwischen dem Stamm einerseits und dem Präteritalmorphem *-te-* und der Personalendung andererseits ein *e* eingefügt, wenn

(1) der Stamm auf *-d* oder *-t* endet (vgl. 1.1.2.1. unter *Anmerkung 1.*):

du red-e-te-st
du arbeit-e-te-st

(2) der Stamm auf *-m* oder *-n* endet und diesem *m* oder *n* ein anderer Konsonant (außer *l* oder *r*) vorausgeht (vgl. 1.1.2.1. unter *Anmerkung 2.*):

du atm-e-te-st
du rechn-e-te-st

Aber: du lern-te-st

3. Zur Bildung des Präteritums bei unregelmäßigen Verben vgl. 1.2.2.1.

1.1.2.3. Andere Tempora

1. Das *Perfekt* wird gebildet durch das Präsens des Hilfsverbs *haben* oder *sein* + Partizip II.
Zur Konjugation von *haben* und *sein* vgl. 1.6.1.
Zur Bildung des Partizips II vgl. 1.5.1.3.
Zur Perfektbildung mit Hilfe von *haben* oder *sein* vgl. 1.3.3.2., 1.4.2.3.1. und 1.7.2.

2. Das *Plusquamperfekt* wird gebildet durch das Präteritum des Hilfsverbs *haben* oder *sein* + Partizip II.
Zur Konjugation von *haben* und *sein* vgl. 1.6.1.
Zur Bildung des Partizips II vgl. 1.5.1.3.
Zur Bildung des Plusquamperfekts mit Hilfe von *haben* oder *sein* vgl. 1.3.3.2., 1.4.2.3.1. und 1.7.2.

3. Das *Futur I* wird gebildet durch das Präsens des Hilfsverbs *werden* und Infinitiv I.
Zur Konjugation von *werden* vgl. 1.6.1.
Zur Bildung des Infinitivs vgl. 1.5.1.1.

4. Das *Futur II* wird gebildet durch das Präsens des Hilfsverbs *werden* + Infinitiv II.
Zur Konjugation von *werden* vgl. 1.6.1.
Zur Bildung des Infinitivs vgl. 1.5.1.1.

Die unter 1. bis 4. genannten Angaben beziehen sich auf den Indikativ der betreffenden Tempora im Aktiv. Zur Bildung des Konjunktivs vgl. 1.9.1.1., zur Bildung der einzelnen Tempora vgl. 1.1.1. und 1.1.2.

1.1.3. Person und Numerus

1. Eine Kategorie des Verbs ist die der *Person* (im grammatischen Sinne). Sie ist in jeder konjugierten Form des Verbs enthalten. Es sind drei Personen zu unterscheiden:

	Singular	*Plural*
die sprechende Person (1. Pers.)	ich	wir
die angesprochene Person (2. Pers.)	du	ihr
die besprochene Person (3. Pers.)	er, sie, es	sie

Der Begriff der grammatischen Person umschließt in der 3. Person sowohl Personen als auch Nicht-Personen der außersprachlichen Realität. Bei der 1. und 2. grammatischen Person handelt es sich immer auch um natürliche Personen.

Falls die angesprochene Person erwachsen, mit der sprechenden Person nicht verwandt, befreundet oder näher bekannt ist, wird im Singular und Plural statt *du* und *ihr* die Höflichkeitsanrede *Sie* verwendet. Das Verb nach *Sie* wird konjugiert wie in der 3. Pers. Pl. (obwohl es sich um eine angesprochene Person handelt):

> *Du hast* mich nicht besucht.
> *Sie haben* mich nicht besucht.

2. Eine weitere Kategorie des Verbs (wie auch des Substantivs) ist die des *Numerus*. Auch sie ist in jeder konjugierten Verbform enthalten. Es sind zwei Numeri zu unterscheiden: Singular (Einzahl, Nicht-Gegliedertheit) und Plural (Mehrzahl, Gegliedertheit). Zur Kategorie des Numerus beim Substantiv und zum Wesen des Numerus vgl. 2.4.2.

3. Zwischen dem syntaktischen Subjekt des Satzes und der konjugierten Form (Personalform, finite Form) des Verbs besteht das Verhältnis der *Kongruenz*. Kongruenz bedeutet Übereinstimmung des finiten Verbs mit dem Subjekt in Person und Numerus. Die Personalform des Verbs muß in Person und Numerus dem Subjekt entsprechen:

> *Ich* hol*e* das Buch.
> *Er* hol*t* das Buch.
> *Die Studenten* hol*en* das Buch.

Bei der Beziehung der konjugierten Verbform zum syntaktischen Subjekt des Satzes wird zwischen *grammatischer Kongruenz* (formale Übereinstimmung) und *Synesis* (bedeutungsmäßige Übereinstimmung) unterschieden:

> Regen und Wind *trieben* die Leute nach Hause. (grammatische Kongruenz)
> Regen und Wind *trieb* die Leute nach Hause. (Synesis)
> Eine Menge Bücher *war* zu verkaufen. (grammatische Kongruenz)
> Eine Menge Bücher *waren* zu verkaufen. (Synesis)

Im Deutschen wirkt sich die grammatische Kongruenz stärker aus als die Synesis.

4. Bei der Kongruenz in der *Person* gibt es einige Besonderheiten, wenn im Subjekt verschiedene Personen erscheinen:

(1) Sind ein Subjekt der 1. und ein Subjekt der 2. Person durch koordinierende Konjunktionen (*und, sowohl ... als auch, sowie, weder ... noch*) miteinander verbunden, so richtet sich das finite Verb nach der 1. Pers. Pl.; die beiden Subjekte können auch durch *wir* zusammengefaßt werden:

> Du und ich (= wir) arbeit*en* in der Bibliothek.
> Weder ich noch du (= wir) *sind* in diesem Jahr krank gewesen.
> Sowohl wir als auch ihr (= wir) hab*en* den Plan erfüllt.

(2) Sind ein Subjekt der 1. und ein Subjekt der 3. Person durch koor-

dinierende Konjunktionen miteinander verbunden, so richtet sich das finite Verb ebenfalls nach der 1. Pers. Pl.; die beiden Subjekte können durch *wir* zusammengefaßt werden:

> Mein Freund und ich (= wir) besuch*en* die Ausstellung.
> Sowohl ich als auch mein Mitarbeiter (= wir) hab*en* dieses Problem untersucht.

(3) Sind ein Subjekt der 2. und ein Subjekt der 3. Person durch koordinierende Konjunktionen miteinander verbunden, so richtet sich das finite Verb oft nach der 2. Pers. Pl. (die beiden Subjekte können durch *ihr* zusammengefaßt werden), manchmal aber auch nach der 1./3. Pers. Pl.:

> Weder du noch mein Mitarbeiter (= ihr) hab*t* die Aufgabe endgültig gelöst.
> Mein Bruder und du (= ihr) hab*t* die Versammlung besucht.
> Du und deine Schwester werd*en* eine große Portion bekommen.

(4) Sind zwei Subjekte von verschiedenen Personen durch disjunktive Konjunktionen (*oder*, *entweder* ... *oder*) miteinander verbunden, so richtet sich das finite Verb meist nach der Person, die ihr am nächsten steht; eine Zusammenziehung der Personen durch ein Pronomen im Plural [wie in (1) bis (3)] ist nicht möglich:

> Entweder du oder ich *muß* die Arbeit fertigstellen.
> Er oder du komm*st* zu mir.

(5) Handelt es sich bei mehreren Subjekten von verschiedenen Personen teils um bejahte, teils um negierte Subjekte, so richtet sich das finite Verb in der Regel nur nach dem bejahten Subjekt; eine Zusammenziehung durch ein Pronomen im Plural ist nicht möglich:

> Nicht er, du muß*t* mich besuchen.

5. Bei der *Kongruenz* im *Numerus* gibt es einige Besonderheiten, wenn im Subjekt mehrere Elemente oder Mengenbegriffe auftauchen.

(1) Sind mehrere Subjekte durch koordinierende Konjunktionen miteinander verbunden, so steht das finite Verb meist im Plural:

> Die Mutter und das Kind wartet*en* auf dem Bahnsteig.
> Er und seine Frau war*en* im Urlaub.

Dagegen steht bei *nicht nur* ... *sondern auch* das finite Verb im Singular:

> Nicht nur er, sondern auch seine Frau *war* im Urlaub.

Bei *weder* ... *noch* ist Singular oder Plural möglich (z. T. abhängig von der Stellung des finiten Verbs):

> Weder der Chirurg noch der Internist konnt*en* ihm helfen.
> Damals konnt*e* ihm weder der Chirurg noch der Internist helfen.

(2) Bei mehreren durch koordinierende Konjunktionen verbundenen Subjekten steht das finite Verb im Singular, wenn

(a) mehrere Subjekte als einheitlicher Begriff aufgefaßt werden:

Lust und Liebe *war* ihm vergällt.
Kritik und Selbstkritik *ist* ein bewährtes Prinzip der kommunistischen Parteien.

(b) die pluralischen Subjekte nicht die Stelle des Subjekts einnehmen (sondern hinter den Rahmen treten):

Das Rathaus *kam* in Sicht und die neuen Hochhäuser.

(c) die Subjekte durch Infinitive (manchmal auch durch andere Verbalabstrakta) repräsentiert sind:

Das Laufen und Springen macht*e* den Kindern Spaß.
Das Parken und der Aufenthalt in diesem Gelände *ist (sind)* verboten.

(3) Bei mehreren koordinativ, aber asyndetisch (ohne Konjunktion) verknüpften Subjekten besteht die Tendenz, das Verb bei Nachstellung und belebten bzw. unbelebten Subjekten im Plural, aber bei Voranstellung (vor dem Subjekt) und bei abstrakten Subjekten im Singular zu verwenden:

Wildesel, Steinbock, Gemse, Hase lebt*en* im Bereich der Steppe.
Dagegen konnt*e* ein Minister, ein Botschafter, ein Diplomat nichts einwenden.
Das Chaos, die Geldentwertung, der moralische Verfall führt*e(n)* die Gesellschaft in eine Krise.
In seiner Gesinnung lag schon die Schuld, die Sünde, das Verbrechen.

(4) Sind mehrere Subjekte im Singular durch disjunktive Konjunktionen miteinander verbunden, so steht das finite Verb meist im Singular:

Er oder sie geh*t* heute einkaufen.
Der Bruder oder die Schwester fähr*t* in die Stadt.

Es kommt jedoch auch der Plural vor:

Zu dieser Feier komm*en* der Rektor oder ein Prorektor.

(5) Steht von den durch disjunktive Konjunktionen verbundenen Subjekten eines im Singular und eines im Plural, so richtet sich das finite Verb in der Regel nach dem pluralischen Subjekt, zumal wenn es dem Verb am nächsten steht:

Günter oder seine *Kameraden* hab*en* die Aufgabe gelöst.
Sein Meister oder seine *Arbeitskollegen* hab*en* ihm das Buch gebracht, als er nicht zu Hause war.

(6) Handelt es sich teilweise um bejahte, teilweise um negierte Subjekte, so richtet sich das finite Verb in der Regel nur nach dem bejahten Subjekt:

Nicht seine Fähigkeiten, sondern seine Ausdauer *hat* ihm geholfen.

(7) Wird das Subjekt repräsentiert durch eine Mengenangabe im

Singular (z. B. *Dutzend*, *Menge*, *Zahl*, *Anzahl*, *Reihe*) in Verbindung mit einem weiteren Substantiv im Plural, so kann die finite Verbform sowohl im Singular als auch im Plural stehen:

Ein Haufen Äpfel *lag / lagen* in der Verkaufsstelle.
Ein Dutzend Eier kostet*e* / kostet*en* 3 Mark.

In der Regel steht das finite Verb im Singular, wenn es sich stärker auf die Mengenangabe bezieht und die Menge als ungegliedert empfunden wird; es steht dagegen meist im Plural, wenn es sich stärker auf das folgende Substantiv bezieht und die Menge als gegliedert empfunden wird:

Eine Menge Kohlen wurd*e* geliefert.
Eine Menge Bücher wurd*en* gekauft.
(Bücher werden – im Unterschied zu Kohlen – normalerweise als Einzelexemplare gekauft.)

(8) Wird das Subjekt repräsentiert durch eine Mengenangabe im Singular in Verbindung mit einem weiteren Substantiv im Singular, so steht in der Regel das finite Verb im Singular:

Eine Menge Holz wurd*e* geliefert.

(9) Wird das Subjekt repräsentiert durch eine Mengenangabe im Plural in Verbindung mit einem weiteren Substantiv im Singular, so kann die finite Verbform sowohl im Singular als auch im Plural stehen:

200 Gramm Fleisch *war / waren* für diese Mahlzeit vorgesehen.

(10) Wird das Subjekt repräsentiert durch eine Mengenangabe im Singular in Verbindung mit einem pluralischen Substantiv im Genitiv oder einer Präpositionalgruppe im Plural, so richtet sich das finite Verb in der Regel nach der Mengenangabe und steht im Singular:

Eine große Anzahl dieser Bücher wurd*e* geliefert.
Eine große Anzahl von Büchern wurd*e* geliefert.

Es kommt jedoch auch das finite Verb im Plural vor (Synesis statt grammatischer Kongruenz), vor allem, wenn das pluralische Substantiv als Apposition im gleichen Kasus wie die Mengenangabe steht:

Eine Menge wunderbare Bücher lag*en* im Schaufenster.
Eine große Zahl Berliner Familien konnt*en* neue Wohnungen beziehen.

Anmerkung:
Steht dagegen die Mengenangabe im Plural, so steht auch das Verb im Plural:

Große Mengen von Obst (von Fisch) wurd*en* geliefert.

 (11) In Sätzen vom Typ Subst. im Nom. + *sein* + Subst. im Nom.

steht das finite Verb in der Regel im Plural, wenn einer der beiden Nominative (das Subjekt oder das Prädikativ) im Plural steht:

> Ein Drittel des Urlaubs war*en* Regentage.
> Diese Prüfungen *sind* für ihn eine Bewährung.

Besondere Gruppen der regelmäßigen Verben 1.1.4.

Zu den regelmäßigen Verben gehören auch einige Gruppen von Verben, die in ihrer Tempusbildung einige Besonderheiten aufweisen.

1. Einige Verben (*brennen, kennen, nennen, rennen, senden, wenden*) verändern (auf Grund besonderer sprachgeschichtlicher Entwicklungen) ihren Stammvokal; sie haben im Präsens ein *e*, im Präteritum und im Partizip II jedoch ein *a*:

> brennen, brannte, gebrannt
> kennen, kannte, gekannt

Anmerkung:
Von den Verben dieser Gruppe haben *senden* und *wenden* auch Konjugationsformen, die diese Unregelmäßigkeit nicht zeigen:

> senden, sendete / sandte, gesendet / gesandt
> wenden, wendete / wandte, gewendet / gewandt

Beide Formen sind jedoch nicht völlig austauschbar; ohne Wechsel des Stammvokals werden verwendet *senden* in der Bedeutung von *im Radio bringen* und *wenden* in der Bedeutung von *umwenden*:

> Die neue Rundfunkstation *sendete* den ganzen Tag.
> Der Schneider hat das Kleid *gewendet*.

2. Einige andere Verben (*bringen, denken*) verändern ebenfalls im Präterium und Partizip II ihren Stammvokal im Verhältnis zum Präsens; außerdem wird das *n* des Präsens ausgestoßen und der dem *n* folgende Konsonant verändert:

> bringen – brachte – gebracht
> denken – dachte – gedacht

3. Einige Verben – vor allem modale Hilfsverben – (*dürfen, können, mögen, müssen, sollen, wissen, wollen*) weisen mehrere Besonderheiten auf (vgl. dazu 1.6.1.), die mit der Tatsache im Zusammenhang stehen, daß ihr Präsens ursprünglich ein Präteritum war:

(1) Außer *sollen* haben diese Verben Vokalwechsel zwischen dem Singular und dem Plural des Präsens:

> ich darf – wir dürfen   ich muß – wir müssen
> ich kann – wir können   ich weiß – wir wissen
> ich mag – wir mögen   ich will – wir wollen

(2) Alle diese Verben sind in der 1. und 3. Pers. Sing. Präs. endungslos

(wie im Präteritum der unregelmäßigen Verben, aber im Unterschied zum Präsens der regelmäßigen Verben):

ich / er darf, ich / er kann, ich / er mag

(3) Das Präteritum wird wie bei den anderen regelmäßigen Verben gebildet. Die Präteritalendung wird an den Stamm des Infinitivs (bzw. des Plurals des Präsens) angefügt. Dabei wird jedoch bei *dürfen, können, mögen, müssen* der Umlaut rückgängig gemacht, und bei *wissen* tritt ein Wechsel des Stammvokals auf:

ich durfte, konnte, mochte, mußte, wußte

4. Zu den regelmäßigen Verben mit einigen Besonderheiten zählt auch *haben*, da das Präsens im Singular verschiedene Formen aufweist und im Präteritum der Stamm geändert wird:

ich habe, du hast, er hat
ich hatte

Vgl. dazu 1.6.1.

1.2. Klassifizierung der Verben nach morphologischen Kriterien

Eine Klassifizierung der Verben unter morphologischem Aspekt erfolgt einerseits nach der Konjugiertheit, andererseits nach der Art der Konjugation.

1.2.1. Finite und infinite Verbformen

Nach der *Konjugiertheit* unterscheidet man zwischen finiten und infiniten Verbformen.

1. Im Unterschied zu den infiniten Verbformen sind die finiten Verbformen personengebunden und konjugiert. Die finiten Verbformen drücken 5 Kategorien aus:

(1) die drei Personen (vgl. 1.1.3.1.)
(2) die zwei Numeri: Singular und Plural (vgl. 1.1.3.2.)
(3) die sechs Tempora: Präsens, Präteritum, Perfekt, Plusquamperfekt, Futur I, Futur II (vgl. 1.7.)
(4) die drei Genera: Aktiv, Vorgangspassiv, Zustandspassiv (vgl. 1.8.)
(5) die drei Modi: Indikativ, Konjunktiv, Imperativ (vgl. 1.9.).

Die Kategorien der Person und des Numerus werden durch die Endungen des Verbs (vgl. 1.1.1.) und die entsprechenden Personalpronomen ausgedrückt. Die Kategorie des Numerus teilt das Verb mit dem Substantiv und mit dem Adjektiv.

 Zur Bildung eines Satzes gehört in der Regel immer eine finite Verbform. In einem Satz kann nie mehr als eine finite Verbform auftreten (vgl. aber den zusammengezogenen Satz unter 18.3.3.). Daneben können im Satz noch eine oder mehrere infinite Verbformen auftreten.

2. Die infiniten Verbformen sind nicht personengebunden und nicht konjugiert. Sie drücken die Kategorien der Person, des Numerus und des Modus nicht aus. Man unterscheidet zwei Arten der infiniten Verbformen: die Infinitive und die Partizipien. Vgl. dazu 1.5.

Regelmäßige und unregelmäßige Verben 1.2.2.

Nach der *Art der Flexion* unterscheiden wir zwischen regelmäßigen und unregelmäßigen Verben.

Unterschiede zwischen regelmäßigen und unregelmäßigen Verben 1.2.2.1.

1. Zwischen den regelmäßigen und den unregelmäßigen Verben bestehen folgende primäre Unterschiede:

(1) Regelmäßige Verben bilden ihr Präteritum mit Hilfe des Suffixes *-te-*, unregelmäßige Verben ohne zusätzliches Suffix.

(2) Regelmäßige Verben bilden ihr Partizip II mit dem Suffix *-t-* oder *-et*, unregelmäßige Verben mit Hilfe des Suffixes *-en*.

(3) Regelmäßige Verben ändern im Präteritum und Partizip II ihren Stammvokal nicht, unregelmäßige Verben ändern ihren Stammvokal in gesetzmäßiger Weise in den drei Stammformen Infinitiv – Präteritum – Partizip II (Ablaut).

fr**a**gen – fr**a**g-**te** – gefr**a**g-**t** (regelmäßig)
f**i**nden – f**a**nd – gef**u**nd-**en** (unregelmäßig)

Anmerkung:
Wenn sich bei einigen regelmäßigen Verben (auf Grund sprachgeschichtlicher Entwicklungen) auch der Stammvokal ändert (vgl. 1.1.4.1. und 1.1.4.2.), handelt es sich nicht um den gleichen gesetzmäßigen Wechsel (nicht um Ablaut) wie bei den unregelmäßigen Verben. Die davon betroffenen wenigen Verben bleiben auch deshalb regelmäßig, weil die unter (1) und (2) genannten Merkmale voll auf sie zutreffen.

2. Neben diesen primären Unterschieden gibt es folgende Besonderheiten der unregelmäßigen Verben:

(1) Die 1. und 3. Pers. Sing. ist im Präteritum der unregelmäßigen Verben endungslos – in Übereinstimmung mit dem Präteritum der regelmäßigen Verben (vgl. 1.1.2.2.), aber im Unterschied zum Präsens der (regelmäßigen und unregelmäßigen) Verben (vgl. 1.1.2.1.). Die regelmäßigen Verben unterscheiden sich von den unregelmäßigen da-

durch, daß sie ein Suffix haben [*-te-*; vgl. 1.2.2.1.1. (1)], das aber Präteritalsuffix, nicht Personalendung ist:

ich lief – Ø — er lief – Ø
ich frag-te – Ø — er frag-te – Ø
ich lauf-e — er läuf-t
ich frag-e — er frag-t

Somit stehen im Präteritum folgende Formen nebeneinander:

regelmäßig		*unregelmäßig*
ich frag -te	– Ø	lief – Ø
du frag -te	– st	lief – st
er frag -te	– Ø	lief – Ø
wir frag -te	– n	lief – en
ihr frag -te	– t	lief – t
sie frag -te	– n	lief – en

(2) Bei einigen unregelmäßigen Verben alterniert (auf Grund eines sprachgeschichtlichen Wandels) zusätzlich der Stammvokal in der 2. und 3. Person Singular; dabei handelt es sich entweder (a) um einen *i*-Umlaut (*a* → *ä*, vereinzelt auch *o* → *ö*, *au* → *äu*) oder (b) einen Wechsel von *e* – vereinzelt auch *ä* und *ö* – zu *i* bzw. *ie*:

(a) *b**a**cken: ich b**a**cke, du b**ä**ckst, er b**ä**ckt*

Ebenso: blasen, braten, empfangen, fahren, fallen, fangen, geraten, graben, halten, laden, lassen, raten, schlafen, schlagen, tragen, wachsen, waschen
Aber ohne Umlaut: haben, schaffen

*st**o**ßen: ich st**o**ße, du st**ö**ßt, er st**ö**ßt*

Aber ohne Umlaut: kommen

*l**au**fen: ich l**au**fe, du l**äu**fst, er l**äu**ft*

Ebenso: saufen
Aber ohne Umlaut: saugen, schnauben

(b) *h**e**lfen: ich h**e**lfe, du h**i**lfst, er h**i**lft*

Ebenso: befehlen, bergen, bersten, brechen, dreschen, empfehlen, essen, fechten, flechten, fressen, geben, gelten, geschehen, lesen, messen, nehmen, quellen, schelten, schmelzen, (er)schrecken, schwellen, sehen, sprechen, stechen, stehlen, sterben, treffen, treten, verderben, vergessen, werben, werden, werfen
Aber ohne Vokalwechsel: bewegen, gehen, stehen, weben u. a.

*geb**ä**ren: ich geb**ä**re, du geb**ie**rst, er geb**ie**rt*
*erl**ö**schen: es erl**i**scht*

Ebenso: verlöschen

(3) Wenn unregelmäßige Verben im Stamm auf *-t* auslauten, sind sie in der 3. Person Sing. endungslos:

fech*t*en – er ficht
flech*t*en – er flicht
gel*t*en – es gil*t*

3. Vom Infinitiv selbst her ist es nicht eindeutig zu entscheiden, ob das Verb regelmäßig oder unregelmäßig konjugiert wird. Es gibt lediglich folgende Hinweise:

(1) Alle Verben, die vor der Infinitivendung ein *-ier, -el, -er, -ig* oder *-lich* haben, sind regelmäßig:

marsch*ier*en, läch*el*n, beteu*er*n, künd*ig*en, vernied*lich*en

(2) Die meisten Verben, die bereits im Infinitiv einen umgelauteten Stammvokal haben, sind regelmäßig:

lösen, hüten, säugen, vergällen

Anmerkung:
Folgende Verben mit Umlaut im Infinitiv sind jedoch unregelmäßig:

erlöschen, gebären, lügen, schwören, (be)trügen, verlöschen, (er)wägen

(3) Alle Verben, die im Infinitiv keinen Umlaut, aber in der 2. und 3. Person Präsens einen Umlaut haben, sind unregelmäßig [vgl. (2) unter 1.2.2.1.2.]. Dasselbe gilt für Verben, die im Infinitiv ein *e* (*ä, ö*), in der 2. und 3. Pers. Sing. Präs. ein *i* haben.

Klassen der unregelmäßigen Verben 1.2.2.2.

Die Zahl der unregelmäßigen Verben im Deutschen ist begrenzt. Entsprechend ihrem regelmäßigen Vokalwechsel [vgl. (3) unter 1.2.2.1.1.] lassen sie sich in einige Klassen einteilen. Auf diese Weise kann man aus dem Vokal des Präsens und dem folgenden Laut darauf schließen, welcher Vokal im Präteritum und im Partizip II stehen muß.
Bei der folgenden Klassifizierung wird jeweils der Vokalwechsel (in den drei Stammformen: Präsens, Präteritum, Partizip II), der folgende Laut, ein Beispiel und die Liste der zu dieser Klasse gehörigen Verben angegeben.[1]

Klasse 1 a: ei – i: – i:
Auf den Stammvokal folgt entweder ein stimmhafter Konsonant oder kein Konsonant:

bl*ei*ben – bl*ie*b – gebl*ie*ben

Ebenso: gedeihen, leihen, meiden, preisen, reiben, scheiden, scheinen, schreiben, schreien, schweigen, speien, steigen, treiben, weisen, zeihen

---

[1] In der folgenden Übersicht sind alle unregelmäßigen Verben der deutschen Gegenwartssprache enthalten, unabhängig davon, ob sie teilweise auch regelmäßige Formen haben oder in ihren unregelmäßigen Formen bereits veraltet sind. Zu diesen Besonderheiten vgl. die alphabetische Liste unter 1.2.2.4.

Klasse 1 b: ei – i – i

Auf den Stammvokal folgt ein stimmloser Konsonant:

gl*ei*ten – gl*i*tt – gegl*i*tten

Ebenso: beißen, bleichen, gleichen, greifen, kneifen, pfeifen, reißen, reiten, scheißen, schleichen, schleifen, schleißen, schmeißen, schreiten, streichen, streiten, weichen
Von 1 a gehören hierher (außerdem im Präteritum und Partizip -tt- statt -d-): leiden, schneiden

Klasse 2 a: i: – o – o

Auf den Stammvokal folgt ein stimmloser Reibelaut:

g*ie*ßen – g*o*ß – geg*o*ssen

Ebenso: fließen, genießen, kriechen, riechen, schießen, schließen, sprießen, triefen, verdrießen
Von Klasse 8 gehört hierher: saufen; von Klasse 3 b gehören hierher: glimmen, klimmen

Klasse 2 b: i: – o: – o:

Auf den Stammvokal folgt ein anderer Konsonant (als unter 2 a) oder kein Konsonant:

b*ie*gen – b*o*g – geb*o*gen

Ebenso: bieten, fliegen, fliehen, frieren, schieben, sieden (statt o: erscheint o, außerdem im Präteritum und Partizip -tt- statt -d-), stieben, verlieren, wiegen, ziehen (mit Konsonantenwechsel: im Präteritum und Partizip -g- statt -h-)
Von Klasse 8 gehören hierher: saugen, schnauben

Klasse 3 a: i – a – u

Auf den Stammvokal folgt *n* + *d*, *g* oder *k*:

f*i*nden – f*a*nd – gef*u*nden

Ebenso: binden, dringen, empfinden, gelingen, klingen, mißlingen, ringen, schlingen, schwinden, schwingen, singen, sinken, springen, stinken, trinken, winden, wringen, zwingen
Dazu: schinden (mit *u* im Prät.)

Klasse 3 b: i – a – o

Auf den Stammvokal folgt *nn*, *mm:*

gew*i*nnen – gew*a*nn – gew*o*nnen

Ebenso: beginnen, rinnen, schwimmen, sinnen, spinnen

Klasse 4 a: e – a / a: – o[1]

Dem Stammvokal geht voraus oder folgt *l*, *r* + Konsonant:

h*e*lfen – h*a*lf – geh*o*lfen

---

[1] Kurzes *a* steht bei zwei folgenden Konsonanten (etwa: *galt*, *schalt*), langes *a:* bei einem folgenden Konsonantenphonem (etwa: *brach*, *erschrak*).

Ebenso: bergen, bersten, brechen, dreschen, erschrecken, gelten, schelten, sprechen, sterben, treffen, verderben, werben, werfen
Von Klasse 6 gehört hierher: stechen; ebenso gehört hierher: kommen

Klasse 4 b: e – a: – e
Auf den Stammvokal folgt ein stimmloses *s*:

*e*ssen – *a*ß – geg*e*ssen

Ebenso: fressen, messen, vergessen
Zu dieser Gruppe gehört auch: sitzen (mit Konsonantenwechsel: im Präteritum und Partizip -ß- statt -tz)

Klasse 5 a: e: – a: – o:
Auf den Stammvokal folgt ein *l* oder *m*:

st*e*hlen – st*a*hl – gest*o*hlen

Ebenso: befehlen, empfehlen; nehmen (mit kurzem *o* im Partizip II)
Hierzu gehört auch: gebären (aus Klasse 6)

Klasse 5 b: e: – a: – e:
Auf den Stammvokal folgt ein stimmhaftes *s* oder kein Konsonant:

l*e*sen – l*a*s – gel*e*sen

Ebenso: genesen, geschehen, sehen
Außerdem gehören hierher:
(1) geben, treten (von Klasse 6)
(2) liegen (von Klasse 2 b)
(3) bitten

Klasse 6: e: – o: – o: oder e – o – o
Der Stammvokal des Infinitivs ist e / ä / ö / ü (kurz oder lang); ihm folgt ein Konsonant (mit Ausnahme der oben angeführten):

bew*e*gen – bew*o*g – bew*o*gen
schw*e*llen – schw*o*ll – geschw*o*llen

Ebenso: erlöschen, erwägen, fechten, flechten, gären, heben, lügen, melken, pflegen, quellen, scheren, schmelzen, schwören, (be)trügen, verlöschen, weben; (dreschen, vgl. auch Klasse 4 a)
Aus Klasse 7 a gehört hierher: (er)schallen

Klasse 7 a: a – i: – a oder a: – i: – a:
Auf den Stammvokal folgt *l*, *s*, *t*:

f*a*llen – f*ie*l – gef*a*llen
r*a*ten – r*ie*t – ger*a*ten

Ebenso: blasen, braten, geraten, halten, lassen
Von Klasse 7 b gehört hierher: schlafen
Hierzu gehören auch (mit kurzem *i* im Prät.): empfangen, fangen; hängen

Klasse 7 b: a – u: – a oder a: – u: – a:

Auf den Stammvokal folgt ein Konsonant (mit Ausnahme der unter 7 a aufgeführten):

sch*a*ffen – sch*u*f – gesch*a*ffen
tr*a*gen – tr*u*g – getr*a*gen

Ebenso: backen, fahren, graben, laden, schlagen, wachsen, waschen

Klasse 8: au / ei / o:/ u: – i: – au / ei / o: / u:

Der Vokal des Partizips II stimmt mit dem Präsensvokal überein:

l*au*fen – l*ie*f – gel*au*fen

Ebenso: hauen (im Prät.: hieb), heißen, rufen, stoßen

1.2.2.3. Besondere Gruppen der unregelmäßigen Verben

In die unter 1.2.2.2. genannten Klassen fügen sich einige wenige Verben nicht ein, die in der Konjugation Besonderheiten aufweisen (zu besonderen Gruppen der regelmäßigen Verben vgl. 1.1.4.):

1. Die drei Verben *gehen*, *stehen*, *tun* haben nicht nur einen von den normalen Gruppen abweichenden Vokalwechsel, sondern zusätzlich einen Wechsel im Konsonantismus:

gehen – ging – gegangen
stehen – stand – gestanden
tun – tat – getan

2. Das Verb *werden* weicht im Präteritum von der Klasse 4 a ab, in die es eigentlich gehört:

werden – wurde – geworden

Vgl. dazu 1.6.1.

3. Das Verb *sein* setzt sich in der Konjugation aus verschiedenen Stämmen zusammen:

ich bin, du bist, er ist, wir sind, ihr seid, sie sind
ich war, ich bin gewesen

Vgl. dazu 1.6.1.

1.2.2.4. Alphabetische Liste der unregelmäßigen Verben

Da die Zahl der unregelmäßigen Verben begrenzt ist und es ziemlich viele Klassen des Vokalwechsels gibt (vgl. 1.2.2.2.), werden alle unregelmäßigen Verben in einer alphabetischen Liste zusammengestellt. Diese Liste enthält die drei Stammformen (Infinitiv – Präteritum – Partizip II) und folgende zusätzliche Informationen:

(1) Vor dem Infinitiv steht ein (*r*), wenn das gleiche Verb auch regel-

mäßig konjugiert werden kann, wenn auch manchmal mit verschiedener Valenz und/oder verschiedener Bedeutung (vgl. dazu genauer 1.2.2.5.).

(2) Vor der betreffenden Form steht ein +, wenn es sich um eine veraltete oder ausschließlich gehobene Konjugationsform handelt.

(3) In Klammern hinter dem Infinitiv steht die 3. Pers. Sing. Präsens, wenn die 2. und 3. Pers. Sing. Präs. vom Infinitiv abweicht, etwa durch Umlaut oder Wechsel von *e (ä, ö)* zu *i* (vgl. dazu 1.2.2.1.2.).

(4) In Klammern hinter dem Präteritum steht der Stammvokal des Konjunktivs Präteritum, wenn dieser vom Indikativ Präteritum abweicht.

(5) In Klammern vor dem Partizip II steht *ist*, wenn die Vergangenheitsformen mit *sein* gebildet werden. *Hat* ist nur vermerkt, wenn es alternativ zu *sein* verwendet wird. Bei Verben, die ihre Vergangenheitsformen ausschließlich mit *haben* bilden, ist nichts vermerkt.

(6) In einer Spalte nach dem Partizip II ist das betreffende Verb der jeweiligen Konjugationsklasse der unregelmäßigen Verben (nach 1.2.2.2.) zugeordnet.

(7) In die alphabetische Liste sind auch aufgenommen jene Verben, die ihrem Wesen nach zwar regelmäßig konjugiert werden, aber einige Besonderheiten aufweisen (vgl. 1.1.4.). Diese Verben, die in der rechten Spalte natürlich keiner Klasse der unregelmäßigen Verben zugeordnet werden können, sind an dieser Stelle mit *r* ausgezeichnet.

	Infinitiv	*Präteritum*	*Partizip II*	*Klasse*
(r)	backen (bäckt)	buk (+ ü)	gebacken (vgl. 1.2.2.5.1.)	7b
	befehlen (befiehlt)	befahl (+ ö)	befohlen	5a
	beginnen	begann (+ ä/ö)	begonnen	3b
	beißen	biß	gebissen	1b
	bergen (birgt)	barg (+ ä)	geborgen	4a
	bersten (birst)	barst (+ ä)	(ist) geborsten	4a
(r)	bewegen	bewog (+ ö)	bewogen	6
	biegen	bog (ö)	(ist/hat) gebogen	2b
	bieten	bot (ö)	geboten	2b
	binden	band (ä)	gebunden	3a
	bitten	bat (ä)	gebeten	5b
	blasen (bläst)	blies	geblasen	7a
	bleiben	blieb	(ist) geblieben	1a
(r) +	bleichen	blich	(ist) geblichen	1b
	braten (brät)	briet	gebraten	7a
	brechen (bricht)	brach (ä)	gebrochen	4a
	brennen	brannte (+ e)	gebrannt (vgl. 1.1.4.1.)	r
	bringen	brachte (ä)	gebracht (vgl. 1.1.4.2.)	r

	Infinitiv	Präteritum	Partizip II	Klasse
	denken	dachte (ä)	gedacht (vgl. 1.1.4.2.)	r
(r) +	dingen	dingte	gedungen (vgl. 1.2.2.5.1.)	
	dreschen (drischt)	drosch (+ ö), drasch (+ ä)	gedroschen	4a
	dringen	drang (+ ä)	(ist/hat) gedrungen	3a
	dürfen (darf)	durfte (ü)	gedurft (vgl. 1.1.4.3.)	r
	empfangen (empfängt)	empfing	empfangen	7a
	empfehlen (empfiehlt)	empfahl (+ ä/ö)	empfohlen	5a
	empfinden	empfand (ä)	empfunden	3a
	erlöschen (erlischt)	erlosch (+ ö)	(ist) erloschen	6
	essen (ißt)	aß (ä)	gegessen	4b
	fahren (fährt)	fuhr (ü)	(ist/hat) gefahren	7b
	fallen (fällt)	fiel	(ist) gefallen	7a
	fangen (fängt)	fing	gefangen	7a
	fechten (ficht)	focht (+ ö)	gefochten	6
	finden	fand (ä)	gefunden	3a
	flechten (flicht)	flocht (+ ö)	geflochten	6
	fliegen	flog (ö)	(ist/hat) geflogen	2b
	fliehen	floh (+ö)	(ist) geflohen	2b
	fließen	floß (+ö)	(ist) geflossen	2a
	fressen (frißt)	fraß (ä)	gefressen	4b
	frieren	fror (ö)	gefroren	2b
(r)	gären	gor (+ö)	(ist/hat) gegoren	6
	gebären (gebärt/gebiert)	gebar (ä)	geboren	5a
	geben (gibt)	gab (ä)	gegeben	5b
	gedeihen	gedieh	(ist) gediehen	1a
	gehen	ging	(ist) gegangen (vgl. 1.2.2.3.1.)	
	gelingen	gelang (ä)	(ist) gelungen	3a
	gelten (gilt)	galt (+ ä)	gegolten	4a
	genesen	genas (+ ä)	(ist) genesen	5b
	genießen	genoß (ö)	genossen	2a
	geraten (gerät)	geriet	(ist) geraten	7a
	geschehen (geschieht)	geschah (ä)	(ist) geschehen	5b
	gewinnen	gewann (+ ä/ö)	gewonnen	3b
	gießen	goß (+ ö)	gegossen	2a
	gleichen	glich	geglichen	1b
(r)	gleiten	glitt	(ist) geglitten	1b
(r)	glimmen	glomm (+ ö)	geglommen	2a
	graben (gräbt)	grub (+ ü)	gegraben	7b
	greifen	griff	gegriffen	1b
	haben (hast, hat)	hatte (ä)	gehabt (vgl. 1.1.4.4.)	r

	Infinitiv	*Präteritum*	*Partizip II*	*Klasse*
	halten (hält)	hielt	gehalten	7a
(r)	hängen	hing	gehangen	7a
(r)	hauen	hieb	gehauen (vgl. 1.2.2.5.1.)	8
	heben	hob (+ö)	gehoben	6
	heißen	hieß	geheißen	8
	helfen (hilft)	half (+ ä/ü)	geholfen	4a
	kennen	kannte (+e)	gekannt (vgl. 1.1.4.1.)	r
(r)	klimmen	klomm (+ ö)	(ist) geklommen	2a
	klingen	klang (ä)	geklungen	3a
	kneifen	kniff	gekniffen	1b
	kommen	kam (ä)	(ist) gekommen	4a
	können (kann)	konnte (ö)	gekonnt (vgl. 1.1.4.3.)	r
	kriechen	kroch (+ ö)	(ist) gekrochen	2a
	laden (lädt/ladet)	lud (+ ü)	geladen	7b
	lassen (läßt)	ließ	gelassen	7a
	laufen (läuft)	lief	(ist/hat) gelaufen	8
	leiden	litt	gelitten	1b
	leihen	lieh	geliehen	1a
	lesen (liest)	las (ä)	gelesen	5b
	liegen	lag (ä)	gelegen	5b
	lügen	log (+ ö)	gelogen	6
(r)	mahlen	mahlte	gemahlen (vgl. 1.2.2.5.1.)	
	meiden	mied	gemieden	1a
(r)	melken	molk (+ ö)	gemolken	6
	messen (mißt)	maß (+ ä)	gemessen	4b
	mißlingen	mißlang (ä)	(ist) mißlungen	3a
	mögen (mag)	mochte (ö)	gemocht (vgl. 1.1.4.3.)	r
	müssen (muß)	mußte (ü)	gemußt (vgl. 1.1.4.3.)	r
	nehmen (nimmt)	nahm (ä)	genommen	5a
	nennen	nannte (+ e)	genannt (vgl. 1.1.4.1.)	r
	pfeifen	pfiff	gepfiffen	1b
(r) +	pflegen	pflog (ö)	gepflogen	6
	preisen	pries	gepriesen	1a
(r)	quellen (quillt)	quoll (+ ö)	(ist) gequollen	6
	raten (rät)	riet	geraten	7a
	reiben	rieb	gerieben	1a
	reißen	riß	(ist/hat) gerissen	1b
	reiten	ritt	(ist/hat) geritten	1b
	rennen	rannte (+ e)	(ist) gerannt (vgl. 1.1.4.1.)	r
	riechen	roch (+ö)	gerochen	2a
	ringen	rang (+ ä)	gerungen	3a
	rinnen	rann (+ ä/ö)	(ist) geronnen	3b
	rufen	rief	gerufen	8

	Infinitiv	Präteritum	Partizip II	Klasse
(r)	salzen	salzte	gesalzen (vgl. 1.2.2.5.1.)	
	saufen (säuft)	soff (+ ö)	gesoffen	2a
(r)	saugen	sog (+ ö)	gesogen	2b
(r)	schaffen	schuf (ü)	geschaffen	7b
(r)	(er)schallen	erscholl (+ ö)	(ist) erschollen	6
	scheiden	schied	(hat/ist) geschieden	1a
	scheinen	schien	geschienen	1a
	scheißen	schiß	geschissen	1b
	schelten (schilt)	schalt (+ ä/ö)	gescholten	4a
(r)	scheren	schor (+ ö)	geschoren	6
	schieben	schob (+ ö)	geschoben	2b
	schießen	schoß (+ ö)	geschossen	2a
(r) +	schinden	schund (ü)	geschunden	3a
	schlafen (schläft)	schlief	geschlafen	7a
	schlagen (schlägt)	schlug (ü)	geschlagen	7b
	schleichen	schlich	(ist) geschlichen	1b
(r)	schleifen	schliff	geschliffen	1b
(r) +	schleißen	schliß	geschlissen	1b
	schließen	schloß (ö)	geschlossen	2a
	schlingen	schlang (+ ä)	geschlungen	3a
	schmeißen	schmiß	geschmissen	1b
(r)	schmelzen (schmilzt)	schmolz (+ ö)	(hat/ist) geschmolzen	6
(r) +	schnauben	schnob (ö)	geschnoben	2b
	schneiden	schnitt	geschnitten	1b
(r)	(er)schrecken (erschrickt)	erschrak (ä)	(ist) erschrocken	4a
	schreiben	schrieb	geschrieben	1a
	schreien	schrie	geschrie(e)n	1a
	schreiten	schritt	(ist) geschritten	1b
	schweigen	schwieg	geschwiegen	1a
(r)	schwellen (schwillt)	schwoll (ö)	(ist) geschwollen	6
	schwimmen	schwamm (+ ä/ö)	(ist/hat) geschwommen	3b
	schwinden	schwand (+ ä)	(ist) geschwunden	3a
	schwingen	schwang (+ ä)	geschwungen	3a
(r)	schwören	schwur (+ ü), schwor (ö)	geschworen	6
	sehen (sieht)	sah (ä)	gesehen	5b
	sein (ist)	war (ä)	(ist) gewesen (vgl. 1.2.2.3.3.)	
	senden	sandte (e)	gesandt (vgl. 1.1.4.1.)	r
(r)	sieden	sott (+ ö)	gesotten	2b
	singen	sang (ä)	gesungen	3a
	sinken	sank (ä)	(ist) gesunken	3a
	sinnen	sann (+ ä/ö)	gesonnen	3b
	sitzen	saß (ä)	gesessen	4b
	sollen (soll)	sollte	gesollt (vgl. 1.1.4.3.)	r

	Infinitiv	*Präteritum*	*Partizip II*	*Klasse*
(r)	spalten	spaltete	gespalten (vgl. 1.2.2.5.1.)	
	speien	spie	gespie(e)n	1a
	spinnen	spann (+ ä/ö)	gesponnen	3b
	sprechen (spricht)	sprach (ä)	gesprochen	4a
	sprießen	sproß (+ ö)	(ist) gesprossen	2a
	springen	sprang (ä)	(ist) gesprungen	3a
	stechen (sticht)	stach (+ ä)	gestochen	4a
(r)	stecken	stak (+ ä)	gesteckt (vgl. 1.2.2.5.1.)	
	stehen	stand (ä/ü)	gestanden (vgl. 1.2.2.3.1.)	
	stehlen (stiehlt)	stahl (+ ä)	gestohlen	5a
	steigen	stieg	(ist) gestiegen	1a
	sterben (stirbt)	starb (+ ü)	(ist) gestorben	4a
(r)	stieben	stob (+ ö)	(ist) gestoben	2b
	stinken	stank	gestunken	3a
	stoßen (stößt)	stieß	(hat/ist) gestoßen	8
	streichen	strich	(hat/ist) gestrichen	1b
	streiten	stritt	gestritten	1b
	tragen (trägt)	trug (ü)	getragen	7b
	treffen (trifft)	traf (ä)	getroffen	4a
	treiben	trieb	(hat/ist) getrieben	1a
	treten (tritt)	trat (ä)	(hat/ist) getreten	5b
(r)	triefen	troff (+ ö)	getroffen	2a
	trinken	trank (ä)	getrunken	3a
	trügen	trog (+ ö)	getrogen	6
	tun (tut)	tat (ä)	getan (vgl. 1.2.2.3.1.)	
	verderben (verdirbt)	verdarb (ü)	(hat/ist) verdorben	4a
	verdrießen	verdroß (+ ö)	verdrossen	2a
	vergessen (vergißt)	vergaß (ä)	vergessen	4b
	verlieren	verlor (+ ö)	verloren	2b
(r)	verlöschen (verlischt)	verlosch (+ ö)	(ist) verloschen	6
(r)	wachsen (wächst)	wuchs (ü)	(ist) gewachsen	7b
	(er)wägen	erwog (+ ö)	erwogen	6
	waschen (wäscht)	wusch (ü)	gewaschen	7b
(r)	weben	wob (+ ö)	gewoben	6
(r)	weichen	wich	(ist) gewichen	1b
	weisen	wies	gewiesen	1a
	wenden	wandte (e)	gewandt (vgl. 1.1.4.1.)	r
	werben (wirbt)	warb (+ ü)	geworben	4a
	werden (wirst, wird)	wurde (ü)	(ist) geworden (vgl. 1.2.2.3.2.)	
	werfen (wirft)	warf (ü)	geworfen	4a

	Infinitiv	Präteritum	Partizip II	Klasse
(r)	wiegen	wog (ö)	gewogen	2b
	winden	wand (+ ä)	gewunden	3a
	wissen (weiß)	wußte (ü)	gewußt (vgl. 1.1.4.3.)	r
	wollen (will)	wollte	gewollt (vgl. 1.1.4.3.)	r
	wringen	wrang (+ ä)	gewrungen	3a
	(ver)zeihen	(ver)zieh	(ver)ziehen	1a
	ziehen	zog (ö)	(hat/ist) gezogen	2b
	zwingen	zwang (ä)	gezwungen	3a

1.2.2.5. Mischtypen von regelmäßiger und unregelmäßiger Konjugation

1. Ein Mischtyp entsteht dadurch, daß neben einem unregelmäßigen Präteritum ein regelmäßiges Partizip II steht oder umgekehrt. Dabei sind folgende Fälle unterscheidbar:

(1) Das Präteritum ist regelmäßig, das Partizip II unregelmäßig:

mahlen – mahlte – gemahlen

(2) Das Präteritum ist regelmäßig, das Partizip II ist regelmäßig oder unregelmäßig:

dingen – dingte – gedingt / gedungen
salzen – salzte – gesalzt / gesalzen
spalten – spaltete – gespaltet / gespalten

Anmerkung:
In übertragener Bedeutung erscheint nur das unregelmäßige Partizip von *salzen* und *spalten*:

Das Essen ist *gesalzt / gesalzen.*
Der Witz ist *gesalzen.*

Er hat das Holz *gespaltet / gespalten.*
Die Welt ist *gespalten.*

(3) Das Präteritum ist regelmäßig oder unregelmäßig, das Partizip II ist unregelmäßig:

backen – buk / backte – gebacken
hauen – hieb / haute – gehauen

Anmerkung:
Zwischen dem regelmäßigen und dem unregelmäßigen Präteritum von *backen* besteht ein Bedeutungsunterschied:

Der Bäcker *buk* (selten: *backte*) frisches Brot.
Der Bäcker hat frisches Brot *gebacken.*

Der Schnee *backte.*
Der Schnee hat *gebacken.*

(4) Das Präteritum ist regelmäßig oder unregelmäßig, das Partizip II ist regelmäßig:

fragen – fragte / frug – gefragt
schallen – schallte / scholl – geschallt
stecken – steckte / stak – gesteckt

Anmerkung:
Bei *fragen* ist die unregelmäßige Präteritalform landschaftlich begrenzt. Zum Unterschied des regelmäßigen und unregelmäßigen Präteritums von *stecken* vgl. 1.2.2.5.4.

2. Ein anderer Mischtyp entsteht dadurch, daß regelmäßige und unregelmäßige Konjugationsformen ohne Bedeutungsunterschied nebeneinanderstehen:

gären	– gärte	– gegärt
	– gor	– gegoren
glimmen	– glimmte	– geglimmt
	– glomm	– geglommen
klimmen	– klimmte	– geklimmt
	– klomm	– geklommen
melken	– melkte	– gemelkt
	– molk	– gemolken
saugen	– saugte	– gesaugt
	– sog	– gesogen
schleißen	– schleißte	– geschleißt
	– schliß	– geschlissen
schnauben	– schnaubte	– geschnaubt
	– schnob	– geschnoben
sieden	– siedete	– gesiedet
	– sott	– gesotten
stieben	– stiebte	– gestiebt
	– stob	– gestoben
triefen	– triefte	– getrieft
	– troff	– getroffen
weben	– webte	– gewebt
	– wob	– gewoben

Bei diesem Nebeneinander ist die regelmäßige Form jünger und häufiger.

Anmerkung:
In manchen Fällen sind die unregelmäßigen Formen auf die gehobene Sprache beschränkt:

Sie *webten* den Teppich.
Ein Dunstschleier *wob* sich über die Landschaft.

In anderen Fällen tritt bei übertragener Verwendung nur die regelmäßige Form auf:

Der Wein *gärte / gor* im Keller.
Es *gärte* unter der Bevölkerung schon vor der Revolution.

3. Ein dritter Mischtyp entsteht dadurch, daß regelmäßige und unregelmäßige Konjugationsformen mit Bedeutungsunterschied nebeneinanderstehen; es handelt sich um homonyme Verbvarianten:

bewegen:
Er *bewog* ihn zu dieser Entscheidung (= veranlassen).
Die Nachricht *bewegte* die Welt (= in Bewegung versetzen).
schaffen:
Der Dichter *schuf* ein großes Kunstwerk (= schöpferisch gestalten).
Wir haben heute viel *geschafft* (= arbeiten, erledigen).
Er hat den Brief zur Post *geschafft* (= wegbringen).
scheren:
Der Bauer *schor* seine Schafe (= Wolle abschneiden).
Ihn *scherten* die besonderen Bedingungen wenig (= kümmern, interessieren).
schleifen:
Er hat das Messer *geschliffen* (= schärfen).
Er hat die Tasche über den Teppich *geschleift* (= am Boden ziehen).
weichen:
Er ist der Übermacht *gewichen* (= nachgeben).
Die Frau hat die Wäsche *(ein-)geweicht* (= weich machen).
wiegen:
Die Kartoffeln *wogen* einen halben Zentner (= schwer sein).
Er *wog* die Kartoffeln (= Gewicht feststellen).
Sie *wiegte* die Petersilie (= zerkleinern).
Sie *wiegte* das Kind (= hin- und herbewegen).

4. Ein weiterer Mischtyp ist dadurch charakterisiert, daß regelmäßige und unregelmäßige Konjugationsformen mit Bedeutungs- und Valenzunterschied nebeneinanderstehen. Der Bedeutungsunterschied besteht darin, daß die regelmäßigen Formen kausativ bzw. faktitiv sind, d. h. ein Bewirken, ein Versetzen in den mit den unregelmäßigen Formen bezeichneten Zustand ausdrücken. Damit ist ein Valenzunterschied verbunden:

Die regelmäßigen Formen haben einen Aktanten mehr (das Agens des Bewirkens als syntaktisches Subjekt); die regelmäßigen Formen sind transitiv, die unregelmäßigen Formen intransitiv:

bleichen:
Die Mutter *bleichte* die Wäsche (= weiß machen).
Die Wäsche *(ver)blich* (= weiß werden).
erschrecken:
Das Auto hat das Kind *erschreckt* (= in den Zustand des Schreckens versetzen).
Das Kind ist vor dem Auto *erschrocken* (= in den Zustand des Erschreckens geraten).
hängen:
Er *hängte* das Bild an die Wand (= in den Zustand des Hängens versetzen).
Das Bild *hing* an der Wand (= im Zustand des Hängens sein).

quellen:
Die Köchin hat den Reis *gequellt* (= weich machen).
Der Reis ist *gequollen* (= weich werden).

schmelzen:
Der Arbeiter *schmelzte* (auch: *schmolz*) das Erz (= flüssig machen).
Der Schnee *schmolz* im März (= flüssig werden).

schwellen:
Der Wind *schwellte* die Segel (= größer machen).
Sein verletzter Fuß ist *geschwollen* (= größer werden).

stecken (vgl. aber 1.2.2.5.1.(4)):
Er *steckte* den Schlüssel in das Schlüsselloch (= in die Lage versetzen).
Der Schlüssel *stak* im Schlüsselloch (= in der Lage sein).

(er)löschen:
Er *löschte* das Licht (= ausmachen).
Das Licht *erlosch* (= ausgehen).

5. Ähnlich wie die unter 4. genannten Verbvarianten unterscheiden sich auch andere Verben, die schon im Infinitiv verschieden sind (im Unterschied zu 4.). Das regelmäßige Verb ist jeweils kausativ, transitiv und hat einen Aktanten mehr, das entsprechende unregelmäßige Verb ist intransitiv:

Sie *ertränkte* die Katzen (ertränken).
Die Katzen *ertranken* (ertrinken).

Der Waldarbeiter *fällte* den Baum (fällen).
Die Bäume *fielen* zu Boden (fallen).

Er *legte* das Buch auf den Tisch (legen).
Das Buch *lag* auf dem Tisch (liegen).

Sie *setzte* das Kind in den Kinderwagen (setzen).
Das Kind *saß* im Kinderwagen (sitzen).

Das Flugzeug *versenkte* das Schiff (versenken).
Das Schiff *versank* (versinken).

Er *verschwendete* sein Geld (verschwenden).
Sein Geld *verschwand* (verschwinden).

Er *schwemmte* das Holz an das andere Ufer (schwemmen).
Das Holz *schwamm* an das andere Ufer (schwimmen).

Man *sprengte* den Felsen (sprengen).
Der Felsen *sprang* (springen).

Klassifizierung der Verben nach syntaktischen Kriterien 1.3.

Eine Klassifizierung der Verben unter syntaktischem Aspekt erfolgt nach dem Verhältnis im Prädikat, nach dem Verhältnis zum Subjekt, nach dem Verhältnis zu den Objekten, nach dem Verhältnis zu Subjekt und Objekten sowie nach dem Verhältnis zu allen Aktanten.

1.3.1. Verhältnis im Prädikat (Vollverben und Hilfsverben)

Nach dem Verhältnis im Prädikat unterscheidet man zwischen Vollverben und Hilfsverben.
Die Vollverben bilden allein das Prädikat des Satzes. Wenn bestimmte Verben als Hilfsverben fungieren, bilden sie nicht allein, sondern zusammen mit anderen Gliedern das Prädikat des Satzes. Auf diese Weise „helfen" sie, das Prädikat des Satzes aufzubauen. Man kann folgende Gruppen von Hilfsverben (1. und 2.) und den Hilfsverben nahestehenden Verben (3., 4., 5., 6., 7., 8.) unterscheiden:

1. Hilfsverben, die vorwiegend der Tempusbildung dienen und zusammen mit Infinitiv und Partizip II[1] vorkommen (die dem Satzgliedcharakter nach grammatische Prädikatsteile sind):

   haben, sein, werden

2. Hilfsverben, die eine Modalität (Fähigkeit, Notwendigkeit, Möglichkeit, Wunsch, Absicht, Gewißheit, Vermutung u. a.) ausdrücken und zusammen mit dem Infinitiv ohne *zu* vorkommen (der dem Satzgliedcharakter nach grammatischer Prädikatsteil ist):

   dürfen, können, mögen, müssen, sollen, wollen

3. Verben, die den Hilfsverben sehr nahe stehen und die nur zusammen mit einem Infinitiv (mit oder ohne *zu*) vorkommen (der seinerseits als lexikalischer Prädikatsteil aufgefaßt wird) und in der Bedeutung den modalen Hilfsverben (2.) ähnlich sind (vgl. 1.6.2.2.):

   bleiben, brauchen, scheinen, kommen, pflegen, wissen u. a.

4. Verben, die den Hilfsverben sehr nahe stehen, in einer bestimmten Verwendung nur zusammen mit dem Partizip II vorkommen (das sich an der Oberfläche wie ein Prädikatsteil verhält, in der zugrunde liegenden Struktur jedoch eine gesonderte Prädikation darstellt) und der Umschreibung des Passivs dienen (vgl. 1.8.10.1.):

   bekommen, erhalten, kriegen

5. die Funktionsverben, die ebenfalls den Hilfsverben nahestehen und nur zusammen mit einem nominalen Bestandteil (Substantiv oder Präposition + Substantiv, die als lexikalischer Prädikatsteil aufzufassen sind) vorkommen (vgl. 1.4.3.1.):

   bekommen, bringen, erfahren, erheben, finden, geben, gelangen, geraten, kommen, sein, stellen u. a.

6. die Phasenverben, die auch den Hilfsverben nahestehen und in dieser Verwendung nur zusammen mit einem Infinitiv mit *zu* verwendet werden (der sich wie ein Prädikatsteil verhält):

   anfangen, beginnen, aufhören u. a.

---

[1] In beschränktem Maße auch Partizip I. Vgl. dazu 1.6.3.1.2. unter Variante 4.

7. die Kopulaverben, die ebenfalls den Hilfsverben nahestehen und zusammen mit Substantiv im Nominativ oder Adjektiv (seltener: Adverb) vorkommen (die ihrerseits Prädikative sind):

sein, werden, bleiben

8. einige Verben, die eine ähnliche Bedeutung wie die Kopulaverben haben, jedoch mit einem Akkusativ des Substantivs vorkommen (als lexikalischer Prädikatsteil):

bilden, bedeuten, darstellen

Zur Satzgliedschaft vgl. 13.3.

Verhältnis zum Subjekt 1.3.2.

Nach dem Verhältnis zum Subjekt unterscheidet man vier Arten von Verben:

1. Die meisten Verben können mit einem Subjekt aller drei Personen verbunden werden; man nennt diese Verben *persönliche Verben*:

ich schwimme, vergesse, esse, laufe, arbeite ...
du schwimmst, vergißt, ißt, läufst, arbeitest ...
er schwimmt, vergißt, ißt, läuft, arbeitet ...
wir schwimmen, vergessen, essen, laufen, arbeiten ...
ihr schwimmt, vergeßt, eßt, lauft, arbeitet ...
sie schwimmen, vergessen, essen, laufen, arbeiten ...

2. Einige Verben können nur mit einem Subjekt der 3. Person verbunden werden:

Die Arbeit mißlang ihm.
* Du mißlangst ihm.

Ebenso: sich ereignen, gelingen, geschehen, geziemen, glücken, mißglücken, widerfahren

3. Andere Verben werden gewöhnlich mit dem unpersönlichen *es* (3. Person) als Subjekt verbunden; man nennt diese Verben *unpersönliche Verben:*

Es regnet.
*Der Regen regnet.
*Du regnest.

Ebenso: blitzen, donnern, dunkeln, hageln, herbsten, nieseln, reifen, schneien, tagen, wetterleuchten

Es handelt sich dabei um Verben, die Witterungserscheinungen oder Änderungen in der Tages- bzw. Jahreszeit bezeichnen.

4. Eine weitere Gruppe bilden jene Verben, die notwendig mit einem logischen Subjekt im Plural erscheinen, das jedoch syntaktisch entweder durch ein pluralisches Subjekt (a) oder durch ein singulari-

sches Subjekt in Verbindung mit einer Präpositionalgruppe mit der Präposition *mit* (b) ausgedrückt ist:

(a) *Wir* vereinbaren die nächste Besprechung.
(b) *Ich* vereinbare *mit ihm* die nächste Besprechung.

Ebenso: ausmachen, sich einigen, übereinkommen, verabreden, sich verschwören, wetteifern

Anmerkungen:
(1) Persönliche Verben werden auch unpersönlich gebraucht; in diesem Falle tritt das unpersönliche Subjekt *es* bei Verben auf, die an sich Subjekte aller Personen haben können:

Mein Freund klingelt.
Du klingelst.
Es klingelt.

Ebenso: klopfen, läuten, rascheln, strahlen u. a.

Zur verschiedenen Verwendung des unpersönlichen Pronomens *es* vgl. 6.

(2) In Gruppe 2 handelt es sich vielfach um solche Verben, bei denen eine zusätzliche Personenangabe im Akkusativ oder Dativ steht, die das logische Subjekt des Satzes ausdrückt:

Das Vertrauen fehlt *ihm.*
Dieser Mißerfolg wurmt *ihn.*

Ebenso: gelingen (D), mißlingen (D), glücken (D), mißglücken (D), gebrechen (D), geziemen (D), jammern (A), reuen (A)

(3) Etwas anders als die Verben der Gruppe 3 verhalten sich solche Verben, bei denen *es* als Korrelat auftritt (vgl. 6.2.2.) und eine zusätzliche Personenangabe im Akkusativ oder Dativ steht, die den Träger eines physischen oder psychischen Zustandes ausdrückt:

Es friert *mich.*
Es graut *mir.*

Ebenso: dürsten (A), hungern (A), frösteln (A), gruseln (A/D), bangen (D), träumen (D)

Bei diesen Verben kann das unpersönliche Pronomen *es* wegfallen, wenn ein anderes Wort vor dem finiten Verb steht:

Es friert mich.
→ Mich friert.

Es graute ihnen vor dem Umzug.
→ Ihnen graute vor dem Umzug.

Außerdem kann das im Akkusativ oder Dativ ausgedrückte logische Subjekt in den Nominativ treten und damit auch zum syntaktischen Subjekt werden:

Mich friert.
→ *Ich* friere.

Mich fröstelt.
→ *Ich* fröstele.

Mir bangt.
→ *Ich* bange.

(4) Wenn im Falle der unpersönlichen Verben unter 3. dennoch ein anderes Subjekt als *es* eintritt, so handelt es sich um eine übertragene Bedeutung:

> *Seine Eltern* schneiten herein.
> *Vorwürfe* hagelten über ihn hernieder.

Häufiger ist jedoch auch in solchen Fällen, daß das entsprechende Glied im Akkusativ angefügt wird:

> Es regnete *Blüten*.
> Es hagelte *Vorwürfe*.

Verhältnis zum Objekt 1.3.3.

Nach dem Verhältnis zum Objekt unterscheidet man *transitive* und *intransitive Verben*.

Transitive und intransitive, relative und absolute Verben 1.3.3.1.

Die Einteilung in transitive und intransitive Verben beruht auf dem Verhältnis des Verbs zum Akkusativobjekt und der Sonderstellung des Akkusativs unter den Objekten (vgl. 2.4.3.3.2.).

Transitive Verben sind solche Verben, bei denen ein Akkusativobjekt stehen kann, das bei der Passivtransformation zum Subjektsnominativ wird:

> besuchen, senden, verweisen, erwarten, anregen ...

Intransitive Verben sind solche Verben, bei denen kein Akkusativobjekt stehen kann, unabhängig davon, ob ein anderes Kasus- oder Präpositionalobjekt bei ihnen stehen kann:

> denken, sterben, helfen, warten, fallen, reisen, erkranken, wachsen, ruhen ...

Diese Grobklassifizierung in transitive und intransitive Verben verlangt folgende Spezifizierungen:

1. Als transitiv werden die Verben auch bezeichnet, wenn das ins Subjekt transformierbare, d. h. das subjektfähige Akkusativobjekt im konkreten Satz nicht erscheint, wenn es ein fakultativer Aktant (vgl. 1.3.5.) ist. Das Verb wird in diesem Falle intransitiv verwendet. Entscheidend ist also nicht das Auftreten im konkreten Satz (danach wäre eine Klassifizierung unabhängig vom Kontext nicht möglich), sondern die Möglichkeit eines Auftretens bei entsprechenden Verben. Demnach sind die Verben in den folgenden Sätzen sämtlich als transitiv anzusprechen:

> Er *prüft* den Studenten.
> Er *prüft* jetzt. (= intransitive Verwendung)
>
> Er *ißt* den Apfel.
> Er *ißt* jetzt. (= intransitive Verwendung)

2. Nicht zu den transitiven Verben gerechnet werden solche Verben, die einen Akkusativ bei sich haben, der bei der Passivtransformation nicht zum Subjektsnominativ werden kann:

> Der Koffer *enthält* zwei Anzüge.
> → *Zwei Anzüge werden von dem Koffer enthalten.

Solche Verben mit einem nicht subjektfähigen Akkusativ sind weder transitiv noch intransitiv, sondern sind Mittelverben (pseudo-transitive Verben). Mittelverben lassen eine Passivtransformation überhaupt nicht zu. Vgl. dazu 1.8.5.1.1.(4). Solche Mittelverben sind:

> behalten, bekommen, erhalten, es gibt, enthalten, umfassen

3. Zu den intransitiven Verben gehören sowohl die Verben, die außer dem Subjekt keine weitere Ergänzung im Satz brauchen (*absolute Verben*) (1) als auch ein Teil derjenigen Verben, die außer dem Subjekt mindestens eine weitere Ergänzung im Satz brauchen, damit der Satz grammatisch vollständig wird (*relative Verben*). Bei der Zuordnung zu den relativen Verben spielt die Art der außer dem Subjekt notwendigen Ergänzung keine Rolle. Es kann sich um ein Akkusativobjekt bei transitiven Verben (so unter 1.), um einen Akkusativ bei Mittelverben (so unter 2.), um ein Dativ- oder Genitivobjekt (2), um ein Präpositionalobjekt (3) oder um eine valenzgebundene Adverbialbestimmung (4) handeln. Im Falle von (2), (3) und (4) liegen intransitive Verben vor:

> (1) Die Blume *blüht.*
> Die Sonne *schien.*
> (2) Er *half* seinem Freund.
> Wir *gedenken* des Befreiungstages.
> (3) Wir *warten* auf unseren Freund.
> Er *hofft* auf eine Verbesserung seines Gesundheitszustandes.
> (4) Berlin *liegt* an der Spree.
> Er *wohnt* in der Hauptstadt.

4. Aus dieser Klassifizierung ergibt sich, daß absolute Verben immer intransitiv sind, daß jedoch nicht alle intransitiven Verben absolut sind (vgl. 3.). Alle transitiven Verben sind relativ, aber nicht alle relativen Verben sind transitiv. Zu den relativen Verben gehören alle transitiven Verben und einige Gruppen der intransitiven Verben:

Verben mit Akk. als Objekt	transitiv	relativ
Verben mit Akk. (nicht subjektfähig)	Mittelverben	relativ
Verben mit Dat. oder Gen. als Objekt	intransitiv	relativ
Verben mit Präp.-Objekt	intransitiv	relativ
Verben mit valenzgebundener Adverbialbestimmung	intransitiv	relativ
Verben ohne Ergänzung (außer Subjekt)	intransitiv	absolut

5. Demnach gibt die Unterscheidung zwischen transitiven und intransitiven Verben keine Auskunft darüber, welcher Art die Ergänzungsbestimmungen (Objekte und Adverbialbestimmungen) sind

und ob sie obligatorisch oder fakultativ auftreten. Diese Unterscheidungen sind nur von der Valenz des Verbs her möglich (vgl. 1.3.5.).

6. Es gibt transitive Verben, die intransitiv verwendet werden (1) – vgl. dazu 1. –, und intransitive Verben, die transitiv verwendet werden (2); die letzte Möglichkeit ist äußerst begrenzt und auf die Dichtersprache beschränkt:

(1) Der Bäcker bäckt heute Kuchen.
→ Der Bäcker bäckt heute.
Er liest heute das Buch.
→ Er liest heute.
(2) Die Glocke tönt einen traurigen Gesang.

Im Falle (1) handelt es sich um Akkusativobjekte, die an das Verb gebunden sind, jedoch aus Kontext oder Situation erschlossen werden können und folglich im konkreten Satz nicht zu erscheinen brauchen. Vgl. dazu 1.3.5.

7. Da der transitive Gebrauch intransitiver Verben äußerst begrenzt ist, bedarf es oft der Transitivierung intransitiver Verben mit Hilfe von Präfixen:

Er *wartet* auf den Freund.
→ Er *erwartet* den Freund.

Ebenso:	antworten auf	→ beantworten
	bitten um	→ erbitten
	denken an	→ bedenken
	drohen_D	→ bedrohen
	folgen_D	→ befolgen
	hoffen auf	→ erhoffen
	lachen über	→ belachen, auslachen
	lauschen_D	→ belauschen
	liefern_D	→ beliefern
	schaden_D	→ beschädigen
	schenken_D	→ beschenken
	sich sehnen nach	→ ersehnen
	steigen auf	→ besteigen
	streben nach	→ erstreben

8. In zahlreichen Fällen kann das gleiche Verb transitiv und intransitiv verwendet werden; es handelt sich dabei eigentlich um verschiedene Varianten eines Verbs mit verschiedener Valenz:

Der Bäcker *bäckt* frisches Brot.
Das Brot *bäckt*.
Die Mutter *brach* das Brot.
Das Eis *brach*.
Die Köchin *kocht* die Suppe.
Die Suppe *kocht*.

In vielen Fällen spiegelt sich dieser Unterschied in einer unterschiedlichen Perfektbildung der Verbvarianten mit *haben* oder mit *sein* (vgl. 1.3.3.2.2.; dort auch weitere Beispiele). In einigen Fällen ist mit dem Unterschied von transitiver und intransitiver Verbvariante ein Unterschied zwischen regelmäßigen und unregelmäßigen Konjugationsformen bei gleichen Infinitivformen verbunden (vgl. 1.2.2.5.4.; dort auch weitere Beispiele). In wieder anderen Fällen besteht der Unterschied von Transitivität und Intransitivität nicht nur zwischen verschiedenen Verbvarianten, sondern zwischen verschiedenen Verben (mit verschiedenen Infinitivformen) (vgl. 1.2.2.5.5.).

1.3.3.2. Syntaktische Reflexe von Transitivität und Intransitivität

Der Unterschied zwischen transitiven und intransitiven Verben hat zwei syntaktische Reflexe:

1. Nach der Möglichkeit der Passivtransformation kann man drei Gruppen unterscheiden (vgl. dazu genauer 1.8.):

(1) Bei transitiven Verben ist ein persönliches Vorgangspassiv möglich:

Er übersetzt das Buch.
→ Das Buch wird von ihm übersetzt.

(2) Mittelverben lassen keine Passivtransformation zu:

Die Flasche enthält einen Liter Öl.
→ *Ein Liter Öl wird von der Flasche enthalten.

(3) Intransitive Verben lassen ein subjektloses Vorgangspassiv oder überhaupt kein Passiv zu:

Er hilft seinem Freund.
→ Seinem Freund wird geholfen.
Er ähnelt seinem Freund.
→ *Seinem Freund wird geähnelt.

Ob die Möglichkeit eines solchen subjektlosen Vorgangspassivs bei intransitiven Verben besteht oder nicht, hängt vom semantischen Charakter des Subjekts ab; vgl. dazu genauer 1.8.5.

2. Nach der Bildung des Perfekts (und Plusquamperfekts) mit *haben* oder *sein* ergeben sich folgende Gruppen:

(1) Transitive Verben und Mittelverben bilden ihre Vergangenheitsformen in der Regel mit *haben*:

Er *hat* das Buch übersetzt.
Er *hat* den Fisch gegessen.
Die Flasche *hat* einen Liter Öl enthalten.

Anmerkung:
Transitive Verben bilden ihre Vergangenheitsformen auch dann mit *haben*, wenn das Akkusativobjekt im konkreten Satz nicht erscheint und eine intransitive Verwendung vorliegt:

Er hat die Suppe gegessen.
→ Er hat gegessen.

Einige wenige transitive Verben bilden ihre Vergangenheitsformen mit *sein*; es sind solche, die Ableitungen oder Zusammensetzungen von intransitiven Verben mit *sein* sind:

Die beiden Staaten *sind* den Vertrag eingegangen.

(2) Intransitive Verben bilden ihre Vergangenheitsformen mit *haben* oder mit *sein*:

Die Blume *hat* geblüht.
Die Blume *ist* erblüht.
Die Blume *ist* verblüht.

Die Unterscheidung der intransitiven Verben nach der Vergangenheitsbildung mit *haben* oder *sein* hängt von semantischen Kriterien der Aktionsart ab; vgl. dazu genauer 1.4.2.3.1.

Entsprechend den unter (1) und (2) genannten Regularitäten gibt es verschiedene Verben, die eine intransitive Variante (mit *sein*) und eine transitive Variante (mit *haben*) haben:

biegen:
Er *ist* um die Ecke gebogen.
Er *hat* das Rohr gerade gebogen.

fahren:
Wir *sind* mit dem Zug gefahren.
Er *hat* seinen Wagen nur ein Jahr gefahren.

heilen:
Die Wunde *ist* schnell geheilt.
Der Arzt *hat* die Krankheit mit einem neuen Präparat geheilt.

reißen:
Die Saite *ist* beim Spannen gerissen.
Er *hat* den Brief in Stücke gerissen.

schmelzen:
Der Schneemann *ist* in der Sonne geschmolzen.
Die Sonne *hat* den Schneemann geschmolzen.

verderben:
Das Obst *ist* in der Hitze verdorben.
Er *hat* uns den Spaß an der Sache verdorben.

ziehen:
Der Freund *ist* aufs Land gezogen.
Vier Pferde *haben* den Wagen gezogen.

trocknen:
Die Wäsche *ist* in der Sonne getrocknet.
Die Mutter *hat* die Wäsche getrocknet.

1.3.3.3. Rektion der Verben

Die Rektion der Verben ist ihre Fähigkeit, ein von ihnen abhängiges Substantiv (oder Pronomen) in einem bestimmten Kasus (Prädikativ, Kasusobjekt oder Präpositionalobjekt) zu fordern. Die von der Rektion des Verbs geforderten Kasus heißen casus obliqui (= abhängige Kasus) – im Unterschied zum Subjektsnominativ als casus rectus (= unflektierter, unabhängiger Fall). Manche Verben können auch zwei verschiedene Kasus nebeneinander regieren, andere regieren alternativ zwei (oder mehr) verschiedene Kasus; oftmals ist damit ein Bedeutungsunterschied verbunden. Die Rektion der Verben gibt keine Auskunft darüber, ob Subjekte, Adverbialbestimmungen, Infinitive, Nebensätze usw. stehen können oder müssen, ob die Objekte obligatorisch oder fakultativ auftreten. Diese Eigenschaften werden von der Valenz festgelegt; vgl. 1.3.5. Die Eigenschaft der Rektion kommt nicht dem Verb allein zu; auch alle Präpositionen, zahlreiche Substantive und Adjektive regieren bestimmte Kasus. Im folgenden werden die wichtigsten Verben aufgeführt, eingeteilt danach, welche Kasus sie regieren.

1. Verben, die den *Nominativ* (als Prädikativ) regieren:

bleiben, sich dünken, heißen, scheinen, sein, werden; genannt werden, gerufen werden, gescholten werden, geschimpft werden, geheißen werden

2. Verben, die den *Akkusativ* regieren:
Die Verben mit Akkusativ sind sehr zahlreich, so daß sie auch nicht annähernd vollständig aufgezählt werden können. Zu ihnen gehören etwa:

achten, angehen, anfallen, anfahren, anlachen, anrufen, anreden, anschreien, ansehen, anstaunen, anflehen, anklagen, anbeten, abschirmen, abriegeln, abdichten, abblenden, abgrenzen, abkapseln, abschnüren, abschrecken, bauen, bedeuten, behalten, benutzen, befühlen, beheizen, besehen, betreiben, bewahren, bebauen, bemalen, beschreiben, besingen, bedenken, beschwören, bewohnen, bestaunen, bewundern, beweinen, beklagen, beherrschen, bekämpfen, beraten, bedienen, bedrohen, beantworten, befolgen, beschenken, berauben, beliefern, besohlen, bewässern, beschmutzen, benageln, bekleiden, beschildern, beflaggen, beschriften, bewirten, beherbergen, beköstigen, beleben, beseelen, beglücken, beflügeln, begrenzen, beschränken, bezeichnen, beziffern, beurlauben, besteuern, beauftragen, benachrichtigen, ehren, einhüllen, einkleiden, einmummeln, einwickeln, einkapseln, einrahmen, einseifen, einölen, einschmieren, erstehen, erjagen, ersteigen, erklettern, erlaufen, erziehen, essen, hassen, lesen, lieben, loben, salzen, schlagen, schreiben, tadeln, trinken, umformen, umgestalten, umschreiben, umbauen, umschmelzen, vergraben, verstellen, verlegen, verstecken, verteidigen, zeichnen

3. Verben, die den *Dativ* regieren:

abraten, absagen, ähneln, angehören, anhaften, assistieren, auffallen, aufgehen, auflauern, ausweichen, begegnen, behagen, bekommen, beipflichten, beistehen, beistimmen, beitreten, beiwohnen, belieben, bevorstehen, bleiben, danken, dienen, drohen, einfallen, einleuchten, entfallen, entfliehen, entgegengehen, entgegentreten, entgehen, entkommen, entlaufen, entrinnen, entsagen, entsprechen, entstammen, entwachsen, erliegen, erscheinen, fehlen, fluchen, folgen, frommen, gebühren, gefallen, gegenübersitzen, gegenübertreten, gehorchen, gehören, gelingen, genügen, geraten, gleichen, glücken, gratulieren, grollen, helfen, huldigen, imponieren, kondolieren, kündigen, lauschen, leichtfallen, liegen, mißfallen, mißlingen, mißraten, mißtrauen, munden, nachblicken, nacheifern, nacheilen, nachfahren, nachgeben, nachgehen, nachlaufen, nachschauen, nachspüren, nachstellen, nachtrauern, nahen, sich nähern, nutzen, nützen, parieren, passen, passieren, reichen, schaden, schmecken, schmeicheln, sein, schwerfallen, stehen, telegrafieren, trauen, trotzen, unterlaufen, unterliegen, unterstehen, vertrauen, verzeihen, vorangehen, vorauseilen, vorausgehen, vorstehen, weglaufen, wehtun, weichen, weiterhelfen, widerfahren, widersprechen, widerstehen, widerstreben, willfahren, winken, ziemen, zublinzeln, zufallen, zufliegen, zuhören, zujauchzen, zukommen, zulaufen, zulächeln, zuprosten, zuraten, zureden, zürnen, zusagen, zuschauen, zusehen, zusetzen, zustimmen, zutrinken, zuvorkommen, zuzwinkern

4. Verben, die den *Genitiv* regieren:

sich annehmen, sich bedienen, bedürfen, sich befleißigen, sich begeben (= verzichten), sich bemächtigen, sich besinnen, sich entäußern, sich enthalten, sich entledigen, sich entsinnen, entraten, sich entwöhnen, sich erbarmen, sich erinnern, ermangeln, sich erwehren, sich (er)freuen, gedenken, sich rühmen, sich schämen, sich vergewissern, sich versichern

5. Verben, die *einen Präpositionalkasus* regieren:[1]

als$_{N}$: auftreten, sich erweisen, sich fühlen, fungieren

an$_{D}$: abnehmen, arbeiten, sich berauschen, sich bereichern, einbüßen, sich erfreuen, erkranken, fehlen, gewinnen, hängen, liegen, mitwirken, sich rächen, schreiben, sterben, sich stören, teilhaben, teilnehmen, tragen, verlieren, zerbrechen, zunehmen, zweifeln

an$_{A}$: anknüpfen, appellieren, denken, sich entsinnen, glauben, sich halten, sich machen, sich wenden

auf$_{D}$: basieren, beharren, beruhen, bestehen, fußen

auf$_{A}$: es abgesehen haben, abzielen, achten, achtgeben, ankommen, es anlegen, anspielen, anstoßen, aufpassen, ausgehen, bauen, sich belaufen, sich berufen, sich beschränken, sich besinnen, sich beziehen, brennen, eingehen, sich einstellen, erkennen, sich erstrecken, feuern, folgen, sich gründen, halten, hinarbeiten, hinausgehen, hinauslaufen, sich hinausreden, hoffen, hören, klagen, kommen, sich konzentrieren, lauern, pochen, reagieren, reflektieren, sich reimen, sich richten, schwören, sehen (= achten), spekulieren, subskribieren, trinken, verfallen,

---

[1] In diese Gruppe 5 sind zahlreiche Verben einbezogen, die mit verschiedenen Präpositionen vorkommen (deshalb mehrmals aufgeführt sind) und dabei einen deutlichen Bedeutungsunterschied zeigen, z. B.

sich ängstigen *(um – vor)*
bestehen *(in – aus – auf)*
klagen *(auf – gegen – über)*

In die Gruppe 5 sind nicht einbezogen solche Verben, die ebenso alternativ mit verschiedenen Präpositionen vorkommen, dabei aber keinen wesentlichen Bedeutungsunterschied aufweisen (vgl. Gruppe 6). Es sind auch nicht einbezogen solche Verben, bei denen mehrere Präpositionen nebeneinander stehen können (vgl. unter Gruppe 13).

sich verlassen, sich verlegen, sich verstehen, vertrauen, verzichten, warten, wetten, zählen, zurückkommen

aus: bestehen, sich ergeben, erhellen, erwachsen, folgen, resultieren

bei: anrufen, bleiben, präsidieren

für: sich bedanken, buchen, büßen, sich einsetzen, eintreten, gelten, sich interessieren, sein, sorgen, sich verbürgen

gegen: einschreiten, sich erheben, intrigieren, sich kehren, klagen, polemisieren, protestieren, sich sperren, stänkern, sich sträuben, verstoßen, sich wehren, sich wenden, wettern

in_D: sich ausdrücken, bestehen, differieren, sich täuschen, sich üben, wetteifern

in_A: ausbrechen, eintreten, einwilligen, sich fügen, verfallen, sich verlieben, sich vertiefen, sich verwandeln

mit: sich abfinden, sich abgeben, sich abmühen, sich abplagen, angeben, sich anlegen, sich aussprechen, sich befassen, beginnen, sich begnügen, sich beschäftigen, sich blamieren, sich brüsten, einverstanden sein, experimentieren, handeln, sich herumärgern, korrespondieren, prahlen, sich tragen, sich umgeben, sich verheiraten, sich verloben, sich verstehen, wetteifern, zögern, zusammenstoßen

nach angeln, aussehen, bohren, buddeln, duften, dürsten, fahnden, fiebern, fischen, forschen, fragen, gieren, graben, haschen, hungern, klingeln, lechzen, sich richten, riechen, rufen, schreien, schmecken, sehen, sich sehnen, stinken, streben, suchen, trachten, verlangen

$über_A$ arbeiten, sich ärgern, sich aufregen, sich aussprechen, befinden, sich empören, sich entrüsten, sich erbarmen, sich ereifern, sich erregen, erröten, fluchen, gebieten, sich grämen, grübeln, hereinbrechen, herfallen, herrschen, herziehen, jammern, jubeln, klagen, lachen, lästern, meditieren, murren, nachdenken, philosophieren, referieren, spotten, stöhnen, trauern, verfügen, wachen, weinen, sich wundern

um: sich ängstigen, bangen, sich bekümmern, betteln, sich bemühen, feilschen, flehen, gehen (= sich handeln), sich handeln, klagen, kommen (= verlieren), sich kümmern, nachsuchen, ringen, sich sorgen, trauern, weinen

von: abhängen, absehen, sich absetzen, sich abwenden, anfangen, ausgehen, sich distanzieren, sich erholen, herrühren, hören, lassen, loskommen, sich lossagen, träumen, widerhallen

vor_D: sich ängstigen, bangen, beben, sich ekeln, erschrecken, fliehen, sich fürchten, sich genieren, sich hüten, sich scheuen, zittern, zurückschrecken

zu: ansetzen, antreten, sich aufraffen, sich aufschwingen, ausholen, beitragen, dienen, führen, gehören, gelangen, kommen, neigen, passen, rechnen, stehen (= unterstützen), stimmen (= übereinstimmen), taugen, sich überwinden, zählen

6. Verben, die *einen Präpositionalkasus* regieren, der alternativ durch *verschiedene Präpositionen* realisiert ist:[1]

an_D/bei: mitwirken
an_D/auf_A/$über_A$: sich freuen

---

[1] Diese Alternativität bedeutet nicht immer Substituierbarkeit, da die Umgebungen des Verbs sich auf der semantischen Ebene teilweise unterscheiden (Person – Abstraktum – Sache; Gegenwart – Vergangenheit); davon wird jedoch die Bedeutung des Verbs selbst nicht berührt.

an$_D$/über$_A$: sich belustigen
an$_D$/unter$_D$: leiden, zerbrechen
auf$_A$/in$_A$: sich einlassen
auf$_A$/mit: enden, rechnen
auf$_A$/nach: drängen, schauen
auf$_A$/über$_A$: fluchen, schimpfen, schelten, sinnen
auf$_A$/zu: anwachsen
für/um: kämpfen
für/von: schwärmen
für/zu: sich eignen, sich entschließen
gegen/mit: kämpfen
gegen/von: sich abheben, abstechen
in$_D$/über$_A$: sich täuschen
nach/zu: greifen
nach/über$_A$: sich erkundigen
über$_A$/von: berichten, handeln, lesen, plaudern, reden, schreiben, sprechen, sich unterhalten
um/von/vor$_D$: sich drücken
um/von: wissen

7. Verben, die einen *doppelten Akkusativ* regieren:

abfragen, fragen, kosten, lehren, nennen, rufen, schelten, schimpfen, heißen

8. Verben, die *Akkusativ* und *Dativ* regieren:

abgewinnen, abgewöhnen, abgucken, abkaufen, ablauschen, abnehmen, abschlagen, absprechen, abtreten, abtrotzen, abverlangen, anbieten, angewöhnen, anheften, anlasten, anstecken, antragen, antun, anvertrauen, aufbürden, aufdrängen, aufnötigen, aufzwingen, befehlen, beibringen, beichten, beifügen, beimischen, bereiten, berichten, bescheinigen, bescheren, bestimmen, beweisen, bewilligen, bieten, borgen, bringen, darlegen, deuten, einflößen, eingeben, einhändigen, einschärfen, eintrichtern, empfehlen, entgegenbringen, entgegenhalten, entgegenschleudern, entgegensetzen, entgegnen, entlocken, entnehmen, entreißen, entwenden, entziehen, erklären, erlauben, ermöglichen, erschweren, ersparen, erweisen, erwidern, erzählen, geben, geloben, genehmigen, gestatten, gestehen, gewähren, gönnen, gutschreiben, heimzahlen, herausgeben, hinterbringen, interpretieren, klagen, klarmachen, lassen, leihen, leisten, liefern, melden, mißgönnen, mitteilen, nachrufen, nachschicken, nachsenden, nachsprechen, nachtragen, nachweisen, nahebringen, nahelegen, nehmen, offenbaren, opfern, raten, rauben, reichen, sagen, schenken, schicken, schreiben, schulden, senden, spenden, spendieren, stiften, übelnehmen, übergeben, überlassen, übertragen, unterbreiten, untersagen, unterschieben, veranschaulichen, verbergen, verbieten, verdanken, verdeutlichen, vergeben, vergelten, verhehlen, verheimlichen, verheißen, verkünden, verleiden, vermachen, versagen, verschaffen, verschreiben, versprechen, verübeln, verwehren, verweigern, verzeihen, vorenthalten, vorgaukeln, vorhalten, vorjammern, vorlegen, vorlesen, vormachen, vorrechnen, vorsagen, vorschwindeln, vorsingen, vortragen, vorwerfen, wegnehmen, weihen, widmen, zeigen, zubereiten, zubilligen, zuerkennen, zuflüstern, zufügen, zuführen, zugestehen, zuleiten, zumuten, zurufen, zusagen, zuschanzen, zuschreien, zusenden, zuspielen, zusprechen, zutrauen, zuweisen, zuwenden, zuwerfen, zurückerstatten, zurückzahlen

9. Verben, die *Akkusativ* und *Genitiv* regieren:

anklagen, belehren, berauben, beschuldigen, bezichtigen, entbinden, entblößen, entheben, entkleiden, entsetzen, entwöhnen, überführen, verdächtigen, versichern, verweisen, würdigen, zeihen

10. Verben, die den *Akkusativ* und *einen Präpositionalkasus* regieren:[1]

als: annehmen, ansehen, bezeichnen, preisen, rühmen
an_D: beteiligen, erkennen, rächen
an_A: adressieren, anschließen, binden, erinnern, gewöhnen, knüpfen, liefern, richten, schreiben, verraten, verweisen
auf_A: aufmerksam machen, beschränken, beziehen, bringen, einstellen, hinweisen, lenken, verweisen, zurückführen
aus: entnehmen, ersehen, folgern, gewinnen, herauslesen, machen, schließen, schlußfolgern
durch: dividieren, teilen
für: aufwenden, ausgeben, entschädigen, erklären, geben, halten, hergeben, mitbringen, nehmen, verantwortlich machen, verlangen, vorsehen
gegen: abhärten, erheben, tauschen
in_D: beeinträchtigen, bestärken, sehen (= erkennen)
in_A: ändern, einführen, einteilen, setzen
mit: aufziehen (= großziehen), beauftragen, bedenken, beenden, bedrängen, beruhigen, beschäftigen, betrügen, bombardieren, hinbringen, konfrontieren, multiplizieren, necken, plagen, tauschen, überschütten, vereinbaren, vereinen, vergleichen, verheiraten, verkleiden, verknüpfen, versehen, zubringen
nach: abtasten, benennen, beurteilen, durchsuchen, gelüsten, verlangen
$über_A$: aussprechen, trösten, verhängen
um: anflehen, beneiden, bitten, bringen, ersuchen
von: abbringen, abhalten, ablenken, abstrahieren, dispensieren, entbinden, entlasten, freisprechen, substrahieren, überzeugen, verlangen
vor_D: beschirmen, beschützen, bewahren, rechtfertigen, schützen, verbergen, warnen; ekeln, grauen, schaudern
zu: addieren, anhalten, anregen, anspornen, auffordern, ausbauen, ausersehen, autorisieren, befähigen, befördern, beglückwünschen, beitragen, benutzen, bereden, bestimmen, bevollmächtigen, bewegen, degradieren, drängen, einladen, ermächtigen, ermahnen, ermuntern, ermutigen, ernennen, herausfordern, machen, nötigen, rechnen, reizen, treiben, veranlassen, verführen, verleiten, verlocken, verpflichten, verurteilen, wählen, zählen, zerreiben, zwingen

---

[1] In diese Gruppe 10 sind einige Verben einbezogen, die mit verschiedenen Präpositionen vorkommen (deshalb mehrmals aufgeführt sind) und dabei einen deutlichen Bedeutungsunterschied zeigen, z. B.:

betrügen *(um – mit)*
gewinnen *(aus – für/zu)*

In die Gruppe 10 sind nicht einbezogen solche Verben, die ebenso alternativ mit verschiedenen Präpositionen vorkommen, dabei aber keinen wesentlichen Bedeutungsunterschied aufweisen (vgl. Gruppe 11). Es sind auch nicht einbezogen solche Verben, bei denen mehrere Präpositionen nebeneinander stehen können (vgl. unter Gruppe 14).

11. Verben, die den *Akkusativ* und *einen Präpositionalkasus* regieren, der alternativ durch *verschiedene Präpositionen* realisiert ist:[1]

an_D/bei/in_D:	hindern
an_D/für:	interessieren, liefern
an_A/$unter_D$:	austeilen, verteilen
aus/von:	ableiten, befreien, erlösen, lernen
durch/mit:	belasten, belegen, beschäftigen, nachweisen
für/zu:	brauchen, gewinnen, mißbrauchen, verwenden, vorbereiten
gegen/vor:	sichern
in_D/mit:	übertreffen
in_A/zu:	umfunktionieren
nach/$über_A$:	befragen
$über_A$/von:	hören, informieren, orientieren, sagen, schreiben, wissen

12. Verben, die den *Dativ* und *einen Präpositionalkasus* regieren:

an_D:	fehlen, liegen, mangeln
auf_A:	antworten
bei:	helfen
für:	danken
mit:	dienen
$über_A$/von:	(alternativ ohne wesentlichen Bedeutungsunterschied): berichten
vor:	ekeln, grauen, schaudern
zu:	gratulieren, raten, verhelfen, werden

13. Verben, die *mehrere Präpositionalkasus* nebeneinander regieren:[2]

an_D – für:	sich rächen
auf_A – gegen:	klagen
auf_A/$über_A$ – mit:	sich einigen
aus/von – auf_A:	schließen
aus – zu:	werden
bei – für:	sich bedanken, sich einsetzen
bei – $über_A$:	sich beklagen, sich beschweren
durch – von:	sich unterscheiden
für – gegen:	sich aussprechen, sich entscheiden, plädieren, stimmen
für/um–mit/gegen:	kämpfen
für – mit:	haften
für – vor_D:	sich schämen, sich verantworten
mit – $über_A$:	sich aussprechen, debattieren, diskutieren, disputieren, konferieren, scherzen, sich unterhalten, verhandeln
mit – $über_A$/um:	streiten

---

[1] Diese Alternativität bedeutet nicht immer Substituierbarkeit, da die Umgebungen des Verbs sich auf der semantischen Ebene teilweise unterscheiden (Person – Abstraktum – Sache; Gegenwart – Vergangenheit); davon wird jedoch die Bedeutung des Verbs selbst nicht berührt.

[2] Die Präpositionalkasus stehen in Gruppe 13 konjunktiv, nicht alternativ; wenn sie alternativ stehen, sind sie bei wesentlichem Bedeutungsunterschied in Gruppe 5 eingeordnet, ohne wesentlichen Bedeutungsunterschied in Gruppe 6 zusammengefaßt.

mit/zu – über$_A$/von:	reden, sprechen
nach – über$_A$:	urteilen

14. Verben, die den *Akkusativ* und *mehrere Präpositionalkasus* nebeneinander regieren:[1]

an$_A$ – für:	verkaufen
an$_A$ – über/von:	schreiben
aus – in$_A$:	übersetzen, umwandeln, verändern, verwandeln
aus – mit:	erzeugen, gewinnen
durch/mit – für:	begeistern
durch/mit – vor$_D$:	rechtfertigen
durch/mit – von:	überzeugen
durch/mit – zu:	überreden, verleiten, verlocken
durch – zu:	erziehen
mit – für:	gewinnen
zu – über$_A$/von:	sagen

1.3.4. Verhältnis zu Subjekt und Objekt

Nach dem Verhältnis zu Subjekt und Objekt unterscheidet man die besonderen Gruppen der *reflexiven* und *reziproken Verben* (vgl. genauer unter 1.10.). Trotz der unterschiedlichen Beziehungen und Bedeutungen ist beiden Gruppen von Verben gemeinsam, daß neben dem finiten Verb in der 3. Person das Reflexivpronomen *sich,* in der 1. und 2. Person das entsprechende Personalpronomen im Akkusativ oder Dativ (*mich – mir, dich – dir, uns, euch*) auftritt:

Ich wasche *mich.* – Ich schade *mir.*
Du wäschst *dich.* – Du schadest *dir.*
Er wäscht / schadet *sich.*
Wir waschen / schaden *uns.*
Ihr wascht / schadet *euch.*
Sie waschen / schaden *sich.*

1.3.4.1. Reflexive Verben

Reflexive Verben (im weiteren Sinne) sind solche, bei denen sich das Reflexivpronomen *sich* (bzw. die entsprechenden Personalpronomina der 1. und 2. Person) auf das Subjekt des Satzes zurückbezieht und mit ihm identisch ist.
Es sind dabei zwei Hauptgruppen zu unterscheiden:

1. *Reflexive Verben* (im engeren Sinne), bei denen das Reflexivpronomen obligatorisch steht und nicht durch ein anderes Objekt ersetzt werden kann, z. B. im Akkusativ:

---

[1] Die Präpositionalkasus stehen in Gruppe 14 konjunktiv; wenn sie alternativ stehen, sind sie bei wesentlichem Bedeutungsunterschied in Gruppe 10 eingeordnet, ohne wesentlichen Bedeutungsunterschied in Gruppe 11 zusammengefaßt.

sich bedanken, sich beeilen, sich befinden, sich betrinken, sich eignen, sich erkälten ...

oder im Dativ:

sich aneignen, sich anmaßen, sich ausbitten, sich einbilden ...

oder im Präpositionalkasus:

für sich behalten, auf sich nehmen, an sich ziehen, um sich greifen ...

2. *Reflexive Konstruktionen*, bei denen das Reflexivpronomen nicht obligatorisch steht, sondern durch ein anderes, mit dem Subjekt nicht identisches Objekt ersetzt werden kann, z. B. im Akkusativ:

berichtigen, fragen, kämmen, verändern, verletzen, verpflichten, verteidigen, waschen ...

oder im Dativ:

nützen, schaden, verschaffen, verzeihen, widersprechen ...

Zur genaueren Differenzierung dieser Gruppen vgl. 1.10.3.
Bei der Gruppe 1 handelt es sich im *syntaktischen* Sinne um *echte reflexive Verben* (da das Reflexivpronomen nicht ersetzbar ist, als Prädikatsteil angesehen werden muß und zur Lexikoneintragung gehört), bei der Gruppe 2 dagegen um *unechte reflexive Verben* bzw. *reflexiv gebrauchte Verben* (da das Reflexivpronomen ersetzbar – und damit nur Sonderfall eines Objekts – ist, nicht als Prädikatsteil angesehen werden kann und folglich auch nicht zur Lexikoneintragung gehört). Im *semantischen* Sinne dagegen liegt nur bei Gruppe 2 Rückbezug und Identität vor, weil nur in diesem Falle vom Subjekt und Objekt überhaupt gesprochen werden kann (semantische Reflexivität). Bei Gruppe 1 jedoch ist Rückbezug und Identität nur in formal-grammatischem Sinne zu verstehen (formale Reflexivität); inhaltlich liegt gar keine zweiseitige Beziehung vor, ist folglich auch keine Identifizierung von Subjekt und Objekt möglich.

Reziproke Verben 1.3.4.2.

Reziproke Verben sind solche, bei denen eine wechselseitige Beziehung zwischen mehreren Subjekten und Objekten besteht. Wir vergleichen:

(1) Peter unterhält *seine Kinder.* (transitiv)
(2) Peter unterhält *sich* (im Kino). (reflexiv)
(3) Peter und Monika unterhalten *sich.* (reziprok)

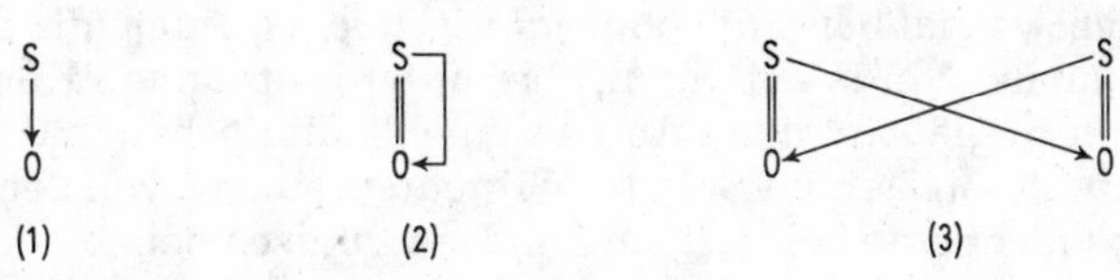

In (2) liegt zugrunde:

← *Peter unterhält Peter.

in (3) jedoch:

← Peter unterhält sich mit Monika.
← Monika unterhält sich mit Peter.

Zum Ausdruck des reziproken Verhältnisses werden entweder in der 3. Person das Reflexivpronomen *sich* und in der 1. und 2. Person die entsprechenden Personalpronomen oder das spezifische Reziprokpronomen *einander* verwendet:

Sie begegnen *sich / einander.*
Sie verklagen *sich / einander.*

Ähnlich wie bei den reflexiven Verben, so sind auch bei den reziproken Verben zwei Hauptgruppen zu unterscheiden:

1. *Reziproke Verben* (im engeren Sinne) oder reflexive Verben mit reziproker Bedeutung, die in der Grundbedeutung schon reziprok sind und meistens mit pluralischem Subjekt (oder mit einer Präpositionalgruppe neben dem Subjekt) auftreten:

Peter und Monika freunden sich an.
Peter freundet sich *mit Monika* an.

2. *Reziproke Konstruktionen* oder reflexive Konstruktionen mit reziproker Bedeutung, die nicht von der Grundbedeutung her reziprok sind, sondern auch transitiv und reflexiv verwendet werden und beim Auftreten von *sich* zur Homonymie führen:

Inge und Peter kämmen sich.
(a) ← Inge kämmt sich, (und) Peter kämmt sich. (reflexiv)
(b) ← Inge kämmt Peter, (und) Peter kämmt Inge. (reziprok)

Zur genaueren Beschreibung der reziproken Verben vgl. 1.10.5.

1.3.5. Verhältnis zu allen Aktanten

Nach dem Verhältnis zu allen Aktanten (Subjekt, Objekt, notwendige Adverbialbestimmung) im Satz – nach der Valenz des Verbs – werden die Verben hinsichtlich der Zahl und der Art der nötigen und möglichen Aktanten klassifiziert.
Dabei wird unter der Valenz des Verbs seine Fähigkeit verstanden, bestimmte Leerstellen im Satz zu eröffnen, die besetzt werden müssen bzw. besetzt werden können. Sie werden besetzt durch *obligatorische Aktanten* (die im Stellenplan des Verbs enthalten und in der Regel nicht weglaßbar sind) oder *fakultative Aktanten* (die auch im Stellenplan des Verbs enthalten, aber unter bestimmten Kontextbedingungen weglaßbar sind). Außer den obligatorischen und fakultativen Aktanten treten im Satz *freie Angaben* auf, die von der Valenz des Verbs nicht determiniert sind und syntaktisch beliebig in jedem

Satz hinzugefügt und weggelassen werden können. Vgl. dazu näher 17.2.1.

1. Nach der *Zahl* der – obligatorischen und fakultativen – Aktanten unterscheidet man folgende Gruppen von Verben:

(1) Verben ohne Aktanten
(2) Verben mit keinem obl. und 1 fak. Aktanten
(3) Verben mit 1 obl. Aktanten
(4) Verben mit 1 obl. und 1 fak. Aktanten
(5) Verben mit 1 obl. und 2 fak. Aktanten
(6) Verben mit 1 obl. und 3 fak. Aktanten
(7) Verben mit 2 obl. Aktanten
(8) Verben mit 2 obl. und 1 fak. Aktanten
(9) Verben mit 2 obl. und 2 fak. Aktanten
(10) Verben mit 3 obl. Aktanten

Durch die Besetzung der Leerstellen des Verbs mit einer bestimmten, festgelegten Zahl von obligatorischen und fakultativen Aktanten ergeben sich die möglichen Satzmodelle im Deutschen; vgl. dazu 17.2.2. [Dort finden sich auch Satzbeispiele für die unter (1) bis (10) genannten Gruppen von Verben.]

2. Die Verben unterscheiden sich zusätzlich nach der *Art* der – obligatorischen und fakultativen – Aktanten, die beim jeweiligen Verb gefordert oder zugelassen sind. Die Aktanten können von folgender Art sein: Substantiv im Nominativ, Substantiv im Akkusativ, Substantiv im Dativ, Substantiv im Genitiv, Präposition + Substantiv, Adjektiv bzw. Adjektivadverb, Präposition + Adjektiv bzw. Adjektivadverb, Nebensatz, Infinitiv mit *zu*, Infinitiv ohne *zu*, Partizip.
Weitere Differenzierungen ergeben sich bei einigen von diesen Gruppen durch eine verschiedene Satzgliedschaft: So kann z. B. der als Substantiv im Nominativ erscheinende Aktant Subjekt oder Prädikativ, der als Präposition + Substantiv erscheinende Aktant Objekt oder Adverbialbestimmung, der als Adjektiv bzw. Adjektivadverb oder Präposition + Adjektiv bzw. Adjektivadverb erscheinende Aktant Prädikativ oder Adverbialbestimmung sein.
Auf diese Weise differenzieren sich die unter 1. genannten Gruppen (1) bis (10) auf Grund der verschiedenen Art der Aktanten in zahlreiche, aber nicht unbegrenzt viele Subklassen.
Diese Subklassen ergeben die Satzmodelle, wie sie unter 17.2.2. dargestellt sind; dort sind auch die verschiedenen Möglichkeiten mit den entsprechenden Beispielsätzen angegeben.

1.4. Klassifizierung der Verben nach semantischen Kriterien

Eine Klassifizierung der Verben unter semantischem Aspekt erfolgt nach der Bedeutungsstruktur der Verben selbst, nach ihrer Aktionsart und nach dem Grad ihrer Grammatikalisierung bzw. Desemantisierung (nach der Möglichkeit oder Unmöglichkeit, allein das Prädikat zu bilden).

1.4.1. Semantische Subklassen der Verben

Nach der Bedeutungsstruktur ergibt sich folgende Grobklassifizierung der Verben:

1. *Tätigkeitsverben* (oder die ihnen zugrunde liegenden *Aktionsprädikate*)[1] drücken aus, daß ein tätiges Subjekt (ein Täter oder Agens) in aktiver Weise etwas tut, eine Handlung ausführt:

> arbeiten, aufschreien, sich bemächtigen, bewegen, essen, helfen, gehen, kämpfen, lesen, öffnen, singen, spielen, springen, töten, turnen, wandern, zerbrechen

2. *Vorgangsverben* (oder die ihnen zugrunde liegenden *Prozeßprädikate*) bezeichnen eine Veränderung, einen Prozeß, den das Subjekt an sich erfährt und der das Subjekt in seinem Zustand oder in seiner Beschaffenheit verändert:

> erfrieren, erkranken, ermüden, erwachen, einschlafen, fallen, hinfallen, sterben, verfaulen, verblühen, verhungern

3. *Zustandsverben* (oder die ihnen zugrunde liegenden *stativen Prädikate*) drücken einen Zustand, ein Bestehen, ein Beharren aus, drücken aus, daß sich das Subjekt nicht verändert:

> sich befinden, liegen, sein, stehen, umgeben, wohnen

Die Unterscheidung in diese drei Subklassen ergibt sich aus zwei Kriterien:

(1) aus dem semantischen Merkmal [± statisch], das dem Verb selbst innewohnt,

(2) aus dem semantischen Charakter des Subjekts als [± Agens], das zu den entsprechenden Verben treten kann.

---

[1] Diese doppelte Terminologie ergibt sich daraus, daß es sich bei *Aktion*, *Prozeß* und *stativ* um semantische Prädikate, bei den deutschen Bezeichnungen jedoch um Lexikalisierungen dieser Prädikate (teilweise auch in verschiedenen Wortklassen) handelt.

Danach ergibt sich:

	[statisch]	[Agens]
Tätigkeitsverb	–	+
Vorgangsverb	–	–
Zustandsverb	+	–

Nach dem Merkmal (1) ergibt sich eine binäre Gliederung in Zustandsverben (oder statische Verben) und Nicht-Zustandsverben (oder dynamische Verben); die Nicht-Zustandsverben können dann wieder in (aktionale) Tätigkeitsverben und (nicht-aktionale) Vorgangsverben untergliedert werden:

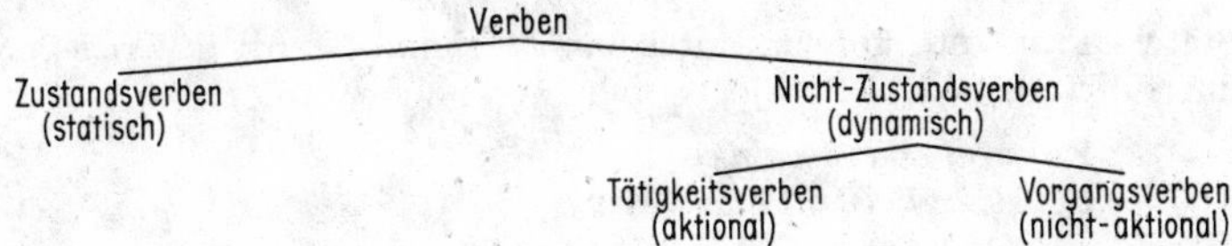

Da Nicht-Zustandsverben immer ein „Geschehen" ausdrücken, können sie von den Zustandsverben dadurch unterschieden werden, daß sie auf die Frage „*Was geschah?*" bzw. „*Was geschieht?*" antworten:

Was geschah?
– Er *zerbrach* den Teller. (= Tätigkeit)
– Er *fiel* in den Graben. (= Vorgang)
– *Er *wohnte* in Dresden. (= Zustand)

Innerhalb der Nicht-Zustandsverben lassen sich die Tätigkeitsverben von den Vorgangsverben dadurch unterscheiden, daß ihr Prädikat mit Pro-Verben (wie *tun* und *machen*) erfragt und durch diese auch pro-verbalisiert werden kann:

Was tat der Junge?
– Er *sang* ein Lied. Er *tat (machte)* es. (= Tätigkeit)
– *Er *schlief ein.* *Er *tat (machte)* es. (= Vorgang)

Umgekehrt können Vorgangsverben durch „*Was geschah dem Subjekt?*" erfragt werden – im Unterschied zu den Tätigkeitsverben:

Was geschah dem Jungen?
– Er *schlief ein.* (= Vorgang)
– *Er *sang* ein Lied. (= Tätigkeit)

Das unter (2) genannte Merkmal liefert eine Unterscheidung nach dem Charakter des Subjekts: Nur bei den Tätigkeitsverben ist das Subjekt Agens, bei den Vorgangs- und Zustandsverben nicht (hier handelt es sich um Vorgangs- bzw. Zustandsträger). Der unterschiedliche Charakter dieses Nominativsubjekts – der von der Bedeutung der Verben keineswegs unabhängig ist – prägt sich in unterschiedlichen (semantischen) Kasusrollen aus, die ihrerseits die Basis sind für unterschiedliche semantische Satzmodelle (vgl. 17.).

Anmerkungen:

(1) Stative Prädikate werden nicht nur durch Verben lexikalisiert, sondern – sogar in der Mehrzahl der Fälle – durch Kopulaverben + Adjektive:

Die Wäsche *ist trocken.*
Das Seil *ist straff.*

(2) In manchen Fällen gibt es einen Übergang zwischen den drei Gruppen von Prädikaten (Verben). Stative Prädikate können durch ein Merkmal [caus] in Aktionsprädikate überführt werden:

Der Schrank *steht* im Zimmer.
Wir *stellen* den Schrank in das Zimmer.

Stative Prädikate können durch ein Merkmal [werd] in Prozeßprädikate überführt werden:

Er *kränkelt (ist krank).*
Er *erkrankt (wird krank).*

So stehen nebeneinander:

Die Wäsche *ist trocken.*	(Zustandsprädikat)
Die Wäsche *trocknet.*	(Prozeßprädikat)
Wir *trocknen* die Wäsche.	(Aktionsprädikat)

Bei der Überführung in Aktionsprädikate entstehen jedoch nur solche Tätigkeitsverben, die als „kausativ" bezeichnet werden können.

(3) Unter den Tätigkeitsverben ist die Subklasse der *kausativen* Verben auszusondern, für die eben die unter (2) genannte Überführung charakteristisch ist. Sie können in *zwei* verschiedene semantische Prädikate (Tätigkeit *und* Vorgang) zerlegt werden und stellen folglich eine Kombination aus Tätigkeit und Vorgang dar:

Er *zerbrach* die Tasse.
← Er *verursuchte,* daß die Tasse *zerbrach.*

Er *tötete* seinen Gegner.
← Er *verursachte,* daß sein Gegner *starb.*

Entsprechend sind auch beide Fragen (für Tätigkeit *und* für Vorgang) möglich:

Was *tat* er?
Er zerbrach die Tasse.
Er tötete seinen Gegner.
Was *geschah* der Tasse?
Die Tasse zerbrach.
Was *geschah* seinem Gegner?
Sein Gegner starb.

Eine solche Zerlegung ist bei nicht-kausativen, sondern inhärent semantisch-transitiven Verben (z. B. *essen, schreiben, schlagen, helfen*) nicht möglich.

(4) Innerhalb der Tätigkeitsverben sind nach der Zahl der Argumente (der zu besetzenden Leerstellen des semantischen Prädikats) nochmals zwei Gruppen zu unterscheiden: solche, deren Prädikat nur *ein* Argument hat (z. B. *aufschreien, springen, spielen, turnen, brüllen*), und solche, deren Prädikat *mehr* als ein Argument hat (z. B. *essen, helfen, lesen, öffnen, sich bemächtigen*). Die erste Gruppe bilden die semantisch-intransitiven Verben, die zweite Gruppe

die semantisch-transitiven Verben. Diese Einteilung deckt sich nicht mit der Einteilung in syntaktisch-intransitive und syntaktisch-transitive Verben (vgl. 1.3.3.1.).

(5) Eine besondere Gruppe bilden einige Verben des Wahrnehmens (z. B. *sehen, hören, empfinden*), des Wissens (z. B. *glauben, kennen, wissen, vermissen, verstehen*) und allgemeiner Relationen (z. B. *lieben, hassen*), die sich teilweise wie Tätigkeitsverben (z. B. in der Passivbildung) verhalten, teilweise aber in der Bedeutung den Zustandsverben entsprechen. Ihr Subjekt ist kein Agens (die Prädikate können deshalb weder durch ein Pro-Verb erfragt noch pro-verbalisiert werden), sondern ein Demi-Agens (Wahrnehmungsträger, Erkenntnisträger, Verhältnisträger o. ä.), das sich teilweise syntaktisch wie ein Agens verhält.

(6) Eine Sondergruppe stellen auch die „Ereignisverben" dar, die weder ein Agens noch einen anderen Kasus als Subjekt, die vielmehr nur *es* als formales Subjekt haben (z. B. *es schneit, regnet, blitzt, donnert, dämmert, dunkelt, hagelt, nieselt, kracht, taut, zieht, zischt*) (vgl. 6.). Obwohl sie keinen Vorgangsträger haben, entsprechen sie in ihrer Bedeutung weitgehend den Vorgangsverben.

(7) Wie stative Prädikate, so können auch Prozeßprädikate mit Hilfe von Kopulaverben + Adjektiven realisiert werden:

abhängen – abhängig *sein* (Stativ)
aufwachen – wach *werden* (Prozeß)
schweigen – stumm *sein* (Stativ)
verstummen – stumm *werden* (Prozeß)
erkranken – krank *werden* (Prozeß)

Wie *sein* + Adjektiv als direkte Lexikalisierung von stativen Prädikaten angesehen werden kann, so ist *werden* + Adjektiv eine direkte Lexikalisierung von Prozeßprädikaten. In den meisten Fällen sind die Prädikate jedoch nicht mehrfach, sondern nur alternativ lexikalisierbar:

reich werden – *verreichen
Aber: arm werden – verarmen

(8) Zu den stativen Prädikaten zählen auch sehr unterschiedliche Konstruktionen mit *haben* und *sein*, die in regulären Entsprechungen zueinander stehen (die Konstruktionen mit *haben* besitzen außer der stativen noch eine „possessive" Bedeutung):

Er *ist* mutig.
Er *hat* Mut.
Er *ist* der Hoffnung, daß er den Zug erreicht.
Er *hat* die Hoffnung, daß er den Zug erreicht.
Die Tür *ist* auf. (ugs.)
Er *hat* die Tür auf. (ugs.)
Das Auto *ist* in der Garage.
Er *hat* das Auto in der Garage.
Sein Bein *ist* verbunden.
Er *hat* sein Bein verbunden.

1.4.2. Aktionsarten

Unter der Aktionsart eines Verbs versteht man die *Verlaufsweise* und *Abstufung* des Geschehens, das vom Verb bezeichnet wird. Die Differenzierung des Geschehens erfolgt nach dem *zeitlichen* Verlauf (Ablauf, Vollendung; Anfang, Übergang, Ende) und nach dem *inhaltlichen* Verlauf (Veranlassen, Intensität, Wiederholung, Verkleinerung). Der zeitliche und inhaltliche Verlauf greifen oft ineinander.

1.4.2.1. Klassen der Aktionsarten

Nach den oben genannten Gesichtspunkten unterscheidet man folgende Klassen:

1. *Durative Verben* (auch: *imperfektive Verben*) bezeichnen den reinen Ablauf oder Verlauf des Geschehens, ohne daß etwas über Begrenzung und Abstufung, über Anfang und Ende des Geschehens ausgesagt ist:

arbeiten, blühen, essen, laufen, schlafen

Zu den durativen Verben gehören auch:

(1) die *iterativen* oder *frequentativen* Verben, die die Wiederholung eines Geschehens ausdrücken:

flattern, gackern, plätschern, streicheln

(2) die *intensiven* Verben, die die Verstärkung eines Geschehens ausdrücken:

brüllen, saufen, sausen

(3) die *diminutiven* Verben, die die Abschwächung des Geschehens (eine geringe Intensität) ausdrücken:

hüsteln, lächeln, tänzeln

2. *Perfektive Verben* grenzen den Verlauf des Geschehens zeitlich ein oder drücken den Übergang von einem Geschehen zu einem anderen Geschehen aus. Diese Abstufung des Geschehens nach zeitlichen Phasen – man spricht auch von Phasenaktionsarten – erfolgt auf sehr differenzierte Weise; danach kann man folgende Subklassen der perfektiven Verben unterscheiden:

(1) die *ingressiven* oder *inchoativen* Verben, die den Anfang eines Geschehens bezeichnen:

aufblühen, einschlafen, entflammen, erblicken, loslaufen

(2) die *egressiven* Verben, die die Endphase und den Abschluß eines Geschehens bezeichnen:

erjagen, platzen, verblühen, verklingen, zerschneiden

(3) die *mutativen* Verben, die einen Übergang von einem Zustand in einen anderen bezeichnen:

reifen, rosten, sich erkälten

(4) die *kausativen* oder *faktitiven* Verben, die ein Bewirken bzw. Veranlassen, ein Versetzen in einen neuen Zustand bezeichnen (vgl. dazu 1.2.2.5.4.):

beugen, öffnen, senken, sprengen, schwenken, verschwenden, schwärzen

Ausdrucksmöglichkeiten der Aktionsarten 1.4.2.2.

Die unter 1.4.2.1. genannten Klassen von Verben sind semantische Klassen, die sehr schwer abgrenzbar sind, weil die Aktionsarten im Deutschen kein grammatisches System darstellen und nur zu einem sehr geringen Teil grammatikalisiert sind. Die *semantische* Kategorie der Aktionsart wird durch *verschiedene sprachliche Mittel* ausgedrückt, vor allem durch folgende:

1. Die Aktionsart wird ausgedrückt durch die *Bedeutung des Verbs* selbst; das trifft in erster Linie zu auf einfache Verben, die in den meisten Fällen von durativer Aktionsart sind:

arbeiten, blühen, essen, lesen, schlafen

Es gibt jedoch auch einfache Verben, die von ihrer Bedeutung her perfektiv sind:

finden, kommen, treffen, sterben

2. Die perfektive Aktionsart wird ausgedrückt durch *Wortbildungsmittel* (Präfixe, Suffixe, Zusammensetzung, Umlaut des Stammvokals, e/i-Wechsel):

blühen	– *er*blühen	(ingressiv)
blühen	– *auf*blühen	(ingressiv)
brennen	– *an*brennen	(ingressiv)
gehen	– *los*gehen	(ingressiv)
schlafen	– *ein*schlafen	(ingressiv)
blühen	– *ver*blühen	(egressiv)
bohren	– *durch*bohren	(egressiv)
frieren	– *ge*frieren	(egressiv)
kämpfen	– *er*kämpfen	(egressiv)
reißen	– *ab*reißen	(egressiv)
reißen	– *zer*reißen	(egressiv)
schlagen	– *tot*schlagen	(egressiv)
glatt	– gl*ä*tten	(kausativ)
offen	– *ö*ffnen	(kausativ)
sinken	– s*e*nken	(kausativ)
bitten	– b*e*tt*eln*	(iterativ)
klingen	– kling*eln*	(iterativ)

platschen	– plätsch*ern*	(iterativ)
streichen	– streich*eln*	(iterativ)
husten	– h*ü*st*eln*	(diminutiv)
lachen	– l*ä*ch*eln*	(diminutiv)
künden	– künd*ig*en	(intensiv)
schlucken	– schluch*z*en	(intensiv)
spenden	– spend*ier*en	(intensiv)

3. Die Aktionsart wird ausgedrückt durch *zusätzliche lexikalische Mittel*:

Er arbeitet *immer / unaufhörlich*.	(= durativ)
Er arbeitet *und arbeitet*.	(= durativ)
Er ist *und bleibt* ein hervorragender Spezialist.	(= durativ)
Es klingelte *plötzlich*.	(= ingressiv)
Es *begann* zu regnen.	(= ingressiv)
Es *hörte auf* zu regnen.	(= egressiv)
Er *fuhr fort* zu arbeiten.	(= durativ)
Er arbeitet *weiter*.	(= durativ)
Er *pflegte* abends spazierenzugehen.	(= iterativ)

4. Die Aktionsart wird ausgedrückt durch *syntaktische Mittel*, vor allem durch Konstruktionen mit Hilfsverben und Funktionsverben (vgl. dazu 1.4.3.5.):

Der Schüler *bleibt* sitzen. (gegenüber: Der Schüler sitzt.)	(= durativ)
Er *ist* beim Arbeiten. (gegenüber: Er arbeitet.)	(= durativ)
Der Baum *steht* in Blüte. (gegenüber: Der Baum blüht.)	(= durativ)
Er *ist im Begriff* zu verreisen. (gegenüber: Er verreist.)	(= ingressiv)
Das Mädchen *wird* rot.	(= mutativ)
Der Film *gelangt* zur Aufführung.	(= ingressiv)
Er *setzt* die Maschine in Betrieb.	(= ingressiv)
Er *bringt* die Produktion in Gang.	(= ingressiv)
Er *kommt* ins Schwitzen.	(= ingressiv)
Er *bringt* die Arbeit zum Abschluß.	(= egressiv)
Er *setzt* die Maschine außer Betrieb.	(= egressiv)

5. Auf Grund dieser verschiedenen, sich überlagernden Mittel zur Bezeichnung der Aktionsarten ist es äußerst schwierig, die Aktionsarten – als semantische Kategorien – deutlich voneinander zu trennen. Es gibt in der Tat Verben und Sätze, die mehreren Aktionsarten gleichzeitig zugeordnet werden können:

Die Kinder *rupfen immer wieder* die Blumen *heraus*.
(= perfektiv + intensiv + iterativ)

Als allgemeines Kriterium für die Unterscheidung der beiden Hauptklassen der durativen und perfektiven Verben kann das semantische Kriterium der Verträglichkeit mit bestimmten Arten von freien Adverbialbestimmungen gelten. *Durative* Verben sind ver-

verträglich mit einer durch *seit* eingeleiteten Temporalangabe (die auch eine Zeitdauer bezeichnet); umgekehrt sind *perfektive* Verben unverträglich mit einer durch *seit* eingeleiteten Temporalangabe:

Das Institut *besteht seit* 20 Jahren. (= durativ)
*Das Institut *wird seit* 20 Jahren *gegründet*. (= perfektiv)
Er *kränkelt seit* zwei Jahren. (= durativ)
*Er *erkrankt seit* 2 Jahren. (= perfektiv)

Syntaktische Reflexe der Aktionsarten 1.4.2.3.

Die beiden Hauptklassen der Aktionsarten – die durativen und die perfektiven Verben – zeigen an vier Stellen Reflexe in der syntaktischen Struktur.

1. Das *Perfekt* der intransitiven Verben wird in der Regel mit *haben* gebildet, wenn diese Verben durativ sind; das Perfekt der intransitiven Verben wird mit *sein* gebildet, wenn diese Verben perfektiv sind:

Er *ist* eingeschlafen.
Er *hat* geschlafen.
Er *ist* aufgewacht.
Die Rose *ist* erblüht.
Die Rose *hat* geblüht.
Die Rose *ist* verblüht.
Das Haus *ist* angebrannt.
Das Haus *hat* gebrannt.
Das Haus *ist* abgebrannt.
Er *hat* lange gelebt.
Er *ist* plötzlich gestorben.

Anmerkungen:
(1) Dieselbe Unterscheidung trifft auch zu auf die Verben der Bewegung. Verben der Bewegung, die eine *Ortsveränderung* bezeichnen, können als transformativ-mutative Verben mit perfektivem Charakter verstanden werden und bilden ihre Vergangenheitsformen mit *sein*:

Wir *sind* durch den Wald gewandert (gelaufen).
Das Flugzeug *ist* nach Paris geflogen.

Umgekehrt bilden Verben der Bewegung, die keine Ortsveränderung bezeichnen, ihre Vergangenheitsformen mit *haben*:

Die Fahnen *haben* im Wind geflattert.

(2) Diese Unterscheidung gilt auch für einige Verben mit der gleichen Infinitivform, die im Perfekt sowohl mit *haben* als auch mit *sein* gebildet werden können:

Sie *hat* früher sehr viel getanzt. (= durativ; *ohne* Ortsveränderung)
Sie *ist* durch den Saal getanzt. (= perfektiv; *mit* Ortsveränderung)
Der Wasserhahn *hat* getropft. (= durativ; *ohne* Ortsveränderung)
Das Wasser *ist* auf das Fensterbrett getropft. (= perfektiv; *mit* Ortsveränderung)

(3) Diese Unterscheidung gilt für die intransitiven Verben, nicht für die transitiven und die reflexiven Verben. Die transitiven und reflexiven Verben bilden in der Regel ihre Vergangenheitsformen mit *haben*; vgl. dazu 1.3.3.2.2. Eine Zusammenfassung aller Regularitäten zur Perfektbildung mit *haben* und *sein* vgl. 1.7.2.

(4) Diese Unterscheidung gilt auch nicht für die Verben, die nur ein Subjekt der 3. Person zulassen (vgl. 1.3.2.2.). Obwohl die meisten Verben dieser Gruppe perfektiv sind und ihr Perfekt mit *sein* bilden, gibt es einige, die ihr Perfekt mit *haben* bilden:

Der Versuch *hat* geklappt. (ugs.)

Aber nach der normalen Regel:

Der Versuch *ist* gelungen (mißlungen).
Der Versuch *ist* geglückt (mißglückt).

(5) Die Verben *sein* und *bleiben* bilden ihr Perfekt mit *sein*, obwohl sie intransitiv und durativ sind:

Er *ist* Ingenieur gewesen.
Er *ist* Ingenieur geblieben.

2. Die *Attribuierung* des Partizips II (seine Transformierung in ein Attribut) ist nur möglich bei intransitiven Verben von *perfektiver* Aktionsart (bei solchen intransitiven Verben also, die ihr Perfekt mit *sein* bilden), nicht bei intransitiven Verben von durativer Aktionsart (die ihr Perfekt mit *haben* bilden):

das eingeschlafene Kind
*das geschlafene Kind
das aufgewachte Kind

die erblühte Rose
*die geblühte Rose
die verblühte Rose

das angebrannte Haus
*das gebrannte Haus
das abgebrannte Haus

Diese Unterscheidung trifft auch auf intransitive Verben der *Ortsveränderung* zu. Sie sind attributfähig, wenn sie durch ein Präfix oder eine adverbiale Angabe perfektiviert werden; ohne solche Zusätze sind sie dagegen nicht perfektiv und nicht attributfähig:

der aus dem Zimmer gelaufene Junge
der weggelaufene Junge
*der gelaufene Junge

die auf den Berg gestiegenen Touristen
die hinaufgestiegenen Touristen
*die gestiegenen Touristen

Anmerkungen:
(1) Diese Unterscheidung hinsichtlich der Attribuierungsmöglichkeit des Partizips II deckt sich mit der Unterscheidung hinsichtlich der Perfektbildung mit *haben* und *sein* (vgl. 1.)

(2) Auch diese Unterscheidung hinsichtlich der Attribuierungsmöglichkeit des Partizips II betrifft nur die intransitiven Verben, nicht die transitiven Verben (die generell die Attribuierung ihres Partizips II zulassen) und nicht die reflexiven Verben (vgl. dazu auch 15.1.3.2.2.).

3. Die Bildung eines *Zustandspassivs* ist nur möglich bei transitiven Verben von *perfektiver* Aktionsart:

Die Arbeit *ist* vollendet.
Die Tür *ist* geöffnet.
Die Kartoffelkäfer *sind* vernichtet.

Ebenso: erfüllen, impfen, verdrängen, verkaufen

Anmerkungen:
(1) Die transitiven Verben von durativer Aktionsart lassen im allgemeinen die Bildung des Zustandspassivs nicht zu:

aufwenden, ausüben, befragen, beglückwünschen, bewundern, bitten, erinnern, fragen, loben, necken, streicheln

(2) Solche transitiven Verben von durativer Aktionsart, die im Perfekt – unter Umständen gestützt durch Präfixe und bestimmte Ergänzungen – eine perfektive Bedeutung annehmen können, lassen die Bildung eines Zustandspassivs zu:

anbauen, bauen, beleuchten, beschäftigen, ernten, gewöhnen, pflastern, schreiben, umbauen, verletzen

(3) Eben deshalb kann eine Entscheidung über die Möglichkeit der Bildung des Zustandspassivs nicht allein auf Grund des syntaktischen Kriteriums der Transitivität bzw. Intransitivität und des semantischen Kriteriums der durativen bzw. perfektiven Aktionsart getroffen werden. Vgl. dazu ausführlicher 1.8.7.

(4) Die Unterscheidung hinsichtlich der Möglichkeit des Zustandspassivs betrifft – im Gegensatz zu 1. und 2. – nur die transitiven, nicht die intransitiven Verben.

4. Es sind Unterschiede in der *Rektion* zu beobachten, wenn einfache und präfigierte Verben nebeneinanderstehen. Bei der gleichen regierten Präposition fordert diese bei einfachen Verben den Akkusativ (der Vorgang und die Richtung sind betont), bei den entsprechenden präfigierten Verben den Dativ (das Resultat und das Ziel sind betont):

Der Arzt *kommt* in *die* Stadt.
Der Arzt *kommt* in *der* Stadt *an*.
Der Nachbar *hängt* das Bild an *die* Wand.
Der Nachbar *hängt* das Bild an *der* Wand *auf*.

1.4.2.4. Semantische Klassen und grammatische Kategorien

Die semantischen Klassen der Aktionsarten (1.4.2.1.) sind nicht in systematischer Weise mit grammatischen Unterschieden verbunden. Erst wenn semantische Klassen in systematischer Weise mit morphologischen und/oder syntaktischen (nicht nur mit lexikalischen) Formen verbunden sind, kann man von *grammatischen Kategorien* sprechen. Solche systematischen Beziehungen zwischen semantischen Klassen und morphosyntaktischen Formen liegen im Deutschen nur in drei Fällen vor:

(1) Wenn ein Zustand oder ein Geschehen (Vorgang, Tätigkeit) in seinem reinen Ablauf oder Verlauf bezeichnet wird, *ohne* daß etwas über *Veränderung* des Zustands oder Geschehens, über Begrenzung, Abstufung, Anfang oder Ende ausgedrückt ist, sprechen wir von *durativen* oder *kursiven* Verben [dur].

(2) Wenn eine *Veränderung* des Zustands oder Geschehens bezeichnet wird, sprechen wir von *inchoativen* oder *transformativen* Verben [incho].

(3) Wenn das *Bewirken* einer Zustandsveränderung, eines Zustands oder eines Vorgangs ausgedrückt wird, sprechen wir von *kausativen* Verben [caus].

Durativa (bzw. Kursiva), Inchoativa (bzw. Transformativa) und Kausativa werden folglich als Namen für grammatische Kategorien verstanden. Diese 3 Klassen hängen in bestimmter Weise zusammen: Die Inchoativa implizieren von ihrer Bedeutung her Durativa, weil [incho] jeweils einen Vorzustand und einen Nachzustand voraussetzt. Die Kausativa implizieren wiederum Inchoativa (oder Durativa), da dasjenige, was durch die Fremdeinwirkung eines Agens bewirkt (oder verursacht) wird, Zustandsveränderungen bzw. Zustände sind. Die durativen Verben sind Zustandsverben, die inchoativen Verben sind Vorgangsverben, die kausativen Verben gehören zu den Tätigkeitsverben (vgl. 1.4.1.1.).
Damit haben die unter (1) bis (3) genannten grammatischen Kategorien eine deutliche Beziehung sowohl zu den semantischen Subklassen der Verben (vgl. 1.4.1.) als auch zu den semantischen Klassen der Aktionsarten (vgl. 1.4.2.1.). Diese grammatischen Kategorien werden oft auch als Aktionsarten bezeichnet; dabei muß man jedoch im Auge haben, daß diese „Aktionsarten" (als grammatische Kategorien) einerseits *enger* sind als die semantischen Klassen der Aktionsarten (nur die genannten 3 Klassen treten auf), daß sie andererseits jedoch in einem *weiteren* Sinne verstanden werden als z. B. in den slawischen Sprachen (vor allem deshalb, weil sie nicht nur bedeutungsmodifizierend, sondern auch bedeutungskonstituierend sind – wie übrigens die meisten semantischen Klassen der Aktionsarten auch). Unter dieser Einschränkung scheint der Gebrauch des Terminus der „Aktionsarten" auch für diese grammatischen Kategorien gerechtfertigt.

Die Klassen (1) bis (3) haben systematische *grammatische* Ausdrucksmittel vor allem in den *Funktionsverben* (vgl. 1.4.3.1.7., 1.4.3.3.5., 1.4.3.5.1.), aber auch bei den *Genera des Verbs* (vgl. 1.8.). Sie haben jedoch auch *lexikalische* Ausdrucksmittel, teilweise sogar direkte Lexikalisierungen (mit *sein*, *werden* und *machen*):

[dur]	[incho]	[caus]
schlafen	einschlafen	einschläfern
liegen	sich legen	legen
tot *sein*	sterben	töten, tot *machen*
krank *sein*	krank *werden*, erkranken	krank *machen*
reich *sein*	reich *werden*	reich *machen*
wach *sein*	wach *werden*, aufwachen	wach *machen*, (auf)wecken

Funktionsverben 1.4.3.

Aus den finiten Verben werden die *Funktionsverben* als die Gruppe von Verben ausgesondert, die in einer bestimmten Verwendung im Satz das Prädikat nicht allein ausdrücken.

Wesen der Funktionsverben 1.4.3.1.

Die Funktionsverben (= FV) in einem Funktionsverbgefüge (= FVG) sind durch folgende Eigenschaften charakterisiert:

1. Ein FVG besteht aus einem FV und einem nominalen Bestandteil (in der Regel Substantiv im Akkusativ oder Präpositionalgruppe), die beide zusammen eine semantische Einheit darstellen und als solche das Prädikat bilden. Das FV kann nicht ohne den nominalen Teil des FVG vorkommen (und umgekehrt); dieser wird nach seinem Satzgliedcharakter als lexikalischer Prädikatsteil aufgefaßt.

2. Diese semantische Einheit drückt sich auch darin aus, daß das FVG in der Bedeutung weitgehend einem Vollverb oder einem Adjektiv (+ Kopula) entspricht (die den gleichen Stamm haben wie das Nomen im FVG):

Das Theater *brachte* das Stück *zur Aufführung.*
→ Das Theater *führte* das Stück *auf.*

Wir *gaben* den Mitarbeitern *Nachricht.*
→ Wir *benachrichtigten* die Mitarbeiter.

Peter *kam in Wut.*
→ Peter wurde *wütend.*

3. Innerhalb des FVG üben die FV vorwiegend eine grammatische

Funktion aus und haben ihre lexikalische Bedeutung weitgehend oder vollständig eingebüßt. Die eigentliche Bedeutung des Prädikats ist in die nominalen Glieder außerhalb des FV (vor allem in Präpositionalgruppen und Akkusative) verlagert, die Verbal- bzw. Adjektivabstrakta sind und in der lexikalischen Bedeutung den entsprechenden Basis-Verben bzw. -Adjektiven nahestehen bzw. entsprechen.

4. Obwohl die als FV auftretenden Verballexeme in anderen Kontexten auch als gleichlautende Vollverben vorkommen können, haben sie als FV im FVG ihren semantischen Gehalt stark reduziert, haben ihre lexikalische Bedeutung eingebüßt und sind zu *grammatischen* Wörtern (wie die Hilfsverben) geworden:

Er *bringt* die Kreide zur Tafel. (Vollverb, Ortsveränderung)
Er *bringt* das Stück zur Aufführung. (FV, keine Ortsveränderung)

Der *Grammatikalisierung* der FV entspricht eine *Lexikalisierung* des gesamten FVG.

5. Mit dieser Lexikalisierung des FVG hängt es zusammen, daß auch der semantische Gehalt der Präposition in präpositionalen Gruppen als nominalen Komponenten des FVG stark reduziert ist: Diese Präpositionen üben – ähnlich wie in Präpositionalobjekten – eine kasusartige Funktion aus.

6. Trotz dieser Lexikalisierung dürfen die FVG nicht mit den „phraseologischen Verbindungen" bzw. „phraseologischen Ganzheiten" (vom Typ *„ins Wort fallen"*, *„schwarz sehen"*, *„unter den Nagel reißen"*) identifiziert werden, die ebenfalls semantische Einheiten darstellen, sich in ihrer Bedeutung nicht oder nicht völlig in die Teilbedeutungen der einzelnen Bestandteile auflösen lassen und sich meist durch ein anderes Lexem (als Wort) paraphrasieren lassen. Während jedoch die Bedeutung der phraseologischen Einheit nur insgesamt faßbar ist (sie verteilt sich nicht auf die einzelnen Teile), bewahrt das FV im FVG eine bestimmte – wenn auch sehr allgemeine – Bedeutung, die zur Reihenbildung führt:

in Frage / zum Ausdruck / zum Ausbruch / zur Ruhe / zum Abschluß / zur Anwendung *kommen*
Abstand / Einblick / Einfluß / Rücksicht / in Besitz / in Empfang / zu Hilfe *nehmen*

7. Obwohl das FV im FVG seine ursprüngliche lexikalische Bedeutung verliert, ist es nicht nur Träger von morphosyntaktischen Funktionen, sondern auch Träger von semantischen Funktionen sehr allgemeiner Art; es drückt einen Zustand [dur], eine Zustandsveränderung [incho] oder das Bewirken einer Zustandsveränderung (bzw. eines Zustands) [caus] aus – mitunter bei denselben nominalen Bestandteilen im FVG:

sich in Abhängigkeit *befinden* [dur]
in Abhängigkeit *kommen / geraten* [incho]
in Abhängigkeit *bringen* [caus]

Angst *haben*	[dur]
Angst *bekommen*	[incho]
in Angst *versetzen*	[caus]

Liste der Funktionsverben 1.4.3.2.

(Auf der rechten Seite ist das Vollverb bzw. Adjektiv angegeben, das dem links stehenden FVG entspricht)

anstellen

Beobachtungen anstellen	(beobachten)
Berechnungen anstellen	(berechnen)
Überlegungen anstellen	(überlegen)
Untersuchungen anstellen	(untersuchen)

aufnehmen

Beziehungen aufnehmen (zu)	–
(den / einen) Kontakt aufnehmen (mit / zu)	–
(die / eine) Verbindung aufnehmen (mit / zu)	(sich verbinden)
Verhandlungen aufnehmen (mit)	(verhandeln)

ausüben

(einen) Einfluß ausüben (auf)	(beeinflussen)
die Herrschaft ausüben	(herrschen)
eine Wirkung ausüben (auf)	(wirken)

sich befinden

sich in Abhängigkeit befinden (von)	(abhängen)
sich in Anwendung befinden	(angewendet werden)
sich im Aufbau befinden	(aufgebaut werden)
sich im Bau finden	(gebaut werden)
sich in Betrieb befinden	(betrieben werden)
sich in Bewegung befinden	(sich bewegen)
sich in Gefahr befinden	(gefährdet sein)
sich in Übereinstimmung befinden	(übereinstimmen)

Anmerkung:
Das FV *sich befinden* kann ohne wesentlichen Bedeutungsunterschied ersetzt werden durch das FV *sein:*

Das Schiff *befindet sich* in Gefahr.
→ Das Schiff *ist* in Gefahr.

bekommen

die / eine Anregung bekommen	(angeregt werden)
(die / eine) Antwort bekommen	(geantwortet werden)
den / einen Auftrag bekommen	(beauftragt werden)
den / einen Befehl bekommen	(befohlen werden)

die Einwilligung bekommen	(eingewilligt werden)
die / eine Erlaubnis bekommen	(erlaubt werden)
die / eine Garantie bekommen	(garantiert werden)
(die / eine) Nachricht bekommen	(benachrichtigt werden)
den / einen Rat bekommen	(beraten werden)
Unterricht bekommen	(unterrichtet werden)
das / ein Versprechen bekommen	(versprochen werden)
die / eine Zusicherung bekommen	(zugesichert werden)

Anmerkungen:

(1) Das FV *bekommen* ist ohne Bedeutungsveränderung durch das FV *erhalten* ersetzbar:

Er *bekommt* aus dem Buch eine Anregung.
→ Er *erhält* aus dem Buch eine Anregung.

(2) Zu allen FVG mit *bekommen* gibt es Umkehrungen mit *geben* [vgl. dort unter *Anmerkung (2)*]; dabei tritt das Agens (bei *bekommen* im Präpositionalkasus) in den Subjektsnominativ, der Adressat (bei *bekommen* im Subjektsnominativ) in den Objektsdativ:

Er *bekommt* die Zusicherung von seinem Vater.
→ Sein Vater *gibt* ihm die Zusicherung.

Bei dieser Umkehrung wird die passivische Bedeutung durch eine aktivische Bedeutung ersetzt. Die inchoative Bedeutung bleibt erhalten, eine zusätzliche kausative Bedeutung tritt hinzu.

besitzen

die Fähigkeit besitzen (zu)	(fähig sein)
die Frechheit besitzen (zu)	(frech sein)
den Mut besitzen (zu)	(mutig sein)

Anmerkung:
Das FV *besitzen* kann ohne wesentliche Bedeutungsveränderung durch das FV *haben* ersetzt werden:

Er *besitzt* die Fähigkeit zu noch besseren Leistungen.
→ Er *hat* die Fähigkeit zu noch besseren Leistungen.

bleiben

in Abhängigkeit bleiben (von)	(abhängen)
in Anwendung bleiben	(angewendet werden)
in Betrieb bleiben	(betrieben werden)
in Bewegung bleiben	(sich bewegen)
in Gefahr bleiben	(gefährdet sein)
in Verbindung bleiben (mit)	(verbunden sein)

Anmerkung:
Das FV *bleiben* kann ersetzt werden durch die FV *sich befinden* und *sein*; dabei wird jedoch die durative Bedeutung abgeschwächt:

Das Schiff *bleibt* in Gefahr.
→ Das Schiff *befindet sich (ist)* in Gefahr.

bringen

zum Abschluß bringen	(abschließen)
in / zur Anwendung bringen	(anwenden)
zur Aufführung bringen	(aufführen)
zum Ausdruck bringen	(ausdrücken)
zur Durchführung bringen	(durchführen)
zum Einsturz bringen	–
zu Ende bringen	(beenden)
zum Erliegen bringen	–
auf einen / den Gedanken bringen	–
in Gefahr bringen	(gefährden)
ins Gespräch bringen	(besprechen)
zum Halten bringen	(anhalten)
zur Kenntnis bringen	(bekanntgeben)
zum Kochen bringen	(kochen)
ums Leben bringen	–
in Ordnung bringen	(ordnen)
zur Ruhe bringen	(beruhigen)
zur Sprache bringen	(besprechen)
in Verlegenheit bringen	(verlegen machen)
zur Vernunft bringen	–
in Verwirrung bringen	(verwirren)
zur Verzweiflung bringen	(verzweifelt machen)

Anmerkungen:
(1) Zu allen FVG mit *bringen* ist eine Umkehrung mit *kommen* möglich, bei der der *kausative* Charakter von *bringen* verlorengeht, sein *inchoativer* Charakter jedoch erhalten bleibt:

Er *bringt* dieses Problem zur Sprache.
→ Dieses Problem *kommt* zur Sprache.

Bei dieser Umkehrung wird – ähnlich wie bei einer Passiv-Transformation (*zur Sprache kommen = zur Sprache gebracht werden*) – das Akkusativobjekt von *bringen* zum Nominativsubjekt von *kommen*. Das eigentliche Agens (der Verursacher des kausativen FV *bringen*) wird in der Umkehrung mit *kommen* nicht mehr ausgedrückt.

(2) Zu einigen FVG mit *bringen* gibt es auch Entsprechungen mit den FV *sein* oder *sich befinden*, denen jedoch der kausative Charakter von *bringen* fehlt und die umgekehrt gerade durativ sind:

Der Sturm *bringt* das Schiff in Gefahr.
→ Das Schiff *ist (befindet sich)* in Gefahr.

Was die Subjekt-Objekt-Verhältnisse anlangt, gilt dieselbe Umkehrung wie bei *kommen* [vgl. unter *Anmerkung* (1)].

erfahren

eine Bestätigung erfahren	(bestätigt werden)
(eine) Förderung erfahren	(gefördert werden)
eine Korrektur erfahren	(korrigiert werden)
eine Veränderung erfahren	(verändert werden)
eine Verbesserung erfahren	(verbessert werden)

eine Vereinfachung erfahren (vereinfacht werden)
eine Vervollkommnung erfahren (vervollkommnet werden)

Anmerkung:
Das FV *erfahren* kann meist durch das FV *finden*, manchmal auch durch das FV *genießen* ersetzt werden (in allen Fällen als Subjekt kein Agens, deshalb Passiv-Paraphrasen):

Der Plan *erfährt* eine Veränderung.
→ Der Plan *findet* eine Veränderung.

Er *erfährt* eine Förderung durch den Klassenleiter.
→ Er *genießt* eine Förderung durch den Klassenleiter.

erhalten

(die / eine) Antwort erhalten (geantwortet werden)
den / einen Auftrag erhalten (aufgetragen / beauftragt werden)
den / einen Rat erhalten (beraten / geraten werden)

Anmerkung:
Vgl. auch *bekommen*. Da *erhalten* durch *bekommen* ersetzt werden kann, vgl. weitere Beispiele dort. Zu *erhalten* ist auch eine Umkehrung mit *geben* möglich; vgl. dazu *bekommen Anmerkung (2)* und *geben Anmerkung (2)*.

erheben

Anklage erheben (gegen) (anklagen)
Anspruch erheben (auf) (beanspruchen)
Beschwerde erheben (über / gegen) (sich beschweren)
Protest erheben (gegen) (protestieren)
einen Vorwurf erheben (gegen) (vorwerfen)
Zweifel erheben (gegen) (anzweifeln)

erteilen

(die / eine) Antwort erteilen (antworten)
den / einen Auftrag erteilen (beauftragen)
den / einen Befehl erteilen (befehlen)
die / eine Erlaubnis erteilen (erlauben)
den / einen Rat erteilen (raten)
(den) Unterricht erteilen (unterrichten)

Anmerkung:
Das FV *erteilen* kann immer ohne Bedeutungsunterschied durch *geben* ersetzt werden [vgl. dort *Anmerkung (1)*]; dagegen ist ein Ersatz von *geben* durch *erteilen* nicht durchweg möglich.

finden

Anerkennung finden (anerkannt werden)
Anwendung finden (angewendet werden)
Aufnahme finden (aufgenommen werden)

Beachtung finden	(beachtet werden)
Berücksichtigung finden	(berücksichtigt werden)
die / eine Erklärung finden	(erklärt werden)
Erwähnung finden	(erwähnt werden)
Unterstützung finden	(unterstützt werden)
den Tod finden	(getötet werden)

Anmerkung:
Das FV *finden* kann meist durch das FV *erfahren*, in einzelnen Fällen (wenn das Verbalabstraktum eine ausgesprochen positive Bewertung enthält) auch durch das FV *genießen* ersetzt werden. Vgl. dazu *Anmerkung* unter *erfahren*.

führen

den / einen Beweis führen	(beweisen)
zu Ende führen	(beenden)
das / ein Gespräch führen	(sprechen)
den / einen Kampf führen	(kämpfen)
(das / ein) Protokoll führen	(protokollieren)
(den) Vorsitz führen (bei)	(vorsitzen)

geben

die / eine Anregung geben	(anregen)
(die / eine) Antwort geben	(antworten)
den / einen Auftrag geben	(beauftragen)
in Auftrag geben	(beauftragen)
den / einen Befehl geben	(befehlen)
in Druck geben	(drucken)
die Einwilligung geben	(einwilligen)
die / eine Erlaubnis geben	(erlauben)
die / eine Garantie geben	(garantieren)
das / ein Gastspiel geben	(gastieren)
einen Kuß geben	(küssen)
sich Mühe geben	(sich bemühen)
(die / eine) Nachricht geben	(benachrichtigen)
den / einen Rat geben	(raten)
(den) Unterricht geben	(unterrichten)
das / ein Versprechen geben	(versprechen)
den Vorzug geben	(vorziehen)
die / eine Zusicherung geben	(zusichern)

Anmerkungen:
(1) Bei den FVG mit Akkusativ kann in vielen Fällen *geben* ohne Bedeutungsunterschied durch *erteilen* ersetzt werden:

Der Direktor *gibt* dem Abteilungsleiter einen neuen Auftrag.
→ Der Direktor *erteilt* dem Abteilungsleiter einen neuen Auftrag.

(2) Zu fast allen FVG mit *geben* + Akkusativ ist eine Umkehrung mit *bekommen* und *erhalten* möglich:

Die Mutter *gibt* der Tochter die Erlaubnis zur Reise.
→ Die Tochter *bekommt (erhält)* von der Mutter die Erlaubnis zur Reise.

Bei dieser Umkehrung wird das Dativobjekt von *geben* (der Adressat) zum Nominativsubjekt von *bekommen* oder *erhalten*; das eigentliche Agens wird in der Umkehrung mit *bekommen (erhalten)* fakultativ durch eine Präpositionalgruppe (ähnlich wie in passivischen Sätzen) angeschlossen.

(3) Bei den FVG von *geben* + Präpositionalgruppe kann das FV durch *gehen* ersetzt werden; dabei geht die *kausative* Bedeutung von *geben* verloren, seine *inchoative* Bedeutung bleibt jedoch erhalten:

> Der Verlag *gibt* das Buch in Druck.
> → Das Buch *geht* in Druck.

Auch bei dieser Transformation wird das Akkusativobjekt von *geben* (als Patiens) zum Nominativsubjekt von *gehen*; das Agens wird dabei eliminiert.

gehen

in Arbeit gehen	(bearbeitet werden)
in Auftrag gehen	–
in Druck gehen	(gedruckt werden)
zu Ende gehen	(beendet werden)
in Erfüllung gehen	(erfüllt werden)
in Herstellung gehen	(hergestellt werden)

Anmerkung:
Die FVG mit *gehen* sind Passiv-Paraphrasen (Subjektsnominativ drückt nicht das Agens aus) mit inchoativer Bedeutung. Oft ist eine Umkehrung mit *geben* möglich [vgl. dort unter Anmerkung (3)], bei der jedoch eine zusätzliche kausative Bedeutung auftritt und das Agens als Subjektsnominativ in Erscheinung tritt.

gelangen

zu der Anschauung gelangen	–
zu Ansehen gelangen	–
zu der Ansicht gelangen	–
zur Aufführung gelangen	(aufgeführt werden)
zur Durchführung gelangen	(durchgeführt werden)
zur / zu der Einsicht gelangen	(einsehen)
zur / zu der Entscheidung gelangen	(sich entscheiden)
zur Macht gelangen	–
zur Überzeugung gelangen	(sich überzeugen)

Anmerkung:
Das FV *gelangen* kann immer durch das Funktionsverb *kommen* ersetzt werden:

> Er *gelangte* schnell zu Ansehen.
> → Er *kam* schnell zu Ansehen.

Bei personalem Subjekt handelt es sich um ein Agens, das eine intentionale Handlung ausübt (im Gegensatz zu *geraten*; vgl. dort), bei nicht-personalem Subjekt um Passiv-Paraphrasen (Subjekt ist kein Agens).

genießen

(die) Achtung genießen	(geachtet werden)
Anerkennung genießen	(anerkannt werden)
(eine) Förderung genießen	(gefördert werden)
Fürsorge genießen	(umsorgt werden)
Respekt genießen	(respektiert werden)
Unterstützung genießen	(unterstützt werden)

Anmerkung:
Das FV *genießen* kann durch die FV *erfahren* und *finden* ersetzt werden; vgl. dort.

geraten

in Angst geraten	(verängstigt werden)
in Armut geraten	(arm werden)
in Aufregung geraten	–
in Bedrängnis geraten	(bedrängt werden)
in Begeisterung geraten	–
in Erregung geraten	(erregt werden)
ins Gerede geraten	–
in Isolierung geraten	(isoliert werden)
ins Rollen geraten	–
in Stimmung geraten	–
in Unruhe geraten	(unruhig werden)
in Verdacht geraten	(verdächtigt werden)
in Vergessenheit geraten	(vergessen werden)
in Verruf geraten	–
in Verwirrung geraten	(verwirrt werden)
in Verzug geraten	–
in Verzweiflung geraten	–
in Widerspruch geraten	–
in Wut geraten	(wütend werden)
in Zorn geraten	(zornig werden)

Anmerkung:
(1) Das FV *geraten* kann manchmal durch *kommen* ersetzt werden:

> Er *gerät* sehr leicht in Erregung.
> → Er *kommt* sehr leicht in Erregung.

(2) Obwohl die beiden FV *geraten* und *gelangen* in gleicher Weise durch *kommen* ersetzt werden können, ist eine Substitution von *geraten* und *gelangen* untereinander in der Regel nicht möglich, da *gelangen* die intentionale Tätigkeit eines Agens, *geraten* dagegen ein nicht-intentionales Geschehen (z. T. als Passiv-Paraphrase) voraussetzt.

(3) Sowohl *geraten* wie *kommen* haben *inchoative* Bedeutung (deshalb Paraphrase mit *werden*). Für beide gibt es eine Umkehrung mit *bringen* [vgl. dort unter *Anmerkung (1)*], mit der eine zusätzliche kausative Bedeutung und das Auftreten eines Agens als Subjektsnominativ verbunden ist:

> Der Schachspieler *kam* (*geriet*) durch den Zug in Bedrängnis.
> → Der Zug *brachte* den Schachspieler in Bedrängnis.

haben

(eine) Ahnung haben	(ahnen)
Angst haben (vor)	(sich ängstigen)
(einen) Anspruch haben (auf)	(beanspruchen)
die / eine Auswirkung haben (auf)	(sich auswirken)
in Besitz haben	(besitzen)
eine Beziehung haben (zu)	(sich beziehen)
(einen) Einblick haben	(hineinblicken)
in Gebrauch haben	(gebrauchen)
Gefallen haben	(gefallen)
(die) Hoffnung haben	(hoffen)
Kenntnis haben	(kennen)
Mut haben	(mutig sein)
zur Verfügung haben	(verfügen)
die / eine Wirkung haben	(wirken)

Anmerkung:
Das FV *haben* kann manchmal durch *bekommen* ersetzt werden, erhält dann aber statt der durativen eine inchoative Bedeutung:

Er *hat* Einblick in die Produktionsunterlagen.
→ Er *bekommt* Einblick in die Produktionsunterlagen.

halten

in Angst halten	(ängstigen)
Ausschau halten	(ausschauen)
in Betrieb halten	(betreiben)
in Gang halten	–
in Ordnung halten	–
Wache halten	(wachen, bewachen)

Anmerkung:
Das FV *halten* mit Präpositionalgruppe hat kausative und durative Bedeutung. Es kann manchmal durch *bringen* ersetzt werden, behält dabei die *kausative* Bedeutung bei, verliert die *durative* Bedeutung und erhält eine *inchoative* Bedeutung:

Das Kind *hält* sein Zimmer in Ordnung.
→ Das Kind *bringt* sein Zimmer in Ordnung.

kommen

zum Abschluß kommen	(abgeschlossen werden)
zu Ansehen kommen	–
in / zur Anwendung kommen	(angewendet werden)
zum Ausbruch kommen	(ausbrechen)
zum Ausdruck kommen	(sich ausdrücken)
in Bewegung kommen	(sich bewegen)
zur Blüte kommen	(erblühen)
in Fahrt kommen	(anfahren)
in Frage kommen	–
in Gang kommen	–
zur Kenntnis kommen	(bekannt werden)

zur Ruhe kommen	(sich beruhigen)
in Schwung kommen	–
zum Stillstand kommen	(stillstehen)
zur Verhandlung kommen	(verhandelt werden)
zur Vernunft kommen	(vernünftig werden)
zur Versteigerung kommen	(versteigert werden)
zum Vorschein kommen	–

Anmerkungen:
(1) Das FV *kommen* kann teilweise durch *gelangen*, teilweise durch *geraten* ersetzt werden (vgl. dort). Bei *gelangen* steht die Präposition *zu*, bei *geraten* die Präposition *in*. Alle drei Verben haben inchoative Bedeutung.

(2) Das FV *kommen* läßt eine Transformation mit *bringen* zu; dabei treten eine zusätzliche kausative Bedeutung und das entsprechende Agens als Subjektsnominativ auf:

Das neue Verfahren *kommt* zur Anwendung.
→ Der Betrieb *bringt* das neue Verfahren zur Anwendung.

leisten

einen Beitrag leisten	(beitragen)
Bürgschaft leisten	(bürgen)
den / einen Eid leisten	(beeiden)
Ersatz leisten	(ersetzen)
Folge leisten	(folgen)
Gehorsam leisten	(gehorchen)
Hilfe leisten	(helfen)
Verzicht leisten	(verzichten)
Widerstand leisten	(widerstehen)

liegen

unter Beschuß liegen	(beschossen werden)
in Scheidung liegen	(geschieden werden)
in Streit liegen	(sich streiten)

machen

eine Andeutung machen	(andeuten)
(die) Angaben machen	(angeben)
Ausführungen machen	(ausführen)
Eindruck machen	(beeindrucken)
das / ein Experiment machen	(experimentieren)
Hoffnung machen	–
(die / eine) Mitteilung machen	(mitteilen)
Mut machen	(ermutigen)
einen Unterschied machen	(unterscheiden)
die / eine Wanderung machen	(wandern)

nehmen

Abschied nehmen (von)	(sich verabschieden)
Abstand nehmen (von)	–
einen Anfang nehmen	(anfangen)

in Angriff nehmen	–
in Anspruch nehmen	(beanspruchen)
Anstoß nehmen	–
Anteil nehmen	–
Aufstellung nehmen	(sich aufstellen)
ein Bad nehmen	(baden)
in Besitz nehmen	(besetzen)
in Betrieb nehmen	(betreiben)
Bezug nehmen (auf)	(sich beziehen)
(einen) Einblick nehmen (in)	(hineinblicken)
Einfluß nehmen (auf)	(beeinflussen)
Einsicht nehmen (in)	(einsehen)
in Empfang nehmen	(empfangen)
eine ... Entwicklung nehmen	(sich entwickeln)
in Haft nehmen	(verhaften)
zu Hilfe nehmen	–
Kenntnis nehmen (von)	(kennenlernen)
zur Kenntnis nehmen	(kennenlernen)
Rache nehmen	(sich rächen)
Rücksicht nehmen (auf)	(berücksichtigen)
in Schutz nehmen	(schützen/beschützen)
Stellung nehmen (zu)	–
einen ... Verlauf nehmen	(verlaufen)
in Verwahrung nehmen	(verwahren)
Zuflucht nehmen	–

sein

in Anwendung sein	(angewendet werden)
beim Arbeiten (Lesen usw.) sein	(arbeiten (lesen usw.))
im Bau sein	(gebaut werden)
in Betrieb sein	(betrieben werden)
in Bewegung sein	(sich bewegen)
in (der) Diskussion sein	(diskutiert werden)
im Einsatz sein	(eingesetzt sein)
zu Ende sein	(beendet sein)
in Gang sein	(gehen)
in Gefahr sein	(gefährdet sein)
in Verwirrung sein	(verwirrt sein)

Anmerkungen:

(1) In den meisten Fällen kann das FV *sein* durch *sich befinden* ersetzt werden:

Die Maschine *ist* in Betrieb.
→ Die Maschine *befindet sich* in Betrieb.

(2) Das FV *sein* hat *durative* Bedeutung; es hat *kausative* Entsprechungen mit *bringen* oder *setzen*, bei denen ein zusätzliches Agens im Subjektsnominativ erscheint:

Der Bergsteiger *ist* in Gefahr.
→ Wir *bringen* den Bergsteiger in Gefahr.

Die Maschine *ist* in Betrieb.
→ Wir *setzen* die Maschine in Betrieb.

setzen

in Betrieb setzen	(betreiben)
in Bewegung setzen	(bewegen)
in Brand setzen	(anbrennen)
in Gang setzen	–
in Kenntnis setzen	–
in/außer Kraft setzen	–
in Verwunderung setzen	(verwundern)
sich zur Wehr setzen	(sich wehren)

Anmerkung:
Das FV *setzen* hat kausative Bedeutung; manchmal entspricht ihm – ohne kausative, aber mit durativer Bedeutung – ein FVG mit *sein* (vgl. dort unter *Anmerkung (2)*).

stehen

in Aussicht stehen	–
unter Beobachtung stehen	(beobachtet werden)
in Beziehung stehen (mit/zu)	–
zur Debatte stehen	(debattiert werden)
zur Diskussion stehen	(diskutiert werden)
unter dem Einfluß stehen	(beeinflußt werden)
außer Frage stehen	–
im Gegensatz stehen (zu)	(entgegenstehen)
in Kontakt stehen (zu)	–
unter Strafe stehen	(bestraft werden)
in Verbindung stehen	(verbunden sein)
unter dem Verdacht stehen	(verdächtigt werden)
zur Verfügung stehen	(verfügbar sein)
in Verhandlungen stehen (mit)	(verhandeln)
in Wettbewerb stehen (mit)	(wetteifern)
in Widerspruch stehen (zu)	(widersprechen)
im Zusammenhang stehen (mit)	(zusammenhängen)

Anmerkung:
Die durativen FVG mit *stehen* haben teilweise eine kausative Entsprechung mit *stellen*; bei der entsprechenden Transformation wird der Subjektsnominativ von *stehen* zum Objektsakkusativ von *stellen*, und als Subjektsnominativ von *stellen* tritt das eigentliche Agens zusätzlich auf:

Das ungeklärte Problem *stand* zur Diskussion.
→ Der Referent *stellte* das ungeklärte Problem zur Diskussion.

stellen

in Abrede stellen	–
Ansprüche stellen	(beanspruchen)
(den/einen) Antrag stellen (auf)	(beantragen)
in Aussicht stellen	–
in js. Belieben stellen	–
unter Beobachtung stellen	(beobachten)
unter Beweis stellen	(beweisen)
zur Debatte stellen	(debattieren)
in Dienst stellen	–

zur Diskussion stellen	(diskutieren)
zur Entscheidung stellen	(entscheiden)
zur Erörterung stellen	(erörtern)
die/eine Forderung stellen	(fordern)
die/eine Frage stellen	(fragen)
in Frage stellen	–
in Rechnung stellen	(berechnen)
unter Strafe stellen	(bestrafen)
zur Verfügung stellen	–

Anmerkung:
Das kausative FV *stellen* steht oft in einem Umkehrungsverhältnis zu dem durativen FV *stehen* (vgl. dort unter *Anmerkung*):

Die Polizei *stellt* das Befahren dieser Straße unter Strafe.
→ Das Befahren dieser Straße *steht* unter Strafe.

treffen

die/eine Abmachung treffen	(abmachen)
die/eine Anordnung treffen	(anordnen)
die/eine Verabredung treffen	(verabreden)
die/eine Vereinbarung treffen	(vereinbaren)
die/eine Verfügung treffen	(verfügen)
(die) Vorbereitungen treffen	(vorbereiten)
Vorsorge treffen	(vorsorgen)
die/eine Wahl treffen	(wählen)

treten

in Beziehung treten (zu)	–
in Kraft treten	–
in den/einen Streik treten	(streiken)
in Verhandlungen treten	(verhandeln)

Anmerkung:
Den inchoativen FVG mit *treten* entsprechen oft kausative FVG mit *setzen* (in denen ein Agens hinzugefügt wird):

Das Gesetz *tritt* am 1. 1. in Kraft.
→ Die Regierung *setzt* das Gesetz am 1. 1. in Kraft.

üben

Kritik üben (an)	(kritisieren)
Nachsicht üben (mit)	(nachsichtig sein)
Rücksicht üben	(rücksichtsvoll sein)
Verrat üben	(verraten)
Zurückhaltung üben	(sich zurückhalten)

unternehmen

Anstrengungen unternehmen	(sich anstrengen)
die/eine Reise unternehmen	(reisen)
den/einen Versuch unternehmen	(versuchen)

versetzen

in Angst versetzen	(ängstigen)
in Aufregung versetzen	(aufregen)
in Aufruhr versetzen	–
in Bewegung versetzen	(bewegen)
in Verwirrung versetzen	(verwirren)

Anmerkung:
Die FVG mit *versetzen* können umgeformt werden in FVG mit *sich befinden* oder *sein*; dabei wird die kausative durch eine durative Bedeutung ersetzt, das Objekt des FVG mit *versetzen* wird zum Subjekt des FVG mit *sich befinden (sein)*, das Agens wird eliminiert:

Der Lehrer *versetzt* die Schüler in Verwirrung.
Die Schüler *befinden sich (sind)* in Verwirrung.

vornehmen

die/eine Ergänzung vornehmen	(ergänzen)
die/eine Erweiterung vornehmen	(erweitern)
die/eine Korrektur vornehmen	(korrigieren)
die/eine Kürzung vornehmen	(kürzen)
die/eine Straffung vornehmen	(straffen)
die/eine Verbesserung vornehmen	(verbessern)
die/eine Verhaftung vornehmen	(verhaften)

ziehen

in Betracht ziehen	–
in Erwägung ziehen	(erwägen)
in Mitleidenschaft ziehen	–
zu Rate ziehen	–
ins Vertrauen ziehen	(vertrauen)
in Zweifel ziehen	(bezweifeln)

zuziehen

sich eine Erkältung zuziehen	(sich erkälten)
sich einen Tadel zuziehen	(getadelt werden)
sich die Verachtung zuziehen	(verachtet werden)
sich die/eine Verletzung zuziehen	(sich verletzen)

Subklassifizierung der Funktionsverbgefüge 1.4.3.3.

1. Die FVG können eingeteilt werden nach der morphologischen Form des nominalen Gliedes, das die lexikalische Bedeutung im Prädikat trägt. Danach sind zwei Hauptklassen zu unterscheiden: FV mit *Präpositionalgruppe* und FV mit *Akkusativ*. Bei FV mit Präpositionalgruppe kommen verschiedene Präpositionen in Betracht:

auf, aus, außer, bei, hinter, in, um, unter, zu

Besonders häufig sind *in* und *zu*.

Anmerkung:
In seltenen Fällen tritt das nominale Glied von FVG auch in anderen morphologischen Formen auf:

(1) im Nominativ:

eine Abrechnung *erfolgt* (es wird abgerechnet)

(2) im Genitiv (FV = *sein, bleiben*):

der Meinung *sein* (meinen)

(3) im Dativ (+ Akkusativ):

jn. einer Prüfung *unterziehen* (prüfen)

Obwohl eine Paraphrasierung durch ein entsprechendes Verb möglich ist, können diese Typen allenfalls zur Peripherie der FVG gerechnet werden, da sie mehrere Kriterien der FV (vgl. 1.4.3.4.) nicht erfüllen. Von einer Reihenbildung kann allenfalls bei Typ (1) gesprochen werden, ebenso von einer entsprechenden Zuordnung zu allgemeinen semantischen Klassen:

Es *herrscht / besteht* Uneinigkeit.	[dur]
Uneinigkeit *entsteht / bricht aus / tritt ein.*	[incho]
Er *schafft / macht / ruft* Uneinigkeit *hervor.*	[caus]

Aber das entsprechende nominale Glied ist kein Prädikatsteil, sondern Subjekt oder Objekt. Bei (2) ist das nominale Glied zwar Prädikatsteil, aber Reihenbildung ist – erst recht bei Typ (3) – kaum möglich.

2. Entsprechend den beiden Hauptgruppen nach der morphologischen Form des nominalen Gliedes (Akkusativ oder Präpositionalgruppe) lassen sich die FV selbst in 3 Klassen einteilen:

(1) FV, die nur mit einer *Präpositionalgruppe* vorkommen:

sich befinden, bleiben, bringen, gehen, gelangen, geraten, kommen, liegen, sein, setzen, stehen, treten, versetzen

(2) FV, die nur mit einem *Akkusativ* vorkommen:

anstellen, aufnehmen, ausüben, bekommen, besitzen, erfahren, erheben, finden, erhalten, erteilen, genießen, leisten, machen, treffen, üben, unternehmen

(3) FV, die sowohl mit einem *Akkusativ* als auch mit einer *Präpositionalgruppe* vorkommen:

führen, geben, haben, halten, nehmen, stellen

3. Im Hinblick auf ihre – aktivische oder passivische – Bedeutung lassen sich 2 Klassen von FVG unterscheiden:

(1) FVG mit *passivischer* Bedeutung, bei denen die Paraphrasen zumeist in den Passivformen der Vollverben erscheinen (das Subjekt des FVG ist nicht das Agens):

sich befinden, bekommen, bleiben, erfahren, erhalten, finden, gehen, gelangen, genießen, geraten, kommen, liegen, sein, stehen, zuziehen

(2) FVG mit *aktivischer* Bedeutung, bei denen die Paraphrasen in den Aktivformen der Vollverben erscheinen (das Subjekt des FVG ist das Agens):

anstellen, aufnehmen, ausüben, bringen, erheben, erteilen, führen, geben, halten, leisten, machen, nehmen, setzen, stellen, treffen, üben, unternehmen, versetzen, vornehmen, ziehen

Anmerkungen:
(a) Die unter (1) genannten FV sind weitgehend äquivalent mit Passivkonstruktionen und deshalb als Passiv-Paraphrasen anzusehen (vgl. unter 1.8.10.).

(b) Zwischen (1) und (2) gibt es noch eine kleine Gruppe von FV, die weder ein Agens haben (also keine aktivische Bedeutung haben) noch als Passiv-Paraphrasen anzusehen sind, sondern *Zustände* wiedergeben (und deshalb zumeist auch durch Adjektive umschrieben werden):

besitzen, haben, z. T. sein, stehen

4. Im Hinblick auf ihre Festigkeit lassen sich zwei Klassen von FVG unterscheiden:

(1) *eigentliche* oder *lexikalisierte FVG*, die einen hohen Grad von Festigkeit haben, auf die die unter 1.4.3.4. genannten Kriterien der FV ganz oder fast ganz zutreffen und in denen die Substantive nicht mehr referenzfähig sind, z. B.:

zur Durchführung bringen, in Gebrauch haben, Gefahr laufen

(2) *uneigentliche* oder *nicht-lexikalisierte FVG*, die nur einen geringen Grad von Festigkeit haben, auf die die unter 1.4.3.4. genannten Kriterien nur teilweise zutreffen und in denen die Substantive noch referenzfähig sind, z. B.:

zum Abschluß bringen, Anspruch erheben, Verhandlungen aufnehmen

Anmerkungen:
(a) Der Grad der Lexikalisierung und der Grad der Referenzfähigkeit (Fähigkeit, sich auf ein Objekt der Wirklichkeit zu beziehen) sind umgekehrt proportional: Wenn die Substantive noch referenzfähig sind, sind die FVG (noch) nicht lexikalisiert und umgekehrt.

(b) Zwischen den Gruppen (1) und (2) besteht lediglich ein gradueller Unterschied. Er wird bedingt durch die sprachliche Entwicklung, d. h. durch den Prozeß der zunehmenden *Grammatikalisierung* der FV (ursprünglich lexikalische Wörter verwandeln sich zu grammatischen Wörtern) und der – damit verbundenen – zunehmenden *Lexikalisierung* (und Stabilisierung) der FVG (vgl. 4. unter 1.4.3.1.). Das ist auch der Grund dafür, weshalb die syntaktischen Kriterien für die FV (vgl. 1.4.3.4.) in unterschiedlichem Maße auf die einzelnen Fälle zutreffen. Da diese Entwicklung unterschiedlich weit fortgeschritten ist, gibt es FV (z. B.: *stehen* für [dur], *kommen* für [incho] und *bringen* für [caus]), bei denen der Prozeß sehr weit fortgeschritten oder gar schon abgeschlossen ist und die deshalb in umfangreichen Reihen (Kommutationsreihen) stehen (vgl. 1.4.3.4.4.). Daneben gibt es aber auch FV (z. B. *setzen, verset-*

zen, unternehmen), deren Grammatikalisierungsprozeß weniger weit fortgeschritten ist, die in ihrer Verbindbarkeit größeren Beschränkungen unterliegen und in weniger umfangreichen Kommutationsreihen stehen.

(c) Setzt man die beiden Gruppen (1) und (2) mit den nach der morphologischen Gestalt der nominalen Glieder unterschiedenen Klassen (unter 1.) in Beziehung, so gibt es eine Kreuzklassifizierung: Es gibt sowohl lexikalisierte FVG mit Präpositionalgruppen und mit Akkusativen als auch nicht-lexikalisierte FVG mit Präpositionalgruppen und mit Akkusativen. Allerdings ist ein quantitatives Verhältnis erkennbar: Bei den FVG mit Präpositionalgruppe gibt es mehr lexikalisierte FVG, bei den FVG mit Akkusativ gibt es mehr nicht-lexikalisierte FVG.

5. Nach der *Aktionsart* können folgende Subklassen von FVG differenziert werden:

(1) FVG, die einen Zustand oder ein Geschehen (Vorgang, Tätigkeit) in seinem *Ablauf* bezeichnen, also *durativ* sind und über das Merkmal [dur] verfügen:

> ausüben, sich befinden, besitzen, bleiben, führen, haben, leisten, liegen, machen, sein, stehen, üben

(2) FVG, die die *Veränderung* eines Zustands oder Geschehens, den Übergang von einem Zustand (Vorgang) in einen anderen bezeichnen, folglich *inchoativ* sind und das Merkmal [incho] haben:

> aufnehmen, bekommen, erfahren, erhalten, erheben, finden, gehen, gelangen, geraten, kommen, nehmen, treten, übernehmen, sich zuziehen

(3) FVG, die das *Bewirken* einer *Zustands-* (oder *Vorgangs-*)*veränderung* (a) oder eines *Zustands (Vorgangs)* (b) durch Fremdeinwirkung bezeichnen, also *kausativ* sind und das Merkmal [caus] haben:

> (a) bringen, erteilen, führen, geben, setzen, stellen, versetzen
> (b) halten, lassen, machen

6. Innerhalb der FVG sind *semantische Beziehungen der FV untereinander* erkennbar:

(1) Manche FV stehen untereinander in *synonymischen* Beziehungen, d. h. sind bedeutungsgleich oder -ähnlich:

> *sich* in Abhängigkeit *befinden / sein*
> die Fähigkeit *besitzen / haben*
> eine Anregung *bekommen / erhalten*
> zur Kenntnis *bringen* / in Kenntnis *setzen*
> einen Befehl *geben / erteilen*
> eine Vervollkommnung *erfahren / finden*
> zu Ansehen *kommen / gelangen*
> in Erregung *kommen / geraten*

Dabei bleiben die morphologischen Typen (vgl. 1.) nicht immer erhalten, wohl aber die nach der Aktionsart unterschiedenen Typen (vgl. 5.).

(2) Manche FV stehen untereinander in *konversen* Beziehungen, bei denen eine relative Synonymie des gesamten Satzes (auch die Klasse der Aktionsart) erhalten bleibt, sich der syntaktische Status der einzelnen Glieder jedoch verändert (Subjekt wird Objekt und umgekehrt):

Die Bücher *stehen* Peter zur Verfügung.
→ Peter *hat* die Bücher zur Verfügung.

(3) Manche FV stehen untereinander in regulären Beziehungen der *Bedeutungsveränderung* zwischen den durch die Aktionsart bestimmten semantischen Klassen [dur], [incho] und [caus]:

Er *hat* die Zusicherung von seinem Vater.	[dur]
Er *bekommt* die Zusicherung von seinem Vater.	[incho]
Sein Vater *gibt* ihm die Zusicherung.	[caus]
Das Schiff *ist* in Gefahr.	[dur]
Das Schiff *kommt* in Gefahr.	[incho]
Er *bringt* das Schiff in Gefahr.	[caus]
Die Schüler *befinden sich* in Verwirrung.	[dur]
Die Schüler *geraten* in Verwirrung.	[incho]
Wir *versetzen* die Schüler in Verwirrung.	[caus]

Bei dieser äußerlich auch als „Umkehrung“ erscheinenden Veränderung wandelt sich nicht nur der syntaktische Status der einzelnen Glieder [wie bei (2)], sondern auch die semantische Klasse des FV. Im Unterschied zu den durativen und inchoativen FV (kein Agens, das Subjekt drückt etwas anderes aus) tritt bei den kausativen FV ein zusätzliches Glied auf: Das Subjekt drückt das Agens als Veranlasser des Geschehens aus (deshalb aktivische Bedeutung).

Syntaktische Kriterien der Funktionsverben 1.4.3.4.

1. Bei den nominalen Bestandteilen des FVG handelt es sich um *deverbative* (bzw. *deadjektivische*) *Substantive*, die im Stamm zumeist den Basis-Verben (oder -Adjektiven) entsprechen, also um Verbal- bzw. Adjektivabstrakta, nicht um Konkreta:

Er *brachte* seine Papiere in *Ordnung*.	(FV)
Er *brachte* seine Papiere ins *Haus*.	(Vollverb)
Er *kommt* in *Verlegenheit*.	(FV)
Er *kommt* in die *Stadt*.	(Vollverb)

2. Das FVG kann in den meisten Fällen durch das entsprechende *Vollverb* (bzw. durch Kopula + *Adjektiv*) paraphrasiert werden (ohne daß völlige Bedeutungsidentität vorliegt):

Er *brachte* seine Papiere in *Ordnung*.
→ Er *ordnete* seine Papiere.

Er *kommt in Verlegenheit*.
→ Er wird *verlegen*.

3. Das FV im FVG ist in der Regel nicht – wie das gleichlautende Vollverb – durch ein anderes (bedeutungsähnliches) Verb substituierbar:

	Er *setzte* das Kind in Schrecken.	(FV)
	*Er *legte / stellte* das Kind in Schrecken.	
Aber:	Er *setzte* das Kind in den Wagen.	(Vollverb)
	Er *legte / stellte* das Kind in den Wagen.	
	Er *gab* dem Kind Antwort.	(FV)
	*Er *reichte / übergab* dem Kind Antwort.	
Aber:	Er *gab* dem Kind Brot.	(Vollverb)
	Er *reichte / übergab* dem Kind Brot.	

4. Innerhalb der FVG stehen sowohl die FV als auch erst recht die nominalen Bestandteile in deutlich erkennbaren Kommutationsreihen:

in Abhängigkeit *bringen / halten / sein / sich befinden / kommen / gelangen / geraten*
zur Aufführung / zum Ausdruck / zur Anwendung / zu Ende / zum Einsturz / zum Halten / ums Leben / zur Ruhe / in Verwirrung / zur Verzweiflung bringen

5. Die nominalen Bestandteile in den lexikalisierten FVG (Präpositionalgruppen, Akkusative) können nicht – wie die Objekte und Adverbialbestimmungen – *anaphorisiert*, d. h. durch ein Pronomen (oder Adverb) *pronominalisiert* (oder *pro-adverbialisiert*) werden:

	Er *gab* dem Kind Antwort.	(FV)
	↛ Er gab *sie* dem Kind.	
Aber:	Er *gab* dem Kind Brot.	(Vollverb)
	→ Er gab *es* dem Kind.	
	Er *brachte* die Probleme zur Sprache.	(FV)
	→ *Er *brachte* die Probleme *dazu / dorthin*.	
Aber:	Er *brachte* die Sachen zum Bahnhof.	(Vollverb)
	→ Er brachte die Sachen *dorthin*.	

Anmerkung:
Bei nicht-lexikalisierten FVG ist eine Anaphorisierung möglich, vor allem bei Akkusativen:

Er nimmt Verhandlungen mit dem Nachbarstaat auf.
→ Er nimmt *sie* auf.

Er bringt sie zur Verzweiflung.
→ (*)Er bringt sie *dazu*.

6. In ähnlicher Weise können die in den lexikalisierten FVG stehenden Präpositionalgruppen und Akkusative nicht unmittelbar *erfragt* werden (wie die entsprechenden Adverbialbestimmungen oder Objekte):

Er *setzte* den Apparat in Betrieb. (FV)
↛ *Wohin* setzte er den Apparat?

Aber: Er *setzte* den Apparat auf den Tisch. (Vollverb)
→ *Wohin* setzte er den Apparat?

Er *leistet* seinem Freund Hilfe. (FV)
→ * *Was* leistet er seinem Freund?

Aber: Er *bietet* seinem Freund Hilfe *an*. (Vollverb)
→ *Was* bietet er seinem Freund an?

Anmerkung:
Bei nicht-lexikalisierten FVG ist eine Erfragung – vor allem des Akkusativs – möglich:

Er bekommt von ihm eine Anregung.
→ *Was* bekommt er von ihm?

Er gerät in Isolierung.
→ (*) *Wohin* gerät er?

7. Bei den Substantiven in lexikalisierten FVG ist der *Artikelgebrauch* festgelegt. Es steht entweder der Nullartikel (a) oder der bestimmte Artikel, der mit der vorangehenden Präposition obligatorisch verschmolzen ist (b):

(a) Die neue Technik findet Anwendung.
*Die neue Technik findet *eine / die* Anwendung.

Der Kranke nimmt die Hilfe des Arztes in Anspruch.
*Der Kranke nimmt die Hilfe des Arztes in *den / einen* Anspruch.

(b) Er besitzt die Frechheit zu dieser Handlung.
*Er besitzt *eine* Frechheit zu dieser Handlung.

Der Lehrer brachte die Angelegenheit *zur* Sprache.
*Der Lehrer brachte die Angelegenheit *zu einer* Sprache.
*Der Lehrer brachte die Angelegenheit *zu der* Sprache.

Bei den nicht-lexikalisierten FVG sind (vor allem bei Akkusativen) verschiedene Artikel möglich:

Er nimmt Kontakt / *den* Kontakt / *einen* Kontakt mit seinen Genossen auf.
Wir haben ihn erst auf *den / einen* Gedanken gebracht.

8. Wie die Opposition zwischen den verschiedenen Artikelformen, so ist bei den Substantiven in lexikalisierten FVG oft auch die Opposition im *Numerus* zwischen Singular und Plural aufgehoben:

Diese Lösung kommt nicht in Frage.
*Diese Lösung kommt nicht in Fragen.

Der Student erfährt Förderung.
*Der Student erfährt Förderungen.

9. An die Substantive in lexikalisierten FVG kann kein *Attributsatz* mit relativischem Anschluß angefügt werden:

*die Gefahr, die er gelaufen ist
*die Kenntnis, die er genommen hat
*der Ausdruck, zu dem er die Sache gebracht hat
*die Durchführung, zu der die Sache gelangt ist

Bei den nicht-lexikalisierten FVG kann in der Regel ein Relativsatz angeschlossen werden:

die Anerkennung, die das Theaterstück gefunden hat
den Auftrag, den er gegeben hat
die Verwirrung, in die er sie gebracht hat
der Zusammenhang, in dem er mit uns steht

10. Auch die Möglichkeit der Erweiterung der Substantive durch *adjektivische Attribute* ist bei lexikalisierten FVG nicht gegeben:

*Der Betriebsleiter nimmt von den Beschlüssen *schnelle* Kenntnis.
*Er brachte die Angelegenheit zur *sofortigen* Sprache.
*Der Lehrer brachte sein Mißfallen zum *deutlichen* Ausdruck.

Bei nicht-lexikalisierten FVG ist die Einfügung verschiedener Attribute möglich:

Er stellte *hohe (beachtliche, geringe, enorme)* Anforderungen an seine Mitarbeiter.
Er hat *große (schreckliche, furchtbare)* Angst.
Wir versetzen ihn in *große (schreckliche, furchtbare)* Angst.
Er bringt uns in *tüchtige (schreckliche)* Verlegenheit.

Auf diese Weise büßen die FVG an Festigkeit ein oder lösen sich gar auf.
Einige FVG haben sogar ein obligatorisches Attribut, sind ohne diese Attribute ungrammatisch:

*Die Versammlung nahm einen Verlauf.
Die Versammlung nahm einen *ausgezeichneten* Verlauf.
*Die Umstrukturierung nahm eine Entwicklung.
Die Umstrukturierung nahm eine *günstige* Entwicklung.

Einige Fügungen haben einen so hohen Grad von Lexikalisierung und Festigkeit erreicht, daß Präposition und Substantiv zusammengeschrieben werden (von FVG wohl nicht mehr gesprochen werden kann) und schon deshalb eine Attribuierung ausgeschlossen ist:

zugrunde legen/liegen/richten, zutage treten ...

11. Bei lexikalisierten FVG mit Präpositionalgruppe erfolgt eine *Negation* mit *nicht* als Satznegation vor der Präpositionalgruppe, aber nicht mit *kein* (als Wortnegation):

Er *setzte* die Maschine in Betrieb. (FV)
→ Er setzte die Maschine *nicht* in Betrieb.
Wir *stellen* dieses Problem zur Debatte. (FV)
→ Wir stellen dieses Problem *nicht* zur Debatte.
Aber: Er *stellte* die Maschine *nicht* im Betrieb *auf*. (Vollverb)
Er stellte die Maschine in *keinem* Betrieb auf.

Bei FVG mit Akkusativ stehen die Negation *nicht* und die Negation *kein* alternativ ohne Bedeutungsunterschied nebeneinander, wenn im nicht-verneinten Satz der Akkusativ mit Nullartikel steht:

Er leistete der Aufforderung *nicht / keine* Folge.
Er nahm auf seine Freunde *nicht / keine* Rücksicht.

Bei Funktionsverbgefügen mit Akkusativ steht die Negation *kein*, wenn im nicht-verneinten Satz der Akkusativ mit unbestimmtem Artikel steht:

Die Versammlung nahm *kein* Ende.
Wir konnten ihm *keine* Frage stellen.

12. Zu manchen FVG mit Akkusativ (vor allem solchen, die bereits als Passiv-Paraphrasen aufzufassen sind) kann *kein Passiv* gebildet werden:

Die Herstellungstechnik *erfuhr* eine Vereinfachung. (FV)
→ *Eine Vereinfachung wurde von der Herstellungstechnik erfahren.

Aber: Der Patient *nahm* die Tabletten. (Vollverb)
→ Die Tabletten wurden von dem Patienten genommen.

Diese Regularität trifft jedoch nicht auf alle Akkusative in FVG zu, da der Übergang von Vollverb + Akkusativobjekt zum FVG fließend ist:

Er gab uns *den Vorzug*.
→ Uns wurde von ihm *der Vorzug* gegeben.

13. Als besondere Stellungseigenschaft ist die Tatsache aufzufassen, daß im eingeleiteten Nebensatz nominales Glied und FV im FVG nicht getrennt werden können (auch nicht durch die Negation *nicht*), daß sich beide Teile des FVG ähnlich verhalten wie trennbare Präfixe von Verben:

*Er sagte, daß dies *in Frage* nicht *kommt*.
Er sagte, daß dies nicht *in Frage kommt*.
*Er sagte, daß er der Aufforderung *Folge* nicht *leistet*.
Er sagte, daß er der Aufforderung nicht *Folge leistet*.
*Er sagte, daß der Zug *ab* nicht *fährt*.
Er sagte, daß der Zug nicht *abfährt*. (Präfix + Verb)

Im Aussagesatz als Hauptsatz bilden FV und nominales Glied eine Satzklammer bzw. einen Rahmen (auch *nicht* steht innerhalb dieser Klammer):

Er *nahm* auf seine Freunde nicht *Rücksicht*. (FV)
*Er *nahm* auf seine Freunde *Rücksicht* nicht.

14. Im FVG ist das nominale Glied obligatorisch; seine Eliminierung führt entweder zu Bedeutungsveränderungen (a) oder zu ungrammatischen Sätzen (b):

(a) Er *bringt* die Arbeit zum Abschluß. (FV)
↛ Er bringt die Arbeit.

Aber: Er *bringt* die Arbeit zum Lehrer. (Vollverb)
→ Er bringt die Arbeit.

(b) Das Verfahren *kommt* zur Anwendung. (FV)
→ *Das Verfahren kommt.

Aber: Der Lehrer *kommt* zur Bahnhofshalle. (Vollverb)
→ Der Lehrer kommt.

Darin drücken sich Besonderheiten der Valenz im FVG aus: Beim Übergang eines Vollverbs zu einem FV verliert das betreffende Lexem nicht nur seine ursprüngliche lexikalische Bedeutung, sondern auch die ursprüngliche Valenz; es werden im FVG Valenzverhältnisse konstituiert, die sich quantitativ und qualitativ von den Valenzverhältnissen bei den gleichlautenden Vollverben unterscheiden.

15. Bei FVG hängen weitere *Aktanten* (Objekte, Adverbialien) nicht vom FV, sondern von den nominalen Gliedern (Akkusativen, Präpositionalgruppen) – die Träger der lexikalischen Bedeutung im FVG sind – und erst über diese vom gesamten FVG ab:

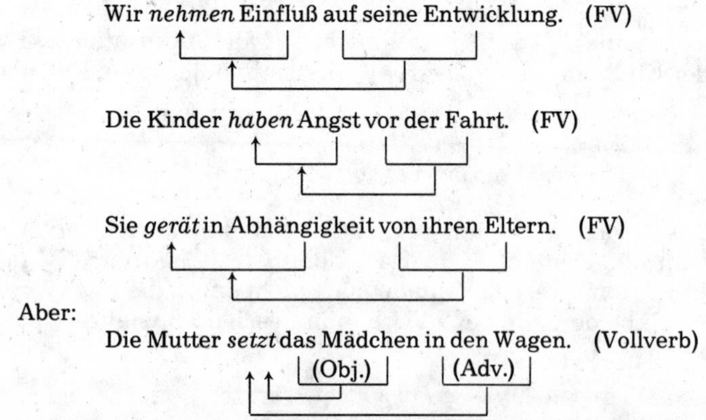

Anmerkung:
Die Aktanten der FVG sind nicht Attribute zum Verbalsubstantiv, sondern selbständige Satzglieder, da sie sich auf das Prädikat beziehen (FV und nominales Glied bilden zusammen das Prädikat) und im Satz selbständig permutierbar sind:

Mit den Kollegen setzen wir uns in Verbindung.
Wir setzen uns in Verbindung *mit den Kollegen.*
Wir setzen uns *mit den Kollegen* in Verbindung.

Semantische und kommunikative Leistungen der Funktionsverben 1.4.3.5.

1. Die hauptsächliche semantische Leistung der FVG (im Verhältnis zu den ihnen entsprechenden Vollverben) besteht darin, daß sie ein Geschehen als dauernd, als beginnend bzw. einen Zustand verändernd und als bewirkend markieren können. Sie haben allgemeine semantische Merkmale wie [dur], [incho] und [caus] und lassen sich einteilen in *durative, inchoative* und *kausative* FVG. Über die Zuordnung einzelner FV zu diesen Subklassen vgl. 1.4.3.3.5.
Auf Grund dieser semantischen Funktion unterscheiden sich die FVG nicht nur von den ihnen bedeutungsmäßig entsprechenden Vollverben (die in der Liste unter 1.4.3.2. auf der rechten Seite als Paraphrasen angegeben sind), sondern auch untereinander. Deshalb sind die FV in ihnen – obwohl sie die *lexikalische* Bedeutung eingebüßt oder reduziert haben – keineswegs völlig bedeutungsleer. Es stehen z. B. nebeneinander:

	[dur]	[incho]	[caus]
in Bewegung	sein	kommen	setzen
in Gang	sein	kommen	bringen
zur Verfügung	stehen / haben	bekommen	stellen
Einsicht	haben	bekommen	geben
Mut	haben	bekommen	machen
in Abhängigkeit	sich befinden	geraten / kommen	versetzen / bringen
in Ordnung	sein / bleiben	kommen	bringen / halten

Ebenso, aber mit Veränderung des morphologischen Typs:

Angst *haben*	[dur]
Angst *bekommen*	[incho]
in Angst *versetzen / halten*	[caus]
Kenntnis *haben*	[dur]
Kenntnis *bekommen*	[incho]
in Kenntnis *setzen*	[caus]

2. Eine weitere semantische Leistung der FVG besteht darin, daß sie – falls es keine ihnen entsprechenden Vollverben (oder Adjektive) gibt – bestimmte (zufällige) *Lücken* im System der deutschen Verben (und Adjektive) schließen und auf diese Weise die Ausdrucksmöglichkeiten bereichern. So können z. B. folgende FVG nicht durch entsprechende Vollverben oder Adjektive paraphrasiert werden:

zur Vernunft bringen, auf den Gedanken bringen, in Auftrag gehen, zu Ansehen gelangen, zu der Ansicht gelangen, ins Gerede geraten, in Verzug geraten, in Frage kommen, in Gang kommen

3. Die FVG sind – im Unterschied zu den ihnen entsprechenden Vollverben – manchmal auch in der Lage, *allgemeinere* Bedeutungen

dadurch auszudrücken, daß sie das zu ihnen gehörige Objekt nicht realisieren (während dieses beim Vollverb obligatorisch ist):

> Sie *erheben Ansprüche.*
> → *Sie *beanspruchen.*

4. Die FVG eröffnen manchmal die Möglichkeit – gegenüber den ihnen entsprechenden Vollverben –, *Valenz* und *Rektion* zu vereinheitlichen:

> Wir klagen *ihn* an, werfen *ihm* etwas vor und beschweren uns *über ihn.*
> → Wir erheben Anklage, Vorwürfe und Beschwerde *gegen* ihn.

5. Mit Hilfe einiger (nicht-lexikalisierter) FVG ist es möglich – im Unterschied zu den entsprechenden Vollverben –, die in ihnen enthaltenen Substantive durch *Attribute* näher zu charakterisieren (a) und diese Substantive mit Bestimmungswörtern zu *Komposita* zusammenzusetzen (b):

(a) Der Forschungsstudent hat *fleißig* gearbeitet.
→ Der Forschungsstudent hat eine *fleißige, nützliche und für das gesamte Forschungskollektiv unabdingbare* Arbeit geleistet.

Das Meßverfahren entwickelt sich *gut.*
→ Das Meßverfahren nimmt eine *gute, die ursprünglichen Erwartungen übertreffende* Entwicklung.

Er kritisiert die Dissertation *hart.*
→ Er übt an der Dissertation *harte, heftige, aber durchaus berechtigte* Kritik.

(b) Der imperialistische Staat erhebt *Gebiets*ansprüche.
Die Leitung hat *Höchst*forderungen an die Mitarbeiter gestellt.

Solche Attribuierungen und/oder Zusammensetzungen sind natürlich nur möglich, wenn das FVG nicht völlig lexikalisiert ist.

6. Mit Hilfe der FVG ist es möglich, die *Mitteilungsperspektive* zu ändern oder zu schattieren. Während das finite Verb an zweiter Stelle im Aussagesatz stehen muß (unabhängig vom kommunikativen Mitteilungswert; vgl. dazu 14.4.1.), treten die nominalen Teile des FVG infolge der Rahmenbildung (vgl. 1.4.3.4.13.) an das Ende des Satzes und damit in eine Position, die den vom Mitteilungsgehalt her wichtigsten Gliedern (mit der neuen Information) zukommt:

> Die Landwirtschaft der DDR *entwickelt sich* gut.
> → Die Landwirtschaft der DDR *nimmt* eine gute *Entwicklung.*
> Er *protokollierte* bei den Verhandlungen der Kommission.
> → Er *führte* bei den Verhandlungen der Kommission *Protokoll.*

Ebenso kann das nominale Glied (bei emphatischer Hervorhebung oder bei entsprechender Textverflechtung) in die Spitzenstellung treten:

> *Eine gute Entwicklung* nimmt die Landwirtschaft der DDR.

 7. Mit Hilfe der FVG ist es möglich, das *Passiv* zu umschreiben und

manchmal auch schwierige Passivkonstruktionen – unter dem Aspekt einer leichteren Rezeption – zu vermeiden:

Das Buch *ist* allgemein *anerkannt worden.*
→ Das Buch *hat* allgemeine *Anerkennung gefunden.*

Die Herstellungstechnik *ist* in letzter Zeit stark *vervollkommnet worden.*
→ Die Herstellungstechnik *hat* in letzter Zeit eine starke *Vervollkommnung erfahren.*

8. Da die FVG *formelhaft* sind und *Modell*charakter haben, werden sie bevorzugt in solchen Textsorten (z. B. Fach- und Wissenschaftssprache) verwendet, in denen eine Art Dispositionsausdruck vorherrscht. Ein solcher Dispositionsausdruck arbeitet stärker mit vorgeformten Fertigteilen, die die Denkarbeit erleichtern können.

Infinite Verbformen 1.5.

Formensystem 1.5.1.

Im Deutschen unterscheidet man nach den morphologischen Merkmalen drei infinite Verbformen:
Infinitiv
Partizip I
Partizip II

Infinitiv 1.5.1.1.

1. Die Grundform des Infinitivs ist der Infinitiv I (Präsens) Aktiv. Diese Form wird durch Anhängen von *-en* an den Verbstamm gebildet:

arbeit-en, schlag-en, komm-en

Anmerkung:
In einigen Fällen lautet die Infinitivendung *-n*:
bei Verben mit Suffix *-el-* und *-er-*

wechseln, lächeln, humpeln, zittern, kichern, flimmern

bei den Verben *sein* und *tun*

2. Neben dem Infinitiv I Aktiv gibt es noch den Infinitiv II (Perfekt) Aktiv. Diese Form wird mit dem Partizip II des Verbs + Infinitiv I von *haben* oder *sein* (vgl. dazu 1.7.2.) gebildet:

gearbeitet haben, geschlagen haben
gekommen sein, eingeschlafen sein

Anmerkung:
Die Verbindung Verb (insbesondere Modalverb) im Präs./Prät. + Infinitiv II ist leicht zu verwechseln mit der Verbindung Verb im Perf./Plusq. + Infinitiv I:

> Sie will ihn gestern getroffen haben. (Präs. + Inf. II: Sie *behauptet*, daß sie ihn gestern getroffen hat.)
> Sie hat ihn gestern treffen wollen. (Perf. + Inf. I: Sie *hat beabsichtigt*, ihn gestern zu treffen.)

3. Zum Infinitiv I Aktiv und zum Infinitiv II Aktiv gibt es bei passivfähigen Verben entsprechende Passivformen. Es ist dabei zwischen Vorgangs- und Zustandspassiv zu unterscheiden.
Das Vorgangspassiv wird mit dem Partizip II des Verbs + Infinitiv I bzw. II von *werden* gebildet. Beim Infinitiv II wird auf Grund besonderer sprachgeschichtlicher Entwicklungen das Partizip II von *werden* ohne Präfix *ge-* benutzt:

> geöffnet werden
> geöffnet worden sein

Das Zustandspassiv wird mit dem Partizip II des Verbs + Infinitiv I bzw. II von *sein* gebildet

> geöffnet sein
> geöffnet gewesen sein

Schematisiert lassen sich die unter 1.–3. genannten Infinitivformen wie folgt darstellen:

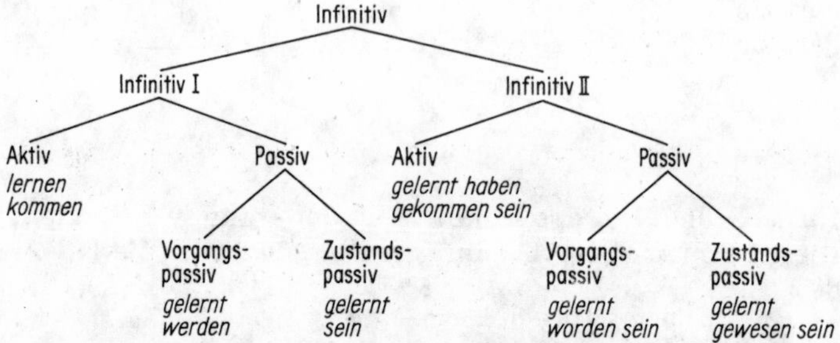

4. Der Infinitiv in Verbindung mit einem finiten Verb ist in der Form unveränderlich. Die verbalen Formenmerkmale für Person, Modus usw. werden vom finiten Verb getragen:

> Du sollst / sollest / solltest usw. kommen.

Der Infinitiv hat kein syntaktisches Subjekt bei sich. Das zugrunde liegende Subjekt wird durch das Subjekt oder das Objekt des finiten Verbs ausgedrückt (vgl. dazu im einzelnen unter 1.5.2.1.1.2.):

> Ich versprach ihm zu kommen.
> ← *Ich* versprach ihm, daß *ich* komme.
>
> Ich bat ihn zu kommen.
> ← Ich bat *ihn*, daß *er* kommt.

Mit Ausnahme des Subjekts behält der Infinitiv alle notwendigen valenzgebundenen Glieder bei sich:

Ich bat ihn, *das Buch in den Schrank* zu stellen. (Akkusativobjekt + notwendige Lokalbestimmung)

Der Infinitiv kann auch durch freie Glieder erweitert sein:

Ich bat ihn, mich *morgen im Institut* zu besuchen. (freie Temporal- und Lokalbestimmung)

Zum Infinitiv in Verbindung mit einem Substantiv und zum isolierten Gebrauch des Infinitivs vgl. 1.5.2.1.

5. Bei den Verbindungen finiter Verben mit Infinitiv ist zwischen notwendigen und freien Verbindungen zu unterscheiden. Die notwendigen Verbindungen werden gewöhnlich durch die Partikel *zu* bezeichnet, die freien Verbindungen durch *um, anstatt, ohne* + Partikel *zu.*
Bei den notwendigen Verbindungen finiter Verben mit Infinitiv sind einige formale Besonderheiten zu beachten:

(1) Eine kleine Gruppe Verben verbindet sich als finite Verben nicht mit einem Infinitiv mit *zu,* sondern mit einem Infinitiv ohne *zu.* Zu diesen Verben gehören:

die Modalverben *dürfen, können, mögen, müssen, sollen, wollen*

Er kann ausgezeichnet schwimmen.

die Empfindungsverben *hören, sehen, fühlen, spüren*

Sie hörte die Kinder lachen.

die Bewegungsverben *gehen, kommen, fahren* u. a.

Er geht zweimal wöchentlich schwimmen.

die Verben *werden, bleiben, lassen*

Sie wird uns morgen besuchen.
Er blieb plötzlich stehen.
Der Lehrer läßt die Kinder aufstehen.

in spezieller Verwendung die Verben *haben, finden, legen, schicken* u. a.

Er hat sein Auto vor dem Hause stehen.
Er hat gut reden.
Sie fand das Buch auf dem Boden liegen.
Die Eltern legen sich schlafen.
Die Mutter schickt die Kinder schlafen.

Bei den Verben *lernen, lehren* und *helfen* gibt es den Infinitiv mit und ohne *zu:*

Er hat Geige spielen gelernt.
Er hat gelernt, sich zu beherrschen.

Er lehrt sie Klavier spielen.
Sie hat ihn gelehrt, sich rücksichtsvoll zu benehmen.

Ich helfe ihm das Gepäck tragen.
Sie hat ihm geholfen, das zu begreifen.

(2) Im Gegensatz zu den Konjunktionen, die den Satz einleiten, steht die Partikel *zu* entweder unmittelbar vor dem Infinitiv oder zwischen dem ersten Verbteil und dem Stamm des Infinitivs. Man vgl.:

Ich hoffe, *daß* ich dich am Freitag zu der Veranstaltung *sehe.*
Ich hoffe, dich am Freitag zu der Veranstaltung *zu sehen.*
Ich hoffe, dich am Freitag zu der Veranstaltung *wiederzusehen.*

(a) Die Stellung unmittelbar vor dem Infinitiv hat die Partikel *zu* bei den *stammbetonten* Verben. Das sind

– die einfachen Verben

zu arbeiten, zu gehen, zu schreiben, zu zweifeln

– die Verben mit den Präfixen mit e-Vokal (*be-*, *ent-*, *er-*, *ge-*, *ver-*, *zer-*) und auch die meisten Verben mit *miß-*

zu bestellen, zu erziehen, zu gestehen, zu mißlingen

– die Verben mit *durch-*, *hinter-*, *über-*, *um-*, *unter-*, *wider-* und *voll-* als erstem Verbteil bei besonderer Verbbedeutung (vgl. dazu 1.11.2.3.)

zu durchlaufen (= absolvieren), zu hinterbringen (= denunzieren), zu umstellen (= einkreisen)

– einige zusammengesetzte Verben

zu frohlocken, zu offenbaren

Unmittelbar vor dem Infinitiv steht die Partikel *zu* außerdem bei

– den Verben mit suffixbetontem *-ieren* und einigen anderen Verben, die den Ton nicht auf der ersten Silbe tragen

zu akzeptieren, zu studieren, zu transformieren
zu prophezeien, zu schmarotzen

– einer Gruppe zusammengesetzter Verben mit betontem erstem Verbteil (vgl. 1.11.4.1.)

zu frühstücken, zu kennzeichnen, zu rechtfertigen, zu schauspielern, zu schlußfolgern, zu wetteifern

(b) Die Stellung zwischen dem ersten Verbteil und dem Stamm des Infinitivs hat die Partikel *zu* bei den Verben, die auf dem ersten Verbteil betont sind. Das ist die Mehrzahl der abgeleiteten und zusammengesetzten Verben mit Ausnahme der unter (a) genannten Gruppen:

anzuhören, beizubringen, einzukaufen, zuzuhören
darzustellen, hinauszugehen, wiederzusehen
durchzulaufen, hinterzubringen, umzustellen (aber s. o.)
kennenzulernen, blankzubohnern, teilzunehmen (aber s. o.)

Anmerkung:
Wenn zwischen dem betonten ersten Verbteil und dem Infinitivstamm noch ein unbetonter Verbteil steht, tritt die Partikel *zu* zwischen die beiden Verbteile:

> **a**bzubestellen, **ei**nzugestehen, h**i**nzuübersetzen

(3) In der Verbindung mit Infinitiv ersetzen die Modalverben (einschließlich *brauchen*) und gewöhnlich auch die Empfindungsverben (und *lassen*) bei der Bildung von Perfekt, Plusquamperfekt und Infinitiv II das Partizip II durch den Infinitiv („Ersatzinfinitiv"):

> Ich hätte nicht antworten *können.*
> Ich habe ihn nicht kommen *sehen* (ugs. auch: *gesehen*).

Ohne Infinitiv bilden diese Verben ihre Formen von Perfekt, Plusquamperfekt und Infinitiv regelmäßig mit dem Partizip II:

> Ich hätte das Gedicht nicht *gekonnt.*
> Er muß mich *gesehen* haben.

(4) Wenn die Verben mit „Ersatzinfinitiv" im eingeleiteten Nebensatz in einer zusammengesetzten Tempusform stehen, erscheint das finite Verb nicht am Satzende, sondern vor den beiden Infinitiven:

> Ich glaube, daß ich nicht so gut *hätte* antworten können.
> Er ärgert sich, weil er das Buch *hat* liegen lassen.

Zwischen finites Verb und die Infinitive können noch andere Glieder (Objekte oder Adverbialbestimmungen) treten:

> Er hat gesagt, daß er hat *unbedingt nach Hause* gehen müssen.

(5) Bei den meisten Verben mit Infinitiv kann in den zusammengesetzten Tempusformen und im eingeleiteten Nebensatz der Infinitiv voran- oder nachgestellt werden. Die Nachstellung ist häufiger. Man spricht hier von grammatischer Ausrahmung des Infinitivs (vgl. dazu auch 14.1.1.3.):

> Er hat *zu kommen* versprochen.
> Er hat mir versprochen *zu kommen.* (Ausrahmung)
> Schreib mir, ob du *uns zu besuchen* beabsichtigst.
> Schreib mir, ob du beabsichtigst, *uns zu besuchen.* (Ausrahmung)

Bei einigen Verben wird der Infinitiv in den zusammengesetzten Tempusformen und im eingeleiteten Nebensatz immer vorangestellt, d. h., der Infinitiv kann nicht ausgerahmt werden. Das ist der Fall
bei den Verben mit Infinitiv ohne *zu*:

> Ich habe nicht *mitfahren* dürfen.
> Sag mir, wenn du *schwimmen* gehst.

bei den meisten Hilfsverben mit Infinitiv mit *zu* (vgl. 1.6.2.)

> Er hat das nicht *zu machen* brauchen.
> Du sagst nichts, wenn er darauf *zu sprechen* kommt.

(6) Öfters steht beim finiten Verb mit Infinitiv ein Korrelat. Korrelat kann – abhängig vom Verb – das Pronomen *es*, ein Pronominaladverb (*da(r)* + Präposition) oder (selten) *dessen* sein:

Ich maße *es* mir nicht an, über das Buch zu urteilen.
Er achtet *darauf*, keinen Fehler zu machen.
Sie beschuldigt ihn *dessen*, gelogen zu haben.

Bei unpersönlichen Verben und Kopulaverben mit Adjektiv kommt gewöhnlich nur das Pronomen *es* als Korrelat vor:

Uns freute *es*, den Freund wiederzusehen.
Mir war *es* sehr peinlich, ihn um das Buch zu bitten.

Abhängig von der Semantik der finiten Verben stehen die Korrelate obligatorisch (z. B. *es aufgeben, darauf bestehen, daran gehen*) oder fakultativ [*(es) jemandem auftragen, (es) bedauern, (es) befürworten, jemanden (dessen) beschuldigen, jemanden (daran) gewöhnen, jemandem (davon) abraten, (daran) zweifeln* u. v. a.]. Kein Korrelat steht bei den Verben mit Infinitiv ohne *zu*, bei den meisten Hilfsverben mit Infinitiv mit *zu* und bei einigen anderen Verben (z. B. *an jemanden appellieren, jemanden ermahnen, jemandem vorwerfen, sich weigern*).

1.5.1.2. Partizip I

Das Partizip I wird durch Anhängen von *-d* an den Infinitiv gebildet:

arbeiten-d, schlagen-d, kommen-d

In Verbindung mit einem *finiten Verb* ist das Partizip I in der Form unveränderlich. Die verbalen Kategorien (Tempus, Modus usw.) werden durch das finite Verb getragen:

Sie spricht / spräche / sprach usw. zögernd.

Das Partizip I hat kein syntaktisches Subjekt bei sich. Sein logisches Subjekt wird in der Regel durch das Subjekt des finiten Verbs ausgedrückt (zu Besonderheiten vgl. 18.4.1.6.):

Heimkehrend fand *sie* die Wohnung verschlossen.

Mit Ausnahme des Subjekts behält das Partizip alle notwendigen Glieder bei sich:

Sie ermahnte ihn, *an seine Ehrlichkeit* appellierend.

Das Partizip kann auch durch freie Glieder erweitert sein:

Spät heimkehrend, fand sie die Wohnung verschlossen.

In Verbindung mit einem *Substantiv* übernimmt das Partizip I die adjektivischen Merkmale für Genus, Kasus, Numerus, Deklinationsart und Komparation:

der entscheidende Augenblick, die entscheidenden Augenblicke, die entscheidendsten Augenblicke

Oft ist das attributive Partizip I erweitert durch notwendige und freie Glieder:

die *am Abend in der Stadt* ankommenden Züge

Partizip II 1.5.1.3.

1. Das Partizip II wird bei den regelmäßigen Verben durch Anhängen von *-t* an den Verbalstamm (nach stammauslautendem *-t-* oder *-d-: -et*), bei den unregelmäßigen Verben durch Anhängen von *-en* an den Verbalstamm und Veränderung des Stammvokals gebildet. Bei vielen Verben erscheint außerdem das Präfix *ge-*.

ge-lob-t, ge-arbeit-et
ge-troff-en, ge-leg-en

2. Für die Präfigierung mit *ge-* gelten folgende Regeln:

(1) Das Partizip II ist mit *ge-* zu bilden

von allen einfachen Verben, die den Ton auf der ersten Silbe tragen:[1]

b**au**en – geb**au**t
g**e**hen – geg**a**ngen
h**a**ndeln – geh**a**ndelt

von allen abgeleiteten bzw. zusammengesetzten Verben, deren erster Teil betont und trennbar ist (*ge-* steht nach dem ersten Verbteil):

anhören – **a**ngehört
her**au**sgehen – her**au**sgegangen
h**au**shalten – h**au**sgehalten
k**e**nnenlernen – k**e**nnengelernt
spaz**ie**rengehen – spaz**ie**rengegangen
t**ei**lnehmen – t**ei**lgenommen

von einer Gruppe zusammengesetzter Verben mit betontem, untrennbarem ersten Verbteil (*ge-* steht vor dem ersten Verbteil):

fr**ü**hstücken – gefr**ü**hstückt
k**e**nnzeichnen – gek**e**nnzeichnet
r**e**chtfertigen – ger**e**chtfertigt
w**e**tteifern – gew**e**tteifert

(2) Das Partizip II ist ohne *ge-* zu bilden

von allen abgeleiteten bzw. zusammengesetzten Verben, deren erster Teil unbetont und untrennbar ist:

best**e**llen – best**e**llt
entg**e**hen – entg**a**ngen

---

[1] Ohne Präfix *ge-* erscheint nur *werden* als Hilfsverb:
Das Buch ist ins Russische übersetzt *worden*.

erz**ä**hlen — erz**ä**hlt
vers**a**mmeln — vers**a**mmelt
zerr**ei**ßen — zerr**i**ssen

frohl**o**cken — frohl**o**ckt
offenb**a**ren — offenb**a**rt
vollbr**i**ngen — vollbr**a**cht
widerl**e**gen — widerl**e**gt

Schwankend sind einige Verben mit *miß-*

m**i**ß**a**chten — miß**a**chtet / m**i**ßgeachtet

von einer Gruppe Verben (Fremdwörter auf *-ieren* und einige andere), die den Ton nicht auf der ersten Silbe tragen:

akzept**ie**ren — akzept**ie**rt
stud**ie**ren — stud**ie**rt
pos**au**nen — pos**au**nt
prophez**ei**en — prophez**ei**t
schmar**o**tzen — schmar**o**tzt

Anmerkung:
Das Partizip II wird auch ohne *ge-* gebildet, wenn die Verben zusätzlich noch einen trennbaren Verbteil haben, der den Ton auf sich zieht:

abbestellen — **a**bbestellt
anerziehen — **a**nerzogen
einstudieren — **ei**nstudiert
ausposaunen — **au**sposaunt

(3) Das Partizip II ist mit oder ohne *ge-* zu bilden.
Die Verben, die

durch-, hinter-, über-, um-, unter-, wider-

als ersten Verbteil haben, bilden das Partizip II mit oder ohne *ge-*. Wenn der erste Verbteil betont und trennbar ist, wird das Partizip II mit *ge-* gebildet (*ge-* steht dabei nach dem ersten Verbteil). Wenn der erste Verbteil unbetont und untrennbar ist, wird das Partizip II ohne *ge-* gebildet.

Der Schiffer hat die Leute **ü**bergesetzt.
Der Schüler hat den Text richtig übers**e**tzt.

Zu den Bedingungen dafür, wann der erste Verbteil betont und trennbar ist und wann nicht, vgl. 1.11.

3. Das Partizip II verhält sich syntaktisch wie das Partizip I. In Verbindung mit einem finiten Verb bleibt es unverändert, in Verbindung mit einem Substantiv übernimmt es die adjektivischen Merkmale. Oft ist das Partizip durch notwendige und freie Glieder erweitert. Sein logisches Subjekt wird in der Regel durch das Subjekt des finiten Verbs ausgedrückt (zu Besonderheiten vgl. 18.4.1.6.).

Syntaktische Beschreibung 1.5.2.

Die infiniten Verbformen bilden im Deutschen keine besondere Wortklasse, sondern gehören verschiedenen anderen Wortklassen an.
Die Substitutionsprobe ergibt folgendes Bild:

Substantiv	Das *Laufen* fällt ihm schwer.
	Der *Reisende* las ein Buch.
	Der *Verletzte* wird behandelt.
Verb (Vollverb)	Er wird *kommen*.
	Er hat mir *geholfen*.
Verb (Hilfsverb)	Er scheint gekommen zu *sein*.
	Er ist geschlagen *worden*.
Verb (trennbares 1. Glied)	Wir gehen *spazieren*.
	Seine Papiere gingen *verloren*.
Adjektiv	Die Hilfe ist *dringend*.
	Der Student ist *belesen*.
Adverb	Er grüßte *zuvorkommend*.
	Er spricht *verschnupft*.
Partikel	Er wollte es *brennend* gern wissen.
	Ausgerechnet ihn traf ich.
Präposition	Er wird *entsprechend* seinen Leistungen bezahlt.
	Die Miete kostet, Heizung *inbegriffen*, hundert Mark.

Die Zuordnung der infiniten Verbformen zum Substantiv und zu den Partikeln und Präpositionen läßt sich durch die Substitutionsprobe ausreichend motivieren. Für die infiniten Verbformen als Verb, Adjektiv und Adverb sind Transformationen notwendig, die das Substitutionsschema variieren.

Infinitiv 1.5.2.1.

Der Infinitiv kommt in der Regel nur in Verbindung mit einem finiten Verb vor, wobei das finite Verb entweder Hilfsverb oder Vollverb ist. Eine Ausnahme bilden lediglich die attributiven Verbindungen von Infinitiven mit Substantiven (1) und der isolierte Gebrauch des Infinitivs in Imperativsätzen (2). In beiden Fällen handelt es sich jedoch in der zugrunde liegenden Struktur um eine verbale Verbindung:

(1) Es war unsere *Hoffnung*, ihn bald wiederzusehen.
← Wir *hofften*, ihn bald wiederzusehen.
Er hat die *Fähigkeit* zu abstrahieren.
← Er *ist fähig* zu abstrahieren.

(2) Aufstehen!
← Sie *sollen* aufstehen!

Zu (1) vgl. 15.1.3.4. (dort auch zu einigen Abstrakta, die nicht auf Verben zurückführbar sind), zu (2) vgl. 16.3. unter Anmerkung 2.(5).

Bei den verbalen Infinitivverbindungen ist zwischen notwendigen und freien Verbindungen zu unterscheiden. In den notwendigen Verbindungen ist das finite Verb entweder Hilfsverb oder Vollverb, in den freien Verbindungen ist es stets Vollverb. Der Infinitiv bei einem finiten Hilfsverb ist satzgliedmäßig grammatischer Prädikatsteil, bei einem finiten Vollverb in notwendiger Verbindung Objekt oder Subjekt, in freier Verbindung Adverbialbestimmung. Der Infinitiv bei einem finiten Kopulaverb mit Adjektiv ist Objekt zum Prädikativ.

1.5.2.1.1. Notwendige Infinitivverbindungen

1.5.2.1.1.1. Finites Hilfsverb mit Infinitiv

Der Infinitiv wird an ein Hilfsverb mit oder ohne Partikel *zu* angeschlossen:

> Ich habe heute viel *zu tun.*
> Er will morgen *kommen.*

Jedes Verb kann in der Infinitivform zu einem Hilfsverb treten. Eng begrenzt ist dagegen die Zahl der Verben, die als finites Hilfsverb fungieren können. Vgl. dazu 1.6.

1.5.2.1.1.2. Finites Vollverb mit Infinitiv als Objekt

Wie an ein Hilfsverb wird auch hier der Infinitiv mit oder ohne Partikel *zu* angeschlossen:

> Ich bat ihn *zu kommen.*
> Wir hören die Kinder im Nebenzimmer *singen.*
> Er half ihr(,) den Koffer (*zu*) *tragen.*

Jedes Verb kann in der Infinitivform zu einem finiten Vollverb treten. Begrenzt ist dagegen die Zahl der Verben, die als finite Vollverben fungieren können. Es handelt sich dabei nicht um eine einheitliche Gruppe. Abhängig von der Valenz (und Semantik) des finiten Verbs ist das – im aktualen Satz nicht ausgedrückte – Subjekt des infiniten Verbs identisch mit dem Subjekt des finiten Verbs oder nicht.

1. Verben ohne Objekt

Bei Verben, die nur Subjekt und Infinitiv bei sich haben, ist das Subjekt des Infinitivs gewöhnlich identisch mit dem Subjekt des finiten Verbs. Der Infinitiv vertritt ein Akkusativ- oder ein Präpositionalobjekt.

> Ich hoffe, Sie bald wiederzusehen.
> ← *Ich* hoffe, daß *ich* Sie bald wiedersehe.

Sie sehnt sich danach, in die Heimat zurückzukehren.
← *Sie* sehnt sich danach, daß *sie* in die Heimat zurückkehrt.

Hierher gehören:

ablehnen, sich abmühen, anfangen, sich anmaßen, sich anstrengen, aufgeben, aufhören, beabsichtigen, bedauern, sich beeilen, befürchten, beginnen, sich begnügen, behaupten, beitragen, sich bemühen, bereuen, beschließen, bezweifeln, denken, dienen, sich einbilden, sich entschließen, sich entsinnen, ertragen, erwägen, erwarten, fiebern, fortfahren, sich freuen, (sich) fürchten, sich genieren, sich getrauen, glauben, hoffen, sich hüten, kämpfen, leiden, leugnen, lieben, meinen, neigen, planen, prahlen, riskieren, sich schämen, sich scheuen, schwören, sich sehnen, sich sträuben, streben, sich trauen, träumen, übernehmen, unterlassen, verdienen, vergessen, verlernen, vermeiden, vermögen, vermuten, verabsäumen, versäumen, versuchen, vertragen, verwinden, verzichten, vorhaben, sich vornehmen, vorziehen, wagen, sich weigern, sich wundern, wünschen, zaudern, zögern

Anmerkungen:

(1) Bei einigen Verben dieser Gruppe ist das Subjekt des infiniten Verbs nicht das Subjekt des finiten Verbs, sondern das unbestimmt-persönliche *man*:

Er befürwortet, den Wettbewerb durchzuführen.
← Er befürwortet, daß *man* den Wettbewerb durchführt.

Hierher gehören:
anordnen, befürworten, eintreten, plädieren, polemisieren, verfügen

(2) Bei einigen anderen Verben dieser Gruppe ist das Subjekt des infiniten Verbs abhängig von dessen Semantik entweder das Subjekt des finiten Verbs oder das unbestimmt-persönliche *man*:

Er verlangte, den Schüler zu sehen.
← *Er* verlangte, daß *er* den Schüler sieht.
Er verlangte, den Schüler zu bestrafen.
← Er verlangte, daß *man* den Schüler bestraft.

Hierher gehören:
beantragen, fordern, verlangen

(3) Eine besondere Gruppe bilden die Verben, die von der Bedeutung her mehr als ein Subjekt verlangen, das syntaktisch entweder als pluralisches Subjekt oder als singularisches Subjekt und präpositionales Objekt (Präposition *mit*) erscheinen kann:

Wir haben / Ich habe mit ihm abgemacht, gemeinsam zu verreisen.
← *Wir* haben / *Ich* habe mit *ihm* abgemacht, daß *wir* gemeinsam verreisen.

Hierher gehören:
abmachen, ausmachen, sich einigen, übereinkommen, verabreden, vereinbaren, sich verschwören, wetteifern

2. Verben mit Akkusativobjekt

Bei Verben mit Subjekt, Infinitiv und Akkusativobjekt ist das Subjekt des infiniten Verbs immer mit dem Akkusativobjekt identisch.

Der Infinitiv vertritt zumeist ein Präpositionalobjekt (bei einigen Verben auch ein Genitivobjekt):

> Ich beauftragte ihn damit, die Briefe abzuholen.
> ← Ich beauftragte *ihn* damit, daß *er* die Briefe abholt.
> Sie beschuldigt ihn dessen, gelogen zu haben.
> ← Sie beschuldigt *ihn* dessen, daß *er* gelogen hat.

Hierher gehören:
abhalten, anflehen, anhalten, anklagen, anleiten, anregen, anspornen, anstiften, antreiben, anweisen, auffordern, aufhetzen, aufrufen, ausersehen, beauftragen, beneiden, berechtigen, beschuldigen, beschwören, bestärken, bewegen, bitten, drängen, einladen, ermächtigen, ermahnen, ermutigen, ersuchen, gewöhnen, hindern, mahnen, nötigen, überführen, überreden, veranlassen, verleiten, verpflichten, warnen, zwingen

Anmerkungen:
(1) Kontextuell bedingt, kann bei manchen dieser Verben das Akkusativobjekt im aktualen Satz fehlen. In diesem Fall ist das Subjekt des infiniten Verbs das unbestimmt-persönliche *man*.

> Das Ministerium hat angewiesen, die Renten vorfristig auszuzahlen.
> ← Das Ministerium hat angewiesen, daß *man* die Renten vorfristig auszahlt.

Ebenso:
anregen, auffordern, aufrufen, berechtigen, bitten, ersuchen, veranlassen, warnen

(2) Bei einigen Verben mit Subjekt, Infinitiv und Präpositionalobjekt ist ebenfalls das Subjekt des Infinitivs mit dem Objekt identisch.

> Er dringt in mich mitzukommen.
> ← Er dringt in *mich*, daß *ich* mitkomme.

Hierher gehören:
an jemanden appellieren, in jemanden dringen, auf jemanden einwirken

3. Verben mit Dativobjekt

Bei vielen Verben mit Subjekt, Infinitiv und Dativobjekt ist das Subjekt des Infinitivs mit dem Dativobjekt identisch. Der Infinitiv vertritt zumeist ein Akkusativobjekt (bei wenigen Verben ein Präpositionalobjekt):

> Ich trug ihm auf, die Briefe abzuholen.
> ← Ich trug *ihm* auf, daß *er* die Briefe abholt.

Hierher gehören:
abgewöhnen, abraten, angewöhnen, anheimstellen, auftragen, befehlen, bescheinigen, einschärfen, empfehlen, erlassen, erlauben, ermöglichen, freistellen, gestatten, gönnen, nahelegen, raten, telegraphieren, überlassen, untersagen, verbieten, versagen, vorwerfen, zuflüstern, zugestehen, zumuten, zuraten, zureden, zurufen

Anmerkungen:
 (1) Bei verschiedenen Verben dieser Gruppe ist das Subjekt des Infinitivs

nicht mit dem Dativobjekt, sondern mit dem Subjekt des finiten Verbs identisch. Der Infinitiv steht zumeist für ein Akkusativobjekt.

Ich versprach ihm, die Briefe abzuholen.
← *Ich* versprach ihm, daß *ich* die Briefe abhole.

Hierher gehören:
angeben, drohen, geloben, gestehen, versichern, versprechen, vortäuschen, zugeben, zusagen

(2) Bei einigen anderen Verben ist das Subjekt des Infinitivs – abhängig von dessen Semantik – entweder mit dem Subjekt des finiten Verbs oder mit dem Dativobjekt identisch.

Ich schlug ihm vor, ihn zu begleiten.
← *Ich* schlug ihm vor, daß *ich* ihn begleite.

Ich schlug ihm vor, mich zu besuchen.
← Ich schlug *ihm* vor, daß *er* mich besucht.

Hierher gehören:
anbieten, einreden, vorschlagen, zusichern

(3) Kontextuell bedingt, kann bei manchen Verben mit Dativobjekt dieses Objekt im aktualen Satz fehlen. Bei den Verben mit Subjektdifferenz ist das Subjekt des Infinitivs in diesem Fall das unbestimmt-persönliche *man*.

Die Ärzte empfehlen, nicht zu rauchen.
← Die Ärzte empfehlen, daß *man* nicht raucht.

4. Besonderheiten

Alle in den Listen der Gruppen 1–3 aufgeführten Verben schließen den Infinitiv mit *zu* an. Ohne *zu* schließen folgende Verben den Infinitiv an:

Gruppe 1: lernen (auch mit *zu*)
Gruppe 2: fühlen, hören, sehen, spüren
lassen, machen
heißen (= befehlen), lehren (auch mit *zu*)
finden, haben (beide mit oblig. Lokalangabe)
Gruppe 3: –

Die meisten Verben in den Listen der Gruppen 1–3 verbinden sich gewöhnlich nur mit Infinitiv I. Mit Infinitiv II werden vorzugsweise verbunden:

Gruppe 1: bedauern, bereuen, sich entsinnen, leugnen
Gruppe 2: anklagen, beschuldigen, überführen
Gruppe 3: gestehen, vorwerfen, zugestehen

Finites Vollverb mit Infinitiv als Subjekt 1.5.2.1.1.3.

In manchen Fällen hat bei der Verbindung eines finiten Vollverbs mit einem Infinitiv der Infinitiv nicht die Satzgliedfunktion des Objekts, sondern die des Subjekts. Solche Verbindungen können nur wenige unpersönliche oder unpersönlich gebrauchte Verben eingehen. Der Infinitiv wird immer mit der Partikel *zu* angeschlossen. Statt des Infinitivs sind als Konkurrenzformen auch Nebensätze oder Nominalisierungen des Infinitivs möglich:

Zu schreien gehört sich nicht.
→ Daß man schreit, gehört sich nicht.
→ Schreien gehört sich nicht.

Es gefällt ihm, eingeladen zu werden.
→ Es gefällt ihm, wenn er eingeladen wird.
→ Einladungen gefallen ihm.

1.5.2.1.1.4. Finites Kopulaverb + Adjektiv/Substantiv mit Infinitiv

Die Satzgliedfunktion eines Subjekts hat der Infinitiv auch, wenn das finite Verb ein unpersönlich gebrauchtes Kopulaverb mit einem Adjektiv oder Substantiv als Prädikativ ist. Als Kopulaverb erscheint vor allem *sein*. Der Infinitiv wird in der Regel mit der Partikel *zu* angeschlossen. Statt des Infinitivs sind als Konkurrenzformen auch Nebensätze oder Nominalisierungen des Infinitivs möglich:

Mich zu verspäten ist mir unangenehm.
→ Daß ich mich verspäte, ist mir unangenehm.
→ Eine Verspätung ist mir unangenehm.

Die Stadt genau zu kennen war für mich ein Vorteil.
→ Daß ich die Stadt genau kannte, war für mich ein Vorteil.
→ Meine genaue Kenntnis der Stadt war für mich ein Vorteil.

1.5.2.1.2. Freie Infinitivverbindungen

Während die Zahl der Verben begrenzt ist, die sich notwendig mit einem Infinitiv mit/ohnePartikel *zu* verbinden, gibt es für die Verbindungen eines finiten Vollverbs mit einem Infinitiv mit den Konjunktionen *um*, *anstatt*, *ohne* + Partikel *zu* keine syntaktischen Beschränkungen. Solche Infinitive sind valenzunabhängige, freie adverbiale Angaben, die bestimmten adverbialen Nebensätzen entsprechen:

(1) *um ... zu* ← (a) *damit* (Finalsatz)
(b) *als daß* (irrealer Konsekutivsatz)
(2) *anstatt ... zu* ← *anstatt daß* (Substitutivsatz)
(3) *ohne ... zu* ← *ohne daß* (Modalsatz des fehlenden Begleitumstandes oder negativer Konsekutivsatz)

Zu diesen sog. Infinitivkonstruktionen vgl. 18.4.1.5.

Anmerkung:
Der finale Infinitiv kommt auch ohne Konjunktion *um* vor:

Diese Worte genügten, (um) ihn zum Schweigen zu bringen.

Bei den Bewegungsverben gibt es auch einen finalen Infinitiv ohne *zu*:

Er ist sich das neue Stück ansehen gegangen.
Sie hat die Tochter Brot holen geschickt.

Partizip I 1.5.2.2.

Das Partizip I kommt außer in adjektivischem Gebrauch beim Substantiv vor allem in freien Verbindungen mit finiten Vollverben vor. Nur in sehr beschränktem Maße gibt es daneben auch notwendige Verbindungen mit finiten Hilfs- und Vollverben. Im Gegensatz zum Infinitiv unterscheiden sich die notwendige und die freie Verbindungsart beim Partizip I nicht durch besondere Bezeichnungsmittel.
Im folgenden werden nur die Verbindungen des Partizips I mit Verben dargestellt, zur Verbindung mit Substantiv vgl. 15.1.3.2.

Notwendige Partizip I-Verbindungen 1.5.2.2.1.

1. Mit einem Verb in der Form des Partizips I verbindet sich das Hilfsverb *sein*:

Das Eisen glüht.
→ Das Eisen ist glühend.

Vgl. dazu genauer 1.6.3.1.2., Variante 4.

2. In notwendiger Verbindung mit einem Partizip I stehen auch einige Vollverben, wie z. B. *nennen, bezeichnen als, erklären für, halten für, finden.* Das Subjekt des Partizips ist identisch mit dem Objekt des finiten Verbs. Als Partizip können nur Verben auftreten, die eine *sein*-Verbindung zulassen:

Ich finde das Argument überzeugend.
← Ich finde, daß das Argument überzeugend ist.
← Ich finde, daß das Argument überzeugt.
Er erklärt die Prüfung für entscheidend.
← Er erklärt, daß die Prüfung entscheidend ist.
← Er erklärt, daß die Prüfung entscheidet.

Freie Partizip I-Verbindungen 1.5.2.2.2.

Mit Ausnahme der oben genannten Verbindungen sind Verbindungen eines finiten Verbs mit einem Partizip I gewöhnlich freie Verbindungen zweier Vollverben, für die es keine syntaktischen Beschränkungen gibt. Die Bedeutung des Partizips in der Verbindung ist aktivisch. Es besteht Zeitgleichheit mit dem finiten Verb. Das Subjekt des Partizips entspricht gewöhnlich dem Subjekt des finiten Verbs:

Der Student diskutierte überzeugend.
← Der Student diskutierte, und er überzeugte.

Übereinstimmung der Subjekte gibt es auch bei einem durch notwendige (valenzabhängige) und/oder freie Satzglieder erweiterten Partizip I (Partizipialkonstruktion):

Die Kinder zogen, ein frohes Lied singend, auf den Sportplatz.
← Die Kinder zogen, indem sie ein frohes Lied sangen, auf den Sportplatz.

Zu den Partizipialkonstruktionen vgl. genauer 18.4.1.6.
Nicht um ein Partizip in diesem Sinne handelt es sich, wenn das Partizip nicht auf ein Verb zurückführbar ist. Hier sprechen wir von einem Adjektivadverb:

Das Institut sucht dringend eine Schreibkraft.
Das neue Kofferradio findet reißend Absatz.

Zu den dabei auftretenden Homonymien vgl. 15.1.3.2.1.

1.5.2.3. Partizip II

Das Partizip II kommt außer in adjektivischem Gebrauch beim Substantiv in notwendigen Verbindungen mit finiten Hilfs- und Vollverben und in freien Verbindungen mit finiten Vollverben vor. Wie beim Partizip I unterscheiden sich beide Verbindungsarten nicht durch besondere Bezeichnungsmittel.
Im folgenden werden nur die Verbindungen des Partizips II mit Verben dargestellt, zur Verbindung mit Substantiv vgl. 15.1.3.2.2.

1.5.2.3.1. Notwendige Partizip II-Verbindungen

1. Als finite Hilfsverben mit Partizip II eines Vollverbs kommen *haben*, *sein* und *werden* vor. Die Verbindungen von *haben* und *werden* sind monofunktional (Perfektbildung bzw. Bildung des Vorgangspassivs), die Verbindungen mit *sein* sind polyfunktional (Perfektbildung, Bildung des Zustandspassivs und des Zustandsreflexivs). Vgl. dazu 1.6.3.

2. Nur eine kleine Gruppe Verben kann sich als Vollverben mit einem Partizip II verbinden. Das Subjekt des Partizips ist zumeist identisch mit dem Akkusativobjekt:

Ich fand den Film gelungen.
← Ich fand, daß der Film gelungen war.
Ich bekam das Buch geschenkt.
← Ich bekam das Buch. Das Buch wurde (mir) geschenkt.

Ein gemeinsames Subjekt haben nur die adverbialen Verbindungen mit finitem *kommen*:

Er kommt gerannt.
← Er kommt, indem er rennt.

Freie Partizip II-Verbindungen 1.5.2.3.2.

Während es für die freien Partizip I-Verbindungen keine (syntaktischen) Beschränkungen gibt, sind freie Partizip II-Verbindungen nur von solchen Verben möglich, die sich in der Form des Partizip II auch mit dem finiten Hilfsverb *sein* verbinden. Damit ist vor allem die große Zahl der Intransitiva – soweit sie nicht Orts- oder Zustandsveränderungen bezeichnen – ausgeschlossen, wie z. B. *schlafen* (ohne Objekt), *helfen* (mit Dativobjekt), *beruhen auf* (mit Präpositionalobjekt). Die Genusbedeutung der Partizipien II in den freien Verbindungen entspricht der Genusbedeutung der Verbindung mit dem Hilfsverb *sein* (vgl. oben unter 1.5.2.3.1.1.). Das Subjekt des Partizips stimmt gewöhnlich überein mit dem Subjekt des finiten Verbs (bei transitiven Verben als Partizip II mit dem rein syntaktischen Subjekt). Dies gilt für die nicht erweiterten Partizipien ebenso wie für die durch notwendige und/oder freie Satzglieder erweiterten Partizipien (Partizipialkonstruktionen). Gemeinsam ist allen freien Partizip II-Verbindungen auch die Zeitrelation zum finiten Verb: Während das Partizip I Zeitgleichheit mit dem finiten Verb ausdrückt, steht das Partizip II gewöhnlich im Verhältnis der Vorzeitigkeit zum finiten Verb. Eine Ausnahme machen nur die durativen transitiven Verben, die auch Zeitgleichheit ausdrücken können (und damit die passive Entsprechung zum Partizip I darstellen). Man vgl.:

In der Stadt angekommen, ging er sofort zu seinem Freund.
← Nachdem er in der Stadt angekommen war, ging er sofort zu seinem Freund. (Vorzeitigkeit, intransitives Verb)
Obwohl von allen gewarnt, fuhr er los.
← Obwohl er von allen gewarnt worden war, fuhr er los. (Vorzeitigkeit, perfektives transitives Verb)
Von zwei Loks gezogen, fuhr der Zug in den Bahnhof ein.
← Der Zug, der von zwei Loks gezogen wurde, fuhr in den Bahnhof ein. (Gleichzeitigkeit, duratives transitives Verb)

Zu den Partizipialkonstruktionen vgl. auch 18.4.1.6., zum Partizip II als prädikatives Attribut vgl. 13.3.5.2.

Wenn ein Partizip II nicht auf ein Verb zurückführbar ist, handelt es sich um ein Adjektivadverb:

Er schaute sie betroffen an.

Zu den dabei auftretenden Homonymien vgl. 15.1.3.2.2.

1.6. Hilfsverben

1.6.1. Formenbestand

	Indikativ		Konjunktiv	
	Präsens	Präteritum	Präsens	Präteritum
Hilfsverben mit Infinitiv/Partizip				
ich	habe	hatte	habe	hätte
du	hast	hattest	habest	hättest
er, sie, es	hat	hatte	habe	hätte
wir	haben	hatten	haben	hätten
ihr	habt	hattet	habet	hättet
sie	haben	hatten	haben	hätten
ich	bin	war	sei	wäre
du	bist	warst	seiest	wärest
er, sie, es	ist	war	sei	wäre
wir	sind	waren	seien	wären
ihr	seid	wart	seiet	wäret
sie	sind	waren	seien	wären
ich	werde	wurde	werde	würde
du	wirst	wurdest	werdest	würdest
er, sie, es	wird	wurde	werde	würde
wir	werden	wurden	werden	würden
ihr	werdet	wurdet	werdet	würdet
sie	werden	wurden	werden	würden
Hilfsverben mit Infinitiv				
ich	darf	durfte	dürfe	dürfte
du	darfst	durftest	dürfest	dürftest
er, sie, es	darf	durfte	dürfe	dürfte
wir	dürfen	durften	dürfen	dürften
ihr	dürft	durftet	dürfet	dürftet
sie	dürfen	durften	dürfen	dürften
ich	kann	konnte	könne	könnte
du	kannst	konntest	könnest	könntest
er, sie, es	kann	konnte	könne	könnte
wir	können	konnten	können	könnten
ihr	könnt	konntet	könnet	könntet
sie	können	konnten	können	könnten
ich	mag	mochte	möge	möchte
du	magst	mochtest	mögest	möchtest
er, sie, es	mag	mochte	möge	möchte
wir	mögen	mochten	mögen	möchten
ihr	mögt	mochtet	möget	möchtet
sie	mögen	mochten	mögen	möchten

	Indikativ		Konjunktiv	
	Präsens	Präteritum	Präsens	Präteritum
ich	muß	mußte	müsse	müßte
du	mußt	mußtest	müssest	müßtest
er, sie, es	muß	mußte	müsse	müßte
wir	müssen	mußten	müssen	müßten
ihr	müßt	mußtet	müsset	müßtet
sie	müssen	mußten	müssen	müßten
ich	soll	sollte	solle	sollte
du	sollst	solltest	sollest	solltest
er, sie, es	soll	sollte	solle	sollte
wir	sollen	sollten	sollen	sollten
ihr	sollt	solltet	sollet	solltet
sie	sollen	sollten	sollen	sollten
ich	will	wollte	wolle	wollte
du	willst	wolltest	wollest	wolltest
er, sie, es	will	wollte	wolle	wollte
wir	wollen	wollten	wollen	wollten
ihr	wollt	wolltet	wollet	wolltet
sie	wollen	wollten	wollen	wollten

Vor allem in Verbindung mit einem Infinitiv gibt es bei den Hilfsverben eine Reihe formaler Besonderheiten. Verschiedene dieser Besonderheiten haben die Hilfsverben mit anderen Verben mit Infinitiv gemeinsam. Aus diesem Grunde werden diese Besonderheiten im Kapitel „Infinite Verbformen" dargestellt. Man vgl. dort unter 1.5.1.1.5. die Punkte (1), (3), (4), (5) und (6).

Weitere Besonderheiten der Hilfsverben sind:

1. Die Hilfsverben sind nicht passivfähig, die Modalverben können jedoch in Verbindung mit einem Infinitiv (I und II) Passiv des Vollverbs stehen:

> Die Stadt will ihn auszeichnen.
> → *Er wird (von der Stadt) auszeichnen gewollt.

Aber:

> Er soll ausgezeichnet werden.
> Er soll ausgezeichnet worden sein.

2. Die Hilfsverben bilden keinen Imperativ:

> *Wolle arbeiten!
> *Habe zu arbeiten!

Aber:

> Versuche zu arbeiten!

3. Die Hilfsverben werden auch ohne Vollverben gebraucht. Dabei ist zwischen zwei Verwendungsweisen zu unterscheiden.
Im ersten Falle – bei *haben*, *sein* und *werden*, zum Teil auch bei den Modalverben *wollen*, *mögen* und *können* – haben die Verben nicht

mehr die Funktion von Hilfsverben, sondern die von Kopula- oder Vollverben:

Das Bild *ist* schön.
Er *wird* Lehrer.
Er *hat* (= besitzt) eine große Bibliothek.
Er *will* (= wünscht, verlangt), daß du dich persönlich entschuldigst.
Ich *mag* (= liebe) Regenwetter nicht.
Ich *möchte* (= wünsche), daß du mich richtig verstehst.
Er *kann* (= beherrscht) das ganze Gedicht.
Er *kann* nichts für seinen Namen (= ist unschuldig).

Im zweiten Falle, der auf die Modalverben beschränkt ist, handelt es sich trotz der fehlenden Vollverben um Hilfsverben. Hier liegt elliptischer Gebrauch vor. Die Vollverben sind entweder weggelassen, um Wiederholungen zu vermeiden (1), oder erscheinen als überflüssig, da aus dem Kontext erschließbar. Letzteres ist nur bei solchen Verben möglich, die ein allgemeines Tun (2) oder eine unbestimmte Bewegung (3) ausdrücken. Als Hinweis auf das fehlende Bewegungsverb ist im Satz eine Lokalangabe nötig, in den anderen Fällen steht oft das Pronomen *es* oder *das* als Ersatzwort.

(1) Ohne es (= umstoßen) zu wollen, stieß sie die Kaffeekanne um.
(2) Regeln, was man (tun) darf, gibt es bei diesem Spiel nicht.
(3) Die kleine Tochter muß spätestens um 7 Uhr ins Bett (gehen).

Anmerkung:
Die Modalverben und *werden* ohne infinites Vollverb bilden Perfekt, Plusquamperfekt und Infinitiv II mit regelmäßigem Partizip II:

Ich habe das Gedicht nicht gekonnt.
Er ist Lehrer geworden.

4. Die sich aus dem reichen Konjugationsschema der Hilfsverben und den verschiedenen infiniten Formen der Vollverben ergebenden Verbindungsmöglichkeiten werden in der Sprachwirklichkeit in unterschiedlichem Umfange genutzt. So sind die Pluralformen der Modalverben im Konjunktiv Präsens wegen des Zusammenfalls mit den indikativischen Formen zum Teil nicht üblich. Statt des Perfekts wird zumeist das Präteritum, statt Futur in der Regel Präsens verwendet. Unmöglich sind von *werden* der Infinitiv und der Indikativ Präteritum in Verbindung mit dem Infinitiv eines Vollverbs. Kaum gebräuchlich ist vor allem die Häufung mehrerer zusammengesetzter Formen, z. B. von Perfekt, Infinitiv II und Passiv:

(*) Er hat gelobt worden sein können.

Die Auflösung solcher komplizierter Verbindungen erfolgt am besten vom Ende her:

Perf. → Präs.:	Er kann gelobt worden sein.
Inf. II → Inf. I:	Er kann gelobt werden.
Passiv → Aktiv:	Man kann ihn loben.

Syntaktische Beschreibung 1.6.2.

Die Notwendigkeit der Annahme einer Kategorie *Hilfsverb* im Deutschen ergibt sich aus der Tatsache, daß bestimmte Verben gewöhnlich nicht selbständig, sondern in Verbindung mit einem anderen – im Infinitiv oder Partizip angeschlossenen – Verb vorkommen, dem die Rolle des *Vollverbs* zukommt:

Artikelwort	*Substantiv*	*Hilfsverb*	*Vollverb*
Der	Schüler	will	lesen.
Das	Buch	ist zu	lesen.
Der	Schüler	hat	gelesen.
Der	Schüler	ist	aufgestanden.
Das	Buch	wird	gelesen.

1. Partizip I und II

Die Verbindungen eines Hilfsverbs mit dem Partizip I eines Vollverbs sind auf die Verbindungen von *sein* mit den Partizipien verschiedener Verben beschränkt. Sie unterscheiden sich nur durch die Rückführbarkeit auf ein Verb von den Partizipien adjektivischen Charakters:

Das Buch ist aufregend.
← Das Buch regt auf.
Das Buch ist spannend.
← *Das Buch spannt.

Mit dem Partizip II eines Vollverbs verbinden sich im Deutschen nur die Hilfsverben *haben, sein* und *werden*. Diese Verbindungen dienen zum Ausdruck der Tempora und des Passivs. Davon sind die Fälle zu unterscheiden, wo *sein* (z. T. auch *werden*) als Vollverb in Verbindung mit einem Partizip II adjektivischen Charakters steht:

Die Erscheinung ist erkannt.
← Man hat die Erscheinung erkannt.
Die Erscheinung ist bekannt.
← *Man hat die Erscheinung bekannt.

2. Infinitiv

Die Zahl der Verben, die sich mit einem Infinitiv verbinden können, ist relativ groß (mindestens 300). Nicht berücksichtigt sind dabei die mit *ohne, anstatt* und *um* (das gelegentlich fehlen kann) erweiterten Infinitivgruppen, die als freie adverbiale Angaben zu bestimmen sind und deshalb nicht im Verhältnis eines Vollverbs zu einem Hilfsverb stehen können. Aber auch die meisten anderen Verben können auf Grund besonderer Merkmale nicht als Hilfsverben bezeichnet werden.
Um die Verbindung eines Vollverbs mit einem Infinitiv adverbialen Charakters handelt es sich bei einigen Bewegungsverben:

Er geht baden (= zum Baden).

Eine Verbindung zweier selbständiger Vollverben liegt vor, wenn die Subjekte beider Verben verschieden sind:

Ich höre ihn kommen.
← *Ich* höre. *Er* kommt.

Er hat mir erlaubt zu gehen.
← *Er* hat es mir erlaubt. *Ich* gehe.

Eine Verbindung zweier selbständiger Vollverben ist auch dann gegeben, wenn neben dem Infinitiv noch weitere Bestimmungen beim finiten Verb möglich sind:

Er hat mir versprochen zu kommen.
← Er hat es mir versprochen. Er kommt.

Mein Freund droht abzureisen.
← Mein Freund droht mir damit. Er reist ab.

Als Vollverb ist das finite Verb weiterhin in den Fällen zu bezeichnen, wo der Infinitiv in einen *daß*-Satz und/oder in die Nominalform umformbar ist. Dadurch wird deutlich, daß das finite Verb einziger Prädikatsteil sein kann:

Ich freue mich, dich zu sehen.
← Ich freue mich, daß ich dich sehe.

Er beginnt zu singen.
← Er beginnt mit dem Gesang.

Um zwei Vollverben in der Infinitivverbindung handelt es sich schließlich auch dann, wenn diese Verbindung in zwei einfache Sätze getrennt werden kann:

Er weigert sich mitzumachen.
← Er weigert sich. Er macht nicht mit.

Aus der großen Zahl Verben, mit denen Infinitivverbindungen möglich sind, verbleiben als Hilfsverben:

haben, sein, werden
dürfen, können, mögen, müssen, sollen, wollen

Daneben muß man noch eine kleine Zwischengruppe von Verben annehmen, die den Hilfsverben sehr nahe stehen. Zumeist handelt es sich dabei um Verben mit Bedeutungen, die denen der Modalverben ähnlich sind.
Zu diesen Verben gehören:

bleiben (nur mit Verben, die eine Lage im Raum bezeichnen)

Er bleibt liegen. (= Er liegt weiterhin.)

brauchen (nur mit *nicht* – als häufige Verneinung für *müssen*)

Er braucht nicht zu kommen. (= Er muß nicht kommen.)

scheinen

Er scheint sie zu kennen. (= Er kennt sie anscheinend.)
Sie schien nicht gesund (zu sein).

bekommen

Ich bekam ihn nicht zu sehen. (= Es war nicht möglich, ihn zu sehen.)

belieben

Er beliebt zu scherzen. (= Es gefällt ihm, zu scherzen.)

drohen

Das Haus droht einzustürzen. (= Das Haus ist in Gefahr einzustürzen.)

gedenken

Er gedenkt, noch eine Woche zu bleiben. (= Er will noch eine Woche bleiben.)

kommen

Er kommt noch darauf zu sprechen. (= Er findet noch Gelegenheit, darüber zu sprechen.)

pflegen

Er pflegt zu spät zu kommen. (= Er kommt gewöhnlich zu spät.)

suchen

Er sucht zu vergessen. (= Er bemüht sich zu vergessen.)

verstehen

Er versteht sich zu benehmen. (= Er kann sich benehmen.)

wissen

Er wußte viel zu erzählen. (= Er konnte viel erzählen.)

Entsprechend den Feststellungen unter 1. und 2. sind zwei Gruppen von Hilfsverben zu unterscheiden

– Hilfsverben mit Infinitiv und Partizip:

haben, sein, werden

– Hilfsverben mit Infinitiv:

dürfen, können, mögen, müssen, sollen, wollen

Von den unter 1.3.1. aufgeführten 8 Gruppen werden hier also als Hilfsverben im eigentlichen Sinne nur die Gruppen 1 und 2 betrachtet, nicht die anderen, da sie entweder nicht grammatikalisiert sind (Gruppe 3) oder in der Distribution beschränkt sind (Gruppe 4, z. T. auch Gruppe 3) oder wie andere Vollverben mit Infinitiv gebraucht werden (Gruppen 4 und 6) bzw. nicht in Verbindung mit Vollverb auftreten (Gruppen 5, 7 und 8).

1.6.3. Semantische Beschreibung

1.6.3.1. Hilfsverben mit Infinitiv und Partizip

1. *haben*

Variante 1:[1] *haben* + Partizip II (= Vergangenheitstempora)

Ich *habe* das Buch *gelesen.*
Sie *hatte* sich über die Blumen sehr *gefreut.*
Er scheint lange *geschlafen* zu *haben.*

haben + Partizip II dient zur Bildung des Perfekts, Plusquamperfekts und Infinitivs II Aktiv (neben dem Hilfsverb *sein*, zu den Regularitäten vgl. 1.7.2.).

Variante 2: *haben* + Infinitiv mit *zu* (= Notwendigkeit, Möglichkeit)

Ich *habe* mit dir *zu reden.* (= Ich muß mit dir reden.)
Was *hast* du *zu berichten*? (= Was kannst du berichten?)

haben + Infinitiv mit *zu* bedeutet öfter eine Notwendigkeit, manchmal aber auch eine Möglichkeit. Welche Bedeutung im konkreten Satz gegeben ist, ist nur aus dem Kontext (die Möglichkeit vor allem bei Negationswörtern) erschließbar. Im Gegensatz zu *sein* + Infinitiv mit *zu* (Variante 5) haben die *haben*-Verbindungen aktivische Bedeutung, das Subjekt ist zumeist eine Person.

Anmerkungen:
(1) In bestimmten festen Verbindungen ist die modale Bedeutung stark abgeschwächt:

Daß er geschwiegen hat, *hat* nichts *zu sagen.* (= sagt, bedeutet nichts)

(2) Die Möglichkeit drückt *haben* auch in einzelnen festen Verbindungen mit Adverb und Infinitiv ohne *zu* aus:

Er hat leicht lachen. (= Er kann – in seiner günstigen Lage – lachen.)

2. *sein*

sein bildet eine polyfunktionale Verbindung mit dem Partizip II (Variante 1–3) und Verbindungen mit Partizip I (Variante 4) und Infinitiv (Variante 5).

Variante 1: *sein* + Partizip II (= Vergangenheitstempora)

Ich *bin* gestern sehr spät *eingeschlafen.*
Sie *waren* alle schon nach Hause *gegangen.*
Er soll noch im Institut *gewesen sein.*

---

[1] Gemeint sind Bedeutungsvarianten (= Sememe), nicht stilistische Varianten.

Bei den intransitiven Verben der Orts- und Zustandsveränderung dient *sein* + Partizip II zur Bildung des Perfekts, Plusquamperfekts und Infinitivs II Aktiv. Vgl. dazu genauer 1.7.2.2.

Variante 2: *sein* + Partizip II (= Zustandspassiv)

> Der Brief *ist* schon *abgeschickt.*
> Das Fenster *war* die ganze Nacht *geöffnet.*

Bei zahlreichen transitiven Verben dient *sein* + Partizip II zur Bildung des Zustandspassivs. Zu den Beschränkungen vgl. 1.8.8.

Variante 3: *sein* + Partizip II (= Zustandsreflexiv)

> Der Lehrer *ist* seit Tagen *erkältet.*
> Er *war* nach dem Urlaub nicht *erholt.*

Bei zahlreichen reflexiven Verben dient *sein* + Partizip II zur Bildung des Zustandsreflexivs. Zu den Beschränkungen vgl. 1.10.7.

Anmerkungen:
(1) Ambig ist vielfach die Verbindung des Partizips II mit dem Hilfsverb *sein* bei denjenigen Verben, die (ohne Bedeutungsunterschied) transitiv und reflexiv sein können. Hier kann die Verbindung die Bedeutung Zustandspassiv oder Zustandsreflexiv haben:

> Das Kind ist gewaschen.
> ← Das Kind wird gewaschen.
> ← Das Kind wäscht sich.

(2) Ambiguitäten sind in der Verbindung mit *sein* auch bei den Verben möglich, die sowohl transitiv als auch intransitiv sind [(a) ohne und (b) mit Bedeutungsunterschied]. Hier kann die Verbindung die Bedeutung Aktiv Vergangenheit oder Zustandspassiv haben:

> (a) Das Eisen ist geschmolzen.
> ← Das Eisen schmilzt.
> ← Das Eisen wird geschmolzen.
> (b) Der junge Mann ist verzogen.
> ← Der junge Mann verzieht. (*verziehen* = übersiedeln)
> ← Der junge Mann wird verzogen. (*verziehen* = jemanden durch Verwöhnung falsch erziehen)

Variante 4: *sein* + Partizip I (= Zustand)

> Das Eisen *ist glühend.*
> Der Film *war aufregend.*

Die Verbindung *sein* + Partizip I drückt einen Zustand aus bzw. verstärkt die Bedeutung des Zustands einer finiten Verbform. Die Zahl der Verben, die sich in der Form des Partizips I mit *sein* verbinden können, ist semantisch bedingt stark eingeschränkt.

Dazu gehören:

anstecken (Die Krankheit ist ansteckend.), anstrengen (Die Fahrt war anstrengend.), auffallen (Der Hut ist auffallend.), ausreichen (Ihre Rente ist ausreichend.), entscheiden (Der Augenblick ist entscheidend.), erfrischen (Das

Getränk ist erfrischend.), glänzen (Der Stoff ist glänzend.), überzeugen (Das Argument ist überzeugend.), verpflichten (Der Titel ist verpflichtend.) u. a.

Anmerkung:
Einige Partizipien I verbinden sich außer mit *sein* auch mit *werden*. Das ist aber nur möglich, wenn das Verb nicht nur einen Zustand, sondern auch eine Zustandsveränderung ausdrücken kann:

Das Eisen wird glühend.

Aber nicht:

*Die Krankheit wird ansteckend.

Variante 5: *sein* + Infinitiv mit *zu* (= Möglichkeit, Notwendigkeit)

Die Arbeit *ist* in 3 Tagen kaum *zu schaffen*. (= Die Arbeit kann in 3 Tagen kaum geschafft werden.)
Die Arbeit *ist* unbedingt in einer Woche *zu erledigen*. (= Die Arbeit muß unbedingt in einer Woche erledigt werden.)

sein + Infinitiv bedeutet öfter eine Möglichkeit, manchmal aber auch eine Notwendigkeit (z. B. in Vorschriften). Welche Bedeutung im konkreten Satz gegeben ist, wird jedoch nur aus dem Kontext (in den obigen Beispielen durch *kaum* bzw. *unbedingt*) deutlich. Im Gegensatz zu den *haben*-Verbindungen sind die *sein*-Verbindungen passivisch, das mit *von* anzuschließende Agens der Handlung fehlt häufig.

3. *werden*

Variante 1: *werden* + Infinitiv ohne *zu* (= Zukunft)

Wir *werden* am Wochenende *verreisen*.
Am Wochenende *werde* ich den Aufsatz *geschrieben haben*.

werden + Infinitiv I/II dient zur Bildung von Futur I/II mit Zukunftsbedeutung. Vgl. dazu genauer 1.7.4.5./6.

Variante 2: *werden* + Infinitiv ohne *zu* (= Vermutung)

Er *wird* jetzt im Büro *sein*.
Sie *wird* das bestimmt nicht ohne Absicht *gesagt haben*.

werden + Infinitiv I dient zur Bezeichnung eines vermuteten Geschehens in der Gegenwart, *werden* + Infinitiv II zur Bezeichnung eines vermuteten Geschehens in der Vergangenheit. Vgl. dazu 1.7.4.5./6. (dort auch zur Abgrenzung zwischen Variante 1 und 2). In der Vermutungsbedeutung steht *werden* + Infinitiv in einer Reihe mit den Modalverben mit subjektiver Modalität.

Variante 3: *werden* + Partizip II (= Vorgangspassiv)

Die Haustür *wird* jeden Tag um 20 Uhr *verschlossen*.
Der Brief ist vor 3 Tagen *abgeschickt worden*.

werden + Partizip II dient zur Bildung des Vorgangspassivs bei passivfähigen Verben. Vgl. dazu 1.8.4.

Während die Hilfsverben mit Infinitiv und Partizip zum Ausdruck von Tempus, Genus und Modalität dienen, wird mit den Verben mit Infinitiv fast ausschließlich die Modalität bezeichnet. Vorwiegend bedeutet diese Modalität die Art, wie sich das Verhältnis zwischen dem Subjekt des Satzes und der im Infinitiv ausgedrückten Handlung gestaltet (Möglichkeit, Notwendigkeit, Erlaubnis, Verbot, Wunsch usw.). Daneben bedeutet sie jedoch auch die Art, in welcher sich der Sprecher zu dem bezeichneten Vorgang verhält, vor allem seine Einschätzung der Realität dieses Vorgangs (Vermutung bzw. fremde Behauptung). Wenn die Modalverben die erste Funktion haben, spricht man von den Modalverben mit objektiver Modalität, wenn sie in der zweiten Funktion gebraucht werden, spricht man von der subjektiven Modalität der Modalverben. Das unterschiedliche Verhalten der Modalverben in der zugrunde liegenden Struktur läßt sich schematisch wie folgt verdeutlichen:

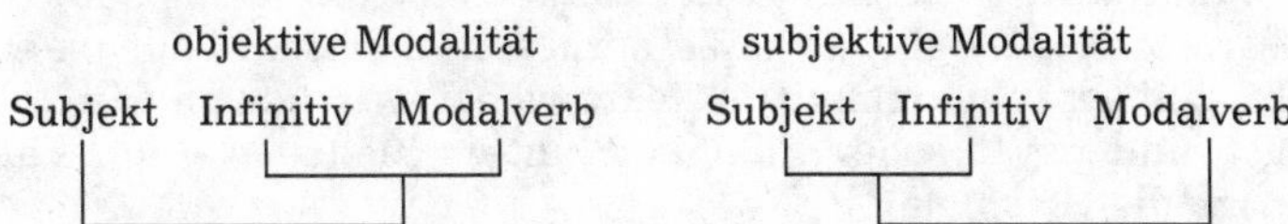

Im folgenden werden nur die Modalverben mit objektiver Modalität einzeln beschrieben, wobei zunächst die Hauptbedeutung(en) jedes Modalverbs und darauf – soweit vorhanden – seine verschiedenen Nebenvarianten angegeben werden. Die Modalverben mit subjektiver Modalität können zusammenfassend beschrieben werden, da hier die Differenzierung geringer ist.

1. *dürfen*

dürfen hat als Modalverb mit objektiver Modalität die Bedeutung der Erlaubnis:

> Weihnachten *durften* wir als Kinder immer länger aufbleiben.

Mit dieser Bedeutung steht *dürfen* in einem bestimmten Verhältnis zur Variante 1 von *sollen*. Wie dieses Modalverb schließt auch *dürfen* immer den Willen einer fremden Instanz ein. Während jedoch *sollen* den fremden Willen als Notwendigkeit für das Subjekt bezeichnet, drückt *dürfen* diesen Willen als eine Möglichkeit aus. Ähnlich breit wie bei *sollen* ist auch bei *dürfen* die Bedeutung vom Verursacher her gefächert. Sie reicht vom gesetzlichen Recht bis zur Zustimmung und zur höflichen Frage. Man vgl.:

> Auf dem Parkplatz *darf* man nur 1 Stunde parken.
> Wir *dürfen* heute von einer Revolution in der Technik sprechen.
> *Darf* ich Sie um Feuer bitten?

Zur Verneinung vgl. Variante 1 von *sollen*, Anmerkung 3.

2. *können*

Variante 1 (= Möglichkeit)

Wir *können* heute baden gehen, es ist warm genug.
Ich *konnte* den Brief nicht lesen, die Schrift war verwischt.

können in dieser Variante drückt eine durch objektive Bedingungen verursachte Möglichkeit aus. Ob im konkreten Satz die Variante 1 oder die Variante 2 bzw. 3 gegeben sind, ergibt sich zumeist nur aus dem Kontext.

Variante 2 (= Fähigkeit)

Die Großmutter *kann* den Brief nicht lesen, sie sieht schlecht.
Der fünfjährige Junge *kann* bereits lesen. Seine Mutter hat es ihm beigebracht.
Ich *kann* mir das Leben eines Menschen in der Vorzeit nicht vorstellen. Meine Phantasie reicht dazu nicht aus.

In dieser Variante bezeichnet *können* eine durch das Subjekt selbst verursachte Möglichkeit. Wir sprechen in diesem Fall von einer Fähigkeit des (personalen) Subjekts, wobei zwischen physischer, geistiger und psychischer Fähigkeit unterschieden werden kann (vgl. dazu die Beispiele).

Variante 3 (= Erlaubnis)

Wer mit dem Test fertig ist, *kann* nach Hause gehen.

können ersetzt in dieser Variante das Modalverb *dürfen* mit seiner Bedeutung der Erlaubnis. Dieser Gebrauch von *können* ist besonders umgangssprachlich üblich.

3. *mögen*

Variante 1 (= Wunsch, Lust)

Ich *möchte* einmal Bulgarien kennenlernen.
Möchtest du heute abend mit ins Kino kommen?

In dieser Variante wird *mögen* vor allem im Konj. Prät. verwendet, der dabei die Gegenwart bezeichnet. Für die Vergangenheit tritt *wollen* ein. Man vgl.:

Früher *wollte* ich immer nur auf die Berge steigen, heute *möchte* ich mich lieber am Strand erholen.

Im verneinten Satz kommen auch die indikativischen Formen von *mögen* mit der Bedeutung der Abneigung vor:

Sie *mag* nicht mit dem Flugzeug fliegen.
Sie *mochte* sich von dem Buch nicht trennen.

Um die Variante 1 handelt es sich auch bei der Verwendung von *mögen* in bestimmten irrealen Wunschsätzen:

Möchte es doch bald regnen!

Variante 2 (= Einräumung)

Wie kompliziert ein Computer auch gebaut sein *mag*, er erreicht nicht die Leistung des menschlichen Gehirns.
Für Fremde *mochte* es ein Streit um Worte sein, in Wirklichkeit verbarg sich aber dahinter mehr.

In bestimmten konzessiven Satzstrukturen dient *mögen* dazu, die Bedeutung der Einräumung zu verdeutlichen. In manchen Fällen konkurriert *mögen* dabei mit *sollen*, wobei jedoch die besondere Bedeutung der Eventualität zurücktritt (vgl. auch *sollen* Variante 4).

Mag / Sollte es auch kalt sein, ich komme trotzdem.

Variante 3 (indirekte Aufforderung)

Er hat mir gesagt, ich *möge* nicht auf ihn warten.

Diese Variante von *mögen* ist nur im Konj. Präs. möglich. Es ist eine stilistische Variante (der Höflichkeit) zu *sollen* (Variante 3) und dient wie dieses Modalverb zur Wiedergabe einer indirekten Aufforderung.

4. *müssen*

müssen hat als Modalverb mit objektiver Modalität die Bedeutung der Notwendigkeit:

Alle Menschen *müssen* sterben.

Die durch *müssen* bezeichnete Notwendigkeit kann im Subjekt selbst liegen (vgl. das obige Beispiel), kann aber auch äußere Gründe verschiedener Art haben:

Der Junge *muß* viel arbeiten, um das Abitur zu schaffen.
Ich *muß* heute noch einen Freund in der Klinik besuchen.
Ihre Kinder *müssen* immer spätestens um 19 Uhr zu Hause sein.

Zur Abgrenzung von *sollen* vgl. dort.

Anmerkung:
Verneintes *müssen* mit Infinitiv im Sinne einer Nichtnotwendigkeit, d. h. einer Möglichkeit und Freiheit, ist selten. Dafür steht zumeist verneintes *brauchen* mit Infinitiv + *zu* (ugs. auch ohne *zu*):

Du *mußt* zu der Veranstaltung mitkommen.
(→ Du *mußt* nicht zu der Veranstaltung mitkommen.)
→ Du *brauchst* nicht zu der Veranstaltung mitzukommen.

5. *sollen*

Variante 1 (= Auftrag)

Ich *soll* Ihnen den Brief übergeben. (= Ich habe den Auftrag, Ihnen den Brief zu übergeben.)

Das Modalverb *sollen* in dieser Variante berührt sich eng mit dem Modalverb *müssen*. Während jedoch bei *müssen* der Verursacher hinter der Handlung zurücktritt, damit sie als objektiv notwendig erscheint, bleibt bei *sollen* immer deutlich, daß die Handlung von einem fremden Willen verursacht ist. Abhängig von der Instanz des Verursachens – Person, Gesellschaft, moralisches Prinzip usw. – bezeichnet *sollen* verschiedene Bedeutungsschattierungen – von Anordnung über Verpflichtung und Festlegung bis zu Empfehlung und bloßer Meinung:

> Die Kinder *sollen* die Hausaufgaben auf einen Zettel schreiben.
> (= Der Lehrer hat angeordnet, daß ...)
> Jeder Bürger *soll* nach seinen Kräften bei der Aktion mittun.
> (= Jeder Bürger ist verpflichtet, ...)
> Das Zeichen y *soll* die zu suchende Größe bezeichnen. (= Wir legen fest, daß ...)
> *Sollen* wir ihm das wirklich sagen? (= Meinst du, daß ...)
> Du *solltest* dir unbedingt den Film ansehen. (= Ich empfehle dir, ...)

Anmerkungen:
(1) Die Tatsache, daß *müssen* die Notwendigkeit betont und vom Verursacher absieht, ist der Grund, daß es in bestimmten Situationen für *sollen* erscheint:

> Du *mußt* mir das Geld zurückgeben. (= Ich fordere dich auf, ...)

(2) *müssen* wird auch dann für *sollen* gewählt, wenn (in der Vergangenheit) die Handlung als realisiert gesehen werden soll. Mit *sollen* bleibt (wie auch bei allen anderen Modalverben außer *müssen*) die Realisierung offen:

> Er *mußte* vorige Woche nach Hause fahren, weil seine Mutter krank ist. (Notwendigkeit + Realisierung, d. h., er ist gefahren)
> Er *sollte* nach drei Tagen zurück sein, um an der Prüfung teilzunehmen. (nur Notwendigkeit [im Sinne einer Anordnung], Realisierung unbestimmt, Realisierung – oder Nicht-Realisierung! – wird nur aus dem Kontext ersichtlich)

(3) *sollen* mit verneintem Infinitiv (u. U. verdeutlicht durch Partikeln) bedeutet ein Gebot und ist daher weniger eindringlich als verneintes *dürfen* mit Infinitiv, das klar ein Verbot ausdrückt:

> Du *sollst* doch nicht mehr so viel rauchen.
> Du *darfst* auf keinen Fall mehr so viel rauchen.

Variante 2 (= Zukunft)

> Jahrelang unternahm er nichts gegen die Krankheit. Das *sollte* sich später rächen.

sollen ist in dieser Variante nur im Prät. Indik. möglich. Es dient zum Ausdruck einer determinierten Nachzeitigkeit im präteritalen Erzählplan (Zukunft in der Vergangenheit).

Variante 3 (= indirekte Aufforderung)

> Er hat mir gesagt, ich *solle* nicht auf ihn warten.

Diese Variante von *sollen* ist nur im Konj. Präs. (als Ersatzform auch Konj. Prät.) möglich. Sie dient neben *mögen* (vgl. Variante 3) zur Wiedergabe einer indirekten Aufforderung. Die Entsprechung in der direkten Rede ist der Imperativ:

Er hat mir gesagt: „Warten Sie nicht auf mich!"

Variante 4 (= Eventualität)

Wenn du ihn sehen *solltest*, grüße ihn von mir.
Auch wenn er nicht kommen *sollte*, werden wir seinen Beitrag besprechen.

sollen verleiht der Aussage des konditionalen Nebensatzes und des konzessiven Nebensatzes mit *auch (wenn)* die zusätzliche Bedeutung der Eventualität (vergleichbar dem Modalwort *vielleicht*). Diese Variante ist nur mit *sollen* im Konj. Prät. möglich.

6. *wollen*

Variante 1 (= Wille, Absicht)

Ich *will* das Buch kaufen.
Er *will* dir das selbst sagen.

Der durch *wollen* ausgedrückte Wille kann mehr oder weniger stark sein:

Diesmal *will* ich dir noch verzeihen. (= Diesmal verzeihe ich dir noch).

Eine Abschwächung der Modalität liegt öfters auch vor, wenn die Aussage auf die Zukunft bezogen ist (vgl. Variante 2). In anderen Fällen wird mit *wollen* mehr ein Wunsch als ein Wille ausgedrückt, vor allem in der Vergangenheit (für fehlendes *mögen* in dieser Bedeutung, vgl. dort). Eine Schattierung der Hauptbedeutung ist auch in Satzverbindungen mit *aber, doch* (mitunter auch in anderen Satzstrukturen) festzustellen. Hier bezeichnet *wollen* einen nicht verwirklichten Willen, was sich mit *im Begriff sein* umschreiben läßt:

Ich *wollte* ihn (gerade) fragen, aber sie hielt mich zurück.
Es sah so aus, als *wollte* er einschlafen. (Komparativsatz)

Variante 2 (= Zukunft)

Ich *will* hier warten, bis du zurückkommst.

In dieser Variante hat *wollen* mehr temporale als modale Bedeutung. Vor allem in der 1. Person ist es oft durch *werden* (bzw. einfaches Präsens) ersetzbar. Die Sätze mit *wollen* unterscheiden sich jedoch dadurch von Sätzen mit *werden*, daß die Hauptbedeutung von *wollen* abgeschwächt erhalten bleibt.

Variante 3 (= Notwendigkeit, Bestimmung)

Die Sache *will* gut überlegt sein.
Der Aufsatz *will* nur einen kurzen Überblick geben.

In Sätzen mit nicht-agensorientierter Aussage steht *wollen* als besondere stilistische Variante für *müssen* (= Notwendigkeit) und *sollen* (= Bestimmung):

> Die Sache *muß* gut überlegt sein. (= Wir müssen uns die Sache gut überlegen.)
> Der Aufsatz *soll* nur einen kurzen Überblick geben. (= Der Autor will mit dem Aufsatz nur einen kurzen Überblick geben.)

7. Modalverben mit subjektiver Modalität

Der Gebrauch der Modalverben mit subjektiver Modalität ist in morphosyntaktischer Hinsicht beschränkt. Dies betrifft zum einen die Modalverben selbst, zum anderen aber auch die infiniten Vollverben der Verbindung. Die Beschränkungen für die Modalverben sind temporaler und modaler Art: Generell sind die Modalverben mit subjektiver Modalität nur im Präsens und Präteritum möglich; die Modalverben *mögen, sollen* und *wollen* kommen darüber hinaus nur im Indikativ vor, das Modalverb *dürfen* steht nur im Konjunktiv Prät. Für die infiniten Vollverben besteht die Beschränkung, daß fast nur durative Verben (und das Verb *sein*) in dieser Verbindung auftreten und daß weit häufiger als bei den Modalverben mit objektiver Modalität der Infinitiv II erscheint.
In semantischer Hinsicht zerfallen die Modalverben mit subjektiver Modalität in zwei Gruppen:

(1) Modalverben mit Vermutungsbedeutung
Die Bedeutung der Vermutung haben die Modalverben *müssen, dürfen, mögen* und *können*, wobei folgende Graduierung erkennbar ist:

müssen – Gewißheit, Überzeugung (= sicherlich, gewiß)

> Er *muß* krank sein.
> → Er ist sicherlich krank.

dürfen – Wahrscheinlichkeit (= wahrscheinlich)

> Sie *dürften* schon schlafen.
> → Sie schlafen wahrscheinlich schon.

mögen – einräumende Vermutung (= wohl, schon, vermutlich)

> Sie *mögen* sich von früher kennen.
> → Sie kennen sich wohl von früher.

können – Ungewißheit (= vielleicht)

> Er *kann* noch auf dem Sportplatz sein.
> → Er ist vielleicht noch auf dem Sportplatz.

Die Zeitverhältnisse sind wie folgt:

> Er muß / dürfte / mag / kann krank sein.
> (Präs.[1] + Inf. I: Vermutung in der Gegenwart über gegenwärtiges Geschehen)

---

[1] bzw. Prät. Konj. (bei *dürfen*)

Er muß / dürfte / mag / kann die Verabredung vergessen haben.
(Präs.[1] + Inf. II: Vermutung in der Gegenwart über vergangenes Geschehen)

Er mußte / mochte / konnte sie von früher her kennen.
(Prät. + Inf. I: Vermutung in der Vergangenheit über vergangenes gleichzeitiges Geschehen)

Sie mußte / mochte / konnte ihn nicht erkannt haben.
(Prät. + Inf. II: Vermutung in der Vergangenheit über vergangenes vorzeitiges Geschehen)

(2) Modalverben mit der Bedeutung einer fremden Behauptung

Die Bedeutung der Behauptung haben die Verben *wollen* und *sollen*. Die subjektive Modalität besteht darin, daß es sich um eine vom Sprecher gewöhnlich distanziert gesehene Rede einer fremden Person handelt. Bei *wollen* ist es die Rede des syntaktischen Subjekts, das nur die 2. oder 3. Person sein kann, über sich selbst. Bei *sollen* ist es die Rede einer im aktualen Satz nicht genannten Personengruppe („man") über das syntaktische Subjekt. Die Transformation in die indirekte Rede mit Redeeinleitung (die von *wollen* und *sollen* mit ausgedrückt wird) macht den Unterschied deutlich:

Er will von dem Vorfall nichts bemerkt haben.
→ Er behauptet, daß er von dem Vorfall nichts bemerkt habe.

Sie soll schon seit längerer Zeit krank sein.
→ Man behauptet, daß sie schon seit längerer Zeit krank sei.

Tempora 1.7.

Tempusformen 1.7.1.

Im Deutschen werden sechs grammatische Tempora unterschieden: das Präsens, das Präteritum, das Perfekt, das Plusquamperfekt, das Futur I und das Futur II.
Zu den Konjugationsformen dieser Tempora und zu Besonderheiten in der Formenbildung vgl. 1.1.1. und 1.1.2.

Bildung der Vergangenheitsformen mit *haben* oder *sein* 1.7.2.

Vergangenheit mit *haben* 1.7.2.1.

haben wird zur Bildung der Vergangenheitsformen benutzt:

1. bei den *transitiven* Verben (vgl. 1.3.3.1.):

Er *hat* seinen Freund besucht.
Er *hat* den Weg gefunden.

---

[1] bzw. Prät. Konj. (bei *dürfen*)

Anmerkungen:
(1) *haben* steht auch bei den transitiven Verben, die intransitiv gebraucht sind, deren Akkusativobjekt also im konkreten Satz nicht erscheint:

Die Mutter *hat* gegessen.
Der Lehrer *hat* den ganzen Abend gelesen.

(2) Einige transitive Verben bilden ihre Vergangenheitsformen mit *sein*; es handelt sich dabei um Zusammensetzungen oder Ableitungen von solchen einfachen Verben, die ihre Vergangenheitsformen mit *sein* bilden:

Der Betrieb *ist* den Vertrag mit der Schule *eingegangen*.
Der Jurist *ist* die Paragraphen *durchgegangen*.
Der Patient *ist* seine Krankheit *losgeworden*.

2. bei den *Mittelverben* (vgl. 1.3.3.1.2.):

Der Schüler *hat* eine gute Note bekommen.
Das Paket *hat* viele Geschenke enthalten.
Es *hat* in diesem Winter viel Schnee gegeben.

3. bei allen *reflexiven* Verben (vgl. 1.3.4.1.):

Er *hat sich* über das Geschenk gefreut.
Der Junge *hat sich* die Zähne geputzt.
Du *hast dir* den Sprung vom 3-Meter-Turm nicht zugetraut.

Anmerkungen:
(1) Diese Regel gilt sowohl für reflexive als auch für reflexiv gebrauchte Verben unabhängig davon, ob das Reflexivpronomen im Akkusativ oder Dativ steht (vgl. 1.3.4.1.).

(2) Diese Regel gilt auch für die reziproken Verben (vgl. 1.3.4.2.) mit Akkusativ:

Die Makler *haben sich* (= einander) verklagt.
Die Arbeitskollegen *haben sich* allmählich angefreundet.

Aber bei reziproken Verben mit Dativ stehen nebeneinander:

Sie *sind sich* im Kaufhaus begegnet.
Sie *haben sich* zum Verwechseln geähnelt.

4. bei allen *Modalverben*

Der Junge *hat* ins Kino gehen *wollen*.
Er *hat* in die Schule *gemußt*. (ugs.)
Der Patient *hat* den Arzt nicht aufsuchen *können*.
Der Brigadier *hat* zur Direktion gehen *sollen*.

5. bei den *unpersönlichen Verben* (vgl. 1.3.2.3.):

Gestern *hat* es geregnet und geblitzt.
In der vorigen Woche *hat* es geschneit.

Ebenso: dunkeln, herbsten, nieseln, tagen u. a.

Anmerkungen:

(1) Einige wenige unpersönliche Verben bilden ihre Vergangenheitsform mit

sein; es handelt sich um abgeleitete Bildungen von solchen einfachen Verben, die Vergangenheitsformen mit *sein* haben:

Gestern *ist* es um die Weltmeisterschaft *gegangen*.
Es *ist* auf eine kompetente Entscheidung *angekommen*.

Vgl. dazu auch 1.7.2.1.1. unter *Anm. (2)*

(2) Verben, deren Subjekt auf die 3. Person beschränkt ist („Ereignisverben"), bilden ihre Vergangenheitsformen teils mit *haben* (z. B. *sich ereignen, sich treffen, sich ziemen; klappen, stattfinden*), teils mit *sein* (z. B. *gelingen, mißlingen, geschehen, glücken, passieren, vorkommen, widerfahren*):

Die Versammlung *hat* gestern stattgefunden.
Der erste Versuch *ist* ihm mißlungen.

6. bei *intransitiven* Verben von *durativer* Aktionsart:

Der Autor *hat* im Saal gesessen.
Er *hat* zehn Stunden am Tage gearbeitet.
Das Kind *hat* lange geschlafen.

Anmerkungen:
(1) Die intransitiven Verben von *perfektiver* Aktionsart bilden ihre Vergangenheitsformen mit *sein*. Deshalb haben wir nebeneinander:

Er *ist* eingeschlafen.
Er *hat* geschlafen.
Er *ist* aufgewacht.
Die Rose *ist* erblüht.
Die Rose *hat* geblüht.
Die Rose *ist* verblüht.

(2) Einige intransitive Phasenverben (*anfangen, beginnen, aufhören, enden*) bilden ihre Vergangenheitsformen mit *haben*, obwohl sie perfektiv sind:

Das Konzert *hat* um 19 Uhr *begonnen* und um 21 Uhr *geendet*.

Vergangenheit mit *sein* 1.7.2.2.

sein wird zur Bildung der Vergangenheitsformen benutzt:

1. bei intransitiven Verben von *perfektiver* Aktionsart:

Der Kranke *ist* aufgestanden.
Der Patient *ist* gestorben.
Die Blume *ist* verblüht.
Die Suppe *ist* angebrannt.

Anmerkung:
Bei den intransitiven Verben von perfektiver Aktionsart handelt es sich meist um Verben, die eine *Zustandsveränderung* bezeichnen; die entsprechenden, den Zustand oder Vorgang selbst bezeichnenden – *durativen* – Verben bilden ihre Vergangenheitsformen dagegen mit *haben*:

Das Haus *hat* gebrannt.
Das Haus *ist* abgebrannt.

Er *hat* im Saal gestanden.
Er *ist* vom Stuhl aufgestanden.

2. bei allen Verben der Bewegung, die eine *Ortsveränderung* bezeichnen:

Der Sportler *ist* gelaufen.
Wir *sind* durch den Wald gewandert.
Der Tourist *ist* in die Sowjetunion geflogen.
Der Gast *ist* pünktlich gekommen.

3. bei den Verben *sein* und *bleiben* (obwohl sie intransitiv und durativ sind):

Er *ist* lange Zeit im Ausland gewesen.
Er *ist* bis ins hohe Alter Sportler geblieben.

Anmerkung:
Auch *werden* bildet seine Vergangenheitsformen mit *sein*; es gehört jedoch als perfektives Verb (zum Ausdruck der Zustandsveränderung) ohnehin in die Gruppe 1.7.2.2.1.

4. bei einigen wenigen zusammengesetzten oder abgeleiteten transitiven Verben, deren Stamm die Vergangenheitsform mit *sein* bildet:

Die Akademie *ist* mit dem Produktionsbetrieb einen Vertrag eingegangen.

Weitere Beispiele vgl. unter 1.7.2.1.1. unter *Anm. (2)*

1.7.2.3. Vergangenheit mit *haben* und/oder *sein*

Normalerweise verhalten sich *haben* und *sein* bei der Vergangenheitsbildung der deutschen Verben komplementär, d. h., die mit *haben* gebildeten Verben werden im allgemeinen nicht mit *sein* verwendet und umgekehrt. Dennoch gibt es zahlreiche Verben, die ihre Vergangenheitsformen sowohl mit *haben* als auch mit *sein* bilden können. Dabei sind mehrere Gruppen zu unterscheiden:

1. Manche Verben der Bewegung bilden ihr Perfekt mit *haben* und *sein*, ohne daß dabei ein eigentlicher Bedeutungsunterschied oder ein Unterschied in der Valenz auftritt. Es handelt sich lediglich um einen Unterschied in der Blickrichtung auf das Geschehen; das Geschehen wird einmal in seiner Dauer (durativ, deshalb: *haben*), das andere Mal unter dem Gesichtspunkt seiner Vollendung, seines Ziels und der ausgedrückten Ortsveränderung (perfektiv, deshalb: *sein*) betrachtet:

Sie *hat* früher sehr viel getanzt.
Sie *ist* durch den Saal getanzt.

Der Urlauber *hat* den ganzen Tag gepaddelt.
Der Urlauber *ist* an das andere Ufer gepaddelt.

Er *hat* drei Stunden gesegelt.
Er *ist* nach der Insel gesegelt.

Ebenso: flattern, reiten, rudern

Anmerkungen:
(1) Bei den Verben der Bewegung setzt sich die Vergangenheitsbildung mit *sein* immer mehr durch. Manche von ihnen werden heute in intransitivem Gebrauch nur noch mit *sein* verwendet:

fahren, fliegen, galoppieren, klettern, laufen, reisen, schwimmen, springen

(2) Ähnlich wie bei den Verben der Bewegung treten Schwankungen zwischen *sein* und *haben* auch bei einigen Verben auf, die zwar eine Zustandsveränderung bezeichnen, bei denen aber entweder der Verlauf (*haben*) oder das Ereignis (*sein*) akzentuiert werden kann:

Der Lehrer *hat* schnell gealtert.
Der Lehrer *ist* schnell gealtert.

Der Wein *hat* gegoren.
Der Wein *ist* gegoren.

(3) Bei den Verben *liegen*, *sitzen* und *stehen* wird nördlich der Mittelgebirge zumeist *haben*, südlich davon zumeist *sein* verwendet:

Er *hat / war* an seinem Schreibtisch gesessen.

(4) Von den bisher genannten Fällen zu unterscheiden sind solche, bei denen ein Unterschied in der Valenz, ein Wechsel von Transitivität und Intransitivität vorliegt und deshalb eine verschiedene Bildung der Vergangenheitsformen erfolgt (vgl. unter 2.):

Er *ist* nach Dresden gefahren.
Er *hat* einen Moskwitsch gefahren.

Er *ist* nach Warschau geflogen.
Er *hat* eine TU 134 geflogen.

2. Manche Verben haben verschiedene Varianten, die sich in der Bedeutung und in der Valenz unterscheiden und deshalb auch ihre Vergangenheitsformen in verschiedener Weise (*haben* oder *sein*) bilden:

Er *hat* die Blume abgebrochen.
Die Blume *ist* abgebrochen.

Das Schiff *hat* den Hafen angelaufen.
Die Produktion *ist* pünktlich angelaufen.

Der Hund *hat* das Kind angesprungen.
Der Motor *ist* angesprungen.

Der Ofensetzer *hat* das Rohr gebogen.
Er *ist* um die Ecke gebogen.

Er *hat* sein Wort gebrochen.
Das Wasserrohr *ist* gebrochen.

Die Kinder *sind* in die Stadt gefahren.
Der Lehrer *hat* ein neues Auto gefahren.

Der Minister *ist* ins Ausland geflogen.
Der Pilot *hat* eine IL-18 geflogen.

Der Arzt *hat* die Wunde geheilt.
Die Wunde *ist* geheilt.

Der Lehrer *hat* sich geirrt.
Der Fremde *ist* durch den Ort geirrt.

Er *hat* den Ball ins Aus geschossen.
Die Pilze *sind* aus dem Boden geschossen.

Die Sonne *hat* das Eis geschmolzen.
Das Eis *ist* geschmolzen.

Der Gärtner *hat* die Blumen gespritzt.
Das Wasser *ist* aus dem Schlauch gespritzt.

Er *hat* seinen Nachbarn gestoßen.
Er *ist* auf Ablehnung gestoßen.

Er *hat* ihn aus Versehen getreten.
Das Kind *ist* in die Pfütze getreten.

Die Mutter *hat* die Wäsche getrocknet.
Die Wäsche *ist* bei dem schönen Wetter schnell getrocknet.

Er *hat* sich den Magen verdorben.
Der Fisch *ist* verdorben.

Das Haus *hat* bei der Erschütterung gewankt.
Er *ist* über die Straße gewankt.

Der Junge *hat* den Handwagen gezogen.
Die Familie *ist* aufs Land gezogen.

Anmerkung:
Manchmal ist der Unterschied der mit *haben* und *sein* gebildeten Verbvarianten auch mit Unterschieden zwischen regelmäßigen und unregelmäßigen Konjugationsformen verbunden (vgl. dazu 1.2.2.5.4.). In vielen Fällen geht der Unterschied beider Verbvarianten auf den Unterschied von Transitivität und Intransitivität zurück (vgl. dazu 1.3.3.2.2.).

1.7.3. Tempussystem und objektive Zeit

1. Den 6 grammatischen Tempora des deutschen Tempussystems entsprechen nicht in linearer Zuordnung 6 Bedeutungen dieser Tempora. Die grammatischen Tempora lassen sich nicht in direkter und geradliniger Weise auf bestimmte objektiv-reale Zeiten beziehen. Das Verhältnis zwischen objektiver Zeit (Zeitinhalt, Temporalität) und grammatischen Tempora (Zeitform, Tempusformen) ist weit verwickelter und komplexer, vor allem aus zwei Gründen:

(1) Einerseits werden die Zeitinhalte nicht nur durch die grammatischen Tempusformen, sondern auch durch lexikalische Mittel ausgedrückt:

Jetzt bringt er das Buch.
Morgen bringt er das Buch.
Neulich bringt er das Buch.

In diesen Sätzen ist die grammatische Tempusform gleich: alle drei Sätze stehen im Präsens. Trotzdem ist die objektive Zeit verschieden: im ersten Satz wird Gegenwart, im zweiten Zukunft, im dritten Vergangenheit bezeichnet. Die Bezeichnung dieses unterschiedlichen Zeitinhalts erfolgt jedoch bei diesen Beispielen nicht durch das grammatische Tempus des Verbs, sondern durch die Temporalbestimmung als lexikalisches Mittel.

(2) Andererseits drücken die grammatischen Tempusformen nicht nur Zeitinhalte, sondern auch andere – modale – Inhalte aus:

> Der Messegast *wird* noch nicht *angekommen sein.*

In diesem Falle wird die temporale Interpretation des Satzes begleitet von einem Modalfaktor, der eine Vermutung ausdrückt, die nicht auf Zukünftiges, sondern auf Vergangenes bezogen ist. Auch wenn dieser Modalfaktor sekundär ist und keineswegs bei allen Tempusformen erscheint, so läßt das Beispiel doch erkennen, daß dieser Modalfaktor bereits in der grammatischen Tempusform angelegt ist, daß es keiner zusätzlicher lexikalischer Mittel zum Ausdruck der Vermutung bedarf. Bei anderen Tempusformen tritt der Modalfaktor erst durch ein zusätzliches lexikalisches Mittel (meistens ein Modalwort, vgl. dazu 10.) in Erscheinung:

Er wird morgen kommen.	(Zukunft, ohne Vermutung)
Er wird *wohl* morgen kommen.	(Zukunft, mit Vermutung)
Er wird *wohl* schlafen.	(Gegenwart oder Zukunft, mit Vermutung)

2. Das deutsche Tempussystem wird von zwei Grundprinzipien beherrscht: vom *absoluten* und vom *relativen* Gebrauch der Tempora. Ein absoluter Gebrauch der Tempora liegt dann vor, wenn die Wahl des Tempus nur von der objektiven Zeit, vom Sprechakt und der Perspektive des Sprechers, nicht aber vom Kontext und von einem anderen zeitlichen Geschehen (etwa in einem zusammengesetzten Satz) abhängig ist:

> Er kam in Leipzig an. Er besuchte uns.

Ein relativer Gebrauch der Tempora liegt vor, wenn die Wahl des Tempus nicht allein von der objektiven Zeit, vom Sprechakt und der Perspektive des Sprechers, sondern auch vom Kontext und einem anderen zeitlichen Geschehen beeinflußt und bestimmt wird:

> Nachdem er in Leipzig *angekommen* war, *besuchte* er uns.

Im einfachen Hauptsatz werden die Tempora absolut, im zusammengesetzten Satz (z. T. auch in der Satzverflechtung zwischen mehreren Hauptsätzen) werden sie relativ gebraucht. In der folgenden Beschreibung der Tempora wird der absolute Gebrauch (vgl. 1.7.4.) vom relativen Gebrauch der Tempora (vgl. 1.7.5.) unterschieden.

3. Um den unter 1. genannten komplexen und vermittelten Beziehungen zwischen objektiver Zeit und Tempusform, zwischen Zeitinhalt (Temporalität) und Zeitform (Tempus) gerecht zu werden, müssen

folgende temporale Merkmale bei der Beschreibung der Bedeutungsvarianten der einzelnen Tempora berücksichtigt werden:

(1) die *Aktzeit* [Aktz], d. h. die objektiv-reale Zeit, die als referentieller Akt dem entsprechenden Verb in der Wirklichkeit zugeordnet werden muß, z. B. die objektiv-reale Zeit des tatsächlichen Arbeitens und Laufens, wenn im betreffenden Satz die Verben *arbeiten* oder *laufen* erscheinen;

(2) die *Sprechzeit* [Sprz], d. h. die Zeit, in der der gegebene Satz tatsächlich vom Sprecher oder Schreiber geäußert wird; diese Sprechzeit fällt (mit Ausnahme der (in)direkten Rede) mit der Sprechergegenwart zusammen;

(3) die *Betrachtzeit* [Betrz], d. h. die Zeit der Betrachtung (der Perspektive) des verbalen Aktes durch den Sprecher, die freilich nicht so objektiv wie (1) und (2) meßbar ist, aber zur Erklärung einiger Tempusformen erforderlich ist.

Mit Hilfe dieser drei Merkmale können die temporalen Bedeutungen der Tempusformen im absoluten Gebrauch beschrieben werden (vgl. 1.7.4.). Dabei ist die Aktzeit eine logisch-grammatische Kategorie, die vom sprechenden Menschen unabhängig ist. Die Sprechzeit und die Betrachtzeit sind kommunikativ-grammatische Kategorien verschiedener Art, aber beide abhängig vom Sprecher. Durch die Annahme dieser drei Merkmale ist es möglich, eine falsche Identifizierung von objektiv-realer Zeit und grammatischem Tempus auszuschließen. Die Betrachtzeit fällt zwar in den meisten Fällen zusammen entweder mit der Aktzeit oder mit der Sprechzeit, aber sie ist nötig zur Erklärung der Tempusform etwa des folgenden Satzes:

Bis Sonnabend habe ich meine Arbeit abgeschlossen.

Die Sprechzeit dieses Satzes ist *heute*, die Betrachtzeit ist *Sonnabend* (der referentielle Akt wird vom Sprecher unter der Perspektive vom Sonnabend betrachtet), die Aktzeit liegt *zwischen heute und Sonnabend* (der referentielle Akt des faktischen Abschließens der Arbeit liegt in der Zeit zwischen heute und Sonnabend).
Aus diesem Beispiel wird deutlich, daß die Bedeutungen der einzelnen Tempora beschrieben werden können durch das zeitliche Verhältnis, das zwischen Aktzeit, Sprechzeit und Betrachtzeit jeweils besteht. Dieses Verhältnis kann entweder ein Verhältnis der Gleichzeitigkeit, der Vorzeitigkeit oder der Nachzeitigkeit sein. Die Angabe dieses Verhältnisses ergibt die temporale Charakteristik der jeweiligen Bedeutungsvariante des entsprechenden grammatischen Tempus.

4. Neben den unter 3. genannten temporalen Merkmalen enthalten die grammatischen Tempusformen noch zusätzliche Merkmale von zweierlei Art, die in die semantische Beschreibung unter 1.7.4. eingehen müssen.

 (1) Manche Tempusformen enthalten einen *Modalfaktor* der *Vermu-*

tung, der hypothetischen Annahme, der entweder bei der betreffenden Tempusform notwendig vorhanden ist [+ Mod], der bei der betreffenden Tempusform fehlt [– Mod] oder der bei der betreffenden Tempusform fakultativ vorhanden ist [± Mod] und unter Umständen erst durch eine zusätzliche lexikalische Angabe (meist durch ein Modalwort) in Erscheinung tritt:

Er hatte den Zug versäumt.	[– Mod]
Er wird gestern in Dresden gewesen sein.	[+ Mod]
Bis morgen wird er die Arbeit (vermutlich) beendet haben.	[± Mod]

(2) Manche Tempusformen enthalten einen kommunikativ-pragmatischen Faktor, der die *Sprechhaltung* näher charakterisiert. Meistens handelt es sich um die normale Sprechhaltung der Umgangs- und Hochsprache [+ Colloqu], wie sie etwa als Sprechhaltung der normalen (d. h. nicht dichterisch oder stilistisch gefärbten) Mitteilung, Besprechung und Auseinandersetzung Verwendung findet. Einzelne Tempusformen sind jedoch in der normalen Umgangssprache nicht üblich [– Colloqu], sondern auf die Sprechhaltung der Erzählung und Darstellung beschränkt und deshalb vorwiegend in der Dichtung üblich. Schließlich gibt es Tempusformen, die sich gegenüber dem Merkmal der Sprechhaltung neutral verhalten [± Colloqu]:

In drei Wochen *gehen* die Kinder in die Ferien.	[+ Colloqu]
1789 *findet* die Französische Revolution statt.	[– Colloqu]
Er *arbeitete* gestern den ganzen Tag.	[± Colloqu]

Dieser kommunikative Faktor [± Colloqu] beeinflußt nicht die temporale Bedeutung, regelt aber den Gebrauch der Tempora auf Grund von bestimmten Kommunikationssituationen (vor allem in verschiedenen Textsorten) dann, wenn der Sprecher auf Grund der gleichen Tempusbedeutung eine Wahl zwischen verschiedenen Tempusformen hat.

5. Schließlich bedarf es bei der Beschreibung des deutschen Tempussystems der Einbeziehung bestimmter *lexikalischer Temporalbestimmungen*, da diese manchmal den Zeitinhalt eines Satzes allein ausdrücken können [(vgl. unter 1.(1)]. Bei manchen Bedeutungsvarianten der Tempora treten solche Temporalbestimmungen obligatorisch auf [+ Adv], in einigen Fällen dürfen sie nicht auftreten [– Adv], in den meisten Fällen ist ihr Auftreten fakultativ [± Adv]:

Bis Sonnabend habe ich mir das Buch gekauft.	[+ Adv]
Der Apfel fällt nicht weit vom Stamm.	[– Adv]
Er arbeitete (*gestern*) den ganzen Tag.	[± Adv]

1.7.4. Semantische Beschreibung der Tempora

Die einzelnen Tempora und ihre Bedeutungsvarianten werden beschrieben mit Hilfe der temporalen Merkmale der Aktzeit, Sprechzeit und Betrachtzeit (genauer: ihres Verhältnisses zueinander), der zusätzlichen Merkmale des Modalfaktors und der Sprechhaltung (vgl. 1.7.3.4.) und des obligatorischen bzw. fakultativen Auftretens einer lexikalischen Zeitangabe (vgl. 1.7.3.5.).

1.7.4.1. Präsens

Das Präsens taucht in 4 Bedeutungsvarianten auf:

1. Aktuelles Präsens:
Aktz = Sprz = Betrz[1], – Mod, + Colloqu, ± Adv
Das aktuelle Präsens drückt gegenwärtige Sachverhalte aus. Aktzeit, Sprechzeit und Betrachtzeit fallen in der Gegenwart zusammen.
Das aktuelle Präsens enthält keinen Modalfaktor und kann mit einer fakultativen Temporalangabe (*jetzt, in diesem Augenblick* u. a.) verbunden werden:

> Seine Tochter studiert (jetzt) in Berlin.
> Das Kind spielt im Wohnzimmer.
> Er sucht (gerade, in diesem Augenblick) seinen Bleistift.

Anmerkungen:
(1) Der mit dem aktuellen Präsens bezeichnete Sachverhalt kann in der Vergangenheit bereits begonnen haben (a) und braucht im Sprechmoment noch nicht abgeschlossen zu sein (b):

> (a) Er arbeitet seit 3 Jahren an seiner Dissertation.
> (b) Wir warten auf den nächsten Zug.

(2) Sollen Sätze mit aktuellem Präsens eine Vermutungsbedeutung erhalten, muß ein zusätzliches lexikalisches Element (meist ein Modalwort wie *wohl, vielleicht, sicher, wahrscheinlich*) stehen:

> Er arbeitet *wohl (vielleicht)* zu Hause.
> Der Verunglückte ist *sicher* noch im Krankenhaus.

2. Präsens zur Bezeichnung eines zukünftigen Geschehens:
Aktz = Betrz, Aktz und Betrz nach Sprz, – Mod, + Colloqu, ± Adv
Das Präsens drückt in dieser Bedeutungsvariante zukünftige Sachverhalte aus. Die Betrachtzeit und die Aktzeit liegen nach der Sprechzeit. Diese Variante des Präsens enthält selbst keinen Modalfaktor der Vermutung, kann aber eine zusätzliche lexikalische An-

---

[1] Das Zeichen = bei der semantischen Beschreibung der Tempora bedeutet keine absolute Gleichheit (von Anfangs- und Endpunkt), sondern zeitliche Überlagerung.

gabe der Vermutung und auch eine fakultative Temporalangabe (*bald*, *morgen* u. a.) bei sich haben:

In einem Monat haben die Kinder Ferien.
Die Gäste kommen (vermutlich) (bald) zurück.
Ich schließe die Arbeit (morgen) ab.

Anmerkungen:
(1) Diese Bedeutungsvariante des Präsens deckt sich in der temporalen Charakteristik mit der 2. Bedeutungsvariante des Futur I (vgl. unter 1.7.4.5.2.). Eine völlige Austauschbarkeit ist aber deshalb nicht möglich, weil dem Präsens der beim Futur I mögliche Modalfaktor fehlt und deshalb lexikalisch realisiert werden muß:

Wir werden (vermutlich) (bald) zurückkommen.
= Wir kommen vermutlich (bald) zurück.

(2) Bei rein perfektiven Verben hat das Präsens automatisch die Bedeutung der Variante 2:

Wir treffen uns am Bahnhof. (= Zukunft)
Du bekommst einen Brief. (= Zukunft)

Die Zukunftsbedeutung kann durch eine zusätzliche fakultative Temporalbestimmung noch verstärkt werden, sie ist aber auch ohne diese vorhanden:

Wir treffen uns (morgen) am Bahnhof.

3. Präsens zur Bezeichnung eines vergangenen Geschehens (historisches Präsens):
Aktz = Betrz, Betrz u. Aktz vor Sprz, – Mod, – Colloqu, + Adv
Das Präsens drückt in dieser Bedeutungsvariante vergangene Sachverhalte aus. Die Aktzeit und die Betrachtzeit liegen vor der Sprechzeit. In dieser Variante des Präsens ist ein Modalfaktor der Vermutung ausgeschlossen. Dagegen muß die Vergangenheitsbedeutung durch eine obligatorische Temporalangabe (*gestern*, *neulich*, *1914* u. a.) – oder durch einen entsprechenden Kontext – deutlich werden. Diese Variante kommt im Bericht und in der Erörterung kaum vor, sondern ist auf die Erzählung, auf die Beschreibung historischer Tatsachen und auf die Dichtersprache beschränkt; dort dient sie dazu, Vergangenes besonders lebendig zu gestalten und zu „vergegenwärtigen“:

1914 beginnt der erste Weltkrieg.
Neulich treffe ich einen alten Schulkameraden.

Anmerkung:
In Erzählungen, für die das Präteritum als Tempusform charakteristisch ist, wird zuweilen zum Zwecke der Vergegenwärtigung zum Präsens übergegangen. Das Präsens ist in diesem Falle reines Stilmittel und auf die Sprechhaltung des unmittelbaren Erlebens beschränkt.

4. Generelles oder atemporales Präsens:
Sprz = Betrz, Aktz während, vor und nach Sprz und Betrz, – Mod, ± Colloqu, – Adv

Das Präsens drückt in dieser Bedeutungsvariante allgemeingültige Sachverhalte aus und ist an keine objektive Zeit gebunden. Die Sprechzeit und die Betrachtzeit sind zwar Gegenwart, die Aktzeit liegt jedoch während und zugleich vor und nach der Sprech- (und Betracht-)zeit. Diese Variante des Präsens enthält keinen Modalfaktor (da sie keine Vermutung, sondern im Gegenteil allgemeingültige Wahrheiten ausdrückt) und läßt auch eine zusätzliche Temporalangabe nicht zu (die ja die Allgemeingültigkeit einschränken würde):

Die Erde bewegt sich um die Sonne.
Silber ist ein Edelmetall.
Der Apfel fällt nicht weit vom Stamm.
Europa liegt nördlich des Äquators.
Der Imperialismus ist das höchste Stadium des Kapitalismus.

Anmerkungen:
(1) Die als „allgemeingültig" erscheinenden Sachverhalte sind nur unter dem Aspekt der Betrz allgemeingültig und „zeitlos". In Wahrheit sind sie von außersprachlichen Kenntnissystemen pragmatischer Art, von den Kenntnissystemen der Natur- und Gesellschaftswissenschaften abhängig, so daß neue Erkenntnisse auf diesen Gebieten ihre scheinbar zeitlose Gültigkeit einschränken (können).

(2) Vereinzelt drücken auch das Perfekt und das Futur I allgemeingültige Sachverhalte aus; sie sind dann aber meist durch das generelle Präsens ersetzbar:

Ein Unglück ist bald geschehen.
= Ein Unglück geschieht bald.
Ein aufrechter Mensch wird seine Zuflucht niemals zur Lüge nehmen.
= Ein aufrechter Mensch nimmt seine Zuflucht niemals zur Lüge.

Umgekehrt läßt sich durchaus nicht jedes generelle Präsens durch ein Perfekt oder Futur I ersetzen:

(1) *Silber ist ein Edelmetall gewesen.
(2) *Silber wird ein Edelmetall sein.[1]

1.7.4.2. Präteritum

Das Präteritum hat nur eine einzige Bedeutungsvariante:
Aktz = Betrz, Betrz u. Aktz vor Sprz, – Mod, ± Colloqu, ± Adv
Das Präteritum bezeichnet vergangene Sachverhalte. Aktzeit und Betrachtzeit sind identisch, beide liegen vor der Sprechzeit. Das Präteritum enthält keinen Modalfaktor. Es wird sowohl in der allgemeinen Umgangssprache als auch in der Dichtersprache gebraucht (es ist sogar das spezifische Tempus der Erzählung). Zum Präteritum kann eine fakultative Temporalangabe (*gestern*, *im vorigen Jahr*,

---

[1] Dieser Satz ist allenfalls als Futur I mit Modalfaktor, aber nicht als generelles Futur I zu interpretieren.

neulich, *1914* u. a.) treten, die jedoch an der Vergangenheitsbedeutung nichts ändert:

> Er arbeitete (gestern) den ganzen Tag.
> Er gab mir (neulich) die Bücher zurück.
> Er kam (vor 3 Wochen) aus dem Ausland.
> Er lag (im letzten Jahr) mehrere Male für längere Zeit in einem hauptstädtischen Krankenhaus.

Anmerkungen:
(1) In der „erlebten Rede" wird das Präteritum manchmal als Stilmittel benutzt, um gegenwärtige Sachverhalte zu bezeichnen. Es wird zwischen erlebter Rede (tatsächlich Gesprochenes) und erlebter Reflexion (nur Gedachtes) unterschieden. In beiden Fällen werden die Gespräche bzw. Gedanken aus der Perspektive der handelnden Person wiedergegeben. Erlebte Rede und erlebte Reflexion haben Hauptsatzform (ohne explizite Redeeinleitung), die Perspektive der handelnden Person (wie sie im Pronomen ausgedrückt ist – deshalb auch „pronominale Perspektive") und in der Regel den Indikativ (wie die direkte Rede), aber die 3. Person (wie die indirekte Rede).

> Er fragte den Arzt: „Bin ich wirklich so schwer krank?" (= direkte Rede)
> Er fragte den Arzt, ob er wirklich so schwer krank sei. (= indirekte Rede)
> War er wirklich so schwer krank? (= erlebte Rede)
> Er fragte sich: Bin ich wirklich so schwer krank? (= direkte Reflexion)
> Er fragte sich, ob er wirklich so schwer krank sei. (= indirekte Reflexion)
> War er wirklich so schwer krank? (= erlebte Reflexion)

Diese Gegenüberstellung zeigt, daß das Präteritum in dieser „referierenden" Verwendung kein primäres Tempus ist, sondern als Transform aus dem Präsens abgeleitet und als Kontamination mit einem übergeordneten Satz verstanden werden kann:

> Er *fragte* den Arzt: „*Bin* ich wirklich so schwer krank?"
> → *War* er wirklich so schwer krank?

(2) In referierender Verwendung kommt das Präteritum in seltenen Fällen nicht nur zur Bezeichnung gegenwärtiger Sachverhalte, sondern auch zur Bezeichnung zukünftiger Sachverhalte vor, ist aber dann in ähnlicher Weise wie bei (1) durch Transformation als Kontamination erklärbar:

> Ob er sie wohl *fand* in diesem Gewimmel?
> ← Er *fragte* sich: *Wird* er sie in diesem Gewimmel wohl *finden*?
> Er *wollte* morgen ins Theater gehen.
> ← Er *sagte* (gestern), daß er morgen ins Theater gehen *will*.

(3) Das Präteritum wird in einigen erstarrten Formeln („Raffsätzen") statt des Präsens gebraucht, wenn gegenwärtige Sachverhalte gemeint sind, der Sprecher sich aber an einer vorher bestehenden Situation (= Betrachtzeit) orientiert:

> Wie *war* doch Ihr Name?
> Wer *war* hier noch ohne Fahrschein?
> Herr Ober, ich *bekam* noch Kompott.

In diesen Fällen ist das Präteritum nicht nur immer durch das Präsens (= 1. Bedeutungsvariante) ersetzbar, sondern auch als Ergebnis einer Transformation [wie bei (1) und (2)] erklärbar:

Wer *erhielt* das Bier?
← Wer *bestellte* ein Bier? Ich habe ein Bier. Wer *erhält* das Bier?

(4) Das Präteritum ist in der Bedeutung mit der 1. Bedeutungsvariante des Perfekts (vgl. 1.7.4.3.1.) nahezu identisch. Deshalb sind auch beide weitgehend austauschbar:

Er arbeitete gestern den ganzen Tag.
→ Er hat gestern den ganzen Tag gearbeitet.

Zwischen den beiden Tempora sind lediglich Gebrauchsunterschiede auf folgenden Ebenen festzustellen:

(a) Aus *phonetischen* Gründen wird das Perfekt bevorzugt, wenn die Präteritalformen durch das Nebeneinander gleicher oder ähnlicher Laute zu schwerfällig sind:

du hast geschossen (statt: du schossest)
du hast gebadet (statt: du badetest)
ihr habt gebadet (statt: ihr badetet)

(b) Aus Gründen der Verträglichkeit der *lexikalischen* Bedeutung der Verben mit der Tempusbedeutung erscheint bei einigen Verben ausschließlich das Präteritum, nicht das Perfekt:

Er stammte aus Berlin.

Ähnlich: angehen (= betreffen), gebrechen, gereichen, münden, sprießen, verlauten

(c) Aus *semantischen* Gründen wird das Perfekt bevorzugt, wenn im Satz Temporalangaben wie *schon, schon oft, schon immer, noch nie* stehen:

Er hat das Buch schon gelesen.
(statt: Er las das Buch schon.)
Das Kind hat schon oft Flugzeuge gesehen.
(statt: Das Kind sah schon oft Flugzeuge.)

(d) Aus *morphosyntaktischen* Gründen werden die Hilfsverben (*sein, haben* und die Modalverben) vorzugsweise im Präteritum verwendet:

Peter wollte / konnte / mußte gestern abfahren.
(statt: Peter hat gestern abfahren wollen / können / müssen.)

(e) Aus *dialektalen* Gründen wird im Süden des deutschen Sprachgebiets das Perfekt, im Norden das Präteritum bevorzugt.

(f) Aus *stilistischen* Gründen wird entweder das Präteritum oder das Perfekt bevorzugt; diese Wahlmöglichkeit ergibt sich aus der unterschiedlichen Position des Vollverbs (2. Stelle bei Präteritum, letzte Stelle bei Perfekt). Ebenfalls aus stilistischen Gründen wird bei seltenen unregelmäßigen Verben das Präteritum oft vermieden:

Man hat die Verletzten geborgen.
(statt: Man barg die Verletzten.)

Umgekehrt wird manchmal das Präteritum gerade bevorzugt, wenn der Sprecher besonders „gepflegt" sprechen möchte („Ästheten-Präteritum").

(g) In *soziolinguistischer* Hinsicht wird in der Umgangssprache das Präteritum seltener verwendet; das hängt mit der sprachgeschichtlichen Tendenz zusammen, daß sich das Perfekt auf Grund seines analytischen Charakters immer mehr durchsetzt.

(h) Noch auffälliger und wesentlicher sind *pragmatisch-kommunikative* Gründe einer unterschiedlichen *Sprechhaltung* (eben deshalb sind beide Tempora auch im Hinblick auf das Merkmal [± Colloqu] unterschiedlich markiert): Während in Gesprächen, Erörterungen usw. Perfekt oder Präteritum verwendet wird, wird als Erzähltempus in der schöngeistigen Literatur vorwiegend das Präteritum gebraucht.

Perfekt 1.7.4.3.

Das Perfekt taucht in 3 Bedeutungsvarianten auf:

1. Perfekt zur Bezeichnung eines vergangenen Geschehens:
Aktz = Betrz, Betrz und Aktz vor Sprz, − Mod, + Colloqu, ± Adv
Das Perfekt drückt in dieser Bedeutungsvariante vergangene Sachverhalte aus. Betrachtzeit und Aktzeit sind identisch; beide liegen sie vor der Sprechzeit. Diese Bedeutungsvariante des Perfekts enthält keinen Modalfaktor, kann jedoch eine fakultative Temporalangabe (*gestern, im vorigen Jahr, neulich, 1914* u. a.) bei sich haben:

> Wir haben (gestern) die Stadt besichtigt.
> Seine Tochter hat (in den vergangenen Jahren) in Dresden gewohnt.
> Sie sind (neulich) im Gebirge viel gewandert.

Anmerkungen:
(1) Wenn diese Bedeutungsvariante im Sinne einer Vermutung in der Vergangenheit (mit Modalfaktor) gebraucht wird, muß ein zusätzliches lexikalisches Element (meist: ein Modalwort) im Satz erscheinen:

> Die Gäste haben vermutlich die Stadt besichtigt.
> Ihr seid sicher im Gebirge viel gewandert.

(2) Auf Grund der gleichen zeitstrukturellen Charakteristik ist diese Variante des Perfekts weitgehend mit dem Präteritum austauschbar. Vgl. dazu ausführlich in 1.7.4.2. unter Anmerkung (4). Das Perfekt unterscheidet sich grundsätzlich vom Präteritum durch das Vorhandensein einer 2. Bedeutungsvariante (mit resultativer Bedeutung) und einer 3. Bedeutungsvariante (mit Zukunftsbedeutung), für die es beim Präteritum keine Entsprechung gibt.

2. Perfekt zur Bezeichnung eines vergangenen Geschehens mit resultativem Charakter:
Betrz = Sprz, Aktz vor Betrz und Sprz, − Mod, + Colloqu, ± Adv
Das Perfekt drückt in dieser Bedeutungsvariante vergangene Sachverhalte aus, die einen für die Sprechzeit relevanten Zustand implizieren, der für die Kommunikation wesentlicher ist als die in der

Vergangenheit liegende Aktzeit. Die Betrachtzeit liegt über der Sprechzeit; beide liegen sie nach der Aktzeit. Ein Modalfaktor ist nicht enthalten, eine Temporalangabe kann fakultativ hinzugefügt werden:

Peter ist (vor einigen Stunden) eingeschlafen.
(> Peter schläft jetzt.)
Der Lehrer ist (gestern) angekommen.
(> Der Lehrer ist jetzt da.)
Der Reisende hat sich (in der vergangenen Woche) einen neuen Hut gekauft.
(> Der Reisende hat jetzt einen neuen Hut.)

Anmerkungen:

(1) Diese Bedeutungsvariante des Perfekts ist – im Unterschied zur 1. Bedeutungsvariante – nicht durch das Präteritum ersetzbar, ohne daß sich Bedeutung bzw. Kommunikationsabsicht ändert: Der in der Vergangenheit liegende Akt wird nicht unter dem Aspekt seines prozessualen Verlaufs, sondern unter dem des für die Sprechzeit relevanten Folgezustands betrachtet.

(2) Diese Bedeutungsvariante ist auf transformative Verben beschränkt, da nur diese den Übergang zu einem Folgezustand ausdrücken:

Peter hat (vor einigen Stunden) geschlafen. (1. Variante)
Peter ist (vor einigen Stunden) eingeschlafen. (2. Variante)

(3) Dem Unterschied zwischen einem „Vergangenheitsperfekt" (1. Variante) und einem „Resultatsperfekt" entspricht ein Unterschied zwischen einem „Vergangenheits-Futur II" und einem „resultativen Futur II" (vgl. 1. und 2. Bedeutungsvariante unter 1.7.4.6.).

3. Perfekt zur Bezeichnung eines zukünftigen Geschehens:

Aktz vor Betrz, Betrz nach Sprz, Aktz nach Sprz, – Mod, + Colloqu, + Adv

Das Perfekt drückt in dieser Bedeutungsvariante zukünftige Sachverhalte aus, die man sich unter einem bestimmten Zeitpunkt (als Perspektive der Betrachtzeit) als abgeschlossen vorstellt. Sowohl die Aktzeit als auch die Betrachtzeit liegen nach der Sprechzeit, aber die Aktzeit liegt vor der Betrachtzeit, also zwischen Sprechzeit und Betrachtzeit. Diese Bedeutungsvariante enthält zwar selbst keinen Modalfaktor der Vermutung, kann aber durch ein zusätzliches lexikalisches Element eine Vermutung ausdrücken. Sie ist jedoch gebunden an das obligatorische Auftreten einer zusätzlichen Adverbialbestimmung (*morgen, bald, bis Sonnabend* u. a.), die diese 3. Bedeutungsvariante des Perfekts von der 1. und 2. Bedeutungsvariante deutlich abhebt:

Bis zum nächsten Jahr hat er seine Dissertation abgeschlossen.
Er hat sich das Buch bis Sonnabend gekauft.
Bald hat er es geschafft.

Anmerkungen:

(1) Diese 3. Variante des Perfekts stimmt in der zeitstrukturellen Bedeutung völlig mit der 3. Variante des Futur II überein, unterscheidet sich von dieser

aber durch den fehlenden Modalfaktor. Deshalb sind beide austauschbar unter der Voraussetzung, daß beim Perfekt die Modalität lexikalisch ausgedrückt wird:

Bis zum nächsten Jahr *hat* er seine Dissertation vermutlich *abgeschlossen.*
= Bis zum nächsten Jahr *wird* er seine Dissertation (vermutlich) *abgeschlossen haben.*
Bald *hat* er es wahrscheinlich *geschafft.*
= Bald *wird* er es (wahrscheinlich) *geschafft haben.*

Dabei wird meist das einfachere Perfekt dem komplizierteren Futur II vorgezogen.

(2) Vereinzelt taucht das Perfekt auch zur Bezeichnung allgemeingültiger Sachverhalte auf, kann dabei aber durch das Präsens ersetzt werden; vgl. dazu 1.7.4.1.4. unter *Anm. (2).*

Plusquamperfekt 1.7.4.4.

Das Plusquamperfekt hat nur eine Bedeutungsvariante:
Aktz vor Betrz, Betrz vor Sprz, – Mod, ± Colloqu, ± Adv
Das Plusquamperfekt bezeichnet immer vergangene Sachverhalte. Die Aktzeit liegt vor der Betrachtzeit, die Betrachtzeit vor der Sprechzeit. Das Plusquamperfekt enthält keinen Modalfaktor, kann sowohl als Erzähltempus (wie das Präteritum) als auch als Vergangenheitstempus in der normalen Umgangssprache (wie Präteritum und Perfekt) verwendet werden. Es kann eine zusätzliche fakultative Adverbialbestimmung (*im vorigen Jahr, gestern, 1914,* u. a.) bei sich haben, die jedoch die Vergangenheitsbedeutung nicht erst hervorruft und auch nicht ändern kann:

Er war (gestern) schon wieder abgereist.
Der Junge hatte (im vorigen Jahr) den Schirm bereits verloren.
Der zweite Weltkrieg war (1939) ausgebrochen.

Anmerkungen:
(1) Die dreigeteilte Zeitstruktur des Plusquamperfekts kommt vollständig nur in seiner Verwendung als relative Zeit (vgl. 1.7.5.) zum Ausdruck; es bezeichnet dann einen Sachverhalt, der schon vor einem anderen (ebenfalls in der Vergangenheit liegenden, als Betrachtzeit fungierenden und im Kontext ausgedrückten) Sachverhalt eingetreten ist:

Als er ankam, hatten sie die Arbeit schon beendet.
Bei seiner Ankunft hatten sie die Arbeit schon beendet.
(Die Ankunft ist Betrachtzeit für die noch früher liegende Aktzeit.)
Gestern hatte er schon seit zwei Tagen nichts gegessen.

(2) In anderen Fällen verliert das Plusquamperfekt seine dreigeteilte Zeitstruktur, die Betrachtzeit schmilzt mit der Sprechzeit zusammen:

Im vorigen Jahr (gestern) hatte er seine Mütze verloren.
Im letzten Jahr war er ins Ausland abgereist.
(Die Aktzeit ist durch die Temporalangabe ausgedrückt.)

(3) Im Falle (1) ist das Plusquamperfekt obligatorisch und durch kein anderes Tempus zu ersetzen (die am Anfang der Beispielsätze stehenden Temporalangaben sind *nicht* mit der Aktzeit identisch, sondern drücken die Betrachtzeit aus), im Falle (2) ist es fakultativ und durch das Perfekt (2. Variante) ersetzbar (die am Anfang der Beispielsätze stehenden Temporalangaben sind mit der Aktzeit identisch).

(4) Kontextfrei sind manche Sätze mehrdeutig:

> Er war gestern abgereist.
> ← (a) Die Abreise erfolgte (in der Zeit) vor gestern. [= (1)]
> ← (b) Die Abreise erfolgte gestern. [= (2)]

Im Falle (1) stehen in der Regel neben der die Betrachtzeit bezeichnenden Temporalangabe weitere Temporalangaben (*schon, seit drei Tagen* u. a.).

1.7.4.5. Futur I

Das Futur I hat 2 Bedeutungsvarianten:

1. Futur I zur Bezeichnung eines vermuteten Geschehens in der Gegenwart:

Aktz = Betrz = Sprz, + Mod, + Colloqu, ± Adv

Diese Bedeutungsvariante des Futur I bezeichnet ein Geschehen in der Gegenwart, obligatorisch verbunden mit einem Modalfaktor der Vermutung. Eine zusätzliche Temporalangabe (*jetzt, in diesem Augenblick* u. a.) kann fakultativ auftreten, ändert aber nichts an der Tempusbedeutung und am Modalfaktor. Aktzeit, Betrachtzeit und Sprechzeit decken sich.

> Er wird (jetzt) im Büro sein.
> Er wird (in diesem Augenblick) arbeiten.
> Sie wird sich (gerade) auf die Prüfung vorbereiten.
> Die Sekretärin wird (jetzt noch) an dem umfangreichen Manuskript schreiben.

Anmerkungen:

(1) Diese Bedeutungsvariante des Futur I deckt sich in der temporalen Charakteristik völlig mit dem Präsens (1. Bedeutungsvariante). Sie unterscheidet sich aber von ihr durch den vorhandenen Modalfaktor, der der 1. Variante des Präsens fehlt. Wenn beide Tempora ausgetauscht werden, muß deshalb beim Präsens obligatorisch ein zusätzliches lexikalisches Element stehen, das die Vermutung ausdrückt (ein Modalwort wie *wohl, sicher, gewiß, vielleicht, vermutlich* u. a.), während das beim Futur I nicht nötig (wenn auch möglich) ist:

> Er *wird* (jetzt) (*wohl*) im Büro *sein*.
> = Er *ist* (jetzt) *wohl* im Büro.
>
> Er *wird* (in diesem Augenblick) (*wohl*) *arbeiten*.
> = Er *arbeitet* (in diesem Augenblick) *wohl*.

Die Temporalangabe ist sowohl beim Präsens als auch beim Futur I in diesem Falle fakultativ.

(2) Handelt es sich um perfektive Verben, so bezieht sich das Futur I nicht auf ein gegenwärtiges, sondern auf ein zukünftiges Geschehen [vgl. dazu 1.7.4.1.2. unter *Anm.* (2)]. Es nimmt damit die Bedeutung der Variante 2 des Futur I an:

Wir werden uns (wohl) am Bahnhof treffen.
Er wird (wohl) einen Brief bekommen.

2. Futur I zur Bezeichnung eines zukünftigen Geschehens:

Betrz = Aktz, Betrz und Aktz nach Sprz, ± Mod, + Colloqu, ± Adv

Diese Bedeutungsvariante des Futur I bezeichnet einen Sachverhalt in der Zukunft. Die Betrachtzeit deckt sich mit der Aktzeit, beide liegen nach der Sprechzeit. Diese Variante kann einen Modalfaktor (eine Vermutung) ausdrücken, muß es aber nicht. Das Futur I kann in dieser Variante mit einer fakultativen Temporalbestimmung (*morgen, bald, im nächsten Jahr* u. a.) verbunden werden:

Wir werden (bald) das Resultat erfahren.
Er wird (im nächsten Jahr) wieder als Ingenieur arbeiten.
Sie werden (morgen) ins Theater gehen.

Anmerkungen:

(1) Diese Bedeutungsvariante des Futur I deckt sich in temporaler Hinsicht (ebenso in der Sprechhaltung und der zusätzlichen Adverbialbestimmung) mit der 2. Bedeutungsvariante des Präsens (vgl. 1.7.4.1.2.). Da dieser jedoch der Modalfaktor fehlt, muß er bei einem Austausch mit dem Futur I lexikalisch eingefügt werden:

Wir *werden* das Resultat (*wohl*) (bald) *erfahren.*
Wir *erfahren* das Resultat *wohl* (bald).

Es muß freilich bei diesem Ersatz des Futur I durch das Präsens beachtet werden, daß der Zukunftsbezug gesichert bleibt (entweder durch Temporalangaben, durch *wenn*-Sätze oder anderweitig durch den Kontext). Andernfalls kann sich die Bedeutung nach der 1. Variante des Präsens hin verändern.

(2) Obwohl bei beiden Varianten des Futur I eine zusätzliche fakultative Temporalangabe auftritt, handelt es sich in beiden Fällen um Temporalangaben verschiedener Art, die den unterschiedlichen Zeitbezug deutlich werden lassen:

Er wird (*jetzt, in diesem Augenblick*) arbeiten.
(= 1. Variante, Gegenwart)
Er wird (*morgen, nächste Woche*) arbeiten.
(= 2. Variante, Zukunft)

Beide Varianten des Futur I unterscheiden sich weiterhin dadurch, daß die 1. Variante (mit Gegenwartsbedeutung) immer den Modalfaktor (die Vermutungsbedeutung) enthält, die 2. Variante (mit Zukunftsbedeutung) den Modalfaktor jedoch nicht enthalten muß.

(3) Die 2. Bedeutungsvariante des Futur I verfügt über 2 Nebenvarianten, die jedoch ihre Bedeutung erst aus dem Kontext erhalten, die unterschiedliche Sprechhandlungen bezeichnen und starken Distributionsbeschränkungen unterliegen:

(a) Sie kann neben der Zukunft die ausgesprochene Absicht ausdrücken (meist in der 1. Person):

Wir werden uns kurz fassen.
Wir werden das Manuskript bis zum März abliefern.

Diese Nebenvariante kann ersetzt werden durch: *es ist meine (unsere) Absicht.*

(b) Sie kann neben der Zukunft einen ausdrücklichen Befehl bezeichnen:

Du wirst jetzt schlafen gehen.
Ihr werdet die Hefte morgen zurückbringen.

Diese Nebenvariante kommt ausschließlich in der 2. Person vor; das Futur kann transformiert werden in den Imperativ:

→ Geh jetzt schlafen!
→ Bringt die Hefte morgen zurück!

1.7.4.6. Futur II

Das Futur II hat 3 Bedeutungsvarianten:

1. Futur II zur Bezeichnung eines vermuteten Geschehens in der Vergangenheit:

Betrz = Aktz, Betrz und Aktz vor Sprz, + Mod, + Colloqu, ± Adv

Diese Bedeutungsvariante des Futur II bezeichnet ein Geschehen in der Vergangenheit, obligatorisch verbunden mit einem Modalfaktor der Vermutung. Eine zusätzliche Temporalangabe (*gestern, vor einigen Tagen* u. a.) kann fakultativ auftreten, ändert aber nichts an der Tempusbedeutung und am Modalfaktor. Die Betrachtzeit deckt sich mit der Aktzeit, beide liegen sie vor der Sprechzeit:

Er wird (gestern) die Stadt besichtigt haben.
Seine Tochter wird (in den vergangenen Jahren) in Dresden gewohnt haben.
Die Kinder werden (neulich) im Gebirge viel gewandert sein.

Anmerkungen:
(1) Diese Bedeutungsvariante des Futur II deckt sich in der temporalen Charakteristik völlig mit dem Perfekt (1. Bedeutungsvariante). Sie unterscheidet sich aber von ihr durch den vorhandenen Modalfaktor, der der 1. Variante des Perfekts fehlt. Wenn beide Tempora (genauer: die 1. Varianten beider Tempora) ausgetauscht werden, muß deshalb beim Perfekt obligatorisch ein zusätzliches lexikalisches Element stehen, das die Vermutung ausdrückt (ein Modalwort wie *wohl, sicher, gewiß, vielleicht, vermutlich* u. a.), während das beim Futur II nicht nötig (wenn auch möglich) ist:

Er *wird* (gestern) (*wohl*) die Stadt *besichtigt haben.*
= Er *hat* (gestern) *wohl* die Stadt *besichtigt.*

Seine Tochter *wird* (in den vergangenen Jahren) (*sicher*) in Dresden *gewohnt haben.*
= Seine Tochter *hat* (in den vergangenen Jahren) *sicher* in Dresden *gewohnt.*

Die Temporalangabe ist sowohl beim Perfekt als auch beim Futur II in diesem Falle fakultativ.
Das Futur II (1. Variante) verhält sich zum Perfekt (1. Variante) genauso wie das Futur I (1. Variante) zum Präsens (1. Variante); vgl. dazu 1.7.4.5.1. unter *Anm. (1)*.

(2) Da die 1. Bedeutungsvariante des Perfekts in der Zeitcharakteristik mit dem Präteritum übereinstimmt, deckt sich auch die 1. Bedeutungsvariante des Futur II weitgehend mit dem Präteritum. Sie unterscheidet sich vom Präteritum jedoch durch den Modalfaktor und durch verschiedene kommunikative, aber auch phonetische und morphosyntaktische Bedingungen [vgl. unter 1.7.4.2., *Anmerkung (4)*]:

> Er *wird* (gestern) *(wohl)* die Stadt *besichtigt haben*.
> = Er *besichtigte* (gestern) *wohl* die Stadt.

2. Futur II zur Bezeichnung eines vermuteten Geschehens in der Vergangenheit mit resultativem Charakter:

Betrz = Sprz, Aktz vor Betrz und Sprz, + Mod, + Colloqu, ± Adv

Das Futur II drückt in dieser Bedeutungsvariante vergangene Sachverhalte aus, die einen für die Sprechzeit relevanten Zustand implizieren, der für die Kommunikation wesentlicher ist als die in der Vergangenheit liegende Aktzeit. Die Betrachtzeit liegt über der Sprechzeit; beide liegen sie nach der Aktzeit. Ein Modalfaktor der Vermutung ist enthalten, eine Temporalangabe ist fakultativ:

> Peter wird (vor einigen Stunden) eingeschlafen sein.
> (> Peter schläft jetzt.)
> Der Reisende wird sich (in der vergangenen Woche) einen neuen Hut gekauft haben.
> (> Der Reisende hat jetzt einen neuen Hut.)

Anmerkungen:
(1) Obwohl die Aktzeit sowohl bei der 1. als auch bei der 2. Variante des Futur II vor der Sprechzeit liegt (und in beiden Fällen vergangenes Geschehen bezeichnet wird), unterscheidet sich die 2. Variante von der 1. Variante dadurch, daß der in der Vergangenheit liegende Akt nicht unter dem Aspekt seines prozessualen Verlaufs, sondern unter dem des für die Sprechzeit relevanten Folgezustands betrachtet wird. Deshalb ist diese Bedeutungsvariante auch auf transformative Verben beschränkt, da nur diese den Übergang zu einem Folgezustand ausdrücken:

> Peter wird (vor einigen Stunden) geschlafen haben. (1. Variante)
> Peter wird (vor einigen Stunden) eingeschlafen sein. (2. Variante)

(2) Auf diese Weise deckt sich die temporale Bedeutung der 2. Variante des Futur II völlig mit der temporalen Bedeutung der 2. Variante des Perfekts. Beide unterscheiden sich lediglich dadurch, daß dem Perfekt der Modalfaktor fehlt, der beim Futur II vorhanden ist. Ein Ersatz des Fut. II (2. Variante) durch das Perfekt (2. Variante) ist also nur möglich unter Einfügung eines lexikalischen Elements, das die Vermutung signalisiert:

> Der Reisende *wird* sich (in der vergangenen Woche) (*vermutlich*) einen neuen Hut *gekauft haben*.
> = Der Reisende *hat* sich (in der vergangenen Woche) *vermutlich* einen neuen Hut *gekauft*.

3. Futur II zur Bezeichnung eines zukünftigen Geschehens:

Aktz vor Betrz, Betrz nach Sprz, Aktz nach Sprz, ± Mod, + Colloqu, + Adv

Das Futur II drückt in dieser Bedeutungsvariante zukünftige Sachverhalte aus, die man sich unter einem bestimmten Zeitpunkt (Perspektive der Betrachtzeit) als abgeschlossen vorstellt. Sowohl die Aktzeit als auch die Betrachtzeit liegen nach der Sprechzeit, aber die Aktzeit liegt vor der Betrachtzeit, also zwischen Sprechzeit und Betrachtzeit. Diese Bedeutungsvariante des Futur II kann (auch ohne zusätzliches lexikalisches Element) einen Modalfaktor der Vermutung enthalten. Sie ist jedoch gebunden an das obligatorische Auftreten einer zusätzlichen Temporalbestimmung (*morgen, bald, bis Sonnabend* u. a.), die diese 3. Bedeutungsvariante des Futur II von der 1. und 2. Bedeutungsvariante deutlich abhebt:

Morgen wird er die Arbeit beendet haben.
Bis Sonnabend wird er sich das Buch gekauft haben.
Bald wird er es geschafft haben.

Anmerkungen:
(1) Diese 3. Variante des Futur II stimmt in der temporalen Bedeutung völlig mit der 3. Variante des Perfekts überein, unterscheidet sich von dieser aber durch den fakultativ enthaltenen Modalfaktor. Deshalb sind beide austauschbar unter der Voraussetzung, daß beim Perfekt die Modalität lexikalisch ausgedrückt wird:

Morgen *wird* er die Arbeit (*vermutlich*) *beendet haben.*
= Morgen *hat* er die Arbeit *vermutlich beendet.*

Vgl. dazu 1.7.4.3.3. unter *Anm. (1).*

(2) Über die verschiedene temporale Bedeutung hinaus unterscheidet sich die 3. Variante des Futur II („Zukunfts-Futur II") von der 1. Variante („Vergangenheits-Futur II") und der 2. Variante („resultatives Futur II") dadurch, daß die zusätzliche Temporalbestimmung nicht fakultativ, sondern obligatorisch auftritt und daß es sich um Temporalangaben verschiedener Art handelt, die den unterschiedlichen Zeitbezug deutlich werden lassen:

Er wird die Arbeit *gestern (in der vorigen Woche)* beendet haben. (= 2. Variante, Vergangenheit + Resultat)

Er wird die Arbeit *morgen (in der nächsten Woche)* beendet haben. (= 3. Variante, Zukunft)

1.7.5. Relativer Gebrauch der Tempora

Der relative Gebrauch der Tempora ergibt sich aus der temporalen Abhängigkeit mehrerer Sachverhalte, die in einem zusammengesetzten Satz zueinander in Beziehung gesetzt werden. Meist handelt es sich um die temporale Abhängigkeit der im Hauptsatz und im Nebensatz ausgedrückten Sachverhalte. Diese Abhängigkeit kann auf 3 verschiedene Beziehungen zurückgeführt werden: Es kann sich um Gleichzeitigkeit, Vorzeitigkeit oder Nachzeitigkeit handeln.

Die Kombination verschiedener Tempora unterliegt bestimmten Prinzipien (vgl. 1.7.5.1. bis 1.7.5.3.), die jedoch nicht immer streng befolgt werden und deren Einhaltung bei den Temporalsätzen (und entsprechenden Konditionalsätzen mit *wenn* oder *falls*) noch am besten beobachtet werden kann.

Gleichzeitigkeit 1.7.5.1.

Verläuft das Geschehen in Haupt- und Nebensatz gleichzeitig, so wird in den beiden Teilsätzen in der Regel das gleiche Tempus verwendet:

Wenn es *regnet*, *bleiben* wir zu Hause.
Während er im Kino *war*, *ging* sein Freund spazieren.
Wenn er es so *gesagt hat*, *hat* er es auch so *gemeint*.

Anmerkung:
In manchen Fällen kann die Gleichzeitigkeit auch durch ein verschiedenes Tempus ausgedrückt werden, vor allem dann, wenn sich die entsprechenden Tempora bereits in ihrem absoluten Gebrauch überschneiden. Das gilt vor allem für Präsens und Futur I (vgl. 1.7.4.1.2. und 1.7.4.5.1. sowie 1.7.4.5.2.) sowie für Präteritum und Perfekt [vgl. 1.7.4.2. in *Anm. (4)* und 1.7.4.3. in *Anm. (2)*]:

Wenn er *kommt*, *werden* wir ins Kino *gehen*.
Es *hat* uns nicht *gefallen*, daß er seine Mutter allein *ließ*.

Vorzeitigkeit 1.7.5.2.

Wenn das Geschehen im Nebensatz *vor* dem Geschehen im Hauptsatz abläuft, gilt folgendes für den Gebrauch der Tempora: Im Nebensatz steht in der Regel das *Perfekt*, wenn im Hauptsatz das *Präsens* steht. Im Nebensatz erscheint in der Regel das *Plusquamperfekt*, wenn im Hauptsatz das *Präteritum* verwendet wird. Das Plusquamperfekt verhält sich zum Präteritum wie das Perfekt zum Präsens: Das Perfekt ist das relative Tempus zum Präsens, das Plusquamperfekt ist das relative Tempus zum Präteritum. Das Plusquamperfekt drückt im Nebensatz aus, was dem im Hauptsatz im Präteritum wiedergegebenen Geschehen zeitlich vorausgeht; das Perfekt drückt im Nebensatz aus, was dem im Hauptsatz im Präsens wiedergegebenen Geschehen zeitlich vorausgeht:

Ich *weiß* nicht, ob er zu Hause *gewesen ist*.
Nachdem wir die Arbeit *beendet haben*, *fahren* wir nach Hause.
Nachdem wir die Arbeit *beendet hatten*, *fuhren* wir nach Hause.

Anmerkungen:
(1) In einigen Fällen tritt als relatives Tempus zum Präsens auch das Präteritum auf, motiviert durch die Überschneidung von Präteritum und Perfekt als absolute Tempora:

Ich *weiß* nicht, ob er zu Hause *war*.

(2) Das Plusquamperfekt steht sehr häufig als relatives Tempus, viel seltener als absolutes Tempus. Umgekehrt erscheint das Futur II kaum in relativer Verwendung. Wenn das Futur I in relativer Verwendung auftritt, steht es im allgemeinen in Beziehung zum Präsens oder Perfekt:

Nachdem er die Prüfung *bestanden hat, wird* er Medizin *studieren.*
Wenn er die Prüfung *besteht, wird* er Medizin *studieren.*

(3) Wenn im Hauptsatz Perfekt oder Plusquamperfekt stehen und das im Nebensatz ausgedrückte Geschehen dem Geschehen des Hauptsatzes zeitlich vorausgeht, so kann im Nebensatz als relatives Tempus umgangssprachlich eine sogenannte „Vorvergangenheit" (*hatte* + Partizip II + *gehabt* bzw. *war* + Partizip II + *gewesen*) erscheinen:

Nachdem ich ihn schon *gesehen gehabt habe,* ist er verschwunden.
Nachdem ich ihn schon *gesehen gehabt hatte,* war er verschwunden.

Aus dieser relativen Verwendung überträgt sich die „Vorvergangenheit" vereinzelt – aber nur umgangssprachlich – auch auf den absoluten Gebrauch; ein solcher Gebrauch gilt jedoch nicht als korrekt:

Er *hat* die Arbeit schon *abgeschlossen gehabt.*
Die Studenten *sind zurückgekehrt gewesen.*

1.7.5.3. Nachzeitigkeit

Verläuft das Geschehen im Nebensatz *nach* dem Geschehen im Hauptsatz, so werden die Tempora entweder (a) ähnlich wie bei der Gleichzeitigkeit oder (b) umgekehrt wie bei der Vorzeitigkeit gebraucht:

(a) Er *blieb* in der DDR, bis er mit seinem Studium fertig *war.*
Sie *bringt* das Kind in den Kindergarten, bevor sie zur Arbeit *geht.*

(b) Die Bauern *hatten* die Arbeit *beendet,* ehe die Sonne *unterging.*
Als er nach Hause *kam, hatte* seine Frau ein Frühstück *vorbereitet.*
Die Bauern *haben* die Arbeit *beendet,* ehe die Sonne *untergeht.*

Anmerkung:
Auch bei Nachzeitigkeit kann die „Vorvergangenheit" [vgl. 1.7.5.2. unter *Anm. (3)*] erscheinen:

Er *hat* ihn *gesehen gehabt,* bevor er ihn *besucht hat.*
Er *hatte* ihn *gesehen gehabt,* bevor er ihn *besucht hatte.*

Genera 1.8.

Formenbestand 1.8.1.

Konjugationsübersicht 1.8.1.1.

	Aktiv	*Vorgangspassiv*	*Zustandspassiv*
Präs.	ich impfe	werde geimpft	bin geimpft
Prät.	ich impfte	wurde geimpft	war geimpft
Perf.	ich habe geimpft	bin geimpft worden	bin geimpft gewesen
Plusq.	ich hatte geimpft	war geimpft worden	war geimpft gewesen
Fut. I	ich werde impfen	werde geimpft werden	werde geimpft sein
Fut. II	ich werde geimpft haben	werde geimpft worden sein	werde geimpft gewesen sein

Formenbildung 1.8.1.2.

1. Das Vorgangspassiv wird gebildet aus den konjugierten Formen des Hilfsverbs *werden* (vgl. 1.6.1.) + Partizip II des Vollverbs. Im Perfekt, Plusquamperfekt und Futur II verliert das Partizip II von *werden* das Präfix *ge-*:

Ich bin geimpft *worden.*
nicht: *Ich bin geimpft *geworden.*

Anmerkungen:
(1) Bei unregelmäßigen Verben mit nicht trennbarem Präfix ist das Präsens des Vorgangspassivs (b) formengleich mit dem Futur I des Aktivs (a), wenn Präsens und Perfekt den gleichen Ablautvokal haben. Manche Formen sind deshalb homonym und werden nur durch den Kontext eindeutig:

Sie werden vergessen.
= (a) Sie werden (das Unrecht) vergessen.
= (b) Sie (d. h. die Freunde) werden (von uns) vergessen.

Ebenso: befallen, behalten, empfangen, unterschlagen, vergeben

(2) Die futurischen Formen des Vorgangspassivs werden verhältnismäßig selten gebraucht. Das Futur I wird meist durch das Präsens, das Futur II durch das Perfekt ersetzt:

ich werde geimpft werden
→ ich werde geimpft
ich werde geimpft worden sein
→ ich bin geimpft worden

2. Das Zustandspassiv wird gebildet aus den konjugierten Formen des Hilfsverbs *sein* (vgl. 1.6.1.) + Partizip II des Vollverbs. Das Präsens des Zustandspassivs entsteht formal dadurch, daß das Perfekt

des Vorgangspassivs um *worden* reduziert wird, das Präteritum des Zustandspassivs dadurch, daß das Plusquamperfekt des Vorgangspassivs um *worden* reduziert wird:

ich bin geimpft *worden*
→ ich bin geimpft
ich war geimpft *worden*
→ ich war geimpft

Anmerkung:
Das Perfekt und Plusquamperfekt sowie das Futur I und Futur II des Zustandspassivs werden verhältnismäßig selten verwendet. Das Perfekt und Plusquamperfekt werden gewöhnlich durch das Präteritum, das Futur I wird gewöhnlich durch das Präsens, das Futur II durch das Perfekt ersetzt:

ich bin geimpft gewesen
→ ich war geimpft
ich war geimpft gewesen
→ ich war geimpft
ich werde geimpft sein
→ ich bin geimpft
ich werde geimpft gewesen sein
→ ich bin geimpft gewesen

1.8.2. Syntaktische Klassifizierung des Vorgangspassivs nach der Zahl der Glieder

1. Eingliedrige Passivkonstruktion:

Es wird getanzt.

Die eingliedrige Passivkonstruktion besteht nur aus der Passivform des Verbs. Zusätzlich kann – wie beim mehrgliedrigen Passiv – am Satzanfang ein nicht durch ein Substantiv substituierbares *es* als formales syntaktisches Subjekt stehen. Man spricht auch vom *subjektlosen Passiv ohne* Angabe des *Agens.*

2. Zweigliedrige Passivkonstruktion:

Er wird gelobt.

Die zweigliedrige Passivkonstruktion enthält außer der Passivform des Verbs noch ein syntaktisches Subjekt, das substituierbar ist. Man spricht vom *„persönlichen Passiv"* (d. h. Passiv mit Subjekt) *ohne* Angabe des *Agens.*

3. Dreigliedrige Passivkonstruktion:

Er wird vom Lehrer gelobt.

Die dreigliedrige Passivkonstruktion enthält außer der Passivform des Verbs noch ein substituierbares syntaktisches Subjekt und ein durch Präposition angeschlossenes Agens. Es handelt sich um das *„persönliche Passiv"* (d. h. Passiv mit Subjekt) *mit* Angabe des *Agens.*

4. Viergliedrige Passivkonstruktion:

Das Buch wird dem Schüler von dem Lehrer geschenkt.

Die viergliedrige Passivkonstruktion enthält außer den in der dreigliedrigen Passivkonstruktion enthaltenen Gliedern einen weiteren Kasus (Dativ, Genitiv oder Präpositionalkasus). Es handelt sich ebenfalls um ein *„persönliches Passiv“ mit* Angabe des *Agens.*

Anmerkungen:
(1) Von diesen Arten der Passivkonstruktionen ist das zweigliedrige Passiv am häufigsten. Danach folgen das drei- und viergliedrige Passiv mit Angabe des Agens (diese Konstruktionen unterscheiden sich im Informationswert nicht vom Aktiv). Am seltensten ist das eingliedrige Passiv.

(2) Die vorgenommene Klassifizierung geht nur von den in der Oberfläche der aktuellen Passivsätze enthaltenen Gliedern aus. Sie wird weder der Zusammengehörigkeit der entsprechenden Formen untereinander noch ihrer Zusammengehörigkeit mit dem Aktiv gerecht. Dieser gesetzmäßige Zusammenhang ist durch Transformationen zu beschreiben (vgl. 1.8.4.). Erst auf diese Weise wird das Vorgangspassiv aus dem Aktiv abgeleitet, erweisen sich z. B. die zweigliedrigen Passivkonstruktionen als Reduzierungen der entsprechenden dreigliedrigen Passivkonstruktionen.

(3) Die vorgenommene Klassifizierung bezieht sich ausschließlich auf valenzgebundene Glieder und ist unabhängig von freien (valenzunabhängigen), meist adverbialen Angaben, die im Satz syntaktisch nahezu beliebig auftreten können. So würde man als zweigliedrige Passivkonstruktionen ansehen müssen:

Die Ausstellung wurde eröffnet.
Die Ausstellung wurde *am Montag feierlich* eröffnet.

Semantische Beschreibung 1.8.3.

1. Das Aktiv ist von der Bedeutung her nicht einfach eine „Tätigkeitsform“, das Passiv nicht einfach eine „Leideform“. Oftmals drückt das Aktiv durchaus keine „Tätigkeit“ aus:

Er wohnt in Berlin.
Er bekommt einen Brief.

Ebenso drückt das Passiv in vielen Fällen kein „Leiden“ aus:

Er wird beschenkt.
Sie wird gelobt.
Ihm wird geholfen.

Erst recht drückt das subjektlose Passiv eher eine Tätigkeit aus als ein Leiden, manchmal ein ausgesprochen aktivisches Verhalten (1), manchmal eine energische Aufforderung (2):

(1) Es wurde die ganze Nacht getanzt.
(2) Jetzt wird aber geschlafen!

2. Das Vorgangspassiv drückt den *gleichen Sachverhalt* in der objek-

tiven Wirklichkeit aus wie das Aktiv. Es unterscheidet sich vom Aktiv jedoch durch eine *verschiedene Blickrichtung* auf das Geschehen. Das Aktiv läßt das Geschehen agensorientiert erscheinen, das Vorgangspassiv nicht. Das Zustandspassiv drückt – im Unterschied zu Aktiv und Vorgangspassiv – überhaupt kein Geschehen, keinen Prozeß, sondern einen Zustand – als Resultat eines Prozesses – aus. Zuerst *wird* das Fenster geöffnet (prozessual), im Resultat dieses Prozesses *ist* das Fenster geöffnet (nicht-prozessual). Das Aktiv ist somit als prozessual und agensorientiert, das Vorgangspassiv als prozessual und nicht-agensorientiert und das Zustandspassiv als nicht-prozessual und nicht-agensorientiert zu charakterisieren:

	prozessual	*agensorientiert*
Aktiv	+	+
Vorgangspassiv	+	–
Zustandspassiv	–	–

3. Diesem Unterschied entspricht die Tatsache, daß beim Aktiv (1) das Agens obligatorisch genannt wird, daß es beim Vorgangspassiv (2) in der Regel fakultativ erscheint, daß es beim Zustandspassiv (3) vielfach gar nicht erscheinen kann:

(1) *Sie* hängte die Wäsche auf.
(2) Die Wäsche wurde (*von ihr*) aufgehängt.
(3a) Die Wäsche war aufgehängt.
(3b) *Die Wäsche war *von ihr* aufgehängt.

4. Aus dem in 2. beschriebenen Wesen des Passivs resultiert auch seine häufigere Verwendung – vor allem in fachwissenschaftlichen Texten – dort, wo vom Agens abgesehen wird und das Geschehen „objektiv", ohne Agensbezogenheit dargestellt werden soll.

Anmerkung:
Eine Unterscheidung zwischen Agensorientiertheit und Nicht-Agensorientiertheit kann jedoch nur getroffen werden, wenn eine Opposition zwischen verschiedenen Formen vorhanden ist. Ist von einem Verb dagegen nur die Bildung des Aktivs möglich, so kann dieses Aktiv nicht mehr als prozessual und agensorientiert charakterisiert werden, sondern es ist merkmallos:

Er bekommt einen Brief.
Er liegt im Bett.

5. Das Wesen des Passivs kann nur dann genauer erfaßt werden, wenn man die Relationen zwischen den Einheiten der syntaktischen Ebene (Satzglieder) und den Einheiten der semantischen Ebene (Zahl und Art der Teilnehmer an der sprachlichen Situation) zum Ausgangspunkt wählt. Für die Einheiten der syntaktischen Ebene arbeiten wir mit folgenden Begriffen:

Sn (= Subjekt im Nominativ), Oa (= Objekt im Akkusativ),
Od (= Objekt im Dativ), Op (= Präpositionalobjekt).

 Als Einheiten der semantischen Ebene legen wir folgende Begriffe

zugrunde: A (= Agens, d. h. Urheber der Handlung), P (= Patiens, d. h. Objekt, das von der Handlung affiziert wird), R (= Resultat, d. h. effiziertes Objekt, das aus der Handlung hervorgeht), I (= Instrument, d. h. Objekt, das als Mittel kausal an der Handlung beteiligt ist), Ad (= Adressat, d. h. Empfänger, in dessen Interesse oder zu dessen Gunsten/Ungunsten die Handlung abläuft). Zu den semantischen Kasus vgl. genauer 13.4.
Stellt man zwischen den Satzgliedern und den semantischen Einheiten eine Beziehung her, so liegt es zunächst nahe (und trifft auch für die meisten Fälle zu), als *Aktiv* alle Formen anzusprechen, in denen Agens und Subjekt übereinstimmen, als *Passiv* dagegen alle Formen, in denen keine Übereinstimmung zwischen Agens und Subjekt besteht:

Aktiv	A	P	Ad	semantische Struktur
	Sn	Oa	(Od)	syntaktische Struktur

Der Lehrer schenkt (dem Schüler) das Buch.

Passiv	A	P	Ad	semantische Struktur
	(Op)	Sn	(Od)	syntaktische Struktur

Das Buch wird (dem Schüler) (von dem Lehrer) geschenkt.

Diese Gegenüberstellung zeigt,

a) daß Aktiv und Vorgangspassiv den gleichen Sachverhalt der außersprachlichen Realität abbilden, d. h. die gleiche semantische Struktur haben;

b) wie die Regel für die Passivtransformation aussieht:

Sn Oa (Od) → (Op) Sn (Od);

c) daß für das Aktiv die Identität von Agens und Subjektsnominativ charakteristisch ist (A = Sn), für das Vorgangspassiv ihre Nicht-Identität (A ≠ Sn).

6. Dennoch bedarf diese allgemeine Feststellung einer wesentlichen Einschränkung und Modifizierung, da es aktivische Sätze (der Form nach) gibt, in denen der Subjektsnominativ kein Agens bezeichnet:

Das Kind liegt im Bett.
Das Messer schneidet gut.

Es sind solche Sätze, zu denen ein Passiv überhaupt nicht bildbar ist. Nur dann, wenn im Aktivsatz der Subjektsnominativ ein Agens bezeichnet, ist der Aktivsatz ins Passiv transformierbar:

Die Mutter schneidet das Brot. (= A)
→ Das Brot wird von der Mutter geschnitten.
Das Messer schneidet das Brot. (= I)
→ *Das Brot wird von dem Messer geschnitten.

Deshalb sind nicht alle Sätze mit A ≠ Sn als Passiv oder passivisch aufzufassen. Wohl aber gilt A $\neq$ Sn nicht nur für das in der syntaktischen Form als solches erkennbare Passiv („syntaktisches Passiv"), sondern auch für das „semantische Passiv", d. h. für Passivparaphrasen, Konkurrenzformen des Passivs, aktivische Formen mit passivischer Bedeutung (vgl. dazu 1.8.10.):

Das Fleisch ist schnell zu braten. (Sn $\neq$ A; Sn = P)
Der Schüler erhält das Buch geschenkt. (Sn $\neq$ A; Sn = Ad).

Diese Feststellung sei an 4 Sätzen verdeutlicht, die semantisch äquivalent sind, sich jedoch syntaktisch unterscheiden:

(1) Wir beleidigen *ihn.*
(2) *Er* wird (von uns) beleidigt.
(3) *Ihm* wird (durch uns) eine Beleidigung zugefügt.
(4) *Er* erfährt (durch uns) eine Beleidigung.

Semantisch enthalten diese Sätze ein Agens und einen Adressaten[1]:

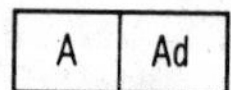

Diese Semantik wird unterschiedlich realisiert,

bei (1): | Sn | Oa |

bei (2): | (Op) | Sn |

bei (3): | (Op) | Od |

bei (4): | (Op) | Sn |

Bei (1) handelt es sich um das Aktiv (A und Sn entsprechen sich). (2) bis (4) müssen in gleicher Weise als passivisch interpretiert werden (A und Sn entsprechen sich nicht); von ihnen ist jedoch nur (2) ein „syntaktisches Passiv" (Oa im aktivischen Satz wird zu Sn im passivischen Satz). (3) und (4) dagegen sind Passiv-Paraphrasen, bei denen es semantisch unerheblich ist, ob das Verb formal im Passiv steht [wie bei (3)] oder im Aktiv [wie bei (4)].

1.8.4. Typen des Vorgangspassivs

Nach dem Verhältnis von syntaktischen und semantischen Einheiten ergeben sich 4 Typen des Vorgangspassivs, die jeweils durch die Angabe der semantischen Struktur, der syntaktischen Grundstruk-

---

[1] Bei den Schemata für die Passivtransformation entsprechen sich die jeweiligen Glieder in der Reihenfolge (d. h., das *erste* Glied der semantischen Struktur entspricht dem *ersten* Glied der aktivischen und dem *ersten* Glied der passivischen Struktur usw.), so daß erkennbar wird, welche Glieder verändert und wie sie verändert werden bzw. welche Glieder unverändert bleiben.

tur des Aktivs und der syntaktisch abgeleiteten Struktur des Passivs charakterisiert werden (die beiden letzteren werden durch einen Pfeil verbunden, da das Passiv durch die entsprechende Transformation aus dem Aktiv abgeleitet ist). Es wird unterschieden

1. als *Typ 1* das zwei-, drei- oder viergliedrige Vorgangspassiv bei transitiven Verben:

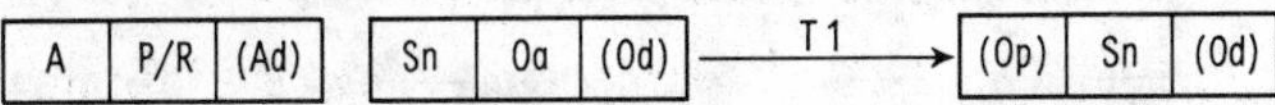

Der Lehrer schenkt (dem Schüler) das Buch.
→ Das Buch wird (dem Schüler) (vom Lehrer) geschenkt.
Die Mutter bäckt (der Tochter) den Kuchen.
→ Der Kuchen wird (der Tochter) (von der Mutter) gebacken.

Bei diesem Typ müssen im Aktivsatz mindestens 2 Aktanten vorhanden sein, von denen der zweite ein Oa ist, der sich durch die Passivtransformation in einen Sn verwandelt. Der obligatorische Sn des Aktivsatzes (als Agens) wird im Passivsatz zu einem fakultativen Op.

2. als *Typ 2* das zwei- oder dreigliedrige Vorgangspassiv bei multivalenten intransitiven Verben:

[A | X[1]] [Sn | Od / Og / Op] —T2→ [(Op) | Od / Og / Op]

Wir helfen dem Lehrer.
→ Dem Lehrer wird (von uns) geholfen.
Wir gedenken der Toten.
→ Der Toten wird (von uns) gedacht.
Wir sorgen für die Kinder.
→ Für die Kinder wird (von uns) gesorgt.

Bei diesem Typ müssen – wie bei Typ 1 – im Aktivsatz mindestens 2 Aktanten vorhanden sein, von denen der zweite jedoch – im Unterschied zu Typ 1 – kein Oa ist, sondern Od, Og oder Op, die bei der Passivtransformation als solche erhalten blieben und von ihr nicht berührt werden. Der obligatorische Sn des Aktivsatzes (als Agens) wird – wie bei Typ 1 – im Passivsatz zu einem fakultativen Op.

3. als *Typ 3* das zweigliedrige Vorgangspassiv bei monovalenten intransitiven Verben mit bestimmt-persönlichem Agens:

[A] [Sn] —T3→ [Op]

Die Zuschauer klatschten.
→ Es wurde von den Zuschauern geklatscht.

---

[1] X ist eine semantische Einheit, die zwar vorhanden sein muß, aber unspezifiziert ist.

Bei diesem Typ ist – im Unterschied zu den Typen 1 und 2 – im Aktivsatz nur *ein* Aktant vorhanden, der das Agens bezeichnet und *bestimmt*-persönlich ist. Bei der Passivtransformation bleibt dieser Sn – im Unterschied zu Typ 1 und 2 – obligatorisch als Op erhalten.

4. als *Typ 4* das eingliedrige Vorgangspassiv bei monovalenten intransitiven Verben mit unbestimmt-persönlichem Agens:

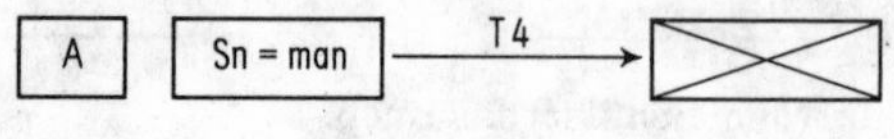

Man tanzt.
→ Es wird getanzt.

Bei diesem Typ ist – wie bei Typ 3, aber im Unterschied zu den Typen 1 und 2 – im Aktivsatz nur *ein* Aktant vorhanden, der das Agens bezeichnet und – im Unterschied zu Typ 3 – *unbestimmt*-persönlich ist (z. B.: *man, die Leute, jedermann*). Bei der Passivtransformation wird dieser Sn obligatorisch eliminiert, im Unterschied zu Typ 1 und 2 (dort wird er fakultativ als Op angeschlossen), im Unterschied auch zu Typ 3 (dort wird er obligatorisch als Op angeschlossen).

Diese Klassifizierung des Vorgangspassivs läßt den Zusammenhang von Semantik und Syntax, von Aktiv und Passiv deutlicher werden als die informationsärmere Einteilung in ein-, zwei- und dreigliedrige Passivkonstruktionen (vgl. 1.8.2.), die nur der abgeleiteten syntaktischen Struktur des Passivs gerecht wird und in der hier vorgenommenen Klassifizierung dialektisch aufgehoben ist. Sie läßt zugleich erkennen, daß eine Gemeinsamkeit der Typen 2 bis 4 (im Unterschied zu Typ 1, der in herkömmlicher Weise als „persönliches Vorgangspassiv" bezeichnet wird) darin besteht, daß sie kein syntaktisches Subjekt enthalten, folglich *subjektlose* Passivsätze darstellen. Obwohl die Passivsätze der Typen 2 bis 4 subjektlos sind, sind sie keineswegs „unpersönlich"; denn das Vorhandensein eines Agens ist bei allen Typen die Voraussetzung für die Bildbarkeit des Passivs. Deshalb haben wir nebeneinander:

Dem Lehrer wird *geholfen.*	(Agens vorausgesetzt)
*Dem Lehrer wird *geähnelt.*	(Agens unmöglich)
Es wird *getanzt.*	(Agens vorausgesetzt)
*Es wird *gewachsen.*	(Agens unmöglich)

Anmerkungen:
(1) Der Typ 1 des Vorgangspassivs unterscheidet sich von den Typen 2 bis 4 dadurch, daß das Verb im Singular oder im Plural stehen kann, abhängig vom Oa im Aktivsatz, das durch T 1 zum Sn wird:

Das Buch *wird* dem Schüler geschenkt.
Die Bücher *werden* dem Schüler geschenkt.

Bei den subjektlosen Typen 2 bis 4 steht das Verb immer im Singular.

(2) Bei den durch Passivtransformationen entstehenden Sätzen tritt oft ein zusätzliches formales *es* am Satzanfang auf, wenn die Position vor dem fini-

ten Verb nicht durch ein anderes Glied besetzt ist (vgl. 6.2.). *es* ist dabei Platzhalter, nicht Subjekt:

Viele Kuchen werden gebacken. (Typ 1)
→ *Es* werden viele Kuchen gebacken.

Dem Schüler wird geholfen. (Typ 2)
→ *Es* wird dem Schüler geholfen.

Von den Zuschauern wurde geklatscht. (Typ 3)
→ *Es* wurde von den Zuschauern geklatscht.

Am Abend wurde getanzt. (Typ 4)
→ *Es* wurde am Abend getanzt.

(3) Wenn das Agens beim Vorgangspassiv (Typ 1 und 2) als fakultativ angesprochen wird, so bedeutet dies keine völlige Bedeutungsgleichheit der Formen mit und ohne Agens. Da das Agens in den Aktivsätzen obligatorisch ist, sind diese Aktivsätze voll bedeutungsgleich nur mit einem Vorgangspassiv *mit* Agens:

Der Lehrer unterstützt den Schüler.
→ Der Schüler wird von dem Lehrer unterstützt.

Das Vorgangspassiv *ohne* Agens dagegen ist mehrdeutig:

Der Schüler wird unterstützt.
(a) ← *Der Lehrer* unterstützt den Schüler.
(b) ← *Man* unterstützt den Schüler.

Bei (a) liegt ein bestimmt-persönliches, bei (b) ein unbestimmt-persönliches Agens vor. Die Entscheidung über die richtige Interpretation liefert in der Regel der Kontext. Die beiden Möglichkeiten (a) und (b) gibt es bei allen Typen des Vorgangspassivs:

Es wurde geraucht.
← *Die Gäste* rauchten. (a)
← *Man* rauchte. (b)

Allerdings hat diese Mehrdeutigkeit Grenzen (dies ist der Grund für die Trennung der Typen 3 und 4). Auf der einen Seite kann ein *singuläres* Agens im Passiv nicht weggelassen werden (Typ 3):

Er tanzt.
↛ Es wird getanzt.
→ Es wird von ihm getanzt.

Auf der anderen Seite gibt es verschiedene Grade bei einem unbestimmten Agens, die bis zur (relativen) Verallgemeinerung, zum *verallgemeinerten* Agens reichen, bei dem das Agens weggelassen werden muß (Typ 4). Dazwischen liegen jedoch Fälle, bei denen eine Grenze zwischen den Interpretationsmöglichkeiten kaum empfunden wird, weil auf Grund der Situation (b) gar nicht anders als (a) verstanden werden kann:

Das Obst wird morgen verkauft.
(a) ← *Die Verkäufer* verkaufen das Obst morgen.
(b) ← *Man* verkauft das Obst morgen.

(4) Von allen Typen des Vorgangspassivs kann ein formengleiches Passiv gebildet werden, das als Aufforderung an die 2. Person verstanden wird:

Jetzt lest ihr (endlich) das Buch!
→ Jetzt wird (endlich) das Buch gelesen!

Jetzt helft ihr (aber) dem Vater!
→ Jetzt wird (aber) dem Vater geholfen!
Jetzt schlaft ihr (endlich)!
→ Jetzt wird (endlich) geschlafen!

Diese Formen sind beschränkt auf das Präsens mit Zukunftsbedeutung, haben oft eine Adverbialbestimmung oder Partikel bei sich und sind – im Unterschied zu den Standardtypen 1 bis 4 – kommunikativ-pragmatisch als Aufforderung markiert.

(5) Einige Verben der Wahrnehmung, des Wissens und allgemeiner Relationen (z. B. *sehen, hören, empfinden; glauben, vermissen, verstehen; brauchen, lieben, hassen*) lassen ein Passiv nach Typ 1 zu, obwohl ihr Subjekt kein Agens, sondern ein Demi-Agens (Wahrnehmungsträger, Erkenntnisträger, Verhältnisträger o. ä.) ist [vgl. auch 1.4.1. unter Anm. (5)]. Daraus erklärt sich auch die leichte Abweichung im folgenden Falle (der Bedeutungsunterschied der Verbvarianten reflektiert sich in einer unterschiedlichen Stufe der Grammatikalität des Passivs):

Wir haben die Sonnenfinsternis *gesehen.* (= beobachten; Subjekt ist Agens)
→ Die Sonnenfinsternis ist von uns gesehen worden.
Wir haben den Unfall *gesehen.* (= zufällig wahrnehmen; Subjekt ist Demi-Agens)
→ (*) Der Unfall ist von uns gesehen worden.

1.8.5. Einschränkungen für die Bildung des Vorgangspassivs

1.8.5.1. Einschränkungen bei T 1

Nicht jeder Satz mit der Struktur Nom.-Verb-Akk. läßt die Bildung eines Vorgangspassivs entsprechend T 1 zu. Ein Passiv vom Typ 1 nach T 1 ist grundsätzlich nicht möglich, wenn

a) der Akkusativ (syntaktisch) kein Objekt ist;
b) der Nominativ (semantisch) kein Agens ist.

1. Im einzelnen ist T 1 *nicht möglich,*

(1) wenn der Akkusativ kein Objekt (nicht durch ein Pronomen ersetzbar), sondern eine Adverbialbestimmung (durch ein Adverb ersetzbar) ist. In diesem Falle verläuft die Passivtransformation nach T 3 oder T 4 (der adverbiale Akkusativ wird von ihr nicht berührt). Wir vergleichen:

Er aß *den ganzen Apfel.*
→ *Der ganze Apfel* wurde von ihm gegessen. (T 1)
Er aß *den ganzen Abend.*
→ *Den ganzen Abend* wurde von ihm gegessen. (T 3)
Aber: → **Der ganze Abend* wurde von ihm gegessen.

 (2) wenn Oa in Verbindung mit einem Infinitiv steht:

(a) bei Hilfsverben:

Er *kann* sie besuchen.
→ *Sie wird (von ihm) besuchen gekonnt.

(b) bei Verben mit Infinitiv ohne *zu*:

Er *sieht* sie kommen.
→ *Sie wird (von ihm) kommen gesehen.

(3) bei reflexiven Verben (wenn die Stelle von Oa durch ein Reflexivpronomen besetzt ist):

Er wäscht *sich*.
→ *Er wird von sich gewaschen.

(4) bei Mittelverben (pseudo-transitiven Verben; vgl. dazu 1.3.3.1.2.), und zwar

(a) wenn die Verben eine Haben-Relation bezeichnen:

Er *bekam* den Brief.
→ *Der Brief wurde von ihm bekommen.

Ebenso: besitzen, erhalten[1], haben

(b) wenn der Akkusativ einen Betrag oder Inhalt bei bestimmten Verben bezeichnet:

Das Buch kostet *drei Mark*.
→ *Drei Mark werden von dem Buch gekostet.

Ebenso: enthalten, gelten, umfassen, wiegen

(c) wenn der Akkusativ etwas Vorhandenes nach *es gibt* ausdrückt:

Es gibt viele Bücher.
→ *Viele Bücher werden gegeben.

(5) wenn der Akkusativ den Träger eines physischen oder psychischen Zustands bezeichnet:

Es friert mich.
→ *Ich werde gefroren.

Ebenso: frösteln, jucken, freuen, wundern

2. T 1 ist *nur beschränkt möglich*,

(1) wenn der Akkusativ einen Gedankengehalt bzw. etwas Gewußtes nach Verben wie *kennen* oder *wissen* ausdrückt:

Er kannte das Buch nicht.
→ (*) Das Buch wurde (von ihm) nicht gekannt.

---

[1] In der Fachsprache (einiger Naturwissenschaften) findet sich zuweilen auch *erhalten* im Passiv:

Durch diese Reaktion werden neue Stoffe erhalten.

(2) wenn der Akkusativ einen Körperteil oder ein am Körper getragenes Kleidungsstück (im Sinne einer Teil-von-Relation) ausdrückt:

Die Zuhörer schüttelten *den Kopf.*
→ (*) Der Kopf wurde (von den Zuhörern) geschüttelt.
Er setzte *den Hut* auf.
→ (*) Der Hut wurde (von ihm) aufgesetzt.

(3) wenn der Akkusativ Teil eines (lexikalisierten) Funktionsverbgefüges ist (vgl. 1.4.3.4.12.) und eine enge semantische Einheit mit dem Funktionsverb bildet:

Die Soldaten nahmen *Aufstellung.*
→ (*) Von den Soldaten wurde Aufstellung genommen.

(4) wenn der Akkusativ ein inneres Objekt (als Akkusativ des Inhalts) ausdrückt [vgl. 2.4.3.4.2. unter (4) und Anmerkung]:

Er kämpfte *einen schweren Kampf.*
→ (*)Ein schwerer Kampf wurde von ihm gekämpft.

1.8.5.2. Einschränkungen bei T 2 bis T 4

Auch die Bildung des Vorgangspassivs entsprechend den Transformationen T 2 bis T 4 unterliegt bestimmten Einschränkungen:

1. Die Passivbildung nach T 2 bis T 4 ist nicht möglich bei reflexiven Verben:

Er nützt sich.
→ * Sich wird (von ihm) genützt.
Er achtet auf sich.
→ * Auf sich wird (von ihm) geachtet.

2. Die Passivbildung nach T 2 bis T 4 ist nicht möglich bei Verben, deren Subjekt kein Agens (kein aktiver persönlicher Täter) ist, die keine Aktivität des Subjekts zulassen, sondern Relationen ausdrükken:

Er *ähnelt* seinem Vater.
→ *Seinem Vater wird (von ihm) geähnelt.
Der Lebensstandard *hängt* von der Arbeitsproduktivität *ab.*
→ *Von der Arbeitsproduktivität wird (von dem Lebensstandard) abgehangen.

Dazu rechnen auch Verben, die einen psychischen Zustand bezeichnen [vgl. analog 1.8.5.1.1. (5)]:

Es graut mir.
→ *Mir wird gegraut.

Entsprechend ist die Passivbildung bei folgenden Verben ausgeschlossen:

 (Verben mit Dativ): ähneln, behagen, belieben, entsprechen (= korrespondieren), fehlen, gebühren, gefallen, gehören, gleichen, mißfallen, munden, nahen, schmecken, widerstreben, willfahren, ziemen u. a.

(Verben mit Genitiv): bedürfen, entraten, ermangeln u. a.

(Verben mit Präpositionalgruppe): abhängen von, abstechen gegen/von, aussehen nach, basieren auf, beruhen auf, bestehen in, bestehen aus, dienen zu, differieren in, duften nach, enden auf, erhellen aus, fehlen an, führen zu, gehören zu, gelten für, hängen an, neigen zu, passen zu, resultieren aus, riechen nach, stinken nach, taugen zu, teilhaben an, vertrauen auf, widerhallen von, wissen um/von u. a.

(absolute Verben): anmuten, aussehen, blühen, einschlafen, funktionieren, hinfallen, kränkeln, rauschen, regnen, schlafen, schneien, sinken, sterben, verschwinden, wachsen u. a.

Anschluß des Agens im Vorgangspassiv 1.8.6.

1. Das Agens wird im Vorgangspassiv gewöhnlich mit Hilfe der Präpositionen *von* oder *durch* angeschlossen, ohne daß ein wesentlicher Bedeutungsunterschied erkennbar wäre (vgl. *durch 2.* und *von 4.* unter 7.):

Er wurde *von* den Freunden überzeugt.
Er wurde *durch* die Freunde überzeugt.
Die Straße wurde *von* dem Regen überschwemmt.
Die Straße wurde *durch* den Regen überschwemmt.

Anmerkungen:
(1) Ein Bedeutungsunterschied zwischen *von* und *durch* wird meist nur empfunden, wenn beide im gleichen Satz nebeneinanderstehen und dadurch in Opposition zueinander treten:

Ich wurde *von* meinem Freund *durch* einen Boten verständigt.
Das Schiff wurde *von* einem Flugzeug *durch* Bomben zerstört.

In diesem Falle weist *von* auf das Agens (das Nominativsubjekt des aktivischen Satzes, den Urheber oder die Ursache), *durch* auf das Mittel oder den Vermittler.

(2) In der unter (1) genannten zweiten Bedeutung ist die Präposition *durch* (= *durch 3.* unter 7.3.3.) nicht mit *von*, sondern mit *mit* (= *mit 1.* unter 7.3.3.) austauschbar. In diesem Falle ist die mit *durch* eingeleitete Präpositionalgruppe – ebenso wie die durch *mit* eingeleitete Präpositionalgruppe – im aktivischen Satz nicht mehr subjektfähig:

← Mein Freund verständigte mich *durch* einen Boten (= *mit* einem Boten).
← Ein Flugzeug zerstörte das Schiff *durch* Bomben (= *mit* Bomben).

(3) Auf Grund der in (1) und (2) genannten zwei Bedeutungen von *durch* lassen manche Sätze eine doppelte Interpretation zu. Das mit *durch* angeschlossene Substantiv kann das Agens (*durch* ist ersetzbar durch *von*) und kann das Mittel bzw. den Vermittler (*durch* ist ersetzbar durch *mit* bzw. *mittels*) bezeichnen:

Der Brief wurde *durch* den Boten geschickt.
(Der Bote kann entweder Sender oder Überbringer sein).

Die Insel wurde *durch* Amerikaner besiedelt.
(Die Amerikaner können Initiator oder Realisator der Besiedlung sein).

(4) Falls zwischen den beiden unter (3) genannten Interpretationen (als Ursache und als Mittel) nicht deutlich unterschieden werden kann, können mitunter auch alle drei Präpositionen auftauchen:

Dresden wurde *von/durch/mit* Bomben zerstört.

Aber auch in diesem Falle ist die durch *mit* eingeleitete Präpositionalgruppe nur scheinbar subjektfähig; in Wahrheit verlagert sich dabei die Bedeutung. Durch Opposition wird auch hier die Wahl der Präposition eindeutiger:

Dresden wurde *von* den Flugzeugen (= *durch* die Flugzeuge) *durch* Bomben (= *mit* Bomben) zerstört.

2. Abgesehen von den unter 1. genannten qualitativen Regularitäten erscheint *von* vornehmlich bei Personen, auch bei Abstrakta und seltener bei Sachen, umgekehrt *durch* vor allem bei Sachen, auch bei Abstrakta und seltener bei Personen.

3. In manchen Fällen sind sogar Präpositionalgruppen mit anderen Präpositionen (*in, bei, seitens / von seiten, unter, aus, auf, zwischen*) sowie Bildungen mit *-seits* subjektfähig. Die entsprechende Retransformation in das Aktiv zeigt jedoch, daß in den meisten Fällen nicht die gleiche Bedeutung erhalten bleibt, daß nur *scheinbar* von einem Agens gesprochen werden kann und mindestens andere Bedeutungen (z. B. Ort, Grund) eingeschlossen sind:

Diese Auffassung wurde *in* der Dichtung und *von* den Philosophen vertreten.
→ Die Dichtung und die Philosophen vertraten diese Auffassung.

Bei Hegel werden diese Probleme entwickelt.
→ Hegel entwickelt diese Probleme.

Seitens (von seiten) des Betriebes wurde eine Stellungnahme abgegeben.
→ Der Betrieb gab eine Stellungnahme ab.

Unter seinem Einfluß ist sie erzogen worden.
→ Sein Einfluß hat sie erzogen.

Aus diesen Erfahrungen ist ihre Neuorientierung veranlaßt worden.
→ Diese Erfahrungen haben ihre Neuorientierung veranlaßt.

Auf dem Meßinstrument wurden falsche Werte angezeigt.
→ Das Meßinstrument zeigte falsche Werte an.

Zwischen den Teilnehmern wurden viele Worte gewechselt.
→ Die Teilnehmer wechselten viele Worte.

Sowjetischer*seits* ist eine Erklärung abgegeben worden.
→ Die sowjetische Seite hat eine Erklärung abgegeben.

Syntaktische Ableitung und Abgrenzung des Zustandspassivs von anderen Formen 1.8.7.

Syntaktische Ableitung 1.8.7.1.

Das Zustandspassiv wird nicht direkt vom Aktiv, sondern über das Vorgangspassiv abgeleitet:

Der Arzt impft den Patienten. (= Aktiv)
→ Der Patient *wird* (vom Arzt) geimpft. (= Vorgangspassiv)
→ Der Patient *ist* (vom Arzt) geimpft. (= Zustandspassiv)

Deshalb ist ein Zustandspassiv nur dann möglich, wenn es auch ein entsprechendes Vorgangspassiv gibt. Tauchen Formen auf, die mit dem Zustandspassiv identisch sind, aber kein entsprechendes Vorgangspassiv haben, liegt in der Regel kein Zustandspassiv, sondern ein Zustandsreflexiv (vgl. 1.8.7.5.) oder eine allgemeine Zustandsform (vgl. 1.8.7.6.) vor.

Zustandspassiv und Vorgangspassiv 1.8.7.2.

Das Zustandspassiv darf nicht verwechselt werden mit dem Vorgangspassiv. Beide Formen werden (vor allem in dialektaler und umgangssprachlicher Verwendung) manchmal auf Grund einer formalen Ähnlichkeit nicht deutlich genug unterschieden. Diese Ähnlichkeit ergibt sich aus der Tatsache, daß das Präsens des Zustandspassivs aus dem Perfekt des Vorgangspassivs, das Präteritum des Zustandspassivs aus dem Plusquamperfekt des Vorgangspassivs durch die Reduzierung um *worden* formal entsteht (vgl. 1.8.1.2.2.):

Die Tür ist geöffnet *worden*. (= Perfekt Vorgangspassiv)
→ Die Tür ist geöffnet. (= Präsens Zustandspassiv)

Schon die Verschiedenheit des Tempus weist jedoch auf den entscheidenden semantischen Unterschied hin: Das Zustandspassiv drückt einen – statischen – Zustand aus, der das Resultat eines vorhergehenden – dynamischen – Vorgangs ist. Zuerst *wird* das Fenster geöffnet (Vorgang – Vorgangspassiv), im darauf folgenden Resultat *ist* es geöffnet (Zustand – Zustandspassiv). Das (logische) Objekt des aktivischen Satzes (Er öffnet *das Fenster*.) wird nicht – wie im Vorgangspassiv – zum Träger eines Vorgangs, sondern zum Träger eines zumindest eine Zeitlang gleichbleibenden Zustandes. Das Partizip II tritt damit – im Unterschied zum Vorgangspassiv – aus dem prozeßhaften Bereich des Verbalen heraus und nähert sich den adjektivischen Prädikativa (als Zustandsbezeichnungen):

Das Fenster ist *geöffnet*.
Das Fenster ist *offen*.

Anmerkung:
Auf Grund dieses Charakters ist das Zustandspassiv generell – ähnlich wie

eine Zustandsangabe in Form eines adjektivischen Prädikativums, aber im Gegensatz zum Vorgangspassiv bei perfektiven Verben – mit einer Temporalangabe der Zeitdauer verträglich:

Das Fenster ist *seit gestern* geöffnet.
Das Fenster ist *seit gestern* offen.
*Das Fenster wird *seit gestern* geöffnet.

1.8.7.3. Zustandspassiv und adjektivisches Prädikativ

Im Unterschied zum Zustandspassiv ist beim adjektivischen Prädikativ (vgl. 13.3.1.4.1.) kein verbaler Ursprung mehr erkennbar. Deshalb kann das adjektivische Prädikativ weder auf eine Präsensform (wie das Perfekt Aktiv; vgl. 1.8.7.4.) noch auf ein Vorgangspassiv (wie das Zustandspassiv) noch auf eine reflexive Form (wie das Zustandsreflexiv; vgl. 1.8.7.5.) zurückgeführt werden. Wir vergleichen:

Der Mann *ist begabt.*	← *Der Mann begabt.
(= adjektivisches Prädikativ)	← *Der Mann ist begabt worden.
	← *Der Mann begabt sich.
Der Brief *ist geschrieben.*	← *Der Brief schreibt.
(= Zustandspassiv)	← Der Brief ist geschrieben worden.
	← *Der Brief schreibt sich.

Anmerkung:
Bei einigen Wörtern treten Homonymien zwischen dem Zustandspassiv (1) und dem adjektivischen Prädikativum (2) auf:

Der junge Mann ist geschickt.
= (1) Der junge Mann ist (von seinem Chef zu uns) geschickt (= gesandt).
= (2) Der junge Mann ist handfertig (begabt).

1.8.7.4. Zustandspassiv und Perfekt Aktiv

Auch mit dem Perfekt Aktiv wird das Zustandspassiv oft verwechselt, da es formale – und oft auch semantische – Übereinstimmungen gibt:

Die Frucht *ist gereift* (= reif).	(= Perfekt Aktiv)
Das Fenster *ist geöffnet* (= offen).	(= Zustandspassiv)

Der Unterschied zwischen beiden Formen wird dadurch deutlich, daß das Perfekt Aktiv (im Gegensatz zum Zustandspassiv) auf das Präsens zurückgeführt werden kann, daß dagegen das Zustandspassiv (im Gegensatz zum Perfekt Aktiv) auf ein entsprechendes Vorgangspassiv zurückgeführt werden kann. Wir vergleichen:

Die Frucht *ist gereift.*	← Die Frucht reift.
(= Perfekt Aktiv)	← *Die Frucht ist gereift worden.
	← *Die Frucht reift sich.
Der Brief *ist geschrieben.*	← *Der Brief schreibt.
(= Zustandspassiv)	← Der Brief ist geschrieben worden.
	← *Der Brief schreibt sich.

Gemeinsam ist beiden Formen, daß sie auf einen verbalen Ursprung – wenn auch verschiedener Art, wie die oben genannten Transformationen zeigen – zurückgeführt werden können (im Unterschied zum adjektivischen Prädikativ; vgl. 1.8.7.3.) und daß ihnen keine reflexive Konstruktion zugrunde liegt (im Unterschied zum Zustandsreflexiv; vgl. 1.8.7.5.).

Anmerkung:
Bei einigen Verben können in konkreten Sätzen Homonymien zwischen dem Zustandspassiv (1) und dem Perfekt Aktiv (2) auftreten:

Das Kind ist verzogen.
= (1) Das Kind ist falsch erzogen.
= (2) Das Kind ist (an einen anderen Ort) weggezogen.

Auf Grund dieser Homonymie kann die oberflächlich gleiche Äußerung sowohl auf das Präsens als auch auf das Vorgangspassiv zurückgeführt werden:

Das Kind ist verzogen. ← Das Kind verzieht. (2)
← Das Kind ist verzogen worden. (1)
← *Das Kind verzieht sich.

Dabei wird deutlich, daß es sich um zwei Varianten eines Verbs handelt, die sich in der Valenz [die dem Satz (1) entsprechende Variante ist obligatorisch zweiwertig, die dem Satz (2) entsprechende Variante hat einen obligatorischen und zusätzlich einen fakultativen Aktanten], in der Bedeutung [(1) = falsch erziehen, (2) = wegziehen] und in der Perfektbildung (er *hat* ihn verzogen, er *ist* verzogen) unterscheiden.

Zustandspassiv und Zustandsreflexiv 1.8.7.5.

Das Zustandspassiv stimmt formal völlig mit dem Zustandsreflexiv (vgl. 1.10.7.) überein. Das Zustandsreflexiv geht jedoch nicht – wie das Zustandspassiv – auf ein entsprechendes Vorgangspassiv, sondern auf eine entsprechende reflexive Konstruktion zurück. Wir vergleichen:

Das Mädchen *ist verliebt.* ← *Das Mädchen verliebt.
(= Zustandsreflexiv) ← *Das Mädchen ist verliebt worden.
← Das Mädchen verliebt sich.

Der Brief *ist geschrieben.* ← *Der Brief schreibt.
(= Zustandspassiv) ← Der Brief ist geschrieben worden.
← *Der Brief schreibt sich.

Weiterhin sind die Subjekt-Objekt-Verhältnisse von Zustandspassiv und Zustandsreflexiv zum zugrunde liegenden aktiven (bzw. reflexivischen) Satz anders, ja gerade umgekehrt:

Der Lehrer schreibt *den Brief.*
→ *Der Brief* wird von dem Lehrer geschrieben.
→ *Der Brief* ist von dem Lehrer geschrieben. (= Zustandspassiv)

Der Lehrer erholt sich.
→ *Der Lehrer* ist erholt. (= Zustandsreflexiv)

Das syntaktische Subjekt des Zustandspassivs entspricht – ebenso wie das syntaktische Subjekt des Vorgangspassivs – dem syntaktischen *Objekt* des zugrunde liegenden aktivischen Satzes, während das syntaktische Subjekt des Zustandsreflexivs dem syntaktischen *Subjekt* des zugrunde liegenden reflexiven Satzes entspricht.
Gemeinsam ist dem Zustandspassiv und dem Zustandsreflexiv, daß sie auf einen verbalen Ursprung – wenn auch verschiedener Art (wie die oben genannten Transformationen zeigen) – zurückgeführt werden können (im Unterschied zum adjektivischen Prädikativ; vgl. 1.8.7.3.) und daß sie nicht auf das Präsens ohne Veränderung des Genus zurückgeführt werden können (im Unterschied zum Perfekt Aktiv; vgl. 1.8.7.4.). Beide sind *Stativ*-Formen, drücken einen Folgezustand als Resultat eines vorausgegangenen Geschehens (Prozesses) aus. Eben deshalb sind auch die Voraussetzungen für ihre Bildbarkeit gleich (vgl. 1.8.8. und 1.10.7.): Es muß sich um transformative (bzw. resultative) Verben handeln, d. h. um solche Verben, die den Übergang in einen – wenigstens eine Zeitlang gleichbleibenden – Zustand ausdrücken. Gemeinsam ist dem Zustandspassiv und dem Zustandsreflexivum auch (im Unterschied zu der allgemeinen Zustandsform; vgl. 1.8.7.6.), daß sie auf einen aktiven bzw. reflexiven Satz zurückgehen, der ihnen gegenüber temporal *vorzeitig* ist: Darin reflektiert sich der Umstand, daß der Zustand ein *Folge*zustand ist, d. h. in beiden Fällen Resultat eines voraufgegangenen Prozesses ist.

Anmerkungen:
(1) Während bei den formal-reflexiven Verben (vgl. 1.10.4.) die Form *sein* + Partizip II immer eindeutig als Zustandsreflexiv zu interpretieren ist (vgl. die Beispiele *sich verlieben, sich erholen* oben), treten bei semantisch-reflexiven Verben reguläre Homonymien zwischen Zustandspassiv (a) und Zustandsreflexiv (b) auf; entsprechend ist eine Ableitung sowohl vom Vorgangspassiv als auch von der reflexiven Konstruktion möglich:

Der Student ist informiert.	↚ Der Student informiert.
	← Der Student ist informiert worden. (a)
	← Der Student informiert sich. (b)
Das Kind ist gewaschen.	↚ Das Kind wäscht.
	← Das Kind ist gewaschen worden. (a)
	← Das Kind wäscht sich. (b)

Ebenso: rasiert, verletzt u. a.

(2) Die unter (1) beschriebene Homonymie wird bei manchen Verben durch die Umgebung eingeschränkt. So ist zwar die unter (1) genannte Äußerung *Das Kind ist gewaschen* homonym, nicht aber die entsprechende Äußerung *Der Mantel ist gewaschen;* denn:

Der Mantel ist gewaschen.
← (a) Der Mantel ist gewaschen worden.
← (b) *Der Mantel wäscht sich.

Dieses verschiedene Verhalten hängt damit zusammen, daß *Kind* das semantische Merkmal [+ belebt] hat (folglich nicht nur Objekt, sondern auch – logisches – Subjekt des Waschens sein kann), *Mantel* aber das Merkmal [– belebt, + Kleidungsstück].

Das Zustandspassiv muß auch abgegrenzt werden von einer allgemeinen Zustandsform, mit der es in der Oberfläche völlig übereinstimmt (*sein* + Partizip II). Diese allgemeine Zustandsform tritt wiederum in mehreren Subklassen auf (die wir jeweils an einem Beispiel verdeutlichen):

1. Die Flasche *enthält* Milch.
   → *Milch *wird* von der Flasche enthalten.
   → Milch *ist* in der Flasche enthalten.

Das Verb bildet eine *sein*-Form, aber keine *werden*-Form. Die *sein*-Form kann auch deshalb kein Zustandspassiv sein, da Sn im Aktiv kein Agens ausdrückt, das Aktiv keinen Prozeß bezeichnet und folglich ein Vorgangspassiv nicht bildbar ist.

2. 2 Millionen Menschen bewohnen die Stadt.
   → Die Stadt *wird / ist* von 2 Millionen Menschen bewohnt.
   → Die Stadt ist von 2 Millionen Menschen bewohnt *worden / gewesen*.

Bei dieser Subklasse ist sowohl die *werden*- als auch die *sein*-Form möglich. Beide sind sie in der Bedeutung miteinander und auch mit dem Aktiv identisch: Die Bedeutung ist in allen drei Fällen als [+ statisch] zu kennzeichnen, die für das Vorgangs- und Zustandspassiv charakteristische Bedeutungsopposition (vgl. 1.8.3.2.) ist nicht vorhanden. Die *sein*-Form darf auch deshalb nicht als Zustandspassiv verstanden werden, da Sn im Aktiv kein Agens ausdrückt. Ein Perfekt ist sowohl von der *werden*- als auch von der *sein*-Form möglich, ohne daß ein merklicher Bedeutungsunterschied erkennbar ist (ähnlich wie im Präsens).

3. Viele Berge umgeben die Stadt.
   → Die Stadt *wird / ist* von vielen Bergen umgeben.
   → *Die Stadt ist von vielen Bergen umgeben *worden / gewesen*.

Auch bei dieser Subklasse ist sowohl die *werden*- als auch die *sein*-Form im Präsens möglich. Beide sind sie – wie bei Subklasse 2. – in der Bedeutung miteinander und auch mit dem Aktiv identisch: Die Bedeutung ist in allen drei Fällen als [+ statisch] zu kennzeichnen, die für das Vorgangs- und Zustandspassiv charakteristische Bedeutungsopposition (vgl. 1.8.3.2.) ist nicht vorhanden. Die *sein*-Form darf auch hier nicht als Zustandspassiv verstanden werden, weil Sn im Aktiv kein Agens, sondern etwas Naturgegebenes bezeichnet, das weder menschlicher Täter ist noch von einem menschlichen Täter hervorgebracht worden ist. Eben deshalb sind in der Regel auch die *werden*-Form und die *sein*-Form im Perfekt nicht möglich. Im Präsens drücken beide nicht den *Folge*zustand (wie bei Zustandspassiv und Zustandsreflexiv), sondern nur den Zustand aus, der nicht als Resultat eines vorangegangenen und von einem Agens bewirkten Geschehens erscheint.

4. Kerzen beleuchten das Zimmer.
→ Das Zimmer *wird / ist* von Kerzen beleuchtet.
→ Das Zimmer ist von Kerzen beleuchtet *worden / gewesen*.

Auch bei dieser Subklasse ist sowohl die *werden-* als auch die *sein-*Form im Präsens möglich. Beide sind sie – wie bei den Subklassen 2. und 3., aber im Unterschied zu diesen nur partiell – in der Bedeutung miteinander und mit dem Aktiv identisch (Bedeutung in allen Fällen [+ statisch]). Die *sein-*Form darf auch hier nicht als Zustandspassiv interpretiert werden, weil Sn im Aktiv kein Agens, sondern einen Instrumental ausdrückt. Das Perfekt ist sowohl bei der *werden-* als auch bei der *sein-*Form möglich (im Unterschied zur Subklasse 3.); aber sie sind (im Unterschied zur Subklasse 2.) – wie im Präsens – nicht völlig bedeutungsgleich: Während das Präsens und Perfekt der *sein-*Form nur als [+ statisch] verstanden werden kann, ist das Präsens und Perfekt der *werden-*Form doppeldeutig ([+ statisch] oder [– statisch]).

Insgesamt unterscheidet sich die allgemeine Zustandsform in folgender Weise vom Zustandspassiv und vom Zustandsreflexiv:

(1) Es liegt – falls überhaupt eine *werden-*Form möglich ist – entweder vollständige oder partielle Bedeutungsgleichheit zwischen *werden-*Form, *sein-*Form und Aktiv vor: Die Bedeutung ist in allen drei Fällen als [+ statisch] zu charakterisieren.

(2) Auch wenn die allgemeine Zustandsform – wie Zustandspassiv und Zustandsreflexiv – einen Zustand bezeichnet, also als *Stativ* angesehen werden muß, so handelt es sich – im Gegensatz zu Zustandspassiv und Zustandsreflexiv – nicht um einen *Folge*zustand, der das Resultat eines vorangegangenen Prozesses ist.

(3) Deshalb ist der Aktivsatz gegenüber der allgemeinen Zustandsform nicht vorzeitig, sondern *gleichzeitig*. Gegenüber dem Zustandspassiv und dem Zustandsreflexiv ist der entsprechende aktive bzw. reflexive Satz dagegen *vorzeitig* (vgl. 1.8.7.5.).

(4) Während es sich bei Zustandspassiv und Zustandsreflexiv immer um *transformative* (bzw. resultative) Verben handelt, werden umgekehrt allgemeine Zustandsformen nur von *kursiven* (bzw. durativen) Verben gebildet, d. h. von solchen Verben, die nicht den Übergang von einem Zustand in einen anderen bezeichnen.

(5) Während das Zustandspassiv (wie das entsprechende Vorgangspassiv und Aktiv) immer ein Agens voraussetzt, schließt die allgemeine Zustandsform (mit *sein* und *werden*) – ebenso wie die ihr entsprechende Aktivform – ein Agens aus; insofern erfüllt sie nicht die Voraussetzungen des Passivs.

(6) Aus diesen Gründen sollte das Zustandspassiv nicht einfach mit der *sein-*Form und mit dem Stativ, das Vorgangspassiv nicht einfach mit der *werden-*Form gleichgesetzt werden: Die *werden-*Form drückt nicht nur das Vorgangspassiv, sondern auch die allgemeine Zu-

standsform aus; die *sein*-Form drückt nicht nur das Zustandspassiv, sondern auch das Zustandsreflexiv und die allgemeine Zustandsform sowie das Perfekt Aktiv (also durchaus nicht nur das Passiv) aus. Als Passiv sind nur zu verstehen das Vorgangs- und das Zustandspassiv, als Stativ sind zu verstehen u. a. das Zustandspassiv, das Zustandsreflexiv und die allgemeine Zustandsform.

Einschränkungen für die Bildung des Zustandspassivs 1.8.8.

Nicht jeder Satz mit der Struktur Sn V Oa läßt die Bildung eines Zustandspassivs zu.

1. Das Zustandspassiv kann nicht von allen Verben gebildet werden, die ein Vorgangspassiv bilden können. Aber umgekehrt setzt die Bildung des Zustandspassivs die Möglichkeit eines entsprechenden Vorgangspassivs voraus.

Anmerkungen:
(1) Zu den Einschränkungen für die Bildung des Vorgangspassivs vgl. 1.8.5.

(2) Damit ist die Möglichkeit des Zustandspassivs bereits ausgeschlossen für die Verben, deren Subjekt kein Agens ist, und für die reflexiven Verben (vgl. 1.8.5.1. und 1.8.5.2.).

(3) Wenn bei reflexiven Verben eine mit dem Zustandspassiv identische Form erscheint, so handelt es sich um das Zustandsreflexiv (vgl. 1.8.7.5.).

2. Im einzelnen ist die Bildung des Zustandspassivs *nicht* möglich

(1) von intransitiven Verben

(2) von reflexiven Verben

(3) von transitiven kursiven (durativen) Verben, z. B.

> aufwenden, ausüben, betrachten, bewundern, bieten, brauchen, erinnern, hören, schulden, sehen, verstehen

(4) von transitiven perfektiven Verben, die einen so schwachen Grad der Affizierung des Objekts ausdrücken, daß kein neuer Zustand (keine Qualitätsveränderung) erreicht wird, z. B.

> befragen, beglückwünschen, bieten, feststellen, loben, necken, senden, streicheln, zeigen.

Anmerkung:
Ein Zustandspassiv ist jedoch möglich, wenn einige intransitive Verben mit dem Dativ in einem subjektlosen Satz gebraucht werden:

> *Dem Freund* ist damit geholfen.
> Mit der pünktlichen Planerfüllung ist *unserem Staat* genützt.

Ebenso: schaden, vergeben, verzeihen

3. Das Zustandspassiv kann folglich nur gebildet werden von solchen transitiven Verben, die *perfektiv* und *transformativ* sind, die einen

solchen starken Grad der Affizierung des Akkusativobjekts ausdrükken, daß ein zeitweilig bleibendes Resultat, eine Qualitätsveränderung (die vom Wesen des Zustandspassivs vorausgesetzt wird; vgl. dazu 1.8.3.2.) überhaupt ermöglicht wird. Ein solches bleibendes Resultat wird – auf Grund der Bedeutung des Verbs – nicht ermöglicht bei Verben wie den unter 2. (4) genannten (deshalb können sie auch kein Zustandspassiv bilden), wohl aber bei Verben wie

> abschneiden, bauen, brechen, belichten, durchstreichen, einladen, einreiben, ernten, kämmen, öffnen, pflastern, schließen, schreiben, verbinden, verdrängen, verletzen, vollenden, zerstören u. a.

Diese Verben können deshalb nicht nur ein Vorgangspassiv, sondern auch ein Zustandspassiv bilden.

Anmerkungen:
(1) Weil das Zustandspassiv ein zeitweilig bleibendes Resultat voraussetzt, kann *sein* oft durch *bleiben* ersetzt werden (falls es sich um einen Prozeß handelt, der rückgängig zu machen ist):

> Das Fenster *ist* geöffnet.
> Das Fenster *bleibt* geöffnet.

Umgekehrt ist bei Verben, die von ihrer Bedeutung her mit *bleiben* unverträglich sind, auch das Zustandspassiv nicht möglich:

> *Die Frau ist bewundert.
> *Die Frau bleibt bewundert.

(2) Manchmal unterscheiden sich verschiedene Varianten eines Verbs durch die Möglichkeit bzw. Unmöglichkeit des Zustandspassivs, obwohl in beiden Fällen ein entsprechendes Vorgangspassiv gebildet werden kann:

> (a) Das Kind wird an der Hand gefaßt.
> → *Das Kind ist an der Hand gefaßt.
> (b) Der Dieb wird gefaßt.
> → Der Dieb ist gefaßt.

Ein bleibendes Resultat wird nur bei (b) erreicht; bei (a) ist der Grad der Affiziertheit des Objekts zu schwach, als daß ein neuer Zustand als Resultat entstehen könnte.

1.8.9. Anschluß des Agens im Zustandspassiv

Das Zustandspassiv läßt – weil es nicht nur nicht-agensorientiert, sondern als Ausdruck eines Resultats auch nicht-prozessual ist und sich vom Prozeß des verbalen Geschehens abgelöst hat (vgl. dazu 1.8.3.) – meist die Anfügung des Agens in einer Präpositionalgruppe nicht zu:

> *Das Fenster ist von ihnen geöffnet.
> *Das Insekt ist von ihm gefangen.

Dennoch gibt es vereinzelte Fälle, in denen die Hinzufügung eines Agens auch zum Zustandspassiv möglich ist:

Die Thesen sind vom Lehrstuhlleiter gebilligt.

Bei diesen Unterschieden handelt es sich wieder um die Beziehung zwischen Verb und Objekt (um den Grad der Affiziertheit), bei der drei Stufen unterschieden werden können:

1. Die Affiziertheit des Objekts durch das Verb ist zu schwach, um überhaupt ein zeitweilig bleibendes Resultat, einen neuen Zustand zu erzeugen (vgl. die in 1.8.8.2. unter (3) und (4) genannten Verben). In diesem Falle ist das Zustandspassiv überhaupt nicht möglich:

*Sie ist gestreichelt.
*Sie ist bewundert.

2. Die Affiziertheit des Objekts durch das Verb ist stärker, so daß ein zeitweilig bleibendes Resultat hervorgerufen werden kann. Die Affiziertheit ist wiederum noch nicht stark genug, so daß das Agens als Ursache dieses neuen Zustands noch empfunden wird und der Zustand oft auch so erscheint, als ob er rückgängig gemacht werden könnte. In diesem Falle ist sowohl das Zustandspassiv als auch die Hinzufügung des Agens möglich:

Seine Ernennung ist vom Minister bestätigt.
Die Thesen sind von ihm abgelehnt.

Anmerkung:
Ähnlich verhält sich die allgemeine Zustandsform, bei der ein vorhergehender Prozeß nicht empfunden wird, der Zustand als nicht rückgängig machbar erscheint und die Hinzufügung einer Präpositionalgruppe zumeist möglich ist (das Subjekt drückt jedoch kein Agens aus):

Die Straße ist / wird von Lampen beleuchtet.
Die Stadt ist / wird von 5 Millionen Einwohnern bewohnt.

3. Die Affiziertheit des Objekts durch das Verb ist zu stark, die entstandene neue Qualität ist fest geworden (und meist nicht mehr rückgängig zu machen); der Zustand braucht nicht mehr aus dem Vorgang (d. h. von der Ursache her) erläutert zu werden. In diesem Falle ist zwar das Zustandspassiv möglich, nicht aber die Hinzufügung des Agens:

*Der Brief ist von ihm vernichtet.

Passiv-Paraphrasen 1.8.10.

Passiv-Paraphrasen sind Konkurrenzformen des Passivs, sind aktivische Formen mit passivischer Bedeutung, d. h. solche aktivische Formen, bei denen das Subjekt nicht das Agens ausdrückt und denen eine reguläre Passivform entspricht. Bei den zahlreichen Konkurrenzformen des Passivs können zwei Gruppen unterschieden werden: solche *ohne* modale Nebenbedeutung und solche *mit* modaler Nebenbedeutung.

1.8.10.1. Konkurrenzformen des Passivs ohne Modalfaktor

1. Konstruktion mit *bekommen / erhalten / kriegen* + Partizip II (Sn = Ad, deshalb auch „Adressatenpassiv", „Rezipientenpassiv" oder „indirektes Passiv" genannt):

Er *bekommt* das Buch geschenkt. (= Ihm wurde das Buch geschenkt.)
Er *kriegt* den Aufsatz geschickt. (ugs.) (= Ihm wird der Aufsatz geschickt.)

Anmerkung:
Diese Konstruktion ist auf die Partizipien bestimmter Verben (z. B. *schenken, überreichen, zuschicken, übersenden*) beschränkt:

*Er bekommt das Buch vom Direktor *gegeben / übergeben.*

Das Agens kann mit *von* oder *durch* angefügt werden.
Gelegentlich kommt diese Konstruktion in der Umgangssprache auch mit anderen Verben vor, die Dativ und Akkusativ regieren (*etwas gesagt, gezeigt, bezahlt bekommen*).

2. Konstruktion mit *bekommen / erfahren / erhalten / finden / gehen / gelangen / kommen* u. a. + Nomen actionis (meist auf *-ung*) (Sn = P; Agens kann zumeist angeschlossen werden, aber in der Regel nur mit *durch*):

Der Wunsch *ging* in Erfüllung.	(= Der Wunsch wurde erfüllt.)
Das Buch *findet* Anerkennung.	(= Das Buch wird anerkannt.)
Er hat Unterstützung *bekommen.*	(= Er ist unterstützt worden.)

Bei diesen Konstruktionen handelt es sich um Funktionsverbgefüge (vgl. genauer 1.4.3.), in denen die Funktionsverben kaum eine lexikalische Bedeutung haben, nur zusammen mit dem nominalen Bestandteil (Akkusativ oder Präpositionalgruppe) ihre volle Bedeutung bekommen und gegenüber dem Aktiv oder Vorgangspassiv die Aktionsart ändern oder mindestens akzentuieren, z. B.

(1) die Dauer [dur] signalisieren:

(in Behandlung) sein
(unter Beschuß) stehen
(in Verwahrung) bleiben
sich (unter Kontrolle) befinden
(einer Kontrolle) unterliegen

(2) das Eintreten eines neuen Zustands [incho] signalisieren:

(Anerkennung) finden
(Schelte) erhalten
(Achtung) gewinnen
(zur Anwendung) kommen
(in Vergessenheit) geraten

3. Reflexive Formen, bei denen sich das obligatorische Reflexivpronomen auf ein syntaktisches Subjekt bezieht, das nicht Agens, sondern Patiens des Verbalgeschehens ist und dem syntaktischen Ob-

jekt des aktivischen Satzes entspricht (Agens kann in beschränkter Weise angeschlossen werden, aber nur mit *durch*):

Der Schlüssel wird *sich* finden. (= Der Schlüssel wird gefunden werden.)

Anmerkungen:
(1) Keineswegs alle reflexiven Formen können als Passiv-Paraphrasen angesehen werden, sondern nur diejenigen, bei denen das syntaktische Objekt des aktivischen Satzes zum syntaktischen Subjekt des passivischen Satzes und der reflexiven Konstruktion wird (und folglich dieses Subjekt kein Agens ausdrückt):

Man findet *den Schlüssel.*
→ *Der Schlüssel* wird gefunden.
→ *Der Schlüssel* findet sich.

Vgl. dazu auch 1.8.10.2. (6. und 7.) und 1.10. (dort auch Einordnung in die Gesamtheit der Reflexivkonstruktionen).

(2) Selbst bei den reflexiven Passiv-Paraphrasen ist ein gewisser semantischer Unterschied zwischen Passivform und reflexiver Form spürbar:

(a) Der Schlüssel *wird gefunden.*
(b) Der Schlüssel *findet sich.*

Bei (a) wird das Geschehen so verstanden, daß es von einem Agens verursacht erscheint, bei (b) eher als unwillkürlicher Vorgang, der gleichsam „von selbst" und ohne dahinterstehendes Agens (z. B. ohne daß der Schlüssel gesucht wird) erfolgt.

4. Aktivformen mit reduzierter Valenz (Sn = P oder R; das Agens kann – obwohl semantisch vorausgesetzt – in der Oberfläche nicht angefügt und ausgedrückt werden):

Die Geschäfte schließen um 18 Uhr.
← Die Geschäfte werden (von X) um 18 Uhr geschlossen.
← X schließt die Geschäfte um 18 Uhr.
Die Suppe kochte.
← Die Suppe wurde (von der Mutter) gekocht.
← Die Mutter kochte die Suppe.

Anmerkungen:
(1) Mit diesen Formen hängt die scheinbare Synonymie verschiedener „Perfekt"formen (mit *haben* und *sein*) zusammen:

(1) Die Geschäfte *sind* geschlossen.
(2) Die Geschäfte *haben* geschlossen.

In Wahrheit ist (1) Zustandspassiv (← Die Geschäfte sind geschlossen worden), (2) Perfekt Aktiv (← Die Geschäfte schließen). Der nahezu völlige Zusammenfall der Formen ist nur möglich, weil bereits im Präsens ohne Bedeutungsunterschied nebeneinander stehen:

(1a) Die Geschäfte werden geschlossen.
(2a) Die Geschäfte schließen.

(2) Die unbestimmt-persönliche Konstruktion mit *man* wird nicht zu den

Passiv-Paraphrasen gerechnet, obwohl sie mit den Passivformen weitgehend synonym ist und durch diese auch vielfach ersetzt wird:

> *Man* öffnete die Tür.
> ← Die Tür wurde geöffnet.
>
> *Man* schaltete die Beleuchtung aus.
> ← Die Beleuchtung wurde ausgeschaltet.

Gegen eine Zuordnung zu den Passiv-Paraphrasen spricht die Tatsache, daß sich Subjekt und Agens decken: Die *man*-Konstruktionen sind deshalb keineswegs nicht-agensorientiert, sondern nur auf ein *unbestimmtes, unspezifiziertes* bzw. *verallgemeinertes*, aber immer *persönliches* Agens bezogen.

1.8.10.2. Konkurrenzformen des Passivs mit Modalfaktor

Wenn Passiv-Paraphrasen einen Modalfaktor haben, so kann es sich im Deutschen um eine nezessitative Komponente (= *müssen, sollen*) oder um eine potentiale Komponente (= *können*) handeln.

1. Konstruktion mit *sein* + *zu* + Infinitiv (Sn = P, Agens kann mit *von* oder *durch* angeschlossen werden):

> Das Zimmer *ist abzuschließen.* (= Das Zimmer *kann / muß* abgeschlossen werden.)
> Anträge *sind* im Rathaus *abzuholen.* (= Anträge *können / müssen* im Rathaus abgeholt werden.)

Anmerkungen:
(1) Diese Konstruktionen sind vielfach homonym [(a) = *können*, (b) = *müssen*].

(2) Mit dieser Konstruktion hängt die Gerundiv-Konstruktion zusammen, bei der die infinite Verbform (als Partizip) in attributiver Stellung und deshalb flektiert erscheint:

> Der Brief ist abzuholen.
> → der *abzuholende* Brief (Gerundiv)
> (= Der Brief *kann / muß* abgeholt werden.)

Auch diese Gerundiv-Konstruktion ist eine Konkurrenzform zum Passiv und kann in der gleichen Weise homonym sein wie die Form, in der *sein* + *zu* + Infinitiv im Prädikat steht.

2. Konstruktion mit *sein* + Adjektiv (auf *-bar, -lich, -fähig*) (Sn = P, Agens kann nicht angeschlossen werden):

> Der Wunsch *ist erfüllbar.* (= Der Wunsch *kann* erfüllt werden.)
> Seine Schrift *ist leserlich.* (= Seine Schrift *kann* gelesen werden.)
> Der Aufsatz *ist erweiterungsfähig.* (= Der Aufsatz *kann* erweitert werden.)

Diese Konstruktionen können nominalisiert werden; bei der dann entstehenden Passiv-Paraphrase tritt das Patiens (in der vollen Prädikation oben als Sn) in das Genitivattribut:

→ die Erfüllbarkeit des Wunsches
→ die Erweiterungsfähigkeit des Aufsatzes

3. Konstruktion mit *es gibt* + *zu* + Infinitiv (kein Sn, Agens kann angeschlossen werden, manchmal mit *von*, *durch* und *für*):

Es gibt hier viel zu lesen. (= Es *kann* / *muß* hier viel gelesen werden.)
Es gibt eine Menge Arbeit zu erledigen. (= Es *muß* / *kann* eine Menge Arbeit erledigt werden.)

Anmerkung:
Auch diese Konstruktion ist manchmal homonym [(a) = können, (b) = müssen]. Diese Homonymie wird jedoch durch den Kontext und durch die jeweilige Situation zumeist aufgehoben.

4. Konstruktion mit *bleiben* + *zu* + Infinitiv (Sn = P, Agens kann angeschlossen werden):

Das Resultat bleibt abzuwarten. (= Das Resultat *muß* abgewartet werden).

5. Konstruktion (nur ugs.) mit *gehen* + *zu* + Infinitiv (Sn = P, das Agens kann – obwohl vorausgesetzt und immer unbestimmt, verallgemeinert und persönlich zu verstehen (= *man*) – in der Oberfläche nicht erscheinen):

Das Radio geht zu reparieren. (= Das Radio *kann* repariert werden. *Man* kann das Radio reparieren.)

6. Reflexive Form, bestehend aus Sn + *lassen* + *sich* + Infinitiv + Modalbestimmung (Sn = P, Agens nicht hinzufügbar, aber in der Regel unbestimmt-persönlich):

Das Buch läßt sich gut verkaufen. (= Das Buch *kann* gut verkauft werden.)

Anmerkungen:
(1) Diese Konstruktionen lassen Reduzierungen um *lassen* und die Modalbestimmung zu, ohne daß sich die Bedeutung wesentlich ändert:

→ Das Buch verkauft sich gut.
→ Das Buch läßt sich verkaufen.
→ Das Buch verkauft sich.

(2) Mit diesen Konstruktionen sind nicht zu verwechseln oberflächlich ähnliche Konstruktionen, in denen das Verb *lassen* eine andere Bedeutung und auch das Subjekt semantisch einen anderen Charakter (immer belebt, meist menschlich) hat:

Der Gast läßt sich (vom Friseur) rasieren.
← Der Gast *veranlaßt*, daß er (vom Friseur) rasiert wird. (kausativ)
Der Hund läßt sich (vom Arzt) nicht behandeln.
← Der Hund *läßt* nicht *zu*, daß er (vom Arzt) behandelt wird.

7. Reflexive Form, bestehend aus *es* + *läßt* + *sich* + Infinitiv + Lo-

kal-/Temporalbestimmung + Modalbestimmung (Agens nicht hinzufügbar, aber immer unbestimmt, verallgemeinert und persönlich (= *man*):

Hier läßt es sich gut arbeiten. (= Hier *kann* gut gearbeitet werden. Hier arbeitet *man* gut.)

Anmerkung:
Diese Konstruktionen lassen (ähnlich wie die unter 6.) Reduzierungen um *läßt* und die Modalbestimmung zu, ohne daß sich die Bedeutung wesentlich ändert:

→ Hier arbeitet es sich gut.
→ Hier läßt es sich arbeiten.

1.9. Modi

1.9.1. Formenbestand

Im Deutschen werden drei Modi unterschieden:

Indikativ – Konjunktiv – Imperativ

Der Indikativ und der Konjunktiv verfügen über ein entwickeltes Formensystem, das nach Person, Numerus, Tempus und Genus verbi unterscheidet. Im Gegensatz dazu hat der Imperativ nur wenige Formen, die jedoch durch verschiedene Konkurrenzformen ergänzt werden (vgl. 16.3.Anm.2.). Die Regeln zur Bildung des Indikativs und seine zahlreichen Formbesonderheiten sind unter 1.1.1./2. dargestellt. Im folgenden werden deshalb nur die Regeln und Besonderheiten der Bildung des Konjunktivs und des Imperativs beschrieben.

1.9.1.1. Konjunktiv

1. Konjunktiv Präsens

Die Konjugation im Konjunktiv Präs. ist dadurch gekennzeichnet, daß in allen Endungen ein *e* erscheint. Dadurch ergeben sich Unterschiede zum Indikativ Präs. in der 3. Person Sing., die ganz verschiedene Endungen besitzt (Indikativ *-t*, Konjunktiv *-e*), und in der 2. Person Sing./Pl., wo der Indikativ eine Form ohne *e* hat:

Indikativ	*Konjunktiv*
ich gehe	ich gehe
du gehst	du **gehest**
er geht	er **gehe**
wir gehen	wir gehen
ihr geht	ihr **gehet**
sie gehen	sie gehen

Anmerkungen:
(1) Weitere Unterschiede zum Indikativ ergeben sich bei den unregelmäßigen Verben, die im Indikativ in der 2. und 3. Person Sing. Umlaut oder *e/i*-Wechsel haben. Im Konjunktiv Präs. gibt es weder Umlaut noch *e/i*-Wechsel.

Indikativ	*Konjunktiv*
du trägst	du **tragest**
er trägt	er **trage**
du nimmst	du **nehmest**
er nimmt	er **nehme**

(2) Gemeinsame Formen zwischen Indikativ und Konjunktiv über die oben genannten hinaus gibt es bei den Verben, die auf Grund ihres Stammauslauts auch im Indikativ in der 2. Person Sing./Pl. eine Form mit *e* haben. Das ist der Fall bei den Verben mit stammauslautendem *d* oder *t* und bei einigen Verben mit schwer aussprechbaren Konsonantenverbindungen im Stammauslaut (letzter Konsonant ist *m* oder *n*):

Indikativ/Konjunktiv

du redest, ihr redet
du arbeitest, ihr arbeitet
du atmest, ihr atmet
du rechnest, ihr rechnet

2. Konjunktiv Präteritum

Der Konjunktiv Prät. der regelmäßigen Verben stimmt mit dem Indikativ Prät. überein. Vgl. dazu 1.1.1./2.
Der Konjunktiv Prät. der unregelmäßigen Verben enthält im Gegensatz zum Indikativ Prät. in allen Endungen ein *e* (wie der Konjunktiv Präs.):

Indikativ	*Konjunktiv*
ich schrieb	ich **schriebe**
du schriebst	du **schriebest**
er schrieb	er **schriebe**
wir schrieben	wir schrieben
ihr schriebt	ihr **schriebet**
sie schrieben	sie schrieben

Die unregelmäßigen Verben mit umlautfähigem Stammvokal im Indikativ Prät. haben außerdem im Konjunktiv Prät. noch den Umlaut:

Indikativ	*Konjunktiv*
ich nahm	ich **nähme**
ich bot	ich **böte**
ich trug	ich **trüge**

Bei einigen Verben wird nicht der Vokal des Indikativ Prät., sondern ein anderer (historisch begründeter) Vokal umgelautet:

Indikativ	*Konjunktiv*
ich half	ich **hülfe**
ich begann	ich **begönne** (neben: **begänne**)

Vgl. dazu die alphabetische Liste der unregelmäßigen Verben unter 1.2.2.4.

3. Konjunktiv der zusammengesetzten Tempora

Der Konjunktiv Perf. wird mit dem Konjunktiv Präs. von *haben/ sein* + Partizip II des Verbs gebildet, der Konjunktiv Plusq. entsprechend mit dem Konjunktiv Prät. Bei den Verben mit *haben* fallen dabei einige Formen im Konjunktiv Perf. mit den entsprechenden indikativischen Formen zusammen (1. Person Sing., 1./3. Person Pl.):

	Indikativ	*Konjunktiv*
Perfekt mit *haben*		
	ich habe gearbeitet	ich habe gearbeitet
	du hast gearbeitet	du **habest** gearbeitet
	er hat gearbeitet	er **habe** gearbeitet
	wir haben gearbeitet	wir haben gearbeitet
	ihr habt gearbeitet	ihr **habet** gearbeitet
	sie haben gearbeitet	sie haben gearbeitet
Perfekt mit *sein*		
	ich bin gegangen	ich **sei** gegangen
	du bist gegangen	du **seiest** gegangen
	er ist gegangen	er **sei** gegangen
	wir sind gegangen	wir **seien** gegangen
	ihr seid gegangen	ihr **seiet** gegangen
	sie sind gegangen	sie **seien** gegangen
Plusquamperfekt mit *haben*		
	ich hatte gearbeitet	ich **hätte** gearbeitet
	du hattest gearbeitet	du **hättest** gearbeitet
	er hatte gearbeitet	er **hätte** gearbeitet
	wir hatten gearbeitet	wir **hätten** gearbeitet
	ihr hattet gearbeitet	ihr **hättet** gearbeitet
	sie hatten gearbeitet	sie **hätten** gearbeitet
Plusquamperfekt mit *sein*		
	ich war gegangen	ich **wäre** gegangen
	du warst gegangen	du **wärest** gegangen
	er war gegangen	er **wäre** gegangen
	wir waren gegangen	wir **wären** gegangen
	ihr wart gegangen	ihr **wäret** gegangen
	sie waren gegangen	sie **wären** gegangen

Der Konjunktiv Fut. I wird mit dem Konjunktiv Präs. von *werden* + Infinitiv I des Verbs gebildet, der Konjunktiv Fut. II entsprechend mit dem Infinitiv II. Auf Grund des weitgehenden Formenzusammenfalls zwischen dem Indikativ und Konjunktiv Präs. von *werden* sind Unterschiede zwischen dem Indikativ Fut. und Konjunktiv Fut. nur in der 2. und 3. Person Sing. vorhanden:

Indikativ	*Konjunktiv*
ich werde gehen	ich werde gehen
du wirst gehen	du **werdest** gehen
er wird gehen	er **werde** gehen
wir werden gehen	wir werden gehen
ihr werdet gehen	ihr werdet gehen
sie werden gehen	sie werden gehen

Anmerkung:
Da im Konjunktiv das Plusquamperfekt zum Ausdruck der absoluten Zeit der Vergangenheit verwendet wird (vgl. 1.9.2.), steht diese Form nicht wie im Indikativ zur Wiedergabe der relativen Zeit der Vorzeitigkeit zur Verfügung. Auf diese Weise fehlt im Konjunktiv ein besonderes formales Kennzeichen für die Vorzeitigkeit, die deshalb nur aus dem Inhalt der Aussage selbst erschlossen werden kann. Man vergleiche den Tempusgebrauch im potentiellen Konditionalsatz mit dem des irrealen Konditionalsatzes:

> Wenn es in der Nacht geregnet hatte, goß sie am Morgen die Blumen nicht. (Indikativ: verschiedene Tempusformen für verschiedene Zeiten)
> Wenn es in der Nacht geregnet hätte, hätte sie am Morgen die Blumen nicht gegossen. (Konjunktiv: gleiche Tempusformen für verschiedene Zeiten)

Ebenso bei direkter und indirekter Rede:

> Er erzählte: „Ich fuhr nach Hause, nachdem ich die Prüfungen abgelegt hatte."
> Er erzählte, er sei / wäre nach Hause gefahren, nachdem er die Prüfungen abgelegt habe / hätte.

4. Die *würde*-Form

Neben den regulären Konjunktivformen kann im Deutschen noch eine besondere Konjunktivform aus dem Konjunktiv Prät. von *werden* und dem Infinitiv (I und II) des Verbs gebildet werden. Diese sogenannte *würde*-Form kann als Ersatz für nahezu alle anderen Konjunktivformen stehen.

(1) Besonders oft werden Konjunktiv Präs., Prät. und Fut. durch *würde* + Infinitiv I ersetzt, vor allem, wenn sie mit den indikativischen Formen zusammenfallen und die durch die Konjunktivformen ausgedrückten Funktionen auch nicht durch andere Sprachmittel gekennzeichnet sind.
So wird die *würde*-Form bevorzugt, wenn die indirekte Rede in Form eines uneingeleiteten Nebensatzes nicht von der direkten Rede zu unterscheiden ist:

> Sie hat mir erzählt: „Seine Eltern leben auf dem Land."
> → Sie hat mir erzählt, seine Eltern leben auf dem Land.
> → Sie hat mir erzählt, seine Eltern würden auf dem Land leben.

Die *würde*-Form erscheint auch, wenn der Konditionalsatz als potentieller Konditionalsatz (mit Vergangenheitsbedeutung) oder als irrealer Konditionalsatz (mit Gegenwartsbedeutung) interpretierbar ist:

Wenn er regelmäßig trainierte, erreichte er mehr.
→ Wenn er regelmäßig trainieren würde, erreichte er mehr.

Die *würde*-Form ersetzt weiterhin die veralteten präteritalen Konjunktivformen verschiedener unregelmäßiger Verben (solche Formen sind in der Liste der unregelmäßigen Verben unter 1.2.2.4. mit einem Kreuz versehen):

Wenn ich Zeit hätte, hülfe ich dir.
→ Wenn ich Zeit hätte, würde ich dir helfen.

Über diese besonderen Fälle hinaus ist in der gesprochenen Sprache die Bevorzugung der *würde*-Form als eine generelle Tendenz zu sehen. Von den regulären Konjunktivformen der schriftlichen Standardsprache (vgl. dazu die Regeln in den folgenden Abschnitten 1.9.2.1.1.–5.) kommt in der gesprochenen Sprache nur noch der Konjunktiv Präteritum einiger häufig gebrauchter Verben (wie der Modalverben) vor, sonst ist die *würde*-Form vorherrschend.

(2) Seltener ist der Ersatz des Konjunktivs Perfekt und Plusquamperfekt durch *würde* + Infinitiv II, da diese Formen in der Regel eindeutig sind und die *würde*-Form umständlicher wäre:

An deiner Stelle hätte ich ihn gefragt.
→ An deiner Stelle würde ich ihn gefragt haben.

Ganz unüblich ist der Ersatz durch die *würde*-Form vor allem in der indirekten Rede:

Er erzählte, er habe sie auf der Straße getroffen.
→ (*)Er erzählte, er würde sie auf der Straße getroffen haben.

Anmerkung:
Nicht immer handelt es sich beim Gebrauch von *würde* um eine Ersatzform. Es kann auch der reguläre Konjunktiv Prät. von *werden* als Vollverb mit prädikativem Substantiv/Adjektiv (1) oder als Hilfsverb zur Bildung des Vorgangspassivs (2) gemeint sein:

(1) Wenn er doch bald gesund würde!
Es sieht aus, als würde es Winter.
(2) Wenn ich gefragt würde, wüßte ich auch keine Antwort.

1.9.1.2. Imperativ

Der Imperativ verfügt auf Grund seiner Funktion (vgl. 16.3.) nur über Formen für die 2. Person Sing. und Pl. im Präsens Aktiv. Die Singularform des Imperativs ist gewöhnlich durch die Endung *-e*, die an den Infinitivstamm angefügt wird, gekennzeichnet. Die Pluralform hat die Endung *-t* und entspricht damit der 2. Person Pl. Präs. Indikativ. Zusätzlich dienen zur Kennzeichnung des Imperativs die Spitzenstellung der Imperativform im Satz, eine verstärkte Druckbetonung und das Fehlen des Personalpronomens.[1]

> Frage ihn selbst! Bitte ihn herein! Erhole dich gut!
> Schreibt es auf! Setzt euch! Rechnet es schriftlich!

Beide Imperativformen finden nur für die vertrauliche Form der 2. Person (*du; ihr*) Verwendung. Für die höfliche Form *(Sie)* steht eine weitere Imperativform zur Verfügung, die formal mit der 3. Person Pl. Präs. Konjunktiv identisch ist. Diese Höflichkeitsform gilt für Singular und Plural. Sie ist wie die vertraulichen Imperativformen zusätzlich durch Spitzenstellung und verstärkte Druckbetonung gekennzeichnet. Im Unterschied zu diesen ist bei der Höflichkeitsform jedoch das Personalpronomen (*Sie*) obligatorisch. Es ist der Imperativform stets nachgestellt.

> Fragen Sie ihn selbst! Erholen Sie sich gut! Schreiben Sie es auf!

Anmerkungen:

(1) Gegenüber dem Umlaut und dem *e/i*-Wechsel des Stammvokals bei einigen unregelmäßigen Verben im Indikativ Präs. Sing. verhält sich die Singularform des Imperativs unterschiedlich. Während ein Umlaut im Imperativ nicht erfolgt (a), wird der *e/i*-Wechsel wie im Indikativ vollzogen (Ausnahme: *werde*) (b). Bei den Verben mit *e/i*-Wechsel ist außerdem zu beachten, daß das die Singularform des Imperativs kennzeichnende *e* obligatorisch ausfällt (fakultativ bei *sehen: sieh(e)*).

	Indikativ	*Imperativ*
(a)	du bläst	blase
	du fährst	fahre
	du stößt	stoße
	du läufst	laufe
(b)	du empfiehlst	empfiehl
	du ißt	iß
	du nimmst	nimm

(2) Die kennzeichnende Endung der Singularform *e* fällt oft weg, ohne daß ein Apostroph gesetzt wird:

> Frag ihn selbst! Erhol dich gut!

(3) Obligatorisch steht das *e* der Singularform bei Verben, deren Stamm auf *-ig* oder auf eine schwer aussprechbare Konsonantenverbindung ausgeht:

> Entschuldige bitte! Erledige das selbst!
> Antworte mir sofort! Lande dort!
> Atme tief durch! Widme dich deiner Arbeit!
> Öffne die Tür! Rechne das schriftlich!

---

[1] In der geschriebenen Sprache dient zur Kennzeichnung außerdem das Ausrufezeichen.

In der Regel steht *e* auch bei stammauslautendem *d* und *t*:

Rede ihm das aus!
Biete ihm eine Zigarette an!

(4) Obligatorisch ist das Endungs-*e* weiterhin bei den Verben auf *-eln* und *-ern*. Bei den Verben auf *-eln* fällt dabei gewöhnlich das *e* des Suffixes aus; bei den Verben auf *-ern* ist der Ausfall des Suffix-*e* umgangssprachlich.

Schüttle das Glas! Bummle nicht! Lächle doch!
Kich(e)re nicht! Zwink(e)re mal! Klapp(e)re stärker!

(5) Besondere Imperativformen bildet das Verb *sein*:
Singular: *sei* Plural: *seid* Höflichkeitsform: *seien Sie*

1.9.2. Gebrauch der Modi

Der Indikativ ist die allgemeine Form sprachlicher Äußerungen (mit Ausnahme von Aufforderungen). Er dient sowohl zur Führung eines Gesprächs als auch zur Erzählung und zur sachlichen Darstellung. In ihm werden Fragen und Antworten formuliert, in bejahender und verneinender Art, in direkter und in indirekter Form. Mit dem Indikativ können auch – bei Verwendung entsprechender lexikalischer Mittel – unterschiedliche Stellungnahmen zur Geltung einer Äußerung (Wirklichkeit, Annahme, Zweifel usw.) ausgedrückt werden.
Gegenüber dem Indikativ spielen der Konjunktiv und der Imperativ eine beschränkte Rolle. Dabei dient der Imperativ zum Ausdruck der verschiedenen Formen der Aufforderung. Der Konjunktiv ist an bestimmte Satzformen gebunden.
Auf Grund seiner allgemeinen Verwendung wird im folgenden auf eine Darstellung des Indikativs verzichtet. Die Bemerkungen zum Imperativ können ebenfalls kurz gefaßt werden, da Grundlegendes dazu im Kapitel „Satzarten" (16.3.) ausgeführt ist. Die folgende Beschreibung des Gebrauchs der Modi konzentriert sich auf die verschiedenen Verwendungsweisen des Konjunktivs im Deutschen. Die Darstellung folgt dabei den einzelnen Satzformen, in denen der Konjunktiv vorzugsweise auftritt.

1.9.2.1. Konjunktiv

1.9.2.1.1. Indirekte Rede

Zur Wiedergabe fremder (oder früherer eigener) Rede stehen dem Sprecher im Deutschen zwei Grundformen zur Verfügung (zu Sonderformen vgl. unten unter 5.): Wenn die Rede in genau der Form wiedergegeben werden soll, in der sie ursprünglich formuliert worden ist, wird die *direkte Rede* (mit Redeeinleitung) verwendet. Wenn die Rede formal deutlich als fremde (oder frühere eigene) Rede gekennzeichnet – und nicht unbedingt wörtlich – wiedergegeben werden soll, wird die *indirekte Rede* verwendet.

Zur formalen Kennzeichnung der indirekten Rede dienen:

1. der Konjunktiv
2. redeeinleitende Verben
3. die Nebensatzform

Keines dieser Mittel ist obligatorisch, doch ist gewöhnlich zumindest eines vorhanden, um die indirekte Rede als solche zu kennzeichnen. Beim Gebrauch von Personal- und Possessivpronomina sowie bestimmter Adverbien kommt es in der indirekten Rede außerdem zu einer Pronominal- und Adverbialverschiebung.

1. Der Konjunktiv

Für die Verwendung des Konjunktivs in indirekter Rede ist von grundlegender Bedeutung die Unterscheidung nach den Zeitstufen. Bei der indirekten Rede sind drei Zeitstufen zu unterscheiden, die sich als relative oder als absolute Zeiten beschreiben lassen. Um *relative* Zeiten handelt es sich, wenn man von Gleich-, Vor- oder Nachzeitigkeit der in der Rede gegebenen Aktzeit im Verhältnis zu der in der Redeeinleitung gegebenen Sprechzeit spricht. Um *absolute* Zeitstufen geht es, wenn man – wie beim Indikativ der direkten Rede – allein von der in der indirekten Rede ausgedrückten Zeit, wie sie für den (ersten) Sprecher gegeben ist, ausgeht. Aus praktischen Gründen wählen wir die zweite Einteilung und sprechen im folgenden nur von Gegenwart (= Gleichzeitigkeit), Vergangenheit (= Vorzeitigkeit) und Zukunft (= Nachzeitigkeit). Diese verschiedenen Zeitstufen werden im Konjunktiv durch andere Tempusformen als im Indikativ ausgedrückt. Im Indikativ wird die Gegenwart gewöhnlich durch Präsens wiedergegeben, zum Ausdruck der Vergangenheit stehen Präteritum und Perfekt zur Verfügung, und für die Wiedergabe der Zukunft dienen Futur I oder Präsens. Bei Verwendung des Konjunktivs ergibt sich folgende Tempusverteilung:

(1) Zur Wiedergabe der *Gegenwart* dienen Konjunktiv Präsens und Präteritum sowie *würde* + Infinitiv I:

> Sie hat mir gesagt: „Ich lese gerade einen Roman von Tolstoi."
> Sie hat mir gesagt, sie lese gerade einen Roman von Tolstoi.
> , sie läse gerade einen Roman von Tolstoi.
> , sie würde gerade einen Roman von Tolstoi lesen.

(2) Zum Ausdruck der *Vergangenheit* werden Konjunktiv Perfekt und Plusquamperfekt verwendet:

> Sie hat mir gesagt: „Ich habe den Roman schon früher gelesen."
> Sie hat mir gesagt, sie habe den Roman schon früher gelesen.
> , sie hätte den Roman schon früher gelesen.

(3) Zur Wiedergabe der *Zukunft* dienen Konjunktiv Futur I und *würde* + Infinitiv I. Daneben können auch die zum Ausdruck der Gegenwart dienenden konjunktivischen Tempusformen des Präsens und Präteritums verwendet werden:

Sie hat mir gesagt: „Ich werde den Roman in nächster Zeit lesen."
Sie hat mir gesagt, sie werde den Roman in nächster Zeit lesen.
, sie würde den Roman in nächster Zeit lesen.
, sie lese den Roman in nächster Zeit.
, sie läse den Roman in nächster Zeit.

	direkte Rede/Indikativ	indirekte Rede/Konjunktiv
Gegenwart	Präsens	Präsens, Präteritum, *würde* + Inf. I
Vergangenheit	Präteritum, Perfekt	Perfekt, Plusquamperfekt
Zukunft	Futur I, Präsens	Futur I, *würde* + Inf. I, Präsens, Präteritum

Anmerkungen:

(1) Die indirekte Rede ist nur eine von mehreren Ausdrucksmöglichkeiten der Redewiedergabe. Grundsätzlich ist die Redewiedergabe auch in direkter Rede mit Indikativ möglich. Beim Gebrauch der indirekten Rede gibt es eine gewisse Freiheit in der Moduswahl. Der Konjunktiv ist nur ein Mittel unter anderen zur Kennzeichnung der indirekten Rede und aus diesem Grunde hier nicht obligatorisch. So kommt neben dem Konjunktiv auch der Indikativ vor. Dies ist vor allem dann der Fall, wenn die indirekte Rede schon eindeutig durch die Nebensatzform gekennzeichnet ist:

Sie hat mir gesagt, *daß* sie den Roman schon gelesen hat (habe/hätte).

Wenn das redeeinleitende Verb in der 1. Pers. Sing. Präs. steht, ist nur Indikativ üblich (außer bei Verben des Aufforderns):

Ich glaube, sie hat (**habe / hätte*) das Buch schon gelesen.

Daneben werden auch nicht-eindeutige Formen verwendet, die durch den Zusammenfall verschiedener Indikativ- und Konjunktivformen bedingt sind (vgl. 1.9.1.1.):

Sie haben mir erklärt, daß sie gut zusammen*arbeiten*.

(2) Ebensowenig wie die Wahl zwischen Indikativ und Konjunktiv genau festgelegt ist, gibt es feste Regeln für den Gebrauch der verschiedenen Konjunktivformen innerhalb einer bestimmten Zeitstufe. Weder werden nicht-eindeutige Formen in jedem Fall durch eindeutige Formen ersetzt, noch ergibt sich aus dem Tempus oder der Person des redeeinleitenden Verbs (auch nicht aus der Wahl des redeeinleitenden Verbs selbst) die Bevorzugung einer Form. Es ist auch nicht nachweisbar, daß mit bestimmten Formen eine besondere Sprecherintention (etwa eine größere Distanz zum Redeinhalt) ausgedrückt wird. Für den Gebrauch der Konjunktivformen können nur folgende allgemeine Hinweise gegeben werden:

(a) In der literarischen Sprache (belletristische und wissenschaftliche Prosa, Sprache der Presse usw.) werden innerhalb der einzelnen Zeitstufen jeweils Präsens, Perfekt und Futur I bevorzugt, in umgangssprachlich beeinflußter Sprache kommen umgekehrt häufiger Präteritum bzw. Plusquamperfekt und *würde* + Infinitiv I vor (im Norden des deutschen Sprachgebiets auch dialektal bedingt).

(b) In der literarischen Sprache werden Präteritum, Plusquamperfekt und *würde* + Infinitiv I oftmals dann benutzt, wenn die Formen des Präsens, Perfekt oder Futur I mit indikativischen Formen zusammenfallen (vgl. 1.9.1.1.).

2. Redeeinleitende Verben

Die indirekte Rede ist gewöhnlich abhängig von einem übergeordneten Verb (bzw. einer verbalen Verbindung) des Sagens. Entsprechend der Sprecherintention kann es ein Verb des Sagens im engeren Sinne oder ein Verb des Fragens bzw. des Aufforderns sein:

> Er hat gesagt / erklärt / erzählt / behauptet / betont / berichtet / . . ., daß . . .
> Er hat gefragt/wissen wollen/ die Frage gestellt / um Auskunft gebeten / . . ., ob . . .
> Er hat angeordnet / befohlen / verlangt / gewünscht / gedroht / . . ., daß

Die Redeeinleitungen sind nicht auf die Verben des Sagens beschränkt. Um indirekte Rede handelt es sich auch nach Verben des Denkens und Fühlens und anderen Ausdrücken für redebegleitendes Tun. Entscheidend ist nicht, ob im aktualen Satz ein Verb des Sagens vorkommt, sondern ob ein solches zu ergänzen ist:

> Er hat geglaubt / gewußt / gehofft / sich vorgestellt / geahnt / . . . (*und gesagt*), daß . . .

Von der unmittelbar von einem Verb abhängigen Rede ist die sogenannte *berichtete Rede* zu unterscheiden, bei der mehrere indirekte Äußerungen aufeinanderfolgen und das redeeinleitende Verb nicht wiederholt wird. Auf Grund des fehlenden Hauptsatzes stehen diese Nebensätze nicht in Form von eingeleiteten Nebensätzen (ausgenommen die indirekten Fragesätze, die immer eingeleitete Nebensätze sind), sondern als uneingeleitete Nebensätze mit Zweitstellung des finiten Verbs. In diesem Falle ist der Konjunktiv obligatorisch, da sonst die Sätze nicht als abhängig, sondern als selbständige Hauptsätze und die Rede nicht als indirekt und vermittelt, sondern als direkte Äußerung des Sprechers verstanden würde. Man vergleiche den folgenden Ausschnitt aus der Erzählung „Das Obdach" von Anna Seghers:

> Die Villard erzählte . . ., daß gestern die Gestapo einen Mieter verhaftet habe, der sich im Hotel als Elsässer eingetragen, jedoch, wie sich inzwischen herausgestellt hatte, aus einem deutschen Konzentrationslager vor einigen Jahren entflohen war. Der Mieter, erzählte die Villard . . ., sei in die Santé gebracht worden, von dort aus würde er bald nach Deutschland abtransportiert werden und wahrscheinlich an die Wand gestellt. Doch was ihr weit näher gehe als der Mieter . . ., das sei der Sohn des Mieters. Der Deutsche habe nämlich ein Kind, einen Knaben von zwölf Jahren, der habe mit ihm das Zimmer geteilt, sei hier in die Schule gegangen, rede französisch wie sie selbst, die Mutter sei tot, die Verhältnisse seien undurchsichtig wie meistens bei den Fremden . . .

3. Nebensatzform der indirekten Rede

Wie bereits aus dem vorigen Abschnitt hervorgeht, steht die indirekte Rede in Form von eingeleiteten Nebensätzen (mit Endstellung des finiten Verbs) oder von uneingeleiteten Nebensätzen (mit Zweitstellung des finiten Verbs). Eine Differenzierung dieser Formen ergibt sich aus den Satzarten, die in der indirekten Rede auftreten.

(1) Der indirekte *Aussagesatz* ist sowohl als eingeleiteter wie als uneingeleiteter Nebensatz möglich. Einleitungswort ist die Konjunktion *daß*:

Er sagte mir, daß er sie besucht habe.
er habe sie besucht.

(2) Der indirekte *Fragesatz* ist nur als eingeleiteter Nebensatz möglich. Einleitungswörter sind Interrogativpronomina und -adverbien (bei der indirekten Ergänzungsfrage) oder die Konjunktion *ob* (bei der indirekten Entscheidungsfrage):[1]

Ich fragte ihn, wen er besucht habe.
wann er sie besucht habe.
ob er sie besucht habe.

(3) Der indirekte *Aufforderungssatz* ist wie der Aussagesatz in eingeleiteter und uneingeleiteter Form möglich. Einleitungswort ist ebenfalls die Konjunktion *daß*. Zur Unterscheidung vom indirekten Aussagesatz ist zusätzlich das Modalverb *sollen* oder *mögen* nötig:

Ich bat ihn, daß er sie besuchen möge / solle.
er möge / solle sie besuchen.

4. Pronominal- und Adverbialverschiebung

(1) Gegenüber der direkten Rede wird in der indirekten Rede oftmals eine Personenverschiebung notwendig. Personalpronomina (und Possessivpronomina) verändern ihre Personalform so, daß Identität mit dem korrelierenden Pronomen der Redeeinleitung hergestellt wird:

Er hat über	dich zu	mir gesagt:
↓	↓	↓
„Ich werde	ihn zu	dir schicken."
↓	↓	↓
, er würde	dich zu	mir schicken.

[1] Streng genommen sind die Interrogativpronomina und -adverbien keine *Einleitungs*wörter des indirekten Fragesatzes, da sie bereits im direkten Fragesatz enthalten sind (im Unterschied zur Konjunktion *ob*, die erst bei der Transformation des direkten Fragesatzes in den indirekten Fragesatz erscheint). Ihre Gleichsetzung mit der Konjunktion *ob* ergibt sich für uns aus der Tatsache, daß auch sie die Endstellung des finiten Verbs im indirekten Fragesatz bewirken.

Du hast über mich zu ihm gesagt:
↓ ↓ ↓
„Ich werde ihn zu dir schicken."
↓ ↓ ↓
, du würdest mich zu ihm schicken. usw.

Anmerkung:
Die allgemeine Regel über die Pronominalverschiebung läßt sich wie folgt spezifizieren:

(a) Das Personalpronomen, das das Subjekt der Rede bezeichnet, richtet sich nach der besprochenen Person der Redeeinleitung:

Er sagte (zu mir über *sich*): „*Ich* komme."
, *er* käme.
Er sagte (zu dir über *mich*): „*Er* kommt."
, *ich* käme.

Die gleiche Regel gilt für das Possessivpronomen:

Er sagte (zu mir über *seinen* Sohn): „*Mein* Sohn kommt."
, *sein* Sohn käme.
Er sagte (zu mir über *deinen* Sohn): „*Sein* Sohn kommt."
, *dein* Sohn käme.

(b) Wenn das Personalpronomen, das nicht das Subjekt (sondern Objekt o. ä.) der Rede bezeichnet, mit der angesprochenen Person der Redeeinleitung identisch ist, so steht es in derselben Person wie diese:

Er sagte (zu *mir* über sich): „Ich komme zu *dir*."
, er käme zu *mir*.
Er sagte (zu *ihm* über dich): „Er kommt zu *dir*."
, du kämest zu *ihm*.

(c) Wenn das Personalpronomen, das nicht das Subjekt (sondern Objekt o. ä.) der Rede bezeichnet, mit der sprechenden Person der Redeeinleitung identisch ist, so steht es in derselben Person wie diese:

Ich sagte (zu dir über ihn): „Er kommt zu *mir*."
, er käme zu *mir*.
Du sagtest (zu mir über ihn): „Er kommt zu *mir*."
, er käme zu *dir*.

(d) Wenn das Personalpronomen, das nicht das Subjekt (sondern Objekt o. ä.) der Rede bezeichnet, mit der zweiten besprochenen Person identisch ist, so steht es in derselben Person wie diese:

Er sagte (zu dir über sich *mich* betreffend):
„Ich komme zu *ihm*."
, er käme zu *mir*.
Er sagte (zu mir über sich *dich* betreffend):
„Ich komme zu *ihm*."
, er käme zu *dir*.

(2) Neben der Pronominalverschiebung gibt es in der indirekten Rede bei Adverbien, die sich auf den Sprechakt beziehen, auch eine Adverbialverschiebung. Man vgl.:

Mein Rostocker Freund hat mir am Sonntag am Telefon gesagt:
„*Gestern* ist *hier* eine große Kunstausstellung eröffnet worden."
..., *am Vortag* sei *dort* eine große Kunstausstellung eröffnet worden.

5. Konkurrenzformen der indirekten Rede

Neben der indirekten Rede in Form eines konjunktivischen Nebensatzes nach redeeinleitendem Verb gibt es noch eine Reihe von Sonderformen zum Ausdruck der Redewiedergabe. Dabei sind zwei Gruppen zu unterscheiden.
Eine erste Gruppe bilden jene Satzformen, wo statt des Hauptsatzes mit dem redeeinleitenden Verb eine grammatisch-lexikalische Paraphrase (Modalverb, Modalwort, präpositionale Gruppe, Nebensatz) verwendet wird und die Rede in Hauptsatzform (mit Indikativ und der für die indirekte Rede charakteristischen Pronominalverschiebung) erscheint. Man vgl.:

Er sagt, er habe mich mehrmals angerufen.
→ Er *will* mich mehrmals angerufen haben.
→ Er hat mich *angeblich* mehrmals angerufen.
→ *Nach seinen Worten* hat er mich mehrmals angerufen.
→ *Wie er sagt*, hat er mich mehrmals angerufen.

Eine zweite Gruppe bilden jene Sätze, bei denen die Rede nach dem redeeinleitenden Verb im Infinitiv steht (a), und jene Sätze, wo die Rede in nominalisierter Form als Objekt oder Attribut angeschlossen wird (b):

(a) Er behauptet, mich mehrmals angerufen zu haben.
(b) Er sprach von einem mehrmaligen Anruf bei mir.
seine Behauptung eines mehrmaligen Anrufs bei mir

1.9.2.1.2. Hypothetischer Komparativsatz

Wie in der indirekten Rede wird im Prinzip der Konjunktiv auch in Komparativsätzen mit einleitendem *als ob / als wenn* (oder mit einleitendem *als* und Erststellung des Verbs) verwendet. Auch in diesen Sätzen ist der Konjunktiv ein fakultatives Mittel, neben dem ohne Änderung der Aussage der Indikativ vorkommt (allerdings kaum im Satztyp mit einleitendem *als*). Wird der Konjunktiv benutzt, gibt es ein ähnliches nicht genau geregeltes Nebeneinander von Tempusformen auf den einzelnen Zeitstufen wie in der indirekten Rede (vgl. 1.9.2.1.1.1.):

(1) Zur Wiedergabe der *Gegenwart* (= Gleichzeitigkeit) dient vor allem Konjunktiv Präteritum, daneben aber auch Konjunktiv Präsens und *würde* + Infinitiv I:

Das Kind weint, als ob es große Schmerzen *hätte / habe / haben würde.*

(2) Zum Ausdruck der *Vergangenheit* (= Vorzeitigkeit) wird neben Konjunktiv Plusquamperfekt auch Konjunktiv Perfekt verwendet:

Der Kollege tut so, als *hätte / habe* er mich nicht *gesehen*.

(3) Für die relativ seltene *Zukunft* (= Nachzeitigkeit) findet neben der *würde*-Form auch Konjunktiv Futur I Verwendung:

Die Frau sieht aus, als *würde / werde* sie gleich *umfallen*.

Zu den die Komparativsätze einleitenden Verben, die zum Teil mit den redeeinleitenden Verben der indirekten Rede vergleichbar sind, und weiteren Besonderheiten dieser Nebensätze vergleiche man die Beschreibung in 19.3.3.3.

Irrealer Konditionalsatz 1.9.2.1.3.

Die zweite Hauptgebrauchsvariante des Konjunktivs neben der indirekten Rede ist der irreale Konditionalsatz. Der Gebrauch des Konjunktivs in dieser Nebensatzart unterscheidet sich grundsätzlich von dem in der indirekten Rede. Während der Konjunktiv in der indirekten Rede eine unter mehreren Sprachformen zur Kennzeichnung der Redewiedergabe ist und deshalb hier fakultativ erscheint, ist der Konjunktiv im Konditionalsatz das einzige Mittel, um die Irrealität zu bezeichnen. Aus diesem Grunde ist der Konjunktiv im irrealen Konditionalsatz obligatorisch. Anders als in der indirekten Rede ist auch der Gebrauch der einzelnen Tempusformen: In der indirekten Rede wird das ganze Formensystem des Konjunktivs genutzt und kommen nebeneinander auf den einzelnen Zeitstufen verschiedene Formen vor. Im irrealen Konditionalsatz werden dagegen nur insgesamt zwei Formen (neben der disponiblen *würde*-Form) verwendet, wobei jeweils eine Form eine Zeitstufe bezeichnet. Wesentlich ist dabei, daß für diese Zeitstufen im Konjunktiv andere Tempusformen als im Indikativ beim potentiellen Konditionalsatz erscheinen.[1] Man vgl.:

(1) Zur Wiedergabe der *Gegenwart/Zukunft* dienen Konjunktiv Präteritum und *würde* + Infinitiv I:

Wenn er Zeit hat, geht er spazieren. (*potentiell*)
Wenn er Zeit hätte, ginge er spazieren (..., würde er spazieren gehen) (*irreal*)

---

[1] Wir sprechen von „potentiellen" und nicht – wie sonst oft in der Fachliteratur – von „realen" Konditionalsätzen, weil konditionale Sachverhalte ihrem Wesen nach nicht real, sondern immer nur potentiell, d. h. möglich und nicht wirklich sind. Der potentielle Charakter von konditionalen Sachverhalten wird besonders deutlich im Vergleich mit kausalen Sachverhalten, die stets real sind:

Weil er krank ist, kommt er nicht. (real)
Wenn er krank ist, kommt er nicht. (potentiell)

(2) Für die *Vergangenheit* wird Konjunktiv Plusquamperfekt verwendet; daneben kommt gelegentlich auch *würde* + Infinitiv II vor.

> Wenn er Zeit hatte, besuchte er seine Freunde. (*potentiell*)
> Wenn er Zeit gehabt hätte, hätte er seine Freunde besucht (..., würde er seine Freunde besucht haben.) (*irreal*)

<table>
<tr><th></th><th>potentiell/Indikativ</th><th>irreal/Konjunktiv</th></tr>
<tr><td>Gegenwart</td><td>Präsens</td><td rowspan="2">Präteritum, würde + Inf I</td></tr>
<tr><td>Zukunft</td><td>Futur, Präsens</td></tr>
<tr><td>Vergangenheit</td><td>Präteritum, Perfekt</td><td>Plusquamperfekt, (würde + Inf II)</td></tr>
</table>

Anmerkungen:

(1) Der Zeitbezug des Konditionalsatzes mit Konjunktiv und seine besondere Bedeutung als Irrealis werden erkennbar aus einem vorangehenden Satz mit Indikativ und Umkehrung von Bejahung und Verneinung:

> Ich habe (jetzt) *keine* Zeit. Wenn ich Zeit hätte, besuchte ich dich. (Gegenwart, Verneinung-Bejahung)
> Ich hatte (gestern) Zeit. Wenn ich *keine* Zeit gehabt hätte, hätte ich dich *nicht* besuchen können. (Vergangenheit, Bejahung-Verneinung)

(2) Grundsätzlich bedeutet der Gebrauch eines irrealen Konditionalsatzes, daß der Sprecher eine Gegenposition zur Realitätserfahrung bezieht. In der Vergangenheit ist dies immer mit Unerfüllbarkeit einer Bedingung identisch. Vor allem in der Zukunft kann es sich abhängig vom Inhalt der Aussage sowohl um eine unerfüllbare Bedingung als auch um eine erfüllbare Bedingung handeln:

> Wenn du Zeit hättest, könnten wir am Sonntag etwas zusammen unternehmen. (erfüllbar)
> Wenn morgen Sonntag wäre, könnten wir einen Ausflug machen. (unerfüllbar)

(3) Irreale Konditionalsätze erscheinen nicht nur in expliziter Form als Gefüge von bedingendem Nebensatz und bedingtem Hauptsatz. Relativ oft werden die Bedingungen in anderer Form ausgedrückt. Man kann hier von verkappten irrealen Konditionalsätzen sprechen, die erst durch die Zurückführung auf ein Gefüge als Konditionalsätze erkennbar werden. Die wichtigsten dieser Formen sind

(a) Infinitiv- und Partizipialkonstruktionen

> Es wäre gut, ihn selbst zu fragen.
> ← Es wäre gut, wenn Sie ihn selbst fragen würden.
>
> Über die Zeit befragt, wüßte ich keine Antwort.
> ← Wenn ich über die Zeit befragt würde, wüßte ich keine Antwort.

(b) Präpositionale Gruppen

> Bei intensiver Bodenbearbeitung lägen die Erträge höher.
> ← Wenn der Boden intensiv bearbeitet würde, lägen die Erträge höher.

Mit einem besseren Zeugnis hättest du die Stelle bekommen.
← Wenn du ein besseres Zeugnis gehabt hättest, hättest du die Stelle bekommen.

An deiner Stelle würde ich ihn noch einmal fragen.
← Wenn ich an deiner Stelle wäre, würde ich ihn noch einmal fragen.

(c) Satzverbindungen mit *aber* und andere antonymische indikativische Aussagen im Kontext

Ich hätte ihm geschrieben, aber ich wußte seine Adresse nicht.
← Ich hätte ihm geschrieben, wenn ich seine Adresse gewußt hätte.

Du hast ihm ein Buch geschenkt. Über eine Schallplatte hätte er sich mehr gefreut.
← Wenn du ihm nicht ein Buch, sondern eine Schallplatte geschenkt hättest, hätte er sich mehr gefreut.

Warum hast du ihn nicht gefragt? Er hätte dir bestimmt geholfen.
← Wenn du ihn gefragt hättest, hätte er dir bestimmt geholfen.

Ich bin um 10 Uhr gegangen, sonst hätte ich den Bus verpaßt.
← Wenn ich nicht um 10 Uhr gegangen wäre, hätte ich den Bus verpaßt.

In anderen Fällen ist die Zurückführung auf ein Konditionalgefüge nur noch bedingt möglich, da der Konjunktiv hier formelhaft ist. Es handelt sich um den Konjunktiv der höflichen oder vorsichtig abwägenden Äußerung:

Es wäre nur noch die Gesichtshaut ein wenig aufzufrischen (, wenn Sie damit einverstanden wären).
Der Mantel im Schaufenster könnte mir gefallen (, wenn ich nach meiner Meinung gefragt würde).
Könnten Sie mir sagen (, wenn Sie so freundlich wären), wie spät es ist?
Die konfrontative Grammatik ist eine theoretische Disziplin. Die kontrastive Grammatik wäre (, wenn man sie damit vergleichen würde,) eine praktische Disziplin.

Der Konjunktiv in diesen Sätzen steht nicht mehr in einem deutlichen Gegensatz zu entsprechenden Sätzen im Indikativ. Die Modi sind hier vielmehr austauschbar, ohne daß ein nennenswerter Bedeutungsunterschied erkennbar ist:

Es ist nur noch die Gesichtshaut ein wenig aufzufrischen.
Der Mantel im Schaufenster gefällt mir. usw.

Irrealer Konzessiv- und Konsekutivsatz 1.9.2.1.4.

Um satztypischen Konjunktivgebrauch wie im irrealen Konditionalsatz handelt es sich auch bei bestimmten Konzessiv- und Konsekutivsätzen.

1. Irrealer Konzessivsatz

Konzessivsätze im eigentlichen Sinne – eingeleitet mit *obwohl*, *obgleich*, *trotzdem* usw. – sind nicht in irrealer Bedeutung mit Konjunktiv möglich. Konjunktiv zum Ausdruck des Irrealis gibt es nur bei den Konzessivsätzen, die formal mit Konditionalsätzen identisch sind und sich von diesen nur durch die verschiebbare Partikel *auch* (oder: *sogar, selbst*) unterscheiden. Für den Gebrauch der Konjunktivformen in diesen Sätzen gelten die gleichen Regeln wie für den irrealen Konditionalsatz:

> Auch wenn ich Zeit hätte, würde ich mir den Film nicht ansehen. (Präteritum bzw. *würde* + Infinitiv I für Gegenwart/Zukunft)
> Auch wenn es geregnet hätte (haben würde), hätten wir den Ausflug gemacht. (Plusquamperfekt und beschränkt *würde* + Infinitiv II für Vergangenheit)

Neben dem irrealen Konjunktiv Präteritum/Plusquamperfekt kommt vor allem in Konzessivsätzen interrogativischen und imperativischen Charakters vereinzelt auch Konjunktiv Präsens vor:

> Wie dem auch sei, man muß ihm helfen.
> Sei es nun früh oder spät, ich muß jetzt nach Hause gehen.

2. Irrealer Konsekutivsatz

Wie im irrealen Konditionalsatz wird im Prinzip der Konjunktiv auch in den irrealen Konsekutivsätzen mit der Konjunktion *als daß* (und dem Korrelat *zu* im Hauptsatz) gebraucht. Im Unterschied zum Konditionalsatz erscheinen die Konjunktivformen jedoch nur im Nebensatz. Außerdem kommt im Konsekutivsatz gelegentlich auch der Indikativ mit irrealer Bedeutung vor. Dieser Modusgebrauch ist möglich, weil die Bedeutung des Irrealis bereits durch die Konjunktion (und das Korrelat) signalisiert wird und der Konjunktiv die Aussage nur zusätzlich unterstreicht. Beim Nebeneinander von Konjunktiv und Indikativ entsprechen sich Konjunktiv Präteritum und Indikativ Präsens für die Gegenwart und Konjunktiv Plusquamperfekt und Indikativ Präteritum (Perfekt) für die Vergangenheit. Der Charakter des Irrealis wird deutlich im Vergleich mit bedeutungsgleichen Konsekutivsätzen mit Konjunktion *so daß* und Negationselement:

(1) Gegenwart

> Das Wasser ist *so* kalt, *daß* man *nicht* darin baden *kann.*
> Das Wasser ist *zu* kalt, *als daß* man darin baden *könnte/kann.*

(2) Vergangenheit

> Das Wasser war *so* kalt, daß man *nicht* darin baden *konnte.*
> Das Wasser war *zu* kalt, *als daß* man darin *hätte* baden *können* / man darin baden *konnte.*

Anmerkung:
Wie im irrealen Konsekutivsatz ist das gelegentliche Vorkommen des Konjunktivs in den negativen Konsekutivsätzen (mit der Konjunktion *ohne daß*) zu beurteilen. Auch hier ist der Konjunktiv ein zusätzliches formales Merkmal, mit dem die Bedeutung des negativen Konsekutivsatzes unterstrichen wird. Es entsprechen sich auch auf den einzelnen Zeitstufen die gleichen Indikativ- und Konjunktivformen:

Er hilft jedem bereitwillig, ohne daß man ihn besonders darum bitten muß / müßte. (Gegenwart: Indikativ Präsens – Konjunktiv Präteritum)
Ich habe tüchtig gefroren, ohne daß ich mich erkältet habe / hätte. (Vergangenheit: Indikativ Präteritum/Perfekt – Konjunktiv Plusquamperfekt)

Einfacher Satz 1.9.2.1.5.

Neben dem Gebrauch des Konjunktivs in Nebensätzen ist dieser Modus auch für bestimmte Formen des einfachen Satzes charakteristisch. Dabei ist zu unterscheiden zwischen der Verwendung des Konjunktiv Präsens und des Konjunktiv Präteritum/Plusquamperfekt.

1. Konjunktiv Präsens

Der Konjunktiv Präsens im einfachen Satz hat imperativische Bedeutung. Es handelt sich bei diesem Gebrauch um eine Ersatzfunktion für die fehlende Form des Imperativs in der 3. Person Sing., der in der Gegenwartssprache jedoch selten und auf Wendungen beschränkt ist:

Es lebe der 1. Mai!
Edel sei der Mensch, hilfreich und gut. (Goethe)

Auch der imperativische Konjunktiv mit dem unbestimmt-persönlichen Pronomen *man* in Kochrezepten, Gebrauchsanweisungen etc. wird nur noch gelegentlich verwendet. Dafür steht zumeist Infinitiv:

Man wasche den Reis, trockne ihn auf einem Tuch und gebe ihn in das heiße Öl ... (den Reis waschen, auf einem Tuch trocknen und in das heiße Öl geben ...)

Eine besondere Verwendung liegt mit dem Konjunktiv Präsens von *sein* in Verbindung mit dem Partizip II passivfähiger Verben vor. Diese Form dient vor allem in der Fachsprache als passivische Umschreibung für den Autorenplural mit dem Modalverb *mögen* in der Form *wir möchten*:

Es sei hier nur die Vieldeutigkeit des Präfix *ver-* erwähnt ... (Wir möchten hier nur die Vieldeutigkeit des Präfix *ver-* erwähnen ...)

2. Konjunktiv Präteritum/Plusquamperfekt

Bei der Verwendung dieser Konjunktivformen im einfachen Satz handelt es sich vor allem um zwei Satzformen:

(1) Irrealer Wunschsatz
(2) Modalverbkonstruktionen

Beide Verwendungsweisen entsprechen nicht nur formen- und bedeutungsmäßig weitgehend dem irrealen Konditionalsatz, sondern sind auch auf diesen zurückführbar. (1) ist als Reduzierung eines Konditionalgefüges um den Hauptsatz, (2) umgekehrt als Reduzierung um den Nebensatz aufzufassen:

(1) Wenn er (doch) bald käme!
← Ich wäre froh, wenn er bald käme.
(2) Er hätte es mir sagen müssen.
← Er hätte es mir sagen müssen, wenn ich ihm hätte helfen sollen.

Trotz dieser deutlichen Analogien zum irrealen Konditionalsatz sind der irreale Wunschsatz und die Modalverbkonstruktionen nicht als verkappte irreale Konditionalsätze wie die beim Konditionalsatz aufgeführten Formen des einfachen Satzes [vgl. 1.9.2.1.3. Anm. (3) unter (b) und (c)] zu interpretieren. Der Unterschied wird vor allem in der Semantik dieser Satzformen deutlich: Während mit dem irrealen Konditionalsatz *Bedingungen* ausgedrückt werden, bezeichnen die irrealen Wunschsätze *Wünsche* und die Modalverbkonstruktionen *Forderungen*.

(1) Der irreale Wunschsatz

Der irreale Wunschsatz entspricht in der Form völlig einem konditionalen Nebensatz (eingeleitet mit *wenn*, uneingeleitet mit Spitzenstellung des Verbs) mit der fakultativen Partikel *doch* und/oder *nur*. Mit der Partikel wird die Bedeutung des Wunsches signalisiert, während der Konjunktiv den irrealen Charakter des Wunsches (in der Regel: unerfüllbarer Wunsch) zum Ausdruck bringt. Für die Gegenwart wird Konjunktiv Präteritum (bzw. *würde* + Infinitiv I), für die Vergangenheit Konjunktiv Plusquamperfekt (selten: *würde* + Infinitiv II) verwendet. Die temporale und die modale Funktion werden durch vorangehende indikativische Sätze mit Umkehrung von Bejahung und Verneinung erkennbar:

Ich kann dir *nicht* helfen. Wenn ich dir doch (nur) helfen könnte! Könnte ich dir doch (nur) helfen! (Gegenwart)
Ich habe etwas gesagt. Wenn ich doch (nur) *nichts* gesagt hätte! Hätte ich doch (nur) *nichts* gesagt!

(2) Modalverbkonstruktionen

Die Modalverbkonstruktionen stehen häufiger im Konjunktiv Plusquamperfekt (für die Vergangenheit) als im Konjunktiv Präteritum (für die Gegenwart). Dieser Konjunktivgebrauch ist nur mit den Modalverben *müssen*, *sollen* und (zumeist verneintem) *dürfen* möglich. Es wird damit eine nicht (mehr) erfüllbare Forderung bezeichnet. Die temporale und die modale Funktion der Konstruktion werden ersichtlich aus einer im Kontext vorhandenen negativen bzw. antonymischen Aussage im Indikativ:

Sie haben die Arbeit nicht vorbereitet. Sie hätten die Arbeit vorbereiten müssen.
Er hat das Buch vergessen. Er hätte das Buch nicht vergessen dürfen.

Anmerkung:
Die irrealen Wunschsätze und die Modalverbkonstruktionen stehen einander bedeutungsmäßig nahe. Es sind deshalb auch Umformungen der einen in die andere Satzform möglich.

Hätten Sie doch die Übersetzung am Ende noch einmal durchgelesen!
⇄ Sie hätten die Übersetzung am Ende noch einmal durchlesen sollen / müssen.

Imperativ 1.9.2.2.

Der Imperativ ist die Grundform der Aufforderung des Sprechers (1. Person) an die angesprochene Person (2. Person). Die Differenzierung der Imperativformen für diese Person (Singular, Plural, Höflichkeitsform) entspricht der Differenzierung der Indikativformen und ist durch das Wesen des Personalpronomens für die 2. Person bestimmt. Vgl. dazu 2.3.2.1.1. Imperativformen für die relativ seltenen Aufforderungen an die sprechende und die besprochene Person sind im Deutschen nicht ausgebildet und werden zum Teil durch andere Sprachformen ersetzt. Vgl. dazu 16.3. unter *Anm. 2.* Das Wesen der Aufforderung, die im allgemeinsten Sinne zu verstehen ist und auch Bitte und Wunsch umfaßt, ergibt sich aus der Kontrastivität zur Aussage und zur Frage, die wie die Aufforderung in speziellen Satzarten verwirklicht sind. Vgl. dazu 16.3. Neben den formalen Besonderheiten sind beim Gebrauch der Imperativformen auch einige kommunikativ bedingte Beschränkungen zu beachten:

1. Verben, die ihrer Bedeutung nach keine Aufforderung ausdrücken können, haben keine Imperativformen. Zu diesen Verben gehören die Modalverben, die unpersönlichen Verben, Verben wie *gelten, kennen, wiedersehen* usw.

2. Verben mit negativer Bedeutung verwenden den Imperativ meist nur mit Negation:

Lüge nicht! Verschluck dich nicht!

3. Die vertraulichen Imperativformen stehen in der Regel ohne Personalpronomen (*du* bzw. *ihr*). Steht bei diesen Formen ein Personalpronomen (nach der Imperativform!), wird damit die Person vor anderen hervorgehoben:

Komm **du** wenigstens!
Macht **ihr** es bitte!

4. Oftmals erscheinen in der Umgebung des Imperativs Partikeln (vgl. 9.):

Komm *mal* schnell her!
Komm *doch* mit!

1.10. Reflexive Verben

1.10.1. Formenbestand

1. Die reflexiven Verben verfügen nur in der 3. Person über ein spezielles morphologisches Kennzeichen, das Reflexivpronomen *sich* (unveränderlich in Kasus und Numerus). Als kennzeichnendes Element in der 1. und 2. Person dient das Personalpronomen der 1. und 2. Person (veränderlich nach Kasus und Numerus).

		Akkusativ	*Dativ*
Sing.	1. Pers.	ich schäme mich	ich verbitte es mir
	2. Pers.	du schämst dich	du verbittest es dir
	3. Pers.	er schämt **sich**	er verbittet es **sich**
Pl.	1. Pers.	wir schämen uns	wir verbitten es uns
	2. Pers.	ihr schämt euch	ihr verbittet es euch
	3. Pers.	sie schämen **sich**	sie verbitten es **sich**

2. Die reflexiven Verben haben die gleichen Tempus- und Modusformen wie die nichtreflexiven Verben. Die Bildung des Perfekts, Plusquamperfekts und Infinitivs II erfolgt immer mit *haben*, nie mit *sein*.

	Indikativ	*Konjunktiv*
Präs.	ich erhole mich du erholst dich er erholt sich usw.	ich erhole mich du erholest dich er erhole sich usw.
Prät.	ich erholte mich du erholtest dich er erholte sich usw.	ich erholte mich du erholtest dich er erholte sich usw.
Perf.	ich habe mich erholt du hast dich erholt er hat sich erholt usw.	ich habe mich erholt du habest dich erholt er habe sich erholt usw.

3. Die Reflexivität eines Verbs schließt die Bildung von Passivformen aus. Die aus *sein* + Partizip II zusammengesetzten Formen ohne Reflexivpronomen, die von zahlreichen reflexiven Verben neben den normalen Tempus- und Modusformen gebildet werden können, sind nur scheinbar Formen eines Zustandspassivs. In Wirklichkeit handelt es sich hier um das sogenannte Zustandsreflexiv, das ebenfalls über verschiedene Tempus- und Modusformen verfügt:

	Indikativ	*Konjunktiv*
Präs.	ich bin erholt du bist erholt usw.	ich sei erholt du seiest erholt usw.
Prät.	ich war erholt du warst erholt usw.	ich wäre erholt du wärest erholt usw.
Perf.	ich bin erholt gewesen du bist erholt gewesen usw.	ich sei erholt gewesen du seiest erholt gewesen usw.

4. Alle reflexiven Verben können in der Form des Partizips I als Attribut erscheinen:

der sich verspätende Zug

Die Attribuierung in der Form des Partizips II ist dagegen nur von den reflexiven Verben möglich, die auch ein Zustandsreflexiv bilden können. Im Unterschied zum attributiven Partizip I und in Übereinstimmung mit dem Zustandsreflexiv steht das attributive Partizip II ohne Reflexivpronomen:

der verspätete Zug

Syntaktische Beschreibung 1.10.2.

Die Mehrzahl der deutschen Verben kann, ein kleiner Teil muß mit dem Reflexivpronomen verbunden werden. Die Bedeutung dieser Reflexivverbindungen ist nicht einheitlich, es lassen sich vielmehr vier Haupttypen mit jeweils mehreren Untergruppen unterscheiden. Eine erste Grundunterscheidung ergibt sich daraus, ob der Subjektsnominativ das Agens des Geschehens repräsentiert. Nur wenn dies der Fall ist, kann man vom Gebrauch des Reflexivpronomens im eigentlichen Sinne sprechen, denn nur dann ist auch ein Rückbezug der Handlung auf das Subjekt und die Identität des Pronomens mit dem Subjekt möglich. Im anderen Falle haben die Reflexivverbindungen eine uneigentliche Funktion, indem hier das Reflexivpronomen zum Ausdruck eines passivischen Verhältnisses steht. Da dieser Gebrauch auf bestimmte Verbformen beschränkt ist, sprechen wir hier von *reflexiven Formen*.
Beim Gebrauch des Reflexivpronomens im eigentlichen Sinne ist eine weitere Grundunterscheidung danach notwendig, ob das Reflexivpronomen kommutierbar ist oder nicht. Nur im ersten Falle, wenn das Pronomen durch ein anderes, mit dem Subjekt nicht identisches vollsemantisches Objekt ersetzbar ist, liegen ein Rückbezug und Identität im semantischen Sinne vor, weil nur hier von einem Subjekt und einem (mit diesem identischen) Objekt überhaupt gesprochen werden kann. Bei den Verben, wo das Reflexivpronomen nicht ersetzbar ist, sind der Rückbezug und die Identität nur im formal-grammatischen Sinne zu verstehen, und das Reflexivpronomen ist Bestandteil des Prädikats. Bei den kommutierbaren Verbindungen sprechen wir, da das Reflexivpronomen hier nur der Sonderfall einen Objekts ist, von *reflexiven Konstruktionen*, bei den nicht-kommutierbaren Verbindungen, wo das Reflexivpronomen – zumeist obligatorisch – zum Verb als Lexem gehört, von *reflexiven Verben* (im engeren Sinne).
Die Notwendigkeit eines vierten Haupttyps ergibt sich aus der Tatsache, daß in bestimmten reflexiven Konstruktionen und bei verschiedenen reflexiven Verben im engeren Sinne mindestens zwei Subjekte auftreten und das Reflexivpronomen hier nicht Rückbezug

und Identität im direkten Sinne, sondern ein Wechselverhältnis ausdrückt. Neben einem passivischen und einem reflexiven Verhältnis kann das Reflexivpronomen also auch ein reziprokes Verhältnis bezeichnen, weshalb wir von *reflexiven Konstruktionen und reflexiven Verben mit reziproker Bedeutung* sprechen.
Neben diesen vier Haupttypen muß als eine besondere Kategorie noch eine Verbform angesetzt werden, die oberflächlich gesehen (wegen des fehlenden Reflexivpronomens) nicht hierher gehört, aufgrund der semantischen Entsprechung mit bestimmten Verbindungen des Reflexivpronomens und der möglichen Rückführung auf solche Verbindungen sich jedoch als eine reflexive Kategorie erweist. Es handelt sich um eine Verbform, die im aktualen Satz mit dem Zustandspassiv, der allgemeinen Zustandsform und dem prädikativ gebrauchten adjektivischen Partizip II zusammenfällt und von uns als *Zustandsreflexiv* bezeichnet wird.

1.10.3. Reflexive Konstruktionen

Bei den reflexiven Konstruktionen steht das Reflexivpronomen für ein Substantivwort mit Objektscharakter, das mit dem Subjekt des Verbs identisch ist. Hier liegt ein echter Rückbezug der Handlung vom Objekt auf das Subjekt vor (semantische Reflexivität).
Dieses besondere Verhältnis von Subjekt und Objekt wird durch die obligatorische Pronominalisierung mit dem Reflexivpronomen zum Ausdruck gebracht. Man vgl.:

Die Frau wäscht *das Kind.*
→ *Die Frau wäscht *die Frau.* → Die Frau wäscht *sich.*

An diesem Verhältnis ändert sich grundsätzlich auch dann nichts, wenn das Reflexivpronomen nicht ein Objekt, sondern eine Adverbialbestimmung oder ein freies sekundäres Satzglied repräsentiert. Der Nachweis, ob es sich bei der Verbindung eines Verbs mit einem Reflexivpronomen um eine reflexive Konstruktion handelt, ist durch eine Reihe operationeller Tests möglich, die wir im folgenden am akkusativischem Reflexivpronomen demonstrieren, die aber auch auf Reflexivpronomen in anderen Kasus anwendbar sind:

a) *sich* ist durch ein vollsemantisches Objekt substituierbar:

Die Mutter wäscht *sich.*
→ Die Mutter wäscht *das Kind.*

b) *sich* ist mit einem vollsemantischen Objekt koordinierbar:

Die Mutter wäscht *sich.* Die Mutter wäscht *das Kind.*
→ Die Mutter wäscht *sich* und *das Kind.*

c) *sich* kann den Satzakzent tragen:

Die Mutter wäscht sich.
→ Die Mutter wäscht sich.

d) *sich* kann (bei besonderer Hervorhebung und entsprechender Intonation) in Erststellung erscheinen:

Die Mutter wäscht nicht das Kind, sie wäscht *sich*.
→ Die Mutter wäscht nicht das Kind, *sich* wäscht sie.

e) *sich* kann allein als Antwort gebraucht werden:

Wen wäscht die Mutter?
→ *Sich*.

f) *sich* kann verneint werden:

Die Mutter wäscht sich.
→ Die Mutter wäscht *nicht* sich (, sondern das Kind.)

g) *sich* kann durch *selbst* verstärkt werden:

Das Kind wäscht sich.
→ Das Kind wäscht sich *selbst*.

Zu den Homonymietests vgl. unter 1.10.5. und 1.10.7.

Die reflexiven Konstruktionen stellen keine einheitliche Gruppe dar, sondern sind weiter danach zu differenzieren,

– ob das Reflexivpronomen notwendig (valenzgebunden) oder frei (valenzunabhängig) ist
– in welchem Kasus das Reflexivpronomen auftritt
– welche weiteren Ergänzungen (Aktanten) beim Verb stehen.

Im folgenden wird eine Übersicht über die reflexiven Konstruktionen nach den ersten beiden Kriterien gegeben. Auf eine Darstellung der Valenzverhältnisse wird verzichtet, da diese sich bei den reflexiven Konstruktionen nicht von denen unterscheiden, wie sie im Kapitel „Satzmodelle" für die nicht-reflexiven Verben dargestellt sind.

1. Notwendiges Reflexivpronomen

(1) Reflexivpronomen als Akkusativobjekt

Das Kind wäscht *sich*.
Er hat *sich* zur Zahlung verpflichtet.

Ebenso: sich jemandem aufdrängen, sich berichtigen, sich einer Sache (G) beschuldigen, sich als etwas bezeichnen, sich etwas fragen, sich kämmen, sich nennen, sich rasieren, sich schminken, sich töten, sich in etwas unterrichten, sich verteidigen

(2) Reflexivpronomen als Dativobjekt

Er hat *sich* mehrmals widersprochen.
Du schadest *dir* mit dem Rauchen.

Ebenso: sich etwas abgewöhnen, sich etwas aufbürden, sich etwas beibringen, sich mit etwas dienen, sich etwas einreden, sich etwas gönnen, sich zu etwas gratulieren, sich mit etwas nützen, sich etwas verbieten, sich etwas verschaffen, sich etwas verzeihen

(3) Reflexivpronomen als präpositionales Objekt

Er zweifelt an *sich*.
Er hat das Tier an *sich* gewöhnt.

Ebenso: auf sich achten, jemanden nach sich beurteilen, jemanden zu sich einladen, über sich nachdenken, etwas über sich sagen, von sich sprechen

Anmerkung:
Vereinzelt kann ein Reflexivpronomen im Präpositionalkasus auch eine (notwendige, valenzgebundene) Adverbialbestimmung sein:

Ich fahre dann zu *mir*.

2. Freies Reflexivpronomen im Dativ

(1) dativus commodi

Ich habe (*mir*) einen Autoatlas gekauft.

Dieser Dativ ist ersetzbar durch einen Präpositionalkasus mit *für*:

Ich habe einen Autoatlas (für *mich*) gekauft.

Ebenso: (sich) etwas aufschreiben, (sich) etwas bauen, (sich) etwas kochen

(2) dativus possessivus/Träger-Dativ

Ich wasche (*mir*) die Hände.
Ich ziehe (*mir*) den Mantel an.

Das Reflexivpronomen als possessiver Dativ steht bei einem Akkusativobjekt (oder einer Adverbialbestimmung), das einen Körperteil bezeichnet; das Reflexivpronomen als Träger-Dativ steht bei einem Akkusativobjekt (oder einer Adverbialbestimmung), das ein Kleidungsstück bezeichnet. In beiden Fällen hat das Reflexivpronomen attributiven Charakter.
Zum Ersatz des possessiven und des Träger-Dativs durch ein Possessivpronomen und zur Unterscheidung zwischen den beiden Dativen allgemein vgl. 2.4.3.4.3.(3).

Ebenso: (sich) etwas abtrocknen, (sich) etwas aufsetzen, (sich) auf etwas beißen, (sich) etwas betrachten, (sich) etwas putzen, (sich) in etwas sehen, (sich) etwas verbrennen

Anmerkungen:
(1) Die meisten Verben mit Reflexivpronomen im Dativ und mit Akkusativobjekt haben eine Variante mit Reflexivpronomen als Akkusativobjekt neben sich, d. h., sie gehören gleichzeitig der Gruppe 1. (1) an:

Ich wasche *mir* die Hände.
Ich wasche *mich*.

Bei einigen Verben sind beide Varianten nahezu identisch in der Bedeutung:

Ich kämme *mir* die Haare.
Ich kämme *mich*.

 (2) Wenn bei einem Verb mit Adverbialbestimmung das Reflexivpronomen

nicht im Dativ, sondern im Akkusativ erscheint, liegt kein possessives Verhältnis vor, sondern das Reflexivpronomen hat Objektsfunktion. Es handelt sich dann um eine reflexive Konstruktion der Gruppe 1.(1):

Ich kratze mich am Kopf.

Reflexive Verben (im engeren Sinne) 1.10.4.

Während bei Verben wie *waschen* das Reflexivpronomen nur der Sonderfall eines Objekts ist, das mit dem Subjekt identisch ist, ist das Reflexivpronomen bei Verben wie *sich beeilen, sich erholen, sich schämen* u. a. nicht durch ein vollsemantisches Wort mit Objektscharakter ersetzbar und deshalb auch selbst nicht als Objekt zu verstehen:

Die Frau schämt sich.
→ *Die Frau schämt das Kind.

Das Reflexivpronomen ist hier ein fester Bestandteil des Verbs – satzgliedmäßig: ein lexikalischer Prädikatsteil –, d. h., das Verb ist nur in reflexiver Form möglich. Deshalb sprechen wir hier von reflexiven Verben (im engeren Sinne). Wenn zahlreiche andere Verben mit nicht ersetzbarem Reflexivpronomen auch in nicht-reflexiver Form vorkommen, so deshalb, weil es sich zumindest von der Valenz her, zumeist aber auch von der Bedeutung her um verschiedene Varianten des Verbs, um reflexive Verb*varianten* handelt, wie z. B. *sich verschlucken* neben *etwas verschlucken.* Daß hier nicht eine reflexive Konstruktion wie bei *sich waschen* neben *jemanden waschen* vorliegt, läßt sich durch die o. g. transformationellen Tests nachweisen, die hier negativ verlaufen, wie z. B. der Koordinierungstest:

Das Kind verschluckt sich. Das Kind verschluckt den Kirschkern.
→ *Das Kind verschluckt sich und den Kirschkern.

Der Nachweis, ob es sich bei der Verbindung eines Verbs mit einem Reflexivpronomen um ein reflexives Verb handelt, ist auch durch einen speziellen Substitutionstest möglich. Da das Reflexivpronomen bei den reflexiven Verben keinen Objektscharakter hat, können diese vielfach durch ein synonymes Verb ohne Reflexivpronomen ersetzt werden (für manche reflexiven Verben gibt es aus lexikalischen Gründen keine nicht-reflexive Entsprechung):

Er erkundigt *sich* nach dem Weg.
→ Er fragt nach dem Weg.

Wir wundern *uns* über seinen Erfolg.
→ Wir staunen über seinen Erfolg.

Ich kann *mir* keine Zahlen merken.
→ Ich kann keine Zahlen behalten.

Der Gewinn beläuft *sich* auf 1000 Mark.
→ Der Gewinn beträgt 1000 Mark.

Was ist hier vor *sich* gegangen?
→ Was ist hier geschehen?

Wie die reflexiven Konstruktionen, so stellen auch die reflexiven Verben keine einheitliche Gruppe dar. Eine erste Differenzierung ergibt sich – wie oben gezeigt – daraus, ob die Verben nur in reflexiver Form (Reflexiva tantum) oder als besondere Bedeutungsvarianten neben nicht-reflexiven Varianten vorkommen. Des weiteren ist es notwendig, die reflexiven Verben auszusondern, bei denen das Subjekt nur im Plural möglich ist, da damit die besondere Bedeutung eines reziproken Verhältnisses gegeben ist. Bei allen diesen Gruppen gibt es einzelne Verben, die als Sondergruppen anzusehen sind, weil das Reflexivpronomen bei ihnen nicht obligatorisch, sondern fakultativ steht und wegfallen kann. Der fakultative Charakter des Reflexivpronomens ergibt sich daraus, daß bei den reflexiven Verben das Reflexivpronomen kein Satzglied und keinen semantischen Kasus repräsentiert und nur lexikalisch bedingt ist. Allerdings ist die Zahl der Verben mit fakultativem Reflexivpronomen relativ gering, weshalb diese Verben in unserer Übersicht nur in Anmerkungen berücksichtigt werden. Bei der weiteren (morphosyntaktischen) Differenzierung der reflexiven Verben wird wie bei den reflexiven Konstruktionen verfahren, indem die Verben nur nach den Kasusformen des Reflexivpronomens, nicht aber nach den zusätzlichen Aktanten gruppiert werden.

1. Reflexiva tantum

(1) Reflexivpronomen im Akkusativ

Sie schämt *sich.*
Er begnügt *sich* mit einem Glas Wasser.

Ebenso: sich mit etwas abmühen, sich in etwas auskennen, sich bei jemandem für etwas bedanken, sich beeilen, sich auf etwas besinnen, sich betrinken, sich bewähren, sich um etwas bewerben, sich mit etwas brüsten, sich für etwas eignen, sich zu etwas entschließen, sich erholen, sich erkälten, sich gedulden, sich jemandem / etwas nähern, sich räuspern, sich nach jemandem / etwas sehnen, sich vor jemandem verbeugen, sich verirren, sich verlieben, sich verspäten, sich verzählen, sich mit etwas zufriedengeben

(a) Aufgrund ihrer Bedeutung kommen einige Verben nur mit einem Sachsubjekt in der 3. Person vor, so daß der Kasus des Reflexivpronomens nicht erkennbar wird:

Ein Unfall hat *sich* ereignet.

Ebenso: sich auf jemanden / etwas auswirken, sich auf etwas belaufen, sich bewahrheiten, sich bewölken, sich über etwas erstrecken, sich jähren

(b) Nicht obligatorisch, sondern fakultativ ist das Reflexivpronomen im folgenden Fall:

Am Sonntag schlafe ich (*mich*) aus.

Ebenso: (sich) absplittern, (sich) ausruhen, (sich) davonschleichen, (sich) irren, (sich) klumpen, (sich) mausern, (sich) verbluten, (sich) verlohnen, (sich) verschnaufen, (sich) verweilen

Wenn das nicht-reflexive Verb das Perfekt mit *sein* bildet, ergibt sich im Konjugationsparadigma ein Unterschied, da die reflexiven Verben das Perfekt immer mit *haben* bilden:

Er ist (hat sich) davongeschlichen.

(c) Einige Reflexiva tantum können in einer reflexiven Konstruktion verwendet werden, so daß das Verb mit zwei Reflexivpronomen verbunden ist:

Ich wundere *mich* manchmal über *mich* (selbst).

(2) Reflexivpronomen im Dativ

Ich verbitte *mir* solche Bemerkungen.

Ebenso: sich etwas aneignen, sich etwas anmaßen, sich etwas ausbedingen, sich etwas ausbitten, sich etwas einbilden; (mit fak. Reflexivpronomen:) (sich) etwas ausdenken

2. Reflexive Verbvarianten

(1) Reflexivpronomen im Akkusativ

Ich fürchte *mich* vor ihm. (neben nicht-reflexiv mit gleicher Bedeutung, aber anderer Valenz: Ich fürchte ihn.)
Sie verläßt *sich* auf ihn. (neben nicht-reflexiv mit anderer Bedeutung und Valenz: Sie verläßt ihn.)

Ebenso: sich von jemandem / etwas abheben, sich über jemanden / etwas ärgern, sich in etwas aufhalten, sich um jemanden / etwas bemühen, sich benehmen, sich entrüsten, sich für jemanden / etwas entscheiden, sich jemandem ergeben, sich an / auf / über etwas freuen, sich auf jemanden / etwas stützen, sich in jemandem täuschen, sich an jemandem / etwas vergehen, sich verhalten, sich verschlucken, sich über jemanden / etwas wundern, sich zieren

(a) Wie bestimmte Reflexiva tantum, so kommen auch verschiedene reflexive Verbvarianten nur in der kasusindifferenten 3. Person vor:

Der Sturm hat *sich* gelegt.

Ebenso: sich (zusammen)ballen, sich aus etwas ergeben, sich als etwas herausstellen, sich herumsprechen, sich kräuseln, sich aus etwas zusammensetzen

Manche dieser reflexiven Verbvarianten mit Sachsubjekt (-belebt) sind intransitive Entsprechungen zu transitiven Verben, bei denen das Sachsubjekt als Sachobjekt erscheint:

Sein Einfluß hat sich verstärkt.
Er hat *seinen Einfluß* verstärkt.

Reflexive Sätze dieser Art sind nicht Passiv-Paraphrasen (wie die unter 1.10.6.1. genannten Formen), da der Subjektsnominativ hier nicht das Patiens des Geschehens ist und sich das reflexive Verb von dem entsprechenden transitiven Verb zumindest in der Valenz, vielfach aber auch in aktionaler Hinsicht und in der Bedeutung unterscheidet. Man vgl.:

Die Tür öffnet sich. (= aufgehen)
Das Kind öffnet die Tür. (= aufmachen)
Die Arbeitsproduktivität hat sich erhöht. (= steigen)
Die Arbeiter haben die Arbeitsproduktivität erhöht. (= steigern)
Das Gerät setzt sich aus vielen Einzelteilen zusammen. (= bestehen)
Der Monteur setzt das Gerät aus vielen Einzelteilen zusammen. (= montieren)

(b) Wie bei verschiedenen Reflexiva tantum ist auch bei einigen reflexiven Verbvarianten das Reflexivpronomen fakultativ, z. T. ebenfalls mit einem Wechsel von *haben* und *sein* im Perfekt:

Im Urlaub habe ich (*mich*) immer nur kalt geduscht.
Der Wagen ist (hat *sich*) im Schnee festgefahren.

Ebenso: (sich) abkühlen, (sich) baden, (sich) beschlagen, (sich) erbrechen

(c) Zu den reflexiven Verbvarianten gehören auch einige Verbindungen mit obligatorischem Adverb:

Er ißt *sich* satt.

Ebenso: sich müde arbeiten, sich über jemanden lustig machen, sich taub stellen

(d) Einige reflexive Verbvarianten sind in einer reflexiven Konstruktion möglich:

Ich habe *mich* über *mich* (selbst) geärgert.

(e) Bei einigen reflexiven Verbvarianten stehen Subjekt und Objekt in einem Umkehrverhältnis zu den entsprechenden Satzgliedern der nicht-reflexiven Varianten:

Ich freue *mich* über deinen Erfolg.
Dein Erfolg freut mich.

Ebenso: sich über etwas ärgern, sich für etwas begeistern, sich an etwas erfreuen, sich über etwas empören, sich für etwas interessieren, sich über etwas wundern

(2) Reflexivpronomen im Dativ

Ich sehe *mir* das Bild an.

Ebenso: sich an jemandem ein Beispiel nehmen, sich etwas versagen, sich etwas vornehmen, sich etwas vorstellen, sich über etwas schlüssig sein / werden, sich etwas zuziehen

(3) Reflexivpronomen im Präpositionalkasus

Die Großeltern haben den Enkel zu *sich* genommen.

Ebenso: etwas für sich behalten, etwas an sich bringen, etwas auf sich nehmen, etwas zu sich nehmen, jemanden an sich ziehen; (nur in der 3. Person:) um sich greifen, vor sich gehen

Reflexive Konstruktionen und reflexive Verben mit reziproker Bedeutung 1.10.5.

Das Reflexivpronomen kann auch ein reziprokes Verhältnis (ein Wechselverhältnis) ausdrücken. Dabei ist – entsprechend der Unterscheidung in 1. reflexive Konstruktionen und 2. reflexive Verben (im engeren Sinne) – zwischen zwei Hauptgruppen zu unterscheiden.

1. Reflexive Konstruktionen mit reziproker Bedeutung

Die reflexiven Konstruktionen sind im Plural homonym: Abhängig vom Kontext kann es sich um ein reflexives Verhältnis mit Rückbezug der Handlung auf das Subjekt und Identität zwischen Objekt und Subjekt *oder* um ein reziprokes Verhältnis handeln, bei dem ein wechselseitiger Bezug der Objekte auf die Subjekte und damit keine Identität zwischen Objekt und Subjekt, sondern ein normales Subjekt-Objekt-Verhältnis vorliegt. Die Homonymie wird eindeutig durch Auflösung der Pluralform in Singularformen und den Ersatz mit *einander* (reziprokes Verhältnis):

Hans und Peter waschen sich.
← Hans wäscht *sich*, und Peter wäscht *sich*. (reflexiv)
← Hans und Peter waschen *einander*. (reziprok)
← Hans wäscht Peter, und Peter wäscht Hans.

Dieser Homonymietest kann gleichzeitig zum Nachweis dessen dienen, ob die Verbindung eines Verbs mit Reflexivpronomen zu den reflexiven Konstruktionen gehört oder nicht.

2. Reflexive Verben mit reziproker Bedeutung

Die meisten reflexiven Verben im engeren Sinne (Reflexiva tantum und reflexive Verbvarianten) können kein reziprokes Verhältnis ausdrücken, da dem Reflexivpronomen hier kein Objekt zugrunde liegt, das (wie bei den reflexiven Konstruktionen) im Plural homonym ist. Das zeigt sich bei der Auflösung der Pluralform in die entsprechenden Singularformen:

Hans und Peter erholen sich.
→ Hans erholt sich, und Peter erholt sich. (reflexiv)
→ *Hans erholt Peter, und Peter erholt Hans. (reziprok)

Es gibt aber eine kleine Gruppe Verben, die bereits in der Grundbedeutung reziprok sind. Sie kommen wie die reflexiven Konstruktionen mit reziproker Bedeutung gewöhnlich nur im Plural vor, wobei hier die reziproke Bedeutung durch den Zusatz eines fakultativen *miteinander* verstärkt wird. Sie können aber auch im Singular stehen, wobei das zweite Subjekt obligatorisch durch die Präposition *mit* angeschlossen wird:

Hans und Peter verbrüdern *sich*.
→ Hans und Peter verbrüdern *sich* (miteinander).
→ Hans verbrüdert *sich* mit Peter.

Wie bei den reflexiven Verben allgemein, ist auch bei denen mit reziproker Bedeutung zu unterscheiden zwischen Verben, die nur mit Reflexivpronomen vorkommen (Reziproka tantum), und Verben, die neben sich noch nicht-reflexive Varianten mit anderer Valenz und Bedeutung haben (reziproke Verbvarianten). Zu beachten ist ferner, daß wie bei manchen anderen reflexiven Verben auch bei verschiedenen reziproken Reflexiva das Reflexivpronomen fakultativ ist und wegfallen kann, daß aber im Unterschied zu den anderen reflexiven Verben bei den reziproken Reflexiva das Reflexivpronomen nur im Akkusativ stehen kann.

(1) Reziproka tantum

Er hat *sich* mit seinen Eltern überworfen.
Die beiden Jungen haben (*sich* / miteinander) gebalgt.

Ebenso: sich anfreunden, (sich) duellieren, (sich) raufen, sich verbrüdern, sich verfeinden, sich verkrachen

(2) Reziproke Verbvarianten

Die Geschwister vertragen *sich*. (neben nicht-reflexiv mit anderer Bedeutung und Valenz: Er verträgt keinen Alkohol.)

Ebenso: sich aussprechen, (sich) beraten, (sich) beratschlagen, sich besprechen, sich in die Haare geraten, sich einigen, sich entzweien, (sich) streiten, sich treffen, sich verabreden, sich vereinigen, sich verheiraten, sich verloben, sich versöhnen

Anmerkungen:
(a) Einige reziproke Verbvarianten haben nicht-reflexive Varianten neben sich, wenn statt eines präpositionalen Objekts (*über*) ein Akkusativobjekt erscheint, andere kommen nicht-reflexiv vor, wenn das reziproke Subjekt als Objekt auftritt:

Der Leiter bespricht *sich* mit dem Kollektiv über das Projekt.
→ Der Leiter bespricht mit dem Kollektiv das Projekt.
Die beiden Freunde haben *sich* versöhnt.
→ Das Mädchen hat die beiden Freunde versöhnt.

(b) Bei wenigen reziproken Verbvarianten steht statt *mit* die Präposition *von*:

Hans und Beate haben sich (*von*einander) getrennt.
→ Hans hat sich *von* Beate getrennt.

Ebenso: sich unterscheiden

(c) Vereinzelt liegt weniger ein reziprokes Verhältnis als ein distributives Verhältnis vor:

Die Kollegen wechseln *sich* (miteinander) in der Nachtwache ab.
Die Schwester teilt *sich* mit dem Bruder in die Schokolade.

Wenn in einem Satz mit Reflexivpronomen der Subjektsnominativ nicht das Agens der Handlung repräsentiert, kann kein reflexives Verhältnis im Sinne der reflexiven Konstruktionen und der reflexiven Verben im engeren Sinne bestehen, denn dieses Verhältnis hat die Identität des Reflexivpronomens mit dem Agens zur Voraussetzung. Sätze mit Reflexivpronomen, in denen der Subjektsnominativ nicht das Agens, sondern das Patiens der Handlung repräsentiert bzw. ein rein formales, nicht kommutierbares Subjekt ist, bringen ein passivisches Verhältnis zum Ausdruck und gehören zu den Passiv-Paraphrasen. Da die Verben in diesen Sätzen keinen Infinitiv bilden können und auf den Gebrauch in der 3. Person beschränkt sind, sprechen wir im Unterschied zu den reflexiven Konstruktionen und den reflexiven Verben im engeren Sinne hier von *reflexiven Formen mit passivischer Bedeutung.*

1. Bei den reflexiven Formen mit einem Subjektsnominativ, der das *Patiens* der Handlung repräsentiert, sind zwei Gruppen zu unterscheiden. Die erste Gruppe bilden die Passiv-Paraphrasen im eigentlichen Sinne, die sich ohne nennenswerten Bedeutungsunterschied in passivische Sätze transformieren lassen:

> Der Schlüssel wird sich finden.
> → Der Schlüssel wird gefunden werden.

Vgl. dazu 1.8.10.1.3.
Bei den reflexiven Formen der zweiten Gruppe ist im Satz ein zusätzlicher modaler Faktor der Möglichkeit enthalten, der bei der Transformation in einen Passivsatz die Einfügung eines entsprechenden lexikalischen oder syntaktischen Elements wie etwa des Modalverbs *können* notwendig macht. Diese Bedeutung ist gewöhnlich dann gegeben, wenn im Satz eine Modalangabe erscheint:

> Der Apfel schält sich schlecht.
> → Der Apfel kann schlecht geschält werden.

Der Modalfaktor kann durch Erweiterung des Satzes mit *lassen* expliziert werden:

> Der Apfel läßt sich schlecht schälen.

Vgl. dazu 1.8.10.2.6.

2. Die reflexiven Formen mit einem Subjektsnominativ, der ein *formales Subjekt* in Form des nicht kommutierbaren Pronomens *es* darstellt, entsprechen weitgehend der zweiten Gruppe der reflexiven Formen mit einem Subjektsnominativ als Patiens. Auch hier handelt es sich um Passiv-Paraphrasen mit dem zusätzlichen Modalfaktor der Möglichkeit. Es ist ebenfalls im Satz eine Modalangabe notwendig, zusätzlich ist hier jedoch noch eine zweite adverbiale Angabe – zumeist eine Lokalbestimmung – vorhanden. Die Bildung solcher reflexiver Formen ist im wesentlichen auf die Verben beschränkt,

die kein reflexives Verhältnis im eigentlichen Sinne ausdrücken können, d. h. weder als reflexive Konstruktion noch als reflexives Verb im engeren Sinne vorkommen.

In der neuen Bibliothek arbeitet es sich gut.
→ In der neuen Bibliothek kann gut gearbeitet werden.

Auch hier kann der Modalfaktor durch Erweiterung des Satzes mit *lassen* expliziert werden:

In der neuen Bibliothek läßt es sich gut arbeiten.

Vgl. dazu 1.8.10.2.7.

1.10.7. Zustandsreflexiv

Wie von vielen transitiven Verben neben dem Vorgangspassiv ein Zustandspassiv gebildet werden kann, so ist auch von zahlreichen Verben mit Reflexivpronomen neben den normalen Tempus- und Modusformen die Bildung eines Zustandsreflexivs möglich. Beide Kategorien werden mit den gleichen Formen gebildet (Hilfsverb *sein* + Partizip II) und haben auch die Grundbedeutung („Zustand") gemeinsam. Wie das Zustandspassiv bezeichnet auch das Zustandsreflexiv – im Unterschied zu den normalen Tempus- und Modusformen der Verben mit Reflexivpronomen – nicht ein Geschehen, einen Prozeß, sondern einen Zustand als Resultat eines Prozesses: Zuerst *erholt sich* der Mensch (prozessual), im Resultat *ist* der Mensch *erholt* (nicht prozessual). Trotz dieser gemeinsamen Grundbedeutung unterscheidet sich das Zustandsreflexiv vom Zustandspassiv durch andere Subjektsverhältnisse:
Das syntaktische Subjekt des Zustandspassivs entspricht dem syntaktischen *Objekt* der zugrunde liegenden aktivischen Struktur, das syntaktische Subjekt des Zustandsreflexivs dagegen entspricht dem syntaktischen *Subjekt* der zugrunde liegenden reflexiven Konstruktion. Die verschiedenen Subjektsverhältnisse beim Zustandspassiv und Zustandsreflexiv werden auf Grund der gleichen Formenbildung allerdings im aktualen Satz nicht erkennbar. Sie sind jedoch durch Transformationen nachweisbar:

Das Mädchen ist verliebt. (Zustandsreflexiv)
← *Das Mädchen ist verliebt worden.
← Das Mädchen hat sich verliebt.

Der Brief ist geschrieben. (Zustandspassiv)
← Der Brief ist geschrieben worden.
← *Der Brief hat sich geschrieben.
← X hat den Brief geschrieben.

Das Zustandsreflexiv von reflexiven Konstruktionen ist immer homonym, da auf Grund des fehlenden Reflexivpronomens beim Zustandsreflexiv auch eine Interpretation als Zustandspassiv des nicht-reflexiven Verbs möglich ist:

Das Kind ist gewaschen. (Zustandsreflexiv und -passiv)
← Das Kind hat sich (selbst) gewaschen.
← Das Kind ist (von seiner Mutter) gewaschen worden.

Dieser Homonymietest kann gleichzeitig zur Entscheidung dessen dienen, ob die Verbindung eines Verbs mit Reflexivpronomen eine reflexive Konstruktion ist oder nicht. Das Zustandsreflexiv bei reflexiven Verben (im engeren Sinne) ist nicht homonym.

Anmerkung:
Für die Bildung des Zustandsreflexivs gibt es bestimmte Beschränkungen:

(1) Das Zustandsreflexiv kann nur von solchen Verben gebildet werden, bei denen das Reflexivpronomen im Akkusativ steht:

Ich wasche mich. (reflexive Konstruktion)
→ Ich bin gewaschen.
Ich erhole mich. (reflexives Verb)
→ Ich bin erholt.

Verben mit einem Reflexivpronomen im Dativ oder im Präpositionalkasus können kein Zustandsreflexiv bilden:

Ich schade mir. (reflexive Konstruktion)
→ *Ich bin geschadet.
Ich halte an mich. (reflexives Verb)
→ *Ich bin gehalten.

(2) Das Zustandsreflexiv kann nur von solchen Verben mit akkusativischem Reflexivpronomen gebildet werden, die perfektiv und transformativ sind und einen solchen starken Grad der Affizierung des Subjekts ausdrücken, daß ein zeitweilig bleibendes Resultat, eine Qualitätsveränderung (die vom Wesen des Zustandsreflexivs vorausgesetzt wird wie beim Zustandspassiv, vgl. dazu 1.8.3.2.) überhaupt ermöglicht wird. Von den unter 1.10.3. und 1.10.4. aufgeführten Verben mit akkusativischem Reflexivpronomen sind das folgende Verben:
(reflexive Konstruktionen:) sich kämmen, sich rasieren, sich schminken, sich verpflichten, sich waschen
(Reflexiva tantum:) sich betrinken, sich bewähren, sich eignen, sich entschließen, sich erholen, sich erkälten, sich verlieben
(reflexive Verbvarianten:) sich bemühen, sich entrüsten

Verben mit trennbarem erstem Teil 1.11.

Trennung bei den finiten und den infiniten Formen 1.11.1.

Im Unterschied zu den ersten Teilen abgeleiteter und zusammengesetzter Substantive und Adjektive/Adverbien sind manche erste Teile abgeleiteter und zusammengesetzter Verben trennbar. Die Trennung erfolgt in den finiten und infiniten Verbformen unterschiedlich:

1. Steht das Verb in einer finiten Form, trennt sich der erste Teil vom Verb und tritt ans Satzende (bildet den Satzrahmen, vgl. dazu 14.1.1.3.). Diese Trennung tritt jedoch nur bei Erst- und Zweitstellung, nicht bei Endstellung des finiten Verbs ein:

Er *kommt* morgen in Berlin *an*.
Kommt er morgen in Berlin *an*?

Aber:

Ob er morgen in Berlin *an*kommt, wollte sie wissen.

2. Steht das Verb im Infinitiv, tritt die Partikel *zu* – soweit der Infinitiv mit *zu* gebraucht wird – zwischen ersten Teil und Verbstamm:

Er hat versprochen, mich sofort *anzurufen*.

Aber ohne Trennung bei Infinitiv ohne *zu*:

Er will mich morgen *anrufen*.

Steht das Verb im Partizip II, wird der erste Teil durch das Präfix *ge-* vom Verbstamm getrennt:

Ich habe ihn mehrmals vergeblich *angerufen*.

1.11.2. Bedingungen für Trennbarkeit

Äußeres Merkmal dafür, ob der erste Teil trennbar ist oder nicht, ist die Betonung. Als allgemeine Regel kann gelten, daß betonter erster Teil trennbar, unbetonter erster Teil dagegen untrennbar ist.

1. Unbetont und deshalb untrennbar sind die Präfixe

be-, *ent-*, *er-*, *ver-*, *zer-*

und die selteneren

ge-, *miß-*

sowie die Fremdpräfixe

de(s)-, *dis-*, *in-*, *re-* usw.

Beispiele:

*be*achten, *ent*decken, *er*bauen, *ver*raten, *zer*brechen, *ge*fallen, *miß*lingen
*des*organisieren, *dis*qualifizieren, *in*filtrieren, *re*konstruieren

Anmerkung:
miß- kann bei einigen Verben sowohl unbetont als auch betont sein (mißachten, mißbilligen, mißdeuten), bei einigen anderen Verben ist es immer betont (mißbilden, mißverstehen). Aber auch betont bleibt *miß-* in den finiten Verbformen ungetrennt. Im Infinitiv gibt es vereinzelt Trennung durch *zu* (mißzudeuten, mißzuleiten), im Partizip II steht gelegentlich *ge-* (vorangestellt oder trennend: gemißbilligt, gemißdeutet/mißgedeutet, mißgeleitet)

2. Betont und somit trennbar sind

ab-, *an-*, *auf-*, *aus-*, *bei-*, *mit-*, *nach-*, *vor-*, *zu-*
da(r)-, *ein-*, *empor-*, *fort-*, *her-*, *hin-*, *los-*, *nieder-*, *weg-*, *weiter-*, *wieder-*

Beispiele:

*ab*kürzen, *an*sehen, *auf*führen, *aus*arbeiten, *bei*bringen, *mit*teilen, *nach*fragen, *vor*tragen, *zu*hören
*dar*stellen, *ein*wenden, *empor*tragen, *fort*setzen, *her*stellen, *hin*setzen, *los*trennen, *nieder*reißen, *weg*nehmen, *weiter*leiten, *wieder*sehen

Anmerkungen:
(1) Gelegentlich verbinden sich trennbare Verbteile mit untrennbaren Teilen. In diesem Fall wird der trennbare Verbteil nur getrennt, wenn er an erster Stelle steht:

ab-be-rufen: Man *beruft* den Botschafter *ab*.

Aber:

be-ab-sichtigen: Er *beabsichtigt* eine Seereise.

(2) Die trennbaren Verbteile treten auch miteinander kombiniert auf. In diesem Falle werden die trennbaren Teile als Einheit empfunden und gemeinsam abgetrennt:

her-vor-rufen: Seine Worte *riefen* einen Streit *hervor*.

Häufig gehen Kombinationen ein:

da(r)-: *dabei*sein, *daher*reden, *darüber*stehen; (ugs. auch in reduzierter Form:) *dran*sein
-her-: *heraus*fordern, *hervor*rufen, *umher*gehen, *vorher*sagen; (ugs. auch in reduzierter Form:) *rein*fallen
-hin-: *hinaus*rennen, *hinweg*treiben, *daraufhin*arbeiten
-zu-: *zurecht*kommen, *zurück*werfen, *zusammen*schlagen, *hinzu*fügen

Nur kombiniert möglich sind *-einander-* und *-wärts-*;

*durcheinander*reden, *auseinander*nehmen
*rückwärts*gehen, *vorwärts*kommen

(3) Bei einigen Verben ist die Trennung des ersten Teils fakultativ:

Ich *erkenne* seine Leistungen *an*.
Ich *anerkenne* seine Leistungen.

3. Einige erste Teile kommen sowohl betont und trennbar als auch unbetont und untrennbar vor. Dazu gehören:

durch-, *hinter-*, *über-*, *um-*, *unter-*

Entscheidend für die Betonung und Trennbarkeit ist die Semantik der Verben:

(1) Bei *durch-*, *hinter-*, *über-* und *unter-* haben die Verben mit beton-

tem, trennbarem erstem Teil oftmals konkrete (lokale) Bedeutung, die Verben mit unbetontem, untrennbarem erstem Teil abstrakte, übertragene Bedeutung:

konkret	*abstrakt*
Schuhe mit dünnen Ledersohlen läuft man bei Bergwanderungen schnell d**u**rch.	Er durchl**äu**ft (= absolviert) das Institut in drei statt in vier Jahren.
Es war mir nicht möglich, ein Stück Kuchen h**i**nterzubringen.	Er lief sofort zu ihr, um ihr meine Worte zu hinterbr**i**ngen (= denunzieren).
Er hat sich eine Jacke **ü**bergeworfen.	Er hat sich mit seinem Nachbarn überw**o**rfen (= verfeindet).
Der Gärtner gräbt den Dung **u**nter.	Er untergr**ä**bt (= zerstört) durch den Alkohol seine Gesundheit.

Anmerkung:
Vor allem bei *durch-* und *über-* gibt es zahlreiche Ausnahmen von dieser semantischen Regel:

(a) Bei verschiedenen Verben mit konkreter (lokaler) Bedeutung ist *durch-* sowohl betont-trennbar als auch unbetont-untrennbar möglich. Zwischen beiden Varianten besteht ein aktionaler Unterschied: Das Verb mit betontem, trennbarem erstem Teil drückt das bloße Resultat der Handlung aus, das Verb mit unbetontem, untrennbarem erstem Teil hebt dagegen die Art und Weise der Handlung hervor:

Er hat die Platte d**u**rchgebohrt. (d. h., das Loch ist fertig gebohrt)
Er hat die Platte durchb**o**hrt. (und nicht durchst**o**chen oder durchschl**a**gen)

Beim entsprechenden Verb in abstrakter, übertragener Bedeutung ist der erste Teil der semantischen Regel gemäß unbetont und untrennbar:

Er hat sie mit seinen Blicken durchb**o**hrt.

(b) Vor allem in der konkreten Bedeutung „Richtung" ist bei Verben mit *über-* und *durch-* sowohl die trennbare als auch die untrennbare Form möglich. Hier besteht ein Unterschied syntaktischer Art: Das Verb mit betontem, trennbarem erstem Teil ist intransitiv (mit fakultativem Präpositionalobjekt), das Verb mit unbetontem, untrennbarem erstem Teil ist transitiv (mit obligatorischem Akkusativobjekt). Öfters ist damit eine Bedeutungsspezifizierung verbunden, jedoch nicht immer im Sinne der semantischen Regel:

trennbar als intransitives Verb, untrennbar als transitives Verb; beide mit konkreter Bedeutung

Das Feuer springt *auf das Nachbarhaus* **ü**ber.
Die Sportlerin überspr**i**ngt *die Höhe* von 1,90 m.
Das Flugzeug ist (*durch das Gewitter*) d**u**rchgeflogen.
Das Flugzeug hat *das Gewitter* durchfl**o**gen.

nur untrennbar als transitives Verb, konkret und abstrakt

Man hat *den Fluß* an der schmalsten Stelle überbr**ü**ckt.
Wir konnten im Gespräch *die Gegensätze* nicht überbr**ü**cken.

nur trennbar als intransitives Verb, konkret und abstrakt

Die Kohlen im Ofen sind d**u**rchgebrannt.
Die Frau ist ihm d**u**rchgebrannt.

(c) In verschiedenen Fällen ist zwischen dem Verb mit trennbarem und mit untrennbarem erstem Teil weder ein semantischer noch ein syntaktischer Unterschied feststellbar. Hierher gehören auch einige nur literarisch gebräuchliche Verben mit *ob-* als erstem Teil.

Die Familie ist in die DDR **ü**bergesiedelt / übers**ie**delt.
Er hat das ganze Zimmer d**u**rchgesucht / durchs**u**cht.
Es liegt mir **ob** / Es obl**ie**gt mir, ihn zu ermahnen.

In anderen Fällen ist eine Form (mit Bedeutungsspezifizierung) fest geworden:

Sie zieht eine Jacke **ü**ber.
Sie überz**ie**ht die Betten.

(2) Für *um-* gilt ein anderer Bedeutungsunterschied. Das Verb mit betontem, trennbarem erstem Teil bezeichnet eine Bewegung (bzw. Veränderung) des Objekts durch das Subjekt, vereinzelt auch eine Bewegung des Subjekts (aber nicht im Sinne *um...herum* und nur bei intransitiven Verben). Das Verb mit unbetontem, untrennbarem erstem Teil bezeichnet ein *um... herum* des Subjekts um ein unbewegtes Objekt.

Sie stellt oft die Möbel **u**m.	Polizisten umstellen das Haus.
Der Gärtner pflanzt die Blumen **u**m.	Er umpfl**a**nzt den Rasen mit Blumen.
Er hat den Aufsatz **u**mgearbeitet.	–
–	Eine Mauer umg**i**bt das Grundstück.
Die Familie zieht nächste Woche **u**m.	–
Die Vase ist beim Aufräumen **u**mgefallen.	–

(3) Trennbar und untrennbar sind auch *wider-* und *voll-* als erste Teile der Verben entsprechend der semantischen Regel konkret/abstrakt. Dabei dominiert jeweils eine Form.

(a) Die Mehrzahl der Verben mit *wider-* hat abstrakte Bedeutung, *wider-* ist unbetont und untrennbar:

Der Wissenschaftler widerl**e**gt die Argumente seines Opponenten.

Ebenso: widerf**a**hren, widerr**a**ten, widerr**u**fen, sich widersetzen, widersprechen, widerstehen, widerstr**e**ben, widerstr**ei**ten

Nur wenige Verben mit *wider-* haben konkrete (optische/akustische) Bedeutung, *wider-* ist betont und trennbar oder auch betont-trennbar und unbetont-untrennbar:

Das Hornsignal schallt von der Felswand w**i**der.

Ebenso: widerklingen

Seine Schritte hallten an den Wänden wider.
Das Haus widerhallte von Gesang und Lachen.

Ebenso: widerstrahlen; (auch abstrakt:) widerspiegeln

Anmerkung:
wieder- als erster Teil ist gewöhnlich betont und trennbar (Gruppe 2). Eine Ausnahme bildet das Verb *wiederholen*, wo der erste Teil betont-trennbar und unbetont-untrennbar möglich ist. Man vgl.:

Ich habe mir das Buch selbst wiedergeholt. (= etwas zurückholen)
Ich habe die ganze Lektion wiederholt. (= etwas noch einmal lernen, lesen, sagen usw.)

(b) Die meisten Verben mit *voll-* haben konkrete Bedeutung, *voll-* ist betont und trennbar:

Er stopft sich die Taschen mit Bonbons voll.
Sie hat das Zimmer mit Möbeln vollgestellt.

Ebenso: sich vollessen, vollgießen, vollkritzeln, vollpacken, vollpfropfen, vollpumpen, sich vollsaugen usw.

Nur bei wenigen Verben mit abstrakter Bedeutung ist *voll-* unbetont und untrennbar:

Der Standesbeamte vollzieht die Trauung.
Der Komponist hat die Oper in wenigen Wochen vollendet.

Ebenso: vollbringen, vollführen, vollstrecken

1.11.3. Trennbarer Verbteil und selbständiges Wort

1. Die trennbaren Verbteile entsprechen frei vorkommenden Präpositionen und Adverbien. Zumeist kann man jedoch nicht von der Bedeutung der selbständigen Wörter auf die Bedeutung der Verbteile schließen. Zum Teil haben die Verbteile Bedeutungen, die den entsprechenden selbständigen Wörtern fehlen:

Der Zug fährt *an.* (= Der Zug *beginnt* zu fahren.)

In anderen Fällen haben die Verbteile keine eigene Bedeutung, sondern bilden eine semantische Einheit mit dem Verbstamm:

Seine Abwesenheit *fiel* nicht *auf.* (= Seine Abwesenheit wurde nicht *bemerkt.*)
Er *merzt* die Druckfehler *aus.* (= Er *beseitigt* die Druckfehler.)

2. Verschiedentlich ist die Grenze zwischen trennbarem Verbteil (1) und selbständigem Wort (2) fließend.
Um Bedeutungsunterschiede, die sich auch in der Betonung und Schreibung äußern und durch eine Wortstellungstransformation direkt nachweisbar sind, handelt es sich bei den folgenden Satzpaaren:

(1)	(2)
Sie haben den Mann zusammengeschlagen (= niederschlagen).	Sie haben den Mann zusammen geschlagen (= gemeinsam schlagen).
–	→ Sie haben zusammen den Mann geschlagen.
Wir werden während der Ferien dasein (= anwesend sein).	Wir werden während der Ferien da sein (= dort sein).
–	→ Da werden wir während der Ferien sein.
Er hat das vorhergesagt (= prophezeien).	Er hat das vorher gesagt (= früher sagen).
–	→ Vorher hat er das gesagt.

Gering ist der Bedeutungsunterschied zwischen den folgenden Sätzen:

Man hat die Oper wiederaufgebaut. (1)
Man hat die Oper wieder aufgebaut. (2)

Um verschiedene Verbindungen trotz formaler Identität handelt es sich bei dem folgenden Satzpaar:

Wo ist das Buch hingekommen?
→ *Wohin ist das Buch gekommen? (*wo* + hinkommen)
Wo ist der Mann hingegangen?
→ Wohin ist der Mann gegangen? (*wohin* + gehen)

Die formale Identität kommt hier dadurch zustande, daß die Frageadverbien *wohin* und *woher* trennbar sind.

Im Grunde den gleichen Charakter wie trennbare Verbteile (1) haben einige Verbindungen aus Präposition (vor allem: *zu*) und Substantiv bzw. Adjektiv, die mit bestimmten Verben feste Wendungen bilden (2):

(1) Er ist mit der Aufgabe nicht zurechtgekommen.
(2) Das Geld ist allen zugute gekommen.

Ebenso: zugrunde gehen, zunichte machen, zuteil werden, zuleide tun, zutage bringen, abhanden kommen, außerstande sein, instand halten

Verben, Substantive und Adjektive als erste Teile zusammengesetzter Verben — 1.11.4.

Erster Teil eines zusammengesetzten Verbs kann auch ein zweites Verb oder ein Substantiv bzw. Adjektiv sein.

1. Auch bei diesen Verben ist der betonte erste Teil zumeist trennbar:

kennenlernen, sitzenbleiben, spazierengehen, stehenlassen, verlorengehen
blankbohnern, blindschreiben, fehlschlagen, haltmachen, haushalten, liebhaben, maschineschreiben, maßhalten, übelnehmen, wundernehmen

Daneben gibt es eine größere Zahl Verben mit betontem, aber untrennbarem erstem Teil:

> **a**rgwöhnen, br**a**ndmarken, f**a**chsimpeln, fr**ü**hstücken, h**a**ndhaben, k**e**nnzeichnen, l**a**ngweilen, l**ie**bäugeln, m**a**ßregeln, m**u**tmaßen, **o**hrfeigen, r**a**debrechen, r**e**chtfertigen, sch**au**spielern, schl**u**ßfolgern, w**e**tteifern

Die Zahl der Verben mit unbetontem, untrennbarem erstem Teil ist dagegen sehr klein:

> fotokop**ie**ren, telegraf**ie**ren; frohl**o**cken, offenb**a**ren

2. Manche Verben mit Verb, Substantiv oder Adjektiv als trennbarem erstem Teil werden nicht in den finiten Formen verwendet, um die Trennung zu vermeiden:

> Sie kann gut kopfrechnen.
> *Sie rechnet gut kopf.

Bei anderen Verben erfolgt die Trennung nur in der infiniten Form:

Man fließpreßt das Material.	(untrennbar)
Das Material wird fließgepreßt.	(trennbar)

3. In manchen Fällen ist die Grenze zwischen Verbteil und selbständigem Wort fließend. So ist in den folgenden Beispielen den selbständig stehenden Verben, Substantiven und Adjektiven (2) im Grunde der gleiche Charakter wie den entsprechenden trennbaren Verbteilen (1) zuzuschreiben:

(1)	(2)
Ich habe vor, spazierenzugehen.	Ich habe vor, baden zu gehen.
Er ist radgefahren.	Er ist Auto gefahren.
Sie hat den Fußboden blankgebohnert.	Sie hat die Gläser blank geputzt.

Substantivwörter 2.

Syntaktische Beschreibung 2.1.

Entscheidend für die Zuordnung der Wörter zur Wortklasse „Substantivwörter" ist der Substitutionsrahmen:

Das ... war gut. (Essen)
Ich sehe den ... (Freund)
Sie sprachen von der ... (Reise)

Auf Grund bestimmter Umgebungsbeschränkungen ergibt sich eine syntaktische Subklassifizierung der Substantivwörter in zwei Hauptgruppen:

Die Subklasse „Substantiv" kann normalerweise ein Artikelwort und ein Adjektiv vor sich und ein weiteres Substantiv (als Attribut im Genitiv oder im Präpositionalkasus) nach sich haben:

der neue *Mantel* des Vaters

Diese Merkmale fehlen gewöhnlich der Subklasse „Substantivische Pronomina", die zwar in der gleichen Position auftreten kann, aber bei einer Substitution nicht nur das Substantiv, sondern auch das davorstehende Artikelwort (und Adjektiv) ersetzt:

Sie sprechen über *den neuen Roman.*
→ Sie sprechen über *ihn.*

Wenn bei substantivischen Pronomina substantivische Attribute auftreten, so ist das nicht unbeschränkt möglich, sondern von den einzelnen Pronomina und von der Form der Attribute (Genitiv oder Präpositionalkasus) her begrenzt (vgl. dazu 15.2.5.)

Weitere Subklassen innerhalb dieser beiden Hauptgruppen ergeben sich teils aus morphologischen, teils aus syntaktischen Beschränkungen für einzelne Wörter. So sind bestimmte Substantive und substantivische Pronomina nicht pluralfähig (viele Stoffnamen; *wer, man, etwas*), andere nicht singularfähig (bestimmte Kollektiva; *einige, mehrere*). Manche Substantivwörter haben keine Kasusformen (Substantive auf *-ismus; etwas, nichts*); die substantivischen Pronomina *wer* und *was* sind an die Satzart der Ergänzungsfrage gebunden, die Relativpronomina an die Nebensatzform usw. Man vergleiche zu diesen Besonderheiten die folgenden Abschnitte „Semantische Beschreibung" und „Formenbestand".

2.2. Semantische Beschreibung

Unter semantischem Aspekt ergibt sich die gleiche Einteilung der Substantivwörter in „Substantive“ und „Substantivische Pronomina“ wie unter syntaktischem Aspekt. Substantive sind Wörter, die über eine ausgeprägte lexikalische Bedeutung verfügen und unabhängig von Kontextbedingungen stehen können (Autosemantika). Substantivische Pronomina sind Wörter, die nicht über eine ausgeprägte lexikalische Bedeutung verfügen und nur eine Hilfsfunktion ausüben (Synsemantika). Unter den Bedingungen der Vorerwähntheit, einer eindeutigen Situation u. ä. treten sie für Substantive ein und ersetzen sie im konkreten Satz. Deshalb werden die substantivischen Pronomina auch als Prowörter des Substantivs bezeichnet.

2.2.1. Substantiv

Bei den Substantiven ist in semantischer Hinsicht weiter zu unterscheiden nach Gattungsnamen (Appellativa) und Eigennamen. Die Gattungsnamen sind Bezeichnungen für eine Gattung (Klasse) gleichartiger Erscheinungen und zugleich für die einzelnen Glieder dieser Gattung, während mit den Eigennamen nur die einzelnen Glieder einer Gattung bezeichnet werden.
Eine weitere semantische Untergliederung, die bei den Gattungsnamen möglich ist, ist die nach dem Gegensatzpaar Konkretheit und Abstraktheit. Konkreta sind Bezeichnungen für sinnlich wahrnehmbare Erscheinungen, Abstrakta dagegen bezeichnen sinnlich nicht wahrnehmbare Erscheinungen wie Vorgänge, Eigenschaften, Beziehungen u. ä. Nach der Beschaffenheit der sinnlich wahrnehmbaren Erscheinungen wird bei den Konkreta weiter unterschieden nach Bezeichnungen für zählbare Individuativa, für Stoffnamen und für Kollektiva, die jeweils – wie auch die Eigennamen und die Abstrakta – noch weiter nach bestimmten semantischen Merkmalen spezifizierbar sind. Zu solchen Merkmalen, die für Substantive aller genannten Gruppen zutreffen können, gehören u. a. die semantischen Kategorien der Belebtheit (außer bei Stoffnamen), Bestimmtheit und Gegliedertheit. Zum Teil haben diese Merkmale bestimmte morphosyntaktische Reflexe. Besonders deutlich wird dies am Merkmal der Gegliedertheit: Je nachdem, ob ein von einem Substantiv bezeichnetes Objekt der Realität ungegliedert oder gegliedert ist bzw. beides sein kann, steht es im Singular oder im Plural bzw. ist es in beiden Numeri verwendbar. Man vgl. das folgende Schema:

	ungegliedert nur Sing.	gegliedert nur Plural	un/gegliedert Sing./Plural
Stoffnamen	Gold, Milch, Schnee	Spaghetti, Trümmer	Sand/(Sande), Holz/(Hölzer)

	ungegliedert nur Sing.	gegliedert nur Plural	un/gegliedert Sing./Plural
Sammelnamen	Bevölkerung, Wild, Gepäck	Eltern, Möbel, Gliedmaßen	Familie, Gewässer, Besteck
Abstrakta	Fleiß, Erziehung, Unrecht	Ferien, Masern, Wirren	Gefühl, Zweck, Recht

Vgl. dazu ausführlicher unter 2.4.2.

In ähnlicher Weise wie die Gegliedertheit ist auch das Merkmal der Bestimmtheit bei den Substantiven ablesbar, und zwar an der Artikelfähigkeit der Substantive. So werden Konkreta im Singular zumeist mit bestimmtem und unbestimmtem Artikel und nur selten mit Nullartikel verwendet, die nicht-pluralfähigen Abstrakta (wie auch die Stoffnamen) stehen dagegen im Singular oft mit dem Nullartikel oder dem bestimmten Artikel und nur ausnahmsweise mit dem unbestimmten Artikel. Nicht immer ist jedoch der Artikelgebrauch semantisch motiviert. Um Konventionalisierungen handelt es sich bei dem unterschiedlichen Artikelgebrauch der verschiedenen Gruppen von geographischen Eigennamen:

	best. Artikel	Nullartikel
Ortsnamen	–	+
Bergnamen	+	–
Gewässernamen	+	–
Ländernamen	+	+
Landschaftsnamen	+	+

Ganz generell ist festzustellen, daß die semantische Klassifizierung der Substantive keine starre Einteilung ist. Einerseits sind die semantischen Gruppen nicht immer scharf voneinander abgrenzbar (z. B. die Stoff- und Sammelnamen) und nur teilweise durch morphosyntaktische Merkmale nachweisbar (z. B. die geographischen Eigennamen, s. o.). Andererseits ist es nicht möglich, jedes Substantiv ganz allgemein dieser oder jener Gruppe zuzuweisen. Aufgrund der Polysemie ist eine Einordnung der Wörter oft nur von ihrer Verwendung im aktualen Satz her durchführbar. So ist z. B. das Substantiv *Jugend* abhängig vom Kontext ein Sammelname (= die Jugendlichen) oder ein Abstraktum (= das jugendliche Alter), das Substantiv *Grund* ein Konkretum (= Boden) oder ein Abstraktum (= Ursache) usw.

Substantivische Pronomina 2.2.2.

Den substantivischen Pronomina fehlen zwar die ausgeprägten lexikalischen Bedeutungen, wie sie die Substantive besitzen, trotzdem haben auch sie bestimmte allgemeine Grundbedeutungen. Diese Grundbedeutungen werden durch verschiedene grammatisch-semantische Merkmale wie Person, Zahl, Verneinung, Frage usw. bestimmt, von denen jeweils eines für ein Pronomen besonders charakteristisch ist. Auf Grund solcher charakteristischer Merkmale kann jedes substantivische Pronomen einer bestimmten Gruppe zugeordnet werden. Gewöhnlich unterscheidet man sechs Gruppen substantivischer Pronomina, deren Bezeichnungen – mit Ausnahme der ersten Gruppe – nach dem charakteristischen Gruppenmerkmal gewählt sind:

1. Personalpronomen
2. Interrogativpronomen
3. Demonstrativpronomen
4. Indefinitpronomen
5. Possessivpronomen
6. Relativpronomen

Eine siebente Gruppe ergibt sich aus morphologisch-syntaktischen Gründen. Es handelt sich um die Verbindungen *da-/wo-* + Präposition, die gewöhnlich unter der Bezeichnung „Pronominaladverbien" zusammengefaßt werden und für verschiedene substantivische Pronomina als Ersatzformen eintreten.

1. Personalpronomen

Im Falle des Personalpronomens entspricht die Bezeichnung nicht der Funktion des Pronomens. Für die Personalpronomina der 1. und 2. Person ist es der zweite Teil der Bezeichnung („Pronomen" = für ein Nomen), der sich als nicht zutreffend erweist, denn diese Pronomina stehen nicht für Nomina (= Substantive). Sie vertreten überhaupt nicht andere Wörter – wie allgemein die Pronomina –, sondern sind selbst das einzige adäquate Bezeichnungsmittel für die sprechende und angesprochene Person (bzw. Personengruppe) als den obligatorischen Partnern jeder sprachlichen Kommunikation. Man vgl. die folgenden Beispiele:

Ich habe das Buch gelesen.	(Singular)
Hast *du* das Buch gelesen?	
Wir sind rechtzeitig gekommen.	(Plural)
Ihr habt euch verspätet.	
Waren *Sie* schon im Urlaub?	(Singular/Plural)

Für das Personalpronomen der 3. Person erweist sich der erste Teil der Bezeichnung („Person") als irreführend. Dieses Pronomen ist das wichtigste allgemeine Bezeichnungsmittel für das von den Partnern der sprachlichen Kommunikation Besprochene, das nicht durch Substantive direkt benannt wird. Bei diesem Besprochenen handelt es sich aber nicht immer nur um Personen, sondern auch um Nicht-Personen im weitesten Sinne (Gegenstände, abstrakte Begriffe, verbale Aussagen usw.):

(Der Lehrer hat das *Kind* gelobt.) *Es* ist stolz auf das Lob.
(Die Mutter hat dem Sohn *Geld* gegeben.) Er hat *es* verloren.

(Das *Gesetz* gilt für alle.) Er hat *es* nicht beachtet.
(Er ist nicht *gekommen.*) Ich habe *es* erwartet.

Weder für die 1. und 2. Person noch für die 3. Person gibt also die Bezeichnung „Personalpronomen" die Funktion richtig wieder. Trotzdem wird diese Bezeichnung hier beibehalten, da sie allgemein eingeführt ist. Dem grundsätzlichen Unterschied zwischen dem Pronomen der 1. und 2. Person einerseits und dem Pronomen der 3. Person andererseits wird Rechnung getragen, indem die Darstellung im Abschnitt „Formenbestand" getrennt erfolgt.

2. Interrogativpronomen

Die Interrogativpronomina dienen dazu, unbekannte Sachverhaltskomponenten zu erfragen. In dieser Funktion sind sie die wichtigsten Bildungsmittel der Ergänzungsfrage und eng an diese Satzart gebunden (vgl. dazu 16.2.2.). Jedes Interrogativpronomen erfragt eine bestimmte Sachverhaltskomponente:

wer erfragt Personen, *was* erfragt Nicht-Personen, in beiden Fällen ohne Spezifizierung nach Zahl und Geschlecht (deshalb fehlen Formen für die verschiedenen Genera und den Plural):

Wer hat ihm geholfen? – Sein Lehrer / Seine Schwester / Seine Freunde / ...
Was suchst du? – Meinen Kugelschreiber / Mein Brillenetui / Meine Schlüssel / ...

Bei *welcher* und *was für einer* (Pl.: *was für welche)* ist die erfragte semantische Klasse der (Nicht-)Person bekannt. Zumeist wird diese mit genannt, das Fragewort erscheint dann als Artikelwort (vgl. 5.1.2.). Wenn das Fragewort als substantivisches Pronomen steht, ist die (Nicht-)Person aus dem Kontext erschließbar. Mit *welcher* wird die Identifikation einer (Nicht-)Person der genannten Klasse durch Auswahl bzw. Bestimmung aus einer gegebenen Menge gefordert. In der Antwort auf *welcher* erscheint deshalb obligatorisch der bestimmte Artikel (bzw. *dieser, meiner* u. ä.). Mit *was für einer* wird die Spezifikation einer (Nicht-)Person, d. h. die Angabe ihrer Beschaffenheit, verlangt. Hier tritt in der Antwort der unbestimmte Artikel (im Plural der Nullartikel) auf.

Welchen (Ball) möchtest du? – Diesen hier. / Den Fußball. / Den großen bunten. / ...
Was für einen (Ball) möchtest du? – Einen von diesen hier. / Einen Fußball. / Einen großen bunten. / ...

Bei Abstrakta wird der Unterschied zwischen Identifikation und Spezifikation nivelliert:

Welchen / Was für einen Fehler habe ich gemacht?
Welche / Was für Fragen gibt es noch?

3. Demonstrativpronomen

Die Demonstrativpronomina dienen wie das Personalpronomen der 3. Person zur allgemeinen Bezeichnung des Besprochenen. Sie unterscheiden sich vom Personalpronomen aber durch ihren Hinweischarakter. Innerhalb der Demonstrativa ist noch zwischen solchen mit reinem Hinweischarakter (*der, derjenige*) und solchen mit einer konkretisierenden Nebenbedeutung *(dieser, jener, ein solcher / solche)* zu unterscheiden. Die einzelnen substantivischen Demonstrativpronomina stimmen dabei völlig mit den gleichlautenden demonstrativen Artikelwörtern überein. Vgl. deren Bedeutungsangaben unter 5.3.; Satzbeispiele unter 2.3.2.3.

4. Indefinitpronomen

Mit den Wörtern, die man zu dieser Gruppe rechnet, werden Personen und Nicht-Personen als unbestimmt, d. h. nicht genau auf ihre Identität hin bestimmt, bezeichnet. Die Indefinitpronomina haben somit gewisse Berührungspunkte mit dem Personalpronomen der 3. Person und den Demonstrativpronomina, durch die Personen und Nicht-Personen ebenfalls nicht direkt benannt, sondern nur allgemein bezeichnet werden. Sowohl die Allgemeinheit als auch die Unbestimmtheit der Bezeichnung ist dadurch ermöglicht, daß die Person bzw. Nicht-Person im Kontext vorerwähnt ist. Der Unterschied zwischen dem Personalpronomen und den Demonstrativpronomina einerseits und den Indefinitpronomina andererseits besteht vor allem darin, daß durch jene eine Identifizierung mit der vorerwähnten Person oder Nicht-Person und durch diese keine solche Identifizierung, sondern eher eine Selektion erfolgt. Man vgl.:

Die *Studenten* haben Weimar besucht.	*Sie* waren im Schiller-Haus.
	Einige haben auch das Liszt-Haus besichtigt.
	Manche sind noch nach Tiefurt gewandert.
	Allen hat es sehr gefallen.

Ein weiterer Unterschied ist darin zu sehen, daß die durch das substantivische Indefinitpronomen bezeichnete Person oder Nicht-Person in manchen Fällen nicht die Erwähnung durch ein Wort im Kontext braucht, da sie durch spezielle Merkmale des Indefinitpronomens ausreichend bestimmt ist:

Er fährt morgen in den Urlaub.	Er hat *niemandem* davon erzählt.
	Er hat noch *nichts* gepackt.

Die den Indefinitpronomina eigenen speziellen Merkmale sind jeweils mehreren Pronomina gemeinsam und erlauben somit eine Subklassifizierung der substantivischen Indefinitpronomina. Je nachdem, welches Merkmal man zugrunde legt, ergibt sich eine andere Gruppierung. So kann man zwischen Indefinitpronomina, die die Personen und Nicht-Personen aus einer Vielzahl aussondern (*einige, etwas*[1], *irgendeiner*[2] / *irgendwelche*[3], *irgendwer*[4], *jemand*[1], *mancher, mehrere*), und Indefinitpronomina, die diese zu einer Gesamtheit zusammenfassen (positiv: *alle(s), jeder*, negativ: *keiner, niemand, nichts*), unterscheiden.

Eine andere Einteilung ergibt sich, wenn man die Pronomina nach dem unterschiedlichen Grad der Unbestimmtheit – von positiv bis negativ – anordnet: *alle(s), jeder, mancher, mehrere, einige, man, jemand, etwas, irgendwer, irgendeiner/irgendwelche, keiner, niemand, nichts.*

Eine dritte Möglichkeit besteht darin, die Indefinitpronomina danach einzuteilen, ob sie nur Personen (*jemand, irgendwer, man, niemand*), nur Nicht-Personen (*etwas, nichts*) oder beides (*alle(s), einige, irgendeiner/irgendwelche, jeder, keiner, mancher, mehrere*) bezeichnen. Weitere Merkmale sind die Verneinung, auf Grund deren sich verschiedene Indefinitpronomina gegenüberstellen lassen (*etwas – nichts, jemand – niemand, irgendeiner – keiner*), und die Zahl, die sich in Numerusbeschränkungen zeigt (nur Singular: *etwas, irgendwer, jeder, jemand, man, niemand, nichts;* nur Plural: *einige, mehrere;* Singular und Plural: *alle(s), irgendeiner/irgendwelche, keiner, mancher*).

Aus den einzelnen Merkmalen ist die komplexe Eigenbedeutung jedes Indefinitpronomens gebildet. Die substantivischen Indefinitpronomina, die auch als indefinite Artikelwörter vorkommen (*alle(s), einige, (irgend)einer/welche, jeder, keiner, manche, mehrere*), stimmen völlig mit diesen überein. Vergleiche deren Bedeutungsangaben unter 5.3. Die Bedeutungen der Indefinitpronomina, die nur substantivisch vorkommen, stehen teilweise im Zusammenhang mit den morphologisch-syntaktischen Besonderheiten dieser Pronomina und werden im Abschnit „Formenbestand" beschrieben.

5. Possessivpronomen

Die Possessivpronomina bezeichnen den Besitz im engen und im weiteren Sinne (Zugehörigkeit, Interesse usw.). Man unterscheidet bei ihnen analog zu den Personalpronomina zwischen der 1. und 2. Person einerseits und der 3. Person andererseits. Die 1. und 2. Per-

---

[1] Auch mit vorangestelltem, getrennt geschriebenem *irgend.*

[2] Ohne *irgend-* handelt es sich um das Zahladjektiv *einer.* Zum Genitiv, Dativ und Akkusativ von *ein-* als Ersatzformen für *man* vgl. dort.

[3] *irgendwelche* ist die Ersatzform zu *irgendeiner* im Plural. Die Form ohne *irgend-* ist im allgemeinen Interrogativpronomen. Umgangssprachlich kann sie auch Indefinitpronomen sein. Sie steht dann jedoch nie an erster Stelle im Satz:

> Ich habe Bleistifte gekauft. Brauchst du *welche*?

[4] Bei der Form ohne *irgend-* handelt es sich um das substantivische Interrogativpronomen.

son bezeichnen den Besitz der sprechenden und der angesprochenen Person (bzw. Personengruppe):

Wessen Wagen ist das? – Das ist *meiner*.
Das ist *unsrer*.
Wem gehört das Geld? – Das ist *deines*.
Das ist *eures*.
Das ist *Ihres*.

Die 3. Person bezeichnet den Besitz der besprochenen Person und – in seltenen Fällen – den Besitz der Nicht-Person:

Wessen Bücher sind das? – Das sind *seine*.
Das sind *ihre*.

6. Relativpronomen

Das Relativpronomen ist an den Attributsatz im engeren Sinne und an den weiterführenden Nebensatz gebunden. Im Attributsatz steht es für ein Substantiv, das im Hauptsatz vorerwähnt ist und auf das sich der Nebensatz bezieht. Im weiterführenden Nebensatz steht es als zusammenfassendes Wort für den Satzinhalt des vorangehenden Hauptsatzes, dem der Relativsatz formal untergeordnet ist. Das Relativpronomen hat damit die gleiche Funktion im Nebensatz, die das Personalpronomen der 3. Person und das Demonstrativpronomen *der* im Hauptsatz haben. Man vgl. die folgenden Beispielsätze:

Er fährt zu seinen Eltern. Die Eltern wohnen auf dem Land.
→ Er fährt zu seinen Eltern. *Sie* wohnen auf dem Land. (Personalpronomen)
→ Er fährt zu seinen Eltern. *Die* wohnen auf dem Land. (Demonstrativpronomen, ugs.)
→ Er fährt zu seinen Eltern, *die* auf dem Land wohnen. (Relativpronomen)

2.3. Formenbestand

2.3.1. Substantiv

2.3.1.1. Deklination im Singular

	Typ 1		Typ 2	Typ 3
N	der Lehrer	das Fenster	der Genosse	die Frau
A	den Lehrer	das Fenster	den Genosse**n**	die Frau
D	dem Lehrer	dem Fenster	dem Genosse**n**	der Frau
G	des Lehrer**s**	des Fenster**s**	des Genosse**n**	der Frau

 Die Mehrzahl der Maskulina und alle Neutra außer *Herz*, vgl. in diesem Abschnitt unter 3., folgen dem Typ 1, der im Genitiv auf *-(e)s* endet und sonst endungslos ist.[1] Ob das Substantiv die volle Endung *-es* oder die verkürzte Endung *-s* hat, hängt von der Lautform des Substantivs ab. Vgl. dazu unter 1. Zu den Maskulina, die nicht dem Typ 1, sondern dem Typ 2 – in allen obliquen Kasus *-(e)n* – folgen, gehören vor allem Bezeichnungen für Lebewesen. Ob die Endung *-en* oder *-n* lautet, hängt von der Nominativform des Substantivs ab. Vgl. dazu unter 2. Einige Maskulina werden nach einem Mischtypus aus Typ 1 und Typ 2 flektiert. Man vgl. dazu unter 3. Alle Feminina folgen dem Typ 3, der keine Deklinationsendungen aufweist.

1. *-es* bzw. *-s* im Genitiv bei Maskulina und Neutra

(1) Die volle Form *-es*
steht bei Substantiven auf *-s* (*-nis* wird zu *nisses*), *-ß*, *-x*, *-tsch*, *-z*

> der Krebs – des Krebses, das Haus – des Hauses, der Beweis – des Beweises, das Zeugnis – des Zeugnisses, der Prozeß – des Prozesses, das Gefäß – des Gefäßes, der Reflex – des Reflexes, das Suffix – des Suffixes, der Putsch – des Putsches, der Kitsch – des Kitsches, das Gewürz – des Gewürzes, der Absatz – des Absatzes

haben viele einsilbige Substantive

> das Buch – des Buches, der Freund – des Freundes, der Kampf – des Kampfes, das Kleid – des Kleides, der Mann – des Mannes, der Tag – des Tages, der Arzt – des Arztes (aber: der Film – des Films, der Lärm – des Lärms, das Pech – des Pechs usw.)

wird bevorzugt bei Substantiven auf *-sch* und *-st*

> der Fisch – des Fisches, der Marsch – des Marsches, der Dienst – des Dienstes, der Verlust – des Verlustes

(2) Die verkürzte Form *-s*
steht bei mehrsilbigen Substantiven, die auf eine unbetonte Silbe enden[2]

> der Sessel – des Sessels, der Lehrer – des Lehrers, das Märchen – des Märchens, der Lehrling – des Lehrlings, der Monat – des Monats, das Schicksal – des Schicksals

haben Substantive, die auf Vokal oder auf Vokal + *h* enden

> der Schnee – des Schnees, das Drama – des Dramas, der Schuh – des Schuhs, das Stroh – des Strohs

steht bei Substantivierungen

> das Grün – des Grüns, das Sein – des Seins

---

[1] Im Dativ gibt es fakultativ die Endung *-e*, vor allem bei Zweisilbern mit betonter zweiter Silbe (*Befehl, Verlauf*) und bei Einsilbern *(Stuhl, Tag, Fall)*.

[2] Hierher gehören auch die Substantive *Frieden* und *Glauben*, die wegen der gelegentlichen Nominativform ohne *-n* zumeist dem unter 3. genannten Mischtyp zugerechnet werden.

(3) Schwankend ist der Gebrauch

bei mehrsilbigen Substantiven, die auf betonte Silbe ausgehen

der Erfolg – des Erfolg(e)s, das Getränk – des Getränk(e)s

bei Zusammensetzungen

das Fremdwort – des Fremdwort(e)s, das Bergwerk – des Bergwerk(e)s

bei Substantiven, die auf Diphthong ausgehen

das Ei – des Ei(e)s, der Bau – des Bau(e)s

(4) Bei Fremdwörtern auf *-us* (bzw. *ismus*) und *-os* und bei Fremdwörtern, deren Auslaut dem Deutschen nicht angeglichen ist, fällt die Genitivendung *-(e)s* aus.

die Veröffentlichung des Romanzyklus, der Zusammenbruch des Feudalismus, die Eroberung des Kosmos
die Religion des Islam, die Epoche des Rokoko

Zum Wegfall der Genitivendung *-(e)s* bei Eigennamen vgl. 2.3.1.3.

2. *-en* oder *-n* in den obliquen Kasus bei Maskulina

(1) Substantive auf *-e*, die Lebewesen bezeichnen, erhalten *-n*. Dazu gehören:

Bote, Erbe, Gatte, Insasse, Junge, Kollege, Kunde, Laie, Nachkomme, Neffe, Schöffe, Sklave, Zeuge ...
Affe, Bulle, Falke, Hase, Löwe, Rabe ...

Hierher gehören auch die Namen für Angehörige verschiedener Völker[1]

Bulgare, Burmese, Däne, Chinese, Finne, Franzose, Pole ...

und die Berufsbezeichnungen auf *-oge*

Biologe, Geologe, Pädagoge, Psychologe ...

(2) Substantive mit konsonantischem Auslaut erhalten *-en*[2]. Diese Substantive bezeichnen in der Mehrzahl ebenfalls Lebewesen. Dazu gehören einige Einsilber

Bär, Christ, Fürst, Held, Mensch, Narr, Prinz, Zar ...

und Fremdwörter auf *-ant*, *-ent*, *-ist* u. ä.[3]

Demonstrant, Emigrant, Elefant, Diamant, Konsonant

---

[1] Ebenfalls nach Typ 2 wird flektiert: *Ungar*. Die Namen auf *-er (Engländer)* folgen dagegen Typ 1. Adjektivische Deklination hat: *der Deutsche – ein Deutscher*.

[2] Nur *-n* haben folgende Substantive mit konsonantischem Auslaut: *Herr*, *Nachbar* (auch nach Typ 1), *Bauer* (selten auch nach Typ 1).

[3] Zumeist handelt es sich dabei um Personenbezeichnungen (Berufsbezeichnungen u. ä.). Die Nomina agentis auf *-er*, *-ier*, *-eur*, *-or* folgen dagegen dem Typ 1.

Absolvent, Präsident, Referent, Quotient
Artist, Optimist, Polizist, Kommunist
Bürokrat, Demokrat, Adressat, Kandidat, Automat
Agronom, Astronom, Ökonom
Athlet, Prophet, Planet
und
Doktorand, Stenograph, Philosoph, Patriot, Pilot, Chirurg, Katholik, Bandit, Vagabund ...

3. Einige maskuline Substantive auf *-e* werden nach einem Mischtypus aus Typ 1 und 2 flektiert. Sie erhalten in den obliquen Kasus die Endung *-n*, im Genitiv zusätzlich noch *-s*:

der Name, den Name*n*, dem Name*n*, des Name*ns*

Ebenso: Buchstabe, Funke, Gedanke, Wille

Als einziges Neutrum folgt das Substantiv *Herz* dem Mischtypus im Dativ und Genitiv:

das Herz, das Herz, dem Herz*en*, des Herz*ens*

Deklination im Plural 2.3.1.2.

Wie die Konjugation die Formenbildung des Verbs ist, so ist die Deklination die Formenbildung des Substantivs. Sie umfaßt neben der Deklination im engeren Sinne (= Kasusbildung) die Pluralbildung. Die Kasusbildung bereitet im Plural keine Schwierigkeiten, da nur der Dativ das Flexionskennzeichen *-n* erhält, das an den Nominativ des Plurals angefügt wird und darüber hinaus dann entfällt, wenn der Nominativ Pl. auf *-n* oder *-s* ausgeht. Entscheidend für die Deklination im Plural ist deshalb die Pluralbildung, d. h. die Bildung des Nominativs Plural. Danach kann man folgende Typen unterscheiden:

	Typ 1	**Typ 2**	**Typ 3**	**Typ 4**	**Typ 5**
N	die Tage	die Boten	die Koffer	die Kinder	die Parks
A	die Tage	die Boten	die Koffer	die Kinder	die Parks
D	den Tagen	den Boten	den Koffern	den Kindern	den Parks
G	der Tage	der Boten	der Koffer	der Kinder	der Parks
N	die Bälle		die Vögel	die Häuser	
A	die Bälle		die Vögel	die Häuser	
D	den Bällen		den Vögeln	den Häusern	
G	der Bälle		der Vögel	der Häuser	

1. Typ 1: *-e* (bei umlautfähigem Stammvokal mit und ohne Umlaut)

(1) Einsilbige Maskulina
mit umlautfähigem Stammvokal:

mit Umlaut: Arzt, Ast, Bach, Ball, Bart, Brand, Damm, Draht, Fall, Gast, Hahn, Hals, Kamm, Pfahl, Platz, Saal, Satz, Schatz, Schlag, Schrank, Schwanz, Stall, Stamm; Block, Bock, Frosch, Frost, Hof,

Knopf, Korb, Lohn, Rock, Sohn, Stock, Stoß, Ton; Bruch, Busch, Duft, Dunst, Fluß, Fuß, Grund, Gruß, Hut, Kuß, Schluß, Stuhl, Sturm, Turm, Wunsch, Zug; Baum, Brauch, Kauf, Lauf, Schlauch, Traum, Zaun

ohne Umlaut: Aal, Grad, Halm, Pfad, Spalt, Tag; Docht, Dolch, Dom, Mond, Mord, Rost, Stoff; Huf, Hund, Punkt, Ruf, Schluck, Schuh

mit nicht-umlautfähigem Stammvokal:

Weg, Fisch, Schritt, Brief, Dieb, Stein, Freund ...

(2) Mehrsilbige Maskulina

mit umlautfähigem Stammvokal:

mit Umlaut: Anfang, Anlaß, Antrag, Betrag, Einwand; Verstoß; Ausdruck, Genuß, Geruch

ohne Umlaut: Monat, Erfolg, Besuch, Verlust, Versuch

mit nicht-umlautfähigem Stammvokal:

Käfig, Kürbis, Bericht, Entscheid, Vergleich

(3) Einsilbige Neutra und Neutra mit untrennbarem Präfix (ohne Umlaut)[1]

Beil, Bein, Blech, Boot, Erz, Fest, Gas, Gift, Haar, Heft, Jahr, Kreuz, Kinn, Maß, Meer, Moor, Paar, Pfund, Reich, Salz, Schiff, Schwein, Spiel, Stück, Tor, Werk, Ziel

Gebot, Gefäß, Gelenk, Geschäft, Gesetz; Verbot, Verdienst, Verhör; Besteck

(4) Einsilbige Feminina (mit Umlaut)

Axt, Bank, Hand, Kraft, Macht, Nacht, Naht, Stadt, Wand; Not; Frucht, Gruft, Kluft, Kuh, Kunst, Luft, Lust, Nuß, Schnur, Wurst, Zunft; Braut, Faust, Haut, Laus, Maus, Sau; *außerdem:* Ausflucht, Geschwulst, Zusammenkunft

(5) Maskulina auf *-ling* und Neutra auf *-nis*[2] (mit Verdopplung des *-s*)

Lehrling, Sperling, Zwilling

Ergebnis, Verhältnis, Verzeichnis, Zeugnis

(6) Mask. und neutr. Fremdwörter auf *-ar, -at, -eur* usw. Vgl. unten unter 7.

2. Typ 2: *-en*/-n[3]

(1) Die meisten Feminina – auch fem. Fremdwörter (vgl. unter 7.) – mit Ausnahme einer Gruppe einsilbiger Feminina [vgl. Typ 1,(4)]

---

[1] Ausnahme: *das Floß – die Flöße*

[2] Die Feminina auf *-nis* sind im allgemeinen nicht pluralfähig (außer mit Bedeutungsunterschied: *die Kenntnis – die Kenntnisse* (= das Wissen).

[3] Die Pluralendung lautet *-en*, wenn das Wort auf einen Konsonanten (außer *-el, -er*) oder die Diphthonge *-ei, -au* ausgeht. Der Plural endet auf *-n*, wenn das Wort auf einen Vokal (außer *-ei, -au*) oder auf die Suffixe *-el, -er* ausgeht.

(2) Die Maskulina des Singulartyps 2 und die Maskulina des Mischtyps im Singular.
Außerdem folgende Maskulina des Singulartyps 1:

Dorn, Fleck, Mast, Muskel, Nerv, Pantoffel, Pfau, Schmerz, Schreck, See, Staat, Stachel, Strahl, Typ, Untertan, Vetter

3. Typ 3: *ohne Endung* (bei umlautfähigem Stammvokal mit und ohne Umlaut)

(1) Die meisten Maskulina auf *-el, -en, -er*

mit umlautfähigem Stammvokal

ohne Umlaut:
Tadel; Hobel; Strudel, Tunnel
Balken, Ballen, Braten, Haken, Schatten, Verfahren, Wagen; Groschen, Kolben, Knochen, Posten; Kuchen, Schuppen; Daumen, Gaumen
Anker, Adler, Bagger, Dampfer; Donner, Koffer, Sommer
mit Umlaut:
Apfel, Mangel, Mantel, Nagel, Sattel, Schnabel; Vogel
Faden, Garten, Graben, Hafen, Kasten, Laden, Schaden; Boden, Ofen
Acker, Hammer, Vater; Bruder

mit nicht-umlautfähigem Stammvokal

Ärmel, Bügel, Deckel, Esel, Flügel
Besen, Felsen, Rücken, Streifen
Fehler, Käfer, Keller, Körper, Ständer usw.; *außerdem zahlreiche Personenbezeichnungen (Berufsnamen, Völkernamen usw.):* Techniker, Schwimmer; Engländer, Österreicher; Berliner, Moskauer

(2) Neutra auf *-el, -en, -er; -chen, -lein, -sel* (ohne Umlaut)[1]

Kabel, Mittel, Pendel, Schnitzel ...
Becken, Eisen, Kissen, Wesen, Zeichen ...
Fenster, Gewässer, Lager, Messer ...
Häuschen; Büchlein; Streusel

4. Typ 4: *-er* (bei umlautfähigem Stammvokal mit Umlaut)

(1) Einsilbige Neutra

Amt, Bad, Band, Bild, Blatt, Brett, Buch, Dach, Dorf, Ei, Fach, Faß, Feld, Glas, Glied, Grab, Gras, Gut, Haus, Holz, Horn, Huhn, Kalb, Kind, Kleid, Korn, Kraut, Lamm, Land, Licht, Lied, Loch, Nest, Pfand, Rad, Rind, Schloß, Tal, Volk, Wort; *außerdem:* Geschlecht, Gesicht, Gespenst

(2) Einige Maskulina

Geist, Gott, Irrtum, Leib, Mann, Mund, Rand, Reichtum, Wald, Wurm

---

1 Mit Umlaut: *das Kloster – die Klöster.* Ebenfalls zwei Feminina: *die Mutter – die Mütter, die Tochter – die Töchter.*

5. Typ 5: -*s*

(1) Viele Fremdwörter, besonders aus dem Englischen und Französischen. Vgl. dazu 2.3.1.2.7.

(2) Substantive, die auf Vokal enden (außer -*e*)

Echo, Sofa, Uhu; Vati, Oma

(3) Kurzwörter

Akku, Lok, Pulli, Trafo
LPG, LKW (auch ohne Endung!)

(4) Einige Wörter aus der Seemannssprache und Meteorologie

Deck, Pier, Wrack; Hoch, Tief

6. Besonderheiten der Pluralbildung

(1) Einige homonyme Substantive folgen im Plural verschiedenen Deklinationstypen:

die Bank – die Bänke (Sitzmöbel)
– die Banken (Geldinstitut)
die Mutter – die Mütter (Verwandtschaftsgrad)
– die Muttern (Schraubenteil)
der Strauß – die Sträuße (gebundene Blumen)
– die Strauße (Laufvogel)
das Tuch – die Tücher (Gewebestück)
– die Tuche (Wollgewebe)

Ebenso eine Anzahl Homonyme mit verschiedenem Genus (vgl. dazu die Liste unter 2.4.1.3.2.):

der Band – die Bände (Buch)
das Band – die Bänder (etwas zum Binden)
der Bauer – die Bauern (Landwirt)
der / das Bauer – die Bauer (Käfig)
der Bund – die Bünde (Vereinigung)
das Bund – die Bunde (etwas Gebundenes)
der Flur – die Flure (Korridor)
die Flur – die Fluren (Feld)

(2) Substantive, die mit dem Grundwort -*mann* zusammengesetzt sind, bilden den Plural mit der Form -*männer* oder -*leute.*

Zur Bezeichnung der Einzelpersonen dient -*männer*:

der Staatsmann – die Staatsmänner
der Schneemann – die Schneemänner
der Ehemann – die Ehemänner

Zur Bezeichnung der Gattung dient -*leute*:

der Geschäftsmann – die Geschäftsleute
der Kaufmann – die Kaufleute
der Fachmann – die Fachleute

Beide Formen haben:

der Seemann – die Seemänner/die Seeleute
der Feuerwehrmann – die Feuerwehrmänner/die Feuerwehrleute
der Vertrauensmann – die Vertrauensmänner/die Vertrauensleute

7. Pluralbildung der Fremdwörter

Viele Fremdwörter bilden den Plural nach einem der unter 1.–5. genannten Typen:

(1) Typ 1: *-e*

Maskulina auf *-är, -eur*

Funktionär, Komplementär, Revolutionär, Sekretär[1]
Ingenieur, Konstrukteur, Masseur, Redakteur, Regisseur

Neutra auf *-at, -ent, -ett*[2], *-il*

Fabrikat, Inserat, Referat, Sulfat, Testat, Zitat
Kontingent, Präsent, Prozent, Talent
Ballett, Duett, Kabinett, Lazarett, Skelett
Krokodil, Projektil, Profil, Ventil

Maskulina und Neutra auf *-al, -ar, -iv*[3]

der Admiral, der General, der Plural, der Pokal[4]; das Lineal, das Lokal
der Bibliothekar, der Kommissar; das Exemplar, das Formular, das Honorar
der Akkusativ, der Imperativ, der Komparativ; das Adjektiv, das Substantiv, das Archiv, das Kollektiv, das Motiv

Muskulina und Neutra mit anderen Suffixen:

der Dekan, der Kapitän, der Sarkophag; das Modell, das Oxid, das Sarkom

(2) Typ 2: *-en/-n*[5]

Maskulina auf *-loge* (Biologe), *-ant* (Demonstrant), *-ent* (Absolvent), *-ist* (Artist), *-at* (Kandidat)[6], *-nom* (Agronom), *-et* (Athlet) und weitere Bezeichnungen für Personen als Handlungsträger (Doktorand, Philosoph, Pilot usw.).

---

[1] Aber: Militär – 1. der Militär – die Militärs (= höherer Offizier); 2. das Militär – ohne Plural (= Armee)

[2] Einige Substantive auf *-ett* haben daneben auch Pluralform *-s* (Typ 5). Dazu gehören: *Brikett, Etikett, Kabarett, Klosett, Kotelett, Korsett.* Eine weitere Ausnahme bildet das mask. *Kadett,* das dem Typ 2 *(-en)* folgt. Nicht um Fremdwörter handelt es sich bei den Einsilbern *das Bett* (die Betten), *das Brett* (die Bretter), *das Fett* (die Fette).

[3] Die linguistischen Termini werden auf der ersten Silbe betont, die übrigen Fremdwörter haben die Betonung auf *-iv.*

[4] Mit Umlaut: *der Kanal – die Kanäle.* Gelegentlich auch bei: *der General – die Generale / die Generäle*

[5] Bei konsonantischem Auslaut gewöhnlich *-en,* bei vokalischem Auslaut *-n.*

[6] Aber: *der Magistrat – die Magistrate, der Salat – die Salate*

Alle Feminina, so die Substantive auf

> *-age* (... a:ʒə): Etage, Montage, Plantage, Reportage
> *-ät*: Qualität, Rarität, Realität, Universität[1]
> *-anz, -enz:* Ambulanz, Distanz, Substanz; Differenz, Frequenz, Interferenz, Valenz
> *-ie* [Muster *Kop**ie*** (... pi:)] und *Familie* (... lĭə): Akadem**ie**, Energ**ie**, Epidem**ie**, Kategor**ie**; **A**rie, Kom**ö**die, Serie[2]
> *-ik* (Muster *Kl**i**nik* und *Fabr**i**k)*: Chr**o**nik, Pol**e**mik; Krit**i**k, Republ**i**k, Rubr**i**k[3]
> *-ion:* Deklination, Explosion, Kommission, Nation, Union[4]
> *ur:* Dressur, Frisur, Karikatur, Zensur, Prozedur, Miniatur

(3) Typ 5: *-s*

Fremdwörter aus dem Französischen

> Detail, Hotel, Plateau, Ragout, Refrain, Repertoire, Saison, Trikot, Varieté usw.

und Englischen

> Cocktail, Fan, Gag, Kombine, Meeting, Motel, Musical, Pipeline, Rowdy, Shop, Show, Single, Slogan, Spray, Stretch, Swimmingpool, Team, Teddy, Ticket

(4) Fremdwörter mit einigen Suffixen folgen verschiedenen Deklinationstypen:

Maskulina und Neutra auf *-ier*

Muster *Offiz**ie**r* (... zi:r) nach Typ 1: Offiz**ie**re
Ebenso: der Juwelier, der Pionier; das Klavier, das Papier, das Quartier

Muster *Proleta**r**ier* (... rĭər) nach Typ 3: Prolet**a**rier
Ebenso: Australier, Parlamentarier, Vegetarier

Muster *Atel**ie**r* (... lje:) nach Typ 5: Atel**ie**rs
Ebenso: Bankier, Dossier, Metier, Portier, Premier

Maskulina und Neutra auf *-in*

Muster *Vitam**i**n* (... i:n) nach Typ 1: Vitamine
Ebenso: der Delphin, der Kamin, der Rubin, der Termin, der Pinguin; das Benzin, das Magazin, das Protein, das Paraffin, das Toxin

Muster *Bass**i**n* (... sɛ̃:) nach Typ 5: Bassins
Ebenso: der Gobelin, der Kretin; das Bulletin, das Dessin, das Mannequin

Neutra auf *-ma*

Muster *Drama* nach Typ 2 mit Wegfall von *-a*: Dramen
Ebenso: Dogma, Firma, Prisma, Thema
Besondere Pluralformen haben *Komma* (Kommas), *Klima* (Klimate), *Schema* (Schemas/Schemata)

---

[1] Aber: *das Porträt* (... trɛ:) – *die Porträts*
[2] Aber: *das Genie* (ʒe'ni:) – *die Genies*
[3] Ebenso das Maskulinum *Katho**l**ik* und das Neutrum *Mosa**i**k*
[4] Aber: *das Stadion – die Stadien*

Neutra auf *-ment*

Muster *Dokument* (... mənt) nach Typ 1: Dokumente

Ebenso: Experiment, Instrument, Kompliment, Moment (auch mask.), Monument, Parlament, Temperament

Muster *Abonnement* (... mã:) nach Typ 5: Abonnements

Ebenso: Appartement, Bombardement, Departement, Engagement, Reglement, Ressentiment, Sentiment, Signalement

Daneben gibt es noch die Neutra des Musters *Kontingent* (ebenfalls nach Typ 1: Kontingente) und die Maskulina des Musters *Absolvent* (nach Typ 2: Absolventen). Vgl. oben.

Maskulina und Neutra auf *-on*

Muster *Telefon* nach Typ 1: Telefone

Ebenso: der Bariton, der Baron, der Kanton; das Bataillon, das Hormon, das Mikrophon, das Saxophon

Muster *Photon* nach Typ 2: Photonen

Ebenso: der Dämon, das Elektron, das Neutron

Muster *Karton* (... tõn) nach Typ 5: Kartons

Ebenso: der Bon, der Bonbon, der Jargon, der Kupon, der Ponton, der Salon, der Siphon, der Talon, der Champignon, der Pavillon; das Medaillon

Nach Typ 1 *oder* 5 gehen: der Balkon, der Beton, der Waggon. Ebenfalls Doppelformen haben *das Lexikon* (Lexika/Lexiken) und *das Semikolon* (Semikolons/Semikola).

Maskulina auf *-or*

Muster *Doktor* nach Typ 2: Doktoren

Ebenso: Direktor, Faktor, Professor, Reflektor, Traktor, Transformator

Muster *Tresor* nach Typ 1: Tresore

Ebenso: Major, Meteor (auch neutr.), Tenor (mit Umlaut: Tenöre), Korridor

Nach Typ 1 *oder* 2 gehen: Motor, Matador. Das Substantiv *Dekor* folgt dem Typ 5.

Neutra auf *-um*

Muster *Zentrum* nach Typ 2 mit Wegfall von *-um*: Zentren

Ebenso: Album, Datum, Individuum, Klinikum, Museum, Spektrum[1]

Hierher gehören auch die Substantive auf *-ium*: Gremium, Gymnasium, Kriterium, Ministerium, Stipendium

Muster *Abstraktum* mit *-a* bei Wegfall von *-um*: Abstrakta

Ebenso: Femininum, Kosmetikum, Kuriosum, Minimum, Neutrum, Spezifikum, Visum

Schwankend ist der Gebrauch bei: Forum, Praktikum, Serum, Verbum

Maskulina auf *-us*

Muster *Zyklus* nach Typ 2 mit Wegfall von *-us*: Zyklen

---

[1] Aber: *Konsum* – 1. der Konsum – ohne Plural (= Verbrauch); 2. der Konsum – die Konsums (= Verbrauchergenossenschaft)

Ebenso: Kubus, Radius, Rhythmus, Typus, Virus; außerdem alle pluralfähigen Substantive auf *-ismus*: Anachronismus, Antagonismus, Organismus ...

Besondere Pluralformen haben *Bus* (Busse); *Modus, Terminus* (Modi, Termini); *Kasus, Lapsus, Passus* (Kasus, Lapsus, Passus). Doppelformen haben *Kaktus* (Kaktusse/Kakteen), *Konus* (Koni, Konen/Konusse) u. a.

(5) Verschiedene Fremdwörter haben besondere Pluralformen:

-a (mit Wegfall der Endung des Nom. Sing.)

das Lexik*on* – die Lexik*a*
das Vis*um* – die Vis*a*
das Gen*us* – die Gen*era*
das Temp*us* – die Temp*ora*
das Pronom*en* – die Pronom*ina* (auch: die Pronomen)

-i (mit Wegfall der Endung des Nom. Sing.)

der Mod*us* – die Mod*i*
das Sol*o* – die Sol*i*

-ien (bei Neutra)

das Adverb – die Adverb*ien*
Ebenso: das Fossil, das Indiz, das Material, das Prinzip; das Ingrediens (... zien)

-en (Typ 2) mit Wegfall der Endung des Nom. Sing.

das Kont*o* – die Kont*en* (auch: Kontos)
das Ep*os* – die Ep*en*
die Prax*is* – die Prax*en*
die Vill*a* – die Vill*en*

-s (Typ 5) mit Veränderung der Endung des Nom. Sing.

der Ind*ex* – die Ind*izes*
Ebenso: der Kodex, der Appendix, die Matrix

2.3.1.3. Deklination der Eigennamen (im Singular)

Die Eigennamen, die *Maskulina* und *Neutra* sind, folgen durchweg dem Singulartyp 1, d. h., Akkusativ und Dativ sind endungslos, und die Endung des Genitivs ist *-s*. Beim Gebrauch des Genitivs – zumeist in der Funktion des Attributs – sind eine Reihe von Besonderheiten zu beachten. Hier spielen die Unterscheidung in Personennamen und geographische Namen sowie der Artikelgebrauch eine große Rolle. Man vgl. dazu unten 1. und 2.
Die *femininen* Eigennamen folgen im allgemeinen dem endungslosen Singulartyp 3, im Genitiv gibt es jedoch – abhängig vom Artikelgebrauch – wie bei den Maskulina und Neutra auch die Endung *-s*. Dazu unten unter 3.

1. Personennamen (Maskulina und Neutra)

(1) Personennamen stehen zumeist mit Nullartikel. Dabei ist die Kennzeichnung des Genitivs durch die Endung *-s* die Regel. Bei dem selteneren Gebrauch mit einem anderen Artikelwort (eventuell noch mit einem attributiven Adjektiv) fällt das Deklinationszeichen weg.

> die Gedichte Goethe*s* / Goethe*s* Gedichte – die Gedichte des jungen Goethe
> der Geburtstag Gerhard*s* / Gerhard*s* Geburtstag – der Geburtstag unseres Gerhard

(2) Bei Namen auf *-s, -ß, -z, -x* kann der Genitiv wie folgt gebildet werden:
bei Vorderstellung durch Apostroph (vor allem schriftsprachlich)

> Engels' Briefe, Fritz' Vorschlag

bei Nachstellung durch Umschreibung mit *von* + Dativ

> das „Kapital" von Marx, der Brief von Hans

(3) Geht dem Personennamen ein Titel (bzw. eine Berufsbezeichnung, eine Anredeform usw.) mit Nullartikel voraus, so erhält der Name das Genitiv-*s*. Steht der Titel (bzw. die Berufsbezeichnung, die Anredeform usw.) mit einem anderen Artikelwort, so erhält nur dieser das Deklinationszeichen (entsprechend dem Deklinationstyp *-s*, *-n* oder ∅)

> der Vortrag Professor Müller*s* – der Vortrag des Professor*s* Müller
> der Diskussionsbeitrag Genosse(*n*) Schulze*s* – der Diskussionsbeitrag des Genosse*n* Schulze

(4) Bei mehreren Namen einer Person erhält nur der letzte das Endungs-*s*

> die Opern Wolfgang Amadeus Mozart*s*

2. Geographische Namen (Maskulina und Neutra)

(1) Bei geographischen Namen mit Nullartikel (nur Neutra: Ortsnamen, viele Ländernamen, Namen der Kontinente) ist das Genitiv-*s* obligatorisch:

> der Wiederaufbau Dresden*s*
> die Binnengewässer Polen*s*
> die Größe Asien*s*

Anmerkung:
Steht vor dem Namen ein attributives Adjektiv (mit bestimmtem Artikel), ist das Genitiv-*s* fakultativ:

> der Wiederaufbau des zerstörten Dresden(*s*)

Bei Namen auf *-s, -ß, -z, -x* wird der Genitiv mit *von* + Dativ umschrieben:

> die Parks von Paris
> die Küste von Tunis

(2) Bei geographischen Namen mit bestimmtem Artikel (Gestirne, Gewässer, Gebirge und Berge, verschiedene Länder) gilt als Regel, daß das Genitiv -*s* üblicherweise nur bei häufig gebrauchten, allgemein bekannten – vor allem deutschsprachigen – Namen steht, die nicht auf -*s*, -*z*, -*ß*, -*x* enden. Bei allen anderen fehlt häufig das Genitiv-*s* (vor allem bei Namen auf -*s*, -*ß*, -*z*, -*x* und bei Namen mit einem dem Deutschen nicht angeglichenen Auslaut):

> die Erforschung des Mond*es*, die Überquerung der Atlantik*s*, die Ufer des Rhein*s*, der Gipfel des Brocken*s*
> die atmosphärische Hülle des Mars, die Höhe des Elbrus, die Schönheit des Darß (aber auch: die Beschreibung des Harz*es*)
> die Länge des Mississippi, die Gletscher des Mt. Everest; (schwankend:) die Wassermassen des Nil(*s*), der Erzreichtum des Ural(*s*), die Bewohner des Sudan(*s*)

3. Feminine Eigennamen

Wie bei den Muskulina und Neutra spielt auch bei den femininen Eigennamen die entscheidende Rolle, ob es sich um einen Personennamen oder einen geographischen Namen handelt und welches Artikelwort gebraucht wird.

Feminine Personennamen verhalten sich grundsätzlich wie maskuline und neutrale Personennamen:
(a) bei Nullartikel mit -*s*,
(b) bei anderen Artikelwörtern ohne -*s*,
(c) bei Namen auf -*s*, -*ß*, -*z*, -*x* in Vorderstellung mit Apostroph, in Nachstellung mit von_{D},
(d) bei Titel u. ä. mit Nullartikel Name mit -*s*, bei Titel mit anderem Artikelwort Titel mit Endung entsprechend dem Singulartyp (d. h. gewöhnlich mit -∅):

> (a) die Schauspielkunst Ingrid Bergman*s* / Ingrid Bergman*s* Schauspielkunst
> der Geburtstag Dorothea*s* / Dorothea*s* Geburtstag
> (b) die Schauspielkunst der Ingrid Bergman
> der Geburtstag unserer Dorothea
> (c) Anna Seghers' Romane / die Romane von Anna Seghers
> (d) die Dissertation Frau Höfer*s* / die Dissertation der Frau Höfer

Feminine geographische Namen sind gewöhnlich mit dem bestimmten Artikel verbunden. Sie verhalten sich dabei entsprechend dem Singulartyp 3, d. h. sind endungslos:

> die Entfernung der Sonne, die ökonomische Entwicklung der Türkei, die Ufer der Elbe

Deklination der substantivisch gebrauchten Adjektive und Partizipien 2.3.1.4.

Beim Übergang von Adjektiven (und Partizipien) in die Wortart der Substantive sind zwei Möglichkeiten zu unterscheiden. Einerseits vollzieht sich der Übergang sowohl syntaktisch als auch morphologisch: Diese Adjektive haben die gleichen Satzgliedfunktionen wie Substantive, sind artikelfähig, können Attribute aufnehmen und werden auch wie Substantive dekliniert. Auf der anderen Seite kann sich der Übergang nur syntaktisch und nicht morphologisch vollziehen. Auch diese Adjektive haben die Satzgliedfunktionen eines Substantivs, sind artikelfähig, können Attribute aufnehmen, werden aber nicht wie Substantive, sondern nach dem Muster der Adjektive dekliniert. Im ersten Falle sprechen wir von *Substantivierung* im eigentlichen Sinne, im zweiten Falle vom *substantivischen Gebrauch* der Adjektive. Der Unterschied zwischen beiden Arten wird besonders deutlich an solchen Adjektiven, die sowohl substantiviert als auch substantivisch gebraucht vorkommen und auf diese Weise homonyme Substantive bilden. Man vgl.:

Junge (= männliches Kind) – Junge(s) (= Tierkind
Gläubiger (= Geldschuldfordernder) – Gläubige(r) (= religiöser Mensch)

Der / Ein	Junge	der Klasse 4 b hat den ersten Preis gewonnen.	(Substantivierung)
Das Junge / Ein Junges		der Löwin ist ins Wasser gefallen.	(substantivischer Gebrauch)
Die / Einige	Gläubiger	gaben dem Schuldner eine vierzehntägige Frist.	(Substantivierung)
Die Gläubigen / Einige Gläubige		unterstützten die Hilfsaktion für die Hochwassergeschädigten.	(substantivischer Gebrauch)

Im folgenden geben wir eine Übersicht über die wichtigsten Deklinationsmöglichkeiten der substantivisch gebrauchten Adjektive.

Deklination nach bestimmtem Artikel

Singular	N	der Neue	die Neue	das Neue
	A	den Neuen	die Neue	das Neue
	D	dem Neuen	der Neuen	dem Neuen
	G	des Neuen	der Neuen	des Neuen
Plural	N	die Neuen		–
	A	die Neuen		–
	D	den Neuen		–
	G	der Neuen		–

Deklination nach unbestimmtem Artikel im Sing./Nullartikel im Plural

Singular	N	ein Neu**er**	eine Neu**e**	(ein) Neu**es**
	A	einen Neu**en**	eine Neu**e**	(ein) Neu**es**
	D	einem Neu**en**	einer Neu**en**	(einem) Neu**en**
	G	eines Neu**en**	einer Neu**en**	(eines) Neu**en**
Plural	N	– Neu**e**		–
	A	– Neu**e**		–
	D	– Neu**en**		–
	G	– Neu**er**		–

Verschiedene substantivisch gebrauchte Adjektive und Partizipien sind zu festen Bezeichnungen geworden. Dazu gehören (1) eine Anzahl von Personenbezeichnungen (Maskulina/Feminina), (2) einige Sachbezeichnungen (Feminina) und (3) verschiedene Abstrakta (Neutra).

(1) Maskulina und Feminina (Personen)

Der Bekannte / Die Bekannte (oder: Ein Bekannter / Eine Bekannte) hat mich zum Sonnabend eingeladen.

Ebenso: der/die Blinde, der / die Einheimische, der / die Freiwillige, der/die Fremde, der/die Kleine, der / die Kranke, der/die Tote, der / die Verwandte; der / die Reisende, der / die Vorsitzende; der / die Abgeordnete, der / die Angeklagte, der / die Angestellte, der / die Delegierte, der / die Gefangene, der / die Vorgesetzte

Zu einigen mask. Personenbezeichnungen sind keine fem. Formen üblich:

der Geistliche, der Gelehrte, der Gesandte, der Industrielle

Ebenso verhalten sich zwei weitere Substantive:

der Beamte, der Gefreite

(2) Feminina (Sachbezeichnungen)

Er kaufte am Zeitungskiosk verschiedene Illustrierte (aber: die verschiedenen Illustrierten).

Ebenso: die Gerade (= Linie), die Elektrische (= Straßenbahn), die Linke (= 1. Hand, 2. Partei), die Senkrechte (= Linie)

(3) Neutra (nicht pluralfähige Abstrakta)

Er liebt das Schöne.
Er hat viel Interessantes erzählt.

Ebenso: das Ganze, das Gute, das Neue, das Richtige . . .

Vereinzelt bezeichnet ein Neutrum auch ein Lebewesen oder eine Sache:

das Junge, das Kleine
das Gehackte, das Halbgefrorene, das Helle

Anmerkung:
Eine Sondergruppe stellen die neutralen Sprach- und Farbbezeichnungen dar. Sie bilden eine substantivierte Form ohne *-e* (im Genitiv mit fak. *-s*, im Akkusativ und Dativ endungslos) und eine substantivisch gebrauchte Form mit *-e* (im Akkusativ ebenfalls *-e*, im Dativ und Genitiv *-en*).

Die *Sprachbezeichnungen* haben die Form ohne *-e*, wenn sie mit einem anderen Artikelwort als dem bestimmten Artikel verbunden sind oder wenn sie ein Attribut bei sich haben (1). Die Form mit *-e* wird verwendet, wenn die Sprachbezeichnung mit dem bestimmten Artikel und ohne Attribut steht (2).

(1) Wir lernen Russisch.
Er hat seine Zensur in Französisch verbessert.
Die Aussprache seines Deutsch(s) ist nicht fehlerfrei.
Das Wörterbuch gibt Auskunft über das Deutsch der Bühne.
Goethes Deutsch unterscheidet sich in mancher Hinsicht vom heutigen Deutsch.
In Oxford spricht man das beste Englisch.

(2) Das Dänische ist dem Deutschen verwandt.
Seine Leistungen im Russischen sind sehr gut.
Er übersetzt aus dem Russischen ins Deutsche.
Die Orthographie des Englischen bereitet ihm Schwierigkeiten.

Für den Gebrauch der *Farbbezeichnungen* gilt generell die gleiche Artikel- und Attributregel wie für die Sprachbezeichnungen. Zusätzlich liegt ein gewisser Bedeutungsunterschied vor: Während mit der Form ohne *-e* die Farbe ganz allgemein bezeichnet wird (1), besteht bei der Form mit *-e* die Vorstellung von einem Objekt in bestimmter Farbe (2). In der Mehrzahl der Fälle handelt es sich bei (2) um feste Verbindungen (Wendungen).

(1) Beim Schachspiel zieht immer Weiß an.
Das Kleid war von einem leuchtenden Blau.
Im Hochgebirge ist das Blau des Himmels besonders intensiv.
Das Grün der Wiesen verriet reichlichen Regen.
Die Trauergäste kamen alle in Schwarz.

(2) Das Weiße in seinen Augen war von der Krankheit leicht gelb.
Er verspricht einem immer das Blaue vom Himmel herunter.
Er wußte nichts Genaues, sondern redete ins Blaue hinein.
Am Sonntag sind wir ins Grüne gefahren.
Der Sportschütze hat zweimal ins Schwarze getroffen.

Substantivische Pronomina 2.3.2.

Personalpronomen 2.3.2.1.

1. Personalpronomina der 1. und 2. Person

Die Personalpronomina der 1. und 2. Person unterscheiden nach dem Numerus (Singular/Plural), aber nicht nach dem Genus. Das Personalpronomen der 2. Person unterscheidet außerdem zwischen einer vertraulichen und einer höflichen Form. Die Höflichkeitsform ist für beide Numeri gleich. Sie wird immer groß geschrieben und mit den Formen des Plurals der 3. Person des Personalpronomens gebildet.

		1. Person	2. Person	
			vertrauliche Form	*höfliche Form*
Sing.	N	ich	du	Sie
	A	mich	dich	Sie
	D	mir	dir	Ihnen
	G	meiner	deiner	Ihrer
Pl.	N	wir	ihr	Sie
	A	uns	euch	Sie
	D	uns	euch	Ihnen
	G	unser	euer	Ihrer

Anmerkungen:

(1) Die vertrauliche Anredeform gebraucht man im Deutschen vor allem im persönlichen Bereich (in der Familie, unter Freunden und guten Bekannten), daneben aber auch im gesellschaftlichen Bereich (in gesellschaftlichen Organisationen wie der FDJ und SED, im Beruf besonders unter Kollegen eines Betriebes, gegenüber Kindern).

(2) Im Briefverkehr wird die vertrauliche Anredeform in allen Kasus groß geschrieben:

Zum Geburtstag wünsche ich *Dir* alles Gute!

(3) In bestimmten Sprachsituationen entspricht die 1. Person Pl. nicht immer ihrem Personen- und Numeruscharakter. Sie steht gelegentlich

für die 1. Person Sing. in wissenschaftlichen Texten (pluralis modestiae)

Wir haben (statt: ich habe) diese Frage in einer früheren Arbeit ausführlich behandelt.

für die 2. Person Pl. in öffentlicher Rede

Wir (statt: Sie) werden bald sehen, wie ...

für die 2. Person Sing. gegenüber Kindern

Wir werden (statt: du wirst) so etwas nicht wieder tun, hörst du?

(4) Statt der Dativ- und Akkusativformen des Plurals erscheint zuweilen das reziproke Pronomen *einander*, wenn im Satz ein reziprokes Verhältnis ausgedrückt wird. Vgl. dazu 1.10.5.

2. Personalpronomen der 3. Person

Das Personalpronomen der 3. Person hat wie die Personalpronomina der 1. und 2. Person verschiedene Formen für Singular und Plural. Im Unterschied zu diesen unterscheidet es im Singular auch nach dem Genus (Maskulinum / Femininum / Neutrum).

	Singular			Plural
	Mask.	*Neutr.*	*Fem.*	–
N	er	es	sie	sie
A	ihn	es	sie	sie
D	ihm	ihm	ihr	ihnen
G	seiner	seiner	ihrer	ihrer

Anmerkungen:
(1) Statt des Genitivs *seiner* steht oft *dessen*, wenn eine Nicht-Person gemeint ist. Man vgl.:

Ich bedarf des Dolmetschers nicht. (Person)
→ Ich bedarf *seiner* nicht.
Ich bedarf des Geldes nicht. (Nicht-Person)
→ Ich bedarf *dessen* nicht.

Im präpositionalen Dativ und Akkusativ treten für das Personalpronomen der 3. Person in der Regel *Pronominaladverbien* ein, wenn es sich um eine Nicht-Person handelt. Vgl. dazu 2.3.2.7.

(2) Statt der Dativ- und Akkusativformen erscheint das reflexive Pronomen *sich*, wenn Subjekt und Objekt identisch sind. Zu diesen reflexiven Formen vergleiche 1.10. Dort auch zu der reziproken Form *einander*.

(3) Besonders zahlreiche Verwendungsweisen hat das Personalpronomen *es*. Man vgl. dazu unter 6.

Interrogativpronomen 2.3.2.2.

Die Interrogativpronomina als Bildungsmittel der Ergänzungsfrage nehmen gewöhnlich die erste Stelle im Fragesatz ein. Es sind zwei Gruppen von substantivischen Interrogativpronomina zu unterscheiden:

1. wer, was
2. was für einer / was für welche, welcher

Die Pronomina der ersten Gruppe (außer der genitivischen Form *wessen*) kommen nur als substantivische Pronomina vor, die der zweiten Gruppe außerdem als interrogative Artikelwörter. Mit diesem verschiedenen Vorkommen hängt auch der unterschiedliche Formenbestand der Interrogativpronomina zusammen:
wer und *was* verfügen nicht über Pluralformen und unterscheiden im Singular nicht nach dem Genus; bei *was* sind außerdem die Kasusformen unvollständig ausgebildet. *was für einer / was für welche* und *welcher* besitzen dagegen ein vollständig ausgebildetes Deklinationssystem. Wie die gleichlautenden Artikelwörter unterscheiden sie nach Kasus und Numerus, im Singular außerdem nach dem Genus. Es fehlt ihnen aber das besondere Unterscheidungsmerkmal von *wer* und *was*, die Unterscheidung zwischen Person und Nicht-Person.

1. Deklination von *wer* und *was*

		Person	*Nicht-Person*
Sing.	N	wer	was
	A	wen	was
	D	wem	–
	G	wessen	wessen

Anmerkungen:
(1) Nicht-Personen im Akkusativ und Dativ mit Präposition werden gewöhnlich durch das interrogative Pronominaladverb *wo(r)-* + Präp. erfragt. Vgl. dazu 2.3.2.7.
Der Gebrauch der Verbindung Präposition + *was* hat umgangssprachlichen Charakter. Dieser Gebrauch kommt auch im Dativ vor, wofür es im reinen Dativ keine Entsprechung gibt (vgl. das Deklinationsschema):

Um was geht es in der Sitzung? – Es geht um die Prämiierung. (Akkusativ)
Mit was wird die Soße angemacht? – Mit saurer Sahne. (Dativ)

(2) In einigen Fällen kongruiert das finite Verb des Fragesatzes nicht mit dem nominativischen *wer* und *was*:
im Satztyp wer + sein + Substantiv (Person)[1]

Wer ist dieser Mann? – Das ist Kollege Müller.
Wer *sind* diese Leute? – Das sind unsere Gäste.

im Satztyp was + sein / werden / bleiben + Substantiv (Person)[1]

Was ist sein Vater? – Er ist Agronom in der LPG.
Was *werden* die Jungen? – Sie werden Schlosser.

im Satztyp was + sein + Substantiv (Nicht-Person)

Was ist eine Maschine? – Eine Maschine ist eine mechanische Vorrichtung.
Was *sind* Automaten? – Automaten sind Maschinen mit selbsttätig ablaufenden Arbeitsgängen.

Das substantivische Interrogativpronomen *was* in diesem Satztyp darf nicht mit dem interrogativen Artikelwort *was für (ein)* im *sein*-Satz, das gelegentlich durch das Verb getrennt wird, verwechselt werden:

Was ist das für ein Mann? – Das ist ein Dolmetscher.
Was sind das für Maschinen? – Das sind Drehbänke.

2. Deklination von *was für einer / was für welche* und *welcher*

	Singular			Plural
	Mask.	*Neutr.*	*Fem.*	
N	was für ein**er**	was für ein(**e**)**s**	was für eine	was für welche
A	was für einen	was für ein(**e**)**s**	was für eine	was für welche
D	was für einem	was für einem	was für einer	was für welchen
G	was für eines	was für eines	was für einer	(was für welcher)
N	welcher	welches	welche	welche
A	welchen	welches	welche	welche
D	welchem	welchem	welcher	welchen
G	welches	welches	welcher	welcher

Anmerkung:
Die Deklination von *was für einer / was für welche* weist einige Besonderheiten auf:

---

[1] Mit *was* wird nach der Tätigkeit (Beruf) der Person, mit *wer* nach Namen, Verwandtschaftsverhältnis u. ä. gefragt.

(1) Das substantivische Pronomen *welcher* stimmt in der Deklination völlig mit dem gleichlautenden Artikelwort überein (vgl. 5.2.1.). Das substantivische *was für einer* hat im allgemeinen die gleichen Endungen wie der unbestimmte Artikel (vgl. 5.2.1.), im Nom. Mask. und im Nom./Akk. Neutr. jedoch die vollen Endungen *-er* und *-(e)s* (in der Deklinationstabelle durch Fettdruck hervorgehoben):

Er hat ein Auto. – Was für ein*(e)s* hat er?
Was für ein Auto hat er?
Welch*es* (Auto) hat er?

(2) Statt *ein-* erscheinen im Plural die Kasusformen von *welch-* (der Genitiv ist ungebräuchlich):

Ich möchte mir ein Buch kaufen. – Was für *ein(e)s*? – Ein Fachbuch.
Ich möchte mir Bücher kaufen. – Was für *welche*? – Fachbücher.

(3) Die Präposition *für* hat keinen Einfluß auf die Kasusformen von *ein-* und *welch-*:

Er ist in einen Neubau gezogen. – In was für *einen*? (= Wohin?)
Er wohnt in einem Neubau. – In was für *einem*? (= Wo?)

Demonstrativpronomen 2.3.2.3.

Zu den substantivischen Demonstrativpronomina gehören: *der, derjenige, dieser, jener, ein solcher.* In morphologischer Hinsicht verhalten sich diese Pronomina wie die gleichlautenden Artikelwörter. Man vgl. dazu 5.2.1. Eine Ausnahme bildet lediglich das Pronomen *der,* das sich sowohl durch eine stärkere Betonung als auch durch einige besondere Deklinationsformen (die sog. vollen Formen) vom bestimmten Artikel unterscheidet.

	Singular			Plural
	Mask.	*Neutr.*	*Fem.*	–
N	der	das	die	die
A	den	das	die	die
D	dem	dem	der	**denen**
G	**dessen**	**dessen**	**deren**	**deren**[1]

Die Unterschiede zwischen den demonstrativen Artikelwörtern und den substantivischen Demonstrativpronomen sind vor allem syntaktischer Art und durch die verschiedene Stellung des Substantivs bedingt, auf das das Pronomen hinweist. Während im ersten Falle das Substantiv unmittelbar oder – bei vorhandenem Attribut – mittelbar auf das Hinweiswort folgt, ist das Substantiv im zweiten Falle

[1] Als vorausweisendes Demonstrativpronomen (vgl. unter 2.) in der Form *derer.*

Wir gedenken *derer,* die ihr Leben für die Befreiung vom Faschismus gaben.

weggelassen. Dieser Wegfall kann dadurch bedingt sein, daß das Substantiv im Kontext vorerwähnt ist und eine Wiederholung vermieden werden soll. Das substantivische Demonstrativpronomen nimmt dann die Stelle des fehlenden Substantivs ein und weist gleichzeitig auf das vorerwähnte Substantiv zurück (sog. zurückweisendes Demonstrativpronomen). Der Wegfall kann aber auch dadurch bedingt sein, daß das Substantiv durch eine noch folgende nähere Bestimmung ausreichend bestimmt ist und als überflüssig erscheint. In diesem Falle hat das die Stelle des Substantivs einnehmende Pronomen nicht zurückweisenden, sondern vorausweisenden Charakter (sog. vorausweisendes Demonstrativpronomen).

1. Zurückweisendes Demonstrativpronomen

Das Demonstrativpronomen steht für eine vorerwähnte Person oder Nicht-Person:

> Kennst du seine *Fręundin*? – Nein, *die* kenne ich nicht.
> Er unternahm noch einen *Versuch*. Durch *diesen* kam er zu dem Schluß, daß ...
> Ihre *Schuhe* gefallen mir. Ich möchte auch *solche* haben.

Neben dieser Grundfunktion haben die zurückweisenden Demonstrativpronomina noch einige besondere Verwendungsweisen:

(1) Die neutralen Formen *das* und *dies* (verkürzt aus: *dieses*) beziehen sich öfters nicht auf vorerwähnte Substantive, sondern fassen verbale Aussagen zusammen:

> Er wollte kommen. *Das* hat er versprochen.
> Sie ist nicht gekommen. *Dies* war für alle unerwartet.

(2) *dieser* und *jener* werden vor allem paarweise zur Unterscheidung zweier vorerwähnter Substantive verwendet (lit.):

> Er hat zwei Söhne, Fritz und Hans. *Dieser* (= Hans) arbeitet als Schlosser, *jener* (= Fritz) studiert Medizin.
> Hier sind zwei Wege: *dieser* (= der näherliegende) führt zum Schloß, *jener* (= der fernerliegende) zur Stadt.

Schriftsprachlich werden im gleichen Sinne auch die erstarrten Komparativformen der Zahladjektive (mit bestimmtem Artikel oder Nullartikel) *der letztere / letzterer* (= dieser) und *der erstere / ersterer* (= jener) gebraucht.

> Wir unterscheiden im Deutschen zwei Numeri: Singular und Plural. *Ersterer* (= Singular) bezeichnet die Ungegliedertheit, *letzterer* (= Plural) die Gegliedertheit von Objekten der Realität.

Keine genaue Reihenfolge wird mit den Zahladjektiven (+ bestimmter Artikel) *der eine* und *der andere* angegeben:

> Er hat zwei Bücher geschrieben. *Das eine* ist im Jahre 1967, *das andere* 1970 erschienen.

(3) In unmittelbarem Anschluß an das vorerwähnte Substantiv steht (*ein*) *solcher* mit Präposition *als*:

Mich interessiert der Fall als solcher.

Für die neutrale Form *ein solches* tritt gelegentlich *so etwas* ein:

Sie hat ein modernes Mokkaservice. *So etwas* möchte ich auch haben.

(4) Um ein Demonstrativpronomen handelt es sich auch bei der festen Verbindung *derselbe* (mit Zusammenschreibung). Dieses zusammengesetzte Pronomen verhält sich morphologisch und weitgehend auch semantisch wie die Verbindung des Demonstrativpronomens *der* mit dem Adjektiv *gleiche* (mit Getrenntschreibung):

Er hat dasselbe / das gleiche gesagt.
Er ist immer derselbe / der gleiche geblieben.

Bei Rückverweis auf ein Substantiv mit konkreter Bedeutung kann man öfters von einem Unterschied sprechen zwischen

(a) Übereinstimmung (Identität des Exemplars) – *derselbe*
(b) Ähnlichkeit (Identität der Art des Exemplars) – *der gleiche*

Sie hatte dasselbe (Kleid) wie am Vortag an.
Sie hatte das gleiche (Kleid) wie ihre Freundin an.

(5) Unter morphologischem Aspekt handelt es sich auch bei *derjenige* um eine Verbindung von *der* mit einem Adjektiv. Man vgl. dazu das Deklinationsschema unter 5.2.1.(2).
derjenige ist ein nachdrücklicherer Hinweis als *der* und steht als zurückweisendes Demonstrativpronomen nur vor einem Genitivattribut:

Aus dem Verhalten des Gases als solches kann man auch *dasjenige* des zur homogenen Flüssigkeit komprimierten Gases quantitativ ableiten.

2. Vorausweisendes Demonstrativpronomen

Das Demonstrativpronomen steht für eine nicht genannte Person, die durch einen Relativsatz bestimmt ist:

Wir grüßen alle Sportler und *solche*, die es werden wollen.
Ich spreche nicht von *jenen*, die wegen Krankheit gefehlt haben.
Wir müssen *diejenigen* herausfinden, welche die größte musikalische Begabung haben.

Nach dem Demonstrativpronomen *derjenige* steht der Relativsatz oft als Zwischensatz:

Derjenige, dem die Tour zu anstrengend ist, wartet in der Gaststätte.
Diejenigen, die mit der Übersetzung fertig sind, können nach Hause gehen.

Wenn in dieser Stellung Demonstrativ- und Relativpronomen im Kasus übereinstimmen, kann an ihre Stelle eine entsprechende Form des Interrogativpronomens *wer* treten:

> Denjenigen, den ich zuerst treffe, frage ich.
> → Wen ich zuerst treffe, frage ich.

2.3.2.4. Indefinitpronomen

Die substantivischen Indefinitpronomina bilden eine umfangreiche Gruppe von Pronomina, die sich morphologisch und syntaktisch recht unterschiedlich verhalten. Manche dieser Unterschiede hängen damit zusammen, daß ein Teil der substantivischen Indefinitpronomina außerdem noch als Artikelwörter vorkommt, ein anderer Teil dagegen nur substantivisch gebraucht wird.

2.3.2.4.1. Auch als Artikelwörter gebrauchte Indefinitpronomina

Zu den substantivischen Indefinitpronomina, die auch als Artikelwörter verwendet werden, gehören:

> alle(s), einige, irgendeiner (Pl.: irgendwelche), jeder, keiner, mancher, mehrere[1]

Die Pronomina dieser Gruppe haben im allgemeinen ein vollständig ausgebildetes Deklinationssystem, das nach Kasus und Genus unterscheidet. Lediglich hinsichtlich des Numerus gibt es bestimmte Beschränkungen: *jeder* hat keinen Plural, *mehrere* keinen Singular; *alle* und *einige* können nur, wenn sie sich auf Stoffbezeichnungen und bestimmte Abstrakta beziehen, im Singular verwendet werden (vgl. dazu 5.2.1. unter *Anm.* 7.).[2]

Im allgemeinen stimmen die Deklinationsformen der substantivischen Indefinitpronomina dieser Gruppe mit den Deklinationsformen der gleichlautenden Artikelwörter überein. Vgl. dazu 5.2.1. Eine Ausnahme machen nur *irgendeiner* und *keiner* im Nom. Mask. (1) und im Nom./Akk. Neutr. (2), wo sie die vollen Endungen *-er* und *-(e)s* haben:

> (1) Irgendein / Kein Kollege hat es mir gesagt.
> → Irgendein*er* / Kein*er* hat es mir gesagt.
> (2) Ich habe irgendein / kein Auto gesehen.
> → Ich habe irgendein*(e)s* / kein*(e)s* gesehen.

---

[1] Außerdem noch das relativ seltene *etliche* (= einige, mehrere):

> Er hat verschiedene alte Goldmünzen. Sein Bruder hat auch *etliche.*
> Dazu könnte ich auch noch *etliches* sagen.

[2] Vereinzelt bezeichnet die neutrale Form *alles* im Nominativ auch eine Personengruppe in ihrer Gesamtheit:

> Er erzählte einen Witz, und *alles* lachte.
> *Alle(s)* mal herhören!

Nur substantivisch gebrauchte Indefinitpronomina[1] 2.3.2.4.2.

Zu den nur substantivisch gebrauchten Indefinitpronomina gehören:

(irgend) etwas, (irgend) jemand, irgendwer, man, niemand, nichts[2]

Die Indefinitpronomina dieser Gruppe besitzen ein wenig ausgebildetes Formensystem. Sie sind der Form nach Maskulina (*jemand, irgendwer, man, niemand*) oder Neutra (*etwas, nichts*) im Singular und bezeichnen mit diesen Formen sowohl einzelne als auch mehrere Personen bzw. Nicht-Personen mit verschiedenem Genus. Unvollständig sind auch die Kasusformen. Man vgl. dazu die Übersichten bei den einzelnen Pronomina. Besonders ausgebildet ist dagegen die Unterscheidung zwischen Person und Nicht-Person.

1. Pronomina, die nur Personen bezeichnen

man

man hat nur eine Nominativform. Für den Akkusativ und Dativ gebraucht man die Formen von *ein-*, der Genitiv fehlt.

N	man
A	einen
D	einem
G	–

man ist die gebräuchlichste Form der unbestimmt-persönlichen Ausdrucksweise. Abhängig vom Kontext hat *man* verschiedene Bedeutungen:

---

[1] Wenn die Indefinitpronomina dieser Gruppe vor Substantiven stehen, haben sie nicht die Funktion von Artikelwörtern wie die Indefinitpronomina der Gruppe 2.3.2.4.1. Auch in dieser Position sind die Pronomina Substantivwörter, die angeschlossenen Substantive sind Attribute. Der Gebrauch solcher Attribute ist sehr beschränkt. Als Attribut sind nur neutrale substantivisch gebrauchte Adjektive möglich. Das substantivisch gebrauchte Adjektiv steht dabei im gleichen Kasus wie das substantivische Pronomen, verhält sich also ähnlich wie ein appositives Attribut. Da die Indefinitpronomina dieser Gruppe nur begrenzt Kasusmerkmale besitzen, übernimmt das Attribut die Kasuskennzeichnung:

Er hat nichts Wichtig**es** gesagt.
Hat irgendwer Bekannt**es** angerufen?

Mit *man* und *jedermann* sind solche Verbindungen nicht möglich. Das Pronomen *etwas* kann auch Stoffnamen als Attribut (im merkmallosen Kasus) bei sich haben:

Gib mir etwas Konfitüre!

[2] Hierher gehört auch das relativ seltene *jedermann*. Es hat die gleiche Bedeutung wie *jeder* und wird wie ein mask. Substantiv im Singulartyp 1 flektiert (A/D endungslos, G auf *-s*).

Er ist zu *jedermann* freundlich.
Fisch ist nicht *jedermanns* Geschmack.

(1) Das generelle *man* dient dazu, einer Aussage den Charakter der Allgemeingültigkeit zu verleihen. Für dieses *man* ist ein neutraler Kontext charakteristisch. Der Satz steht gewöhnlich im generellen Präsens und enthält keine lexikalischen Hinweise auf ein Agens, das im Extremfall die ganze Klasse „Mensch" sein kann:

Was *man* gern tut, das fällt *einem* nicht schwer.

(2) Das anonyme *man* wird gebraucht, wenn das Agens irrelevant oder nicht identifizierbar ist. Dieses *man* steht in Sätzen, die konkrete Tatsachen widerspiegeln und somit alle Tempusformen enthalten können. Lexikalische Hinweise auf das Agens sind öfters bestimmte Lokal- oder Temporalangaben.

Man hat ihm sein Fahrrad gestohlen.
Man wird ihren Antrag in einer besonderen Kommission behandeln.
(= Eine besondere Kommission wird ihren Antrag behandeln.)

(3) Das abstrahierende *man* wird in Sätzen verwendet, mit denen objektive Tatsachen in menschlicher Wahrnehmung ohne die wahrnehmende Person selbst wiedergegeben werden sollen. Die Subjektivierung der Aussage erfolgt durch *man* in Verbindung mit einem Verb der Sinneswahrnehmung, der Einschätzung, des Findens, der Fortbewegung u. ä.:

Auf der Straße sah *man* keinen Menschen. (in objektiver Darstellung: Auf der Straße gab es keinen Menschen.)
Bis zum Fluß geht *man* eine Stunde. (in objektiver Darstellung: Bis zum Fluß ist es eine Stunde Weg.)

(4) Das pronominale *man* vertritt die einzelnen Personalpronomina, wobei es verschiedene stilistische Funktionen (wie z. B. Distanzierung) erfüllt. Das betreffende Personalpronomen ist stets im Kontext enthalten:

Still, *ihr* müßt auf mich hören, ich besitze nämlich gewisse Anrechte, daß *man* mich noch einmal hört. (F. Wolf)

jemand

Das Indefinitpronomen *jemand* hat zum Teil doppelte Deklinationsformen:

N jemand
A jemand(en)
D jemand(em)
G jemandes

jemand dient wie *man* der unbestimmt-persönlichen Ausdrucksweise, meint aber immer nur einen beliebigen Einzelmenschen. Durch vorangestelltes *irgend* wird die Bedeutung des unbestimmt einzelnen Menschen verstärkt.

Jemand hat nach dir gefragt.
Hast du *jemand(en)* im Betrieb angetroffen?
Irgend jemand hat gesagt, daß du krank bist.

irgendwer

irgendwer wird wie das Interrogativpronomen *wer* flektiert, jedoch ist der Genitiv nicht gebräuchlich:

N irgendwer
A irgendwen
D irgendwem
G –

irgendwer wird wie *irgend jemand* verwendet:

Irgendwer hat gesagt, daß du krank bist.
Frage *irgendwen*, aber nicht mich.

niemand

Das Indefinitpronomen *niemand* ist durch Zusatz eines Negationselements aus dem Indefinitpronomen *jemand* gebildet und wird wie dieses flektiert:

N niemand
A niemand(en)
D niemand(em)
G niemandes

niemand ist die verneinte Entsprechungsform zu den unbestimmt-persönlichen Pronomina *man, (irgend) jemand* und *irgendwer.* Das Pronomen konkurriert in dieser Funktion mit *kein(er)* und *nicht ein(er),* wenn sie auf Personen bezogen sind. Man vgl.:

Ich habe niemanden getroffen.
Ich habe keinen (Menschen) getroffen.
Ich habe nicht einen (Menschen) getroffen.

2. Pronomina, die nur Nicht-Personen bezeichnen

etwas

Das substantivische Indefinitpronomen *etwas* hat keine Flexionsformen. Der Genitiv und der reine Dativ sind ungebräuchlich, im Akkusativ und im präpositionalen Dativ wird die nominativische Form verwendet.
etwas bezeichnet ganz allgemein ein nicht näher Bestimmtes (Nicht-Person im weitesten Sinne: Tier, Gegenstand, abstrakter Begriff usw.), das ein Einzelnes oder ein Mehrfaches sein kann. Durch vorangestelltes *irgend* wird die Bedeutung des unbestimmten Einzelnen verstärkt.

Etwas hat auf dem Tisch gelegen. (z. B. ein oder mehrere Gegenstände)
Hast du *etwas* von ihm gehört? (z. B. eine oder mehrere Nachrichten)
Er sah im Dunkeln *etwas* vorüberhuschen. (z. B. ein Tier)
Sie müssen sich mit *etwas* beschäftigen. (z. B. mit einer Aufgabe)
Bring mir *irgend etwas* von der Reise mit! (z. B. einen einzelnen Gegenstand)

nichts

Dieses Pronomen verhält sich morphologisch und syntaktisch wie das Indefinitpronomen *etwas*, als dessen Verneinung es auftritt:

Nichts hat auf dem Tisch gelegen.
Hast du *nichts* von ihm gehört?
Er ist mit *nichts* zufrieden.
Am Wochenende komme ich zu *nichts*.

Vgl. dazu auch 11.2.1.

Anmerkung:
Den substantivischen Indefinitpronomina stehen die substantivisch gebrauchten unbestimmten Zahladjektive nahe (vgl. 3.6.6.). Die Ähnlichkeit ist vor allem semantischer Art, während sich in syntaktischer Hinsicht Unterschiede durch die Artikelfähigkeit der Adjektive ergeben. Durch die unbestimmten Zahladjektive werden die fehlenden semantischen Merkmale der Indefinitpronomina ergänzt, so daß sich die Selektionsmöglichkeiten aus den vorerwähnten Personen bzw. Nicht-Personen erweitern. Man vgl. die folgende Reihe, in der die Zahladjektive kursiv hervorgehoben sind:

Er hat niemandem geschrieben.
Er hat irgend jemandem geschrieben.
Er hat *einem* geschrieben.
Er hat *wenigen* geschrieben.
Er hat *einzelnen* geschrieben.
Er hat einigen geschrieben.
Er hat *verschiedenen* geschrieben.
Er hat manchen geschrieben.
Er hat *anderen* geschrieben.
Er hat *vielen* geschrieben.
Er hat allen geschrieben.

2.3.2.5. Possessivpronomen

Das Possessivpronomen ist aus dem Genitiv des Personalpronomens abgeleitet. Jedem Personalpronomen entspricht ein Possessivpronomen:

ich – mein; wir – unser (1. Person)
du – dein; ihr – euer; Sie – Ihr (2. Person)
er – sein, sie – ihr, es – sein; sie – ihr (3. Person)

Das Possessivpronomen wird zumeist als Artikelwort verwendet, kommt aber auch als Substantivwort vor. Im allgemeinen stimmen die Formen des Substantivwortes mit denen des Artikelwortes überein. Dabei gilt folgende Grundregel: Im Wortstamm richtet sich das Pronomen nach Person, Genus und Numerus des *Besitzers* (1), in den Endungen nach Kasus, Genus und Numerus des *Besitztums* (2):

(1) Ich brauche kein Heft. *Ich* nehme *mein*es.
Er braucht kein Heft. *Er* nimmt *sein*es.
Ich habe kein Heft. Aber *er* hat ein Heft. Ich nehme *sein*es.

(2) Ich brauche keinen *Bleistift.* Ich nehme mein*en.*
Ich brauche kein *Heft.* Ich nehme mein*es.*

Beim Gebrauch des substantivischen Possessivpronomens sind folgende Besonderheiten zu beachten:

1. Im Nom. Mask. und im Nom./Akk. Neutr. hat das substantivische Possessivpronomen gewöhnlich nicht die Endungen des entsprechenden Artikelwortes, sondern die vollen Endungen *-er* und *-es.* Es verhält sich in diesen Kasus also wie das substantivische Interrogativpronomen *was für einer* und die substantivischen Indefinitpronomina *irgendeiner* und *keiner.* Zu beachten ist, daß beim Possessivpronomen diese Formen in allen Personen auftreten. Man vgl.:

Wessen Wagen ist das? – Das ist mein Wagen. Das ist mein*er.*
Das ist dein Wagen. Das ist dein*er.*
Das ist sein Wagen. Das ist sein*er.*
Das ist ihr Wagen. Das ist ihr*er.*
Das ist unser Wagen. Das ist unser*er.* usw.

Ebenso:

Wessen Haus ist das? – Das ist mein Haus. Das ist mein*es.*
Das ist unser Haus. Das ist unser*es.* usw.

Beim prädikativen Gebrauch bleibt das substantivische Possessivpronomen öfters unflektiert:

Der Bleistift / Er ist *mein.*
Das Buch / Es ist *mein.*
Die Tasche / Sie ist *mein.*

2. Im Unterschied zu allen anderen substantivischen Pronomina ist das Possessivpronomen artikelfähig. Neben seiner normalen Form, in der es – vom seltenen Gen. Mask./Neutr. abgesehen – wie ein Adjektiv mit Nullartikel flektiert wird, kann es schriftsprachlich noch in einer Form mit bestimmtem Artikel erscheinen. In dieser Form hat es die Flexionsformen eines Adjektivs mit bestimmtem Artikel. Man vgl.:

Wessen Bleistift ist das? – Das ist *meiner.* / Das ist *der meine.*
Wessen Buch ist das? – Das ist *ihres.* / Das ist *das ihre.*

Ebenso:

Wessen Bleistift nimmst du? – Ich nehme *meinen.* / Ich nehme *den meinen.*
Wessen Buch nimmst du? – Ich nehme *meines.* / Ich nehme *das meine.*

Die Form mit bestimmtem Artikel kann nur als Substantivwort, nicht als Artikelwort fungieren:

Das ist mein Buch. Das ist meines.
*Das ist das meine Buch. Das ist das meine.

Ebenfalls nur als possessives Substantivwort und nicht als Artikelwort ist schriftsprachlich die Nebenform mit dem Suffix *-ig-* möglich, die obligatorisch den bestimmten Artikel bei sich hat:

Wessen Bleistift ist das? – Das ist der meinige.

Vereinzelt werden die substantivischen Possessivpronomina mit bestimmtem Artikel groß geschrieben:

Grüße bitte die Deinen von mir!
Jedem das Seine.

3. Bei den Possessivpronomina *unser* und *euer* kann das *e* des Suffixes ausfallen, wenn die Endungen *-e, -er* oder *-es* folgen:

Wessen Lampe ist das? – Das ist unsre / eure.
Wessen Schrank ist das? – Das ist unsrer / eurer.
Wessen Haus ist das? – Das ist unsres / eures.

Wenn diese Pronomina die Endung *-en* oder *-em* haben, kann auch das *e* der Endung ausfallen:

Welchen Wagen nimmst du? – Ich nehme unsren / unsern.
Ich nehme euren / euern.
Welchem Fahrer gibst du das Geld? – Ich gebe es unsrem / unserm.
Ich gebe es eurem / euerm.

Stärker umgangssprachlich ist der Ausfall des *e* in der Endung *-es*:

Wessen Haus ist das? – Das ist unsers / euers.

Umgangssprachlich ist auch der Ausfall des *e* in der Endung *-es* bei den anderen Possessivpronomina:

Wessen Haus ist das? – Das ist meins / deins / seins / ihrs.

2.3.2.6. Relativpronomen

Die Relativpronomina bilden – rein formal gesehen – keine eigene Gruppe von Wörtern. Als Relativpronomen dienen das Demonstrativpronomen *der* und die Interrogativpronomina *welcher, wer* und *was*. Zur Deklination dieser Pronomina vgl. unter 2.3.2.2. (Interrogativpronomen) und 2.3.2.3. (Demonstrativpronomen).
Die Relativpronomina sind an den Attributsatz im engeren Sinne und an den weiterführenden Nebensatz gebunden. Zum Gebrauch in diesen Sätzen und zu damit verbundenen morphosyntaktischen Besonderheiten der Relativpronomina vgl. unter 18.4.2.5./6.

2.3.2.7. Pronominaladverbien

1. Formenbestand

Unter dem Begriff *Pronominaladverbien* werden Wortverbindungen zusammengefaßt, die bestimmte Präpositionen mit den Adverbien *da-* und *wo-* (falls die Präposition mit Vokal anlautet: *dar-* und *wor-*) eingehen:[1]

(1) Präpositionen mit Akkusativ: *durch, für, gegen, um*

dadurch / wodurch, dafür / wofür, dagegen / wogegen, darum / worum

(2) Präpositionen mit Dativ: *aus, bei, mit, nach, von, zu*

daraus / woraus, dabei / wobei, damit / womit, danach / wonach, davon / wovon, dazu / wozu

(3) Präpositionen mit Akkusativ und Dativ (die Verbindungen einiger Präpositionen mit *wo-* sind nicht möglich): *an, auf, hinter, in, neben, über, unter, vor, zwischen*

daran / woran, darauf / worauf, dahinter / –, darin / worin, daneben / –, darüber / worüber, darunter / worunter, davor / wovor, dazwischen /–

Anmerkung:
Die übrigen Präpositionen können keine Pronominaladverbien bilden. Sie verbinden sich ganz normal mit Pronomina:

Ich bin mit dem Wagen gefahren. *Ohne ihn* hätte ich nicht alles erledigen können.
Das Rathaus liegt am Marktplatz. *Ihm gegenüber* befindet sich das Kaufhaus.

2. Gebrauch

Die Pronominaladverbien stehen als Prowörter anstelle von Personal-, Demonstrativ-, Interrogativ- und Relativpronomina für Substantive, die Nicht-Lebewesen bezeichnen und mit einer der o. g. Präpositionen gebraucht sind.[2] Dabei gibt es eine Funktionsteilung zwischen den Verbindungen mit *da(r)-* und mit *wo(r)-*: Die Verbindungen mit *da(r)-* ersetzen mit Präposition gebrauchte Personal- und Demonstrativpronomina, die Verbindungen mit *wo(r)-* stehen für Inter-

---

[1] Statt *da-/dar-* steht manchmal auch *hier-*. Dabei sind jedoch – wie zum Teil auch bei *wo-* – die Verbindungen mit verschiedenen Präpositionen ausgeschlossen: *hiergegen, *hierum ...
Die Form *dr-* an Stelle von *dar-* ist umgangssprachlich bzw. auf einige Wendungen beschränkt:

Ich kümmere mich nicht drum.
Es ging alles drunter und drüber.

[2] Für Personen ist der Ersatz der genannten Pronomina durch ein Pronominaladverb nur möglich, wenn es sich um eine Personengruppe handelt:

Ihre beiden Freundinnen saßen in der ersten Reihe. Sie setzte sich *dazwischen / daneben.* (= zwischen / neben die Freundinnen)
In der Klasse sind 24 Kinder, *darunter* 10 Mädchen. (= unter den Kindern)

rogativ- und Relativpronomina mit Präposition. Der Ersatz ist teils obligatorisch, teils fakultativ. Im einzelnen gelten folgende Regeln:

(1) Pronominaladverb für Personalpronomen der 3. Person/Demonstrativpronomen *der*

(a) Das Pronominaladverb darf nicht stehen, wenn ein Lebewesen (im besonderen: eine Person) gemeint ist:

Erinnerst du dich *an den Freund*?
→ Ich erinnere mich *an ihn (den)*.
↛ Ich erinnere mich *daran*.

(b) Das Pronominaladverb muß stehen, wenn (1) ein Nicht-Lebewesen gemeint ist und dieses ein Neutrum im Akkusativ ist, (2) ein Bezug auf das Prädikat des vorangehenden Satzes vorliegt und (3) auf einen Nebensatz vorausgewiesen wird. Bei (2) und (3) erscheint das Pronominaladverb sowohl im Akkusativ als auch im Dativ:

(1) Erinnerst du dich *an das Ereignis*?
→ *Ich erinnere mich *an es (das)*.
→ Ich erinnere mich *daran*.

(2) Er hat ihr gratuliert. Sie freut sich *über das Gratulieren*.
→ Er hat ihr gratuliert. **Über es (das)* freut sie sich.
→ Er hat ihr gratuliert. *Darüber* freut sie sich.
Er hat ihr gratuliert. Sie hat *an dem Gratulieren* gezweifelt.
→ Er hat ihr gratuliert. *Sie hat *an ihm (dem)* gezweifelt.
→ Er hat ihr gratuliert. Sie hat *daran* gezweifelt.

(3) Ich erinnere mich *an sein häufiges Zuspätkommen*.
→ *Ich erinnere mich *an das*, daß er häufig zu spät kommt.
→ Ich erinnere mich *daran*, daß er häufig zu spät kommt.
Ich zweifle *an seinem pünktlichen Kommen*.
→ *Ich zweifle *an dem*, daß er pünktlich kommt.
→ Ich zweifle *daran*, daß er pünktlich kommt.

Bei (3) handelt es sich um den Gebrauch der Pronominaladverbien als Korrelat. Vgl. dazu 18.4.2.1.

(c) Das Pronominaladverb kann stehen, wenn ein Nicht-Lebewesen gemeint ist und dieses ein Neutrum im Dativ oder ein Maskulinum bzw. Femininum im Dativ oder Akkusativ ist:

Zweifelst du *an dem Ergebnis*?
→ Ich zweifle nicht *an ihm (dem)*.
→ Ich zweifle nicht *daran*.
Erinnerst du dich *an den Vorfall*?
→ Ich erinnere mich *an ihn (den)*.
→ Ich erinnere mich *daran*.

(2) Pronominaladverb für Interrogativpronomen

(a) Das Pronominaladverb darf nicht stehen, wenn ein Lebewesen (im besonderen: eine Person) gemeint ist:

Er erinnert sich *an seinen Lehrer*.
→ *An wen* erinnert er sich?
↛ *Woran* erinnert er sich?

(b) Das Pronominaladverb muß stehen, wenn ein Nicht-Lebewesen gemeint ist (unabhängig von Genus und Kasus):

Er erinnert sich *an den Vorfall.*
→ **An was* erinnert er sich?
→ *Woran* erinnert er sich?
Er erinnert sich *an das Ereignis.*
→ **An was* erinnert er sich?
→ *Woran* erinnert er sich?
Er zweifelt *an dem Ergebnis.*
→ **An was* zweifelt er?
→ *Woran* zweifelt er?

Zum umgangssprachlichen Gebrauch von *was* mit Präposition vgl. 2.3.2.2.1. Anm. (1).

(3) Pronominaladverb für Relativpronomen

(a) Das Pronominaladverb darf nicht stehen, wenn ein Lebewesen (im besonderen: eine Person) gemeint ist.

Der Lehrer ist jetzt in Rente. Ich erinnere mich *an den Lehrer.*
→ Der Lehrer, *an den* ich mich erinnere, ist jetzt in Rente.
→ *Der Lehrer, *woran* ich mich erinnere, ist jetzt in Rente.

(b) Das Pronominaladverb muß stehen, wenn (1) ein Nicht-Lebewesen gemeint ist, das durch ein neutrales substantivisches Pronomen / substantivisch gebrauchtes Adjektiv im Akkusativ repräsentiert wird, und (2) ein Bezug auf das Prädikat im Hauptsatz vorliegt (im Akkusativ oder Dativ):

(1) Das Schönste war der Flug. Ich erinnere mich an *das Schönste.*
→ *Das Schönste, *an was* ich mich erinnere, war der Flug.
→ Das Schönste, *woran* ich mich erinnere, war der Flug.

(2) Er hat ihr gratuliert. Sie freut sich *über das Gratulieren.*
→ *Er hat ihr gratuliert, *über was* sie sich freut.
→ Er hat ihr gratuliert, *worüber* sie sich freut.
Er hat ihr gratuliert. Sie hat *an dem Gratulieren* gezweifelt.
→ *Er hat ihr gratuliert, *an was* sie gezweifelt hat.
→ Er hat ihr gratuliert, *woran* sie gezweifelt hat.

Bei (2) handelt es sich um den Gebrauch der Pronominaladverbien im weiterführenden Nebensatz. Vgl. dazu 18.4.2.5.

(c) Das Pronominaladverb kann stehen, wenn ein Nicht-Lebewesen gemeint ist, das durch ein neutrales substantivisches Pronomen / substantivisch gebrauchtes Adjektiv im Dativ oder durch ein Substantiv im Dativ oder Akkusativ repräsentiert wird. Bei einem Substantiv ist der Gebrauch des Pronominaladverbs wegen der Homonymie mit einem weiterführenden Nebensatz [vgl. oben (b)(2)] weniger üblich.

Das Einzige ist die Altersangabe. Ich zweifle *an dem Einzigen.*
→ Das Einzige, *an dem* ich zweifle, ist die Altersangabe.
→ Das Einzige, *woran* ich zweifle, ist die Altersangabe.

Er schenkte ihr einen Bildband. Sie freut sich *über den Bildband.*
→ Er schenkte ihr einen Bildband, *über den* sie sich freut.
→ (Er schenkte ihr einen Bildband, *worüber* sie sich freut.)

Bei (a)–(c) handelt es sich – mit Ausnahme von (b)(2) – um den Gebrauch der Pronominaladverbien im Attributsatz im engeren Sinne. Vgl. dazu 18.4.2.6.

Anmerkung:
Pronominaladverbien ersetzen Nicht-Personen bezeichnende Pronomina vor allem dann, wenn diese präpositionale Objekte ausdrücken. Wenn es sich um präpositionale Adverbialbestimmungen handelt, gibt es verschiedene Beschränkungen für den Gebrauch der Pronominaladverbien. Häufig treten dann Adverbien auf. Man beachte vor allem folgende Besonderheiten:

1. Bei einigen Präpositionen mit lokaler Bedeutung (*hinter, neben, zwischen*) ist nur die Verbindung mit *da-* möglich. Für die entsprechende Verbindung mit *wo-* tritt ein Lokaladverb ein.

Wo sitzt sie? – Sie sitzt *dahinter.*
Wohin setzt sie sich? – Sie setzt sich *dazwischen.*

2. Bei Lokalbestimmungen besteht darüber hinaus ein Unterschied darin, ob es sich um eine allgemeine Flächen- oder Raumangabe oder ob es sich um die genaue Angabe der Beziehung zwischen den Gegenständen der Realität handelt. Nur im zweiten Falle steht öfters ein Pronominaladverb, während im ersten Falle Adverbien verwendet werden:

Steht die Vase auf dem Tisch? – Sie steht *dort.*
Steht die Vase auf einer Decke? – Sie steht *darauf.*

3. Gewissen Beschränkungen unterliegen auch die Verbindungen mit den Präpositionen *in* und *aus*: Während in der lokalen Bedeutung „nichtzielgerichtet" Pronominaladverbien üblich sind, steht in der Bedeutung „zielgerichtet" ein Lokaladverb mit *her* bzw. *hin.*

Liegt das Buch im Schrank? – Das Buch liegt *darin.*
Legst du das Buch in den Schrank? – Ich lege das Buch *hinein (dorthin).*
Nimmst du das Buch aus dem Schrank? – Ich nehme das Buch *heraus.*

4. Nichtlokale Bestimmungen werden zumeist nicht mit Pronominaladverbien, sondern mit Adverbien ausgedrückt (1). Nur einige Präpositionen mit temporaler Bedeutung verbinden sich mit *da-*; für das entsprechende *wo-* + Präposition steht auch hier ein Adverb (2).

(1) *Warum* hast du das gemacht? – Ich habe das *deshalb* gemacht. (z. B. „aus Versehen" – kausal)
Er lebte im 18. Jahrhundert. *Damals* war die herrschende Kunstrichtung das Barock. (temporal)
(2) *Wann* machst du das? – Ich mache das *danach.* (z. B. „nach den Ferien" – temporal)

Kategorien des Substantivs 2.4.

Die Substantive und substantivischen Pronomina sind durch drei Kategorien charakterisiert: 1. Genus, 2. Numerus, 3. Kasus. Diese Kategorien, die teils formal-grammatischer Natur sind (Genus), teils syntaktisch (Kasus) oder semantisch (Numerus) abzuleiten sind, kommen in komplexer Weise in den Deklinationsformen und in den Artikelwörtern formal zum Ausdruck. Diese formalen Mittel sind beim Substantiv und bei den substantivischen Pronomina in unterschiedlicher Weise ausgebildet: Während sie beim Substantiv Systemcharakter tragen, sind sie bei den substantivischen Pronomina zum Teil unvollständig entwickelt und durch zahlreiche Besonderheiten ausgezeichnet. Aus diesem Grund werden im folgenden die einzelnen Kategorien nur beim Substantiv dargestellt, die Besonderheiten der Pronomina dagegen bei der Beschreibung ihres Formenbestandes (vgl. 2.3.2.).

Genus 2.4.1.

Beim Genus des Substantivs ist zwischen dem natürlichen Geschlecht (= Sexus) und dem grammatischen Genus zu unterscheiden. Das natürliche Geschlecht hat zwei Formen (Maskulinum und Femininum), das grammatische Genus drei Formen (Maskulinum, Femininum und Neutrum). Beide Genusarten kommen im Deutschen vor allem am bestimmten Artikel formal zum Ausdruck (*der, die; das*).

Natürliches Geschlecht 2.4.1.1.

Das natürliche Geschlecht der Substantive spielt im Deutschen gegenüber dem grammatischen Genus nur eine geringe Rolle. Lediglich bei einigen Gruppen von Lebewesen wird das grammatische Genus vom natürlichen Geschlecht bestimmt. Das betrifft 1. Personenbezeichnungen und 2. Tiernamen.

1. Personenbezeichnungen

Verwandtschaftsnamen (zumeist mit verschiedenen Wörtern)

der Vater – die Mutter
der Sohn – die Tochter
der Onkel – die Tante
der Enkel – die Enkelin
der Cousin – die Cousine (oder: Kusine)

Berufsbezeichnungen (die fem. Form zumeist mit Suffix *-in*)

der Lehrer – die Lehrerin
der Koch – die Köchin
der Friseur – die Friseuse/Friseurin

Anmerkungen:
(1) Vor allem bei neueren Berufsbezeichnungen fehlt oft eine entsprechende fem. Form zur mask. Bezeichnung. In diesen Fällen übernimmt die mask. Form die Bezeichnungsfunktion auch für die weibliche Person. Bei akademischen und amtlichen Titeln ist dies immer der Fall.

Sie ist Ingenieur.
Frau Professor Seidel wurde Verdienter Lehrer des Volkes.

(2) Bei Künstlernamen wird das Geschlecht nur durch den Artikel ausgedrückt (mask. mit Nullartikel, fem. mit bestimmtem Artikel):

Den Film hat Bergman gedreht.
In dem Film spielt die Bergman die Hauptrolle.

(3) In einigen Fällen widerspricht das grammatische Genus dem natürlichen Geschlecht: *die Wache, das Mannequin; das Fräulein, das Mädchen*

2. Tiernamen

der Hahn – die Henne
der Hengst – die Stute
der Bär – die Bärin
der Löwe – die Löwin

Anmerkung:
Oft wird bei Tieren das grammatische Genus gebraucht, ohne nach dem natürlichen Geschlecht zu unterscheiden:

das Rind (Bulle – Kuh)
das Reh (Bock – Ricke)

In anderen Fällen ist für das männliche und weibliche Tier nur ein Wort mit einem bestimmten grammatischen Genus vorhanden:

der Karpfen, *die* Maus, *das* Wiesel

2.4.1.2. Grammatisches Genus

Das beherrschende Genussystem im Deutschen ist ein formalgrammatisches System, das in seinen Systemzügen nur im Rahmen einer historischen Grammatik erklärt und übersichtlich gemacht werden kann. Im Rahmen einer Darstellung der Gegenwartssprache ist es für die Mehrzahl der Substantive nicht möglich, praktikable Regeln zur Genusbestimmung zu geben. Bei vielen Substantiven muß die das Genus repräsentierende Artikelform zusammen mit dem Substantiv gelernt werden:

der Kopf – *die* Hand – *das* Kinn
der Löffel – *die* Gabel – *das* Pendel

Bei zahlreichen anderen Substantiven ist jedoch auch in der Gegenwartssprache eine teils semantisch, teils formal motivierte Gruppenbildung festzustellen. Im folgenden werden für einige solcher Gruppen von Substantiven Regeln gegeben, die nicht durch eine zu große Zahl von Ausnahmen entwertet sind.

Entsprechend dem geschichtlich gewordenen Gebrauch bestimmter Bedeutungsgruppen von Substantiven sind

1. Maskulina

(1) die Namen der Jahreszeiten, Monate und Wochentage

der Sommer; der Januar; der Mittwoch

(2) die Namen der Himmelsrichtungen, Winde und Niederschläge

der Osten; der Monsun; der Schnee, der Nebel, der Reif

(3) die Namen der Spirituosen

der Wein, der Sekt, der Kognak, der Wodka

(4) Automarken und Namen von Expreßzügen

der Skoda, der Wartburg; der Hungaria

(5) die Namen der Mineralien und Gesteine

der Feldspat, der Glimmer, der Quarz; der Granit, der Basalt

(6) die Bergnamen[1]

der Brocken, der Elbrus, der Vesuv, der Mt. Everest

2. Feminina

(1) die Schiffs- und Flugzeugnamen

die Rostock, die Fritz Heckert; die TU 154, die Boeing

(2) die Namen der Bäume und vieler Blumen

die Kiefer, die Birke, die Zypresse[2]; die Rose, die Nelke, die Orchidee

(3) die Namen der Zigarettensorten

die Juwel, die Duett, die Astor

(4) die substantivischen und substantivierten Kardinalzahlen

die Eins, die Neun, die Tausend, die Million

Anmerkung:
Die Mengenbezeichnungen sind Neutra: *das Hundert, das Tausend; das Dutzend, das Schock*

---

[1] Bei Zusammensetzungen richtet sich das Genus nach dem Grundwort (*der Fichtelberg, die Zugspitze, das Matterhorn*). Gebirgsnamen sind nur zum Teil Maskulina *(der Harz, der Kaukasus)*; viele Gebirgsnamen sind Pluraliatantum *(die Kordilleren, die Karpaten)*, andere sind Zusammensetzungen bzw. Verbindungen mit dem Neutrum *Gebirge (das Erzgebirge, das Kantabrische Gebirge)*.

[2] Aber: *der Ahorn.* Weiterhin viele Zusammensetzungen mit dem Maskulinum *Baum: der Birnbaum, der Kaffeebaum, der Teakbaum* (im Unterschied zum industriellen Rohstoff *das Holz: das Teakholz*).

Neutra sind auch die Bruchzahlen (außer: *die Hälfte*): *das Drittel, das Tausendstel*

(5) die meisten deutschsprachigen Flußnamen und die fremdsprachigen Flußnamen auf *-a* und *-e*:

die Saale, die Oder, die Spree; die Wolga, die Newa, die Seine, die Themse

Anmerkung:
Die übrigen fremdsprachigen Flußnamen und einige deutschsprachige Flußnamen sind Maskulina[1]

der Ganges, der Amazonas, der Nil; der Rhein, der Main, der Neckar

3. Neutra

(1) die Namen von Hotels, Cafés und Kinos

das Leipzig, das Capitol, das Astoria

(2) die Namen der meisten chemischen Elemente[2]

das Kupfer, das Aluminium, das Chlor, das Radium

(3) die Namen von physikalischen Einheiten, von Buchstaben, Noten, Farben und Sprachen

das Kilowatt; das Ypsilon; das Cis; das Grün; das Russisch(e), das Hindi

(4) die Namen von Wasch- und Reinigungsmitteln

das Fewa, das Fit, das Klarofix

(5) die Namen der Kontinente, Länder, Inseln und Orte (soweit sie ohne Attribut Nullartikel haben)

(das befreite) Afrika, (das dünnbesiedelte) Australien
(das neutrale) Schweden, (das heutige) Frankreich, (das sozialistische) Ungarn
(das nördliche) Rügen, (das mineralreiche) Sachalin
(das kriegszerstörte) Dresden, (das übervölkerte) Tokio

Anmerkung:
Namen, die ohne Attribut den bestimmten Artikel haben, sind in der Regel Maskulina oder Feminina:

der Irak, der Libanon
die Antarktis, die Schweiz, die Türkei, die UdSSR, die Krim

---

[1] Ebenso die Meeresnamen: *der Atlantik, der Pazifik.* Zumeist sind die Namen der Meere jedoch Verbindungen mit dem Maskulinum *Ozean* (der Indische Ozean), dem Neutrum *Meer* (das Mittelmeer) oder dem Femininum *See* (die Nordsee). Das Maskulinum *See* dient allgemein zur Bezeichnung der stehenden Binnengewässer (der Müggelsee, der Njassasee).

[2] Aber: *der Phosphor, der Schwefel.* Ebenso die Zusammensetzungen mit dem Maskulinum *Stoff: der Sauerstoff, der Stickstoff, der Wasserstoff.*

Ebenso die Landschaftsnamen:

der Balkan, der Darß
die Lausitz, die Normandie

Daneben auch einige Neutra:

das Elsaß, das Engadin

Einige Namen sind Pluraliatantum:

die USA, die Niederlande; die Dardanellen, die Kurilen

Auf Grund der Form sind

1. Maskulina

(1) Deverbativa mit Nullsuffix

der Gang, der Sprung, der Betrieb

(2) Substantive auf *-ig, -ling, (nach Konsonant:) -s*

der Pfennig, der Essig, der Käfig
der Lehrling, der Zwilling
der Fuchs, der Knirps, der Schnaps

(3) Fremdwörter (vor allem Personenbezeichnungen) auf *-ant, -är, -ent, -et, -eur, -ist, -loge, -or, -us*[1]

der Demonstrant; der Funktionär; der Absolvent; der Athlet; der Ingenieur; der Artist; der Biologe; der Doktor; der Zyklus

2. Feminina

(1) Deverbativa auf *-t*[2]

die Fahrt, die Schlacht, die Last

(2) die meisten Substantive auf *-e* (vor allem Zweisilber)[3]

die Liebe, die Lampe, die Straße, die Rose, die Schlange

(3) Substantive mit den Suffixen *-ei, -heit, -keit, -schaft, -ung*

die Bücherei, die Malerei, die Partei
die Gelegenheit, die Krankheit, die Wahrheit
die Fähigkeit, die Kleinigkeit, die Standhaftigkeit
die Freundschaft, die Gesellschaft, die Wirtschaft
die Heizung, die Lösung, die Verfassung

(4) Fremdwörter auf *-age, -ät, -anz, -enz, -ie, -ik, -ion, -ur*[4]

die Etage; die Qualität; die Ambulanz; die Differenz; die Kopie; die Klinik; die Deklination; die Dressur

---

[1] Aber: *das Genus, das Tempus*
[2] Aber: *der Durst, der Frost, der Verlust, der Dienst; das Gift*
[3] Aber die Substantive des mask. Singulartyps 2 *Bote, Erbe* usw. und *der Käse; das Auge, das Ende*
[4] Ausnahmen sind: *der Firlefanz, der Popanz; der/das Lampion, der Skorpion, der Spion, das Stadion; das Abitur, das Futur, der Purpur*

3. Neutra

(1) Diminutiva auf *-chen* und *-lein*

das Häuschen, das Büchlein

(2) Kollektiva mit *Ge-*

das Gebirge, das Gebüsch; das Gerede, das Gebrüll

(3) substantivierte Infinitive (auf *-en*)

das Sprechen, das Turnen

(4) Fremdwörter auf *-ett, -il, -ma, -o, -(m)ent*[1], *-um*

das Kabinett; das Ventil; das Drama; das Konto, das Dokument; das Zentrum

(5) die Mehrzahl der Substantive auf *-nis*[2]

das Ergebnis, das Ereignis, das Gedächtnis

2.4.1.3. Doppeltes Genus

Das Deutsche besitzt eine Reihe von Substantiven, die mit doppeltem Genus gebraucht werden. Dabei sind verschiedene Gruppen zu unterscheiden:

1. Substantive mit gleicher Form, gleicher Bedeutung und verschiedenem Genus (schwankendes Genus)

der / die Abscheu
der / das Abszeß
der / das Bereich
der / das Bonbon
der / das Dotter
der / die / das Dschungel
der / das Filter
der / das Gulasch
der / das Katheder

der / das Kautschuk
der / das Kehricht
der / das Keks
der / das Knäuel
der / das Lampion
der / das Liter
der / das Marzipan
der / das Meter[3]
der / das Podest

---

[1] Aber: *der Zement.* Vgl. auch die Maskulina (Personenbezeichnungen) auf *-ent* (*Absolvent* usw.)

[2] Einige Substantive auf *-nis* sind Feminina: *Erlaubnis, Wildnis, Fäulnis,* außerdem einige veraltete Wörter wie *Empfängnis, Finsternis, Bitternis* und einige vor allem im Plural gebrauchte Wörter wie *Ersparnis* und *Erschwernis.*

[3] Schwankend ist der Artikelgebrauch auch bei den mit *-meter* zusammengesetzten Bezeichnungen für Maßeinheiten: der / das Millimeter, Zentimeter, Kilometer. Bei den anderen Zusammensetzungen mit *-meter* ist das Genus auf eine bestimmte Form festgelegt: mask. – Geometer, Gasometer; neutr. – Barometer, Thermometer. Ähnlich verhält es sich bei den Zusammensetzungen mit *-messer* (der Geschwindigkeitsmesser – das Küchenmesser) und *-mut* (mask.: Edelmut, Freimut, Hochmut, Mißmut, Unmut; fem.: Anmut, Armut, Großmut, Langmut, Schwermut, Wehmut).

der / die Quader	der / das Terpentin
der / das Silo	der / die Wulst
der / das Sims	der / die Zierat
der / das Spind	der / das Zubehör
der / das Teil[1]	

2. Substantive mit gleicher Form, verschiedener Bedeutung und verschiedenem Genus (Homonyme)

der Alp (gespenstisches Wesen)	– die Alp(e) (Bergwiese)
der Balg (abgezogenes Fell)	– das / der Balg (ungezogenes Kind)
der Band (Buch)	– das Band (etwas zum Binden)
der Bauer (Landwirt)	– der / das Bauer (Käfig)
der Bulle (Stier)	– die Bulle (Urkunde)
der Bund (Vereinigung)	– das Bund (etwas Gebundenes)
der Erbe (Übernehmer einer Hinterlassenschaft)	– das Erbe (Hinterlassenschaft)
der Ekel (Abscheu)	– das Ekel (unangenehmer Mensch)
der Flur (Korridor)	– die Flur (Feld)
der Gehalt (Wert)	– das Gehalt (Lohn)
der Golf (Meeresbucht)	– das Golf (Ballspiel)
der Heide (Anhänger einer polytheistischen Religion)	– die Heide (Landschaftsform)
der Hut (Kopfbedeckung)	– die Hut (Vorsicht)
der Kaffee (Getränk)	– das Kaffee (Gaststätte = Café)
der Kiefer (Schädelknochen)	– die Kiefer (Nadelbaum)
die Koppel (Viehweide)	– das Koppel (Gürtel)
der Kristall (Stofform)	– das Kristall (geschliffenes Glas)
der Kunde (Käufer)	– die Kunde (Nachricht)
der Laster (Lastkraftwagen)	– das Laster (Untugend)
der Leiter (Vorgesetzter)	– die Leiter (zum Steigen bestimmt)
der Mangel (Fehler)	– die Mangel (Wäscherolle)
die Mark (Währungseinheit)	– das Mark (Knocheninneres)
der Marsch (Musik)	– die Marsch (Landschaftsform)
der Mast (Schiffsbaum)	– die Mast (Intensivfütterung)
der Militär (Soldat)	– das Militär (Armee)
der Moment (Augenblick)	– das Moment (Faktor)
der Morgen (Tageszeit)	– das Morgen (Zukunft)
der Otter (Marderart)	– die Otter (Giftschlange)
der Pony (Frisur)	– das / der Pony (Zwergpferd)
der Positiv (Adjektivform)	– das Positiv (Photographie)
der Schild (Schutzwaffe)	– das Schild (Erkennungszeichen)
der See (stehendes Binnengewässer)	– die See (Meer)
die Steuer (Abgabe an den Staat)	– das Steuer (Lenkvorrichtung)
der Tau (Niederschlag)	– das Tau (Seil)
der Taube (zu: taub)	– die Taube (Vogel)
der Tor (einfältiger Mensch)	– das Tor (große Tür)

[1] Bei Zusammensetzungen ergibt sich folgende Genusverteilung:
Mask.: Anteil, Bestandteil, Bruchteil, Erdteil, Körperteil, Stadtteil, Vorteil
Neutr.: Abteil, Gegenteil, Urteil
Mask./Neutr.: Erbteil, Oberteil

der Verdienst (Lohn) – das Verdienst (Leistung)
der Weise (zu: weise) – die Weise (Melodie)

3. Substantive mit ähnlicher Form, verschiedener Bedeutung und verschiedenem Genus

der Akt (Handlung, Theateraufzug) – die Akte (Schriftstück)
das Deck (Schiffsoberfläche) – die Decke (zum Bedecken bestimmt, obere Raumfläche)
das Etikett (Aufschrift) – die Etikette (Umgangsformen)
der Kohl (Kraut) – die Kohle (fester Brennstoff)
der Laden (Geschäft) – die Lade (Möbelstück bzw. -teil)
der Leisten (Schuhspanner) – die Leiste (Randeinfassung)
der Muff (Handschutz) – die Muffe (Rohrverbindungsstück)
der Niet (Verbindungsstück) – die Niete (Fehllos)
der Rabatt (Preisvergünstigung) – die Rabatte (schmales Beet, Kleideraufschlag)
das Rohr (Pflanzenteil, Hohlzylinder) – die Röhre (Körperorgan, Geräteteil)
der Spalt (schmale Öffnung) – die Spalte (Zeitungskolumne)
der Sproß (Pflanzentrieb) – die Sprosse (Teil der Leiter)
der Streifen (Band) – die Streife (Patrouille)
das Tablett (Geschirrbrett) – die Tablette (Medikament in Plätzchenform)
der Typ (Eigenart, Gattung) – die Type (gegossener Druckbuchstabe)

2.4.2. Numerus

Die Kategorie des Numerus bezieht sich auf eine sprachunabhängige Eigenschaft der objektiven Realität, die *Gegliedertheit* des durch das Substantiv bezeichneten Objekts der objektiven Realität. Je nachdem, ob das Objekt als Eines oder Mehreres, in Einzahl oder Vielzahl erscheint, wird es im Singular oder Plural gebraucht. Der überwiegende Teil der deutschen Substantive kommt in beiden Numeri vor. Daneben gibt es Substantive, die auf Grund ihrer Semantik auf einen Numerus beschränkt sind. Substantive, die nur ungegliederte Objekte bezeichnen und deshalb nur im Singular vorkommen, heißen *Singulariatantum*. Substantive, die stets gegliederte Objekte bezeichnen und demzufolge auf den Plural beschränkt sind, heißen *Pluraliatantum*.

2.4.2.1. Singulariatantum

1. Stoffnamen

Nur im Singular stehen Stoffnamen, wenn sie ganz allgemein gebraucht werden:

Kupfer zeichnet sich durch seine Leitfähigkeit aus.
Es ist in der letzten Woche viel *Schnee* gefallen.

Zu den singularischen Stoffnamen gehören die Bezeichnungen vieler Stoffe natürlichen Vorkommens (chemische Elemente wie *Sauerstoff, Schwefel, Eisen;* Mineralien wie *Quarz, Feldspat, Apatit*) oder natürlicher Entstehung (Witterungsprodukte wie *Schnee, Tau;* pflanzliche und tierische Produkte wie *Gummi, Wolle, Milch*) wie auch die Bezeichnungen für viele vom Menschen hergestellte Stoffe (vor allem Lebens- und Genußmittel und Erzeugnisse für die Körperpflege wie *Butter, Schokolade, Tee, Sekt, Hautcreme* usw.).

Anmerkung:
Will man einzelne Stoff*arten* unterscheiden, ist bei manchen Stoffnamen der Plural möglich (vor allem fachsprachlich):

Das Werk produziert verschiedene *Stähle.*
Angola exportiert wertvolle *Harthölzer.*

Dieser Plural kann auch mit lexikalischen Mitteln – durch Zusammensetzung mit verschiedenen Grundwörtern – gebildet werden:

Das Werk verarbeitet ausländische Holz*arten.*
In unserer Kaufhalle gibt es vorzügliche Fleisch*waren.*

2. Sammelnamen (Kollektiva)

Nur im Singular stehen Sammelnamen, wenn sie Bezeichnungen einer einheitlichen, umfassenden Klasse sind, die als ungegliedert aufgefaßt wird:

Die *Bevölkerung* wurde zu einer Spendenaktion aufgerufen.
Am Abend brachten wir das *Gepäck* zum Bahnhof.

Zu den singularischen Sammelnamen gehören die Bezeichnungen für zahlreiche Personengruppen (*Proletariat, Polizei, Marine, Personal, Verwandtschaft*), Tier- und Pflanzenklassen (*Wild, Geflügel; Getreide, Obst, Wurzelwerk*) wie auch Sachgruppen (*Konfektion, Schmuck*).

Anmerkungen:
(1) Will man innerhalb der durch einen singularischen Sammelnamen bezeichneten Klasse verschiedene Gruppen unterscheiden, ist ein Plural mit lexikalischen Mitteln möglich:

Das Staatsgut züchtet ertragreichere Getreide*sorten.*
Die Abteilung für Schmuck*waren* befindet sich im ersten Stock des Kaufhauses.

(2) Völlig regelmäßig ist der Plural auch, wenn die einzelnen Vertreter einer Klasse gemeint sind:

Marinesoldaten, Getreidekörner, Gepäckstücke

(3) Von den nicht-pluralfähigen Sammelnamen als Bezeichnungen einer einheitlichen Klasse sind die Sammelnamen zu unterscheiden, die eine Gruppe einer Klasse anderen Gruppen der gleichen Klasse gliedernd gegenüberstellen und deshalb im Singular und im Plural stehen können:

Eine Mannschaft ist in die Oberliga aufgestiegen.
Zwei Mannschaften haben ihre Heimspiele verloren.

Zu diesen pluralfähigen Sammelnamen gehören u. a. die Bezeichnungen für Personengruppen wie *Armee, Familie, Regierung, Volk* und für Sachgruppen wie *Gewässer, Gebirge, Gebüsch, Besteck, Service.*

3. Abstrakta

Nur im Singular stehen Abstrakta, wenn sie ungegliederte Allgemeinbegriffe darstellen:

> Er arbeitet mit viel *Fleiß.*
> Die *Erziehung* der Jugend ist eine wichtige Aufgabe der Gesellschaft.

Ebenso: Aufbau, Planung, Verkehr, Bewußtsein, Vertrauen, Ruhe, Liebe, Glück, Angst, Ursprung, Unrecht u. v. a.

Anmerkungen:
(1) Zur Bezeichnung der verschiedenen Erscheinungsformen des Allgemeinbegriffs ist bei manchen Abstrakta ein Plural mit lexikalischen Mitteln möglich:

> Das Buch ist für alle Alters*stufen* geeignet.
> Bei Glatteis kommt es häufig zu Unglücks*fällen.*

(2) Neben den nicht-pluralfähigen Abstrakta gibt es zahlreiche Abstrakta, bei denen die verschiedenen Erscheinungsformen im Allgemeinbegriff selbst enthalten sind und die deshalb beide Numeri bilden:

> Er nannte *eine Ursache* für den Fehler.
> Es gibt noch mehr *Ursachen* für den Fehler.

Ebenso: Antwort, Bewegung, Eigenschaft, Gegensatz, Zweck, Zufall, Vorschlag, Beschluß, Gefühl, Krankheit, Traum u. v. a.
Bei manchen Abstrakta ist mit der Pluralbildung eine Bedeutungsspezifizierung verbunden:

> Das Spiel machte allen *Spaß.*
> Der Lehrer macht gern *Späße.*
> Die Kinder stellten sich der *Größe* nach auf.
> Es sind nur Kleider in kleinen *Größen* da.

4. Eigennamen

Nur im Singular stehen Eigennamen, wenn sie ein bestimmtes Einzelnes (Individuum) bezeichnen. Zu solchen Eigennamen gehören die Personennamen (Vor- und Familiennamen), die Individualnamen (Rufnamen) der Haustiere, die Namen verschiedener Produkte der menschlichen Kultur und Technik (Büchertitel, Schiffsnamen u. a.) und lokale Bezeichnungen (Fluß-, Länder- und Ortsnamen, Namen von Betrieben, Gaststätten, Kinos u. ä.):

> der Schriftsteller *Thomas Mann*, das Rennpferd *Ajax*, Mozarts letzte Oper *„Don Giovanni“*, der Panzerkreuzer *„Potjomkin“*, das Flußbett der *Elster*, die Volksrepublik *Polen*, die Kreisstadt *Grimma*, der VEB Verlag *Enzyklopädie* Leipzig, das Studiokino *Capitol* in Leipzig

Anmerkungen:

(1) Der Plural wird verwendet, wenn es sich um mehrere Vertreter des gleichen Namens handelt:

Im Fernsprechbuch stehen mehrere *Fritz Müller.*
Müllers, unsere Nachbarn, sind verreist.
Das Buch stellt die Geschichte beider *Amerika* dar.
In der DDR gibt es acht *Neustadt(s).*

(2) Nicht zu den Eigennamen im individualisierenden Sinne gehören u. a. die Zeitangaben und die Bezeichnungen für viele Produkte der menschlichen Gesellschaft (Automarken, Flugzeugnamen u. ä.). Diese Substantive bilden einen regelmäßigen Plural.

An schönen *Sonntagen* fahren wir ins Grüne.
Der Betrieb produziert jährlich über 500 000 *Fiats.*
Die *AN 24* werden vor allem auf Kurzstrecken eingesetzt.

5. Körperteile und Kleidungsstücke

In bestimmten Verbindungen werden die Bezeichnungen von Körperteilen und Kleidungsstücken trotz der Vorstellung einer Gegliedertheit im Singular verwendet. Dieser Gebrauch ist fakultativ.

Sie gaben sich die *Hand.*
Sie trugen *Hut* und *Mantel.*

Pluraliatantum 2.4.2.2.

Bei einigen Substantiven der unter 2.4.2.1. genannten semantischen Gruppen wird nicht die Ungegliedertheit, sondern umgekehrt die Gegliedertheit als semantischer Grundzug empfunden. Solche Substantive verfügen nur über die Pluralform. Dazu gehören unter anderem:

(1) Geographische Bezeichnungen (Gebirge, Inselgruppen, Länder)

Alpen, Anden, Karpaten ...
Kurilen, Azoren, Bermudas ...
Niederlande, USA

(2) Personengruppen

Eltern, Geschwister,
Gebrüder, Leute, Honoratioren

(3) Zeitbegriffe (Zeitabschnitte)

Ferien, Flitterwochen, Äonen

(4) Krankheiten

Masern, Pocken, Röteln, Blattern

(5) Sammelbegriffe im Handel und in der Wirtschaft

Kurzwaren, Lebensmittel, Möbel, Musikalien, Naturalien, Spirituosen, Textilien

(6) Finanz- und Rechtsbegriffe

Aktiva, Passiva, Alimente, Auslagen, Diäten, Einkünfte, Finanzen, Immobilien, Kosten, Unkosten, Personalien, Spesen, Zinsen

(7) Begriffe des menschlichen Verhaltens

Ränke, Schliche, Umtriebe

(8) Sonstiges

Gliedmaßen, Imponderabilien, Kaldaunen, Makkaroni, Memoiren, Präliminarien, Realien, Shorts, Spaghetti, Trümmer, Utensilien, Wirren

Manche Pluraliatantum besitzen eine Singularform, die aber nur ausnahmsweise – meist ironisch-scherzhaft – (als Gattungsname für ein Einzelexemplar) verwendet wird:

Flausen (die Flause), Gewissensbisse (der Gewissensbiß), Graupen (die Graupe), Konsorten (der Konsorte), Machenschaften (die Machenschaft), Nudeln (die Nudel), Sämereien (die Sämerei), Scherben (die Scherbe), Stoppeln (die Stoppel), Streusel (der / das Streusel), Wehen (die Wehe)

2.4.3. Kasus

2.4.3.1. Wesen der Kasus

1. Die Kasus dienen dazu, die Beziehungen des Substantivs zu anderen Elementen im Satz mit Hilfe morphologischer Mittel zum Ausdruck zu bringen. Diese Aufgabe erfüllen jedoch nicht nur die Kasus, sondern auch andere Mittel (Präpositionen, Intonation, Wortstellung). Im Deutschen spielen die Kasus und die Präpositionen eine dominierende Rolle. Da die gleichen Beziehungen im Deutschen einmal durch Kasusendungen, das andere Mal durch selbständige Wörter (Präpositionen) ausgedrückt werden, ist ein syntaktischer und semantischer Unterschied zwischen den reinen Kasus (ohne Präpositionen) und den präpositionalen Kasus kaum festzustellen.

(1) Er schreibt *seinem Vater* einen Brief.
(2) Er schreibt *an seinen Vater* einen Brief.

Bei den reinen Kasus (1) besteht ein unmittelbarer Kontakt zwischen dem in einem bestimmten Kasus stehenden Substantiv und dem übergeordneten Wort (Verb, Adjektiv, Substantiv):

übergeordn. Wort	→	Subst. (mit Kasus)

Bei den präpositionalen Kasus (2) besteht ein durch die Präposition vermittelter, ein mittelbarer Kontakt zwischen dem in einem bestimmten Kasus stehenden Substantiv und dem übergeordneten Wort (Verb, Adjektiv, Substantiv):

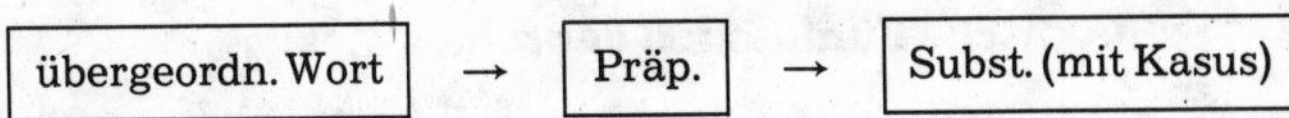

Während beim unmittelbaren Kontakt die reinen Kasus direkt vom übergeordneten Wort abhängen, werden beim mittelbaren Kontakt die Kasus des Substantivs nicht direkt vom übergeordneten Wort, sondern von der vermittelnden Präposition festgelegt. Deshalb werden in der folgenden Darstellung die reinen Kasus von den präpositionalen Kasus getrennt, obwohl sie die gleichen Sachverhalte der Realität ausdrücken.

2. Die *reinen Kasus* im Deutschen können weder von der reinen Form her noch von den außersprachlichen Sachverhalten her, die sie bezeichnen, eindeutig abgegrenzt und bestimmt werden. Von der äußeren Form her würde sich eine Vielfalt von Kasus ergeben, die überdies noch von Wort zu Wort zu differenzieren wäre (so kann etwa der Genitiv ausgedrückt werden durch *-es*, *-s*, *-n*, *-er*, *Nullendung*). Auch die außersprachlichen Sachverhalte, die ein Kasus bezeichnen kann, sind äußerst vielfältig (so kann der Genitiv etwa das Agens, das Patiens, den Besitzer, das Ganze u. a. ausdrücken). Deshalb sind die Kasus weder eindeutig formale noch eindeutig sachbezogene Erscheinungen. Die Existenz von vier Kasus im Deutschen ergibt sich vielmehr auf syntaktischer Ebene durch die Einsetzung in bestimmte Positionen eines vorgegebenen Substitutionsrahmens:

(1) (K_1) besucht den Freund.
(2) Er grüßt (K_4).
(3) Wir danken (K_3).
(4) Wir gedenken (K_2).

Für K_1 muß stets ein Nominativ, für K_4 ein Akkusativ, für K_3 ein Dativ, für K_2 ein Genitiv eingesetzt werden, damit ein grammatisch korrekter Satz entsteht. Der Vielfalt von formalen Ausdrucksmitteln und bezeichneten außersprachlichen Sachverhalten stehen somit vier abgrenzbare reine Kasus gegenüber, die durch ihre syntaktische Äquivalenz in einem Substitutionsrahmen gekennzeichnet sind. Für den Genitiv z. B. läßt sich das wie folgt verdeutlichen:

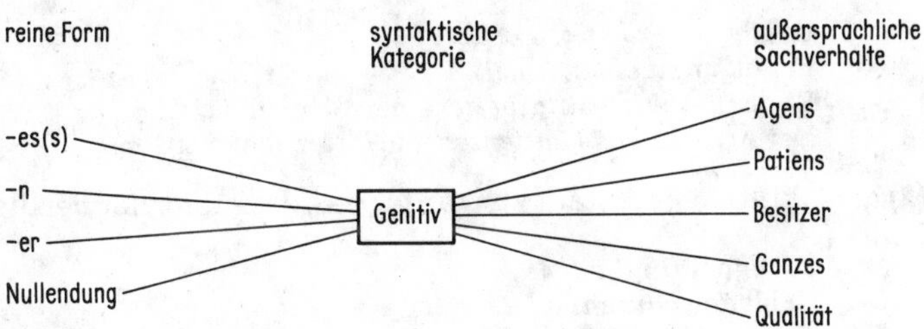

Zur Abgrenzung der vier reinen Kasus im Deutschen ist somit die Annahme einer „Gesamtbedeutung“ des jeweiligen Kasus (unabhängig von den syntaktischen Funktionen, die sie ausüben) nicht erforderlich. Vgl. dazu 2.4.3.5.2.1.

2.4.3.2. Syntaktische Funktionen der reinen Kasus

Die syntaktische Funktion der Kasus ergibt sich aus der Rolle, die die Kasus des Substantivs in Beziehung auf das übergeordnete Verb (in selteneren Fällen auch: auf das übergeordnete Adjektiv oder Substantiv) spielen. Das Verb (oder auch: das Adjektiv bzw. das Substantiv) fordert ein Substantiv oder mehrere Substantive (bzw. deren Äquivalente) in bestimmten Kasus. In diesem Sinne ist das Vorhandensein bestimmter Kasus des Substantivs von der Valenz des übergeordneten Wortes determiniert. Vor allem die Verben eröffnen durch ihre Valenz eine bestimmte Anzahl von Leerstellen, die durch obligatorische Aktanten besetzt werden müssen oder durch fakultative Aktanten besetzt werden können. Außer solchen Aktanten treten im Satz freie Angaben auf, die nicht von der Valenz des übergeordneten Wortes determiniert sind, syntaktisch beliebig hinzugefügt und weggelassen werden können, in ihrem Auftreten jedoch durch die semantische Verträglichkeit eingeschränkt sind. Vgl. dazu 1.3.5. und 17.2.1.

1. Der *Nominativ* tritt in folgenden syntaktischen Funktionen auf:

(1) als erster obligatorischer Aktant von ein-, zwei-, drei- und vierwertigen Verben:

Die Blume welkt.
Der Schüler liest das Buch.
Der Lehrer legt das Buch auf den Tisch.
Der Schriftsteller übersetzt das Buch aus dem Russischen ins Deutsche.

(2) als zweiter obligatorischer Aktant von zweiwertigen Verben:

Der Arzt wird *Professor.*

2. Der *Akkusativ* tritt in folgenden syntaktischen Funktionen auf:

(1) als obligatorischer Aktant von ein-, zwei-, drei- und vierwertigen Verben:

Es gibt *eine richtige Lösung.*
Er bekommt *einen Apfel.*
Er nennt *seinen Mitarbeiter* einen Schrittmacher.
Der Arzt hat *viele Patienten* im Wartezimmer sitzen.

(2) als fakultativer Aktant von ein-, zwei-, drei- und vierwertigen Verben:

Es regnet *Bindfäden.*
Er ißt *den ganzen Apfel.*
Er schreibt dem Freund *einen Brief.*
Der Ansager bittet *die Zuschauer* für die Störung um Verständnis.

(3) als freie Angabe bei null-, ein-, zwei-, drei- und vierwertigen Verben:

Es schneite *den ganzen Tag.*

Der Antriebsmotor läuft *den ganzen Tag.*
Er schrieb *den ganzen Tag* an seiner Dissertation.
Er schenkte *vergangenes Jahr* dem Freund ein Buch.
Er übersetzte das Buch *vergangenes Jahr* aus dem Russischen ins Deutsche.

(4) als obligatorischer Aktant eines Adjektivs:

Dieser Versuch ist *die Mühe* wert.

(5) als obligatorischer oder fakultativer Aktant eines zweiwertigen Verbs und zugleich als obligatorischer Aktant eines anderen ein- oder mehrwertigen Verbs:

Er hört *den Arzt* kommen.
Er sieht *den Lehrer* das Buch lesen.

3. Der *Dativ* tritt in folgenden syntaktischen Funktionen auf:

(1) als obligatorischer Aktant von ein-, zwei- und dreiwertigen Verben:

Es graut *ihm.*
Er begegnet *dem Freund.*
Der Dozent traut *dem Studenten* die Arbeit zu.

(2) als fakultativer Aktant von zwei-, drei- und vierwertigen Verben:

Sie hilft *dem Freund.*
Er bietet *dem Freund* eine Zigarette an.
Der Arzt antwortet *dem Patienten* auf seine Frage, daß er komme.

(3) als freie Angabe bei zwei-, drei- und vierwertigen Verben (zur Rolle dieses dativus commodi vgl. 13.3.5.1.):

Er wäscht *seinem Vater* das Auto.
Er legt *seinem Vater* einen Zettel auf den Tisch.
Er übersetzt *seinem Mitarbeiter* das Buch aus dem Russischen ins Deutsche.

(4) als freie Angabe bei Substantiven (Körperteilen und Kleidungsstücken; zur Rolle dieses dativus possessivus vgl. 13.3.5.2.2.):

Dem Schüler schmerzt der Kopf.
Er sieht *dem Kind* in die Augen.

(5) als obligatorischer Aktant eines Adjektivs:

Der Schüler ist *seinem Vater* ähnlich.

(6) als fakultativer Aktant eines Adjektivs:

Er ist *dem Direktor* bekannt.

4. Der *Genitiv* tritt in folgenden syntaktischen Funktionen auf:

(1) als obligatorischer Aktant von zwei- und dreiwertigen Verben:

Die Hochwassergeschädigten bedürfen *der Hilfe.*
Der Staat verweist den ausländischen Touristen *des Landes.*

(2) als fakultativer Aktant von zwei- und dreiwertigen Verben:

Der Schriftsteller erinnert sich *der Feier.*
Das Gericht klagt ihn *des Diebstahls* an.

(3) als freie Angabe bei null-, ein-, zwei-, drei- und vierwertigen Verben:

Es regnete *des Abends.*
Er kam *eines Abends.*
Er traf mich *eines Abends.*
Er legte *eines Abends* ein Geschenk auf den Tisch.
Der Arzt hatte *eines Abends* viele Patienten im Wartezimmer sitzen.

(4) als obligatorischer Aktant eines Adjektivs:

Er ist *des Wartens* überdrüssig.
Er ist *der Sorgen* ledig.

(5) als fakultativer Aktant eines Adjektivs:

Der Spezialist ist *dieser schwierigen Operation* fähig. (lit.)
Er ist sich *der Verpflichtung* bewußt.

(6) als fakultativer Aktant bei (deverbalen bzw. deadjektivischen) Substantiven:

Wir warten auf den Besuch *des Arztes.*
Der Reichtum *des Landes* ist sehr groß.

(7) als freie Angabe bei beliebigen Substantiven:

Der Vater *seines Freundes* besuchte ihn.
Sie besuchen die Universität *der Hauptstadt.*

5. Eine Übersicht über die in 2.4.3.2.1. bis 2.4.3.2.4. genannten syntaktischen Funktionen der einzelnen Kasus ergibt folgendes Bild für das Vorkommen:

(1) Der Nominativ tritt nur als obligatorischer Aktant, nicht als fakultativer Aktant oder als freie Angabe auf. Er steht nur bei Verben, nicht bei Adjektiven oder Substantiven.

(2) Der Akkusativ tritt sowohl als obligatorischer Aktant als auch als fakultativer Aktant oder als freie Angabe auf. Er steht bei Verben und vereinzelt bei Adjektiven, nicht bei Substantiven.

(3) Der Dativ tritt sowohl als obligatorischer Aktant als auch als fakultativer Aktant oder als freie Angabe auf. Wenn er freie Angabe ist, steht er entweder bei Verben oder bei bestimmten Klassen von Substantiven. Als Aktant erscheint der Dativ meist bei Verben, seltener bei Adjektiven.

(4) Der Genitiv tritt sowohl als obligatorischer Aktant als auch als fakultativer Aktant oder als freie Angabe auf. Er steht bei Verben, Adjektiven und Substantiven, am häufigsten als freie Angabe bei Substantiven.

Hierarchie der reinen Kasus 2.4.3.3.

Abgesehen von den in 2.4.3.2.1. bis 2.4.3.2.4. gezeigten ähnlichen Funktionen aller Kasus und dem in 2.4.3.2.5. dargestellten Unterschied im Vorkommen verhalten sich die einzelnen Kasus hinsichtlich ihrer Bindungsfestigkeit zum Verb verschieden. Nach der Bindung an das Verb (als das strukturelle Zentrum des Satzes) ist eine Hierarchie der reinen Kasus erkennbar, die syntaktisch motiviert werden kann.

1. Die engste Bindung an das Verb – im syntaktischen Sinne – hat der *Subjektsnominativ*, nicht weil er den „Täter" bezeichnet (das tut er keineswegs immer; in passivischen Sätzen bezeichnet er z. B. das Patiens), sondern weil er durch die Kongruenzbeziehung strukturell mit dem finiten Verb verbunden ist. Dasjenige substantivische Glied ist im aktualen Satz Subjekt, das im Nominativ steht und mit dem finiten Verb kongruiert. Auch beim „doppelten Nominativ" (bei dem beide Nominative – die einen verschiedenen Satzgliedwert haben – sogar den gleichen Bezugsgegenstand in der außersprachlichen Wirklichkeit haben) zeigt die Kongruenz, welcher von beiden Nominativen der Subjektsnominativ ist:

> *Du bist* ein fleißiger Schüler.
> Eine glückliche Familie *sind wir*.

2. Den zweiten Rang nach dem Nominativ nimmt der *Objektsakkusativ* ein:

(1) Durch die Passivtransformation wird der Objektsakkusativ affiziert und zum Subjektsnominativ, während Dativ und Genitiv von ihr nicht berührt werden (vgl. dazu 1.8.4.):

> Er liest *den Roman*.
> → *Der Roman* wird (von ihm) gelesen.
> Er hilft *seinem Freund*.
> → *Seinem Freund* wird (von ihm) geholfen.
> Sie gedachten *der Toten*.
> → *Der Toten* wurde (von ihnen) gedacht.

(2) Durch eine Eliminierungstransformation können beim Auftreten mehrerer Kasus bei einem Verb manchmal Dativ und Genitiv wegfallen und der Akkusativ (als Objekt) erhalten bleiben, kaum aber umgekehrt:

> Die Schneiderin näht der Mutter ein Kleid.
> → Die Schneiderin näht ein Kleid.
> → *Die Schneiderin näht der Mutter.
> Das Gericht klagt ihn des Diebstahls an.
> → Das Gericht klagt ihn an.
> → *Das Gericht klagt des Diebstahls an.

(3) Unter einer Nominalisierungstransformation wird das Akkusativobjekt meist zum Genitivattribut, das Dativ- und Genitivobjekt

dagegen werden zum präpositionalen Attribut, das nicht nur hinter das Genitivattribut tritt, sondern für das auch keine generelle Präposition festgelegt ist (die Präposition ist vielmehr von dem substantivischen oder verbalen Bezugswort her festgelegt; vgl. dazu 2.4.3.1. und 2.4.3.6.2.):

Er schickt *seinem Freund* das Buch.
→ das Schicken des Buches *an seinen Freund*
Das Nürnberger Tribunal beschuldigte die faschistischen Führer *der Kriegsverbrechen.*
→ das Beschuldigen der faschistischen Führer *wegen der Kriegsverbrechen*

Anmerkungen:
1. Unter einer Nominalisierungstransformation wird nicht nur das Akkusativobjekt, sondern in gleicher Weise auch das Nominativsubjekt zum Genitivattribut:

Die Behörde untersucht *den Fall.*
→ die Untersuchung *der Behörde*
→ die Untersuchung *des Falles*

Deshalb entstehen manchmal homonyme Genitivattribute, die beide Interpretationen (als Subjekt oder als Objekt des zugrunde liegenden Satzes) zulassen:

der Besuch *des Freundes*
(1) ← *Der Freund* hat uns besucht.
(2) ← Man hat *den Freund* besucht.

2. Vereinzelt tritt bei der Nominalisierungstransformation das Akkusativobjekt nicht in das Genitivattribut, sondern in ein präpositionales Attribut (ähnlich dem Dativ- und Genitivobjekt) über, und zwar dann, wenn das (neben dem Akkusativobjekt im Ausgangssatz vorhandene) Nominativsubjekt bei der Nominalisierung zum Genitivattribut wird:

Der Lehrer besucht *den kranken Schüler.*
→ der Besuch des Lehrers *bei dem kranken Schüler*
(→ der Besuch des kranken Schülers durch den Lehrer)
Der Arzt fragt *den Patienten.*
→ die Frage des Arztes *an den Patienten*
Die Eltern erlauben *die Reise.*
→ die Erlaubnis der Eltern *zu der Reise*

Vgl. dazu 2.4.3.6.2.(3).

3. Auf Grund der unter 2.4.3.3.1. und 2.4.3.3.2. genannten Tatsachen ergibt sich folgende Hierarchie in der Bindung der reinen Kasus an das Verb: Nominativ – Akkusativ – Dativ/Genitiv. Eben deshalb stellen Dativ und Genitiv (im Unterschied zu Nominativ und Akkusativ) im syntaktischen Sinne periphere Kasus oder Randkasus dar; daraus dürfen jedoch nicht in direkter Weise semantische Schlußfolgerungen abgeleitet werden (vgl. dazu 2.4.3.5.2.).

4. Außer der genannten Hierarchie der Kasus nach ihrer verschieden starken Bindung an das Verb dürfen die Unterschiede innerhalb

der einzelnen Kasus nicht herabgesetzt oder gar geleugnet werden. So füllt etwa der Dativ eine ganze Skala der engeren und loseren Verbindung zum Verb aus: Es gibt einen Dativ, der unmittelbar vom Verb als einziges Objekt regiert und obligatorisch gefordert wird (1), einen Dativ, der mittelbar als zweites Objekt mit dem Verb verbunden ist, zum Teil obligatorisch auftritt (2), zum Teil nur fakultativ auftritt (3), schließlich einen Dativ, der neben einem Akkusativ als freie Angabe (4) oder neben bestimmten Substantiven (Körperteile und Kleidungsstücke) als freie Angabe (5) aufgefaßt wird:

(1) Er begegnet *seinem Lehrer.*
(2) Er gewöhnt *seiner Freundin* das Rauchen ab.
(3) Er bringt *dem Kranken* das Medikament.
(4) Die Tochter pflückt *dem Vater* die Blumen.
(5) Die Mutter wäscht *der Tochter* die Haare.

Satzgliedfunktionen der reinen Kasus 2.4.3.4.

Die reinen Kasus erfüllen bestimmte Funktionen als syntaktische Glieder im Satz. Diese Funktionen werden mit Hilfe der Satzgliedbegriffe beschrieben (vgl. dazu 13.3.).

1. Der *Nominativ* kann folgende Satzgliedfunktionen ausüben:

(1) als Subjekt:

Der Arbeiter liest ein Buch.
Die DDR unterzeichnete einen Handelsvertrag mit der Sowjetunion.

(2) als Prädikativ (= Subjektsprädikativ):

Er ist *Student.*
Er bleibt *der beste Student* in der Seminargruppe.
Sie wird *Lehrerin.*
Er wird *ein Talent* genannt.

(3) als Apposition (= Gliedteil):

Herr Müller, *der Direktor* der Fabrik, hat eine neue Konzeption für die Planung vorgelegt.
Die Kollegin *Müller* hat einen Verbesserungsvorschlag eingereicht.

(4) als außerhalb des Satzverbandes stehendes Glied, das dienen kann

der bloßen Benennung („Nennfall"):

ein schöner Morgen
neue Häuser

dem Anruf („Vokativ"):

Komm, *Vater!*
Lieber Freund!

2. Der *Akkusativ* kann folgende Satzgliedfunktionen ausüben:

(1) als Objekt zum Verb:

Er liest *das Buch.*
Die Regierung unterzeichnete *den Handelsvertrag.*

(2) als Objekt zum Prädikativ (Adjektiv):

Die Ware ist *ihr Geld* wert.
Er ist *den lästigen Besucher* los.

(3) als Objektsprädikativ:

Die Lehrerin nennt ihn *einen begabten Schüler.*
Er schilt das Mädchen *eine Lügnerin.*

(4) als lexikalischer Prädikatsteil
in Gestalt eines Umstandsobjekts:

Der Tourist fährt *Auto.*
Die Sekretärin schreibt *Maschine.*

in Gestalt eines inneren Objekts (Akkusativ des Inhalts):

Er schläft *den Schlaf* des Gerechten.
Sie stirbt *einen schweren Tod.*
Er geht *einen schweren Gang.*

(5) als Adverbialbestimmung:

Er arbeitet *jeden Tag.*
Der Graben ist *einen Meter* tief.

(6) als Apposition (= Gliedteil):

Der Minister begrüßt Herrn Müller, *den Direktor* der Fabrik.
Man zeichnete die Kollegin *Müller* mit einer Prämie aus.

Anmerkung:
Im Unterschied zum passivfähigen Akkusativobjekt in (1) hat der Akkusativ in (4) eher adverbialen Charakter und drückt ein *Wie* aus. Für das Umstandsobjekt ist der Nullartikel charakteristisch (so daß die Kasusform kaum mehr erkennbar, der Kasus fast neutralisiert ist; vgl. dazu etwa: Er steht *Wache.* Sie fährt *rad.*), für das innere Objekt die Tatsache, daß der Akkusativ mindestens semantisch (Er *stirbt* einen schweren *Tod.*), meist darüber hinaus auch formal mit der Wurzel des Verbs identisch ist (Er *schläft* den *Schlaf* des Gerechten.) und daß er stets von einem Attribut begleitet ist, das die eigentliche Qualität, das *Wie*, aussagt. Der Akkusativ in (3) ist – im Unterschied zum Akkusativ in (5) – durch die Valenz an das Verb gebunden, ist obligatorisch und tritt bei einer Passivtransformation in den Nominativ (→ Er wird *ein begabter Schüler* genannt.); diese Merkmale unterscheiden den Akkusativ in (3) auch vom Akkusativ in (4). Wenn jedoch bei der Passivtransformation der Akkusativ in (3) zum Nominativ wird, handelt es sich um keinen Subjektsnominativ, sondern um ein Subjektsprädikativ; eben das unterscheidet den Akkusativ in (3) vom Akkusativ in (1).

 3. Der *Dativ* kann folgende Satzgliedfunktionen ausüben:

(1) als Objekt zum Verb:

Die Regierung hilft *den Geschädigten.*
Sie widmet sich *der Arbeit.*
Er gibt *dem Freund* ein Buch.

(2) als Objekt zum Prädikativ (Adjektiv):

Er ist *seiner Frau* treu.
Der Sohn ist *seinem Vater* ähnlich.

(3) als sekundäres Satzglied in verschiedenen Arten:

(a) als possessiver Dativ (Pertinenzdativ)
mit Beziehung auf das Subjekt:

Meinem Vater schmerzt der Kopf.
Die Wunde tut *ihm* weh.

mit Beziehung auf das Objekt:

Wir waschen *uns* die Hände.
Der Arzt reinigt *dem Patienten* die Wunde.

mit Beziehung auf die Adverbialbestimmung:

Er sieht *seiner Tochter* in die Augen.
Der Meister klopft *dem Kollegen* auf die Schulter.

(b) als Träger-Dativ (Träger eines Kleidungsstücks)
mit Beziehung auf das Subjekt:

Dem Jungen rutscht die Hose.

mit Beziehung auf das Objekt:

Er zieht *ihr* den Mantel an.
Der Lehrer rückt *sich* den Schlips zurecht.

mit Beziehung auf die Adverbialbestimmung:

Ich trete *ihm* auf den Schuh.
Dem Kind fiel die Mütze vom Kopf.

(c) als Dativus commodi (Dativ des Interesses, der Gefälligkeit):

Der Pförtner öffnet *der Frau* die Tür.
Das Kind trägt *seiner Mutter* die Einkaufstasche.
Ich kaufe *mir* einen neuen Atlas.

(d) als Dativus incommodi (Dativ des Gelingens / Mißlingens, der Verantwortlichkeit):

Dem Gärtner sind die Blumen verwelkt.
Der Schlüssel ist *dem Kind* ins Wasser gefallen.
Das Kind zerbrach *den Eltern* die Vase.

(e) als Dativ des Zustandsträgers:

Dem Schüler ist diese Zensur ein Trost.
Dieser Erfolg ist *ihm* eine Freude.

(f) als Dativ des Maßstabs (des Standpunkts):

Die Zeit vergeht *uns* schnell.
Er arbeitet *mir* zu langsam.

(g) als ethischer Dativ (der emotionalen Anteilnahme):

Falle *mir* nicht!
Bringt *mir* dem Lehrer die Hefte pünktlich!

(4) als Apposition (= Gliedteil):

Der Lehrer antwortet Herrn Müller, *dem Direktor* der Schule.

Anmerkungen:
(1) Im Unterschied zum Objektsdativ [(1) und (2)] ist der Dativ als sekundäres Satzglied ein nicht valenzgebundenes, sondern freies Glied im Satz. Manchmal sind die Dative in isolierten Sätzen sowohl als Objektsdativ als auch als freier Dativ interpretierbar:

Er schreibt *seiner Freundin* einen Brief.
(a) = *an* seine Freundin; die Freundin ist Empfänger, Adressat des Briefes (= Objektsdativ, durch Valenz an das Verb gebunden).
(b) = *für* seine Freundin, an Stelle seiner Freundin, im Interesse seiner Freundin; die Freundin ist nicht Empfänger des Briefes, sondern die interessierte Person, in deren Interesse etwas geschieht (= freier Dativ, nicht durch Valenz an das Verb gebunden).

Solche Homonymien sind meist auflösbar
– mit Hilfe der Substitution des Dativs durch entsprechende präpositionale Fügungen (der Dativus commodi kann durch eine Präpositionalgruppe mit *für* ersetzt werden);
– durch den Bezug auf eine unterschiedliche Semantik der Verben:

Er bringt *mir* den Koffer. (*zu* mir; Adressat, Objekt)
Er trägt *mir* den Koffer. (*für* mich; interessierte Person)

– durch die Kombinierbarkeit mehrerer Dative (bzw. ihrer Paraphrasen) im Satz:

Peter bringt *uns* den Koffer *zu den Eltern.*
(= Peter bringt für uns die Koffer den Eltern)
Bringt *mir* die Hefte *dem Lehrer* pünktlich!

(2) Der possessive Dativ drückt eine Teil-von-Relation eines Körperteils zu einer Person aus und ist immer durch ein Genitivattribut (bzw. ein Possessivpronomen) substituierbar (ohne denotativen Bedeutungsunterschied):

Der Rücken schmerzt *dem Kranken.*
→ Der Rücken *des Kranken* schmerzt.

Da er von einem substantivischen Körperteil-Lexem abhängt, hat er keine Objekts-, sondern eine attributähnliche Funktion. Es ist eine Doppelmarkierung (Dativ *und* Possessivum) möglich, die jedoch semantisch redundant wirkt:

Mein Kopf schmerzt *mir.*

(3) Der Träger-Dativ drückt eine Träger-Relation (X *trägt* Y, X *hat* Y *an*) aus. Bei einer Transformation in ein Genitivattribut (bzw. Possessivpronomen) ändert sich die Bedeutung:

> Das Wasser läuft *mir* in die Schuhe. (Träger-Relation, keine Besitz-Relation)
> ↮ Das Wasser läuft in *meine* Schuhe. (Besitz-Relation, keine Träger-Relation)

Deshalb ist auch eine Doppelmarkierung (Dativ *und* Genitivattribut bzw. Possessivpronomen) möglich, die nicht semantisch redundant ist, da der Dativ den Träger, der Genitiv (oder das Possessivum) den Besitzer ausdrückt:

> Ich ziehe *mir meinen* Mantel an.
> Ich ziehe *mir seinen* Mantel an.

Aber nicht (beim possessiven Dativ, wenn es sich um unterschiedliche Personen handelt):

> *Ich wasche *mir seine* Hände.

Da der Träger-Dativ von einem substantivischen Kleidungsstück-Lexem abhängt, hat er keine Objekts-, sondern – wie der possessive Dativ – eine attributähnliche Funktion. Allerdings führt das Auftreten eines Kleidungsstück-Lexems zusammen mit einem Dativ nicht obligatorisch zu einer Träger-Relation:

> Sie bindet *ihm* den Schlips um. (Träger-Dativ)
> Sie bürstet *ihm* den Anzug aus. (Träger-Dativ oder Dativus commodi)
> Sie bügelt *ihm* den Anzug. (Dativus commodi)

(4) Der Dativus commodi gibt an, in wessen Interesse, für wen und zu wessen Gunsten eine Handlung verläuft. Er ist substituierbar durch *für* + Akkusativ (wie auch der Dativ des Zustandsträgers und der Dativ des Maßstabs), darüber hinaus aber auch durch *statt* + Genitiv und *zugunsten von* + Dativ (dies im Unterschied zu allen anderen Arten des freien Dativs). Der Subjektsnominativ ist ein Agens, dessen Tätigkeit für den Referenten des Dativs [-Agens] als positiv, intentional und wünschenswert verstanden wird.

(5) Der Dativus incommodi (nicht ersetzbar durch *für*, *statt* oder *zugunsten*) bezeichnet eine Person, dem der im Subjekt (zuweilen auch im Objekt) auftretende Referent anvertraut war (es besteht eine Zugehörigkeitsrelation), dem das Geschehen als negativ, nicht-intentional und unerwünscht erscheint. Es kann sich dabei um Tätigkeiten oder Vorgänge handeln, der Dativ-Referent – dem das Geschehen „passiert" – ist kein intentionales Agens.

(6) Der Dativ des Zustandsträgers steht nur bei Zuständen und ist weglaßbar (allerdings mit semantischem Informationsverlust: Der Träger des Zustands bleibt unbezeichnet). Er ist paraphrasierbar durch *für* + Akkusativ (wie der Dativus commodi), aber nicht durch *statt* + Genitiv oder durch *zugunsten von* + Dativ (im Unterschied zum Dativus commodi).

(7) Der Dativ des Maßstabs ist ebenfalls durch *für* + Akkusativ (nicht durch *statt* + Genitiv oder *zugunsten von* + Dativ) paraphrasierbar. Er bezeichnet jedoch keinen Zustandsträger, sondern den Maßstab (oder Standpunkt), auf den eine im Verb ausgedrückte Tätigkeit, ein Vorgang oder ein Zustand bezogen wird. Dabei sind zwei Fälle zu unterscheiden (die isolierten Sätze sind oft homonym):

Er arbeitet *mir* zu langsam.
(a) Er arbeitet – was mich *betrifft* – zu langsam.
(Dativ der Hinsicht, Dativus respectivus)
(b) Er arbeitet *nach meiner Meinung* zu langsam.
(Dativ der Wertung, Dativus iudicantis)

(8) Der – vor allem umgangssprachlich gebrauchte – ethische Dativ kommt nur in Ausrufen vor, drückt eine gefühlsmäßige Anteilnahme aus und ist auf Personalpronomina (der 1. und 2. Pers.) beschränkt. Im Unterschied zu allen anderen Arten der freien Dative ist er nicht nominal (durch ein Substantiv) repräsentierbar, nicht erststellenfähig und auch nicht betonbar.

(9) Im Unterschied zu den Objektsdativen [(1) und (2)], zu dem possessiven Dativ (3a), dem Träger-Dativ (3b) und dem appositionellen Dativ (4) haben die unter (3c), (3d), (3e), (3f) und (3g) genannten freien Dative weder Objekts- noch Attributsfunktion, sondern adverbialähnliche Funktion.

4. Der *Genitiv* kann folgende Satzgliedfunktionen ausüben:

(1) als Objekt zum Verb:

Er erinnert sich *des Befreiungstages.*
Sie gedachten *der Toten.*

(2) als Objekt zum Prädikativ (Adjektiv):

Er ist *des Weges* kundig.
Er ist *aller Sorgen* ledig.

(3) als Prädikativ:

Der Lehrer ist *guter Laune.*
Der Patient ist *frohen Mutes.*

(4) als Adverbialbestimmung:

Er besuchte uns *eines Abends.*
Der Kunde verließ den Laden *unverrichteter Dinge.*

(5) als attributiver Gliedteil:

Das Haus *seines Vaters* wurde verkauft.
Dort steht der Wagen *des Institutsdirektors.*

(6) als Apposition (= Gliedteil):

Wir erinnern uns des 8. Mai, *des Tages* der Befreiung Deutschlands vom Hitlerfaschismus.
Sie gedachten in einer Feierstunde des verstorbenen Betriebsleiters *Müller.*

Anmerkung:
Der Genitiv kommt in der deutschen Gegenwartssprache nur in beschränktem Maße als Objekt [(1) und (2)] vor. Sein Hauptanwendungsgebiet ist die Verwendung als Attribut, d. h. nicht als selbständiges Satzglied, sondern als Gliedteil (vgl. 15.1.3.3.). Das Auftreten des Genitivs als Objekt zum adjektivischen Prädikativ (2) ist auf wenige Adjektive, sein Auftreten als Prädikativ (3) und als Adverbialbestimmung (4) auf wenige Wendungen beschränkt.

Semantische Funktionen der reinen Kasus 2.4.3.5.

Satzgliedfunktionen und semantische Funktionen 2.4.3.5.1.

Die in 2.4.3.4. beschriebenen Satzgliedfunktionen der einzelnen Kasus sagen noch nichts über die semantischen Funktionen der Kasus aus, noch nichts darüber, welche Sachverhalte der Wirklichkeit die Kasus bezeichnen können. Wie die Oberflächenkasus kein linearer Ausdruck der Satzglieder sind, so bilden die Satzglieder ihrerseits nicht in *direkter* Weise außersprachliche Sachverhalte ab. Wie *einem* Satzglied *mehrere* Oberflächenkasus zugeordnet werden können (und umgekehrt), so können auch *einem* Satzglied *mehrere* semantische Funktionen zugeordnet werden (und umgekehrt).
So kann z. B. der *Nominativ* als *Subjekt* das Agens (1), das Patiens (2), das Identifizierte (3), das Eingeordnete (4) usw. bezeichnen:

(1) *Der Mieter* stellt den Schrank auf.
(2) *Der Schrank* wird aufgestellt.
(3) *Berlin* ist die Hauptstadt der DDR.
(4) *Berlin* ist eine Millionenstadt.

Auch der *Akkusativ* als *Objekt* kann so verschiedene außersprachliche Sachverhalte bezeichnen wie ein effiziertes Objekt, das erst im Prozeß der im Verb ausgedrückten Handlung entsteht, dessen *Da*sein erst hervorgerufen wird (5), und ein affiziertes Objekt, das bereits vor der im Verb ausgedrückten Handlung existiert, aber durch die Handlung in seinem *So*sein verändert wird (6):

(5) Der Schriftsteller schreibt *das Buch.*
Der Bäcker bäckt *den Kuchen.*
(6) Der Schüler packt *das Buch* ein.
Die Kinder essen *den Kuchen.*

Besonders vielfältig sind die außersprachlichen Beziehungen, die der Genitiv als Attribut ausdrücken kann (vgl. genauer unter 15.1.3.3.1.).
Zu den semantischen Funktionen der Satzglieder vgl. ausführlich 13.4.

Inhalte der reinen Kasus 2.4.3.5.2.

1. Auf Grund der verschiedenartigen syntaktischen und semantischen Funktionen der einzelnen Kasus ist es unmöglich, für jeden Kasus eine „Gesamtbedeutung" oder „Grundfunktion" anzunehmen, die unabhängig von den einzelnen syntaktischen Funktionen wäre und aus der diese abgeleitet werden könnten. Von Inhalten (oder semantischen Funktionen) der Kasus kann man auch dann nicht sprechen, wenn von dem übergeordneten Wort (Verb, Adjektiv, Präposition) syntaktisch nur ein einziger Kasus regiert wird. Ähnlich verhält es sich mit den Präpositionen, denen nur dann eine Bedeutung zukommt, wenn sie nicht von einem übergeordneten Wort syntak-

tisch regiert sind. So ist z. B. kein inhaltlicher Unterschied erkennbar zwischen Akkusativ und Dativ in folgenden Fällen:

(1) Der Lehrer hilft *dem schwachen Schüler.*
Der Lehrer unterstützt *den schwachen Schüler.*
(2) Er gratuliert *seinem Mitarbeiter.*
Er beglückwünscht *seinen Mitarbeiter.*

Ebenso: jemandem begegnen/jemanden treffen, etwas (D) gehorchen/etwas (A) befolgen, jemandem imponieren/jemanden beeindrucken, jemandem schaden/jemanden schädigen, jemandem drohen/jemanden bedrohen, jemandem etwas liefern/jemanden mit etwas beliefern

2. Ein inhaltlicher Unterschied zwischen den einzelnen Kasus ist nur dann erkennbar,

(1) wenn mehrere Kasus nebeneinander in der Umgebung eines Verbs auftreten:

Er überreicht *dem Freund das Buch.*
Er gewöhnt *dem Patienten das Rauchen* ab.

(2) wenn mehrere Kasus alternativ in der gleichen Position beim gleichen Verb erscheinen können:

(a) Der Betrieb kündigt *dem Arbeiter.*
Der Betrieb kündigt *den Arbeiter.*
(b) Er klopfte *seinem Freund* auf die Schulter.
Er klopfte *seinen Freund* auf die Schulter.
(c) Er glaubt *dem Vater.*
Er glaubt *die Geschichte.*

Dabei liegt in (a) und (b) kein verschiedener Sachverhalt der Realität zugrunde; die beiden Sätze unterscheiden sich lediglich durch eine verschiedene Nuance in der subjektiven Blickrichtung des Sprechers auf den gleichen Sachverhalt: Im Akkusativ erscheint das Objekt stärker betroffen als im Dativ. Bei (c) liegt ein verschiedener Sachverhalt zugrunde, die Objekte erscheinen nur oberflächlich in der gleichen Position, potentiell sind jedoch beide Objekte nebeneinander möglich:

(c) ← Er glaubt *dem Vater die Geschichte.*

2.4.3.6. Präpositionale Kasus

In 2.4.3.1.1. wurde gezeigt, daß zwischen den reinen Kasus und den präpositionalen Kasus kein semantischer und kein tieferer syntaktischer Unterschied besteht, obwohl die Beziehung des mit einem bestimmten Kasus versehenen Substantivs zu dem übergeordneten Wort (Verb, Adjektiv, Substantiv) beim Präpositionalkasus durch eine Präposition vermittelt ist (mittelbarer Kontakt) und der Kasus des Substantivs folglich nicht durch das übergeordnete Wort, sondern durch die Präposition festgelegt ist. In beiden Fällen handelt es sich jedoch um einen syntaktisch regierten Kasus, dem nicht in direkter Weise eine semantische Funktion zugeschrieben werden kann. Auch sonst verhalten sich die präpositionalen Kasus ähnlich wie die reinen Kasus.

Syntaktische Funktionen der präpositionalen Kasus 2.4.3.6.1.

Die Präpositionalkasus treten in folgenden syntaktischen Funktionen auf:

(1) als obligatorischer Aktant von ein-, zwei-, drei- und vierwertigen Verben:

Es geht *um eine wichtige Frage.*
Berlin liegt *an der Spree.*
Er legt das Buch *auf den Tisch.*
Der Referent bittet die Zuhörer für diesen Zwischenruf *um Verständnis.*

(2) als fakultativer Aktant von zwei-, drei- und vierwertigen Verben:

Die Schneiderin arbeitet *an einem Kleid.*
Der Sohn begleitet seinen Vater *in die Stadt.*
Die Patrioten befreiten den Widerstandskämpfer *aus dem Gefängnis.*

(3) als freie Angabe bei null-, ein-, zwei-, drei- und vierwertigen Verben:

Es schneite *in der Nacht.*
Der Schriftsteller arbeitete *in der Nacht.*
Er schrieb *in der Nacht* den Brief.
Er schenkte *im vergangenen Jahr* seinem Sohn eine Uhr.
Sie übersetzte *im vergangenen Jahr* das Buch aus dem Russischen ins Deutsche.

(4) als fakultativer Aktant eines Adjektivs:

Der Student ist froh *über die bestandene Prüfung.*
Er ist verärgert *über den Unfall.*

(5) als fakultativer Aktant bei Substantiven:

Seine Freude *über die bestandene Prüfung* beflügelte ihn.
Seine Hoffnung *auf ein baldiges Wiedersehen* erfüllte sich nicht.

(6) als freie Angabe bei Substantiven:

Sein Freund *im Nachbarort* ist gestorben.
Der Strand *an der Ostsee* zieht viele Urlauber an.

Ein Vergleich mit den syntaktischen Funktionen der reinen Kasus (vgl. 2.4.3.2.5.) zeigt, daß auch die präpositionalen Kasus als obligatorische Aktanten, als fakultative Aktanten und als freie Angaben auftreten können, daß sie bei Verben, Adjektiven und Substantiven stehen.

2.4.3.6.2. Präpositionale Kasus bei Substantiven (Rektion)

Die präpositionalen Kasus kommen – wie der Genitiv, im Unterschied zu Nominativ, Akkusativ und Dativ – als Attribute zu Substantiven vor. Obwohl die Substantive kaum feste Leerstellen um sich eröffnen, die obligatorisch durch bestimmte Genitive oder Präpositionalkasus zu besetzen sind (wie die Verben und Adjektive), kann man von einer Rektion der Substantive in den Fällen sprechen, in denen die folgende Präposition syntaktisch vom Substantiv gefordert wird und nicht das folgende Substantiv semantisch spezifiziert. Wir vergleichen:

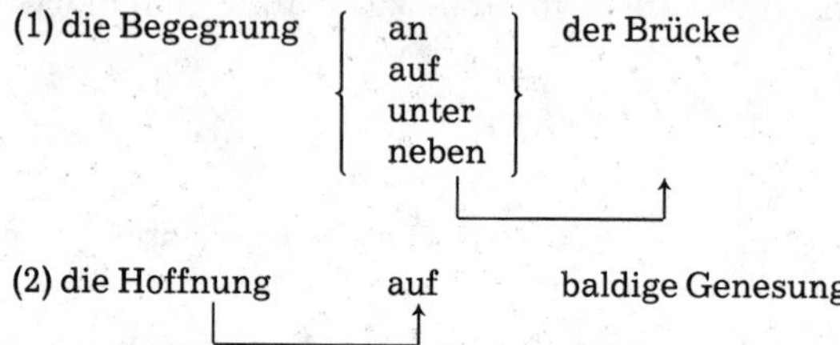

Im Falle (1) ist die Präpositionalgruppe nicht vom übergeordneten Substantiv regiert, wohl aber im Falle (2); denn das regierende Substantiv fordert immer nur bestimmte Präpositionen (in den meisten Fällen: eine einzige Präposition) und schließt alle anderen aus. Die Präposition trägt dabei keine erkennbare Bedeutung – im Unterschied zum Falle (1).
Wenn das Substantiv einen Präpositionalkasus regiert, sind folgende Gruppen unterscheidbar:

(1) Das Substantiv regiert die gleiche Präposition wie das entsprechende Verb und das entsprechende Adjektiv (bzw. Partizip):

Das Thema *hängt vom* Perspektivplan *ab.*
→ Das Thema ist *vom* Perspektivplan *abhängig.*
→ die *Abhängigkeit* des Themas *vom* Perspektivplan
Er *ärgert sich über* den Fehler.
→ Er ist *über* den Fehler *ärgerlich.*
→ sein *Ärger über* den Fehler

Ebenso: ähneln – ähnlich – Ähnlichkeit *in*; befähigen – fähig – Fähigkeit *zu*; befreien – frei – Befreiung (Freiheit) *von*; danken – dankbar – Dankbarkeit *für*; sich freuen – erfreut – Freude *über*[1]; helfen – behilflich – Hilfe *bei*; sich sorgen – besorgt – Sorge *um*; staunen – erstaunt – Staunen (Erstaunen) *über*

(2) Das Substantiv regiert die gleiche Präposition wie das entsprechende Verb, ein entsprechendes Adjektiv ist nicht vorhanden:

Wir *glauben an* den Fortschritt der Menschheit.
→ unser *Glaube an* den Fortschritt der Menschheit

---

[1] beim Verb und Substantiv auch:
sich freuen – Freude *an / auf*

Ebenso: sich ängstigen – Angst *um/vor*; anknüpfen – Anknüpfung *an*; anspielen – Anspielung *auf*; antworten – Antwort *auf*; appellieren – Appell *an*; arbeiten – Arbeit *an/für*; sich aufregen – Aufregung *über*; beginnen – Beginn *mit*; beitragen – Beitrag *zu*; sich bemühen – Bemühung *um*; berichten – Bericht *von/über*; beschränken – Beschränkung *auf*; bitten – Bitte *um*; denken – Gedanke *an*; sich drängen – Drang *nach*; duften – Duft *nach*; dürsten – Durst *nach*; sich ekeln – Ekel *vor*; sich entscheiden – Entscheidung *für*; fahnden – Fahndung *nach*; kämpfen – Kampf *für/gegen*; sich kümmern – Kummer *um*; polemisieren – Polemik *gegen*; protestieren – Protest *gegen*; raten – Rat *zu*; riechen – Geruch *nach*; sich scheuen – Scheu *vor*; spielen – Spiel *mit*; streiten – Streit *mit/um*; teilnehmen – Teilnahme *an*; unterrichten – Unterricht *in*; unterweisen – Unterweisung *in*; vertrauen – Vertrauen *auf*; verzichten – Verzicht *auf*; wissen – Wissen *um/von*; zweifeln – Zweifel *an*

(3) Das Substantiv regiert eine Präposition, während das entsprechende Verb den Akkusativ regiert und ein entsprechendes Adjektiv nicht vorhanden ist:

> Er besucht *unseren Freund.*
> → sein Besuch *bei unserem Freund*

Ebenso: achten – Achtung *vor*; angreifen – Angriff *auf*; erlauben – Erlaubnis *zu/für*; fordern – Forderung *nach*; fragen – Frage *an*; garantieren – Garantie *für*; genehmigen – Genehmigung *für/zu*; kritisieren – Kritik *an*; lieben – Liebe *zu*; überblicken – Überblick *über*; unterrichten – Unterricht *an*; voraussetzen – Voraussetzung *für/zu*; vorschlagen – Vorschlag *auf*

Anmerkung:
In wenigen Fällen tritt eine Kopplung der Möglichkeiten (2) und (3) ein, entspricht dem Substantiv ein Verb sowohl mit als auch ohne Präposition: beraten (über) – Beratung *über*; jagen (nach) – Jagd *nach*

(4) Das Substantiv regiert eine Präposition, während das entsprechende Verb den Dativ regiert und ein entsprechendes Adjektiv nicht vorhanden ist:

> Wir antworten *dem Institutsdirektor.*
> → unsere Antwort *an den Institutsdirektor*

Ebenso: begegnen – Begegnung *mit*; berichten – Bericht *an*; mitteilen – Mitteilung *an*; nützen – Nutzen *für*; schaden – Schaden *für*; schenken – Geschenk *für*; vertrauen – Vertrauen *zu*; zustimmen – Zustimmung *zu*

(5) Das Substantiv regiert die gleiche Präposition wie das entsprechende Adjektiv, ein entsprechendes Verb ist nicht vorhanden:

> Die Schülerin *ist stolz auf* ihren ersten Preis.
> → der *Stolz* der Schülerin *auf* ihren ersten Preis

Ebenso: arm – Armut *an*; bekannt – Bekanntschaft *mit*; eifersüchtig – Eifersucht *auf*; gierig – Gier *nach*; gut – Güte *zu*; hart – Härte *in*; reich – Reichtum *an*; sorgfältig – Sorgfalt *in*; überlegen – Überlegenheit *an/in*; verwandt – Verwandtschaft *mit*; zornig – Zorn *auf*

(6) Das Substantiv regiert eine Präposition, während das entsprechende Adjektiv den Dativ regiert und ein entsprechendes Verb nicht vorhanden ist:

Der Wissenschaftler ist *seinen Prinzipien* treu.
→ die Treue des Wissenschaftlers *zu seinen Prinzipien*

Ebenso: nahe – Nähe *zu*; überlegen – Überlegenheit *gegenüber*

(7) Das Substantiv regiert eine Präposition, obwohl weder ein entsprechendes Verb noch ein entsprechendes Adjektiv vorhanden ist:

Er hat keinen Appetit *auf* Obst.
Sie hat keine Lust *zum* Schwimmen.

Ebenso: Ehrgeiz *nach*, Freundschaft *zu*

2.4.3.6.3. Satzgliedfunktionen der präpositionalen Kasus

Die präpositionalen Kasus erfüllen dieselben Satzgliedfunktionen wie die reinen Kasus (vgl. 2.4.3.4.):

(1) als Subjektsprädikativ:

Das Problem ist *von großer Bedeutung.*
Er wird *als ein Held* der ersten Stunde bezeichnet.

(2) als Objektsprädikativ:

Der Ausländer bezeichnet unser ökonomisches System *als einen unbestreitbaren Vorteil.*
Wir halten seine Worte *für einen wesentlichen Beitrag.*

(3) als Objekt:

Wir warten *auf die Bestätigung* des Planes.
Er denkt *an seine Kinder.*

(4) als Objekt zum Prädikativ (Adjektiv):

Er ist wütend *über die Vergeudung* des Materials.
Die UdSSR ist reich *an Rohstoffen.*

(5) als Adverbialbestimmung:

Der Schriftsteller wohnt *in Rostock.*
Der Ingenieur arbeitet *mit Begeisterung.*
Er qualifiziert sich *am Wochenende.*

(6) als sekundäres Satzglied zum Satz (vgl. dazu 13.3.5.1.):

Er trägt *für seine Mutter* das Gepäck.
Sie unterstützt ihn *bei seinem Vorhaben.*

(7) als prädikatives Attribut:

Er traf ihn *im dunklen Anzug.*

(8) als attributiver Gliedteil:

Die Freude *über das erreichte Ziel* hat ihn beflügelt.

Adjektiv 3.

Formenbestand 3.1.

Deklination 3.1.1.

Nur die attributiven Adjektive haben verschiedene Deklinationsformen. In prädikativer Stellung werden die Adjektive in ihrer endungslosen Grundform verwendet.

attributiv: ein interessant**er** Vortrag
in dem interessant**en** Vortrag
interessant**e** Vorträge
prädikativ: Der Vortrag war interessant.
Die Vorträge waren interessant.

Anmerkungen:
(1) Einsilbige nicht-abgeleitete Adjektive mit stimmhaftem Reibe- oder Verschlußlaut im Auslaut (*s, b, d, g*) enden in prädikativer Stellung gewöhnlich auf *-e*. Bei manchen dieser Adjektive ist seltener und mit stilistischer Nuance auch die Form ohne *-e* möglich.

Die Diskussion war sehr *rege*.
Das Wetter war den ganzen Tag *trüb(e)*.

Ebenso: bang(e), feig(e), flügge, gerade, leis(e), mürb(e), öd(e), prüde, solid(e), spröd(e), träg(e), weise

(2) Um Reste älteren Sprachgebrauchs bzw. Verbindungen nach älterem Muster handelt es sich, wenn attributive Adjektive in der endungslosen Grundform vorkommen. Ein solcher Gebrauch findet sich vor allem in (älteren) literarischen Texten und in festen Wendungen. Dabei kann das Adjektiv dem Substantiv vorangestellt oder nachgestellt sein.

Voranstellung:

Gut Ding will *gut* Weil haben. (Sprichwort)
auf *gut* Glück, ein *gehörig* Stück Arbeit (Wendungen)

Nachstellung:

O Täler *weit*, o Höhen (Eichendorff)
hundert Mark *bar*, Karpfen *blau*, Whisky *pur* (fachsprachliche Wendungen)

Neben diesem unflektierten Gebrauch flektierbarer attributiver Adjektive gibt es noch unflektierbare Adjektive in attributiver Stellung. Vgl. dazu unter 3.4. die Gruppen A_3 und B_3.

(3) Wenn attributive Adjektive bei einem Substantiv als Subjektsprädikativ stehen, kann vereinzelt das Substantiv auch wegfallen. Scheinbar liegt dann ein prädikativer Gebrauch des Adjektivs in deklinierter Form vor. Dieser Gebrauch beschränkt sich jedoch im wesentlichen auf Adjektive in klassifizie-

render oder demonstrativer Bedeutung, die nur attributiv möglich sind (vgl. unter 3.3. die Gruppe B), und ist als stilistisch bedingte Ellipse zur Verbindung mit Substantiv zu verstehen.

> Diese Frage scheint mir keine *linguistische*, sondern eine *methodische* zu sein.
> Mein Vorschlag ist *folgender*: . . .
> Unsere Ziele sind ganz *andere* als seine.

Die Deklination des attributiven Adjektivs ist abhängig vom Substantiv, und zwar besteht grammatische *Kongruenz* in Genus, Numerus und Kasus mit dem Substantiv. Im Unterschied zur festen Deklination des Substantivs ist jedoch die Deklination des Adjektivs variabel, und zwar abhängig vom Artikelwort beim Substantiv. Diese Abhängigkeit besteht darin, daß die vollen Endungen, die die grammatischen Kategorien des Genus, Numerus und Kasus ausdrücken, stets nur einmal – entweder beim Artikelwort oder beim Adjektiv – erscheinen. Dieses für das Deutsche charakteristische Prinzip der *Monoflexion* äußert sich beim Adjektiv wie folgt: Wenn das Artikelwort (wie z. B. der bestimmte Artikel) die Merkmale für Genus, Numerus und Kasus enthält, hat das Adjektiv folgende Endungen:

Sing. Nom. Mask. / Neutr. / Fem. sowie „ Akk. Neutr. / Fem.	**-e**
alle anderen Kasus	**-en**

Dieser Deklinationstyp des Adjektivs wird als nominale, attribuierende, determinierte oder schwache Deklination bezeichnet; wir sprechen von der *Adjektivdeklination nach bestimmtem Artikel.*
Wenn das Artikelwort nicht die Merkmale für Genus, Numerus und Kasus enthält bzw. kein Artikelwort vorhanden ist (Adjektiv nach „Nullartikel") und das Adjektiv die grammatische Kennzeichnung übernimmt, hat es folgende Endungen:[1]

Sing. Nom. u. Akk. Fem. sowie Plural Nom. u. Akk. aller Genera	**-e**
Sing. Akk. u. Gen. Mask. u. Gen. Neutrum sowie Plural Dativ aller Genera	**-en**
Sing. Nom. Mask. u. Dativ/Gen. Fem. sowie Plural Gen. aller Genera	**-er**
Sing. Nom. u. Akk. Neutr.	**-es**
Sing. Dativ Mask. u. Neutr.	**-em**

Dieser Deklinationstyp des Adjektivs wird als pronominale, determinierende oder starke Deklination bezeichnet; wir sprechen von der *Adjektivdeklination nach Nullartikel.*
Einige Artikelwörter (wie z. B. die Possessivpronomina) verhalten sich unterschiedlich. In der Mehrzahl der Formen enthalten sie die

[1] Eine Ausnahme stellt Sing. Gen. Mask./Neutr. dar, wo nicht die kennzeichnende Endung *-s*, sondern – wie bei der Adjektivdeklination nach bestimmtem Artikel – die Endung *-n* erscheint.

grammatische Kennzeichnung für Genus, Numerus und Kasus, in einigen Formen des Singular (Nom. aller Genera, außerdem Akk. Neutrum u. Fem.) aber sind sie endungslos. Für das Adjektiv ergibt sich daraus eine *gemischte Deklination*:
In allen Kasus außer den oben genannten endet das Adjektiv auf *-en*, in den o. g. Kasus lautet die Endung entsprechend dem Genus auf *-er* (Mask.), *-es* (Neutrum) oder *-e* (Fem.).

1. Adjektiv nach bestimmtem Artikel (schwache Deklination)

		Maskulinum	*Neutrum*	*Femininum*
Sing.	N	der groß**e** Erfolg	das groß**e** Geheimnis	die groß**e** Sorge
	A	den groß**en** Erfolg	das groß**e** Geheimnis	die groß**e** Sorge
	D	dem groß**en** Erfolg	dem groß**en** Geheimnis	der groß**en** Sorge
	G	des groß**en** Erfolgs	des groß**en** Geheimnisses	der groß**en** Sorge
Pl.	N	die		
	A	die		
	D	den		
	G	der		
		groß**en** Erfolge	groß**en** Geheimnisse	groß**en** Sorgen

Adjektive nach den Artikelwörtern *derjenige, derselbe, dieser, jener* und *jeder* (nur im Sing. möglich) folgen ebenfalls diesem Deklinationstyp. Ebenso, aber mit bestimmten Einschränkungen werden die Adjektive flektiert nach den Artikelwörtern *mancher* (Plural überwiegend wie nach Nullartikel), *irgendwelcher* (durchgehend auch wie nach Nullartikel möglich), *solcher* (gelegentlich wie nach Nullartikel, aber nicht im Sing. Nom. u. Akk. aller Genera u. Gen. Mask. u. Neutr.), *welcher* und *aller* (selten auch wie nach Nullartikel).

2. Adjektive nach Nullartikel (starke Deklination)

		Maskulinum	*Neutrum*	*Femininum*
Sing.	N	– groß**er** Erfolg	– groß**es** Geheimnis	– groß**e** Sorge
	A	– groß**en** Erfolg	– groß**es** Geheimnis	– groß**e** Sorge
	D	– groß**em** Erfolg	– groß**em** Geheimnis	– groß**er** Sorge
	G	– groß**en** Erfolgs	– groß**en** Geheimnisses	– groß**er** Sorge
Pl.	N	– groß**e** Erfolge / Geheimnisse / Sorgen		
	A	– groß**e** Erfolge / Geheimnisse / Sorgen		
	D	– groß**en** Erfolgen / Geheimnissen / Sorgen		
	G	– groß**er** Erfolge / Geheimnisse / Sorgen		

Adjektive nach den Artikelwörtern *dessen, deren, wessen, manch, solch* und *welch* folgen ebenfalls diesem Deklinationstyp. Ebenso, aber mit bestimmten Einschränkungen werden die Adjektive flektiert nach den Artikelwörtern *einige* (Sing. Gen. u. Dativ Mask. u. Neutr. sowie Nom. u. Akk. Neutr. weitgehend wie nach bestimmtem Artikel, Plural Gen. gelegentlich wie nach bestimmtem Artikel), *etli-*

che (selten auch wie nach bestimmtem Artikel) und *mehrere* (nur im Plural möglich, dabei Gen. gelegentlich auch wie nach bestimmtem Artikel möglich).

3. Adjektiv nach Possessivpronomina (gemischte Deklination)

		Maskulinum	*Neutrum*	*Femininum*
Sing.	N	sein groß**er** Erfolg	sein groß**es** Geheimnis	seine groß**e** Sorge
	A	seinen groß**en** Erfolg	sein groß**es** Geheimnis	seine groß**e** Sorge
	D	seinem groß**en** Erfolg	seinem groß**en** Geheimnis	seiner groß**en** Sorge
	G	seines groß**en** Erfolgs	sein**es** groß**en** Geheimnisses	seiner groß**en** Sorge
Pl.	N	seine groß**en** Erfolge	groß**en** Geheimnisse	groß**en** Sorgen
	A	seine groß**en** Erfolge		
	D	seinen groß**en** Erfolge		
	G	seiner groß**en** Erfolge		

Adjektive nach dem Artikelwort *kein* und den nur im Sing. möglichen Artikelwörtern *ein, manch / solch / welch ein* sowie *ein mancher / solcher* werden ebenso flektiert.

4. Besonderheiten der Deklination

(1) Adjektive auf *-el* verlieren bei der Deklination den Vokal:

dunkel – ein dunkles Zimmer
heikel – eine heikle Frage
komfortabel – die komfortable Wohnung

Bei Adjektiven auf *-en* und *-er* kann umgangssprachlich der Vokal ebenfalls ausfallen:

bescheiden – ein bescheid(e)ner Mensch
heiter – heit(e)res Wetter

Bei fremden Adjektiven auf *-er* und bei Adjektiven mit Diphthong vor *-er* ist der Ausfall des Vokals die Regel:

integer – ein integrer Mensch
teuer – ein teures Kleid
sauer – die sauren Gurken

Das Adjektiv *hoch* verändert bei der Deklination den Auslautkonsonanten:

das ho**h**e Fenster

(2) Zwei oder mehr aufeinanderfolgende Adjektive haben die gleichen Deklinationsendungen:

der bedeutend**e** ökonomisch**e** Erfolg
ein bedeutend**er** ökonomisch**er** Erfolg
mit bedeutend**en** ökonomisch**en** Erfolgen

Von dieser Regel gibt es bei Nullartikel folgende Abweichungen (das erste Adjektiv ist jeweils ein unbestimmtes Zahladjektiv oder ein ähnlich klassifizierendes Adjektiv, das in diesem Fall als bestimmter Artikel gesehen wird):

(a) Nach *ander-* wird das zweite Adjektiv im Sing. Dativ Mask. u. Neutr. überwiegend wie nach bestimmtem Artikel dekliniert (in den anderen Kasus heute nur noch selten):

> aus anderem fest**en** Material
> die Ursache anderer grammatisch**en** (zumeist: grammatisch**er**) Fehler

(b) Nach *beide* wird das zweite Adjektiv in allen Kasus überwiegend wie nach bestimmtem Artikel dekliniert, die Deklination wie nach Nullartikel ist veraltet:

> beide jung**en** Leute

(c) Nach *folgend-* wird das zweite Adjektiv im Sing. gewöhnlich, im Plural (besonders im Genitiv) gelegentlich wie nach bestimmtem Artikel dekliniert:

> folgendes neu**e** Gesetz
> folgende neu**e** (neben seltener: neu**en**) Gesetze

(d) Nach *sämtlich-* wird das zweite Adjektiv im Sing. gewöhnlich, im Plural überwiegend wie nach bestimmtem Artikel dekliniert:

> mit sämtlichem gesammelt**en** Material
> sämtliche fehlend**en** (aber auch: fehlend**e**) Schüler

(e) Nach flektiertem *viel-* wird das zweite Adjektiv im Sing. Nom./ Akk. Neutr. und Dativ Mask. / Neutr. fast ausschließlich, im Gen. Plural gelegentlich wie nach bestimmtem Artikel dekliniert:

> vieles brauchbar**e** Material
> die Aufzählung vieler grammatisch**en** (zumeist: grammatisch**er**) Fehler

Nach flektiertem *wenig-* wird das zweite Adjektiv nur im Sing. Dativ Mask. u. Neutr. wie nach bestimmtem Artikel dekliniert, sonst regelmäßig wie nach Nullartikel:

> mit wenigem passend**en** Material

Anmerkung:
Nach unflektiertem *viel* und *wenig* (gewöhnlich nur im Sing.) ist die Deklination des zweiten Adjektivs regelmäßig wie nach Nullartikel:

> mit viel neu**em** Wissen
> wenig scharf**er** Paprika

(3) Wenn zwei oder mehr Adjektive mit einem Bindestrich gekoppelt sind, erhält nur das letzte die Endung:

> die bairisch-österreichisch**e** Mundart
> mit grün-rot-weiß**en** Bändern

3.1.2. Graduierung

3.1.2.1. Graduierung mit Hilfe von Suffixen

1. Der *Positiv* bezeichnet die Grundstufe des Adjektivs. Zu den Formen vgl. 3.1.1. Im Vergleich zweier Größen dient er zum Ausdruck der Gleichheit. Als Vergleichswörter werden *so ... wie* verwendet.

> Der Lehrer ist alt.
> Der Lehrer ist *so* alt *wie* mein Vater.

2. Der *Komparativ* (1. Steigerungsstufe) wird mit Suffix *-er* gebildet und dient zum Ausdruck der Ungleichheit zweier miteinander verglichener Größen. Er wird in attributiver Stellung flektiert, in prädikativer Stellung nicht flektiert. Vergleichswort ist *als*.

> ihr um 3 Jahre älterer Bruder
> Der Bruder ist älter *als* die Schwester.

Anmerkung:
Das Vergleichswort *denn* ist veraltet. Es findet sich nur noch in gehobener Sprache oder zur Vermeidung eines doppelten *als*:

> Er war als Schriftsteller noch begabter *denn* als Maler.

3. Der *Superlativ* (2. Steigerungsstufe) gibt beim Vergleich mindestens dreier miteinander verglichener Größen einer den ersten Platz. Er wird mit *-est* (bei einsilbigen oder endbetonten mehrsilbigen Adjektiven auf *-d, -t, -s, -ß, -x, -z* sowie auf *-los* und *-haft*) oder mit *-st* gebildet:

> der älteste Lehrer, die heißeste Jahreszeit, das berühmteste Bild, die lieblosesten Worte, die gewissenhafteste Arbeit
> das jüngste Kind, die komischste Filmszene, die brennendsten Aufgaben, die geeignetsten Beispiele

In attributiver Stellung wird der Superlativ flektiert und mit dem bestimmten Artikel verwendet. In prädikativer Stellung können sowohl die flektierten Formen als auch die feste Verbindung *am* + *-(e)sten* gebraucht werden (erstere dann, wenn ein Bezugssubstantiv mitgedacht wird und hinzugefügt werden kann).

> Der heißeste Monat ist der Juli.
> Der Monat Juli ist am heißesten.
> Der Monat Juli ist der heißeste (Monat).

4. Der *Elativ* oder absolute Superlativ steht ohne Vergleich und bezeichnet einen sehr hohen Grad. Er stimmt in der Form mit dem Superlativ überein, ist aber im Unterschied zu diesem auch mit Nullartikel möglich. Oft hat er idiomatischen Charakter.

> Gestern war das herrlichste Wetter.
> Der Betrieb arbeitet mit den modernsten Maschinen.
> in höchster Eile, mit den herzlichsten Grüßen

5. Besonderheiten der Graduierung mit Hilfe von Suffixen

(1) Im allgemeinen werden die Adjektive mit umlautfähigem Vokal im Komparativ und Superlativ ohne Umlaut gebraucht. Nur wenige einsilbige Adjektive haben Umlaut:

alt – älter – älteste
groß – größer – größte
klug – klüger – klügste

Ebenso: arg, arm, hart, kalt, krank, lang, scharf, schwach, schwarz, stark, warm; grob; dumm, jung, kurz

Einige Adjektive lassen Formen mit und ohne Umlaut zu:

gesund – gesünder – gesündeste
gesunder – gesundeste

Ebenso: blaß, glatt, karg, naß, schmal, fromm, rot

Die Adjektive *hoch* und *nahe* verändern außer dem Vokal auch den Auslautkonsonanten:

hoch – hö**h**er – höchste
nahe – näher – nä**ch**ste

(2) Bei Adjektiven auf *-el* fällt im Komparativ das *e* aus:

dunkel – das dunklere Zimmer (aber im Superlativ regelmäßig: das dunkelste Zimmer)

Bei Adjektiven auf *-en* und *-er* kann der Vokal ebenfalls ausfallen, bei Diphthong vor *-er* ist dies die Regel.

bescheiden – ein bescheid(e)nerer Mensch
heiter – heit(e)reres Wetter
teuer – die teureren Geräte

(3) Bei zusammengesetzten Adjektiven wird gewöhnlich das zweite Glied gesteigert:

hochfliegendere (= ehrgeizigere) Pläne
die *altmodischsten* Hüte

Zusammengesetzte Adjektive werden im ersten Glied gesteigert, wenn dieses sich relative Selbständigkeit bewahrt hat. Oft ist das zweite Glied ein Partizip.

leichtfaßlich – eine *leichter* faßliche Aufgabe
dichtbevölkert – eine *dichter* bevölkerte Stadt
die *dichtest*bevölkerte / die am *dichtesten* bevölkerte Stadt

(4) Der Komparativ kann in bestimmten Verbindungen auch ohne Vergleich stehen. Er drückt dann nicht einen höheren Grad, sondern einen geringeren Grad als der Positiv aus (Steigerungsinversion). So ist z. B. *ein jüngerer Mann* nicht jünger, sondern älter als ein junger Mann, und *ein älterer Mann* ist nicht älter, sondern jünger als ein alter Mann. Die Komparativformen stehen also als zusätzliche Gra-

duierungen zwischen den Antonymen *alt* und *jung*. Weitere Beispiele sind:

die nähere und weitere Umgebung der Stadt
die ältere und neuere Forschung
in früheren Jahren
an kühleren Tagen

(5) Der Vergleich bei der Graduierung kann durch Partikeln verstärkt werden:
Der Vergleich im *Positiv* wird verstärkt durch den Zusatz von *eben, genau, gerade* zu dem ersten Vergleichswort *so*:

Der Lehrer ist *genau so* (oder: *genauso*) alt wie mein Vater.

Als verstärkende Partikeln beim *Komparativ* sind möglich: *viel, weit(aus), bei weitem, bedeutend, wesentlich, noch* u. a.

Mein Bruder ist *weit* älter als seine Frau.

Der *Superlativ* kann durch vorangesetztes *weitaus, bei weitem* oder *aller-* verstärkt werden:

Der *weitaus* älteste in der Familie ist mein Großvater.
Sein Arbeitsweg ist der *aller*längste.

3.1.2.2. Graduierung mit Hilfe anderer Sprachmittel

1. Graduierung mit Suppletivformen

Die Adjektive *gut* und *viel* werden mit Hilfe der Steigerungsformen anderer Wortstämme gesteigert:

gut – besser – beste
viel – mehr – meiste

Das Adjektiv *wenig* kann auf zweierlei Art (mit Bedeutungsunterschied) gesteigert werden:

wenig – weniger – wenigste
– minder – mindeste

Die regelmäßigen Formen werden häufiger gebraucht.

Anmerkung:
In attributiver Stellung werden *mehr* (nicht zu verwechseln mit dem Artikelwort *mehrere*) und *weniger* nur mit Nullartikel und unflektiert gebraucht.

mit *mehr* Fleiß   mit *weniger* Fleiß
bei *mehr* Fehlern   bei *weniger* Fehlern

2. Graduierung mit Partikeln

(1) Neben der regelmäßigen synthetischen Graduierung mit Suffixen ist im Deutschen beschränkt auch die Graduierung auf analytische Weise möglich. Zur Bildung dienen der Komparativ und Super-

lativ von *viel* in den unflektierten Formen *mehr* und *am meisten*. Diese Graduierung findet sich vor allem bei verbalen Partizipien und bei Adjektiven, deren synthetische Graduierungsformen sich schwer bilden lassen.

Er übt jetzt eine ihm *mehr* zusagende Tätigkeit aus.
Dresden war die durch den Krieg *am meisten* zerstörte Stadt.
Er ist der *am meisten* bemitleidenswerte Kranke.

Anmerkung:
Der Komparativ mit *mehr* (und *weniger*) ist auch üblich bei der Steigerung einer von zwei miteinander verglichenen Eigenschaften desselben Objekts:

Die Kiste ist *mehr* breit als lang.
Die Arbeit verfolgt *mehr* praktische (als theoretische) Ziele.
Sie handelte *weniger* leichtsinnig als unüberlegt.

(2) Mit Hilfe von Partikeln wird im Deutschen auch sehr oft der Elativ, der absolute Superlativ, ausgedrückt. In dieser Funktion stehen vor allem Wörter wie (*ganz*) *besonders, höchst, sehr, überaus* vor Adjektiven mit allen Artikelformen:

das *sehr* schöne Mädchen
eine *überaus* fleißige Studentin
besonders festes Material

(3) Ein über das Normalmaß hinausgehender Grad wird durch die Partikel *(all)zu* bezeichnet:

Das Wetter war *zu* kalt.

3. Graduierung mit Wortbildungsmitteln

Wortbildungsmittel können Adjektiven ähnliche Bedeutungen wie die graduierenden Partikeln verleihen.
Durch Zusammensetzung des Positivs mit Substantiven (vereinzelt auch mit Adjektiven) wird ein sehr hoher Grad (Elativ) ausgedrückt:

das *bild*schöne Mädchen
ein *nagel*neues Auto
das *hoch*moderne Hotel

Durch Zusammensetzung des Positivs mit Präpositionen wie *über-, hyper-, super-* wird ein über das Normalmaß hinausgehender Grad ausgedrückt:

das *über*schlanke Mannequin
die *hyper*korrekte Aussprache
*super*kluge Bemerkungen

3.2. Syntaktische Beschreibung

Zur Wortklasse *Adjektiv* gehören alle Wörter, die in einen der beiden folgenden Rahmen oder in beide eingesetzt werden können:

(1) der ... Mann → der alte Mann
(2) der Mann ist ... → der Mann ist alt

Beim Rahmen (1) spricht man vom attributiven Gebrauch des Adjektivs, beim Rahmen (2) vom prädikativen Gebrauch des Adjektivs. Als Varianten von (1) sind anzusehen:

der alte, kranke Mann
der alte und kranke Mann
der Mann, alt und krank

3.3. Klassifizierung der Adjektive

Die im Rahmen der syntaktischen Beschreibung mit Hilfe der Distribution als Adjektive klassifizierten Wörter lassen sich weiter sowohl in semantischer als auch in morphosyntaktischer Hinsicht differenzieren.

1. Semantischer Art ist die Unterscheidung danach, ob die Adjektive im prädikativen Gebrauch mit dem Kopulaverb *sein* oder *werden* verbunden sind. Mit *sein* bilden die Adjektive *stative Prädikate*, mit *werden* bilden sie *Prozeßprädikate*. Während die Bildung stativer Prädikate von allen Adjektiven möglich ist, die prädikativ gebraucht werden können, unterliegt die Bildung von Prozeßprädikaten mit Adjektiven abhängig von deren Bedeutung gewissen Beschränkungen. Es sind zwei Gruppen von Adjektiven zu unterscheiden:

(1) Adjektive, die sowohl mit *sein* als auch mit *werden* verbunden werden können:

Die Wäsche ist / wird trocken.
Das Kind ist / wird traurig.
Mir war / wurde die Bedeutung des Wortes klar.

(2) Adjektive, die nur mit *sein* verbindbar sind:

Der Patient ist / *wird tot.
Das Mädchen ist / *wird auf ihre sportlichen Leistungen stolz.
Er ist / *wird aus Erfurt gebürtig.

Anmerkung:
Einige Adjektive, die nur prädikativ gebraucht werden können (vgl. unten Gruppe C) sind nur mit *werden* möglich. Die Verbindungen tragen idiomatisierten Charakter.

Ich wurde des Kindes nicht gewahr.

2. Ebenfalls um eine semantische Unterscheidung handelt es sich bei der Einordnung der Adjektive in die semantischen Satzmodelle auf Grund der bei den einzelnen Adjektiven möglichen *semantischen Kasus.* Die Zahl und die Art dieser Kasus hängen von der Bedeutung des Adjektivs ab. Die meisten Adjektive haben nur einen semantischen Kasus (zumeist: ZT = Zustandsträger), nur relativ wenige Adjektive haben zwei oder drei Kasus verschiedener Art (Inh = Inhalt, Caus = Ursache, Loc = Ort, Tps u. Gps = Träger u. Gegenstand psychischer Prozesse, Ag = Agens, Ad = Adressat, I = Instrument u. a.) bei sich. Man vgl.:

Der Angeklagte war des Diebstahls schuldig. (P[1] ZT Inh)
Die Ernte ist vom Wetter abhängig. (P ZT Caus)
Der Student ist in Erfurt wohnhaft. (P ZT Loc)
Dem Kind ist bange vor dem Gewitter. (P Tps Gps)
Die Tochter ist der Mutter beim Abwaschen behilflich. (P Ag Ad I)

Zu den semantischen Kasus vgl. genauer 17.3.

3. In lexikalisch-semantischer Hinsicht ist eine Differenzierung der Adjektive in qualitative und relative Adjektive möglich. Die *qualitativen Adjektive* drücken die Merkmale (Eigenschaften) eines Objekts der Realität direkt durch die eigentliche Bedeutung aus (z. B. das *große* Haus, das *kluge* Mädchen, die *heilbare* Krankheit, der *konkrete* Hinweis). Die *relativen* Adjektive drücken das Merkmal eines Objekts der Realität durch dessen Beziehung zu einem anderen Objekt bzw. Realitätsfaktor wie Raum, Zeit u. a. aus (die *väterliche* Wohnung = die Wohnung des Vaters, der *bulgarische* Wein = der Wein aus Bulgarien, der *orthographische* Fehler = der Fehler auf dem Gebiet der Orthographie, die *gestrige* Zeitung = die Zeitung von gestern usw.).
Innerhalb dieser beiden lexikalisch-semantischen Hauptgruppen lassen sich weitere Untergruppen entsprechend der speziellen Art des vom Adjektiv bezeichneten Merkmals unterscheiden. So können durch qualitative Adjektive das Aussehen oder der Zustand eines Objekts der Realität charakterisiert werden, weiterhin kann durch sie eine Bewertung ausgedrückt werden usw. Durch relative Adjektive kann ein Objekt im Hinblick auf Besitz oder Herkunft, seine Lage oder den Bereich usw. beschrieben werden. Die Mehrzahl dieser speziellen lexikalisch-semantischen Merkmale ist eng mit bestimmten morphosyntaktischen Merkmalen verbunden. Deshalb erfolgt ihre Darstellung im Rahmen der morphosyntaktischen Klassifizierung unter 3.4.

4. Adjektive verfügen neben den semantischen Merkmalen auch über eine Reihe von morphosyntaktischen Merkmalen:

a) Adjektive können attributiv und/oder prädikativ gebraucht werden (± attrib) (± prädik).

---

[1] P = Prädikat (Adjektiv + Kopulaverb)

b) Adjektive werden im attributiven Gebrauch zumeist dekliniert (± dekl).
c) Viele Adjektive sind graduierbar (± grad).
d) Adjektive können als sekundäre Valenzträger auftreten.

Je nachdem, ob ein Adjektiv sämtliche oder nur einen Teil dieser Merkmale besitzt, ergibt sich seine Zuordnung zu einer speziellen morphosyntaktischen Gruppe. In unserer Klassifizierung unter 3.4. ist das syntaktische Merkmal a) als Spitzenmerkmal gewählt, während die morphologischen Merkmale b) und c) als Untermerkmale in Kombination angewendet werden. Das morphosyntaktische Merkmal d) findet – wie die lexikalisch-semantischen Merkmale von 3. – nur insoweit Berücksichtigung, als sich damit klar abgrenzbare Gruppen gewinnen lassen. Eine zusammenfassende Darstellung der Valenzverhältnisse beim Adjektiv wird in 17.2.3. gegeben, während eine Liste der Adjektive mit mehr als einem Aktanten in Form einer Rektionsübersicht in 3.5. enthalten ist.

3.4. Morphosyntaktische Subklassen

3.4.1. Gruppe A (+ attrib, + prädik)

1. Gruppe A_1 (+ dekl, + grad)

Zu dieser Gruppe gehören viele qualitative Adjektive wie z. B. *klein, fest, billig, schön, gesund, allgemein, abstrakt.* Auch die Farbadjektive haben hier ihren Platz, obwohl sie gewöhnlich nur in übertragener Bedeutung graduierbar sind:

noch weißere Wäsche (= noch sauberere Wäsche)
die schwärzeste Nacht (= die dunkelste Nacht)

Anmerkung:
Zur Gruppe A_1 sind auch die Zahladjektive *viel* und *wenig* zu rechnen, die jedoch nach Nullartikel auch in undeklinierter Form vorkommen:

Sie fuhren mit viel(em) Gepäck.

Vgl. dazu 3.6.6. (1)

Zahlreiche Adjektive der Gruppe A_1 fungieren als sekundäre Valenzträger und binden ein zweites Substantiv an sich. Abhängig vom Satzgliedcharakter dieses Substantivs und vom Kasus, in dem es steht, ergeben sich folgende Gruppen:

(1) Adjektive mit adverbialem Akkusativ (Maßangabe)

Der Wagen ist *vier Meter* lang.
Das Mädchen ist *sechs Jahre* alt.

 Die Antonyme dieser Adjektive (*kurz, jung* ...) können nur dann eine

Maßangabe bei sich haben, wenn sie (mittels Komparativ oder *zu*) graduiert sind:

Der Wagen ist *fünfzig Zentimeter* kürzer / zu kurz.

Vereinzelt kommen auch Adjektive mit Akkusativobjekt vor:

Ich bin *das Streiten* überdrüssig.

(2) Adjektive mit Dativobjekt (zumeist Personenangabe)

Er ist *seiner Mutter* ähnlich.
Die Redewendung war *den Studenten* nicht geläufig.

Vereinzelt gibt es Bedeutungsunterschiede zwischen Adjektiven mit und ohne Objekt:

Er ist böse. (= Er ist ein schlechter Mensch.)
Er ist mir böse. (= Er ist ärgerlich über mich.)

(3) Adjektive mit Genitivobjekt (zumeist gehoben)

Sie ist *großer Leistungen* fähig.
Er ist *keines Trostes* bedürftig.

Der Gebrauch der Adjektive mit Genitivobjekt ist in der deutschen Gegenwartssprache sehr beschränkt. An Stelle des Genitivs stehen häufig Präpositionalobjekte bzw. Infinitivkonstruktionen.

Sie ist *zu großen Leistungen* fähig.
Sie ist fähig, *große Leistungen zu vollbringen.*

(4) Adjektive mit Präpositionalobjekt

Der Lehrer ist *mit den Leistungen* der Schüler zufrieden.
Die Sowjetunion ist reich *an Bodenschätzen.*
Der Student ist stolz *auf seinen ersten Platz* im Wettkampf.

Die Zahl der Adjektive mit Präpositionalobjekt ist relativ groß. Man vgl. dazu die Liste unter 3.5.1.2.

(5) Adjektive mit sekundärem Satzglied im Dativ/Präpositionalkasus mit *für* (Personenangabe)

Seine Hinweise sind *mir / für mich* nützlich gewesen.
Der Vorfall war *allen / für alle* unbegreiflich.

2. Gruppe A_2 (+ dekl, – grad)

Zu dieser Gruppe gehören zahlreiche qualitative Adjektive, die keine Graduierung erlauben, da sie Eigenschaften mit Alternativcharakter bezeichnen wie z. B. *tot, fertig, gemeinsam, heilbar, ledig, stimmhaft.* Wie die Adjektive der Gruppe A_1, so haben auch manche Adjektive der Gruppe A_2 Ergänzungen bei sich:

(1) Adjektive mit Dativobjekt (zumeist Personenangabe)

Die leichte Auffassungsgabe ist *beiden Brüdern* gemeinsam.
Der Vorsitzende war *seinen Aufgaben* nicht gewachsen.

(2) Adjektive mit Genitivobjekt (zumeist gehoben)

Der Ausländer ist *des Deutschen* nicht mächtig.
Ich war mir *meines Fehlers* nicht bewußt.

Zwischen Adjektiven mit und ohne Objekt kann es Bedeutungsunterschiede geben:

Er ist ledig.	(= unverheiratet)
Er ist aller Sorgen ledig.	(= frei von)

Vereinzelt kommen auch Adjektive mit Akkusativobjekt vor:

Der Student ist *das Internatsleben* nicht gewohnt.

(3) Adjektive mit Präpositionalobjekt

Das Prorektorat ist *für Stipendienfragen* zuständig.
Ich bin *mit deinem Vorschlag* einverstanden.
Der Kranke ist *auf fremde Hilfe* angewiesen.

Zu den zahlreichen Adjektiven mit präpositionalem Objekt vgl. die Liste unter 3.5.1.2.

(4) Adjektive mit sekundärem Satzglied im Dativ / Präpositionalkasus mit *für* (Personenangabe)

Eine Terminverschiebung ist *dem Professor / für den Professor* nicht möglich.

(5) Adjektive mit notwendiger Lokalangabe

Die Kokospalme ist *in den Tropen* beheimatet.
Der Schriftsteller ist *aus Dresden* gebürtig.

(6) Adjektive mit notwendiger Modalangabe (Adverb)

Die Gäste waren *gut* gelaunt.

3. Gruppe A_3 (– dekl, – grad)

Zu dieser wenig umfangreichen Gruppe gehören

(1) einige Adjektive auf *-a* wie *extra, prima, lila, rosa*

Sie hat ein *extra* Zimmer.
Sie trug ein *lila* Tuch.

(2) die Kardinalia von *zwei* an aufwärts sowie die unbestimmten Zahladjektive auf *-erlei* und (ein) *bißchen*, (ein) *paar*

Die Vertreter von *zwanzig* afrikanischen Staaten waren anwesend.
Mein Freund weiß *allerlei* lustige Sprüche.
Er gab mir *ein paar* alte Münzen.

Zur Deklination von *zwei* und *drei* im Genitiv nach Nullartikel vgl. 3.6.1.6. (1).

Gruppe B (+ attrib, – prädik) 3.4.2.

Im Unterschied zu den Adjektiven der Gruppen A und C fungieren die Adjektive der Gruppe B nicht als sekundäre Valenzträger und bilden deshalb auch keine dementsprechenden Gruppen. Die morphologischen Gruppen B_1–B_3 sind jeweils nur auf Grund lexikalisch-semantischer Merkmale weiter zu differenzieren.

1. Gruppe B_1 (+ dekl, + grad)

(1) Lokaladjektive

Die Lokaladjektive dieses Typs [vgl. aber Gruppe B_2 (4)] sind in beschränktem Maße graduierbar: Sie bilden einen Superlativ, aber keinen Komparativ. Im prädikativen Gebrauch entsprechen ihnen besondere Adverbformen (die auch attributiv-nachgestellt möglich sind). Man vgl.:

Adjektiv: die *obere* Wohnung
die *oberste* Wohnung
Adverb: die Wohnung ist *oben*
die Wohnung *oben*

Der Formenbestand der Lokaladjektive und -adverbien wird aus der folgenden Übersicht deutlich:

Adjektiv			Adverb
Positiv	*Komparativ*	*Superlativ*	
äußer-	–	äußerst-	außen
inner-	–	innerst-	innen
ober-	–	oberst-	oben
unter-	–	unterst-	unten
vorder-	–	vorderst-	vorn
hinter-	–	hinterst-	hinten

(2) Adjektive bei Nomina agentis

Zur Gruppe B_1 sind auch Adjektive in Verbindungen wie *starker Raucher* zu rechnen, die – wie die Transformation zeigt – nicht prädikativ möglich sind, sondern denen eine adverbiale Form entspricht:

der starke Raucher ↮ der Raucher ist stark
← er raucht stark

Ebenso: eleganter Tänzer, scharfer Kritiker, schlechter Esser, guter Redner, sicherer Autofahrer, ausgezeichneter Musikkenner

2. Gruppe B_2 (+ dekl, – grad)

(1) Bezugsadjektive

Die Bezugsadjektive sind relative Adjektive im engeren Sinne und drücken vor allem die Beziehungen des Besitzes, Bereiches u. ä. aus.

die väterliche Wohnung
der orthographische Fehler

Ebenso: ärztlich, betrieblich, medizinisch, monatlich, staatlich, steuerlich u. v. a.

In übertragener Bedeutung (als qualitative Adjektive) sind manche Bezugsadjektive prädikativ möglich und auch graduierbar:

die nervösen Störungen (Bezugsadjektiv, = nervlicher Art)
→ *die Störungen sind nervös
der nervöse Prüfling (qualitatives Adjektiv, = aufgeregt)
→ der Prüfling ist nervös

(2) Herkunftsbezeichnungen

der bulgarische Wein
die südamerikanischen Indianer

Hierher gehören alle mit *-isch* von Länder- und Kontinentnamen abgeleiteten Adjektive und das Adjektiv *deutsch*. Die von Ortsnamen abgeleiteten Adjektive auf *-er* bilden die Gruppe B_3.
Wenn diese Adjektive nicht die Herkunft, sondern Besitz, Zugehörigkeit u. ä. bezeichnen, sind sie auch prädikativ möglich:

Die Insel Korsika ist seit 1768 französisch.

(3) Stoffadjektive auf *-ern* / *-en*

der eiserne Zaun
die goldene Uhr

Ebenso: bleiern, gläsern, hölzern, stählern, steinern
bronzen, metallen, samten, seiden, wollen

Konkurrenzformen zu den Stoffadjektiven sind die Verbindungen mit Substantiv (*Eisenzaun* und *Zaun aus Eisen*).
In übertragener Bedeutung – als qualitative Adjektive zum Ausdruck eines Vergleichs – können die Stoffadjektive auch prädikativ gebraucht werden:

Meine Beine waren bleiern. (= wie aus Blei)
Seine Gesundheit ist eisern. (= wie aus Eisen)
Der Wein ist golden. (= wie aus Gold)

(4) Temporal- und Lokaladjektive

Einigen Adjektiven mit temporaler bzw. lokaler Bedeutung entsprechen im prädikativen Gebrauch besondere Adverbformen (die auch attributiv nachgestellt möglich sind). Im Unterschied zu den Lokaladjektiven der Gruppe B_1 (1) sind diese Adjektive nicht graduierbar.

Adjektiv: das *rechte* Gebäude
Adverb: das Gebäude ist *rechts*
das Gebäude *rechts*

Temporale Adjektive (Adverbien): damalig (damals), ehemalig (ehemals), gestrig (gestern), heutig (heute), morgig (morgen), jetzig (jetzt), sofortig (sofort), baldig (bald)

Lokale Adjektive (Adverbien): hiesig (hier), dortig (dort), recht- (rechts), link- (links), diesseitig (diesseits), jenseitig (jenseits), auswärtig (auswärts)
Im gleichen Verhältnis stehen zueinander: alleinig (allein), ander- (anders), besonder- (besonders); (Zahladjektiv:) ein- (eins)

(5) Ordinalia

Zur Gruppe B_2 gehören auch die Ordinalia, die nicht prädikativ gebraucht werden können und nur der Form nach Superlative sind:

der zehnte Jahrestag
das hundertste Experiment

(6) Adjektive auf *-weise*

Nur bei Nomina actionis möglich sind verschiedene aus Substantiven abgeleitete Adjektive auf *-weise*:

die teilweise Rekonstruktion
ein stückweiser Verkauf

3. Gruppe B_3 (– dekl, – grad)

Zu dieser wenig umfangreichen Gruppe gehören

(1) die von Ortsnamen (und einigen anderen geographischen Namen) abgeleiteten Herkunftsbezeichnungen auf *-er*

die Leipziger Messe, der Rostocker Hafen, die „Berliner Zeitung", die Moskauer Metro
die Thüringer Küche, das Lausitzer Bergland, der Harzer Käse, eine Schweizer Uhr

(2) die Kardinalia auf *-er*

eine hunderter Glühbirne (ugs.)
die achtziger Jahre

Gruppe C (– attrib, + prädik) 3.4.3.

Die Gruppe C umfaßt Adjektive, die nur prädikativ gebraucht werden und weder deklinierbar noch graduierbar sind. Es handelt sich um Adjektive, die teils Fremdwörter sind, teils von Substantiven gebildet sind und teils in Wendungen stehen. Die Mehrzahl dieser Adjektive wird nur in der Umgangssprache oder in der Literatursprache verwendet. Auf Grund ihrer unterschiedlichen Verbindungsfähigkeit (Valenz) ergeben sich verschiedene Gruppen.

1. Adjektive ohne Ergänzung (ugs.)

Die Hose des Jungen ist entzwei.

Ebenso: fit, futsch, perplex, pleite; (normalspr.) schade

Anmerkung:
Die Adjektive in Sätzen mit formalem Subjekt (Pronomen *es*, vgl. 6.3.1.) gehö-

ren nicht zur Gruppe C, da sie in einer Nebenform auch attributiv möglich sind:

Es ist heute sehr diesig. (nur prädikativ)
→ Das Wetter ist heute sehr diesig. das heute sehr diesige Wetter (prädikativ und attributiv)

2. Adjektive mit Akkusativobjekt (lit.)

Ich bin *das Warten* leid.

Ebenso: (nur mit *werden*) gewahr; (ugs.) los

3. Adjektive mit Dativobjekt (lit.)

Die Frau ist *dem Mann* gram.

Ebenso: abhold, feind, untertan, zugetan; (nur mit *werden*) gerecht

4. Adjektive mit Dativobjekt u. Korrelat *es*

Dem Kind war (es) übel.

Ebenso: angst, bange, heiß, kalt, schlecht, schwindlig, unwohl

Die Adjektive dieser Gruppe sind auch mit zusätzlichem Präpositionalobjekt möglich:

Vom langen Stehen wurde (es) dem Kind schlecht.
Der Mutter ist (es) bange *um ihr Kind*.

Vgl. zu dieser Gruppe auch 6.2.2.2.
Neben den Adjektiven mit Dativobjekt gibt es auch Adjektive mit sekundärem Satzglied im Dativ (und Korrelat *es*). Der Dativ ist eine Personenangabe, das Adjektiv ist umgangssprachlich.

Heute ist (es) *mir* egal, wann wir gehen.

Ebenso: einerlei, schnuppe

5. Adjektive mit Genitivobjekt (lit.)

Ich bin *seiner Worte* immer eingedenk.

Ebenso: teilhaft(ig); (nur mit *werden*) gewahr, habhaft

6. Adjektive mit Präpositionalobjekt

Der Autofahrer war *an dem Unfall* schuld.

Ebenso: angetan von, gewillt zu, imstande zu; (ugs.) quitt mit; (nur mit *werden*) vorstellig bei

7. Adjektive in Zwillingsformeln

Sein Antwortbrief war kurz und bündig.
Der Vertrag ist null und nichtig.

Rektion der Adjektive (Übersicht) 3.5.

Adjektive mit einem Kasus 3.5.1.

1. Reine Kasus

(1) Akkusativ

(adverbial) alt, breit, dick, groß, hoch, lang, schwer, stark, tief, weit, wert
(Objekt) gewohnt, leid, los

(2) Dativ

abhold, ähnlich, angeboren, angst, bange, bekannt, böse, dankbar, egal, eigen, einerlei, ergeben, erinnerlich, feind, geläufig, gemeinsam, gerecht, gewachsen, gewogen, gleichgültig, gram, heiß, kalt, lieb, recht, schlecht, schwindlig, treu, übel, untertan, unwohl, widerlich, willkommen, zugänglich, zugetan, zuträglich, zuwider

(3) Genitiv

ansichtig, bar, bedürftig, sich bewußt, eingedenk, gewahr, (sich) gewärtig, gewiß, habhaft, kundig, ledig, mächtig, schuldig, (sich) sicher, teilhaft(ig), verdächtig, würdig

2. Präpositionalkasus

(1) *als* (+ Nom.)

anerkannt, bekannt, berühmt, verrufen

(2) *an* (+ Akk.)

gebunden, gewöhnt

an (+ Dat.)

arm, beteiligt, interessiert, jung, reich, schuld, unerschöpflich

(3) *auf* (+ Akk.)

angewiesen, aufmerksam, bedacht, begierig, beschränkt, eifersüchtig, eingebildet, eingeschworen, erpicht, gefaßt, gespannt, giftig, neidisch, neugierig, scharf, stolz, wild, wütend, zornig

auf (+ Dat.)

(adverbial) blind, lahm, taub

(4) *aus*

ersichtlich, (adverbial) gebürtig

(5) *bei*

beliebt, verhaßt

(6) *für*

ausschlaggebend, bezeichnend, charakteristisch, empfänglich, frei, günstig, nachteilig, notwendig, reif, schmerzlich, vorteilhaft, zuständig

(7) *gegen*

ausfällig, beständig, empfindlich, fest, gefeit, gefühllos, grausam, immun, machtlos, unerbittlich

(8) *gegenüber*

aufgeschlossen, konziliant, rechenschaftspflichtig

(9) *in* (+ Akk.)

konvertierbar, verliebt

in (+ Dat.)

befangen, beschlagen, bewandert, eigen, erfahren, tüchtig

(10) *mit*

befreundet, behaftet, bekannt, einverstanden, fertig, identisch, quitt, solidarisch, unvereinbar, verheiratet, verwandt, zufrieden

(11) *nach*

durstig, hungrig

(12) *über* (+ Akk.)

aufgebracht, beschämt, bestürzt, betrübt, erbittert, erfreut, erhaben, erstaunt, froh, glücklich, traurig, ungehalten, verstimmt, verzweifelt

(13) *um*

besorgt, verlegen

(14) *von*

abhängig, angetan, benommen, besessen, ergriffen, frei, krank, müde, verschieden

(15) *vor* (+ Dat.)

blaß, bleich, sicher, starr, stumm

(16) *zu*

ausersehen, befugt, berechtigt, berufen, entschlossen, gewillt, imstande

Anmerkung:
Eine Sondergruppe bilden die Adjektive mit oblig. Adverb (zum Teil in einer besonderen Bedeutungsvariante). Dazu gehören u. a. folgende Adjektive: beschaffen, eingestellt, erträglich, geartet, gelaunt, gestimmt, verträglich

3.5.2. Adjektive mit zwei Kasus

1. Bei zahlreichen Adjektiven gibt es Schwankungen im Gebrauch des regierten Kasus oder der regierten Präposition. Ohne wesentlichen Bedeutungsunterschied stehen nebeneinander:

(1) Akkusativ und Genitiv

Alle waren *den Streit / des Streits* überdrüssig.

Ebenso: gewahr, müde, wert

(2) Dativ und Präposition *für*

Es war *mir / für mich* angenehm, nur zuzuhören.

Ebenso: angemessen, heilsam, hinderlich, interessant, klar, lästig, möglich, nützlich, peinlich, schädlich, unbegreiflich, unentbehrlich, unverständlich, wesentlich, wichtig

(3) Präpositionen *für* und *zu*

Der Hund ist brauchbar *für die Jagd / zur Jagd.*

Ebenso: bereit, geeignet, geschickt, gerüstet

(4) Präpositionen *zu* und *gegenüber*

Sie ist *zu allen / allen gegenüber* freundlich.

Ebenso: frech, grob, gut, nett, zurückhaltend

Schwankungen gibt es auch bei: sich einig (in / über); blind, taub (für / gegen); ärgerlich, zornig (auf / über); begierig (auf / nach); ableitbar (von / aus); erfolgreich (in / bei) usw.

Anmerkungen:
(1) Vereinzelt sind auch drei Varianten ohne wesentlichen Bedeutungsunterschied möglich:

Sie ist *ihm / auf ihn / mit ihm* böse.

(2) Wenn das abhängige Substantiv nicht ein Objekt, sondern eine Lokalbestimmung ist, sind verschiedene Präpositionen möglich. Die Wahl der Präposition hängt von der Bedeutung des Substantivs ab:

Der Vogel ist *im Norden / auf der Insel / am Meer*... heimisch.

Ebenso: angestellt, ansässig, (sich) befindlich, beheimatet, bekannt, beschäftigt, gebräuchlich, tätig, üblich, verbreitet, vorstellig, wohnhaft

2. Von der schwankenden Rektion ist der alternative Gebrauch von zwei (oder mehr) reinen Kasus oder Präpositionen zu unterscheiden. Hier liegt stets ein Bedeutungsunterschied zwischen den verschiedenen Verbindungen eines Adjektivs vor. Man vgl. folgende Beispiele:

blind:	Er ist *auf* einem Auge blind.
	Er ist blind *für / gegen* die Reize der Frau.
	Ihre Augen waren blind *von* Tränen.
bekannt:	Der Schriftsteller ist *ihr* bekannt.
	Sie ist bekannt *mit* dem Schriftsteller.
	Der Schriftsteller ist *im* Ausland nicht bekannt.
frei:	Der Kranke ist frei *von* Fieber.
	Die Straße ist frei *für* Anlieger.
aufgeschlossen:	Er ist seinen Mitarbeitern *gegenüber* aufgeschlossen.
	Er ist immer *für* neue Ideen aufgeschlossen.

3. Neben der schwankenden und der alternativen Rektion gibt es noch die doppelte Rektion. Im Unterschied zu den Adjektiven der er-

sten und zweiten Gruppe sind jedoch die Adjektive, die nicht nur ein Objekt, sondern nebeneinander zwei Objekte (bzw. ein Objekt und eine Adverbialbestimmung) regieren, selten und deshalb listenmäßig erfaßbar. Folgende Gruppen sind auf Grund von Kasusunterschieden unterscheidbar:

(1) Dativ- und Präpositionalobjekt

> Sein Bruder ist *ihm im Charakter* sehr ähnlich.
> Die Tochter ist *der Mutter bei der Hausarbeit* behilflich.

Ebenso: dankbar (für), ebenbürtig (in), gewachsen (in), hinderlich (bei), lästig (bei), überlegen (in)

(2) zwei Präpositionalobjekte

> Ich war mir *mit meinem Freund über den Termin* nicht einig.
> Synthetische Diamanten sind *in der Härte* durchaus *mit natürlichen Diamanten* vergleichbar.

(3) Dativ- und Akkusativobjekt

> Das Kind ist *den Eltern eine Antwort* schuldig.

(4) Dativobjekt und Adverb

> Die Kollegin ist *ihm freundlich* gesinnt (gesonnen).

(5) Adverbialer Akkusativ und Präpositionalobjekt

> Seine Arbeitsstelle ist *5 Kilometer von seiner Wohnung* entfernt.

(6) Lokalbestimmung und Prädikativum mit *als*

> Er ist (*an / bei*) *in dem Betrieb als Heizer* angestellt.

Ebenso: beschäftigt, tätig

3.6. Zahladjektiv

Das Zahladjektiv gliedert sich in zwei Hauptgruppen auf:

1. Kardinalia (Grundzahlen): *ein-, zwei, drei ...*
2. Ordinalia (Ordnungszahlen): *erster, zweiter, dritter ...*

Von diesen Hauptgruppen sind einige Sondergruppen zu unterscheiden:[1]

3. Gattungszahlen: *zweierlei, dreierlei ...*

---

[1] Eine eigene Gruppe bildet die flektierbare Sammelzahl *beide*. Dieses Zahladjektiv ist – wie die Vervielfältigungszahl *doppelt* und die Bruchzahl *halb* – eine Nebenform zur Kardinalzahl *zwei*. Im Unterschied zur Kardinalzahl hebt die Sammelzahl die enge Zusammengehörigkeit zweier Personen oder Nicht-Personen hervor. *beide* bezieht sich stets auf zwei als bekannt vor-

4. Wiederholungs- und Vervielfältigungszahlen: *zweimalig, dreimalig ...; zweifach, dreifach ...*
5. Bruchzahlen: *viertel, achtel ...*

Zu den Zahladjektiven werden außerdem gerechnet:

6. Unbestimmte Zahladjektive: *einzeln, paar, viel ...*

Die Wiedergabe der Zahladjektive in der Schriftsprache erfolgt in Buchstaben oder in Ziffern (die Gruppen 3, 4 und 6 nur in Buchstaben). Wenn man die Zahlen in Ziffern wiedergibt, kann man die Flexionsformen nur in der Umgebung der Zahladjektive (am Artikelwort, am Substantiv usw.) ausdrücken.

Nach der Bildungsweise lassen sich die Zahladjektive – ausgenommen die Gruppe 6 – nach vier Typen aufgliedern:

1. einfache: *eins, zwei ...*
2. abgeleitete: *vierzig, zweiter, zweierlei, viertel ...*
3. zusammengesetzte: *dreizehn, dreiviertel ...*
4. Zahlenverbindungen: *zwei Millionen, drei achtel ...*

Kardinalia 3.6.1.

Die Kardinalia geben eine bestimmte Menge oder Anzahl von Personen oder Nicht-Personen an (Frage: *Wieviel?*). Sie werden attributiv und prädikativ gebraucht; sie sind in der Regel nicht flektierbar und nicht graduierbar.

Die niedrigen Kardinalia sind der Bildung nach einfache Wörter. Höhere Zahlen werden durch Zusammensetzung oder Verbindung – im Falle der Zehner auch durch Ableitung – der einfachen Wörter gebildet:

---

ausgesetzte Größen und erscheint deshalb häufig als substantivisch gebrauchtes Adjektiv. In syntaktisch-morphologischer Hinsicht verhält es sich in den wichtigsten Merkmalen wie die Ordinalia (Adjektivgruppe B_2), wird aber im Unterschied zu diesen vor allem im Plural verwendet. An Singularformen sind nur die neutralen Formen *beides* (N/A) und *beidem* (D) für Nicht-Person substantivisch gebräuchlich.

> Anläßlich des Beethoven-Jahres gab es ein Sinfoniekonzert und einen Liederabend. *Beide* Veranstaltungen waren gut besucht.
> Zwei Agronomen – *beide* sind erst vor kurzem eingestellt worden – arbeiten in der LPG.
> Er hat *beides* verkauft, den Tisch und den Schrank.
> Sie nahm zum Kuchen Butter und Eier, wobei sie mit *beidem* nicht sparte.

0–9	10–19	20–29	30–90
null	zehn	zwanzig	
eins	elf	einundzwanzig	
zwei	zwölf	zweiundzwanzig	
drei	dreizehn	dreiundzwanzig	dreißig
vier	vierzehn	vierundzwanzig	vierzig
fünf	fünfzehn	fünfundzwanzig	fünfzig
sechs	sechzehn	sechsundzwanzig	sechzig
sieben	siebzehn	siebenundzwanzig	siebzig
acht	achtzehn	achtundzwanzig	achtzig
neun	neunzehn	neunundzwanzig	neunzig

100	(ein)hundert
101	(ein)hunderteins
102	(ein)hundertzwei
...	
200	zweihundert
300	dreihundert
...	
1 000	(ein)tausend
1 001	(ein)tausendeins
1 002	(ein)tausendzwei
...	
1 100	(ein)tausendeinhundert
1 101	(ein)tausendeinhunderteins
1 102	(ein)tausendeinhundertzwei
....	
1 200	(ein)tausendzweihundert
1 300	(ein)tausenddreihundert
....	
2 000	zweitausend
3 000	dreitausend
....	
10 000	zehntausend
11 000	elftausend
12 000	zwölftausend
......	
20 000	zwanzigtausend
.....	
100 000	(ein)hunderttausend
200 000	zweihunderttausend

1. Auf Grund ihrer Bedeutung („Menge oder Anzahl“) verlangen die Kardinalia gewöhnlich den Plural des Substantivs:

zwei Räume, tausend Kinder, eine Million Frauen

In folgenden Fällen steht das Substantiv im Singular:

(1) Die Kardinalzahl ist die Zahl *ein-*:

ein Raum, ein Kind, eine Frau

(2) Die Kardinalzahl steht nach dem Substantiv:

Raum zwei, Lektion drei

In dieser Stellung hat die Kardinalzahl nicht die Bedeutung „Anzahl", sondern die Bedeutung einer Ordinalzahl („Stelle in einer Reihe"). Vgl. zu dieser Konkurrenz auch 3.6.2.4.(1).

(3) Das Substantiv ist eine Maß- und Mengenangabe:

drei Stück Zucker, fünf Glas Bier

Nur bestimmte Maß- und Mengenangaben stehen im Singular. Als Attribut folgt eine Stoffbezeichnung im merkmallosen Kasus. Vgl. dazu 15.1.3.3.4. Durch den Singular soll ausgedrückt werden, daß es sich nicht so sehr um eine bestimmte Menge im Sinne einer Vielzahl von *Stück*, *Glas* usw. als um die Menge eines einheitlichen Stoffes (*Zucker*, *Bier* usw.) handelt. Fehlt die Stoffbezeichnung, können auch Substantive wie *Stück*, *Glas* usw. im Plural stehen:

Ich habe fünf Biergläser gekauft.

2. Beim Sprechen und beim Schreiben in Buchstaben werden bei den Zahlen 13–19 und 21–99 die Einer vor die Zehner gestellt. Bei den Zahlen 21–99 steht als Verbindungselement *und*.

13 dreizehn
14 vierzehn
15 fünfzehn
...
21 ein*und*zwanzig
22 zwei*und*zwanzig
23 drei*und*zwanzig
...

3. Die Zahlen bis 999 999 bilden im Deutschen Zusammensetzungen und werden in einem Wort zusammengeschrieben:

256 310 zweihundertsechsundfünfzigtausenddreihundertzehn

Die Substantive *Million*, *Milliarde*, *Billion* usw. bilden mit den niedrigeren Ziffern eine Wortverbindung (mit Getrenntschreibung):

17 052 000 siebzehn Millionen zweiundfünfzigtausend

4. Die Zahlen ab 1 000 000 sind feminine Substantive (im Nom. Pl. mit der Endung *-en*/*-n*):

1 000 000 eine Million
2 000 000 zwei Million*en*
...
1 000 000 000 eine Milliarde
2 000 000 000 zwei Milliarde*n*
...
1 000 000 000 000 eine Billion (auch: 1 000 Milliarden)
2 000 000 000 000 zwei Billion*en*
...

5. Von den Kardinalia wird nur die Zahl 1 vollständig flektiert. Auf Grund der Bedeutung dieser Zahl sind allerdings die Pluralformen kaum üblich. Bei den Singularformen ist danach zu unterscheiden,

ob die Zahl adjektivisch-attributiv oder als substantivisch gebrauchtes Adjektiv steht und ob sie mit Nullartikel oder mit bestimmtem Artikel (bzw. einem entsprechenden Artikelwort) gebraucht ist. Die adjektivisch-attributive Kardinalzahl wird nach Nullartikel wie der unbestimmte Artikel[1], nach bestimmtem Artikel wie ein Adjektiv in gleicher Stellung flektiert. Das substantivisch gebrauchte Zahladjektiv wird im allgemeinen wie die adjektivisch-attributive Kardinalzahl flektiert. Abweichende Formen gibt es nur nach Nullartikel im Nominativ Mask. und im Nominativ/Akkusativ Neutr. In diesen Kasus hat die substantivisch gebrauchte Kardinalzahl die vollen Endungen *-er* (Nominativ Mask.) und *-(e)s* (Nominativ/Akkusativ Neutr.). Man vgl.:

Ein Schüler hat gefehlt.	(adjektivisch-attributiv nach Nullartikel)
Der *eine* Schüler hat gefehlt.	(adjektivisch-attributiv nach bestimmtem Artikel)
Einer hat gefehlt.	(substantivisch gebraucht nach Nullartikel)
Der *eine* hat gefehlt.	(substantivisch gebraucht nach bestimmtem Artikel)

Man beachte ferner folgende Besonderheiten der Kardinalzahl 1:

(1) Vor *bis* (*zwei* ...) und *oder* (*zwei* ...) steht das attributive Zahladjektiv *ein-* gewöhnlich in der unflektierten Form *ein*:

Er will nur *ein* oder zwei Tage bleiben. (aber auch: *einen* Tag oder zwei Tage)
Das Päckchen hat ein Gewicht von *ein* bis zwei Kilogramm.

(2) Zusammengesetzte Zahlen mit *ein-* als letztem Glied – nur bei Hundertern und Tausendern möglich – werden in attributiver Stellung zumeist in Zahlenverbindungen mit *und* aufgelöst:

Er hat ein Gewicht von hundert und einem Kilogramm.
Das Boot hat zweitausend und eine Mark gekostet.

(3) Die Zahl 1 als erstes Glied einer Zusammensetzung heißt immer *ein-*:

21	*ein*undzwanzig
110	*ein*hundertzehn

Ebenso:

2 100	zweitausend*ein*hundert

Am Wortanfang wird *ein-* in Zusammensetzungen mit *hundert* und

[1] Die durch die Laut- und Formengleichheit des Zahladjektivs *ein-* mit dem unbestimmten Artikel *ein-* gegebene Homonymie kann in der gesprochenen Sprache durch eine stärkere Betonung des Zahladjektivs aufgehoben werden.

tausend umgangssprachlich oft ausgelassen (im Wortinnern bleibt es erhalten!):

100	(*ein*)hundert
1 000	(*ein*)tausend

Aber:

101 100	(*ein*)hundert*ein*tausend*ein*hundert

(4) Außer als neutrale Nominativ- und Akkusativform des substantivisch gebrauchten Zahladjektivs steht *eins* (mit ausgelassenem *-e*) in folgenden Fällen:
als alleinstehendes Wort (in Aufzählungen, mathematischen Aufgaben usw.)

1, 2, 3, 4,	*eins*, zwei, drei, vier
$1 + 4 = 5$	*eins* plus vier ist fünf

mit der Ausnahme

$1 \times 4 = 4$	*ein* mal vier ist vier

als letztes Glied einer nicht attributiv gebrauchten Zusammensetzung [vgl. aber (2)]

201	zweihundert*eins*
10 001	zehntausend*eins*

in einzeln gelesenen Zusammensetzungen wie Telefonnummern, Dezimalbrüchen usw.

Meine Telefonnummer ist 3415 (sprich: drei vier *eins* fünf).
Der Behälter wiegt 7,15 kg (sprich: sieben Komma *eins* fünf Kilogramm).

bei Zeitangaben ohne den Zusatz *Uhr*

Ich komme heute gegen halb *eins*. (aber: halb ein Uhr)

6. Neben der Kardinalzahl *ein-* haben gelegentlich auch die anderen einfachen Zahlen im Genitiv und Dativ Flexionsformen.

(1) *zwei* und *drei* flektiert man im Genitiv, wenn sie mit Nullartikel stehen:

die Aussagen *zweier* Zeugen (aber: der zwei Zeugen)
Vertreter *dreier* verschiedener Länder (aber: von drei verschiedenen Ländern)

(2) Die Zahlen von *zwei* bis *zwölf* werden häufig im Dativ flektiert, wenn sie substantivisch gebraucht sind. Es handelt sich dabei entweder um Personenbezeichnungen oder um bestimmte feste präpositionale Verbindungen.

Ich habe gestern mit *zweien* aus der Seminargruppe gesprochen.
Er hat einen Grand *mit dreien* gespielt. (Ausdruck im Kartenspiel)
Das Kind ist *auf allen vieren* gekrochen.
Sie marschierten in Reihen *zu sechsen*.

7. Vom substantivischen Gebrauch mancher Kardinalia (vgl. dazu 5. und 6.) ist die Substantivierung zu unterscheiden. Während die Zahladjektive beim substantivischen Gebrauch ihre adjektivischen Flexionsmerkmale beibehalten, verlieren sie bei der Substantivierung diese Merkmale und nehmen die Flexionsmerkmale des Substantivs an. Außerdem werden die substantivierten Zahladjektive grundsätzlich groß geschrieben.

Nach dem Genus lassen sich drei Gruppen von substantivierten Kardinalia unterscheiden:

(1) Feminina

Alle Kardinalia können eine feminine substantivische Form bilden, die im Singular dem substantivischen Deklinationstyp 3 (endungslos), im Plural dem Deklinationstyp 2 (Nominativ auf *-en/-n*) folgt.[1]

> Die Tausend ist eine vierstellige Zahl.
> Der kleine Uhrzeiger steht auf der Zehn.
> Er hat die Vierzig längst überschritten.
> Er hat in seinem Zeugnis sechs Einsen, fünf Zweien und eine Drei.

(2) Maskulina

Maskulina sind die Substantivierungen der Kardinalia mit Suffix *-er.* Während die attributiven Kardinalia auf *-er* nicht deklinierbar sind (Subklasse B_3, vgl. 3.4.2.), folgen die Substantivierungen im Singular dem Typ 1 (Genitiv mit *-s*) und im Plural dem Typ 3 (Nom. endungslos). Bedeutungsmäßig sind zwei Gruppen zu unterscheiden:

(a) Dekadische Bedeutung haben die Zahlen 20, 30, 40 usw. bei Altersangaben von Personen, die Zahlen 1, 10, 100, 1000 im mathematischen Gebrauch:

> Er hat das Aussehen eines Sechzigers (= eines Mannes zwischen 60 und 70 Jahren).
> Im Deutschen spricht man die Einer (= die Zahlen von 1–9) vor den Zehnern (= die Zahlen 10, 20, 30 usw.).

(b) In der Umgangssprache sind die Substantivierungen verschiedener Zahlen elliptische Formen für Sachbezeichnungen:

> Er hat einen Dreier (= drei richtige Zahlen) im Lotto.
> Am Sonntag findet das Ausscheidungsrennen der Achter (= Boote für 8 Ruderer) statt.
> Er ließ sich den Gewinn in Hundertern (= Hundertmarkscheinen) auszahlen.

Anmerkung:
Vereinzelt sind elliptische Substantivierungen auf *-er* auch in einem anderen Genus möglich:

> Geben Sie mir bitte eine Zwanziger (= 20-Pfennig-Briefmarke)!

[1] Ohne Flexionskennzeichen im Plural nur *die Sieben.*

(3) Neutra

Die Kardinalia *hundert* und (*zehn/hundert*)*tausend* können eine neutrale substantivische Form bilden, die nach dem substantivischen Singulartyp 1 (Genitiv mit *-s*) und Pluraltyp 1 (Nominativ auf *-e*) flektiert wird. Bei diesen Wörtern handelt es sich um substantivische Sammelzahlen, mit denen man eine Anzahl von Personen oder Nicht-Personen zusammenfaßt.

Das erste Hundert der Kompanie war zum Straßenbau eingesetzt.

Mit der zusätzlichen Bedeutung der Unbestimmtheit im Plural mit Nullartikel:

Tausende demonstrierten auf den Straßen.

Ebenso einige andere neutrale Zahlbegriffe:

Sie kaufte ein halbes Dutzend Taschentücher.
Er fragte Dutzende von Schülern.

8. Beim Sprechen und beim Schreiben in Buchstaben werden bei den Jahreszahlen 1100 bis 1999 statt des Tausenders die entsprechenden Hunderter verwendet:

1848 acht*zehnhundert*achtundvierzig

Zur Angabe der Jahreszahl – ohne Monat und Tag (mit Monat und Tag vgl. 3.6.2.3.) – gebraucht man im Deutschen die Jahreszahl allein oder in der Verbindung mit *im Jahr*(*e*):

Karl Marx wurde *1818* geboren.	Karl Marx wurde *im Jahre 1818* geboren.

Jahreszahlen vor dem Jahre 0 werden gewöhnlich mit dem Zusatz *v. u. Z.* (= vor unserer Zeitrechnung) versehen; Jahreszahlen innerhalb der ersten Jahrhunderte nach dem Jahre 0 erhalten öfters den Zusatz *u. Z.* (= unserer Zeitrechnung).

Der Spartacus-Aufstand fand 74–71 v. u. Z. statt.
Die Römer wurden 9 u. Z. im Teutoburger Wald von den Germanen geschlagen.
Die von dem Bauernführer Liu Bang gegründete Han-Dynastie in China bestand von 206 v. u. Z. bis 220 u. Z.

9. Bei der Angabe der Uhrzeit ist zwischen Stundenangaben (mit dem Wort *Uhr* im Singular) und Minutenangaben (mit dem Wort *Minute* im Singular und Plural) zu unterscheiden.

Stundenangaben

(1) Für die erste Tageshälfte (0–12 Uhr) sind die Stundenangaben einheitlich:

Es ist ein Uhr.
Es ist vier Uhr.
Es ist zwölf Uhr.

Umgangssprachlich kann das Wort *Uhr* fehlen. Bei 1 steht dann die Zahlform *eins* statt *ein*.

Es ist eins.
Es ist vier.
Es ist zwölf.

(2) Die Uhrzeit der zweiten Tageshälfte (12–24 Uhr) wird umgangssprachlich und offiziell verschieden gesprochen. Offiziell zählt man den Tag mit 24 Stunden (a); umgangssprachlich wiederholt man die Zahlen der ersten Tageshälfte (b). Im ersten Falle darf das Wort *Uhr* nicht fehlen.

(a)	(b)
Es ist dreizehn Uhr.	Es ist ein Uhr/eins.
Es ist vierzehn Uhr.	Es ist zwei (Uhr).
Es ist fünfzehn Uhr.	Es ist drei (Uhr).

Zur Vermeidung von Mißverständnissen erfolgt zuweilen der Zusatz von Temporaladverbien:

Der Zug kommt ein Uhr *nachts/mittags* an.
Er arbeitet bis sechs Uhr *morgens/abends.*

Minutenangaben

Bei den Minutenangaben ist gleichfalls zwischen einer offiziellen und einer umgangssprachlichen Lesart zu unterscheiden.

(1) Offiziell werden die Minuten *nach* den Stunden gezählt. Das Wort *Minute(n)* ist fakultativ.

9.01 Uhr	neun Uhr eine Minute (oder: neun Uhr eins)
9.15 Uhr	neun Uhr fünfzehn (Minuten)
9.32 Uhr	neun Uhr zweiunddreißig (Minuten) usw.

(2) Umgangssprachlich werden die Minuten *vor* den Stunden gezählt. Die Stunde wird in Teile von 15 Minuten geteilt, die in Bruchzahlen ausgedrückt werden: (*ein*) *viertel, halb, dreiviertel.* Diese Angaben dienen neben den Angaben der vollen Stunde als Meßwerte für die Einzelminuten. In Beziehung gesetzt wird mit den Präpositionen *nach* und *vor*, wobei meistens der kürzeste Zeitabstand entscheidend ist. Die Wörter *Uhr* und *Minute(n)* werden oft weggelassen. Vgl. folgendes Beispiel:

9.05 Uhr	fünf nach neun
9.10 Uhr	zehn nach neun[1]
9.15 Uhr	viertel zehn/viertel nach neun
9.20 Uhr	zwanzig nach neun/zehn vor halb zehn[1]
9.25 Uhr	fünf vor halb zehn
9.30 Uhr	halb zehn

[1] Gelegentlich dienen auch die Viertelstunden als Meßwert: fünf vor viertel zehn, fünf nach viertel zehn usw.

9.35 Uhr	fünf nach halb zehn
9.40 Uhr	zehn nach halb zehn/zwanzig vor zehn[1]
9.45 Uhr	dreiviertel zehn/viertel vor zehn
9.50 Uhr	zehn vor zehn[1]
9.55 Uhr	fünf vor zehn

10. Mathematische Aufgaben liest man wie folgt:

$8 + 6 = 14$	8 plus/und 6 ist (gleich) 14
$8 - 6 = 2$	8 minus/weniger 6 ist (gleich) 2
$6 \times 2 = 12$	6 mal/multipliziert mit 2 ist (gleich) 12
$6:2 = 3$	6 (divídiert/geteilt) durch 2 ist (gleich) 3
$3^2 = 9$	3 hoch 2 ist (gleich) 9 (auch: 3 zum Quadrat ist 9)
$3^3 = 27$	3 hoch 3 ist (gleich) siebenundzwanzig
$\sqrt{4} = 2$	Quadratwurzel (oder: zweite Wurzel) aus 4 ist (gleich) 2
$\sqrt[3]{8} = 2$	Kubikwurzel (oder: dritte Wurzel) aus 8 ist (gleich) 2
$y = f(x)$	Ypsilon ist (gleich) Funktion (oder: f) von x

Ordinalia 3.6.2.

Die Ordinalia, mit denen eine bestimmte Stelle in einer Reihe von Personen oder Nicht-Personen angegeben wird (Frage: *Der / Die / Das wievielte?*), kommen vor allem im Singular mit dem bestimmten Artikel vor. Sie werden nur attributiv verwendet und sind flektierbar, aber nicht graduierbar.
Die Ordinalia werden aus den Kardinalia mit Suffix *-t* oder *-st* gebildet. Die Ordinalia von 2 bis 19 haben das Suffix *-t*, die Ordinalia von 20 an das Suffix *-st*. Bei zusammengesetzten Zahlen wird nur das letzte Glied zur Ordinalzahl.

der zwei*te*
der sechzehn*te*
der zwanzig*ste*
der neuntausendneunhundertneunundneunzig*ste*

Unregelmäßig gebildet sind:

der erste, der dritte, der achte

In der Flexion stimmen die Ordinalia mit den anderen Adjektiven überein. Vgl. das folgende Beispiel für Nominativ und Dativ Mask.:

der neu*e*, dritt*e* Band	dem neu*en*, dritt*en* Band
ein neu*er*, dritt*er* Band	einem neu*en*, dritt*en* Band
neu*er*, dritt*er* Band	neu*em*, dritt*em* Band

Bei zusammengesetzten Ordinalia flektiert man nur das letzte, suffigierte Glied:

des einunddreißigst*en* Dezember

[1] Gelegentlich dienen auch die Viertelstunden als Meßwert: fünf vor dreiviertel zehn, fünf nach dreiviertel zehn usw.

Man beachte ferner folgende Besonderheiten der Ordinalia:

1. Wenn man in Ziffern schreibt, drückt man die Ordinalzahl durch einen Punkt hinter der Kardinalzahl aus:

der 1. = der erste
der 31. = der einunddreißigste

Wenn man die nachgestellte Ordinalzahl bei Herrschernamen (zur Bezeichnung der Reihenfolge im Geschlecht) in Ziffern schreibt, verwendet man die römischen Zahlenzeichen mit Punkt:

Heinrich IV. = Heinrich der Vierte

Vgl. dazu auch 15.2.6.1.(1)

2. Die Ordinalia können auch substantivisch gebraucht werden. In dieser Form nehmen sie auch die prädikative Stellung ein:

Er ist der Erste in der Klasse.
Er war beim Wettkampf dritter.

Auch bei den Herrschernamen (vgl. 1.) und bei den Datumsangaben (vgl. 3.) handelt es sich um substantivischen Gebrauch.

3. Datumsangaben sind komplexe Angaben über Tag, Monat und Jahr.
Zur Angabe der Jahreszahlen durch Kardinalia vgl. 3.6.1.8.
Der Tag wird in der Regel durch die Ordinalzahl für den betreffenden Tag im Monat ausgedrückt; nur ausnahmsweise dient zur Wiedergabe des Tages auch der Name des betreffenden Tages der Woche (*Sonntag, Montag*...). Beim Schreiben erfolgt die Wiedergabe der Ordinalzahl in Ziffern, nicht in Buchstaben.
Für die Angabe des Monats werden in der gesprochenen Sprache nebeneinander beide Möglichkeiten genutzt, die Ordinalzahl und der Name. In der geschriebenen Sprache benutzt man die Ordinalzahl, wenn man in Ziffern schreibt. Schreibt man in Buchstaben, verwendet man den Namen.

der 7. 10. *oder* der 7. Oktober (nicht: der siebente zehnte)

Für die Wiedergabe des Tages und Monats durch Ordinalzahlen ist zu beachten, daß die Wörter *Tag* und *Monat* obligatorisch ausfallen. Sie bestimmen jedoch das Genus der Ordinalzahl. Man vgl. folgende Beispiele:

Berlin, *den* 1. 5. 1971 (*Briefkopf*, sprich: den ersten fünften neunzehnhunderteinundsiebzig)
Ich, Gerhard Schwarz, wurde *am* 26. 12. 1940 in Eisenach geboren. (*Lebenslauf*, sprich: am sechsundzwanzigsten zwölften neunzehnhundertvierzig)
Ich bitte um Reservierung eines Einbettzimmers für die Zeit *vom* 14.–20. August d. J. (*Zimmerbestellung*; sprich: vom vierzehnten bis zwanzigsten August dieses Jahres)
Der wievielte ist heute? – Heute ist der 6. (Dezember). (Aber: Was für ein Tag ist heute? – Heute ist Montag.)

4. In bestimmten Fällen konkurrieren die Ordinalia mit den Kardinalia:

(1) flektierte Ordinalzahl + Substantiv im Sing. – Substantiv im Sing. + unflektierte Kardinalzahl (die Kardinalzahl wird vor allem bei amtlichen Benennungen bevorzugt):

4. Wahlbezirk – Wahlbezirk 4
die 5. Klasse – Klasse 5a
im dritten Haus – in Haus 3

(2) *jeder* + flektierte Ordinalzahl + Substantiv im Sing. – *alle* (auch: *aller*) + unflektierte Kardinalzahl + Substantiv im Plural (bei Substantiven wie *Minute, Tag, Jahr*)

jede zweite Minute – alle zwei Minuten
jedes dritte Jahr – alle drei Jahre

(3) *zu* + endungslose Ordinalzahl – *zu* + Kardinalzahl mit Endung *-en* (nur prädikativ und adverbial)

zu dritt – zu dreien (ugs.)
zu sechst – zu sechsen (ugs.)

Zum Bedeutungsunterschied zwischen diesen beiden Formen vgl. 7.3.3. unter *zu 4. 1.*

Gattungszahlen 3.6.3.

Die Gattungszahlen bezeichnen eine bestimmte Anzahl verschiedener Arten von Personen und Nicht-Personen. Sie werden gewöhnlich nur von niedrigen Kardinalzahlen gebildet, und zwar mit Hilfe des Suffixes *-erlei.* Sie sind nicht flektierbar und stehen in der Regel mit Nullartikel.

Es sind zweierlei Genera zu unterscheiden: das natürliche Genus (= Geschlecht) und das grammatische Genus.

Die von *hundert* und *tausend* gebildeten Gattungszahlen bezeichnen keine bestimmte Anzahl, sondern eine unbestimmte sehr große Zahl:

Er hatte hunderterlei Einwände gegen diesen Vorschlag.
Mein Sohn hat immer tausenderlei Fragen.

Das von der Kardinalzahl *ein-* gebildete *einerlei* hat neben der Bedeutung „gleichartig" (1) noch die Bedeutungen „gleichgültig" (2) und „eintönig" (3):

(1) Die Revolutionäre forderten einerlei Recht für alle.
(2) Was er über mich sagt, ist mir einerlei.
(3) Mich stört in dem Ferienheim nur die einerlei Kost.

3.6.4. Wiederholungs- und Vervielfältigungszahlen

Die Wiederholungs- und Vervielfältigungszahlen werden mit Hilfe von Suffixen aus den Kardinalia gebildet. Die Wiederholungszahlen haben das Suffix *-malig*, die Vervielfältigungszahlen haben das Suffix *-fach*:

zweimalig, dreimalig, viermalig ...
zweifach, dreifach, vierfach ...

Beide Gruppen werden vor allem attributiv verwendet und sind flektierbar. Sie beziehen sich auf Tätigkeiten und bezeichnen eine bestimmte Anzahl in einer Reihenfolge. Bei den Wiederholungszahlen handelt es sich um eine zeitliche Reihenfolge (= Nacheinander), bei den Vervielfältigungszahlen um eine nichtzeitliche Reihenfolge (= Nebeneinander):

der dreimalige Olympiasieger
der dreifache Olympiasieger

Der *dreimalige* Olympiasieger ist ein Sportler, der auf *drei* Olympiaden in *einer* Disziplin gesiegt hat. Der *dreifache* Olympiasieger ist ein Sportler, der auf *einer* Olympiade in *drei* Disziplinen gesiegt hat. Durch die Wiederholungs- und Vervielfältigungszahlen wird die Bedeutung der Kardinalia und Ordinalia spezifiziert:

die drei Siege des Sportlers (Kardinalzahl)
der erste, zweite und dritte Sieg des Sportlers (Ordinalzahl)
der dreimalige Sieg des Sportlers (Wiederholungszahl)
der dreifache Sieg des Sportlers (Vervielfältigungszahl)

Anmerkungen:
(1) Zur Vervielfältigungszahl *zweifach* gibt es die Nebenform *doppelt*:

Die Maschine fliegt mit zweifacher / doppelter Schallgeschwindigkeit.
Der Antrag muß in zweifacher / doppelter Ausführung eingereicht werden.

doppelt bezieht sich auch auf Substantive, die keine Handlungen darstellen:

Er trank einen doppelten Kognak.
Der Koffer hat einen doppelten Boden.

(2) Die von der Kardinalzahl *ein-* abgeleitete Form *einfach* ist oft nicht Zahladjektiv, sondern qualitatives Adjektiv:

eine einfache Kleidung (= schlicht)
eine einfache Aufgabe (= unkompliziert)

(3) Die adverbiale Form zu den Wiederholungszahlen lautet auf *-mal*.

Ich habe Weimar schon *viermal* besucht. (Aber: der viermalige Besuch)
Er hat heute schon *dreimal* angerufen. (Aber: der dreimalige Anruf)

Bruchzahlen

3.6.5.

1. Bruchzahlen bezeichnen den Teil eines Ganzen. Es sind Zahlenverbindungen aus zwei Zahlen: dem Zähler und dem Nenner. Der Zähler ist eine Kardinalzahl. Der Nenner wird aus einer Ordinalzahl mit dem Suffix *-el* gebildet.

ein viertel, vier zehntel, fünf millionstel

Besondere Formen haben die Zahlen 1 und 2 als einfache Nenner: Die Zahl 1 als Nenner heißt *ganz*, die Zahl 2 als Nenner heißt *halb*:

zwei ganze, drei halbe

Aber regelmäßig:

zwei hundert*eintel*, drei hundert*zweitel*

2. Bruchzahlen werden nur attributiv, nicht prädikativ verwendet. Sie stehen zumeist vor Maß- und Mengenangaben mit Nullartikel. Abhängig davon, ob der Zähler 1 oder eine höhere Zahl als 1 ist, werden die Maß- und Mengenangaben im Singular oder im Plural gebraucht (1). Verschiedene Maß- und Mengenangaben – vor allem Neutra – stehen immer im Singular (2). Bei den Maß- und Mengenangaben als substantivische Attribute auftretende Stoffbezeichnungen stehen gewöhnlich im merkmallosen Kasus (vgl. dazu auch 15.1.3.3.4.). Die Bruchzahlen werden nicht flektiert; eine Ausnahme machen nur *ein-* (in beschränktem Maße auch *zwei*) als Zähler und *ganz* und *halb* als Nenner (3).

(1) ein drittel Jahr Arbeit – zwei drittel Jahre Arbeit
(2) ein achtel Kilo Kaffee – drei achtel Kilo Kaffee
(3) Das Spiel wurde in einer fünftel Sekunde entschieden.
Die Differenz zweier hundertstel Gramm beeinflußt die Reaktion.
Ich habe ein halbes Kilo Rindfleisch gekauft.

Relativ selten kommen die Maß- und Mengenangaben mit anderen Artikelwörtern vor:

Das eine achtel Kilo Kaffee habe ich verschenkt.
Keine viertel Torte ist übriggeblieben.
Jene zwei halben Flaschen Sekt hat er getrunken.
Alle zwei fünftel Sekunden fällt ein Tropfen aus dem Röhrchen.

Nicht als eine Zahlenverbindung, sondern als ein zusammengesetztes Wort wird sehr oft die Bruchzahl mit dem Zähler *drei* und dem Nenner *viertel* behandelt:

Er will das in einer dreiviertel Stunde machen. (Aber auch: Er will das in drei viertel Stunden machen.)

Bruchzahlen, die nach ganzen Zahlen stehen, werden ebenfalls als Zusammensetzungen geschrieben:

$3\frac{1}{4}$ Stunden = drei einviertel Stunden
$4\frac{2}{5}$ Kilogramm = vier zweifünftel Kilogramm

Verschiedene Möglichkeiten gibt es für die Verbindung 1½:

eineinhalb Kilo
anderthalb Kilo
ein und ein halbes Kilo

3. Die Bruchzahl kann auch mit einer Maß- und Mengenangabe eine neue, allgemein gebräuchliche, feste Maßbezeichnung bilden. Der Nenner der Bruchzahl wird dann zum Bestimmungswort eines zusammengesetzten Wortes und mit der Maß- und Mengenangabe zusammengeschrieben. Zusammensetzungen dieser Art können nur wenige Zahlen (vor allem: *viertel, achtel, zehntel*) bilden:

drei Achtelliter Milch
eine Viertelstunde Wartezeit
zwei Viertelpfund Kaffee
vier Zehntelgramm Radium

4. Bruchzahlen können wie alle Adjektive substantiviert werden. In der substantivischen Form erscheint der Nenner der Zahlenverbindung. Er ist ein Neutrum: *das Viertel, das Zehntel.* Für die Zahl 2 als Nenner gibt es zwei substantivische Formen: das substantivisch gebrauchte Adjektiv *das Halbe/ein Halbes* und das Substantiv *die Hälfte.*
Substantivische Bruchzahlen stehen nicht nur vor Maß- und Mengenangaben, sondern auch vor anderen Substantiven. Diese Substantive werden in der Regel als Genitivattribute angeschlossen. Die substantivische Bruchzahl wird zumeist mit Nullartikel gebraucht. Im Dativ Plural fehlt öfters das Flexionskennzeichen.

Er verfehlte den Rekord um zwei Zehntel einer Sekunde.
Die Leistungen eines Drittels der Klasse sind unbefriedigend.
Die Prüfung wurde von vier Fünftel(n) der Schüler bestanden.

Wenn der Zähler 1 lautet, wird er in unbetonter Stellung nach bestimmtem Artikel weggelassen; mit dem unbestimmtem Artikel fällt er zusammen:

das (eine) Drittel
ein Drittel

5. Auf Grund der oben gezeigten Möglichkeiten kann der gleiche Zahl- und Maßbegriff verschieden ausgedrückt werden. Neben der unterschiedlichen Schreibung sind dabei auch die verschiedenen Flexionsformen zu beachten, z. B. wenn der Zahl- und Maßbegriff als singularisches Genitivattribut oder als pluralisches Präpositionalattribut erscheint:

die Differenz einer zehntel Sekunde
die Differenz einer Zehntelsekunde
die Differenz eines Zehntels einer Sekunde

die Differenz von vier zehntel Sekunden
die Differenz von vier Zehntelsekunden
die Differenz von vier Zehntel(n) einer Sekunde

Anmerkung:
Dezimalbrüche werden aus Kardinalia gebildet. Man liest die einzelnen Zahlenwerte nacheinander:

4,2 m = vier Komma zwei Meter
2,35 km = zwei Komma drei fünf Kilometer
(ugs. auch: zwei Komma fünfunddreißig Kilometer)
1,7 l = eins Komma sieben Liter
4,25 dt = vier Komma zwei fünf Dezitonnen
(ugs. auch: vier Komma fünfundzwanzig Dezitonnen)

Meter als Maßangaben können auch wie folgt geschrieben und gelesen werden:

4,20 m = vier Meter zwanzig (Zentimeter)
1,74 m = ein Meter vierundsiebzig (Zentimeter)

Bei Geldwährungen ist dies die einzige Schreib- und Lesart:

4,20 M = vier Mark zwanzig (Pfennige)
1,74 M = eine Mark vierundsiebzig (Pfennige)

Unbestimmte Zahladjektive 3.6.6.

Die unbestimmten Zahladjektive stehen zwischen den indefiniten Pronomina / Artikelwörtern und den Zahladjektiven. In semantischer Hinsicht entsprechen sie den indefiniten Wörtern (vgl. 2.3.2.4.2.2. unter *Anm.*). In syntaktischer und morphologischer Hinsicht verhalten sie sich weitgehend wie Adjektive:

wie Adjektive der Gruppe A_2 (attributiv und prädikativ möglich; flektierbar, aber nicht graduierbar)

das einzelne Haus – das Haus ist einzeln – *das einzelnere Haus

wie Adjektive der Gruppe B_2 (nur attributiv möglich; flektierbar, aber nicht graduierbar)

ein anderer Film – *ein Film ist ander – *ein andererer Film
folgendes Gesetz – *Gesetz ist folgend – *folgendereres Gesetz

Die meisten unbestimmten Zahladjektive haben zusätzlich spezielle syntaktisch-morphologische Merkmale:[1]

(1) Die flektierbaren Zahladjektive *viel* und *wenig* können nach Nullartikel auch in unflektierter Form erscheinen:[2]

Sie fuhren mit viel(em) Gepäck. Aber nur: Er klagte über das viele Gepäck.
Ich kenne hier wenig(e) Leute. (Aber nur: diese wenigen Leute)

---

[1] Zu einigen Flexionsbesonderheiten eines zweiten Adjektivs nach manchen unbestimmten Zahladjektiven vgl. 3.1.1.4.(2).
[2] Zu den besonderen Formen der Graduierung bei *viel* und *wenig* vgl. 3.1.2.2.1.

Unflektierte Form nach Nullartikel ist die Regel bei den auch als unbestimmte Zahladjektive gebrauchten Bruchzahlen *halb* und *ganz*:

halb Europa / das halbe Europa
ganz Leipzig / das ganze Leipzig

(2) Das stets unflektierte *etwas* ist auf den Singular beschränkt und nur mit Nullartikel möglich:

Kannst du mir etwas Geld leihen?
Mit etwas Geduld kann man die Aufgabe lösen.

Ebenfalls unflektiert und nur im Singular gebräuchlich ist das umgangssprachliche *bißchen* (zumeist mit unbestimmtem Artikel):

Gib mir ein bißchen Geld!

(3) Auf den Plural beschränkt ist das unflektierbare *paar* (zumeist mit unbestimmtem Artikel):

Ich habe ihm gestern ein paar Zeilen geschrieben.

Das Zahladjektiv *paar* ist nicht mit der substantivischen Mengenangabe *Paar* zu verwechseln:

Sie kaufte ein (zwei, drei ...) Paar Schuhe.

Ebenfalls vor allem im Plural gebräuchlich sind die flektierbaren unbestimmten Zahladjektive *übrig-* (nicht mit Nullartikel) und *sämtlich-* (zumeist mit Nullartikel):

Die übrigen Gäste reisten am nächsten Morgen ab.
Zu der Veranstaltung waren sämtliche Angestellten des Instituts erschienen.

(4) Zu den unbestimmten Zahladjektiven gehören auch einige Ableitungen auf *-erlei*:

allerlei, mancherlei, vielerlei

Es handelt sich hier um unbestimmte Gattungszahlen, die wie die bestimmten Gattungszahlen (vgl. 3.6.3.) nicht flektierbar sind und in der Regel mit Nullartikel stehen:

Er wußte allerlei lustige Lieder und Sprüche.
Gegen Grippe wenden die Leute mancherlei Hausmittel an.
Er hatte vielerlei Einwände gegen den Vorschlag.

Adverb 4.

Formenbestand 4.1.

Deklination 4.1.1.

Adverbien sind nicht flektierbar. Im *Positiv* steht das Adverb immer in seiner endungslosen Grundform, unabhängig davon, ob es in adverbialer, prädikativer oder attributiver Stellung gebraucht wird.

Graduierung 4.1.2.

Adverbien sind nur beschränkt graduierbar. Wenn eine Möglichkeit der Graduierung besteht, wird der *Komparativ* (1. Steigerungsstufe) mit *-er* gebildet und flexionslos gebraucht. Der *Superlativ* (2. Steigerungsstufe) wird in der Regel mit *am + sten* gebildet.

Anmerkungen:

1. Adverbien, die der Form nach mit den Adjektiven übereinstimmen („*Adjektivadverbien*"), haben alle Möglichkeiten der Graduierung:

   Er arbeitet fleißiger.
   Er lernt am besten.
   Die Maschine funktioniert sehr gut.
   Der neue Kindergarten ist hochmodern eingerichtet.

   Die Graduierung kann auch verstärkt werden:

   Der Betrieb arbeitet am allerbesten.

2. Die Adverbien *bald, gern, oft, viel, wenig, wohl* werden mit Hilfe anderer Wortformen gesteigert:

bald	–	eher	–	am ehesten
gern	–	lieber	–	am liebsten
{ oft (häufig) }	–	{ öfter(s) häufiger }	–	am häufigsten
viel	–	mehr	–	am meisten
wenig	–	{ minder weniger	– –	am mindesten am wenigsten
{ gut wohl }	–	{ besser wohler }	–	{ am besten am wohlsten }

3. Einige Adjektivadverbien bilden neben der Form mit *am + sten* auch eine Superlativform mit *aufs + ste*:

   aufs schönste, aufs beste, aufs freundlichste

4. Einige Adjektivadverbien bilden eine Superlativform mit der Endung *-st*:

baldigst, höflichst, möglichst, freundlichst

5. Von verschiedenen Adjektivadverbien kann neben der Form mit *am + sten* noch ein Superlativ auf *-stens* gebildet werden. Der Bildung dieser Nebenform – die als ein adverbialer Genitiv anzusehen ist – sind vor allem solche Adjektivadverbien fähig, die im Positiv einsilbig sind.:

schnell: am schnellsten – schnellstens
warm: am wärmsten – wärmstens
hoch: am höchsten – höchstens
gut: am besten – bestens

6. Die unter 3.–5. genannten Formen des Superlativs stehen zumeist ohne eigentlichen Vergleich und drücken einen sehr hohen Grad aus (absoluter Superlativ, Elativ):

Er läßt sie aufs herzlichste grüßen.
Die Regierung war bestens informiert.
Er grüßt ihn freundlichst.

7. In manchen Fällen wird statt des Komparativs eine Verbindung mit *des* gebraucht:

des öfteren (= öfter), des näheren (= näher)

8. Bei Adverbien, die keine Steigerungsformen haben, von der Bedeutung her aber Gradunterschiede zulassen, können manchmal Graduierungen mit Hilfe von *mehr* oder *weiter* (für den Komparativ), mit *am meisten* oder *am weitesten* (für den Superlativ) vorgenommen werden:

Das Buch steht *weiter / am weitesten* links.
Jetzt geht der Weg *mehr / am meisten* bergab.

Diese Paraphrasen des Komparativs/Superlativs werden manchmal auch unter anderen Bedingungen verwendet (z. B. bei Partizipien stark verbalen Charakters, bei schwer bildbaren Komparativen/Superlativen, beim Vergleich zweier Eigenschaften desselben Objekts):

Er ist im Russischen *weiter / am weitesten* fortgeschritten.
Er ist *mehr* beklagenswert.
Der Schüler ist *mehr* fleißig als begabt.

4.2. Syntaktische Beschreibung

4.2.1. Wesen der Wortklasse Adverb

Adverbien können in die Rahmen (1), (2) und (3) eingesetzt werden:

(1) Der Mann arbeitet ... (adverbiale Verwendung)
Der Mann arbeitet dort.
(2) Der Mann ist ... (prädikative Verwendung)
Der Mann ist dort.

(3) Der Mann ... arbeitet den ganzen Tag. (attributive Verwendung, nachgestellt – unflektiert)[1]
Der Mann dort arbeitet den ganzen Tag.

Eine Variante zum Rahmen (1) ist:

Der Student arbeitet fleißig.
(1a) → der fleißig arbeitende Student.

Während die Adverbien *morphologisch* – im Unterschied zu den Verben, Substantiven und Adjektiven, aber in Übereinstimmung mit den Konjunktionen, Präpositionen, Partikeln und Modalwörtern – zu den unflektierbaren Wortarten gehören, sind sie *syntaktisch* zu den Wortarten mit Satzgliedwert zu rechnen – in Übereinstimmung mit Verben, Substantiven und Adjektiven, aber im Unterschied zu den Konjunktionen, Präpositionen und Partikeln. Sie können Satzglieder (Adverbialbestimmung, Prädikativ) oder Satzgliedteile (Attribut) repräsentieren. Insofern haben sie eine Zwitterstellung zwischen den (autosemantischen) Hauptwortarten (Verb, Substantiv, Adjektiv) und den Funktionswörtern (wie z. B. Konjunktion, Präposition, Artikel, Partikel). *Semantisch* geben die Adverbien an, unter welchen Umständen ein Sachverhalt existiert oder sich vollzieht, indem sie der Situierung in Raum und Zeit sowie der Angabe modaler und kausaler Beziehungen dienen.

Abgrenzung von anderen Wortklassen 4.2.2.

Die Adverbien haben Berührungen mit anderen Wortklassen, mit denen sie im konkreten Satz oftmals in der Position übereinstimmen.

Prädikatives Attribut 4.2.2.1.

Das prädikative Attribut gehört trotz der gleichen Stellung im konkreten Satz nicht zu den Adverbien, sondern – auf Grund der anderen Abhängigkeitsbeziehungen – zu den Adjektiven:

Der Mann kommt *gesund* an. (= prädikatives Attribut)
← Der Mann kommt an. Er ist gesund.
↮ Das Ankommen (= die Ankunft) ist gesund.

---

[1] In dieser Position deckt sich das Adverb scheinbar mit dem nachgestellten attributiven Adjektiv:

Der Mann *dort* arbeitet den ganzen Tag. (= Adverb)
Der Mann, alt und krank, arbeitet den ganzen Tag. (= Adjektiv)

Im Unterschied zum Adverb jedoch kann das Adjektiv immer – unter Hinzufügung der Flexionsendung – vor das substantivische Bezugswort gestellt werden. Außerdem ist es bei Nachstellung von seinem Bezugswort durch Komma abgetrennt.

Aber:

Der Lehrer spricht *schnell.* (= Adverb)
↮ Der Lehrer spricht. Der Lehrer ist schnell.
→ Das Sprechen (des Lehrers) ist schnell.

4.2.2.2. Partizipien

Die Partizipien gehören teilweise zur Klasse der Adverbien, teilweise nicht:

Er braucht *dringend* Hilfe. (= Adverb)
Er arbeitet *singend.* (= prädikatives Attribut)

4.2.2.3. Modalwörter

Trotz der gleichen Stellung im konkreten Satz werden aus syntaktischen und semantischen Gründen auch die Modalwörter aus der Klasse der Adverbien ausgeschlossen:

Er arbeitet *schnell.* (= Adverb)
Er arbeitet *vermutlich.* (= Modalwort)

Zu dieser Unterscheidung vgl. Kapitel „Modalwörter" (10.2.).

4.2.2.4. Partikeln

Aus der Klasse der Adverbien werden auch die Partikeln ausgesondert, obwohl sie teilweise die gleiche Position wie die Adverbien im Satz einnehmen:

Er geht *immer* weiter. (Adverb oder Partikel)
Immer geht er weiter. (= Adverb)
Immer weiter geht er. (= Partikel).

Zu dieser Unterscheidung vgl. Kapitel „Partikeln" (9.1.1).

4.2.2.5. Pronominaladverbien

Unter „Pronominaladverbien" werden Verbindungen der Adverbien *da, hier* und *wo* mit (vorwiegend lokalen) Präpositionen verstanden:

darauf – hierauf – worauf
daran – hieran – woran
daraus – hieraus – woraus
dabei – hierbei – wobei
dafür – hierfür – wofür
damit – hiermit – womit
danach – hiernach – wonach
davor – hiervor – wovor

 Diese „Pronominaladverbien" stehen für bestimmte Präpositionalgruppen, die entweder die Funktion eines Objekts oder die einer Adverbialbestimmung haben:

Er erinnert sich *an das Geschenk.* (= Objekt)
→ Er erinnert sich daran.

Er legt den Bleistift *auf das Buch.* (= Adverbialbestimmung)
→ Er legt den Bleistift darauf.

Da die „Pronominaladverbien" aber in jedem Falle für die Verbindung einer Präposition mit einem Substantiv (oder einem entsprechenden Pronomen) stehen, sind sie ihrem Wesen nach keine Adverbien, sondern Pronomina, Prowörter für das Substantiv.
Auf Grund dieser Beziehungen werden die „Pronominaladverbien" aus der Klasse der Adverbien ausgeschlossen und im Kapitel „Substantivwörter" (unter 2.3.2.7.) dargestellt.

Besondere Gruppen der Adverbien 4.2.3.

Konjunktionaladverbien 4.2.3.1.

Zu den Adverbien werden gerechnet bestimmte Wörter, die die Stelle vor dem finiten Verb allein einnehmen können (also Satzglieder sind) und auch innerhalb des Satzes stehen können, aber vielfach – am Satzanfang – die Rolle einer koordinierenden Konjunktion übernehmen. Sie werden auch „Konjunktionaladverbien" genannt: *deshalb, daher, trotzdem, folglich, nämlich, insofern, deswegen, mithin, demnach, sonst, außerdem, allerdings.*

Er war krank; *deshalb* kam er nicht zur Arbeit.
Er war krank; er kam *deshalb* nicht zur Arbeit.

Wir vergleichen:

Er war krank; *deshalb* kam er nicht zur Arbeit. (= Konjunktionaladverb)
Er kam nicht zur Arbeit; *denn* er war krank. (= echte Konjunktion)

Im Unterschied zu den Konjunktionaladverbien können die echten (koordinierenden) Konjunktionen nicht innerhalb des Satzes stehen und die Stelle vor dem finiten Verb nicht allein besetzen.

Frageadverbien 4.2.3.2.

Zu den Adverbien gehören auch die Frageadverbien (Interrogativadverbien), die die gleiche Position am Anfang des Satzes einnehmen wie die anderen Adverbien:

Dort arbeitet er.
Wo arbeitet er?

Gestern war er im Kino.
Wann war er im Kino?

Zu den Frageadverbien gehören: *wo, wann, wie, warum, wieviel, weshalb.* Sie unterscheiden sich von den übrigen Adverbien durch zwei Besonderheiten:

1. Sie stehen notwendig am Satzanfang.
2. Sie signalisieren die Satzart des Fragesatzes (vgl. dazu das Kapitel „Satzarten", 16.).

4.3. Syntaktische Subklassen

Die Adverbien können im Satz – entsprechend den unter 4.2.1. genannten Rahmen – verschieden verwendet werden: adverbial, prädikativ und attributiv (nachgestellt–unflektiert). Auf Grund dieser Eigenschaften lassen sich die Gruppen A–D unterscheiden.

4.3.1. Gruppe A (adverbial, prädikativ und attributiv gebrauchte Adverbien)

Adverbien der Gruppe A sind adverbial, prädikativ und attributiv (nachgestellt–unflektiert) verwendbar; sie können weder flektiert noch graduiert werden:

Der Student arbeitet dort.
Der Student ist dort.
Der Student dort arbeitet bei uns.

Ebenso: hier, da, draußen, drinnen, drüben, damals, gestern, morgen, heute

4.3.2. Gruppe B (adverbial und attributiv gebrauchte Adverbien)

Adverbien der Gruppe B sind nur adverbial und attributiv (nachgestellt–unflektiert) verwendbar; sie können weder flektiert noch graduiert werden:

Der Weg führt dorthin.
*Der Weg ist dorthin.
Der Weg dorthin ist eine Strapaze.

4.3.3. Gruppe C (adverbial und prädikativ gebrauchte Adverbien)

Adverbien der Gruppe C sind nur adverbial und prädikativ verwendbar; sie sind weder flektierbar noch graduierbar:

Der heutige Mensch arbeitet anders.
Der heutige Mensch ist anders.
*Der heutige Mensch anders arbeitet.

Aber: Der andere Mensch arbeitet. (= Adjektiv)
Ebenso: ebenso, so

Anmerkung:
Ähnlich verhalten sich zahlreiche Adjektivadverbien (in adverbialer und prädikativer Funktion nicht flektierbar, wohl aber – abhängig von ihrer Bedeutung – graduierbar). Sie werden jedoch in prädikativem Gebrauch zu den Adjektiven gerechnet:

Der Schlosser arbeitet fleißig. (= Adverb)
Der Schlosser ist fleißig. (= Adjektiv)
Der Schauspieler spricht leise. (= Adverb)
Seine Stimme wird leise. (= Adjektiv)

Gruppe D (nur adverbial gebrauchte Adverbien) 4.3.4.

Adverbien der Gruppe D können nur adverbial verwendet werden:

1. Adverbien der Gruppe D_1 sind nur adverbial verwendbar; sie sind weder flektierbar noch graduierbar:

Der Tag kommt dann.
*Der Tag ist dann.
*Der Tag dann kommt.

Ebenso: ebenfalls, einst, einmal, endlich, nach wie vor, nach und nach

2. Adverbien der Gruppe D_2 können nur adverbial verwendet werden; sie sind nicht flektierbar, aber graduierbar:

Der Student liest gern Fachbücher.
*Der Student ist gern.
*Der Student gern arbeitet.
Der Student liest lieber Fachbücher als Romane.

Ebenso: bald, gern, oft, viel, wenig, wohl

Semantische Subklassen 4.4.

Nach der Bedeutung können folgende Arten der Adverbien unterschieden werden:

Lokaladverbien 4.4.1.

1. zur Bezeichnung des Ortes oder der Ruhelage:

hier, da, dort, draußen, drinnen, drüben, innen, außen, rechts, links, oben, unten; überall; irgendwo, anderswo; nirgendwo, nirgends; wo; vorn, hinten, obenan, obenauf, nebenan, auswärts

2. zur Bezeichnung der Richtung

(1) des Ausgangspunktes einer Bewegung:

hierher, daher, dorther; überallher; irgendwoher, anderswoher; nirgendwoher; woher

(2) des Endpunktes oder des Ziels einer Bewegung:

hierhin, dahin, dorthin; aufwärts, abwärts, seitwärts, vorwärts, rückwärts, heimwärts; fort, weg, heim; bergauf, bergab, querfeldein; überallhin; irgendwohin, anderswohin; nirgendwohin; wohin

Anmerkungen:

1. Aus den meisten Ortsadverbien können Richtungsadverbien durch die Präpositionen *von* und *nach* gebildet werden:

Er sitzt draußen.	(Ort)
Er kommt *von* draußen.	(Ausgangspunkt)
Er geht *nach* draußen.	(Ziel)

Ebenso: drinnen, drüben, innen, außen, rechts, links, unten, oben

Bei einigen Adverbien ist zusätzlich ein nachgestelltes *her* und *hin* möglich:

Von überall (her) hörte man Musik.
Er geht nach rechts (hin).

2. *her* und *hin* können zwar allein stehen, bilden aber mit den entsprechenden Verben eine enge Einheit (Zusammenschreibung mit dem Verb im Infinitiv):

Der Gast kam vom Bahnhof her.
Der Gast konnte nicht vom Bahnhof herkommen.

Auch bei Zusammensetzungen von *hin* und *her* mit Präpositionen bezeichnet *her* jeweils die sprecherzugewandte Richtung, *hin* die sprecherabgewandte Richtung:

Er kommt *her*ein. Er geht *hin*aus.	} Der Sprecher befindet sich *im* Raum.
Er kommt *her*aus. Er geht *hin*ein.	} Der Sprecher befindet sich *außerhalb* des Raumes.

Allerdings setzt sich in zweifelhaften Fällen immer mehr der Gebrauch von *her* durch:

Ihm fällt der Bleistift herunter (oder: hinunter).
Er mußte das Medikament herunterschlucken (oder: hinunterschlukken).

3. Die mit *hin* und *her* zusammengesetzten Lokaladverbien können im Satz getrennt werden, ohne daß sich dabei die Bedeutung ändert:

Wohin geht er? → Wo geht er hin?
Er geht dorthin. → Dort geht er hin.
Er kommt daher. → Da kommt er her.

Eine solche Trennung ist bei Pronominaladverbien nicht möglich:

Womit beschäftigt er sich? → *Wo beschäftigt er sich mit?

 4. Solche mit *hin* und *her* zusammengesetzten Lokaladverbien können zu-

sätzlich mit einem Verb verbunden werden; dann sind zwei Fälle unterscheidbar:

Ich weiß nicht, *wohin* er das Buch gelegt hat.
Ich weiß nicht, *wo* er das Buch *hin*gelegt hat.
(*hin* kann sowohl zum ersten Teil des Lokaladverbs als auch zum Verb treten.)
Ich weiß nicht, *wo* das Buch *hin*gekommen ist.
*Ich weiß nicht, *wohin* das Buch gekommen ist.
(*hin* kann nur zum Verb treten, mit dem es eine engere lexikalische Einheit bildet.)

5. *fort* und *weg* sind in der Regel austauschbar (= von einem Punkte weg und auf ein Ziel hin):

Der Arzt schickte den Patienten *weg/fort*.
Er warf das Buch *weg/fort*.

Wenn jedoch nur *beiseite* (ohne Ziel) gemeint ist, erscheint vorwiegend *weg*:

Die Frau blickte sofort *weg*.

Temporaladverbien 4.4.2.

1. Zur Bezeichnung eines Zeitpunktes (bzw. eines Zeitabschnitts):

anfangs, bald, beizeiten, damals, dann, demnächst, eben, endlich, eher, gerade, jetzt, neulich, niemals, nun, schließlich, seinerzeit, soeben, sogleich, vorerst, vorhin, zugleich, zuletzt, zunächst; gestern, heute, morgen, vorgestern, übermorgen, heutzutage; früh, morgen, abend, vormittag, mittag; wann

2. zur Bezeichnung der Zeitdauer:

allezeit, bislang, bisher, immer, lange, längst, nie, noch, seither, stets, zeitlebens

3. zur Bezeichnung der Wiederholung:

bisweilen, häufig, jedesmal, jederzeit, mehrmals, manchmal, mitunter, nochmals, oft, selten, zeitweise, wiederum; täglich, wöchentlich, monatlich, jährlich; montags, dienstags usw.; abends, nachts, mittags, vormittags, nachmittags;
einmal, zweimal, dreimal usw. (Wiederholungszahlwörter)

4. zur Bezeichnung einer Zeit, die sich auf einen anderen Zeitpunkt bezieht (relative Zeit):

indessen, inzwischen, nachher, seitdem, vorher, unterdessen

Anmerkung:
Es stehen nebeneinander:

Er hat ihn *vorhin* gesehen. (Bezugspunkt ist die Gegenwart des Sprechers)
Er hat ihn *vorher* gesehen. (Bezugspunkt ist ein bestimmter Punkt in der Vergangenheit)

4.4.3. Modaladverbien

1. zur Bezeichnung der Art und Weise (der Qualität), differenziert nach der Bildungsart in:

(1) „reine Adverbien":

anders, gern, so, wie

(2) Adjektivadverbien:

fleißig, gut, langsam, schlecht, schnell, tüchtig . . .

(3) Wörter mit der Endung *-lings* (meist von Adjektiven abgeleitet):

blindlings, jählings, rittlings

(4) Wörter mit den Endungen *-s* und *-los* (meist von Substantiven abgeleitet):

eilends, unversehens, vergebens; anstandslos, bedenkenlos, fehlerlos

(5) Zusammensetzungen:

derart, ebenfalls, ebenso, genauso, irgendwie; geradeaus, hinterrücks, insgeheim, kopfüber, kurzerhand, rundheraus, unverrichteterdinge

2. zur Bezeichnung des Grades und Maßes (der Quantität und Intensität):

einigermaßen, größtenteils, halbwegs, teilweise

Anmerkung:
Die meisten unflektierbaren Wörter zur Bezeichnung des Grades und Maßes (z. B. *etwa, fast, allzu, sehr, weitaus*) sind als Partikeln anzusehen (vgl. unter 9.).

3. zur Bezeichnung des Instruments und Mittels:

dadurch, damit, hierdurch, hiermit, irgendwomit, wodurch, womit (nur Pronominaladverbien)

4. zur Bezeichnung der Erweiterung (des kopulativen Verhältnisses):

auch, anders, außerdem, ferner, desgleichen, ebenfalls, gleichfalls, sonst, überdies, weiterhin, zudem;
erstens, zweitens, drittens usw. (Einteilungszahlen, von niedrigen Ordinalia gebildet und bei Schreibung in Ziffern von diesen nicht unterscheidbar: *1., 2., 3.*)

5. zur Bezeichnung eines restriktiven, spezifizierenden und adversativen Verhältnisses:

allerdings, dagegen, doch, eher, freilich, hingegen, immerhin, indes(sen), insofern, insoweit, jedoch, nur, vielmehr, wenigstens, zumindest

Kausaladverbien 4.4.4.

1. zur Bezeichnung des Grundes (des kausalen Verhältnisses im engeren Sinne):

   also, anstandshalber, daher, darum, demnach, deshalb, deswegen, folglich, infolgedessen, meinethalben, mithin, nämlich, so, somit; warum, weshalb, weswegen

2. zur Bezeichnung der Bedingung (des konditionalen Verhältnisses):

   dann, sonst; andernfalls, gegebenenfalls, nötigenfalls, schlimmstenfalls; genaugenommen (= wenn man es genau nimmt), strenggenommen

3. zur Bezeichnung des nicht zureichenden Grundes (des konzessiven Verhältnisses):

   dennoch, dessenungeachtet, (und) doch, gleichwohl, nichtsdestoweniger, trotzdem

4. zur Bezeichnung der Folge (des konsekutiven Verhältnisses):

   so

5. zur Bezeichnung des Zwecks (des finalen Verhältnisses):

   dazu, darum, deshalb, deswegen, hierfür, hierzu; warum, wozu

Pro-Adverbien und Prowörter 4.5.

1. Die in 4.4. enthaltene semantische Subklassifizierung der Adverbien wird überlagert von einer Unterscheidung der Adverbien in 2 Subklassen, die sich aus der semantischen Autonomie im Kommunikationsprozeß ergibt, also vom sprachlichen und situativen Kontext abhängig ist. Danach sind zu unterscheiden

(a) *Adverbien im engeren Sinne*, d. h. solche Adverbien, die in ihrer Bedeutung relativ autonom sind, deren Bedeutung sich nicht aus einem vorerwähnten Kontext oder aus der gegebenen Situation ergibt (deren Bedeutung allerdings vom Standpunkt des Sprechenden abhängig sein kann):

   gern, bald, oft, überall, nirgends, immer, selten u. a.

(b) *Pro-Adverbien*, die in ihrer Bedeutung nicht autonom sind, deren Bedeutung sich vielmehr erst aus einem vorerwähnten Kontext oder aus der gegebenen Situation ergibt:

   dort, dann, vorher, trotzdem, deshalb, damit u. a.

Sowohl bei den Adverbien im engeren Sinne als auch bei den Pro-Adverbien treten die unterschiedlichen semantischen Subklassen (lokale, temporale, modale und kausale Adverbien) auf. Die Pro-Adverbien unterscheiden sich von den Adverbien im engeren Sinne dadurch, daß sie Prowörter für vorher erwähnte (oder situationell gegebene) Sachverhalte sind:

> Er hat lange Zeit *in dieser Stadt* gewohnt. *Dort* hat er auch die Schule besucht.
> Er war *ein halbes Jahr* krank. *Danach* hat er sich in einem Sanatorium erholt.
> Er *litt an einer schweren Krankheit. Trotzdem* hat er seine Funktion weiter ausgeübt.

2. Zu den Pro-Adverbien gehören

(a) die Pronominaladverbien (vgl. 4.2.2.5.) in adverbialer Funktion
(b) die Konjunktionaladverbien (vgl. 4.2.3.1.)
(c) die Interrogativadverbien (vgl. 4.2.3.2.)
(d) einige Adverbien, die nicht Pronominaladverbien, Konjunktionaladverbien oder Interrogativadverbien sind, z. B.:

> da, daher, damals, dann, derart, dort, dorther, hier, nachher, seinerzeit, so, vorher

Allerdings ergeben sich diese Klassen aus unterschiedlichen Aussonderungskriterien: die Pronominaladverbien aus der morphologischen Bildung (*da-*, *hier-*, *wo-* + Präposition), die Konjunktionaladverbien aus der syntaktischen Funktion (vergleichbar mit der Funktion der koordinierenden Konjunktionen, aber mit Satzgliedwert), die Interrogativadverbien aus ihrer kommunikativen Funktion (Frageintention). Deshalb gibt es Überschneidungen zwischen einigen Klassen (die mit *wo-* gebildeten Pronominaladverbien sind z. B. zugleich Interrogativadverbien). Deshalb gibt es keine einfache Unterordnung der Pronominaladverbien (die für Präpositionalgruppen in der Funktion des *Objekts* und der *Adverbialbestimmung* stehen) unter die Pro-Adverbien (die immer nur für *adverbiale* Präpositionalgruppen stehen). Die Pronominaladverbien sind Prowörter; als solche stehen sie immer für die Verbindung von Präposition + Substantiv (bzw. Pronomen). Falls die ihnen zugrunde liegende Präpositionalgruppe Objekt ist, werden sie als substantivische Pronomina, falls sie Adverbialbestimmung ist, als Pro-Adverbien eingeordnet. Um ihren besonderen Status zu kennzeichnen (und den Überblick zu erleichtern), werden sie in der unter 3. folgenden Übersicht (ebenso wie die Interrogativadverbien) als besondere Gruppe ausgewiesen.

3. Die Pro-Adverbien ordnen sich ein in die noch umfassendere Klasse der *Prowörter*, zu denen Wörter aus unterschiedlichen Wortklassen gehören. Der Prowort-Charakter (oder: die Pronominalität) darf somit nicht auf die herkömmliche Klasse der Pronomina beschränkt werden (obwohl er sich dort am deutlichsten ausprägt). Es
 gibt vielmehr Prowörter verschiedener Art, vor allem:

(1) (a) die Personalpronomina (sie stehen für Substantive – meist als Subjekt oder Objekt – in den verschiedenen Kasus):

Der Lehrer ist krank.
→ *Er* ist krank.

Dem Kind ist übel.
→ *Ihm* ist übel.

(b) die Verbindungen von Präposition + Personalpronomen (sie stehen für die Verbindung von Präposition + Substantiv):

Er geht *mit seiner Freundin* ins Kino.
→ Er geht *mit ihr* ins Kino.

(c) die nicht-interrogativen Pronominaladverbien (sie stehen für die Verbindung von Präposition + Substantiv):

Der Lehrer spricht *über das Gebirge.*
→ Der Lehrer spricht *darüber.*

(d) die nicht-interrogativen Pro-Adverbien (sie stehen für die Verbindung von Präposition + Substantiv) einschließlich der Konjunktionaladverbien:

Er wohnt *in der Stadt.*
→ Er wohnt *dort.*

(2) (a) die Interrogativpronomina (sie stehen – wie die Personalpronomina, nur nicht hinweisend, sondern fragend – für Substantive als Subjekt oder Objekt in verschiedenen Kasus):

Er hat *den Arzt* gesehen.
→ *Wen* hat er gesehen?

(b) die Verbindungen von Präposition + Interrogativpronomen (sie stehen für die Verbindung von Präposition + Substantiv):

Er geht *mit seiner Freundin* ins Kino.
→ *Mit wem* geht er ins Kino?

(c) die interrogativen Pronominaladverbien (sie stehen für die Verbindung von Präposition + Substantiv):

Der Lehrer spricht *über das Gebirge.*
→ *Worüber* spricht der Lehrer?

(d) die interrogativen Pro-Adverbien (sie stehen für die Verbindung von Präposition + Substantiv):

Er wohnt *in der Stadt.*
→ *Wo* wohnt er?

(3) die Possessivpronomina (sie stehen für Substantive, die als Genitiv-Attribut fungieren):

das Buch *des Lehrers*
→ *sein* Buch

(4) (a) die Relativpronomina (sie stehen für Substantive in den verschiedenen Kasus):

> Der Lehrer ist gestorben. *Der Lehrer* hat Geographie unterrichtet.
> → Der Lehrer, *der* Geographie unterrichtet hat, ist gestorben.

(b) die Verbindungen von Präposition + Relativpronomen (sie stehen für Präposition + Substantiv):

> Der Lehrer ist gestorben. *Mit dem Lehrer* war er im Urlaub.
> → Der Lehrer, *mit dem* er im Urlaub war, ist gestorben.

(c) die relativen Pronominaladverbien (sie stehen für Präposition + Substantiv und sind der Form nach mit den interrogativen Pronominaladverbien – vgl. (2c) – identisch):

> Er hat das Buch bekommen. Er hat lange *auf das Buch* gewartet.
> → Das Buch, *worauf* er lange gewartet hat, hat er bekommen.

(5) (a) die Demonstrativpronomina (sie stehen für vorerwähnte Substantive oder zusammen mit vorerwähnten Substantiven):

> Wir treffen *den Arzt. Dieser* (Arzt) hat mich damals operiert.

(b) die Verbindungen von Präposition + Demonstrativpronomen (sie stehen für vorerwähnte Substantive oder zusammen mit vorerwähnten Substantiven):

> Wir beobachten *den Politiker. Mit diesem* (Politiker) haben wir noch niemals gesprochen.

(6) (a) die Indefinitpronomina (sie stehen zur Bezeichnung von unbestimmten Gegenständen/Personen für Substantive oder zusammen mit Substantiven):

> Die Schule hat viele Lehrer. *Einige* (Lehrer) sind in den letzten Jahren neu eingestellt worden.

(b) die Verbindungen von Präposition + Indefinitpronomen (zur Bezeichnung von unbestimmten Gegenständen/Personen für Substantive oder zusammen mit Substantiven):

> Die Schule hat viele Lehrer. *Mit einigen* (Lehrern) hat der Direktor Hospitationen besprochen.

(7) bestimmte Pro-Verben (sie sind bedeutungsarm, haben nur wenige semantische Merkmale und stehen für andere Verben mit mehr semantischen Merkmalen):

> Hat er ihn *angerufen*?
> Er hat es noch nicht *gemacht*.

(8) bestimmte Pro-Substantive (sie sind bedeutungsarm und stehen für andere Substantive mit mehr semantischen Merkmalen):

> Er sucht *den Arzt* auf. *Der Mann* hat ihn zweimal operiert.

 (9) bestimmte Pro-Adjektive (sie stehen für andere Attribute mit

mehr semantischen Merkmalen und sind in der Regel Ableitungen von Pro-Adverbien):

die Buchproduktion *der zwanziger Jahre*
→ die *damalige* Buchproduktion
(← die Buchproduktion von *damals*)

4. *Gemeinsam* ist allen Prowörtern,

(a) daß sie unter *syntaktischem* Aspekt Substitute für vollständigere Formen sind;

(b) daß sie mit diesen vollständigeren Formen (als ihren Bezugswörtern) *referenzidentisch* sind, d. h. das gleiche Denotat in der außersprachlichen Wirklichkeit haben;

(c) daß sie unter *semantischem* Aspekt weniger semantische Merkmale haben als die ihnen zugrunde liegenden vollständigeren Formen, die sie substituieren können und mit denen sie referenzidentisch sind;

(d) daß sie unter *kommunikativem* Aspekt vorher erwähnte (oder situationell vorausgesetzte) Elemente sprachlich wiederaufnehmen, und zwar solche Elemente, mit denen sie referenzidentisch sind.

Auf diese Weise hängen die genannten Merkmale a) bis d) untrennbar miteinander zusammen: Die Prowörter können nur solche vorerwähnten Elemente wiederaufnehmen, mit denen sie referenzidentisch sind. *Weil* sie mit diesen vorerwähnten (und vollständigeren) Elementen referenzidentisch sind, können sie weniger semantische Merkmale als diese enthalten und können als Substitute für diese auftreten.

5. Neben diesen Gemeinsamkeiten gibt es beträchtliche *Unterschiede* zwischen den Prowörtern untereinander, die sich ergeben aus der Wortklassenzugehörigkeit, aus der morphologischen Repräsentation der vollständigeren und zugrunde liegenden Formen (z. B. Substantiv oder Präpositionalgruppe), daraus, ob sie interrogativ sind (d. h. unspezifiziert auf den erfragten Sachverhalt vorausweisen) oder nicht-interrogativ sind (d. h. stellvertretend für einen vorerwähnten identischen Sachverhalt stehen) (vgl. die unter 3. genannten Gruppen). Von den unterschiedlichen Gruppen (vgl. 3.) stehen (7) bis (9) als lexikalisch-semantische Prowörter für die Grammatik am Rande, da sie ausschließlich auf der Basis von semantischen Merkmalen zu beschreiben sind. Den größten Teil der Prowörter [vgl. (1a), (1b), (2a), (2b), (3), (4a), (4b), (5a), (5b), (6a), (6b)] machen die Pronomina aus, die in der Tat insofern auch einen Spezialfall der Prowörter darstellen, als sie Prowörter mit einem minimalen Bestand an semantischen Merkmalen sind und somit als allgemeinste Obermenge verschiedener nominaler Klassen angesehen werden können. Es gibt überhaupt nicht nur Prowörter verschiedener *Art* (vgl. 3.), sondern auch Prowörter verschiedenen *Grades*, da der Bestand an semantischen Merkmalen unterschiedlich groß ist, der Grad der Ver-

allgemeinerung der Bedeutung und der Informationsgehalt unterschiedlich sind. Gerade diese Unterschiede im Grad der Verallgemeinerung sind es, die für die unterschiedliche Verwendung von Pronomen, Pronominaladverb und Pro-Adverb von Bedeutung sind:

(a) *Neben dem Haus* steht eine Garage.
(b) *Neben ihm* steht eine Garage.
(c) *Daneben* steht eine Garage.
(d) *Dort* steht eine Garage.

Während (a) die vollständige Form ist (mit dem größten Informationsgehalt und der geringsten Verallgemeinerung), handelt es sich bei (b) bis (d) um Prowörter, aber um Prowörter verschiedener Art und vor allem verschiedenen Grades: In (b) steht ein Pronomen, in (c) ein Pronominaladverb, in (d) ein Pro-Adverb. Die Lokalisierung des Gegenstandes erfolgt am genauesten in (b), am wenigsten genau in (d). Von (b) bis (d) nimmt die Menge der semantischen Merkmale ab, der Informationsgehalt wird geringer, die Verallgemeinerung in der Bedeutung nimmt zu. Insofern kann man die Pronomina (+ Präposition) als Prowörter 1. Grades, die Pronominaladverbien als Prowörter 2. Grades und die Pro-Adverbien als Prowörter 3. Grades ansehen.
Allerdings regelt sich die Verwendung von Pronomen, Pronominaladverb und Pro-Adverb keineswegs allein nach dem Abstraktionsgrad (d. h. der Zahl der semantischen Merkmale). Vgl. dazu genauer 2.3.2.7.

4.6. Syntaktisch-semantische Verbindbarkeit mit dem Verb

4.6.1. Syntaktische Bindung (Valenz)

Die syntaktische Bindung mancher Adverbien an die Verben ist so eng, daß ohne das Vorhandensein des Adverbs (bzw. ohne das Vorhandensein einer Präpositionalgruppe mit dem entsprechenden adverbialen Inhalt) keine vollgrammatischen Sätze entstehen können.

1. Lokaladverbien sind notwendig bei *wohnen, sich befinden, sich aufhalten, übernachten, sitzen, stehen, liegen*:

Er wohnt dort (in der neuen Stadt).
*Er wohnt.

2. Richtungsadverbien sind notwendig bei *setzen, stellen, legen*:

Er legt das Buch dorthin (auf den Tisch).
*Er legt das Buch.

3. Modaladverbien sind notwendig bei *sich benehmen, auftreten, sich anstellen, wirken:*

Er verhielt sich ruhig (wie ein guter Leiter).
*Er verhielt sich.

4. Manche Verben fordern ein Adverb, das einer unterschiedlichen semantischen Klasse angehören kann. Dazu gehören die Verben *sich abspielen, sich ereignen, stattfinden, entstehen:*

Das Unglück ereignete sich gestern (an diesem Tage).
Das Unglück ereignete sich dort (auf der Hauptstraße).
Das Unglück ereignete sich deshalb (aus Unvorsichtigkeit).
*Das Unglück ereignete sich.

5. Die meisten Adverbien sind jedoch nicht von der syntaktischen Valenz des Verbs abhängig, sondern sind valenzunabhängige, freie Angaben, die sich syntaktisch mit vielen Verben verbinden lassen:

Er	arbeitet	jetzt
	schläft	dort
	raucht	hier
	spielt	gern
	studiert	deshalb
	schwimmt	trotzdem

Semantische Verträglichkeit mit dem Verb 4.6.2.

Außer durch syntaktische Valenz gibt es Einschränkungen für die Verwendung bestimmter Gruppen der Adverbien auf Grund der semantischen Unverträglichkeit mit dem Verb.

1. Richtungsadverbien können nicht verbunden werden mit Verben, die eine Ruhelage bezeichnen:

Er setzt sich dorthin.
*Er sitzt dorthin.
Er steht draußen.
*Er steht von draußen.

2. Umgekehrt können sich Ortsadverbien nicht mit Verben verbinden, die eine Richtung oder Bewegung bezeichnen:

Er legt das Buch dorthin.
*Er legt das Buch dort.

3. Einige Temporaladverbien können nicht mit bestimmten Tempora des Verbs kombiniert werden.

(1) Kein Futur ist möglich bei den Temporaladverbien *gestern, soeben, vorhin:*

Er kommt soeben.
Er kam soeben.
*Er wird soeben kommen.

(2) Kein Präteritum ist möglich bei Temporaladverbien wie *morgen, übermorgen:*

Er kommt morgen.
Er wird morgen kommen.
*Er kam morgen.

4. Einige Temporaladverbien können nur mit durativen Verben verbunden werden:

Er arbeitete lange.
Er schwamm lange.
*Er kam lange.
*Er begann lange.

Artikelwörter 5.

Wesen und syntaktische Beschreibung 5.1.

Abgrenzung als Wortklasse 5.1.1.

Die Artikelwörter sind durch folgende Merkmale charakterisiert:

1. Die Artikelwörter stehen immer vor einem Substantiv:

Der Freund spricht.
Mein Arzt kommt morgen.
Alle Studenten haben die Prüfungen bestanden.

Anmerkungen:
(1) Zwischen das Artikelwort und das Substantiv können andere Wörter (vor allem: Adjektive, Partikeln) treten, weil das Artikelwort die substantivische Gruppe eröffnet und mit dem zugehörigen Substantiv einen Rahmen bildet:

der ihm vertraute und jederzeit hilfsbereite *Kollege*

Dieser Rahmen kann nicht gesprengt werden; wohl aber können sich hinter dem Substantiv noch weitere Substantive (im Genitiv oder mit Präposition) als Attribute anschließen (vgl. dazu 15.1.3.3.):

der sehr gute Freund und Helfer *der Kranken*
der schöne Baum *mit den vielen Kirschen*

(2) Wenn zwei Substantive *ein* Objekt der Realität bezeichnen, steht das Artikelwort nur vor dem ersten Substantiv:

Die Entscheidung trifft *der* Lehrausbilder und Abteilungsleiter.

Wenn jedoch *zwei* Objekte der Realität bezeichnet werden, müssen auch zwei Artikelwörter stehen:

Die Entscheidung treffen *der* Lehrausbilder und *der* Abteilungsleiter.

2. Mit einem Artikelwort kann kein anderes Artikelwort koordinativ verbunden werden:

Der Freund spricht.
Mein Freund spricht.
**Der mein* Freund spricht.
**Mein der* Freund spricht.

Anmerkung:
Wenn vereinzelt zwei Artikelwörter im konkreten Satz nebeneinanderstehen, so sind folgende Fälle unterscheidbar:

(1) Es handelt sich um zwei verschiedene Grundstrukturen, um subordinative Beziehungen zwischen Artikelwörtern:

Er antwortet auf *meine diese* Angelegenheit betreffende Frage.
← Er antwortet auf *meine* Frage. Die Frage betrifft *diese* Angelegenheit.

Eine Subordination anderer Art liegt vor in:

diese meine Frage
alle diese Fragen

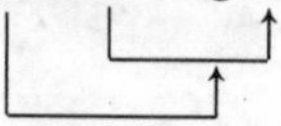

(2) Es handelt sich nicht um zwei Artikelwörter, sondern um ein Artikelwort, um eine Variante ohne wesentlichen Bedeutungsunterschied:

Er hat *manch ein* Buch darüber gelesen.
Er hat *manches* Buch darüber gelesen.

Ebenso: welch ein, solch ein

3. Das Artikelwort kann seine Position im Satz niemals allein, sondern immer nur zusammen mit dem zugehörigen Substantiv ändern:

Der Freund kommt heute zu mir.
Heute kommt *der Freund* zu mir.
**Freund der* kommt heute zu mir.
**Freund* kommt heute *der* zu mir.

4. Die Artikelwörter kongruieren mit dem zugehörenden Substantiv (und einem dazwischenstehenden Adjektiv) in Genus, Kasus und Numerus:

Der (neue) *Freund / Die* (neue) *Freundin* kommt heute zu mir.
Der (neue) *Freund* kommt. Ich rufe *den* (neuen) *Freund.*
Wir besuchen *den* (neuen) *Freund / die* (neuen) *Freunde.*

5. Das Auftreten der Artikelwörter ist obligatorisch; das gilt auch für den Nullartikel.

Anmerkung:
Von den genannten Merkmalen gilt 3. auch für die Partikeln und die attributiven Adjektive, 1. auch für die Partikeln und die flektierten attributiven Adjektive. Das unter 4. genannte Merkmal gilt außer für die Artikelwörter auch für die attributiven Adjektive; aber im Unterschied zu ihnen stellen die Artikelwörter – ähnlich wie die Partikeln, für die das unter 4. genannte Merkmal nicht zutrifft – keine potentielle Prädikation (vgl. 15.1.1.) dar.

Liste der Artikelwörter 5.1.2.

Entsprechend den unter 5.1.1. genannten Merkmalen gehören folgende Wörter zu den Artikelwörtern:[1]

Maskulinum	*Neutrum*	*Femininum*	*Plural*
der	**das**	**die**	**die**
derjenige	dasjenige	diejenige	diejenigen
ein	**ein**	**eine**	
Nullartikel	**Nullartikel**	**Nullartikel**	**Nullartikel**
dieser	**dieses** (dies)	**diese**	**diese**
jener	**jenes**	**jene**	**jene**
welcher	**welches**	**welche**	**welche**
welch ein	welch ein	welch eine	
jeder	**jedes**	**jede**	
jedweder	jedwedes	jedwede	jedwede
mancher	**manches**	**manche**	**manche**
manch ein	manch ein	manch eine	
(aller)	**(alles)**	**(alle)**	**alle**
			alle die (diese, jene, meine)
(all der/dieser/ jener/mein)	(all das/ dieses/ jenes/mein)	(all die/diese/ jene/meine)	all die (diese, jene, meine)
(einiger)	**(einiges)**	**(einige)**	**einige**
(etlicher)	**(etliches)**	**(etliche)**	**etliche**
			mehrere
(irgendwelcher)	**(irgendwelches)**	**(irgendwelche)**	**irgendwelche**
derselbe	**dasselbe**	**dieselbe**	**dieselben**
dieser/jener selbe	dieses/jenes selbe	diese/jene selbe	diese/jene selben
mein[2]	**mein**	**meine**	**meine**
dessen/deren	dessen/deren	dessen/deren	dessen/deren
wessen	wessen	wessen	wessen
kein	**kein**	**keine**	**keine**
irgendein	**irgendein**	**irgendeine**	
ein solcher	**ein solches**	**eine solche**	**solche**
solch ein	solch ein	solch eine	

Zu den Artikelwörtern werden also gerechnet:

(1) der bestimmte Artikel (*der*), der unbestimmte Artikel (*ein*) und der Nullartikel;

(2) das adjektivische Demonstrativpronomen (*dieser, jener, derjenige, derselbe, dieser/jener selbe, ein solcher, solch ein*);

---

[1] Einige Artikelwörter verfügen über Varianten, die deren Bedeutung modifizieren und / oder nur in bestimmten Umgebungen möglich sind. Diese Varianten stehen – ohne Fettdruck – unter dem betreffenden Artikelwort. Die in ( ) stehenden Artikelwörter bzw. Varianten können nur vor bestimmten Substantiven im Singular stehen.

[2] *Mein* steht hier für alle Possessiva: *dein, sein, ihr, unser, euer, ihr, Ihr.*

(3) das adjektivische Possessivpronomen (*mein, dessen, deren, wessen*);
(4) das adjektivische Interrogativpronomen (*welcher, welch ein*);
(5) das adjektivische Indefinitpronomen bzw. Indefinitnumerale (*jeder, jedweder, mancher, aller, einiger, etlicher, mehrere, irgendwelcher, kein, irgendein*).

5.1.3. Aussonderung von scheinbaren Artikelwörtern

Einige Wörter erscheinen in der gleichen Position (1. bis 4.) oder in der gleichen Form (5. und 6.) wie die Artikelwörter. Trotzdem können sie nach den Merkmalen unter 5.1.1. nicht als Artikelwörter betrachtet werden.

1. Auch die *Adjektive* stehen vor dem Substantiv, verändern ihre Position nur zusammen mit dem Substantiv und kongruieren mit ihm in Genus, Kasus und Numerus:

Er sieht ein *schönes* Auto.
Ein *schönes* Auto sieht er.
Sie haben jetzt eine *neue* Wohnung bekommen.
Eine *neue* Wohnung haben sie jetzt bekommen.

Aber im Unterschied zum Artikelwort kann vor dem Adjektiv grundsätzlich noch ein Artikelwort stehen.

2. Dasselbe trifft auf die *Kardinalzahlen* zu, vor denen auch andere Artikelwörter stehen können:

Die (diese, meine) *zwei* Freunde sind gekommen.
Die (diese, ihre) *drei* Kinder sind verunglückt.

3. Dasselbe trifft auf einige *Indefinitpronomina* bzw. *unbestimmte Zahladjektive* zu, vor denen auch andere Artikelwörter stehen können:

Die (diese, meine) *vielen* Freunde sind gekommen.

Ebenso: wenige, beide, sämtliche

4. Auch der *vorangestellte Genitiv* ist kein Artikelwort, weil der Genitiv auch nachgestellt erscheinen kann und bei Voranstellung Nullartikel angenommen werden muß:

Peters Freund kommt.
← *Der/ein* Freund *Peters* kommt.

5. *der, die, das, welche(r/s), dessen, deren* als *Relativpronomen* gehören nicht zu den Artikelwörtern, weil sie nicht vor einem Substantiv stehen, sondern selbst die substantivische Position einnehmen:

Das ist der Freund, *der* (*welcher*) gestern gekommen ist.
Das ist der Tag, *dessen* wir uns erinnern.

Im Unterschied dazu gehört das relative Possessivpronomen zu den Artikelwörtern (vgl. 5.1.2.):

Morgen kommt mein Freund, *dessen* Buch soeben erschienen ist.

6. Ebenso werden als Artikelwort nicht betrachtet alle Wörter in der *Position* eines *Substantivs*, auch wenn sie in der Position vor dem Substantiv Artikelwörter sind:

Jeder wird sprechen.

Ebenso: einer, mancher, dieser, meiner

Formenbestand 5.2.

Deklination 5.2.1.

1. Die meisten Artikelwörter werden – ausgenommen Gen. Mask./Neutr. (vgl. 3.1.1.2.) – wie Adjektive dekliniert:

	Maskulinum	*Neutrum*	*Femininum*	*Plural*
N	dies-er	dies-es	dies-e	dies-e
A	dies-en	dies-es	dies-e	dies-e
D	dies-em	dies-em	dies-er	dies-en
G	dies-es	dies-es	dies-er	dies-er

2. Von diesem normalen Deklinationstyp weichen folgende Artikelwörter ab:

(1) der bestimmte Artikel (*der*)

	Maskulinum	*Neutrum*	*Femininum*	*Plural*
N	d-er	d-**as**	d-**ie**	d-**ie**
A	d-en	d-**as**	d-**ie**	d-**ie**
D	d-em	d-em	d-er	d-en
G	d-es	d-es	d-er	d-er

(2) die Demonstrativpronomina *derjenige* und *derselbe*

	Maskulinum	*Neutrum*	*Femininum*	*Plural*
N	derjenig-**e**	dasjenig-**e**	diejenig-e	diejenig-**en**
A	denjenig-en	dasjenig-**e**	diejenig-e	diejenig-**en**
D	demjenig-**en**	demjenig-**en**	derjenig-**en**	denjenig-en
G	desjenig-**en**	desjenig-**en**	derjenig-**en**	derjenig-**en**

(3) der unbestimmte Artikel (*ein*), die Indefinitpronomina *irgendein* und *kein* sowie die Possessivpronomina *mein, dein* usw.

	Maskulinum	*Neutrum*	*Femininum*	*Plural*
N	mein –	mein –	mein-e	mein-e
A	mein-en	mein –	mein-e	mein-e
D	mein-em	mein-em	mein-er	mein-en
G	mein-es	mein-es	mein-er	mein-er

Anmerkungen:
1. Die Artikelwörter *ein* und *irgendein* haben keinen Plural. Sie werden im Plural durch den Nullartikel oder *irgendwelche* ersetzt:

Er hat *einen* Freund. – Er hat Freunde.
Gib mir bitte *ein/irgendein* Buch! – Gib mir bitte *irgendwelche* Bücher!

Das Artikelwort *solcher* lautet im Singular gewöhnlich *ein solcher:*

Sie wünscht sich *eine solche* Kette.

Im Plural verhält sich *solcher* wie andere pluralfähige Artikelwörter:

Sie wünscht sich *solche* (diese, jene ...) Ohrringe.

2. Die Artikelwörter *dessen, deren* und *wessen* können nicht dekliniert werden:

Er hat einen Freund. *Dessen* Bruder ist krank.
Wessen Bruder ist krank?

Die Wahl der Formen *dessen* oder *deren* richtet sich nach Genus und Numerus des Bezugswortes im übergeordneten oder vorangehenden Satz, nicht nach Genus und Numerus des folgenden Substantivs:

Peter hat eine Freundin. – Ich kenne *dessen* Freundin nicht.
Monika hat eine Freundin. – Ich kenne *deren* Freundin nicht.
Monika hat einen Freund. – Ich kenne *deren* Freund nicht.

3. Zu der neutralen Form von *dieser* (Nom. und Akk. Singular) gibt es die Kurzform *dies*:

Dies Buch gefällt mir.
Er kauft sich *dies* Buch.

4. Bei den Artikelwörtern *all der* (*dieser, jener, mein* usw.), *welch ein, solch ein* und *manch ein* wird der erste Teil niemals dekliniert:

All die (diese, jene, meine) Freunde sind gekommen.
Ich habe mit *all den* (diesen, jenen, meinen) Freunden gesprochen.
Welch ein Wetter ist heute!
Er hat uns schon wieder *solch eine* Überraschung bereitet.
Er hat sich *manch eine* Stunde (*manch einen* Tag) mit Mathematik beschäftigt.

5. Die Artikelwörter *welch ein, solch ein* und *manch ein* haben keinen Plural. Sie werden im Plural durch *welche, solche* und *manche* ersetzt:

Welch ein schönes Buch hast du mir mitgebracht!
Welche schönen Bücher hast du mir mitgebracht!
Manch eine Frage ist noch nicht geklärt.
Manche Fragen sind noch nicht geklärt.
Der Rechtsanwalt ist für *solch einen* Fall nicht zuständig.
Der Rechtsanwalt ist für *solche* Fälle nicht zuständig.

6. Das Artikelwort *mehrere* kann nur im Plural verwendet werden:

Mehrere Freunde haben schon einen Vortrag gehalten.

 Mehrere ist nicht mit *mehr* (= Komparativ zu *viel*) zu verwechseln:

Ich habe mir *mehrere* (= einige) Bücher gekauft.
Er besitzt *mehr* Bücher als ich.

7. Die Artikelwörter *einige, etliche* und *alle* können im Singular nur stehen

(1) bei Stoffbezeichnungen;

(2) bei Abstrakta, die eine unterschiedliche, aber nicht an einem Gegenstand meßbare Intensität (wie Länge, Breite, Höhe, Dicke, Gewicht, Druck, Stärke u. a.) haben können:

Er hat schon *einiges* (*etliches, alles*) Geld verbraucht.
Aus dem Reifen ist *einige* (*etliche, alle*) Luft entwichen.
Er hat schon in frühester Jugend *einigen* (*etlichen, allen*) Ruhm erworben.
Für diese Arbeit muß er *einige* (*etliche, alle*) Zeit verwenden.

Die Artikelwörter *einige* und *etliche* werden im Singular vor allem in der Umgangssprache verwendet.
Alle konkurriert im Singular mit dem Adjektiv *ganz*:

Sie hat schon *das ganze* Geld verbraucht.

8. Das Artikelwort *jeder* wird im Plural durch *alle* ersetzt:

Jeder Freund wird einen Vortrag halten.
Alle Freunde werden einen Vortrag halten.

9. Bei *welcher* ist im Gen. M/N vor Substantiven des Typs 1 auch die Endung -*n* – wie bei Adjektiven mit Nullartikel – möglich:

Welche*n* Mannes gedenkt ihr?

Kongruenz zwischen Artikel, Adjektiv und Substantiv 5.2.2.

Artikel, Adjektiv und Substantiv kongruieren miteinander in Genus, Kasus und Numerus. Die folgende Übersicht zeigt die Kongruenzverhältnisse aller Artikelwörter:[1]

1. Mask. und Neutr. Sing.

(1) N	Nullartikel, ein, irgendein, kein, mein, ein solcher	großer Erfolg
(2) N	der, derjenige, derselbe, dieser, jener, jeder, [aller][2], mancher, welcher, [irgendwelcher], [einiger], [etlicher]	große Erfolg
(3) A	Nullartikel, einen, irgendeinen, keinen, meinen, den, denjenigen, denselben, diesen, welchen, [irgendwelchen], [einigen], [etlichen], einen solchen	großen Erfolg
(4) N/A	Nullartikel, ein, irgendein, kein, mein, ein solches	großes Glück
(5) N/A	das, dasjenige, dasselbe, dieses, jenes, jedes, [alles], manches, welches, [irgendwelches], [etliches]	große Glück

[1] Zur Deklination des Adjektivs vgl. 3.1.1.
[2] In eckigen Klammern stehende Artikelwörter kommen nur unter bestimmten Einschränkungen vor. Vgl. Anm. unter 5.2.1.

(6) G	Nullartikel, eines, irgendeines, keines, meines, des, desjenigen, desselben, dieses, jenes, jedes, [alles], manches, welches, [irgendwelches], [einiges], [etliches], eines solchen	großen Erfolgs großen Glücks
(7) D	Nullartikel	großem Erfolg großem Glück
(8) D	einem, irgendeinem, keinem, meinem, dem, demjenigen, demselben, diesem, jenem, jedem, [allem], manchem, welchem, [irgendwelchem], [einigem], [etlichem], einem solchen	großen Erfolg großen Glück

2. Fem. Sing.

(9) N/A	Nullartikel, eine, irgendeine, keine, meine, die, diejenige, dieselbe, diese, jene, jede, [alle], manche, welche, [irgendwelche], [einige], [etliche], eine solche	große Freude
(10) G/D	Nullartikel	großer Freude
(11) G/D	einer, irgendeiner, keiner, meiner, der, derjenigen, derselben, dieser, jener, jeder, [aller], mancher, welcher, [irgendwelcher], [einiger], [etlicher], einer solchen	großen Freude

3. Plural

(12) N/A	Nullartikel, einige, etliche, mehrere, (manche), (welche), (irgendwelche), (solche)[1]	große Erfolge große Ereignisse große Freuden
(13) N/A	die, diejenigen, dieselben, diese, jene, alle, meine, keine, (manche), (welche), (irgendwelche), (solche)	großen Erfolge großen Ereignisse großen Freuden
(14) G	Nullartikel, einiger, etlicher, mehrerer, (mancher), (welcher), (irgendwelcher), (solcher)	großer Erfolge großer Ereignisse
(15) G	der, derjenigen, derselben, dieser, jener, aller, meiner, keiner, (mancher), (welcher), (irgendwelcher), (solcher)	großen Erfolge großen Ereignisse großen Freuden

[1] Bei den in runden Klammern stehenden Artikelwörtern werden die folgenden Adjektive im Nom. und Akk. wie unter (12) oder wie unter (13) und im Gen. wie unter (14) und (15) dekliniert. Vgl. dazu 3.1.1.

(16) D	Nullartikel, den, denjenigen, denselben, diesen, jenen, allen, manchen, welchen, irgendwelchen, einigen, etlichen, mehreren, meinen, keinen, solchen	großen Erfolgen großen Ereignissen großen Freuden

Anmerkungen:
1. Nach undekliniertem *manch, welch* und *solch* verhalten sich die Adjektive wie nach dem Nullartikel.

2. Nach *manch ein(e), welch ein(e)* und *solch ein(e)* werden die Adjektive wie nach *ein(e)* dekliniert.

Semantische Beschreibung der Artikelwörter 5.3.

(außer dem bestimmten Artikel, dem unbestimmten Artikel und dem Nullartikel)

Alle Artikelwörter (außer dem bestimmten, dem unbestimmten und dem Nullartikel) haben eine klar abgrenzbare Bedeutung, die semantisch-lexikalisch festgelegt werden kann:

(1) **derjenige**
Identifizierung durch Erläuterung in folgendem Relativsatz (verstärkend für *der*):

> Wir treffen uns heute mit *denjenigen* Freunden, die an der Reise nach Ungarn teilnehmen werden.

(2) **dieser**
Identifizierung durch Bezug auf Naheliegendes oder unmittelbar vorher Erwähntes:

> Er wohnt in *diesem* Haus hier.

(3) **jener**
Identifizierung durch Bezug auf Entferntes oder nicht unmittelbar vorher Erwähntes:

> Siehst du *jenes* Haus dort drüben?

(4) **welcher**
Frage nach einer Einheit aus einer gliederbaren Gesamtheit:

> In *welchem* Geschäft kauft Herr Müller?

(4a) Variante: **welch ein(e)**
Heraushebung einer Einheit aus einer gliederbaren Gesamtheit. Betonung der positiven oder negativen Besonderheit dieser Einheit, vor allem in Ausrufen:

> *Welch ein* (herrliches, schlechtes) Wetter ist heute!

(5) jeder

Die alle Exemplare einschließende Gesamtheit, Bezug auf jedes einzelne Exemplar, nur im Singular:

> *Jeder* Student hat einen Vortrag vorbereitet (d. h. 10 Studenten = 10 Vorträge).

(5a) Variante: **jedweder** (lit.)

Verstärkung der Bedeutung von *jeder:*

> *Jedweder* Student (ohne irgendeine Ausnahme) soll einen Vortrag halten.

(6) mancher

Eine diskontinuierliche Nicht-Gesamtheit mit der Möglichkeit von mehr als einer Einheit (in einer Gruppe eine Anzahl vereinzelter Exemplare):

> In *manchen* Schreibwarengeschäften kann man auch Briefmarken kaufen.

(6a) Variante: **manch ein(e)**

Diskontinuierliche Nicht-Gesamtheit, Hervorhebung der Vielheit:

> Er hat sich schon *manch eine* Stunde mit diesem Problem beschäftigt.

(7) alle(r)

Gesamtheit eines ungegliederten Begriffs (Stoffbezeichnungen, Abstrakta) im Singular bzw. aller Exemplare eines gegliederten Begriffs im Plural, kein notwendiger Bezug auf jedes einzelne Exemplar:

> *Alle* Studenten haben einen Vortrag vorbereitet (d. h. 10 Studenten = 10 Vorträge oder 10 Studenten = 1 Vortrag).
> Er hat *allen* Mut verloren.

(7a) Variante: **all(e) die / jene**

= *alle(r)*, jedoch Situationsbestimmtheit des Umfangs der Gesamtheit:

> *All die* (diese, jene) Studenten werden ihren Vortrag halten.

(8) einige(r)

Nicht-Gesamtheit, im Singular nur bei ungegliederten Begriffen (Stoffbezeichnungen, Abstrakta), im Plural nur bei gegliederter Vielheit (= geringe Zahl von Exemplaren einer Gruppe):

> Er hat schon *einiges* Geld verbraucht.
> Dazu ist *einiger* Mut nötig.
> Sie hat *einige* Freundinnen eingeladen.

(9) etliche(r)

Nicht-Gesamtheit, im Singular nur bei ungegliederten Begriffen (Stoffbezeichnungen, Abstrakta), im Plural nur bei gegliederter Vielheit:

Er hat schon *etliches* Geld verbraucht.
Dazu war *etlicher* Mut nötig.
Mein Freund hat *etliche* alte Goldmünzen.

(10) **mehrere**
Nicht-Gesamtheit, die gegliedert ist und aus mehr als einer Einheit besteht (vgl. *einige*, aber nur im Plural):

Klaus will noch *mehrere* Fragen stellen.

(11) **irgendwelche(r)**
Beliebige oder nicht bekannte Nicht-Gesamtheit (unbestimmte Einzelexemplare einer Gruppe):

Hat noch jemand *irgendwelche* Fragen?

(12) **derselbe**
a) Identifizierung durch Ausschluß aller anderen Exemplare derselben Gattung, nicht situationsgebunden:

Er kauft immer in *demselben* Geschäft.

b) Identifizierung in einer bestimmten Situation oder durch Bezug auf vorher Erwähntes:

Peter kauft immer in dem Geschäft am Bahnhof. Inge kauft in *demselben* Geschäft (wie Peter).

(12a) Variante: **dieser selbe / jener selbe**
Identifizierung in einer bestimmten Situation oder durch Bezug auf vorher Erwähntes:

Peter kauft nun schon zehn Jahre hier in *diesem selben* Geschäft.

(13) **mein**
Zugehörigkeit zu einem Besitzer, Urheber o. ä.:

Ich treffe mich heute mit *meinem* Freund.
Sein Vortrag war sehr interessant.

(13a) Variante: **dessen / deren**
Zugehörigkeit zu einem vorher genannten Besitzer, Urheber o. ä., niemals zur angesprochenen Person:

Kennst du Peters Freund? – Nein, *dessen* Freund kenne ich nicht.

(13b) Variante: **wessen**
Zugehörigkeit zu einem unbekannten und erfragten Besitzer, Urheber o. ä.:

Wessen Bleistift ist das?

(14) **kein**
Verneinung

Kein Student wird heute einen Vortrag halten.
Dazu war überhaupt *kein* Mut nötig.

Anmerkungen:
Mit Hilfe einiger Artikelwörter ist eine Graduierung der Anzahl, des Maßes, der Menge bzw. der Intensität möglich:

(1) bei Gegenständen und Personen im Singular:

kein – ein – mancher – jeder

(2) bei Stoffbezeichnungen und bei Abstrakta mit unterschiedlichem, aber am Gegenstand nicht meßbarem Intensitätsgrad:

kein – (weniger)[1] *– einiger – etlicher – (viel) – aller*

(3) bei Gegenständen und Personen im Plural:

keine – (wenige) – manche – einige / mehrere – etliche – (viele) – alle

(15) **irgendein**
Einzelne Einheit als beliebige oder nicht bekannte Nicht-Gesamtheit (unbestimmtes Einzelexemplar einer Gruppe):

Ich werde ihm *irgendein* Buch schenken.

(16) **ein solcher / solche**
Durch Bezug auf ein kontextuell genanntes Exemplar qualitativ bestimmte Einheit (bzw. auf vorher genannte Exemplare qualitativ bestimmte Einheiten) aus einer gliederbaren Gesamtheit qualitativ gleicher Elemente:

Er wünscht sich auch *einen solchen* Freund.
Ich möchte auch *solche* Schuhe haben.

(16a) Variante: **solch ein(e)**
Eine durch Bezug auf ein vorher genanntes Exemplar qualitativ bestimmte Einheit aus einer gliederbaren Gesamtheit qualitativ gleicher Elemente:

Er wünscht sich auch *solch einen* Freund.

5.4. Gebrauch des bestimmten, des unbestimmten und des Nullartikels

Im Unterschied zu den anderen Artikelwörtern (vgl. 5.3.) haben der bestimmte, der unbestimmte und der Nullartikel keine klar abgrenzbare Bedeutung. Ihr Gebrauch ist von verschiedenen – syntaktischen und semantischen – Bedingungen abhängig.

[1] *wenig* und *viel* sind keine Artikelwörter. Vgl. dazu 5.1.3.3.

Bestimmter Artikel 5.4.1.

Der bestimmte Artikel signalisiert vor allem die *Identifizierung* (= die Eindeutig-Machung) von Objekten der außersprachlichen Realität. Diese Identifizierung ist auf verschiedenem Wege möglich: Die Objekte der Realität werden eindeutig durch Individualisierung, durch den Situationskontext, durch den sprachlichen Kontext oder durch Generalisierung.

Identifizierung durch Individualisierung 5.4.1.1.

Der bestimmte Artikel signalisiert die Identifizierung von Objekten der Realität durch Individualisierung. Dabei handelt es sich um Objekte, die in der Welt nur einmal oder zumindest immer in der gleichen charakteristischen Qualität existieren, vor allem um geographische Objekte und um Personen. Die entsprechenden Bezeichnungen – geographische Eigennamen und Personennamen – sind auf eine Numerusform (zumeist Singular) festgelegt.

die → Elbe

1. Der bestimmte Artikel steht vor den Namen von Gebirgen, Bergen, Meeren, Seen, Flüssen und Gestirnen:[1]

> *die* Alpen, *der* Elbrus, *der* Atlantik, *der* Baikal(see), *die* Elbe, *die* Venus, *die* Erde

2. Der bestimmte Artikel steht vor den Namen einiger Länder und Landschaften

(1) bei den pluralischen Namen:

> *die* Vereinigten Staaten von Amerika, *die* Niederlande

(2) bei den mit *Republik, Union, Staat, Königreich* u. a. gebildeten Namen und den entsprechenden Abkürzungen:

> *die* Sowjetunion – *die* UdSSR
> *die* Volksrepublik Polen – *die* VRP
> *die* Deutsche Demokratische Republik – *die* DDR
> *die* Tschechoslowakische Sozialistische Republik – *die* ČSSR
> *die* Vereinigten Staaten von Amerika – *die* USA
> *das* Königreich Schweden

(3) bei den Namen auf *-ei*:

> *die* Tschechoslowakei, *die* Türkei

---

[1] Vor diesen Eigennamen werden die Präpositionen *in* und *an* immer mit *dem* zusammengezogen:

> *am* Bodensee, *im* Mittelmeer

(4) bei einigen anderen Ländernamen:[1]

> *die* Schweiz, *der* Sudan, *der* Libanon

(5) bei den Landschaftsnamen auf *-ie*, *-e* und *-a*:

> *die* Normandie, *die* Bretagne, *die* Riviera, *die* Dobrudscha

(6) bei den Landschaftsnamen mit einem Adjektiv:[1]

> *der* Ferne Osten, *der* Hohe Norden

(7) bei einigen anderen geographischen Namen (Landschaften, Inseln u. ä.):[2]

> *der* Darß, *der* Balkan, *der* Peloponnes, *der* Bosporus, *die* Lausitz, *die* Pfalz, *die* Krim, *das* Elsaß, *das* Engadin, *die* Dardanellen

Anmerkungen:
(1) Die meisten Länder- und viele Landschaftsnamen stehen mit Nullartikel (vgl. 5.4.3.4.2. unter 2. und 3.):

> Polen, Schweden, Sachsen, Sibirien

(2) Bei einigen Ländernamen schwankt der Gebrauch zwischen bestimmtem Artikel und Nullartikel:

> (*der*) Irak, (*der*) Iran, (*der*) Jemen

(3) Ortsnamen stehen mit Nullartikel (vgl. 5.4.3.4.2. unter 4.), erhalten jedoch bei Attribuierung den bestimmten Artikel:

> Er besuchte *das* alte Prag.

(4) Innerhalb der geographischen Namen lassen sich folglich drei Gruppen unterscheiden:

(a) solche mit bestimmtem Artikel (Gebirge, Berge, Meere, Seen, Flüsse, Gestirne),

(b) solche mit Nullartikel (Ortsnamen),

(c) solche mit Nullartikel und bestimmtem Artikel (Länder- und Landschaftsnamen).

(5) Namen für Inseln haben in der Regel den Nullartikel, wenn sie in der Singularform auftreten (z. B. *Rügen*, *Sachalin*), jedoch den bestimmten Artikel, wenn sie in einer Pluralform lexikalisiert sind (z. B. *die Kurilen*).

3. Der bestimmte Artikel steht bei Namen von Straßen, Gebäuden, Einrichtungen, Schiffen

> *die* Talstraße, *die* Thomaskirche, *das* (Hotel) „Berolina“, *die* „Rostock“

---

[1] Vor diesen Eigennamen wird die Präposition *in* immer mit *dem* zusammengezogen:

> *im* Libanon, *im* Fernen Osten

[2] Vor diesen Eigennamen werden die Präpositionen *in* und *an* immer mit *dem* zusammengezogen

> *im* Elsaß, *am* Bosporus

Anmerkung:
Wird der Name als Vertreter einer Klasse gebraucht, steht der unbestimmte Artikel (vgl. 5.4.1.4.):

In Dresden gibt es auch *eine* Talstraße.

4. Der bestimmte Artikel steht zur Identifizierung bei Personennamen

(1) (a) bei Schauspielerrollen und Kunstwerken

Er spielte *den* Egmont ausgezeichnet.
Er hat *die* Sixtinische Madonna gesehen.

Anmerkung:
Bei Titeln von Bühnenwerken ist auch der Nullartikel möglich (vgl. 5.4.3.4.1.4.):

Heute wird „Egmont" gespielt.

(b) Der bestimmte Artikel wird zuweilen auch vor weiblichen Namen (Familiennamen) verwendet, teils mit aufwertender Funktion (vor allem bei Künstlerinnen), teils (nur ugs.) in abwertender Funktion:

Die (Gisela) May hat die Gäste tief beeindruckt.
Die Schmidt hat unberechtigterweise ein fremdes Auto benutzt.

(2) vor Berufs- oder Tätigkeitsbezeichnungen und vor Titeln mit Attribut (dem Namen voran- oder nachgestellt):

der Schriftsteller Strittmatter
Der Außenminister der Sowjetunion, Gromyko, war in Paris.
Hans Müller, *der* Direktor, eröffnete die Versammlung.

Anmerkungen:
1. Wenn der Titel zum Namen gehört und kein Attribut hat, steht der Nullartikel (vgl. 5.4.3.4.1.2.):

Direktor Müller
Doktor Braun

In einigen Fällen wird nicht deutlich, ob die Tätigkeitsbezeichnung als Titel oder als reine Tätigkeitsbezeichnung gebraucht ist; deshalb stehen nebeneinander:

der Außenminister Gromyko
Außenminister Gromyko

2. Wenn nachgestellte Titel noch ein substantivisches Attribut bei sich haben, kann der bestimmte oder der Nullartikel stehen:

Karl Meyer, (*der*) Direktor des VEB Elektrogerätebau, eröffnete die Beratung.
Peter Sänger, (*der*) Leiter des Projektierungsbüros, unterbreitete einen neuen Rationalisierungsvorschlag.

5. Der bestimmte Artikel steht bei Namen von Zeitungen und Zeitschriften:

Er hat *das* „Neue Deutschland“ von heute gelesen.
Er will *den* „Eulenspiegel“ kaufen.

Anmerkung:
Im Nominativ tritt bei fremdsprachigen und vereinzelt bei deutschsprachigen Zeitungstiteln auch der Nullartikel auf (vgl. dazu 5.4.3.4.4. unter *Anm. 3.*):

„Rudé Pravo“ kündigte eine neue Artikelserie an.
„Neues Deutschland“ berichtete von dieser Konferenz.

5.4.1.2. Identifizierung durch Situationskontext

Der bestimmte Artikel steht vor Substantiven, wenn die ihnen entsprechenden Objekte der Realität durch den Situationskontext identifiziert sind. Obwohl diese Objekte nicht nur einmal in der Welt vorkommen, werden sie eindeutig durch eine einheitliche Vorstellung innerhalb einer (kleineren oder größeren) Sprachgemeinschaft:

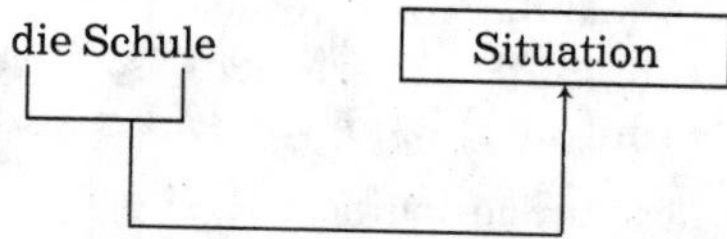

1. Der bestimmte Artikel steht bei nicht pluralfähigen Abstrakta:

Er kämpft für *die* Gerechtigkeit.
Die Werktätigen wollen *im* Frieden leben.

Anmerkung:
Solche Abstrakta sind jedoch auch mit Nullartikel möglich:

Er kämpft für Gerechtigkeit.

Vgl. dazu genauer 5.4.3.2.3.

2. Der bestimmte Artikel steht bei nicht pluralfähigen Zeitangaben (Jahreszeiten, Monaten, Tageszeiten, Mahlzeiten):

Der Frühling beginnt im März.
Der Mai ist ein schöner Monat.
Das Frühstück wird um 7 Uhr eingenommen.

Anmerkungen:
(1) Wird das nicht pluralfähige Abstraktum oder die nicht pluralfähige Zeitangabe durch ein Attribut als Vertreter einer Klasse angesehen, steht der unbestimmte Artikel (vgl. 5.4.1.4.):

Er führt *ein* angenehmes Leben.
Im vergangenen Jahr hatten wir *einen* langen Winter.

(2) Bei Zeitbegriffen ohne Präposition kann auch der Nullartikel stehen, wenn vor dem Stubstantiv ein Adjektiv steht, bei Wochentagen auch ohne Adjektiv (vgl. 5.4.3.2.4.):

Der Kurs beginnt nächstes Frühjahr.
Die Feier findet Dienstag abend statt.

(3) Bei Zeitbegriffen in *sein*-Sätzen vom Typ „*es* + *sein* + Nominativ" steht der Nullartikel (vgl. 5.4.3.3.9.):

Es ist schon Abend.
Es wird Frühling.

3. Der bestimmte Artikel steht bei Substantiven, wenn die ihnen entsprechenden Objekte der Realität durch die Situation eindeutig für Sprecher und Hörer identifiziert sind:

Ein Mann kommt in eine Dorfgaststätte und ruft: „*Die* Kirche brennt."
(Es kann sich dabei nur um die Kirche des betreffenden Dorfes handeln).

4. Der bestimmte Artikel steht bei Kollektiva, die für die Sprechergemeinschaft identisch sind:

Die Bevölkerung wurde zu einer Spendenaktion aufgerufen.
Die Schulleitung hat den Termin für die Elternbeiratswahlen festgelegt.

Anmerkung:
Wird jedoch das Substantiv durch ein Attribut als Vertreter einer Klasse betrachtet, steht der unbestimmte Artikel (vgl. 5.4.2.1.4.):

Dieses Land hat schon lange *eine* demokratische Regierung.
Wir haben *eine* Schulleitung, auf die wir stolz sein können.

5. Der bestimmte Artikel steht bei Marken oder Typen von Industrieerzeugnissen, wenn sie einem Kriterium der Identität entsprechen.

Der Wartburg ist ein moderner Mittelklassewagen.
Wir fliegen mit *der* TU 154.

Anmerkungen:
(1) Bei Bezeichnungen von Produkten in unbestimmter Menge steht der Nullartikel (vgl. 5.4.3.2.):

Die Mutter wäscht mit *Fewa*.	(= unbestimmte Menge)
Gebt mir doch bitte *das Fewa*!	(= Identifizierung)
Wir trinken gern *Rotwein*.	(= unbestimmte Menge)
Herr Ober, bringen Sie uns *den Rotwein*!	(= Identifizierung)

(2) Der unbestimmte Artikel steht, wenn ein beliebiges Exemplar des Typs gemeint ist (vgl. 5.4.2.1.):

Er kauft sich *einen* Skoda.

Identifizierung durch sprachlichen Kontext 5.4.1.3.

Der bestimmte Artikel steht vor Substantiven, wenn das ihnen entsprechende Objekt der Realität durch den sprachlichen Kontext identifiziert wird. Es kann sich dabei um kontextuelle, um syntaktische, um morphologische oder intonatorische Mittel handeln, die das betreffende Objekt für Sprecher und Hörer eindeutig machen.

1. Der bestimmte Artikel steht vor einem Substantiv, das im Kontext vorher erwähnt wurde und unter kommunikativem Aspekt nun nicht mehr das Neue, sondern das schon Identifizierte und Bekannte in der Mitteilung darstellt:

Dort steht ein Haus. *Das* Haus gehört meinem Freund.

Vgl. im Gegensatz dazu den Gebrauch des unbestimmten Artikels unter 5.4.2.1.1.

2. Der bestimmte Artikel steht vor einem Substantiv, wenn das ihm entsprechende Objekt der Realität durch ein Attribut näher identifiziert ist:

Das Geld, das er ihm geliehen hat, ist schon aufgebraucht.

Anmerkungen:
(1) Ist das Attribut ein vorangestelltes Genitivattribut, so steht der Nullartikel [vgl. 5.4.3.3.11. (1)]:

Karls Anzug ist modern.

(2) Wird das Substantiv durch das Attribut zum Vertreter einer Klasse, steht der unbestimmte Artikel (vgl. 5.4.2.1.4.):

Sein Sieg war *ein* bedeutendes Ereignis dieses Winters.

3. Der bestimmte Artikel steht vor einem Substantiv, das durch den Superlativ die Bedeutung der Einmaligkeit bekommt:

Goethe ist *der* bedeutendste Dichter der deutschen Klassik.

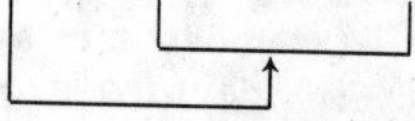

4. Der bestimmte Artikel steht vor einem Substantiv, das durch die Betonung die Bedeutung der Einmaligkeit bekommt:

Sein Sieg war *das* Ereignis dieses Winters.

5.4.1.4. Identifizierung durch Generalisierung

Der bestimmte Artikel steht vor Substantiven, wenn die ihnen entsprechenden Objekte der Realität durch Generalisierung identifiziert sind. Dabei nennt das Substantiv das Element einer Klasse, das stellvertretend für die gesamte Klasse steht:

Das Auto ist ein Verkehrsmittel

Anmerkungen:
1. In derselben Funktion können auch der unbestimmte Artikel (+ Singular) und der Nullartikel (+ Plural) stehen:

Ein Auto ist ein Verkehrsmittel.
Autos sind Verkehrsmittel.

Vgl. dazu auch 5.4.2.3. und 5.4.3.1.2.

2. Auch Eigennamen (sonst mit Nullartikel verwendet) erhalten den bestimmten Artikel, wenn sie Klassenbezeichnungen sind:

Bayreuth ist *das* Mekka der Wagnerfreunde.
Der Duden ist ein bewährtes Nachschlagewerk.

Besondere Verwendungsweisen des bestimmten Artikels 5.4.1.5.

Außer bei den verschiedenen Arten der Identifizierung tritt der bestimmte Artikel in einigen besonderen Verwendungsweisen auf.

1. Der bestimmte Artikel steht bei distributivem Gebrauch von Maßbezeichnungen (= *pro, je*; vgl. 7.3.3.):

Die Zwiebeln kosten 80 Pfennig *das* Kilo.
Wir sind 110 Kilometer *die* Stunde gefahren.

Anmerkung:
Bei Mengenangaben steht der Nominativ, bei Zeitangaben der Akkusativ:

Diese Seide kostet 8 Mark *der* Meter.
Er kommt zweimal *den* Monat zu uns.

2. Der bestimmte Artikel steht in der Konstruktion *zu* + Substantiv (+ Verb), die oft zur festen Wendung geworden ist:

Der Lehrer führt einige Sätze *zur* Illustration an.
Er stellt das Problem *zur* Diskussion.

Ebenso: zur Sprache bringen / kommen, zur Aufführung bringen / kommen, zum Schluß bringen / kommen, zur Vernunft bringen / kommen, zum Halten bringen / kommen, etwas zum Spaß machen, jemanden zum Narren halten, jemandem zur Seite stehen

Meist handelt es sich dabei um Funktionsverbgefüge (vgl. 1.4.3.).

3. Der bestimmte Artikel steht manchmal ohne inhaltliche Notwendigkeit zur Kennzeichnung der grammatischen Form, die sonst – etwa bei Dativ oder Genitiv – nicht als solche erkennbar wäre:

Er zieht Kaffee *dem* Tee vor.
Dem Peter gab Inge das Buch.
Der Patient bedarf *der* Ruhe.

5.4.2. Unbestimmter Artikel

Der unbestimmte Artikel signalisiert vor allem die *Indeterminiertheit* der bezeichneten Objekte der Realität: diese Objekte werden unbestimmt gelassen und nicht näher identifiziert. Die Indeterminiertheit kann sich auf verschiedene Weise ausprägen:

Der unbestimmte Artikel bezeichnet ein Objekt der Realität

1. als beliebiges Objekt einer Klasse
2. als Klasse
3. als Stellvertreter einer Klasse

5.4.2.1. Objekt der Realität als beliebiges Objekt einer Klasse

1. Der unbestimmte Artikel steht vor einem Substantiv, das erstmalig genannt, im Kontext vorher nicht erwähnt wird und unter kommunikativem Aspekt das Neue in der Mitteilung darstellt (im Gegensatz zum bestimmten Artikel, vgl. 5.4.1.3.1.):

> Dort steht *ein* Mann. *Der* (dieser) Mann trägt Arbeitskleidung.
> Ich möchte mir *ein* Buch kaufen. *Das* (dieses) Buch darf aber nicht mehr als zehn Mark kosten
> Es wird *ein* gebrauchtes Auto zum Verkauf angeboten. *Das* (dieses) Auto hat einen neuen Motor.

2. Der unbestimmte Artikel steht bei nicht näherer Beschreibung eines Objekts der Realität aus einer Klasse, auch wenn dieses nicht zum erstenmal genannt wird:

> Wir haben auch *ein* Auto.
> Ich werde ihm zum Geburtstag *ein* Buch schenken.
> Sie bemüht sich um *eine* Antwort auf diese Frage.
> Wir suchten lange nach *einem* Grund für sein Verhalten.

3. Der unbestimmte Artikel steht verstärkend an Stelle des bestimmten Artikels; dieser Effekt wird erreicht, indem eine identifizierte Person oder Nicht-Person formal als beliebig gesetzt wird:

> Der Ausländer braucht gerade auch *eine* semantische Erläuterung der Synonyme.
> *Eine* erfolgreiche Durchführung des Wettbewerbs erfordert die Mitarbeit aller.

4. Der unbestimmte Artikel steht bei Substantiven, die durch ein Attribut als Vertreter einer Klasse betrachtet werden, die aber ohne Attribut mit bestimmtem oder Nullartikel stehen:

> Er führt *ein* angenehmes Leben. – *Das* Leben ist angenehm.
> Wir haben *eine* sehr einsatzfreudige Schulleitung. – Ein Besucher fragte nach dem Zimmer *der* Schulleitung.
> Er trägt jetzt *eine* größere Verantwortung als bisher. – Er ist es gewohnt, Verantwortung zu tragen.

Anmerkungen:
(1) Ist das Attribut ein Nebensatz, kann der bestimmte Artikel stehen. Damit wird die Einmaligkeit hervorgehoben:

Heute ist *der* Tag, auf den ich mich schon lange gefreut habe. (= Ich habe mich auf diesen einen Tag gefreut; = Identifizierung des Tages)
Heute ist *ein* Tag, auf den ich mich schon lange gefreut habe. (= Ich habe mich auf mehrere Tage dieser Art gefreut; einer davon ist heute; = Indeterminiertheit des Tages)

(2) Ist das Attribut eine Ordinalzahl, steht der bestimmte Artikel:

Heute ist *der* fünfte Tag unseres Urlaubs.

(3) Ist das Attribut ein Superlativ, steht der bestimmte Artikel:

Heute war *der* schönste Tag unseres Urlaubs.

Vgl. dazu 5.4.1.3.3.

Objekt der Realität als Klasse 5.4.2.2.

Der unbestimmte Artikel steht vor Substantiven, die eine Klasse bezeichnen, in die ein einzelnes Objekt eingeordnet wird (in einem Satz vom Typ Nominativ + *sein* + Nominativ):

Das Auto ist *ein* Verkehrsmittel.
Die Tanne ist *ein* Nadelbaum.

Anmerkung:
Der unbestimmte Artikel steht auch bei Eigennamen, die eine Klasse bezeichnen:

Dieses Bild ist *ein* Rembrandt.

Vgl. dazu 5.4.1.4. unter *Anm. 2.*

Objekt der Realität als Stellvertreter einer Klasse 5.4.2.3.

Der unbestimmte Artikel wird gebraucht, wenn ein Substantiv ein Objekt der Realität bezeichnet, das stellvertretend für seine Klasse steht:

Ein Haus kostet viel Geld. (= Jedes Haus kostet viel Geld.)
Ein Facharbeiter muß eine gute Allgemeinbildung haben.
Ein Sonnenuntergang am Meer ist ein großes Erlebnis.

Anmerkung:
In dieser generalisierenden Funktion können auch der bestimmte Artikel (+ Singular oder Plural) und der Nullartikel (+ Plural) stehen:

Der Facharbeiter muß eine gute Allgemeinbildung haben.
Facharbeiter müssen eine gute Allgemeinbildung haben.

Vgl. dazu 5.4.1.4. unter *Anm. 1.* und 5.4.3.1.2.

In der generalisierenden Funktion ist sowohl der bestimmte als auch der unbestimmte Artikel möglich, weil das dem Substantiv entsprechende Objekt der Realität als indeterminierter Begriff identifiziert ist. Identifizierung und Indeterminiertheit fallen bei der Generalisierung zusammen; denn identifiziert wird nicht ein bestimmtes Exemplar einer Klasse, sondern ein beliebiges (indeterminiertes) Exemplar stellvertretend für die gesamte Klasse.

5.4.2.4. Besondere Verwendungsweisen des unbestimmten Artikels

Außer bei diesen verschiedenen Arten der Indeterminiertheit tritt der unbestimmte Artikel in einigen besonderen Verwendungsweisen auf.

1. Der unbestimmte Artikel steht vor Substantiven im Akkusativ in Sätzen vom Typ Nominativ + *haben* + Akkusativ:

> Er hat *einen* Sohn / Neffen / Freund / Lehrer.
> Er hat *ein* Auto / *eine* Wohnung / *einen* Wartburg.

Anmerkung:
Ebenso tritt der unbestimmte Artikel vor Substantiven im Akkusativ bei Verben wie *bekommen, sich wünschen, suchen in* u. a. auf:

> Er bekam *einen* ausgezeichneten Lehrer.
> Er sucht in ihm *eine* Hilfe.

2. Der unbestimmte Artikel steht vor Maßangaben im Akkusativ in Sätzen vom Typ Nominativ + *haben* + Akkusativ, die meist verwandelt werden können in Sätze vom Typ Nominativ + *sein* + Adjektiv:

> Die Sowjetunion hat *eine* Ost-West-Ausdehnung von 10 000 km (= ist ausgedehnt).
> Der Berg hat *eine* Höhe von 1244 m (= ist hoch).

Anmerkung:
Wird das Maß nicht in Zahlen, sondern mit Hilfe eines identifizierenden Attributs angegeben, steht der bestimmte Artikel:

> Das Schiff hat *die* Größe eines mehrstöckigen Hauses.
> Klaus hat *die* Größe seines älteren Bruders erreicht.

5.4.3. Nullartikel

Der Nullartikel wird in vielfältiger Weise verwendet. Teils dient er als Ersatzform für den unbestimmten oder bestimmten Artikel, teils ist er durch semantische Gruppen von Substantiven, teils durch bestimmte syntaktische Konstruktionen bedingt. Außerdem steht er bei Eigennamen (vor allem Personennamen und geographischen Namen).

Der Nullartikel als Ersatzform für den bestimmten und unbestimmten Artikel 5.4.3.1.

1. Der Nullartikel steht im Plural, wenn im Singular der unbestimmte Artikel steht (weil es keinen Plural des unbestimmten Artikels im Deutschen gibt):

Wir werden ihm zum Geburtstag Bücher schenken.
Hat er Brüder?
Die Abteilung hat junge Mitarbeiter.

2. Der Nullartikel steht zur Bezeichnung einer Klasse im Plural:

Facharbeiter brauchen eine gute Allgemeinbildung.
Autos sind wichtige Verkehrsmittel.

Anmerkung:
In dieser generalisierenden Funktion sind auch der bestimmte Artikel (+ Singular oder Plural) und der unbestimmte Artikel (+ Singular) möglich:

Der Facharbeiter braucht eine gute Allgemeinbildung.
Die Facharbeiter brauchen eine gute Allgemeinbildung.
Ein Facharbeiter braucht eine gute Allgemeinbildung.

Vgl. dazu 5.4.1.4. und 5.4.2.3.

Der Nullartikel vor bestimmten semantischen Gruppen von Substantiven 5.4.3.2.

1. Der Nullartikel steht vor Stoffbezeichnungen im Singular, wenn die unbestimmte Menge eines Stoffes bezeichnet wird:

Er trinkt gern *Bier*.
Zum Bau eines Hauses braucht man *Zement* und *Sand*.

Anmerkungen:
(1) Nach der gleichen Regel steht der Nullartikel auch bei Substantiven auf *-zeug, -werk* u. a.

Das Kind wünscht sich immer Spielzeug (neues Schuhwerk).

(2) Ist jedoch nicht eine unbestimmte Menge des Stoffes gemeint und der Stoff (durch Beziehung auf eine bestimmte, bekannte Menge oder durch Beziehung auf die Gesamtheit) identifiziert, muß bzw. kann der bestimmte Artikel [vgl. 5.4.1.2.5. unter (1)] stehen:

Der Ober bringt ihm *den* Wein.
Das kalte Wasser (kaltes Wasser) dient der Abhärtung des Körpers.

2. Der Nullartikel steht bei Bezeichnungen des Berufs, der Funktion, der Nationalität und der Weltanschauung in Sätzen vom Typ Nominativ + *sein/werden* + Nominativ oder Nominativ + Verb + *als* + Nominativ:

Er ist Bürgermeister.

Er wird Lehrer.
Sie arbeitet als Kontrolleurin.
Er wird als Vorsitzender bestätigt.

Anmerkungen:
(1) Wenn das Substantiv ein Attribut hat, steht der bestimmte oder unbestimmte Artikel:

Das ist *der* Bürgermeister von Dresden.
Er ist *der* neue / *ein* neuer Lehrer.

(2) Nach den Verben mit *als* kann beim Substantiv mit Attribut auch der Nullartikel bleiben:

Sie fühlt sich als (*eine*) verantwortungsbewußte / (*die*) fleißigste Kontrolleurin.

(3) Bei anderen Substantiven (die nicht Beruf, Nationalität, Funktion oder Weltanschauung bezeichnen) nach einem Verb mit *als* steht der Nullartikel oder der unbestimmte Artikel:

Ich sage dir das als (*ein*) Freund.
Sie spricht als (*eine*) Vertreterin des Elternbeirates.

(4) Wird mit dem Substantiv im Prädikativ kein Beruf, sondern eine allgemeine Eigenschaft bezeichnet, steht der unbestimmte Artikel:

Er ist *Schauspieler.* (Er ist Schauspieler von Beruf.)
Er ist *ein Schauspieler.* (Er verhält sich *wie* ein Schauspieler.)

3. Der Nullartikel steht bei Abstrakta, die ganz allgemein eine Eigenschaft, einen Zustand bzw. einen Vorgang bezeichnen:

Sie hatte Geduld.
Arbeit ist die Grundlage des Erfolges.
Er zeichnet sich durch Fleiß aus.

Anmerkungen:
(1) Wird das Substantiv jedoch durch die Beziehung auf die Gesamtheit identifiziert, so *kann* der bestimmte Artikel stehen; wird es durch Kontext oder Situation identifiziert, so *muß* der bestimmte Artikel stehen [vgl. auch 5.4.3.2.1. unter *Anm.* (*2*)]:

Die Arbeit (Arbeit) ist die Grundlage seines Erfolges.
Die Geduld ist ihm gerissen.
Die Arbeit macht ihm viel Spaß.

(2) Wird das Substantiv durch ein Adjektiv im Positiv erläutert, steht der unbestimmte Artikel, beim Adjektiv im Superlativ steht der bestimmte Artikel:

Sie hatte *eine* bewundernswerte Geduld.
Sie hatte *die* größte Geduld, die man sich vorstellen kann.

(3) Wird das Substantiv durch einen Nebensatz erläutert, steht *ein* oder *der:*

Sie hatte *eine* Geduld, die von allen bewundert wurde.
Sie hatte *die* Geduld, die zu seiner Pflege nötig war.

(4) Bei einem substantivierten Infinitiv steht der Nullartikel oder der bestimmte Artikel:

(*Das*) Lernen bereitet ihm Schwierigkeiten.
Konsequentes Arbeiten / *das* konsequente Arbeiten ist die Grundlage des Erfolges.

4. Der Nullartikel steht bei Zeitbegriffen ohne Präposition mit adjektivischem Attribut, bei Wochentagen auch ohne Adjektiv:

Ein neuer Kurs beginnt nächstes Frühjahr.
Er sollte seine Arbeit vorige Woche abgeben.
Der Unterricht beginnt erst Montag.

Vgl. aber 5.4.1.2.2.

Der Nullartikel in bestimmten syntaktischen Konstruktionen und syntaktischen Umgebungen 5.4.3.3.

1. Der Nullartikel steht vor einem Substantiv im Akkusativ, wenn es zusammen mit dem Verb eine enge Einheit bildet und durch ein Verb ersetzt werden kann. Es handelt sich um Abstrakta, die nicht identifiziert und auch nicht indeterminiert gebraucht werden können und nicht pluralfähig sind:

Er holt Atem.	(= Er atmet.)
Sie schöpft Verdacht gegen ihn.	(= Sie verdächtigt ihn.)
Sie faßt Vertrauen zu ihm.	(= Sie vertraut ihm.)
Sie hat Angst.	(= Sie ängstigt sich.)
Sie erteilt Unterricht in Geschichte.	(= Sie unterrichtet in Geschichte.)
Er leistet ihr Hilfe.	(= Er hilft ihr.)

Anmerkungen:
(1) Manchmal können auch Nullartikel, bestimmter und unbestimmter Artikel mit Bedeutungsunterschied wechseln (wenn das Substantiv identifiziert bzw. indeterminiert gebraucht werden kann):

Das Kind macht ihr Freude.	(= Das Kind erfreut sie.)
Das Kind macht ihr *die* Freude	(die sie sich gewünscht hat.)
Das Kind macht ihr *eine* Freude.	(mit irgendeiner konkreten Handlung.)

(2) In anderen festen Verbindungen steht der bestimmte oder unbestimmte Artikel (vgl. dazu auch 1.4.3.4.7.):

Sie faßten *den / einen* Beschluß.	(= Sie beschlossen ...)
Er stellte *den / einen* Antrag.	(= Er beantragte ...)

(3) Folgt nach der festen Verbindung ein Nebensatz, dann steht häufig der bestimmte Artikel:

Sie faßten *den* Beschluß, am Wettbewerb teilzunehmen.

(4) Ist der Nebensatz ein Relativsatz, kann auch der unbestimmte Artikel stehen (= *ein solcher*):

Sie faßten *einen* Beschluß, den sie kaum verwirklichen können.
Sie faßten *den* Beschluß, den sie schon lange vorbereitet hatten.

2. Der Nullartikel steht vor einem Substantiv im Akkusativ in einem Satz vom Typ Nominativ + *haben* + Akkusativ, der durch einen Satz vom Typ Nominativ + *sein* + Adjektiv ersetzt werden kann:

Er hat Hunger. (= Er ist hungrig.)
Er hat Mut. (= Er ist mutig.)

Anmerkung:
Wird die feste Verbindung von Verb und Akkusativ durch ein Attribut gelöst, steht der bestimmte oder unbestimmte Artikel:

Ich habe (*einen*) großen Hunger.
Er hat immer *den* größten Hunger.

3. Der Nullartikel steht vor einem Substantiv in einem nachgestellten präpositionalen Attribut, das durch ein Adjektiv ersetzt werden kann:

Das ist ein Problem von großer Bedeutung. (= Das ist ein bedeutsames Problem.)
Es wurde keine Frage von Wichtigkeit gestellt. (= Es wurde keine wichtige Frage gestellt.)

Anmerkung:
Bei Betonung des Attributs kann der unbestimmte Artikel stehen, wenn das substantivische Attribut selbst wieder ein Attribut hat:

Das ist ein Problem von *einer* weitreichenden Bedeutung.
Das ist ein Problem von *einer* Bedeutung, die man noch gar nicht richtig einschätzen kann.

4. Der Nullartikel steht vor einem Substantiv in einer präpositionalen Adverbialbestimmung, die durch ein Adverb ersetzt werden kann:

Sie wendeten sich in freundlicher Weise an uns.
(= Sie wendeten sich freundlich an uns.)
Er lachte vor Freude. (= Er lachte erfreut.)
Er schaffte es nur mit Mühe. (= Er schaffte es nur mühsam.)
Er las den Aufsatz ohne Aufmerksamkeit.
(= Er las den Aufsatz unaufmerksam.)
Die Menschheit will in Frieden leben.
(= Die Menschheit will friedlich leben.)

Anmerkung:
Genauso verhalten sich verschiedene präpositionale Adverbialbestimmungen, die nicht in ein Adverb umgeformt werden können:

Er sagte es *aus / vor* Freude.

Finale Adverbialbestimmungen (ohne entsprechendes Adverb) haben dagegen den bestimmten Artikel:

Er machte es *zum* Spaß.

 5. Der Nullartikel steht in einer präpositionalen Adverbialbestim-

mung aus Partizip und nicht pluralfähigem Substantiv, die durch einen Nebensatz ersetzt werden können:

Das Feuerwerk beginnt bei eintretender Dunkelheit.
(= wenn die Dunkelheit eintritt)
Das Feuerwerk beginnt bei angebrochener Dunkelheit.
(=wenn die Dunkelheit angebrochen ist)

Anmerkungen:
(1) Bei pluralfähigen Substantiven steht der bestimmte oder unbestimmte Artikel:

Er rückte durch *den / einen* überraschenden Erfolg einen Platz nach vorn.
Nach *der / einer* beendeten Untersuchung wurde das Ergebnis sofort ausgewertet.

(2) Wenn das pluralfähige Substantiv identifiziert ist, kann auch der Nullartikel stehen:

Nach *der / einer* bestandenen Prüfung / nach bestandener Prüfung treffen sich die Studenten in „Auerbachs Keller".

6. Der Nullartikel steht in einer syntaktischen Konstruktion aus Adjektiv bzw. Partizip + Substantiv im Genitiv, die dem Satzgliedstatus nach Adverbialbestimmung oder prädikatives Attribut ist und zumeist durch eine Präpositionalgruppe (eingeleitet durch *mit*) ersetzt werden kann:

Er verließ erhobenen Hauptes das Zimmer.
(= mit erhobenem Haupt)
Er ging schnellen Schrittes über die Straße.
(= mit schnellem Schritt)
Sie blickte ihn gesenkten Kopfes an. (= mit gesenktem Kopf)

7. Der Nullartikel steht vor präpositionalen Lokalbestimmungen (bzw. Prädikativa), bei Verben der Fortbewegung, bei *sein* und *bleiben;* das dem Substantiv entsprechende Objekt der Realität ist dabei weder identifiziert noch indeterminiert:

zu Bett gehen, in See stechen, auf See sein / bleiben, nach Hause kommen / gehen, zu Hause sein / bleiben, zu Fall kommen

Anmerkung:
Bei freien Verbindungen steht der bestimmte oder unbestimmte Artikel (das Substantiv ist identifiziert bzw. indeterminiert):

zum Bahnhof gehen, auf *die* See hinausfahren, an *die* See fahren, *im* Hause sein / bleiben, *im / in einem* Betrieb sein / arbeiten

8. Der Nullartikel steht in festen Zwillingsformeln:

Ebbe und Flut, Haus und Hof, durch Wald und Flur, Mann und Frau, Sonn- und Feiertage; Satz für Satz, Seite um Seite, von Haus zu Haus; weder Baum noch Strauch, weder Mensch noch Tier, weder Fisch noch Fleisch

9. Der Nullartikel steht bei einigen Substantiven (meist Jahreszeiten, Monate, Wochentage) in Sätzen vom Typ *es + sein / werden* + Nominativ:

Es ist schon Sommer.
Im Oktober wird es langsam Winter.

10. Der Nullartikel steht bei bloßer Nennung des Substantivs außerhalb des Satzzusammenhangs

(1) beim Anruf und bei der Anrede von Personen:

Karl! – Hallo, Gisela! – Lieber Klaus! – Verehrter Herr Professor!

(2) bei Gruß- und Wunschformeln:

Guten Tag! – Auf Wiedersehen! – Glückliche Reise! – Frohe Feiertage!

(3) bei einigen Ausrufen in Gefahrensituationen oder Befehlen:

Achtung! – Feuer! – Vorsicht! – Hilfe!

Anmerkung:
Bei anderen Ausrufen (Hinweis, Aufforderung, Ausdruck des Erstaunens u. a.) steht der bestimmte oder unbestimmte Artikel:

Das Auto! (= Schau dir mal das Auto an!)
Die Jungen! (= Sieh mal, was die Jungen schon wieder treiben!)
Eine Schere? (= Wozu brauchst du denn eine Schere?)

11. Der Nullartikel steht, wenn die Position vor dem Substantiv durch ein anderes Glied besetzt ist (vgl. dazu 5.1.3.4.).

(1) obligatorisch bei vorangestelltem Genitiv:

Dort kommt *Karls* Mutter.
Das ist *meines Vaters* Mantel.

Anmerkung:
Bei nachgestelltem Genitiv bzw. Umschreibung mit *von* steht der bestimmte oder unbestimmte Artikel:

Das ist *der / ein* Mantel meines Vaters.
Dort kommt *die* Mutter von Karl.

(2) obligatorisch bei anderen Artikelwörtern (*deren, dessen, wessen*):

Wir besuchen unsere frühere Lehrerin, *deren* Sohn seit mehreren Jahren im Ausland studiert.
Da kommt der Arzt, *dessen* Auto an der Ecke steht.

(3a) obligatorisch bei den indefiniten Zahladjektiven *viel, wenig, etwas, allerlei,* wenn diese vor substantivisch gebrauchten Adjektiven/ Partizipien, vor Abstrakta und Stoffbezeichnungen stehen:

Er hat *viel* Interessantes erzählt.
Die Kinder haben *allerlei* Dummheiten gemacht.

(3b) obligatorisch bei den indefiniten substantivischen Pronomina *jemand, niemand, nichts,* wenn diese vor substantivisch gebrauchten Adjektiven/Partizipien stehen:

> Er konnte *nichts* Entscheidendes berichten.
> Er hat *jemand* Fremdes angesprochen.

(4) fakultativ bei Zahladjektiven (Kardinalzahlen; *viele, wenige, beide, sämtliche*):

> Er hat schon *drei (viele, wenige, beide, sämtliche)* Prüfungen bestanden.

Anmerkung:
Vor diese Zahladjektive tritt der bestimmte Artikel, wenn die folgenden Substantive bereits identifiziert und dem Sprecher wie Hörer unter kommunikativem Aspekt bekannt sind:

> Er hat schon *die* drei (vielen, wenigen, beiden, sämtlichen) Prüfungen bestanden.

12. Der Nullartikel steht bisweilen vor dem Elativ:

> Der Betrieb verfügt über modernste Maschinen.
> Der Chemiker hat beste Bedingungen für seine aufwendigen Experimente.

Anmerkung:
Der Elativ steht jedoch auch mit dem bestimmten Artikel:

> Der Betrieb verfügt über *die* modernsten Maschinen.

Der Nullartikel bei Eigennamen 5.4.3.4.

Eigennamen sind identifiziert; sie tragen jedoch das Identifizierungsmerkmal in sich, so daß sie vielfach keines bestimmten Artikels bedürfen.

Der Nullartikel bei Personennamen 5.4.3.4.1.

1. bei Personennamen ohne Attribut:

> Peter wohnt in Dresden.
> Müllers fahren im Urlaub an die See.

Anmerkung:
Steht vor dem Namen ein Attribut, muß der bestimmte oder der unbestimmte Artikel stehen:

> *Der* bekannte Peter Müller wohnt in Dresden.
> Er ist *ein* richtiger Goethe.

2. bei Personennamen mit Titel, wenn dieser unmittelbar zum Na-

men gehört und als vorangestellte Apposition aufgefaßt wird (vgl. dazu 15.2.6.1.2.):

Direktor Müller
Doktor Lehmann
Professor Schulze

Ebenso bei Personennamen mit Anredeform:

Herr Vogel hält diesen Vortrag.
Frau Buschmann hat uns besucht.

Anmerkungen:
(1) Bei Titeln mit Attribut steht der bestimmte Artikel (in diesem Falle erscheint der Name als Apposition) [vgl. 5.4.1.1.4. (2)]:

der Verdiente Lehrer des Volkes Hartwig

(2) Bei Berufs- und Tätigkeitsbezeichnungen steht der bestimmte Artikel:

der Schriftsteller Strittmatter

(3) Bei nachgestellter einfacher Apposition steht der bestimmte Artikel:

Karl Müller, *der* Direktor, eröffnete die Beratung.

(4) Bei *Kollege* und *Genosse* schwankt der Gebrauch zwischen Nullartikel und bestimmtem Artikel:

(*Der*) Kollege Fiebig sagte, daß der Plan übererfüllt worden ist.

3. Umgangssprachlich werden zuweilen die Verwandtschaftsnamen *Mutter, Vater, Großvater, Großmutter* wie Eigennamen behandelt und mit Nullartikel verwendet, die Verwandtschaftsnamen *Tante* und *Onkel* nur dann, wenn ihnen der Eigenname folgt:

Er hat schon mit (*dem*) Vater darüber gesprochen.
Er hat (*dem*) Großvater ein schönes Geschenk gekauft.
Er muß (*die*) Mutter Schulze noch anrufen.
Du mußt einen Brief an (*die*) Tante Lotte schreiben.

4. bei Personennamen, die als Titel von Bühnenwerken stehen:

Heute wird „Egmont" gespielt.
Haben Sie schon die Neuinszenierung von „Romeo und Julia" gesehen?

Anmerkungen:
(1) Während bei Titeln aus zwei Namen (= zwei Personen) nur der Nullartikel stehen kann, ist bei Titeln aus einem Namen auch der bestimmte Artikel möglich [vgl. 5.4.1.1.4. (1)(a)]:

Mir gefällt die erste Szene aus „Romeo und Julia".
Mir gefällt die erste Szene aus (*dem*) „Don Carlos".

(2) Steht vor dem Eigennamen ein Attribut, dann muß der bestimmte Artikel stehen:

 Kennst du Brechts Werk „*Die* heilige Johanna der Schlachthöfe"?

(3) Werke der bildenden Kunst stehen mit bestimmtem Artikel:

Wie gefällt dir *die* Saskia von Rembrandt?

Der Nullartikel bei geographischen Namen 5.4.3.4.2.

1. bei den Namen der fünf Kontinente *Afrika*, *Amerika*, *Asien*, *Australien* und *Europa*:

Alle Studenten dieser Gruppe kommen aus Afrika.
Der Forscher unternimmt eine Reise nach Südamerika.

Anmerkung:
Arktis und *Antarktis* stehen mit bestimmtem Artikel:

Er hat an einer Expedition in *die* Antarktis teilgenommen.

2. bei den Namen der meisten Länder:

Frankreich, Polen, Rumänien, Ungarn, Ägypten, Syrien, Israel, Nigeria, Mali, Brasilien, Chile, Indonesien, China u. a.

Anmerkung:
Einige Ländernamen stehen mit dem bestimmten Artikel (vgl. 5.4.1.1.2.).

3. bei den Namen vieler Landschaften und Inseln:

Thüringen, Sachsen, Kreta, Mesopotamien, Transbaikalien, Kalifornien, Hawaii, Borneo, Rügen, Sachalin, Sibirien u. a.

Anmerkung:
Einige Landschaftsnamen stehen mit dem bestimmten Artikel; vgl. 5.4.1.1.2. unter (5), (6) und (7).

4. bei den Ortsnamen ohne Attribut:

Er wohnt in Berlin.
Der Zug kommt aus Prag.

Anmerkungen:
(1) Wird der Name durch ein Attribut erläutert, steht der bestimmte oder der unbestimmte Artikel (vgl. 5.4.1.1.2. unter *Anm. 3.*):

Aus den Trümmern entstand *ein* neues Dresden.
Er besuchte *das* alte Prag.

(2) Wird der Name als Vertreter einer Gattung betrachtet, steht der unbestimmte Artikel:

In Thüringen gibt es auch *ein* Neuhaus.

5. Bei zwei oder mehr geographischen Namen steht der Nullartikel oder der bestimmte Artikel:

(*Die*) Werra und (*die*) Fulda vereinigen sich zur Weser.
Folgende Länder nehmen an der Meisterschaft teil: (*die*) Arabische Republik Ägypten, (*die*) ČSSR, (*die*) DDR, (*die*) Sowjetunion.

5.4.3.4.3. Der Nullartikel bei Namen von Festen

Der Nullartikel steht bei den Namen einiger Feste religiöser Herkunft (*Weihnachten, Ostern, Pfingsten*):

Was wünschst du dir zu Weihnachten?
Ostern verbringen wir im Harz.

Anmerkungen:
1. Stehen diese Namen als Bestimmungswort in Zusammensetzungen, dann steht der bestimmte oder der unbestimmte Artikel:

Wir verbringen *die* Osterfeiertage im Harz.
Ich wünsche Ihnen *ein* angenehmes Weihnachtsfest.

2. Die Namen für andere Feste und Feiertage stehen immer mit dem bestimmten oder unbestimmten Artikel:

das Neue Jahr, das Neujahr(sfest), der 1. Mai, der Tag der Republik

5.4.3.4.4. Der Nullartikel bei Buchtiteln und Überschriften

Der Nullartikel steht häufig in Buchtiteln und Überschriften.

Buchtitel:

Russisch-deutsches Wörterbuch
Lehrbuch der englischen Sprache

Überschriften:

Sowjetunion an Westmächte
Hoher Besuch in Berlin

Anmerkungen:
1. In diesen Fällen können auch der bestimmte und der unbestimmte Artikel stehen.
Buchtitel:

Deutsch. *Ein* Lehrbuch für Ausländer
Die Abenteuer des Werner Holt

Überschriften:

Die Sowjetunion eröffnet *den* Weg zur Venus.
Ein hoher Gast in Berlin

2. Bei den deutschsprachigen Titeln von Zeitungen und Zeitschriften steht meistens der bestimmte Artikel (vgl. 5.4.1.1.5.):

das „Neue Deutschland"
der „Eulenspiegel"

3. Bei fremdsprachigen Titeln von Zeitungen und Zeitschriften wird der bestimmte oder der Nullartikel verwendet:

(*Die*) „World" schreibt ...
(*Das / die*) „Rudé Právo" meldet ...

Der Nullartikel bei Namen von Einrichtungen 5.4.3.4.5.

Der Nullartikel steht in einigen Namen von Einrichtungen, die mit Präpositionen gebildet sind:

die Deutsche Hochschule für Körperkultur
der Rat für Gegenseitige Wirtschaftshilfe
das Komitee für Wandern und Touristik

Der Nullartikel bei Namen von Unterrichts- und Studienfächern 5.4.3.4.6.

Er hat eine Eins in Deutsch bekommen.
Sie hat keine Schwierigkeiten in Mathematik.
Er beschäftigt sich gern mit Kybernetik.

Anmerkung:
Ist jedoch das Wissenschaftsgebiet gemeint, steht meistens der bestimmte Artikel:

Er beschäftigt sich gern mit *der* Logik.
Er hat neue Untersuchungsmethoden in *die* Physik eingeführt.
Als Student hat sich der Nobelpreisträger noch nicht so sehr für *die* Mathematik interessiert.

Besonderheiten beim Gebrauch der Artikelwörter 5.5.

Zusammenziehung des bestimmten Artikels mit der Präposition 5.5.1.

Wenn die singularischen Artikelformen *dem, der, das* und *den* nur schwach betont sind, können sie mit manchen Präpositionen zu einem Wort verschmelzen:

am Sonnabend, *beim* Essen, *zur* Erholung, *aufs* herzlichste

Formale Möglichkeiten der Zusammenziehung 5.5.1.1.

1. *dem* + Präposition: am, beim, hinterm, im, überm, unterm, vorm, vom, zum
Die Formen *am, beim, im, vom* und *zum* sind völlig normalsprachlich, die übrigen Formen werden in der Regel nur in der Umgangssprache verwendet.

2. *der* + Präposition: zur
Die Form *zur* ist völlig normalsprachlich.

3. *das* + Präposition: ans, aufs, durchs, fürs, hinters, ins, übers, ums, unters, vors
Die Formen *ans* und *ins* sind völlig normalsprachlich, die übrigen Formen werden vorwiegend in der Umgangssprache verwendet.

4. *den* + Präposition: hintern, übern, untern
Diese Formen werden fast ausschließlich in der Umgangssprache verwendet.

5.5.1.2. Die Verwendung der Zusammenziehung

In einigen Fällen ist die Zusammenziehung von Präposition und bestimmtem Artikel obligatorisch (1.), in anderen Fällen ist sie möglich – abhängig entweder von den syntaktischen Bedingungen (2.) oder von der Sprachschicht (3.) –, in wieder anderen Fällen (4.) ist sie ausgeschlossen.

1. Die Zusammenziehung von Präposition und bestimmtem Artikel ist obligatorisch

(1) bei vielen festen Verbindungen ‚Präposition + Substantiv + Verb‘:

am Leben bleiben, *ans* Werk gehen, *aufs* Land fahren, *beim* Wort nehmen, *durchs* Ziel gehen, *hinters* Licht führen, *im* Begriff sein, *ins* Wanken bringen, *übers* Herz bringen, *ums* Leben kommen, *zum* Nutzen sein, *zur* Warnung dienen

(2) bei substantivierten Infinitiven:

beim Essen, die Freude *am* Tanzen, *zum* Lernen

(3) bei prädikativen Adjektiven sowie prädikativ und adverbial gebrauchten Adverbien im Superlativ:

ám besten, am deutlichsten

(4) wenn die Präposition zwei Substantive zu einem Eigennamen verbindet:

Hotel *zum* Löwen, Frankfurt *am* Main

(5) bei Ordinalzahlen als Adverbialbestimmung:

fürs erste, *zum* zweiten Mal

2. Die Zusammenziehung von Präposition und bestimmtem Artikel ist fakultativ. Sie erfolgt, wenn der bestimmte Artikel unbetont ist; im anderen Falle (*der* = *dieser*) erfolgt keine Zusammenziehung. Deshalb stehen nebeneinander:

Die Versammlung findet *am* nächsten Mittwoch statt. – *An dem* (= *diesem*) Mittwoch hat er gerade keine Zeit.
Wir treffen uns *am* Eingang des Bahnhofs. – Wir treffen uns *an dem* (diesem) Eingang dort drüben.
Gestern war er *im* Kino. – Warst du schon *in dem* Kino (dort drüben)?

Anmerkung:
Eine Zusammenziehung muß unterbleiben, wenn durch sie das Objekt der Realität nicht genügend identifiziert wird. Umgekehrt ist eine Zusammenziehung obligatorisch bei Substantiven, bei denen das ihnen entsprechende Objekt der Realität immer identifiziert ist, vor allem bei Eigennamen:

> *am* Rhein, *am* Mittelmeer, *im* Harz, *im* Sudan, *im* Hohen Norden, *im* Fernen Osten

3. Die Zusammenziehung von Präposition und bestimmtem Artikel ist nur in wenigen Wendungen normal, sonst aber umgangssprachlich:

(1) normal:

> *aufs* Land fahren, Hand *aufs* Herz!, *aufs* beste, *fürs* erste, *hinters* Licht führen, *übers* Jahr, *übers* Knie brechen, *ums* Ganze gehen

(2) umgangssprachlich:

> *aufs* Kreuz fallen, *fürs* Examen lernen, *durchs* Haus gehen, *hintern* Schrank stellen, *überm* Eingang wohnen, *übers* Bett decken, *unterm* Tisch liegen, *vorm* Tor stehen

4. In einigen Fällen ist die Zusammenziehung von Präposition und bestimmtem Artikel unmöglich:

(1) wenn der bestimmte Artikel betont ist (= *dieser*):

> Gerade an *dem* (= diesem) Montag war ich nicht zu Hause (, obwohl ich montags immer zu Hause bin).
> In *dem* (= diesem) Kino ist er noch nicht gewesen.

(2) wenn der bestimmte Artikel betont ist und von dem folgenden Substantiv ein Attributsatz im engeren Sinne (ein restriktiver Nebensatz) abhängt (= *derjenige*):

> Ich habe schon viel *in dem* Buch gelesen, das du mir zum Geburtstag geschenkt hast.
> Sie war wieder *in dem* Geschäft, das sie uns gezeigt hat.

Anmerkung:
Eine Zusammenziehung kann auch vor zwei Substantiven stehen, wenn sie den gleichen Numerus und die gleiche formale Kennzeichnung des Genus haben; vor dem zweiten Substantiv braucht nur der Artikel zu stehen:

> Man sprach *vom* Ziel und dem Weg der Ausbildung.

Die Zusammenziehung kann aber auch wiederholt werden:

> Man sprach *vom* Ziel und *vom* Weg der Ausbildung.

Haben die beiden Substantive nicht den gleichen Numerus und die gleiche formale Kennzeichnung des Genus, muß die Präposition auch vor dem zweiten Substantiv stehen:

> Man sprach *vom* Ziel und *von den* Methoden der Ausbildung.
> Man sprach *vom* Ziel und *von der* Methode der Ausbildung.

5.5.2. Verwendung von *kein* und *nicht*

1. Als Negation steht immer *kein*, wenn in dem nicht-verneinten Satz der unbestimmte Artikel steht:

Er hat mir *ein* Buch gebracht.
→ Er hat mir *kein* Buch gebracht.

Er hat *einen* blauen Bleistift gefunden.
→ Er hat *keinen* blauen Bleistift gefunden.

Anmerkung:
Wenn ein Satz mit *ein* durch *nicht ein* verneint wird, liegt eine Verstärkung der Negation vor. Die Form *ein* ist nicht als unbestimmter Artikel, sondern als Zahladjektiv aufzufassen:

Er kann ***ei**ne* Ausnahme machen.
→ Er kann *nicht **ei**ne* Ausnahme machen.

2. Als Negation steht in folgenden Fällen *kein*, wenn bei einem nicht-verneinten Substantiv der Nullartikel steht,

(1) im Plural, wenn im Singular der unbestimmte Artikel steht:

Er hat Brüder.
→ Er hat *keine* Brüder.

Er unternimmt Ferienreisen.
→ Er unternimmt *keine* Ferienreisen.

(2) bei Stoffnamen im Singular, die eine unbestimmte Menge eines Stoffes bezeichnen, sowie bei Substantiven auf *-zeug*, *-werk* u. a.

Er trank Bier.
→ Er trank *kein* Bier.

Er wünschte sich zum Geburtstag Spielzeug.
→ Er wünschte sich zum Geburtstag *kein* Spielzeug.

(3) in einigen festen Verbindungen:

Substantiv + Verb = Verb

Er holte Atem. (= atmete)
→ Er holte *keinen* Atem.

Sie hatte Angst. (= ängstigte sich)
→ Sie hatte *keine* Angst.

Substantiv + Verb = Adjektiv

Er hatte Hunger. (= war hungrig)
→ Er hatte *keinen* Hunger.

Sie hatte Mut. (= war mutig)
→ Sie hatte *keinen* Mut.

Präposition + Substantiv = Adjektiv

Das ist ein Problem von sehr großer Bedeutung. (= sehr bedeutungsvoll)
→ Das ist ein Problem von *keiner* sehr großen Bedeutung.

Zwillingsformeln (auch mit *weder... noch*)

Dort gab es Baum und Strauch.
→ Dort gab es *keinen* Baum und *keinen* Strauch.
(Dort gab es *weder* Baum *noch* Strauch.)

(4) in Listen (Aufzählungen)

Mitzubringen sind: Schlafsack, Waschzeug, Besteck, aber *keine* Skistiefel und *kein* Kofferradio.

3. Als Negation steht in folgenden Fällen *nicht*, wenn in dem nichtverneinten Satz der Nullartikel steht:

(1) in einigen festen Verbindungen von Verb und Akkusativ ohne Objektscharakter, die nicht durch ein Verb ersetzt werden können:

Er kann Auto fahren.
→ Er kann *nicht* Auto fahren.

Sie schreibt Maschine.
→ Sie schreibt *nicht* Maschine.

Der Freund hält Wort.
→ Der Freund hält *nicht* Wort.

Ebenso: Ski laufen, Schritt fahren, Gefahr laufen u. a.

(2) bei geographischen Namen:

Er wohnt in Polen.
→ Er wohnt *nicht* in Polen.

Sie arbeitet in Berlin.
→ Sie arbeitet *nicht* in Berlin.

(3) bei Berufsbezeichnungen nach einem Verb + *als*:

Sie arbeitet als Kontrolleurin.
→ Sie arbeitet *nicht* als Kontrolleurin.

Er wurde als Vorsitzender bestätigt.
→ Er wurde *nicht* als Vorsitzender bestätigt.

4. Als Negation steht in folgenden Fällen *kein* oder *nicht*, wenn im nicht-verneinten Satz der Nullartikel steht:

(1) in Sätzen vom Typ Nominativ/*es* + *sein/werden* + Nominativ:

Er ist (wird) Lehrer.
→ Er ist (wird) *nicht* Lehrer.
→ Er ist (wird) *kein* Lehrer.

Es ist (wird) Sommer.
→ Es ist (wird) noch *nicht* Sommer.
→ Es ist (wird) noch *kein* Sommer.

(2) bei Präpositionalgruppen (*nicht* steht vor der Präposition, *kein* zwischen Präposition und Substantiv):

Er geht in eine Oberschule.
→ Er geht *nicht* in eine Oberschule.
→ Er geht in *keine* Oberschule.

Sie fährt zu einem Ferienaufenthalt.
→ Sie fährt *nicht* zu einem Ferienaufenthalt.
→ Sie fährt zu *keinem* Ferienaufenthalt.

Sie kommt aus einer großen Stadt.
→ Sie kommt *nicht* aus einer großen Stadt.
→ Sie kommt aus *keiner* großen Stadt.

Anmerkung:
In diesen Fällen ist die Verneinung mit *kein* seltener und immer als Sondernegation interpretierbar, während die Verneinung mit *nicht* – entsprechend den Regularitäten (vgl. 11.3.1.) – manchmal sowohl als Satz- wie als Sondernegation verstanden werden kann.

(3) in einigen passivfähigen Funktionsverbgefügen von *nehmen* + Akkusativ (vgl. dazu 1.4.3.4.11.):

Er hat Rücksicht genommen.
→ Er hat *nicht* Rücksicht genommen.
→ Er hat *keine* Rücksicht genommen.

Sie werden Rache nehmen.
→ Sie werden *nicht* Rache nehmen.
→ Sie werden *keine* Rache nehmen.

Pronomen *es* 6.

Das Pronomen *es* tritt in drei syntaktischen Funktionen auf:

1. *es* steht als Prowort. In dieser Funktion ist *es* ersetzbar und nicht weglaßbar:

(Wo ist das Buch?)
Es liegt auf dem Tisch.
→ Das Buch liegt auf dem Tisch.
→ *Auf dem Tisch liegt.

2. *es* steht als Korrelat (Platzhalter). In dieser Funktion ist *es* nicht ersetzbar und in bestimmten Positionen weglaßbar:

Es hat sich gestern ein schwerer Unfall ereignet.
→ *Das Auto hat sich gestern ein schwerer Unfall ereignet.
→ Gestern hat sich ein schwerer Unfall ereignet.

3. *es* steht als formales Subjekt und Objekt. In dieser Funktion ist *es* nicht ersetzbar und nicht weglaßbar:

Es hat heute nacht geregnet.
→ *Der Regen hat heute nacht geregnet.
→ *Heute nacht hat geregnet.

Übersicht:

Funktion	*Ersetzbarkeit*	*Weglaßbarkeit*
1	+	–
2	–	+
3	–	–

Prowort 6.1.

1. Als Prowort ersetzt *es* ein neutrales Substantiv im Nominativ (= Subjekt) oder im reinen Akkusativ (= Objekt). Der Ersatz ist nur möglich, wenn das Substantiv im Kontext vorerwähnt ist:

(Wo ist *das Buch*?)
Es liegt auf dem Tisch. (Subjekt)
(Wann bekomme ich *das Geld*?)
Ich brauche *es*. (Objekt)

Anmerkung:
Während das nominativische *es* alle Positionen des Substantivs einnehmen kann, steht das akkusativische *es* nie am Satzanfang:

(Wann bekomme ich das Geld?)
*Es brauche ich.

2. *es* kann auch für einen neutralen substantivierten Infinitiv (bzw. ein entsprechendes Verbalabstraktum) stehen, der sich auf das Prädikat des vorhergehenden Satzes bezieht:

Er *siegt* oft im Wettkampf, aber *es* (das Siegen) macht ihn nicht überheblich.

3. Das Pronomen *es* kann auch als Prowort für ein Prädikativ stehen.

(1) Wenn *es* ein prädikatives Substantiv ersetzt (bei den Verben *sein*, *werden* und *bleiben*), steht es für ein Maskulinum oder Femininum. Im Gegensatz zum Substantiv steht *es* unmittelbar nach dem finiten Verb.

Der Vater ist Arzt, und sein Sohn wird *es* auch.
Der Vater ist Arzt, und sein Sohn wird auch *Arzt*.

(2) Die gleichen Stellungsregularitäten gelten, wenn *es* ein prädikatives Adjektiv vertritt:

Die anderen waren müde, er war *es* nicht.
Die anderen waren müde, er war nicht *müde*.

4. Für ein Subjekt im Maskulinum oder Femininum steht *es* in Sätzen mit dem Verb *sein* (in der 3. Person) + prädikatives Substantiv. Wenn das Subjekt eine Person ist, kann statt *es* auch das dem Genus bzw. Numerus des Subjekts entsprechende Pronomen stehen. Beim Prädikativ ist dann im Sing. der unbestimmte Artikel fakultativ:

Was ist das für ein Tisch? – *Es* ist ein Couchtisch.
Was ist das für ein Mann?– *Es* ist ein Ausländer. /
Er ist (ein) Ausländer.

Anmerkung:
Bei Kopulaverben kongruiert das finite Verb nicht mit dem Pronomen *es*, sondern mit dem Substantivwort im Satz. In den folgenden Sätzen steht das finite Verb deshalb im Plural:

Der Vater ist Arzt, und seine Söhne *werden* es auch.
Er war müde, die anderen *waren* es nicht.
Was sind das für Leute? – Es *sind* Ausländer.

6.2. Korrelat

Das Pronomen *es* steht als Korrelat (Platzhalter) eines Substantivs oder eines Nebensatzes (bzw. einer Infinitivkonstruktion).

6.2.1. Korrelat eines Substantivs (syntaktisches Subjekt)

Als Korrelat eines Substantivs oder substantivischen Pronomens, das das syntaktische Subjekt des Satzes darstellt, steht das Pronomen *es* nur am Satzanfang. Wenn die erste Stelle durch ein anderes

Satzglied besetzt ist, fällt es weg. Das Pronomen *es* hat hier die stilistische Funktion, dem Subjekt statt seiner Normstellung vor dem finiten Verb eine betonte Stellung nach dem finiten Verb zu ermöglichen. Besonders häufig ist das der Fall, wenn das Subjekt in unbestimmter Form (mit unbestimmtem Artikel, Zahladjektiv u. ä.) erscheint. Dabei kongruiert das finite Verb nicht mit *es*, sondern mit dem substantivischen Subjekt.

Der Unfall hat sich am Abend ereignet.
→ *Es* hat sich gestern ein schwerer Unfall ereignet.
→ Es *haben* sich gestern mehrere schwere *Unfälle* ereignet.

Nach den gleichen Regularitäten kommt das Pronomen *es* auch in Passivsätzen vor:

Das Einfamilienhaus ist in den letzten Jahren gebaut worden.
→ *Es* sind in den letzten Jahren viele Einfamilienhäuser gebaut worden.

Das Pronomen tritt aber auch häufig in subjektlosen Passivsätzen auf. Das finite Verb steht hier immer im Singular.

Es wurde bis in den Morgen getanzt.

Korrelat eines Substantivs (logisches Subjekt) 6.2.2.

Das Pronomen *es* tritt nicht nur als Korrelat eines Substantivs auf, das syntaktisches Subjekt des Satzes ist, sondern auch als Korrelat eines Substantivs, das logisches Subjekt und syntaktisches Objekt ist. In der Stellung am Satzanfang verhält sich das Pronomen in beiden Fällen gleich. Ein unterschiedliches Verhalten ist jedoch festzustellen, wenn die erste Stelle durch ein anderes Wort besetzt ist: Während das Korrelat des syntaktischen Subjekts im Satzinnern obligatorisch eliminiert wird, wird das Korrelat des logischen Subjekts fakultativ eliminiert. Das Pronomen verhält sich in diesem Falle wie das Korrelat des Nebensatzes (vgl. dazu 6.2.3.). Das Auftreten von *es* als Korrelat eines logischen Subjekts ist an bestimmte Verben und Adjektive gebunden, bei denen das personale Subjekt der Handlung (das logische Subjekt) nicht im Nominativ, sondern in einem obliquen Kasus steht.

1. Verben mit Personenangabe im Dativ oder Akkusativ:

Es friert mich.
→ Mich friert es.
→ Mich friert.

Es schwindelt ihr.
→ Ihr schwindelt es.
→ Ihr schwindelt.

Mit Akkusativ: dürsten, ekeln, frieren, frösteln, hungern
Mit Dativ: schwindeln
Mit Akkusativ oder Dativ: grauen, grausen, gruseln, schauern

Anmerkungen:
(1) Einige Verben können zusätzlich noch eine Präpositionalgruppe bei sich haben:

Es graut mir vor der Prüfung.

(2) Einige Verben haben Varianten mit dem personalen Subjekt im Nominativ neben sich. Ist die Personenangabe ein Eigenname, kann bei eliminiertem *es* nicht entschieden werden, ob Nominativ oder Akkusativ/Dativ vorliegt:

Mich friert. (= Akkusativ)
Ich friere. (= Nominativ)
Hans friert. (= Nominativ oder Akkusativ)

2. Prädikative Adjektive mit Personenangabe im Dativ:

Es ist mir kalt.
→ Mir ist es kalt.
→ Mir ist kalt.
Es wurde ihr schlecht.
→ Ihr wurde es schlecht.
→ Ihr wurde schlecht.

Ebenso: jemandem ist/wird angst, bange, gut, heiß, übel, warm ...

Anmerkung:
Einige Adjektive können zusätzlich noch eine Präpositionalgruppe bei sich haben:

Es ist mir angst um ihn.

6.2.3. Korrelat von Nebensätzen

Als Korrelat eines Nebensatzes tritt *es* bei Subjekt- und Objektsätzen und entsprechenden Infinitiven und Infinitivkonstruktionen auf.

1. Subjekt- und Objektsatz als Nachsatz

(1) Als Korrelat eines nachgestellten Subjektsatzes steht *es* an der ersten Stelle im Hauptsatz. Ist diese Stelle durch ein anderes Wort besetzt, erscheint *es* fakultativ im Satzinnern (nach dem finiten Verb).

Es freut mich besonders, daß ich ihn getroffen habe.
→ Besonders freut (es) mich, daß ich ihn getroffen habe.
→ Mich freut (es) besonders, daß ich ihn getroffen habe.

(2) Als Korrelat eines nachgestellten Objektsatzes steht *es* nie an der ersten Stelle im Hauptsatz, sondern fakultativ im Satzinnern (nach dem finiten Verb). An Stelle von *es* kann *das* an der ersten Stelle stehen.

Ich bedauere (es) sehr, daß ich Sie gekränkt habe.
→ *Es bedauere ich sehr, daß ich Sie gekränkt habe.
→ Das bedauere ich sehr, daß ich Sie gekränkt habe.

Anmerkung:
Ob das fakultative *es* im konkreten Satz auftritt oder nicht, hängt von der Wahl des Vollverbs im HS ab. Bei manchen Verben ist das Korrelat üblich, bei anderen Verben fehlt es oft.

Mir *fällt* es *schwer*, ihn zu überzeugen. Mich *freut* (es) besonders, daß ich ihn getroffen habe.	(Subjektsatz)
Ich kann es nicht *verantworten*, daß er am Wettkampf teilnimmt. Ich habe (es) ihm *erlaubt*, daß er am Wettkampf teilnimmt.	(Objektsatz)

Wenn der Nebensatz (Objektsatz) die Form eines Infinitivs (bzw. einer Infinitivkonstruktion) hat, ist bei manchen finiten Verben das Korrelat unüblich oder sogar unmöglich [vgl. dazu 1.5.1.1.5.(6)]:

Wir *beschlossen*, am Wettbewerb teilzunehmen.

2. Subjekt- und Objektsatz als Vordersatz
Wenn der Nebensatz ein Vordersatz ist, fällt das Korrelat weg. An Stelle von *es* tritt an der ersten Stelle im Hauptsatz fakultativ *das* auf.

Es freut mich besonders, daß ich ihn getroffen habe. → Daß ich ihn getroffen habe, (das) freut mich besonders.	(Subjektsatz)
Ich bedauere es sehr, daß ich Sie gekränkt habe. → Daß ich Sie gekränkt habe, (das) bedauere ich sehr.	(Objektsatz)

Anmerkung:
Die gleichen Stellungsverhältnisse herrschen, wenn das Prädikat des übergeordneten Satzes nicht ein Vollverb ist, sondern aus *sein/werden* und einem Adjektiv oder Substantiv als Prädikativ besteht:

(1a) Subjektsatz als Nachsatz

Es ist *sonderbar*, daß er nicht schreibt.
Sonderbar ist (es), daß er nicht schreibt.

Es ist ein *Glück*, daß du kommst.
Ein *Glück* ist (es), daß du kommst.

(1b) Subjektsatz als Vordersatz

Daß er nicht schreibt, (das) ist *sonderbar*.
Daß du kommst, (das) ist ein *Glück*.

(2a) Objektsatz als Nachsatz (nur zu Adjektiven)

Das Buch ist (es) *wert*, daß man es liest.

(2b) Objektsatz als Vordersatz (selten)

Daß man das Buch liest, (das) ist es *wert*.

Bei wenigen Adjektiven ist das Pronomen *es* obligatorisch, wenn der Objektsatz als Nachsatz erscheint:

Er ist es *überdrüssig*, daß er so lange warten muß.

6.3. Formales Subjekt und Objekt

Bei einer Reihe von Verben, bei denen der Handlungsträger nicht genannt wird bzw. nicht als Subjektsnominativ erscheint, ist *es* formales, inhaltleeres Subjekt. Bei einer anderen kleinen Gruppe von Verben ist *es* formales, inhaltleeres Akkusativobjekt. Als formales Subjekt kann es am Satzanfang und im Satzinnern stehen, als formales Objekt steht *es* nur im Satzinnern.

Plötzlich klingelte es. (formales Subjekt)
Es klingelte plötzlich.

Ich habe es heute eilig. (formales Objekt)
*Es habe ich heute eilig.

6.3.1. Formales Subjekt

Die Verben, bei denen *es* als formales Subjekt steht, bilden keine einheitliche Gruppe. Entscheidend für eine syntaktische Gruppierung dieser Verben sind ihre Valenzverhältnisse.

1. Verben ohne Aktanten

Es schneit schon seit Stunden.
Es hat an der Tür geläutet.

In semantischer Hinsicht bilden die Verben ohne Aktanten zwei Gruppen:

(a) Verben zum Ausdruck von Naturerscheinungen (sog. echte unpersönliche Verben)

blitzen, dämmern, donnern, dunkeln, grünen, hageln, herbsten, nieseln, regnen, schneien, tagen, tauen u. a.

(b) Verben zum Ausdruck von Geräuschen (sog. unechte unpersönliche Verben):

brausen, klopfen, krachen, läuten, rauschen, zischen u. a.

Die Verben der Gruppe (b), aber auch viele Verben der Gruppe (a) können auch mit einem echten Subjekt, als persönliche Verben gebraucht werden. Bei den Verben der Gruppe (a) liegt dann Gebrauch in übertragener Bedeutung vor (die Verben bezeichnen nicht mehr Naturerscheinungen).

(a) Der Zug donnert über die Brücke.
Vorwürfe hagelten auf ihn (hernieder).

(b) Das Mädchen läutete an der Tür.
Die Schlange zischte wütend.

Vereinzelt kann ein echtes Subjekt auch als Akkusativ-Objekt in Kombination mit *es* als formalem Subjekt auftreten:

Es schneit Blüten.
Es hagelte Vorwürfe.

2. Kopulaverb mit adjektivischem Prädikativ

Es ist schon sehr spät.
Es wird noch einige Tage kalt bleiben.

Verbindungen dieser Art sind auf Adjektive beschränkt, die Natur- und Zeiterscheinungen ausdrücken:

bewölkt, dunkel, früh, heiß, hell, kalt, schwül, spät, trüb, warm, zeitig u. a.

Bei Verbindungen eines Kopulaverbs mit einem substantivischen Prädikativ, das eine Zeiterscheinung ausdrückt, ist das Pronomen *es* in Binnenstellung gewöhnlich weglaßbar. Hier muß *es* als Korrelat betrachtet werden (vgl. 6.2.1.):

Es ist jetzt Mittag.
→ Jetzt ist (es) Mittag.

3. Verben mit personalem Akkusativobjekt

Es schüttelt mich.
Es juckt mich.
Es überläuft mich kalt.
Es zieht mich zu ihr.
Es hält mich hier nicht länger.

Von den Verben dieser Gruppe verlangen einige außer *es* und dem Akkusativobjekt noch zusätzliche Bestimmungen: *überlaufen* steht mit einer Modalangabe, *ziehen* mit einer Richtungsangabe, *halten* mit einer Lokal- und einer Temporalangabe und einem Negationselement (bzw. *nur, kaum*).

4. Verben mit personalem Dativobjekt

Es geht ihm gut.
Es hat mir in Ungarn gefallen.
Es fehlt ihm nicht an Mut.

gehen verlangt neben *es* und dem Dativobjekt noch eine Modalangabe, *gefallen* eine Lokalangabe; bei *fehlen* steht noch ein Präpositionalobjekt mit *an*$_D$ (das in einer Verbvariante ohne *es* Subjektsnominativ ist: *Mut fehlt ihm nicht.*).

5. Verben mit verschiedenen Objekten

Es gibt noch einen ungeklärten Punkt.
Es bedarf noch einiger Mühe.
Es geht um die Industrialisierung des Bauens.

Es kommt auf die Senkung der Selbstkosten an.
Es handelt sich um einen schwierigen Fall.

geben fordert in dieser Verwendung neben dem Pronomen *es* ein Akkusativobjekt, *bedürfen* ein Genitivobjekt; *gehen* und *ankommen* verlangen ein Präpositionalobjekt mit um_A bzw. auf_A; bei *handeln* steht neben dem Pronomen *es* und dem Präpositionalobjekt mit um_A noch ein obligatorisches Reflexivpronomen.

6. Reflexives *lassen* mit zwei Adverbialbestimmungen

Hier läßt es sich gut arbeiten.

Die Verbindung von *sich lassen* mit einer Lokal-/Temporalbestimmung und einer Modalbestimmung, in der *es* als formales Subjekt fungiert, gehört zu den zahlreichen Konkurrenzformen des Passivs. Solche Verbindungen sind auch in reduzierter Form möglich:

Hier arbeitet es sich gut. (reduziert um *lassen*)
Hier läßt es sich arbeiten. (reduziert um die Modalbestimmung)

Zur Einordnung dieser Verbindungen in die Konkurrenzformen des Passivs vgl. 1.8.10.2.7.

6.3.2. Formales Objekt

Die Verben, bei denen das Pronomenn *es* als formales Objekt steht, bilden feste Verbindungen (Wendungen):

Sie hat es ihm angetan. (= Sie gefällt ihm.)
Sie hat es auf den Mantel abgesehen.
(= Sie wünscht sich den Mantel.)

Ebenso: es auf etwas ankommen lassen, es mit jemandem nicht aufnehmen können, es weit bringen, es eilig haben, es in sich haben, es sich leicht / schwer machen, es gut mit jemandem meinen, es sich mit jemanden verdorben haben u. a.

Präpositionen 7.

Allgemeines 7.1.

Die Präpositionen werden als Wortart innerhalb der Funktionswörter zu den Fügewörtern gerechnet. Unter dem Begriff *Fügewörter* werden diejenigen Funktionswörter zusammengefaßt, die Wörter oder Wortgruppen bzw. Gliedteile, Satzglieder oder Sätze miteinander zu einem einheitlichen Ganzen verbinden oder „fügen". Ohne selbst Satzgliedcharakter zu haben, ordnen sie die Wörter oder Wortgruppen bzw. Gliedteile, Satzglieder oder Sätze gleichen oder verschiedenen Grades einander zu.

Nicht alle Fügewörter haben eine eindeutige Semantik. Alle Fügewörter haben innerhalb des Satzgliedes oder des Satzes jedoch eine bestimmte Position. Morphologisch sind die Fügewörter in der Regel unveränderlich.

Es sind zwei Hauptgruppen von Fügewörtern zu unterscheiden: Präpositionen und Konjunktionen. Der Unterschied zwischen diesen beiden Gruppen besteht in folgendem:

1. Die Präpositionen verbinden Wörter und Wortgruppen, die Konjunktionen verbinden Gliedteile, Satzglieder und Sätze:

der Stuhl – das Fenster – an
→ der Stuhl *am* Fenster (= Präposition)

Wir treiben Sport. – Das ist gesund.
→ Wir treiben Sport, *und* das ist gesund. (= Konjunktion)

2. Die Präpositionen stehen *innerhalb* von Satzgliedern, die Konjunktionen stehen *außerhalb* von Satzgliedern:

Er bringt seinen Sohn (*in* die Schule). (= Präposition)
Er geht nicht (ins Bad), *sondern* (in die Schule). (= Konjunktion)

Dieselbe Unterscheidung gilt für Gliedteile (= Attribute): Die Präposition steht *innerhalb* des Attributs, die Konjunktion steht *außerhalb* des Attributs (und verbindet mehrere Attribute):

Die Fahrt (*nach* Berlin) war lang. (= Präposition)
Die Fahrt (nach Berlin) *und* (nach Dresden) war lang. (= Konjunktion)

Anmerkung:
Konjunktionen stehen nur dann innerhalb der Satzglieder, wenn unter Satzgliedern ausschließlich Stellungsglieder in konkreten Sätzen verstanden werden und innerhalb eines solchen Satzgliedes eine Koordination vorliegt, die nur eine Stelle im Satz einnimmt und nur zusammen an die Stelle vor dem finiten Verb verschoben werden kann:

Er kauft sich (zwei Hemden und einen Anzug).
→ (Zwei Hemden und einen Anzug) kauft er sich.

Versteht man unter Satzgliedern jedoch im vollen Sinne Funktionsglieder, so handelt es sich bei solchen Koordinationen um *zwei* Objekte und *zwei* Sätze, die durch eine Konjunktionstransformation miteinander zu einem Stellungsglied verbunden worden sind:

Er kauft sich *zwei Hemden.* Er kauft sich *einen Anzug.*
→ Er kauft sich *zwei Hemden und einen Anzug.*

3. Die Präpositionen haben Kasusforderungen (zu den Ausnahmen 7.2.3.3.), die Konjunktionen nicht. Jede Präposition regiert einen Kasus oder mehrere Kasus:

Er geht *zum* Krankenhaus.
Er geht *in das* Krankenhaus.
Er liegt *in dem* Krankenhaus.

Anmerkung:
Einige Fügewörter können sowohl als Präpositionen als auch als Konjunktionen auftreten: *bis, seit, während, wie, als.* Bei diesen Wörtern wird der syntaktische Unterschied besonders deutlich:

Bis zu seiner Abreise will er sich die Stadt ansehen.	(= Präposition)
Bis er abreist, will er sich die Stadt ansehen.	(= Konjunktion)

7.2. Syntaktische Beschreibung

7.2.1. Wortbestand

Auf Grund der Wortstruktur ist zwischen primären und sekundären Präpositionen zu unterscheiden. Die primären Präpositionen sind in der Gegenwartssprache nicht als Ableitungen oder Zusammensetzungen von Wörtern anderer Wortklassen erkennbar und bilden eine relativ geschlossene Wortklasse. Zu diesen primären Präpositionen gehören z. B. *an, auf, aus, bei, durch, neben, ohne, über, während, wegen.* Sie regieren gewöhnlich nicht den Genitiv (außer *während* und *wegen*), sondern den Dativ (*aus, bei* u. a.) oder den Akkusativ (*durch, ohne* u. a.) bzw. beide Kasus (*an, auf, neben* u. a.). Ein weiteres syntaktisches Merkmal verschiedener primärer Präpositionen besteht darin, daß sie ihrerseits von Verben und Adjektiven regiert werden können. Als Mittel der Rektion dienen sie zur analytischen Bildung von Objekten, wobei sie weitgehend oder völlig ihre lexikalische Bedeutung verlieren (z. B. *achten auf, erschrecken vor, stolz auf, fähig zu*).
Die sekundären Präpositionen erweitern den festen Bestand der primären Präpositionen. Es handelt sich dabei um

1. Ableitungen von Wörtern anderer Wortklassen (vor allem mit Suffix *-s* oder *-lich*) und in ihrer Wortstruktur unveränderte Wörter anderer Wortklassen (Substantive, Partizipien u. a.)

> anfangs, angesichts, ausgangs, betreffs, längs, mangels, mittels, namens, seitens, zwecks; ab-, dies-, jenseits
> abzüglich, anläßlich, bezüglich, einschließlich, gelegentlich, hinsichtlich, vorbehaltlich, zuzüglich
> dank, gemäß, kraft, laut, (an)statt, trotz, unweit, zeit; entsprechend, ausgenommen, ungeachtet

2. Zusammensetzungen und Wortgruppen aus Präposition + Substantiv (zumeist mit Nullartikel)

> an Hand (anhand), an Stelle (anstelle), auf Grund (aufgrund), auf Kosten, aus Anlaß, in Anbetracht, in betreff, infolge, in Form, im Laufe, inmitten, mit Ausnahme, mit Hilfe, von seiten, zufolge, zu(un)gunsten, zuliebe, zur Zeit; außer-, inner-, ober-, unterhalb

Die meisten sekundären Präpositionen regieren den Genitiv – bei den Zusammensetzungen und Wortgruppen steht entsprechend der generellen Regel (vgl. 15.1.3.3.3.) in Ersatzfunktion für Genitiv der Präpositionalkasus mit *von*, wenn das regierte Substantiv Nullartikel hat –, nur wenige regieren den Dativ (*dank, entsprechend, gemäß, zufolge, zuliebe*), eine einzige den Akkusativ (*ausgenommen*). Einen Subtyp innerhalb der Wortgruppen bilden die Verbindungen, bei denen das regierte Substantiv mit einer zweiten Präposition angeschlossen wird: *in bezug auf, im Hinblick auf, in Verbindung mit, im Gegensatz zu, im Verhältnis zu, im Vergleich zu.* Charakteristisch für alle sekundären Präpositionen ist, daß sie nicht als Mittel der Rektion gebraucht werden können. Sie kommen deshalb nicht in Objekten, sondern nur in Attributen und Adverbialbestimmungen vor, wobei sie immer ihre lexikalische Bedeutung bewahren.
Die sekundären Präpositionen bilden eine offene Wortklasse, die nicht vollständig aufgelistet werden kann (in unserer Liste zum Gebrauch der Präpositionen unter 7.3.3. bringen wir deshalb nur eine Auswahl besonders wichtiger und häufig gebrauchter sekundärer Präpositionen). Vor allem aus den Wortgruppen Präposition + Substantiv bilden sich in der Gegenwartssprache immer wieder neue präpositionswertige Verbindungen. Vielfach ist der Präpositionalisierungsprozeß noch nicht abgeschlossen. Für die Bewertung einer Wortgruppe als Präposition können verschiedene Kriterien angegeben werden:

(a) Das Substantiv der Wortgruppe ist nur in dieser festen Verbindung möglich:

> in Anbetracht
> ← *der Anbetracht

(b) Das Substantiv hat in der Wortgruppe eine sehr allgemeine Bedeutung:

> an Hand des Dokuments (= mit Hilfe)

Aber:

an der Hand des Kindes

(c) Das Substantiv kann nicht mit einem Artikelwort oder einem Adjektiv gebraucht werden:

*auf dem Grund des Hinweises
*im schnellen Laufe der Zeit

(d) Die Wortgruppe wird reihenmäßig gebraucht:

mit Hilfe des Buches / des Freundes / des Hinweises / ...

(e) Die Wortgruppe ist durch eine Präposition substituierbar:

im Vergleich zu früher
→ gegenüber früher

(f) Das Substantiv wird klein geschrieben oder mit der Präposition zusammengeschrieben:

von seiten, zuliebe

7.2.2. Stellung der Präpositionen

Der Begriff *Präposition* weist darauf hin, daß die Wörter dieser Wortklasse gewöhnlich *vor* dem Wort stehen, das sie regieren. Allerdings sind nicht alle Wörter mit der syntaktischen Funktion von Fügewörtern im oben charakterisierten Sinne auf diese Stellung festgelegt. Insgesamt gibt es drei Stellungstypen: Neben der übergroßen Zahl von Präpositionen, die tatsächlich *vor* dem regierten Wort stehen (Präposition als Stellungstyp, Präposition im strengen Sinne des Wortes), gibt es einige, die *nach* dem regierten Wort stehen können oder müssen (Postposition) und andere, die *vor und nach* dem regierten Wort stehen (Circumposition). Im folgenden wird von *Präposition* als Wortklasse (im Sinne der gemeinsamen syntaktischen Funktion) gesprochen, die speziellen Stellungstypen werden als *Prä-*, *Post-* oder *Circum*stellung bezeichnet.
Entsprechend den unterschiedlichen Stellungsverhältnissen ergeben sich im Zusammenhang mit dem Wortartcharakter der regierten Wörter folgende Gruppen.[1]

1. Präpositionen in Prästellung

(1) Das regierte Wort ist ein Substantiv oder ein substantivisches Pronomen:

Er hat es *für* den Freund / *für* ihn getan.

---

[1] Zur Artikelverschmelzung bei verschiedenen primären Präpositionen mit Dativ und/oder Akkusativ vgl. 5.5.1., zu weiteren morphologischen Besonderheiten bei *halber*, *wegen* und *um ... willen* vgl. unter 7.3.3. bei den einzelnen Präpositionen.

Hierher gehören alle Präpositionen außer den unten bei den Gruppen 2–4 aufgeführten Präpositionen.

(2) Das regierte Wort ist ein temporales oder lokales Adverb:

> Wir gehen *nach* rechts.
> Ich habe *bis* vorhin auf ihn gewartet.

Diese Stellung vor Adverbien ist möglich für folgende Präpositionen: *ab, bis, nach, seit, von, vor*

In besonderer Verwendung (Superlativ, Farb- und Sprachbezeichnungen) können die Präpositionen *an, auf, in* vor Adjektivadverbien stehen. Vgl. dazu unter 7.3.3. bei den einzelnen Präpositionen.

(3) Das regierte Wort ist ein Adjektiv:

> Ich halte den Film *für* gut.

Hierher gehört außer *für* nur noch *als.*

Anmerkungen:
(1) Mit der Funktion der Präpositionen als Fügewörter hängt es zusammen, daß gewöhnlich vor einem Substantiv nur *eine* Präposition steht. Zwei Präpositionen kommen in folgenden Fällen vor:

(a) Mit einer zweiten Präposition wird die Bedeutung der ersten Präposition spezifiziert. Dies ist notwendig bei der Präposition *bis*, die selbst nur eine unbestimmte Bedeutungsangabe enthält:

> Der Bus fuhr *bis zu* dem Hotel / *an* das Hotel / *vor* das Hotel / …

Nicht um eine solche notwendige Bedeutungsspezifizierung handelt es sich bei den Verbindungen der Präposition *bis* mit *nach* bei Lokalangaben mit Nullartikel und mit *zu* bei Temporalangaben:
In der Verbindung *bis nach* vor Lokalangaben mit Nullartikel ist die Bedeutungsspezifizierung durch die zweite Präposition stark abgeschwächt. Aus diesem Grund sind hier als Nebenvarianten auch Verbindungen nur mit einer Präposition möglich:

> Wir fuhren *bis nach* Dresden.
> Wir fuhren *bis* Dresden.
> Wir fuhren *nach* Dresden.

Nicht semantisch, sondern morphosyntaktisch bedingt ist die Verbindung *bis zu* bei Temporalangaben. Hier erscheint die zweite Präposition, wenn die Temporalangabe mit bestimmtem Artikel gebraucht wird, und fehlt umgekehrt, wenn die Temporalangabe mit Nullartikel steht:

> Die Arbeit muß *bis zum* Mittwoch geschafft werden.
> Die Arbeit muß *bis* Mittwoch geschafft werden.

(b) Bei einigen sekundären Präpositionen steht die Präposition *von* als zweite Präposition zur Kennzeichnung des regierten Kasus. Dies ist notwendig, wenn das regierte Wort im Genitiv mit Nullartikel und ohne ein dekliniertes Attribut gebraucht wird:

> Die Rechnung ist *innerhalb von* drei Tagen zu begleichen.

Aber ohne *von*:

Die Rechnung ist *innerhalb* der nächsten drei Tage zu begleichen.

(c) Zwei Präpositionen können auch dann nebeneinander stehen, wenn eine Präposition von ihrem Substantiv durch ein präpositionales Attribut getrennt wird und das Substantiv keinen Artikel hat. Man vgl.:

Er arbeitet *mit* einer Energie, die *von* starkem Willen zeugt.
→ Er arbeitet *mit* einer *von* starkem Willen zeugenden Energie.
→ Er arbeitet *mit von* starkem Willen zeugender Energie.

(d) Nur scheinbar um zwei nebeneinander stehende Präpositionen handelt es sich, wenn bei Zahlangaben nach verschiedenen primären Präpositionen noch *über* (oder *unter*) steht:

Er arbeitet *seit über* einem Jahr im Betrieb.

Wie die Substitutionsprobe zeigt, ist *über* hier eine Partikel:

Er arbeitet seit reichlich / gut / . . . einem Jahr im Betrieb.

Daß *über* hier keine Präposition ist, zeigt auch die Rektion des Substantivs: Während sonst (vgl. oben die Beispiele mit *bis* und *von*) das Substantiv von der zweiten Präposition regiert wird, geht hier die Rektion von der ersten Präposition aus. Man vgl. das obige Beispiel mit $seit_D$ *über* mit dem folgenden mit $für_A$ *über*:

Das Bild wurde *für über* eine Million verkauft.

(2) Gewöhnlich wird die Präposition nur durch den Artikel von ihrem Substantiv getrennt. Die Möglichkeit, daß die Präposition vom regierten Wort abrückt – einen Rahmen mit dem regierten Wort bildet – besteht dann, wenn vor das regierte Wort ein Attribut tritt:

Mit großen, ihre ganze Freude ausdrückenden *Augen* sah sie das Kind an.

2. Präpositionen in Prä- und Poststellung

Das regierte Wort ist ein Substantiv:

Gegenüber dem Meister / Dem Meister *gegenüber* saß der Direktor.

Hierher gehören: entgegen, entlang, gegenüber, gemäß, nach, ungeachtet, wegen, zufolge

Wenn das regierte Wort ein substantivisches Pronomen ist, ist bei den meisten Präpositionen dieser Gruppe nur die Poststellung, bei der Präposition *nach* umgekehrt nur die Prästellung möglich:

Ihm *gegenüber* saß der Direktor.
Nach ihm (I. Kant) ist das Planetensystem aus einer Partikelwolke entstanden.

Bei Adverbien können nur die Präpositionen *entlang* (in Poststellung) und *gegenüber* (in Prä- und Poststellung) stehen; bei Adjektiven ist keine Präposition dieser Gruppe möglich.

Wir gehen am besten hier entlang.
Gegenüber früher / Früher gegenüber ist er viel ruhiger.

3. Präpositionen in Poststellung

Das regierte Wort ist ein Substantiv oder ein substantivisches Pronomen:

> Sie hat dem Vater *zuliebe* / ihm *zuliebe* auf die Reise verzichtet.

Diese Stellung ist nur bei *zuliebe* und *halber* möglich.

4. Präpositionen in Circumstellung

Das regierte Wort ist ein Substantiv:

> *Um* seiner Gesundheit *willen* hat er das Rauchen aufgegeben.
> *Vom* ersten Tag *an* haben wir gut zusammen gearbeitet.

Hierher gehören nur *um... willen* und *von ... an* (bzw. *von ... ab / aus / auf*).

(1) Die beiden in Circumstellung auftretenden Präpositionen sind unterschiedlich zu beurteilen: Während *um ... willen* eine einheitliche, wenn auch komplex zusammengesetzte Präposition ist, handelt es sich bei *von ... an* usw. im Grunde um die Verbindung von zwei Präpositionen. Trotzdem kann man auch im zweiten Fall von *einer* Präposition sprechen, da die Verbindung obligatorisch ist und eine semantische Einheit bildet.
Nicht von Präpositionen in Circumstellung kann man dagegen sprechen, wenn nach Substantiven mit Präposition (vor allem bei Richtungsangaben) Adverbien aus *her- / hin-* + Präposition stehen. Diese Adverbien treten nur fakultativ auf und bilden keine semantische Einheit mit der Präposition vor dem Substantiv, sondern intensivieren oder spezifizieren nur deren Bedeutung. Sie können auch als trennbare erste Teile des Verbs angesehen werden (vgl. 1.11.2.2.).

> Er schaute *aus* dem Fenster (*heraus*).
> Sie ging *in* das Haus (*hinein*).
> Wir liefen schnell *zum* ersten Stock (*hinauf*).
> Das Kind sprang *vom* Wagen (*herunter*).

(2) Hinsichtlich des Vorkommens bei substantivischen Pronomen und Adverbien verhalten sich die beiden Präpositionen in Circumstellung verschieden: Die Präposition *um ... willen* ist nur mit substantivischen Pronomina, nicht mit Adverbien möglich, die *von*-Verbindungen kommen umgekehrt gewöhnlich nur mit Adverbien, nicht mit substantivischen Pronomina vor:

> *Um* seinet*willen* hat sie auf die Reise verzichtet.
> *Von* heute *an* wird nicht mehr geraucht!

Kasusrektion der Präpositionen 7.2.3.

Die Mehrzahl der Präpositionen fordert nur einen bestimmten Kasus beim Substantiv (oder substantivischen Pronomen). Unter ihnen sind besonders zahlreich die Präpositionen, die den Genitiv regieren (vgl. oben die Liste der sekundären Präpositionen). Von den Präpositionen mit *einem* Kasus sind die Präpositionen zu unterscheiden, die mit deutlichem Bedeutungsunterschied *zwei* Kasus fordern, und die Präpositionen, die bei besonderer Verwendung einen zweiten Kasus (vereinzelt auch einen dritten Kasus) als eine Art Nebenkasus beim Substantiv regieren. Während die Präpositionen mit einem Kasus und die Präpositionen mit zwei bedeutungsunterscheidenden Kasus deutlich abgrenzbare Gruppen sind, bilden die Präpositionen mit einem Nebenkasus eine heterogene Gruppe, da die Bedingungen für den zweiten Kasus sehr unterschiedlich sind. Aus Gründen der Einfachheit wird in der folgenden Übersicht diese Gruppe entsprechend dem Hauptkasus den Präpositionen mit einem Kasus zugeordnet und auf eine Angabe der besonderen Bedingungen für den Nebenkasus an dieser Stelle verzichtet. Zu diesen Bedingungen vgl. unter 7.3.3. bei den einzelnen Präpositionen. Als eine dritte Gruppe werden in unserer Übersicht die Präpositionen ohne Kasusforderung bzw. ohne erkennbaren Kasus dargestellt.

7.2.3.1. Präpositionen mit einem Kasus

1. G: außerhalb, diesseits, halber, infolge, inmitten, jenseits, kraft, oberhalb, seitens, um ... willen, ungeachtet, unterhalb, unweit / -fern
   G / (D): (an)statt, innerhalb, längs, laut, mittels, trotz, während, wegen, zugunsten
2. D: aus, bei, entgegen, gegenüber, gemäß, mit, (mit)samt, nach, seit, von, zu, zuliebe
   D / (G): binnen, dank, zufolge
   D / (A): ab
   D / (A, G): außer
3. A: à, bis, durch, für, gegen, je, ohne, per, pro, um, wider
   A / (D, G): entlang

7.2.3.2. Präpositionen mit zwei Kasus

D / A: an, auf, hinter, in, neben, über, unter, vor, zwischen

Grundsätzlich gilt, daß der Dativ verwendet wird, wenn es sich im Satz um ein nicht-zielgerichtetes Geschehen handelt, und der Akkusativ erscheint, wenn das Geschehen zielgerichtet ist (so auch die Darstellung in 7.3.3.). Diese allgemeine Unterscheidung bedarf jedoch verschiedener Einschränkungen, die im folgenden übersichtsweise dargestellt werden:
Bei den Verbindungen von Substantiven und Präpositionen mit Dativ und Akkusativ ist zunächst zwischen valenzunabhängigen und valenzabhängigen Verbindungen zu unterscheiden.

1. Die *valenzunabhängigen* Verbindungen werden nicht weiter differenziert. Es sind verschiedene Präpositionen möglich, die Bedeutung ist jedoch immer „nicht-zielgerichtet“ und der Kasus immer Dativ:

Wir frühstücken in der Küche / auf der Veranda / vor dem Haus / ...

2. Bei den *valenzabhängigen* Verbindungen ist danach zu unterscheiden, ob die Präposition allein vom Verb (auch Adjektiv oder Substantiv) im Satz abhängig ist oder vom Verb und von dem Substantiv, das von der Präposition regiert wird.

(1) Bei den allein vom Verb abhängigen Verbindungen ist jeweils nur eine ganz bestimmte Präposition mit nur einem Kasus möglich. Die Abhängigkeit ist rein formal motiviert, eine Unterscheidung nach „zielgerichtet“ und „nicht-zielgerichtet“ ist nicht möglich. Wir sprechen hier von der *Rektion der Präposition* durch das Verb (im Unterschied zur Rektion des Substantivs durch die Präposition, der *Kasusrektion der Präposition*), die bedeutungsmäßig nicht analysierbar, sondern nur listenmäßig erfaßbar ist (vgl. die Listen zum Verb in 1.3.3.3., zum Substantiv in 2.4.3.6.2. und zum Adjektiv in 3.5.). Hinsichtlich der bei der Rektion möglichen Präpositionen und Kasus gibt es gewisse Beschränkungen:
Mit Dativ und Akkusativ gleichermaßen sind nur *an* und *in* möglich; *auf* kommt zumeist, *vor* und *unter* kommen nur mit Dativ vor, *über* umgekehrt nur mit Akkusativ; die restlichen drei Präpositionen – *hinter, neben* und *zwischen* – werden überhaupt nicht regiert.
Eine Sondergruppe bilden die zielgerichteten Verbindungen von Verben mit Präfix *ein-*, nach denen nur *in* mit Akkusativ erscheint. Wenn hier *in* (oder eine andere Präposition) mit Dativ erscheint, handelt es sich um eine valenzunabhängige Verbindung:

Das Kind ist *in das Eis* eingebrochen. (valenzabhängige Verbindung)
Das Kind ist *auf dem Teich* eingebrochen. (valenzunabhängige Verbindung)
Das Kind ist *auf dem Teich in das Eis* eingebrochen. (valenzunabhängige und valenzabhängige Verbindung)

(2) Bei den von Prädikat und regiertem Substantiv abhängigen Verbindungen sind entsprechend der Bedeutung verschiedene Präpositionen mit Dativ oder mit Akkusativ möglich. Es ist zwischen den Hauptgruppen „nicht-zielgerichtet“ und „zielgerichtet“ und einer Mischgruppe „nicht-zielgerichtet / zielgerichtet“ zu unterscheiden:

(a) Die *nicht-zielgerichteten* Verbindungen stehen im Dativ, vielfach bei intransitiven Verben:

Das Heft liegt im Schrank / auf dem Tisch / zwischen den Büchern / ...

Ebenso bei: sitzen, stehen, hängen (unregelmäßiges Verb), umhergehen, wohnen

(b) Die *zielgerichteten* Verbindungen stehen oft im Akkusativ, besonders bei transitiven nicht-präfigierten Verben. Bei diesen zielgerichteten Verbindungen ist die *Richtung* betont.

zielgerichtet-richtungsbetonte Verbindungen mit Akkusativ:

> Er legt das Heft in den Schrank / auf den Tisch / zwischen die Bücher / . . .

Ebenso bei: setzen, stellen, hängen (regelmäßiges Verb), packen, schieben; (intransitiv:) kommen, treten

Neben diesen Verbindungen mit Akkusativ gibt es noch Verbindungen mit Dativ bei *zielbetonten* Verben und als Mischgruppe die Verbindungen mit schwankendem Kasus bei Verben, die *richtungs- und zielbetont* sein können. Bei beiden Gruppen sind die Verben zumeist präfigiert, bei der zweiten Gruppe ist gewöhnlich nur eine bestimmte Präposition möglich.

zielgerichtet-zielbetonte Verbindungen mit Dativ:

> Er hat die Couch an der Wand / vor dem Regal / unter dem Fenster / . . . aufgestellt.

Ebenso: aufhängen, anstecken, befestigen; (intransitiv:) ankommen

zielgerichtete Verbindungen, die richtungsbetont mit Akkusativ oder zielbetont mit Dativ stehen können:

> Der Kranke wurde in das Krankenhaus aufgenommen. (zielgerichtet-richtungsbetont)
> Der Kranke wurde in dem Krankenhaus aufgenommen. (zielgerichtet-zielbetont)

Ebenso: aufbauen auf, einschließen in, klopfen an, sich niedersetzen auf / in, versinken in, verschwinden hinter

(c) Bei zahlreichen Verben der Bewegung ist sowohl eine *nicht-zielgerichtete* Verbindung mit Dativ als auch eine *zielgerichtete* Verbindung mit Akkusativ möglich:

> Das Kind läuft auf der Straße.
> Das Kind läuft auf die Straße.

Ebenso: fahren, fliegen, gehen

7.2.3.3. Präpositionen ohne Kasus

Bei den Präpositionen ohne Kasus ist zu unterscheiden zwischen den Fällen, wo die Präposition beim regierten Wort keinen bestimmten Kasus fordert, und den Fällen, wo ein Kasus gefordert ist, aber aus morphologischen Gründen nicht erkennbar wird.

1. Präpositionen ohne oder ohne bestimmte Kasusforderung

410 (1) Die Präpositionen *als* und *wie* verlangen keinen bestimmten Ka-

sus. Die auf die Präposition folgenden Wörter kongruieren mit ihren Bezugswörtern:

> Ich kannte ihn schon als Student. (ich = Student)
> Ich kannte ihn schon als Studenten. (er = Student)

Zum Nominativ nach *als* bei genitivischem Bezugswort vgl. 7.3.3. unter *als* Anm. (1).

(2) Wenn zwei Präpositionen nebeneinander stehen, ist die erste ohne Kasusforderung. Der Kasus des regierten Wortes wird von der zweiten Präposition bestimmt:

> Wir fuhren bis *zu dem* Haus.
> Wir fuhren bis *vor das* Haus.

Diese Regel gilt nur für die oben 7.2.2.1. Anm. (1) unter (a) und (b) genannten Verbindungen, nicht für die unter (c) und (d) genannten Fälle.

(3) Nicht als stilistisch einwandfrei gilt, wenn von zwei durch Konjunktionen verbundenen Präpositionen die erste ohne Kasusforderung gebraucht wird:

> Anbauschränke mit und ohne verschiebbare Glasscheiben

Besser ist hier:

> Anbauschränke mit verschiebbaren Glasscheiben und ohne verschiebbare Glasscheiben.

2. Präpositionen ohne erkennbaren Kasus

(1) Ohne erkennbaren Kasus stehen Adjektive und Adverbien nach Präpositionen:

> Ich halte ihn *für begabt*.
> Er geht *nach vorn*.

(2) Ohne erkennbaren Kasus können auch Substantive nach Präpositionen stehen. Dies ist dann der Fall, wenn das Substantiv mit Nullartikel und ohne adjektivisches Attribut gebraucht wird und im geforderten Kasus keine Endung besitzt. Manche dieser Verbindungen können auch als Präpositionen ohne Kasusforderung aufgefaßt werden. Folgende Fälle sind zu unterscheiden:

(a) Eindeutig um Präpositionen ohne erkennbaren Kasus handelt es sich bei den Verbindungen eines Eigennamens mit einer Präposition und bei präpositionalen Wendungen:

> Sie sind *nach Dresden* gefahren.
> Er hat die Arbeit nur *mit Mühe* geschafft.

(b) Als Gebrauch der Präposition ohne erkennbaren Kasus *oder* ohne Kasusforderung können die fachsprachlichen formelhaften Verbindungen von Präpositionen wie *laut*, *per*, *pro* mit Substantiven aufgefaßt werden:

laut Gesetz, Rechnung, Schreiben vom . . ., Katalog usw.
per Bahn, Luft, Post, Nachnahme usw.
pro Person, Kopf, Tag, Kilo usw.

(c) Eindeutig als Präpositionen ohne Kasusforderung sind die Präpositionen in den folgenden Beispielen aufzufassen (beschränkt auf einige Textsorten):

Der Schaden entstand infolge Kurzschluß an einem elektrischen Gerät. (Tageszeitung)
Der Preis zuzüglich Porto beträgt zehn Mark. (Rechnung)

Während bei (a) und (b) ein erkennbarer Kasus gewöhnlich nur bei Gebrauch eines Attributs erscheint, ist bei (c) die Form mit erkennbarem Kasus die normalsprachliche Form.

mit großer Mühe
per ersten Juni
infolge (eines) Kurzschlusses

7.3. Semantische Beschreibung

7.3.1. Allgemeines

Die Präpositionen bilden, indem sie Wörter und Wortgruppen miteinander verbinden, ein adverbiales Verhältnis (a), ein Objektsverhältnis (b) oder ein attributives Verhältnis, das entweder auf ein adverbiales Verhältnis (c_1) oder ein Objektsverhältnis (c_2) zurückgeht:

(a) Der Brief liegt *auf dem Tisch.*
(b) Er antwortet *auf den Brief.*
(c_1) Der Brief *auf dem Tisch* ist aus Ungarn.
(c_2) Seine Antwort *auf den Brief* ist kurz.

Bei bestimmten Präpositionen (*von, durch*) kann hinter dem attributiven Verhältnis auch ein Subjektsverhältnis stehen:

Die Antwort *von Peter* war kurz.
Die Lösung der Aufgabe *durch den Schüler* dauerte lange.

Beim Ausdruck eines Objektsverhältnisses hat die Präposition nur einen syntaktischen Fügungswert. Es handelt sich um die semantisch nicht weiter analysierbaren Fälle von *Rektion* eines Verbs oder Adjektivs mit Hilfe einer Präposition. Auch beim attributiven Verhältnis hat die Präposition nur diese syntaktische Funktion der Rektion, wenn diesem Verhältnis eine Objektsbeziehung zugrunde liegt. Morphosyntaktischer Art – als Genitiv-Ersatz – ist auch der attributive Gebrauch der Präposition *von.* Eine eigene Semantik haben die Präpositionen im wesentlichen nur, wenn sie zum Ausdruck adverbialer Verhältnisse dienen. Aus diesem Grunde werden bei der folgenden semantischen Beschreibung die Präpositionen nur insoweit berücksichtigt, als sie adverbiale Verhältnisse ausdrücken. Zur Rektion mit Hilfe von Präpositionen vgl. die entsprechenden Listen unter 1.3.3.3. (Verb); 2.4.3.6.2. (Substantiv) und 3.5. (Adjektiv). Zum besonderen attributiven Gebrauch der Präposition *von* vgl. 15.1.3.3.3.

Semantische Gruppen[1] 7.3.2.

Adversativ:	entgegen, gegen 2., wider
Bezugspunkt:	für 2.
Distributiv:	à, auf 5., für 6., je, pro, zu 4.
Ersatz:	für 4., (an)statt
Final:	auf 2., für 1., zu 3., zugunsten, zuliebe
Kausal:	auf 6., aus 2., halber, infolge, um ... willen, vor 3., wegen, zufolge 1.
Konditional:	bei 3., mit 3., ohne 2.
Konsekutiv:	zu 6.
Konzessiv:	trotz, ungeachtet
Kopulativ:	außer 2., neben 2.
Lokal	
–, Bereich:	aus 1., außer 3., außerhalb 1., bei 1.3., durch 1., inmitten, innerhalb 1.
–, Gegenseite:	gegenüber 1.
–, Geographisch:	ab 1., an 1.3., bei 1.2., bis 1.1., über 1.3.
–, Grenze:	diesseits, jenseits 1.
–, Lage:	oberhalb, unter 1.3., unterhalb, unweit / unfern
–, Nähe:	an 1.3., bei 1.1., bei 1.2.
–, Ortsveränderung:	entlang 2.
–, Parallele:	entlang 1., längs
–, Punkt:	bis 1., um 1., von 1.
–, (Nicht)Zielgerichtet:	an 1., auf 1., auf 2., gegen 1., hinter 1., in 1., nach 1., neben 1., über 1., unter 1., vor 1., zu 1., zwischen 1.
Minimum:	ab 3.
Modal	
–, Entsprechung:	gemäß, laut, nach 3.3., zufolge 2.
–, Farben:	in 3.3.
–, Grad:	an 3., auf 4.2., bis 3., nach 3.1.
–, Instrumental:	dank, durch 3., kraft, mit 1.1., mittels, ohne 1.1., per, zu 5.
–, Komparativ:	als 2., für 3.1., gegenüber 2.1., wie
–, Maß:	auf 4.1., bis 3., bis 4., zwischen 2.
–, Qualität:	aus 3., von 3.1., von 3.2.
–, Rang:	nach 3.2.
–, Spezifizierung:	als 1.
–, Sprachen:	auf 4.4., in 3.2.
–, Umstand, begleitender:	in 3.1., mit 1.2., ohne 1.2., (mit)samt, unter 2.1.

[1] Die Ziffern hinter den Präpositionen verweisen auf die entsprechende Variante der Präposition in der Liste unter 7.3.3.

–, Verhaltensweise:	gegenüber 2.2.
–, Wiederholung, steigernde:	auf 4.3., für 3.2., über 2.2., um 3.
–, Zustand:	außer 4., in 3.4.
Partitiv:	mit 4., von 5.
Restriktiv:	außer 1., ohne 3.
Temporal	
–, Bestimmtheit / Unbestimmtheit:	bis 4., gegen 3., um 2., zwischen 2.
–, Gleichzeitigkeit / Zeitdauer:	auf 3.1., bei 2.1., während
–, Gleichzeitigkeit, begrenzte Zeitdauer:	auf 3.2., binnen, durch 4., für 5., in 2.1., innerhalb 2., über 3.
–, Gleichzeitigkeit, Zeitdauer / Zeitpunkt:	an 2., bei 2., in 2.3., zu 2.
–, Gleichzeitigkeit, Zeitpunkt:	bei 2.2., mit 2.
–, Nachzeitigkeit, Anfangspunkt:	vor 2.2.
–, Vorzeitigkeit, Endpunkt:	nach 2.
–, Sprechergegenwart, Zeitpunkt vor:	vor 2.1.
–, Sprechergegenwart, Zeitpunkt nach:	in 2.2., vor 2.3.
–, Zeitdauer, nicht gehörig zu:	außerhalb 2.
–, Zeitdauer, Anfangspunkt:	ab 2., seit, von 2.
–, Zeitdauer, Endpunkt:	bis 2.
Übertragener Gebrauch:	aus 4., außerhalb 3., bei 1.4., durch 5., hinter 2., in 4., innerhalb 3., jenseits 2., unter 3., zwischen 3.
Urheber:	durch 2., seitens, von 4.

7.3.3. Alphabetische Liste zum Gebrauch der Präpositionen[1]

à (A)

Distributiv. Vor Preisangaben. Veraltet. (= *zu 4.*)

Ich möchte fünf Briefmarken à zehn (Pfennig).

ab (D)[2]

1. Lokal. Geographisch. Ausgangspunkt einer Strecke. Vor Ortsnamen. Mit Nullartikel. Ggs.: *bis 1.*

Der Zug fährt ab Berlin-Schönefeld.

Vor nicht-geographischen Begriffen steht *von ... ab* (vgl. *von 1.2.*).

---

[1] Die in Klammern hinzugefügten Erklärungen dienen vor allem der Differenzierung der einzelnen Bedeutungsvarianten; sie sind nicht in jedem Falle als volle Synonyme zu verstehen und auch nicht absolut austauschbar.

[2] Umgangssprachlich zumeist Akkusativ.

2. Temporal. Zeitdauer mit Angabe des Anfangspunktes. Zumeist mit Nullartikel. (= *von … an / ab*, vgl. *von 2.1.*). Ggs.: *bis 2.*

Ab acht Uhr bin ich wieder zu Hause.
Ab morgen arbeiten wir in einem neuen Gebäude.
Die Badeanstalt ist ab nächster Woche geöffnet.

Anmerkungen:
(1) Die Präposition *ab* in temporaler Bedeutung (wie auch das synonyme *von … an/ab)* steht gewöhnlich bei durativen Verben. In der Vergangenheit wird damit eine Zeitdauer ausgedrückt, die vor der Sprechergegenwart endet. Zum Ausdruck einer Zeitdauer, die bis in die Sprechergegenwart reicht, dient die Präposition *seit.* Vgl.:

Ab 1970 lebte sie im Ausland. Nach drei Jahren kehrte sie in die Heimat zurück. *Seit* 1975 arbeitet sie nun wieder an unserem Institut.

(2) Bei Zahlenangaben und anderen Zeitbestimmungen im Sinne eines Termins steht entweder *ab* oder *von … an*, bei semantisch näher bestimmten Substantiven wie *Hochzeit, Tod, Prüfung* usw. wird *von … an* vorgezogen.

Die Fahrkarte gilt *ab* heute/*von* heute *an.*
Von seinem Examen *an* lebte er in Dresden.

3. Minimum. Vor Zahlangaben. (= *mit mehr als*)

Dieser Film ist für Jugendliche ab 14 Jahren erlaubt.
Körpergrößen ab einem Meter siebzig bezeichnet man als groß.

als (ohne Kasusforderung)

Modal

1. Spezifizierung. (= *in der Eigenschaft, Funktion*)

Er arbeitet als Schlosser in einem kleinen Betrieb.
Ich kenne ihn nur als einen sehr hilfsbereiten Menschen.

2. Komparativ. Ungleichheit im Vergleich. Nach Komparativform des Adjektivs / Adverbs und *anders, auf andere Weise.*

Er läuft schneller als sein Freund.
Er spielt anders als sein Gegner.

Anmerkungen
(1) Gewöhnlich kongruiert das nach *als* stehende Substantiv mit seinem Bezugswort [vgl. dazu auch 7.2.3.3.1. (1)]:

Er bezeichnet *die Montage* als *den aufwendigsten Arbeitsprozeß.*
Er sprach von *der Montage* als *dem aufwendigsten Arbeitsprozeß.*

Wenn das Bezugswort Attribut im Genitiv ist und das nach *als* stehende Substantiv mit Nullartikel gebraucht wird, steht dieses nicht im Genitiv, sondern im Nominativ:

die Kosten *der Montage* als (*aufwendigster*) *Arbeitsprozeß*

Aber regelmäßig im Genitiv bei (un)bestimmtem Artikel:

die Kosten *der Montage* als *des aufwendigsten Arbeitsprozesses*

Gelegentlich werden auch nach *als* stehende Substantive mit (un)bestimmtem Artikel, wenn sie einem Attribut im Genitiv folgen, im Nominativ gebraucht. Dies ist dann der Fall, wenn ihr eigentliches Bezugswort nicht das Genitiv-Attribut, sondern das Bezugswort dieses Attributs ist:

die Bewertung *des Romans* als *eines Zeitdokuments*
die Bewertung des Romans als *ein Zeitdokument*

(2) Im Vergleich drückt *als* die Ungleichheit, *wie* die Gleichheit (bzw. verneinte Gleichheit) aus:

Gestern war es wärmer *als* heute.
Gestern war es nicht so kalt *wie* heute.

(3) Auch das spezifierende *als* wird mitunter mit dem vergleichenden *wie* verwechselt:

Er spricht über das Problem *als* Fachmann. (Funktion: Er ist tatsächlich ein Fachmann.)
Er spricht über das Problem *wie* ein Fachmann. (Vergleich: Er ist in Wirklichkeit kein Fachmann.)

an (D/A)

1. Lokal

1.1.(D). Nicht zielgerichtet.

Der Schrank steht an der Wand.
Die Lampe hängt an der Decke.
Wir sitzen am Tisch.

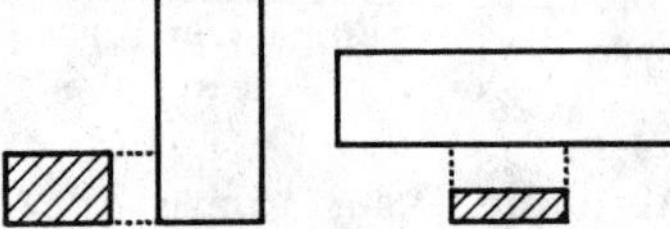

1.2.(A). Zielgerichtet.

Sie schieben den Schrank an die Wand.
Er hängt die Lampe an die Decke.
Wir setzen uns an den Tisch.

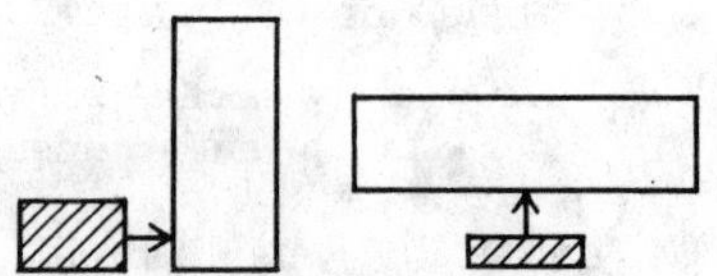

1.3.(D). Geographisch. Unmittelbare Nähe. Vor Bezeichnungen von Gewässern und Gebirgen. Mit Artikelverschmelzung vor mask. und neutr. Substantiven.

Halle an der Saale
Köln am Rhein
Odessa am Schwarzen Meer
Halberstadt am Harz

2. (D). Temporal. Gleichzeitigkeit. Zeitpunkt, Zeitdauer. Vor mask. und neutr. Zeitangaben. Datum.

2.1. Vor den Substantiven *Tag, Abend, Anfang, Ende* u. ä.

Am Anfang hatte er große Schwierigkeiten.
Am Abend gab es ein schweres Gewitter.
Am nächsten Sonntag will ich mit meinen Freunden einen Ausflug unternehmen.

Anmerkung:
Vor fem. Zeitangaben steht nicht *an*, sondern *in*:

In der Nacht hat es geregnet.

2.2. Vor Datumsangaben.

am 31. Dezember 1970

Anmerkung:
an steht vor dem Substantiv *Monat* und den Monatsnamen nur dann, wenn dazu die Tagesangabe tritt. Sonst steht *in*:

im Dezember 1970

3. (D). Modal. Gradangabe. Beim Superlativ des Adjektivs in prädikativer Stellung und beim Superlativ des Adjektivadverbs. Nur in neutraler Form und mit Artikelverschmelzung.

Schwarzbrot ist am gesündesten.
Er läuft am schnellsten.

anstatt vgl. **statt**

auf (D / A)

1. Lokal. Mit Berührung.

1.1. (D). Nicht zielgerichtet.

Das Buch liegt auf dem Tisch.
Die Jungen spielen auf der Straße Fußball.
Wir stehen auf einem Berg.

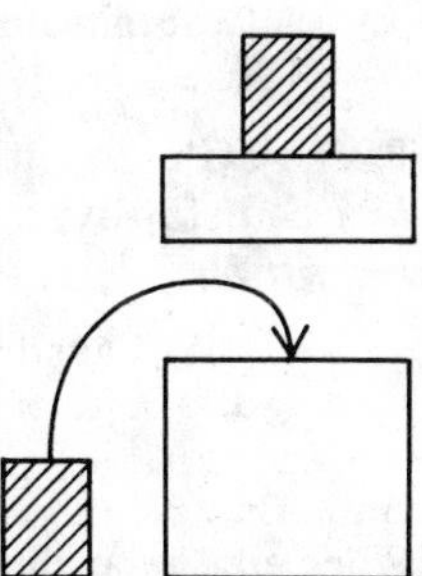

1.2. (A). Zielgerichtet.

Sie legt das Buch auf den Tisch.
Er geht auf die Straße.
Wir steigen auf einen Berg.

2. Final-Lokal. Vor der Bezeichnung von Ämtern und Institutionen wie *Bahnhof*, *Gericht*, *Postamt*, *Polizei*.

2.1. (D). Nicht zielgerichtet.

Sie kauft auf dem Postamt Briefmarken.

2.2. (A). Zielgerichtet.

Sie geht auf das Postamt.

Anmerkung:
Es besteht ein Bedeutungsunterschied zwischen:

Sie geht *auf* den Bahnhof. (Sie will Fahrkarten kaufen.)
Sie geht *in* den Bahnhof. (Sie betritt das Bahnhofsgebäude.)
Sie geht *zum* Bahnhof. (Sie geht in diese Richtung.)

3. Temporal

3.1. (D). Gleichzeitigkeit. Zeitdauer. (= *bei 2.1., während*)

Auf der Wanderung sahen wir verschiedene Wildtiere.
Auf dem Kongreß sprachen auch mehrere ausländische Vertreter.
Die Sängerin wurde auf der Probe ohnmächtig.

Anmerkung:
Bei Substantiven wie *Wanderung, Spaziergang, Reise, Jagd, Hochzeit, Sitzung, Tagung* usw. konkurrieren mit *auf* die Präpositionen *bei* und *während.* Dabei ergeben sich bestimmte Bedeutungsschattierungen:
auf ihrer Hochzeit nennt das Fest als temporal, gleichzeitig aber auch lokal bestimmtes Ereignis, auf dessen Grundlage das Geschehen des Satzes verläuft (hier ist neben der Frage *wann* also auch die Frage *wo* möglich):

Auf ihrer Hochzeit wurde viel getanzt.

bei ihrer Hochzeit nennt das Fest primär als zeitlichen, unter Umständen aber auch lokalen Anhaltspunkt für das Geschehen des Satzes, in mehr oder minder zufälliger Verbindung als Gelegenheit (hier wird vor allem mit *wann* gefragt):

Bei ihrer Hochzeit hat mein Freund seine Frau kennengelernt.

während ihrer Hochzeit nennt das reine Zeitmaß für ein gleichzeitig (möglicherweise an einem anderen Ort) verlaufendes Geschehen (die Frage ist immer *wann*):

Während ihrer Hochzeit war ich im Ausland.

3.2. (A). Gleichzeitigkeit. Bevorstehende festgelegte Zeitdauer. Vor Substantiven wie *Woche, Monat, Jahrzehnt* mit Zahladjektiven. (= *für 5.*)

Sie ist auf drei Monate ins Ausland gefahren.
Die Sowjetunion ist auf viele Jahrzehnte mit Rohstoffen versorgt.

Anmerkung:
Wenn eine unbestimmte Zeitdauer ausgedrückt werden soll, also das Zahladjektiv vor dem Substantiv wegfällt, tritt fak. hinter das Substantiv *hinaus.*

Der Betrieb ist auf Monate (hinaus) ausgelastet.

4. Modal.

4.1. (A). Maßangabe. Mit obl. oder fak. *genau* hinter dem regierten Wort.

Er arbeitet auf den Zentimeter genau.
Die Uhr geht auf die Minute genau.
Er kommt auf die Minute (genau).

4.2. (A). Gradangabe. Elativ (= *sehr, besonders*). *auf das* oder *aufs* + Superlativ. Nur in adverbialer Verwendung.

Er arbeitet auf das genaueste.
Wir grüßen Sie aufs herzlichste.

4.3. Steigernde Wiederholung. Zwischen Zwillingsformeln. Ohne Kasusforderung.

Tropfen auf Tropfen rann aus dem Wasserhahn.

4.4. Vor Sprachbezeichnungen. Ohne Kasusforderung.

Er hat ihr das Kompliment auf englisch gemacht.

4.5. Feste Verbindung *auf einmal* (= gleichzeitig). Nie in Spitzenstellung:

Er wollte alles auf einmal schaffen.

Das modale *auf einmal* ist nicht mit dem temporalen *auf einmal* (= plötzlich) zu verwechseln:

Auf einmal konnte sie ihn nicht mehr sehen.

5. (A). Distributiv. Maßangabe zu Maßangabe. Relation partitiver Art.

Von diesem Medikament muß man 3 Tropfen auf ein Glas Wasser einnehmen.
Auf ein Kilo Mehl rechnet man 30 Gramm Hefe.

6. (A). Kausal.

6.1. Mit fak. *hin* nach dem regierten Wort und mit Nullartikel.

Er las das Buch auf Anregung seines Professors (hin).

6.2. Mit obl. *hin* nach dem regierten Wort. Nicht mit Nullartikel.

Er korrigierte einige Stellen im Vortrag auf die Kritik seines Freundes hin.

aus (D)

1. Lokal. Bewegung aus einem Bereich heraus.

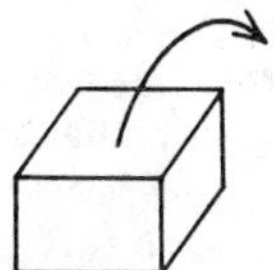

Die Mutter nimmt die Wäsche aus dem Korb.
Das Wasser läuft aus dem Eimer.
Die Spaziergänger kommen aus dem Wald.

2. Kausal. Mit Nullartikel.

Er arbeitet aus Überzeugung mit.
Er half ihr aus Mitleid.

Anmerkung:
In kausaler Bedeutung steht *aus* vor einem Substantiv, das ein subjektives menschliches Gefühl als Motivierung für eine bewußte, geplante Handlungsweise ausdrückt. *vor* in kausaler Bedeutung (vgl. *vor 3.*) steht dagegen vor einem Substantiv, dessen objektive Auswirkung im Verb ausgedrückt wird:

vor Freude lachen, vor Schmerzen schreien, vor Kälte zittern, vor Hunger sterben

3. Modal. Qualität, stoffliche Beschaffenheit. (= *von 3.2.*)

Ein Haus aus Glas, Beton und Aluminium wird gebaut.

4. Übertragener Gebrauch (modal). Abgeleitet von der lokalen Bedeutung. In festen Verbindungen, die Zustandsveränderung oder veränderten Zustand beschreiben.

Er hat lange nicht gespielt, er ist ganz aus der Übung gekommen.

Ebenso: aus der Mode, aus dem Takt, aus der Reihe

außer (D)[1]

1. Restriktiv. Gegenüberstellend einer Gesamtheit (angezeigt durch einen positiven oder negativen Indikator wie *alle, immer, täglich, niemand, niemals* u. ä.), aus der das Glied mit *außer* ausgeschlossen wird. (= *bis auf, mit Ausnahme von*)

Außer ihrem Zwillingsbruder waren alle Geschwister zur Geburtstagsfeier gekommen.
Außer dem Kind war niemand in der Wohnung.

2. Kopulativ. Gegenüberstellend einer Nicht-Gesamtheit (angezeigt durch einen Indikator wie *auch, noch, nur* (*noch*)), an die das Glied mit *außer* gesondert angeschlossen wird. (= *neben 2.*)

Außer ihrem Zwillingsbruder waren noch zwei Brüder und eine Schwester gekommen.
Außer Büchern werden dort auch Papier- und Schreibwaren verkauft.

3. Lokal. Nicht zu einem Bereich gehörig. In festen Verbindungen (zumeist) mit Nullartikel. (= *außerhalb 1.*). Ggs.: *in 1.*

Nach wenigen Minuten war das Boot außer Sichtweite.

Ebenso: außer Reichweite, außer Hause, außer Konkurrenz, außer der Reihe

Anmerkungen:
(1) Statt Dativ steht Genitiv in der festen Verbindung *außer Landes.*
(2) Wenn es sich nicht um feste Verbindungen handelt, steht *außerhalb 1.*

4. Modal. Veränderter Zustand. In festen Verbindungen mit Nullartikel. Ggs.: *in 3.4.*

Die Maschine war außer Betrieb.
Er war nach dem Lauf völlig außer Atem.

Anmerkung:
Bei Verben wie *setzen, stellen* liegt der festen Verbindung ein nicht erkennbarer Akkusativ zugrunde, bei *geraten* schwankt der Gebrauch zwischen Dativ und Akkusativ. Die Bedeutung der Verbindung ist Zustandsveränderung.

Wegen eines Kolbenbruchs mußte die Maschine außer Betrieb gesetzt werden.
Sie ist vor Freude außer sich geraten.

---

[1] In bestimmter Verwendung (vgl. die Anmerkungen) auch Akkusativ und Genitiv.

außerhalb (G)

1. Lokal. Nicht zu einem Bereich gehörig. Ggs.: *innerhalb 1.*

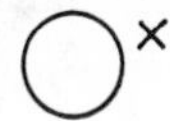

Die Stadt Halle liegt außerhalb des Bezirkes Leipzig.

2. Temporal. Nicht zu einer begrenzten Zeitdauer gehörig.

Kommen Sie bitte außerhalb der Arbeitszeit!

3. Übertragener Gebrauch. (= *jenseits 2.*). Ggs.: *innerhalb 3.*

Er beschäftigt sich gern mit Dingen, die außerhalb seines Fachgebietes liegen.

bei (D)

1. Lokal.

1.1. Unmittelbare Nähe. (= *vor, hinter, über, unter, neben*)

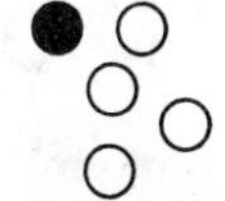

Er saß bei seinen Freunden.
Das Haus steht bei einem Springbrunnen.

1.2. Geographisch. Nahe Lage. Vor Ortsnamen.

In Markkleeberg bei Leipzig findet alljährlich die Landwirtschaftsausstellung statt.

1.3. Volkswirtschaftlicher oder persönlicher Bereich.

Er ist bei der Eisenbahn als Schlosser beschäftigt.
Sie wohnt bei ihren Eltern.
Ich habe kein Geld bei mir.

1.4. Übertragene Bedeutung. Vor Autorennamen.

Bei Marx habe ich darüber nichts gelesen.
Dieses Zitat fand ich bei Goethe.

2. Temporal

2.1. Gleichzeitigkeit. Zeitdauer. (= *auf 3.1., während*)

Ich habe ihn bei einer Geburtstagsfeier kennengelernt.
Beim Essen soll man nicht sprechen.

Zur Konkurrenz mit *auf* und *während* vgl. Anm. zu *auf 3.1.*

2.2. Gleichzeitigkeit. Zeitpunkt. (= *mit 2.*)

Beim Eintritt des Dozenten wurde es still.
Bei Einbruch der Dunkelheit schaltet sich automatisch die Beleuchtung ein.

3. Konditional. Zumeist mit Nullartikel.

Bei Regen fällt die Veranstaltung aus.
(= Falls es regnet, fällt die Veranstaltung aus.)
Die Notbremse darf nur bei Gefahr gezogen werden.
Bei Glatteis ist besondere Vorsicht erforderlich.

Anmerkungen:
(1) Manche Sätze mit *bei* lassen (ebenso wie die Konjunktion *wenn*) sowohl eine temporale (a) als auch eine konditionale (b) Interpretation zu:

Bei schönem Wetter sind wir immer baden gegangen.
((a) = immer dann; (b) = im Falle daß)

(2) In verschiedenen Sätzen hat *bei* eine modale (a) oder eine konzessive (b) Nebenbedeutung:

(a) Der Betrieb produziert jetzt das Doppelte bei gleichbleibend guter Qualität.
(b) Bei besten Voraussetzungen kann er die Prüfung nicht bestehen.

(3) Der Gegensatz zum konditionalen *bei* ist *ohne 2.* Vgl. die Synonymie folgender Sätze:

Bei Zufuhr von Düngemitteln läßt die Bodenfruchtbarkeit *nicht* nach.
Ohne Zufuhr von Düngemitteln läßt die Bodenfruchtbarkeit nach.

binnen (D)[1]

Temporal. Gleichzeitigkeit. Begrenzte Zeitdauer. Vor Zahlangaben. (= *in 2.1.*, *innerhalb 2.*)

Wir müssen die Arbeit binnen einem Monat (eines Monats) abschließen.
Der Exportauftrag ist binnen sechs Monaten zu erfüllen.

bis (A)

1. Lokal. Strecke mit Angabe des Endpunktes. Ggs.: *ab 1.*, *von ... ab* (vgl. *von 1.1.*)

1.1. Geographisch. Vor Lokaladverbien und Ortsnamen. Mit fak. zweiter Präposition und Nullartikel.

Er fuhr von Leipzig bis (nach) Weimar.
Bis (nach) dort drüben sind es knapp zehn Meter.

1.2. Vor anderen Richtungsbestimmungen. Mit obl. zweiter Präposition (die das Substantiv regiert). Nicht mit Nullartikel.

Das Auto fuhr bis vor das Hotel.
Der Bus fuhr bis in das Stadion.

2. Temporal. Zeitdauer mit Angabe des Endpunktes. Ggs.: *ab 2.*, *seit*, *von ... an / ab* (vgl. *von 2.1.*)

2.1. Vor Temporaladverbien, Uhrzeitangaben und Jahreszahlen. Mit obl. Nullartikel.

Bis morgen muß die Arbeit geschafft sein.
Bis 1945 lebte der Dichter in der Emigration.
Ich warte bis 12 Uhr.

[1] Seltener auch Genitiv.

2.2. Vor Monatsnamen, Wochentagen, Datumsangaben, vor den Substantiven *Woche, Monat, Jahr* usw. (in Verbindung mit *vorig-, nächst-* oder *Ende, Anfang* usw.). Mit Nullartikel oder mit zweiter Präposition *zu*, die das Substantiv regiert. Wenn *zu* steht, ist Nullartikel nicht möglich.

Bis (zur) Mitte der Woche hat sie Zeit.
Bis (zum nächsten) nächstes Jahr will er mit seiner Arbeit fertig sein.
Bis (zum) Donnerstag will ich noch warten.
Bis (zum) 1. September haben die Kinder Schulferien.

2.3. Vor sonstigen Temporalangaben. Mit obl. zweiter Präposition *zu*, die das Substantiv regiert. Nicht mit Nullartikel.

Bis zum vorigen Jahrhundert herrschte in Teilen Europas die Leibeigenschaft.
Der zweite Weltkrieg dauerte bis zum Jahr 1945.
Bis zu den Ferien muß ich noch viel erledigen.

Anmerkung:
Statt *zu* kann die zweite Präposition auch eine bedeutungsdifferenzierende Präposition sein:

Ich konnte bis *gegen* Mitternacht nicht einschlafen.
Er plant bis *in* die ferne Zukunft.
Sie aß nichts bis *nach* der Vorstellung.

3. Modal. Grad- oder Maßangabe. Äußerste Grenze. Mit obl. zweiter Präposition, die das Substantiv regiert.

Sie marschierten bis zur Erschöpfung.
Er ist bis über beide Ohren in das Mädchen verliebt.
In dem Aufsatz ist alles bis ins letzte durchdacht.
Er hat für den Wagen bis zu 2000 Mark geboten.
Das Kino war bis auf den letzten Platz besetzt.

Anmerkung:
Die Verbindung *bis auf* kann doppeldeutig sein:

Das Kino war *bis auf* den letzten Platz besetzt.
(1) = *ausschließlich* des letzten Platzes: der letzte Platz war noch frei
(2) = *einschließlich* des letzten Platzes: auch der letzte Platz war besetzt, überhaupt kein Platz war mehr frei

4. Modal/Temporal. Unbestimmtheit einer Maß- oder Temporalangabe. Zwischen zwei Zahlen, mit denen die Begrenzung angegeben wird. Mit obl. Nullartikel.

Die Mäntel kosten 100,– bis 150,– Mark.
Die Operation dauert zwei bis drei Stunden.

Anmerkung:
Die durch zwei Zahlen begrenzte Unbestimmtheit einer Maß- oder Temporalangabe wird auch durch *zwischen* (vgl. *zwischen 2.*) ausgedrückt. Vgl.:

Er wiegt 60 *bis* 65 Kilo.
Er wiegt *zwischen* 60 *und* 65 Kilo.

dank (D)[1]

Modal. Instrumental. Vor Substantiven wie *Fleiß, Energie, Einsatz, Vorsicht.* (= *durch 3.*)

> Dank seinem Fleiß bestand er die Prüfung.
> Dank seines raschen Handelns wurde die Ertrinkende gerettet.

diesseits (G)

Lokal. Vor einer Grenze. Ggs.: *jenseits 1.*

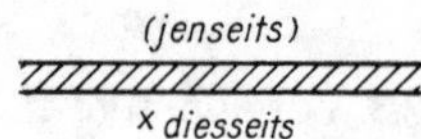

> Weil keine Brücke zu finden war,
> mußten wir diesseits des Flusses bleiben.

durch (A)

1. Lokal. Bewegung durch oder in einem Bereich.

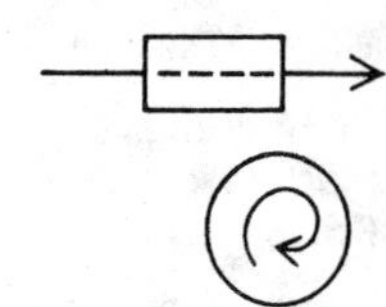

> Er sieht durch das Fernrohr.
> Sie geht durch die Tür.
> Wir bummeln durch die Stadt.

2. Urheber, Ursache, Agens. (= *von 4.*)

> Amerika wurde durch Kolumbus entdeckt.

Anmerkungen:
(1) *durch* darf nicht stehen, wenn eine doppelte Interpretation (als Agens und als Vermittler) zulässig ist; in diesem Falle kann *durch* nur stehen, wenn der Vermittler gemeint ist (vgl. *durch 3.*). Sonst steht *von 4.*

> Der Brief wurde ihr *durch* einen Boten geschickt.
> (der Bote ist Vermittler, d. h. Überbringer).
> Der Brief wurde ihr *von* einem Boten geschickt.
> (der Bote ist Agens, d. h. Absender).

(2) *durch* muß stehen (auch statt *von*) neben einem Genitiv oder dessen Ersatz durch *von.*

> die Entdeckung Amerikas durch Kolumbus
> die Entdeckung von Amerika durch Kolumbus
> Aber: Amerika wurde von/durch Kolumbus entdeckt.

3. Modal. Instrument, Mittel, Vermittler. (= *mit 1., per*)

> Sie versenkten das Schiff durch ein Torpedo.
> Das Schiff wurde durch ein Torpedo versenkt.

Anmerkungen:
(1) In diesem Falle ist – im Unterschied zu *durch 2.* – die mit *durch* eingeleitete Präpositionalgruppe im Vorgangspassiv nicht subjektfähig.

> Dresden wurde durch / mit Bomben zerstört.
> Das Schloß mußte durch einen Hammer / mit einem Hammer geöffnet werden.

[1] Öfters auch Genitiv.

(2) Zum Unterschied von *durch 2.* und *durch 3.* vgl. die beiden Sätze

Der Zeuge wurde *von seinen Feinden / durch seine Feinde* beseitigt. (= Agens)
Der Zeuge wurde *durch Mord* beseitigt. (= Mittel)

(3) *durch* wird in der Handelssprache häufig durch *per* ersetzt.

Die Maschinenteile werden nicht per Bahn, sondern per Luft befördert.
Man hat ihm die Nachricht per Eilboten übermittelt.

(4) Zum Unterschied von *durch, infolge, wegen* vgl. *infolge.*

4. Temporal. Gleichzeitigkeit. Begrenzte Zeitdauer. Fak. nur in der Verbindung *hindurch* hinter dem Substantiv.

Sie arbeiteten die ganze Nacht (hindurch).

5. Übertragener Gebrauch. Von der lokalen Bedeutung abgeleitet.

Durch die Diskussion zog sich ein Gedanke wie ein roter Faden.

entgegen (D)

Adversativ. In Prä- oder Poststellung.

Entgegen dem Befehl (dem Befehl entgegen) verließ er seinen Posten.

entlang (A)[1]

1. (A in Poststellung, seltener D in Post- oder Prästellung). Lokal. Parallelverlauf. (= *neben 1., parallel zu, längs*)

Den Weg entlang (dem Weg entlang / entlang dem Weg) stehen hübsche Wochenendhäuser.
Der Weg führt den Bach (dem Bach) entlang.

2. (A in Poststellung). Lokal. Ortsveränderung bei Bewegungsverben. Nach Substantiven wie *Weg, Straße, Fluß.* (= *auf, auf und ab*)

Das Schiff fährt den Fluß entlang.
Wir wandern die Straße entlang.

Anmerkungen:
(1) Sätze mit nachgestelltem *entlang* und Akkusativ lassen mitunter eine doppelte Deutung (im Sinne von 1. und 2.) zu:

Wir fuhren den Fluß entlang.

(2) Das nachgestellte *entlang* kann auch als Präfix eines transitiven Verbs verstanden werden.

[1] In bestimmter Verwendung (vgl. 1.) auch Dativ; süddeutsch auch Genitiv.

für (A)

1. Final. (vgl. *zu 3.1.*)

Das Auto benötigt für die Bewältigung dieser Strecke eine Stunde.
Für die Durchsetzung des wissenschaftlich-technischen Fortschritts brauchen wir hochqualifizierte Menschen.
Nach Abschluß der Kartoffelernte treffen die Bauern die Vorbereitungen für die Getreideaussaat.
Am Institut für Slawistik gibt es verschiedene Kurse für Fortgeschrittene.

2. Personaler oder nicht-personaler Bezugspunkt des Geschehens.

Er arbeitet gern für die Mathematik.
Seine Krankheit war für den Arzt neu.

3. Modal.

3.1. Komparativ. (= *im Hinblick auf, im Vergleich zu*)

Für sein Alter ist das Kind gut entwickelt.
Für die kurze Zeit seines Klavierunterrichts spielt er schon recht gut.

3.2. Steigernde Wiederholung. Zwischen Zwillingsformeln. Ohne Kasusforderung.

Schritt für Schritt ging er vorwärts.

Ebenso: Tag für Tag, Meter für Meter, Mann für Mann

4. Austausch, Ersatz. (= *statt*)

Für seinen Wagen bekam er nur wenig Geld.
Da er kein Geld bei sich hatte, habe ich für ihn bezahlt.

5. Temporal. Gleichzeitigkeit. Begrenzte Zeitdauer. (= *auf 3.*)

Für einen Tag herrschte Arbeitsruhe. (= einen Tag lang)
Sie geht für einige Jahre ins Ausland.
Das ist alles für diesmal.

6. Distributiv, Relation zwischen zwei Zahlenangaben.

Ich habe Theaterkarten für fünf Mark genommen.

Anmerkung:
Die Präposition *für* ist wie die Präposition *zu* immer doppeldeutig, im Gegensatz zu den immer eindeutig distributiven Präpositionen *à, je, pro*: Neben der eigentlichen distributiven Bedeutung können *für* und *zu* auch eine summarische Entsprechung ausdrücken. Man vgl.:

Sie kaufte zwei Kilo Äpfel für eine (zu einer) Mark.
(1) Ein Kilo Äpfel kostet eine Mark.
(eigentlich distributive Bedeutung)
(2) Zwei Kilo kosten eine Mark. (summarische Bedeutung)

Durch Zusatz von *je* wird *für* eindeutig im Sinne von (1).

gegen (A)

1. Lokal. Zielgerichtet.

1.1. Vor statischem Ziel.

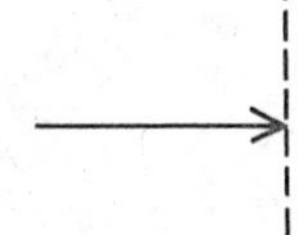

Das Auto ist gegen einen Baum gefahren.
Er schlug mit der Faust gegen die Tür.
Er stand mit dem Rücken gegen das Licht.

1.2. Vor dynamischem Ziel.

Er ruderte gegen den Strom.

Beschränkt auf: gegen den Sturm, gegen die Strömung

2. Adversativ.

2.1. Relation. (= *im Gegensatz zu*)

Gegen seinen Bruder ist er klein.
Gegen gestern ist es heute kalt.

2.2. Übertragener Gebrauch. Von der lokalen Bedeutung abgeleitet.

In der Diskussion hatte er alle gegen sich.
Sie haben mit 2:0 gegen die ungarische Mannschaft gewonnen.
Wir sind gegen Feuer und Diebstahl versichert.
Er hat gegen das Gesetz verstoßen.

3. Modal/Temporal. Unbestimmtheit einer Temporalangabe. (= *etwa, ungefähr*)

Der Zug kommt gegen 19 Uhr an.
Er ist gegen Morgen gestorben.

gegenüber (D)

Prä- und Poststellung. Bei Personenbezeichnungen vorwiegend, bei Personalpronomina immer Poststellung.

1. Lokal. Gegenseite.

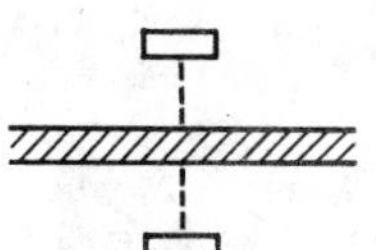

Gegenüber dem Internat (dem Internat gegenüber) befindet sich ein Krankenhaus.
Ihm gegenüber saß der Direktor.

2. Modal.

2.1. Komparativ. Verhältnis, Vergleich.

Gegenüber einer Dampflok hat eine Diesellok viele Vorzüge.

Auch in Verbindung mit dem Komparativ eines Adjektivs:

Gegenüber einem Zweitakter ist ein Viertakter ökonomischer.
(= Ein Viertakter ist ökonomischer als ein Zweitakter.)

2.2. Verhaltensweise zu einem Menschen.

Alten Menschen gegenüber soll man immer hilfsbereit sein.
Ich habe ihm gegenüber Hemmungen.

gemäß (D)

Modal. Entsprechung, Übereinstimmung. Poststellung, seltener Prästellung.

> Die Maschine wurde den Anweisungen gemäß (gemäß den Anweisungen) zusammengesetzt.

Anmerkung:
gemäß, laut, nach, zufolge stehen vor allem bei Substantiven wie *Wunsch, Befehl, Anweisung, Übereinkunft, Abmachung, Worte, Vertrag.* Dabei werden folgende Verhältnisse ausgedrückt:

gemäß steht bei korrekter, nicht unbedingt an den genauen Wortlaut gebundener Entsprechung:

> Der Unterricht wurde gemäß den Anweisungen des Direktors rationalisiert.

laut steht bei genauer (zitierbarer) Wiedergabe:

> Laut Gesetz darf an Jugendliche kein Alkohol ausgeschenkt werden.

nach steht bei sinngemäßer Wiedergabe mit der Möglichkeit der Distanzierung:

> Nach seinen Worten hat er schon zwei Auszeichnungen erhalten.

zufolge steht bei einer notwendigen Wirkung (1) oder bei einer Schlußfolgerung (2):

> (1) Zufolge seiner Anweisung wurde die neue Kollegin eingestellt.
> (2) Einer Presse-Meldung zufolge ist der Politiker erkrankt.

halber (G)

Kausal. In Poststellung. Bei Substantiven wie *Form, Ordnung, Einfachheit, Bequemlichkeit.* Nur mit Attribut bei *Krankheit, Schwierigkeiten, Umstände.* (= *wegen*)

> Der Vollständigkeit halber stehen in dem Wörterbuch auch veraltete Wörter.
> Besonderer Umstände halber mußte er seinen Wagen verkaufen.

Anmerkungen:
(1) *halber* verbindet sich mit Substantiven und wird zu einem adverbialen Suffix: umständehalber, krankheitshalber, spaßeshalber, sicherheitshalber

(2) Eine morphologische Besonderheit (Konsonantenwechsel) tritt bei der Verbindung mit Personalpronomina auf: meinethalben, deinethalben

hinter (D/A)

1. Lokal.

1.1. (D). Nicht zielgerichtet.

> Hinter dem Haus befindet sich eine Garage.
> Er marschierte hinter mir.

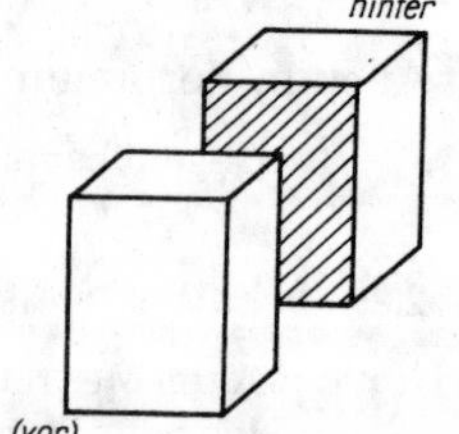

1.2. (A). Zielgerichtet.

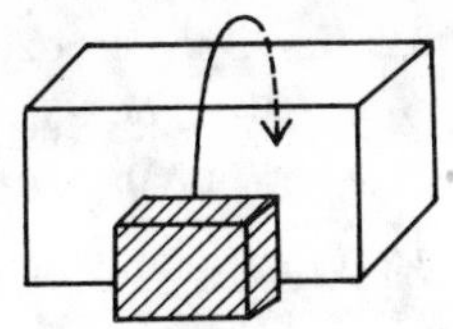

Sie haben die Garage hinter das Haus gebaut.
Er stellte sich in der Schlange hinter mich.

2. (D nicht zielgerichtet, A zielgerichtet). Übertragener Gebrauch. Bei Verben wie *bringen, kommen, stehen, sich stellen, treten.*

Er wußte, daß seine Freunde hinter ihm stehen würden. (= helfen)
Er wußte, daß seine Freunde sich hinter ihn stellen würden.

in (D/A)

1. Lokal.

1.1. (D). Nicht zielgerichtet.

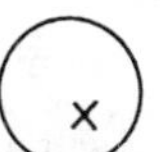

Das Buch liegt im Schrank.
Die Kinder sind in der Schule.

1.2. (A). Zielgerichtet.

Sie legt das Buch in den Schrank.
Die Kinder gehen in die Schule.

Zum Unterschied von *in, auf, zu* vgl. *auf 2.* Anm.

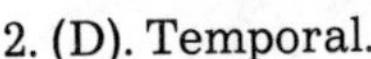

2. (D). Temporal.

2.1. Gleichzeitigkeit. Begrenzte Zeitdauer. (= *binnen, innerhalb 2.*)

Wir hatten die Arbeit in zwei Tagen geschafft.

2.2. Zeitpunkt nach der Sprechergegenwart. Ggs.: *vor 2.1.*

In fünfzig Jahren wird die Atomenergie die wichtigste Energieform sein.
Morgen in vierzehn Tagen bekommen wir Besuch. (= 14 Tage nach morgen)

2.3. Gleichzeitigkeit. Zeitpunkt, Zeitdauer.

Sie ist im Jahre 1940 geboren.
Im Frühling fahren wir nach Berlin.
Erst in der letzten Sekunde besiegte er seinen Gegner.

Zur Abgrenzung zwischen *in* und *an* vgl. *an 2.1.*

Anmerkung:
Steht die Jahreszahl ohne das Wort *Jahr*, dann fällt die Präposition weg:

Sie ist 1940 geboren.

3. Modal.

3.1. (D). Begleitender Umstand. Vor Substantiven mit Attribut. (= *mit 1.2.*)

Sie kamen in der Absicht, ihr zu helfen.

3.2. Vor Sprachbezeichnungen. Ohne Kasusforderung. (= *auf* 4.4.)

Er hält seine Vorlesungen in russisch.
Wir haben uns in englisch unterhalten.

3.3. Vor Farbbezeichnungen. Ohne Kasusforderung.

Haben Sie dieses Kleid auch in grün?
Nelken gibt es in weiß und in rot.

3.4. Zustand oder Zustandsveränderung. In festen Verbindungen mit Nullartikel. Ggs.: *außer* 4.

3.4.1. (D). Zustand.

Die Maschine war in Betrieb.

Ebenso: in Gang sein, in Kraft sein, in Aussicht haben

3.4.2. (A). Zustandsveränderung.

Als die Maschine repariert war, konnte sie wieder in Gang gesetzt werden.

Ebenso: in Gang bringen, in Kraft treten, in Kraft setzen, in Aussicht stellen

4. Übertragener Gebrauch.

4.1. (A/D). Bereich.

Er brachte dieses Problem in die Diskussion.
In der Diskussion wurden die unterschiedlichen Meinungen deutlich.

4.2. Zustand oder Zustandsveränderung. Vor Verbalsubstantiven.

4.2.1. (D). Zustand.

Wir waren im Diskutieren.
Die Arbeit ist im Werden.

4.2.2. (A). Zustandsveränderung.

Wir kamen ins Diskutieren.

infolge (G)

Kausal. Voraussetzung.

Infolge eines Unfalls konnte er nicht mehr in seinem Betrieb arbeiten.
Infolge Nebels konnte das Flugzeug nicht starten.

Anmerkung:
durch steht vor einem Substantiv, das das Mittel zum Erfolg nennt:

Durch fleißige Mitarbeit erreichte er bald ein höheres Niveau.

infolge steht vor einem Substantiv, das den Ausgangspunkt, die Voraussetzung für eine naturnotwendige Wirkung nennt:

 Infolge des starken Schneefalls war die Straße unpassierbar.

wegen steht vor oder hinter einem Substantiv, das einen Grund, ein Argument angibt:

Wegen des Geburtstages seiner Tochter wollte er nicht an der Veranstaltung teilnehmen.

inmitten (G)

Lokal. Zentral in einem Bereich. (= *in 1.*)

Inmitten des Sees liegt eine Insel.
Der Werkleiter saß inmitten seiner Kollegen.

innerhalb (G)[1]

1. Lokal. Zu einem Bereich gehörig. (= *in 1.*) Ggs.: *außerhalb 1.*

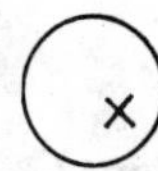

Innerhalb des Stadtgebietes ist die Fahrgeschwindigkeit begrenzt.
Innerhalb des Gebäudes darf nicht geraucht werden.

2. Temporal. Gleichzeitigkeit. Begrenzte Zeitdauer. (= *während*)

Innerhalb eines Monats sollen wir die Arbeit abschließen.
Ich erwarte die Antwort auf meinen Brief innerhalb acht Tagen.

3. Übertragener Gebrauch. (= *in 4.*). Ggs.: *außerhalb 3.*

Das Gespräch bewegte sich immer innerhalb gewisser Grenzen.

je (A/N)

Distributiv.

1. (A/N). Relation der Entsprechung. Gewöhnlich mit Nullartikel. Auch ohne Kasusforderung. (= *pro*)

Ich habe 50 Pfennig je Kilo gezahlt.
Der Eisenbahnfahrpreis zweiter Klasse beträgt acht Pfennig je angefangenen (angefangener) Kilometer.

2. Als zweite Präposition nachgestellt (bei *zu*) oder vorangestellt (bei *nach*). Ohne Kasusforderung.

Die Tabletten sind zu je sechs Stück verpackt.
Am Gemüsestand wird frisches Obst je nach der Jahreszeit verkauft.

jenseits (G)

1. Lokal. Hinter einer Grenze. Ggs.: *diesseits*

× *jenseits*

(diesseits)

Jenseits des Flusses liegt ein ausgedehnter Wald.

Der Berg mit dem Aussichtsturm befindet sich jenseits der Grenze.

1 Dativ, wenn Genitiv nicht erkennbar.

2. Übertragener Gebrauch. (= *außerhalb 3.*)

Diese Problematik liegt jenseits seines Interesses.

kraft (G)

Modal. Instrumental. Amtssprache. Nur bei Abstrakta.

Kraft seines Amtes ist er zu Änderungen an den Bauentwürfen berechtigt.

längs (G)[1]

Lokal. Parallelverlauf. (= *entlang 1.*)

Sie wanderten längs des Flusses.
Längs der Straße standen Apfelbäume.
Er besitzt ein Stück Land längs des Bahndamms.

laut (G)[2]

Modal. Entsprechung, Übereinstimmung. Vor Substantiven wie *Gesetz, Anordnung, Plan, Bericht.* Zumeist mit Nullartikel.

Laut dieses Berichts (diesem Bericht) hat der Betrieb seinen Plan erfüllt.
Laut Gesetz ist der Alkoholausschank an Jugendliche verboten.

Zur Abgrenzung von *gemäß, nach, zufolge* vgl. *gemäß.*

mit (D)

1. Modal.

1.1. Instrumental. (= *mittels*). Ggs.: *ohne 1.1.*

Sie schreibt den Brief mit der Schreibmaschine.
Er ist mit dem Abendzug gekommen.
Mit wenigen Worten hat er die Situation charakterisiert.

Zum Unterschied von *durch* und *mit* vgl. *durch 2., 3.*

1.2. Begleitender Umstand. Vor Substantiven mit obl. oder fak. Attribut. Ggs.: *ohne 1.2.*

1.2.1. Mit obl. Attribut. Vor Substantiven wie *Lärm, Geschwindigkeit, Schritte, Aufwand* (objektiv Meßbares).

Mit hoher Geschwindigkeit fuhr der Zug über die Brücke.
Mit großen Schritten eilte er nach Hause.

1.2.2. Mit fak. Attribut. Vor Substantiven wie *Dank, Interesse, Freude, Bedauern* (Subjektives).

Mit (großem) Interesse verfolgten sie das Spiel.

---

1 Seltener auch Dativ.
2 Ebenso auch Dativ.

1.2.3. Vor Personen und Nicht-Personen (außer Abstrakta).

Die Schüler gehen mit ihrem Lehrer ins Theater.
Der Arzt geht mit aufgespanntem Regenschirm spazieren.

2. Temporal. Gleichzeitigkeit, Zeitpunkt. (vgl. *bei 2.*)

Mit dem Startschuß setzten sich die Läufer in Bewegung. (= als der Startschuß ertönte)

Auch vor Altersangaben:

In der DDR kommen die Kinder mit sechs Jahren in die Schule.

3. Konditional. Nicht mit Indikativ in der Vergangenheit.

Mit etwas Glück kann er die Prüfung schaffen. (= wenn er etwas Glück hat)

Ebenso: mit viel Glück, mit etwas mehr Zeit, mit einiger Übung

4. Partitiv. Zugehörigkeit. Teil-von-Verhältnis.

Ein Tisch mit drei Beinen.
Ein Zimmer mit Frühstück.
Eis mit Schlagsahne.

mitsamt (samt, vgl. dort)

mittels (G)[1]

Modal. Instrumental. Vor allem in technischen Fachsprachen. (= *mit 1.*)

Die Tür mußte mittels eines Schweißgeräts geöffnet werden.
Die Raumfahrer schützen sich mittels Spezialanzügen gegen kosmische Strahlen.
Der Säuregrad wurde mittels Zugabe von konzentrierter Salzsäure erhöht.

Auch in der Form *vermittels(t).*

nach (D)

1. Lokal. Zielgerichtet. Vor Lokaladverbien, Orts- und Ländernamen. Zumeist mit Nullartikel.

Gehen Sie bitte nach rechts!
Die Vögel fliegen nach Süden.
Die Delegation reist nach Indien.

Anmerkung:
Vor Substantiven mit bestimmtem Artikel zumeist *in*:

Die Delegation reist in die Sowjetunion.
Die Vögel fliegen im Herbst in den Süden.

---

[1] Dativ, wenn Genitiv nicht erkennbar.

Zunehmend ist jedoch der Gebrauch von *nach* statt *in* auch bei Substantiven mit Artikel festzustellen:

nach der ČSSR, nach dem Süden

2. Temporal. Vorzeitigkeit. Mit Angabe des Ausgangspunktes. Ggs.: *vor 2.2.*

Wir sind erst nach Mitternacht in Leipzig angekommen.
Nach dem Essen geht sie immer spazieren.
Nach dem Abitur wird sie Lehrerin.

3. Modal.

3.1. Gradangabe. Mit Superlativ.

Nach Hans ist Werner der Größte in der Klasse.
Nach dem Schwimmen gefällt mir der Langlauf am besten.

3.2. Rangstufe, Reihenfolge. Bei Substantiven wie *Größe, Reihe, Alter, Kenntnisse, Qualität.* Prä- und Poststellung.

Sie standen der Größe nach (nach der Größe) nebeneinander.
Die Waren wurden nach der Qualität (der Qualität nach) sortiert.

3.3. Entsprechung, Übereinstimmung. Sinngemäße Wiedergabe mit der Möglichkeit der Distanzierung. Prä- und Poststellung. Bei Personennamen und substantivischen Pronomina nur Prästellung. (= *entsprechend*)

Allem Anschein nach (nach allem Anschein) wird es heute noch regnen.
Nach den Hygienevorschriften (den Hygienevorschriften nach) müßte das Geschäft geschlossen werden.
Nach Marx ist die Sprache die unmittelbare Wirklichkeit des Gedankens.

Zu den Unterschieden zu *gemäß, laut, zufolge* vgl. *gemäß.*

Anmerkung:
nach und nach und *nach wie vor* sind Adverbien:

Nach und nach versammelten sich die Gäste. (= allmählich)
Nach wie vor macht er beim Sprechen viele Fehler.
(= noch immer)

neben (D/A)

1. Lokal.

1.1. (D). Nicht zielgerichtet.

Die Lampe steht neben dem Schrank.
Sie geht neben ihm.

1.2. (A). Zielgerichtet.

Sie stellt die Lampe neben den Schrank.
Sie setzt sich neben ihn.

2. (D). Kopulativ. (= *außer 2.*)

Neben seiner beruflichen Arbeit hat er noch viele gesellschaftliche Verpflichtungen.
Neben einigen afrikanischen Studenten nahmen auch Südamerikaner an der Exkursion teil.

oberhalb (G)

Lokal. Höhere Lage. (= *über 1.1.*). Ggs.: *unterhalb*

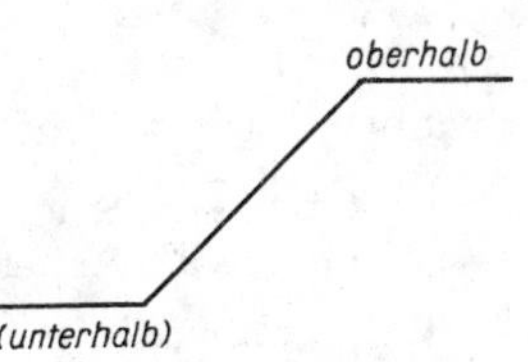

Er stand oberhalb des Hanges.
Oberhalb des ersten Stockwerks brach ein Feuer aus.

ohne (A)

1. Modal.

1.1. Instrumental. Negation. Ggs.: *mit 1.1.*

Ohne ein Spezialwerkzeug kann die Tür nicht geöffnet werden.

1.2. Begleitender Umstand. Negation. Ggs.: *mit 1.2.*

Er las das Buch ohne großes Interesse.
Das Zimmer kostet ohne Frühstück 5,– M.
Er fährt ohne seine Kinder in den Urlaub.

2. Konditional. Negation. Ggs.: *bei 3.* unter *Anm.* (3)

Ohne Zufuhr von Düngemitteln läßt der Boden bald in seiner Fruchtbarkeit nach.

3. Restriktiv. In Verbindung mit Zahladjektiven. (= *außer 1.*)

Ohne die Kinder waren es zehn Gäste.
Ohne den Lehrer waren dreißig Personen im Raum.

per (A)

Vereinzelt für *durch 3.*

pro (A)

Vereinzelt für *je 1.*

(mit)samt (D)

Modal. Begleitender Umstand. Auch mit Nullartikel. (= *mit 1.2.*)

Der Lastwagen ist (mit)samt (dem) Anhänger umgekippt.

seit (D)

Temporal. Zeitdauer bis Sprechergegenwart mit Anfangspunkt in der Vergangenheit.

Seit drei Monaten liegt seine Frau im Krankenhaus.
Sie haben sich seit acht Jahren nicht gesehen.

Anmerkung:
seit steht nur bei durativen Verben. Bei Angabe des Zeitpunktes (bei perfektiven Verben) steht in den entsprechenden Fällen *vor 2.1.* Vgl.:

> Vor drei Monaten ist seine Frau ins Krankenhaus eingeliefert worden.
> Sie haben sich vor acht Jahren das letzte Mal gesehen.

seitens (G)

Urheber. Amtssprache. (= *von 4., durch 2.*)

> Seitens der Stadtverwaltung wird das Bauvorhaben unterstützt.
> Seitens des Arztes gibt es keine Einwände, daß er Sport treibt.

Auch in der Form *von seiten.*
Eine morphologische Besonderheit zeigen die Verbindungen mit Personalpronomina: *meinerseits, deinerseits ...*

(an)statt (G)[1]

Ersatz, Austausch. (= *an Stelle von, für 4.*)

> Statt eines Fernsehapparates kauften sie ein Radio.
> (An)statt Blumen habe ich Ihnen ein Buch mitgebracht.

trotz (G)[2]

Konzessiv. (= *ohne Rücksicht auf*)

> Trotz des schlechten Wetters gingen wir spazieren.
> Trotz dem Verbot des Vaters ging der Junge auf das Eis.

über (D/A)

1. Lokal.

1.1. (D). Nicht zielgerichtet.

> Das Bild hängt über dem Schreibtisch.
> Das Flugzeug kreist über der Stadt.

1.2. (A). Zielgerichtet.

> Sie hängt das Bild über den Schreibtisch.
> Der Wagen ist über den Sperrstreifen gefahren.
> Der Hund springt über den Zaun.

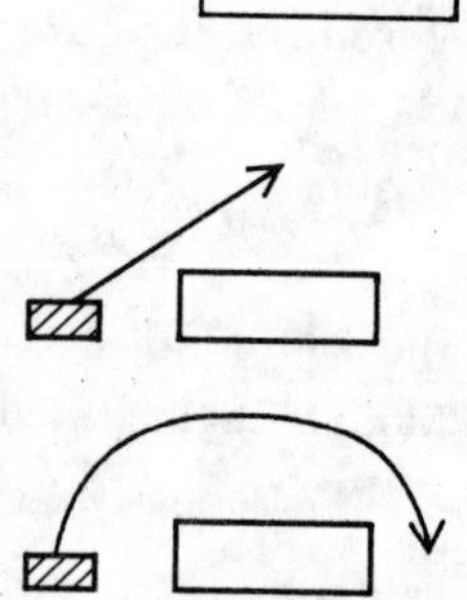

[1] Umgangssprachlich auch Dativ.
[2] Seltener auch Dativ.

1.3. (A). Geographisch. Station einer Fahr- oder Flugstrecke.

Fährt die Straßenbahn über den Bahnhof?
Die Maschine fliegt über Prag nach Sofia.
Wir sind über Ungarn gefahren.

2. Modal. Steigende Wiederholung. Zwischen Zwillingsformeln. Ohne Kasusforderung.

In seinem Aufsatz sind Fehler über Fehler.
Fragen über Fragen wurden gestellt.

3. (A). Temporal. Gleichzeitigkeit. Begrenzte Zeitdauer. Poststellung. Fak. Gebrauch. (= *hindurch*, vgl. *durch 4.*)

Die letzten drei Jahre (über) waren die Sommer kühl.
Die Nacht (über) hat es geregnet.

um (A)

1. Lokal. Verhältnis zu einem Mittelpunkt.

Das Auto fährt um die Ecke.
Der Junge läuft um einen Baum.
Die Studenten sind um den Dozenten versammelt.

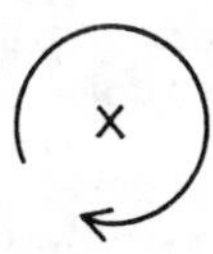

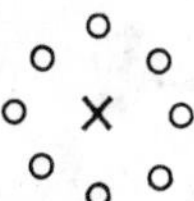

2. Temporal. Bestimmtheit/Unbestimmtheit.

2.1. Unbestimmtheit einer Zeitangabe. (= *ungefähr*, *etwa*, *gegen 3.*)

Dieses Haus ist um 1900 erbaut.
Die Prüfung findet um den 20. Januar statt.

2.2. Angabe der genauen Uhrzeit.

Kommen Sie bitte um 19 Uhr zu mir!

Anmerkung:
Als Prädikativ steht die Uhrzeit gewöhnlich ohne Präposition. Der prädikative Gebrauch mit Präposition und ohne das Substantiv *Uhr* bei den Stundenangaben 1–12 ist umgangssprachlich.

Es ist 19 Uhr.
Es ist 7 Uhr. Es ist um 7.

3. Modal. Steigernde Wiederholung. Zwischen Zwillingsformeln. Ohne Kasusforderung.

Tag um Tag wartet er auf Antwort.
Ich habe Seite um Seite gelesen, die Stelle aber nicht gefunden.

um . . . willen (G)

Kausal. Grund, Argument. Circumstellung. (= *wegen*)

Um seiner Gesundheit willen hat er das Rauchen aufgegeben.
Um der Kinder willen ließen sie sich nicht scheiden.

Anmerkung:
Eine morphologische Besonderheit zeigen die Verbindungen mit Personalpronomina: *um meinetwillen, um deinetwillen ...*

ungeachtet (G)

Konzessiv. Vor Abstrakta. Prä- und Poststellung. Poststellung vor allem in gehobener Sprache. (= *trotz*)

> Ungeachtet verschiedener Schwierigkeiten hat sie ihre Arbeit termingemäß abgeschlossen.
> Seiner schlechten Kondition ungeachtet nahm er am Wettkampf teil.
> Ungeachtet wiederholter Beschwerden der Hausbewohner wurde der Müll nicht pünktlich abgefahren.

unter (D/A)

1. Lokal.

1.1. (D). Nicht zielgerichtet. Ggs.: *auf 1.1.*

> Unter dem Tisch liegt ein Teppich.
> Wir saßen unter der Brücke.
> Sie trägt die Tasche unter dem Arm.

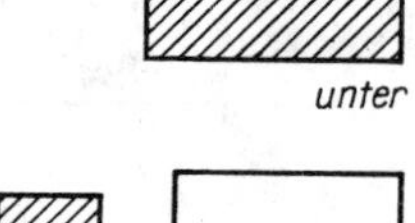

1.2. (A). Zielgerichtet. Ggs.: *auf 1.2.*

> Sie legt den Teppich unter den Tisch.
> Wir gingen unter die Brücke.
> Sie nimmt die Tasche unter den Arm.

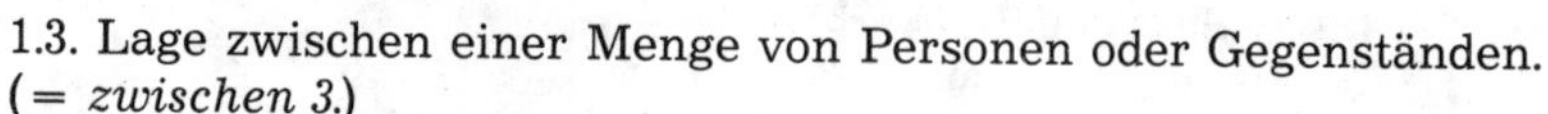

1.3. Lage zwischen einer Menge von Personen oder Gegenständen. (= *zwischen 3.*)

1.3.1. (D). Nicht zielgerichtet.

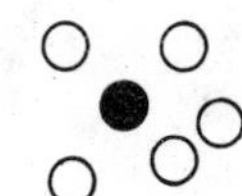

> Er hat bisher immer nur unter Gleichaltrigen gelebt.
> Unter den Steinen befand sich ein Diamant.

1.3.2. (A). Zielgerichtet.

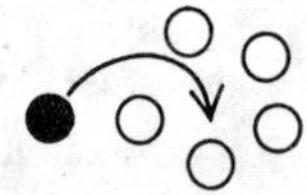

> Er kam unter Gleichaltrige.
> Ich mischte mich unter die Zuschauer.

Anmerkung:
unter steht bei einer Menge von mehr als zwei. Es betont eine Größe in einer Gruppe von mehreren der gleichen Kategorie:

> Er fand seinen Koffer unter den anderen sofort heraus.

zwischen kann sich auf zwei Größen beziehen. Bei mehreren Größen gleicher Kategorie betont es die Verschiedenheit einer weiteren hinzugekommenen Größe einer anderen Kategorie.

> Er fand seine Aktentasche zwischen den Koffern sofort heraus.

Mitunter wird dieser Unterschied allerdings relativiert:

> Der Sänger saß unter (zwischen) den Zuschauern.

2. (D). Modal.

2.1. Begleitender Umstand. (= *mit 1.2.*)

Unter großem Beifall wurde der Redner vorgestellt.
Unter Jubel und Gelächter fiel der Vorhang.

2.2. In festen Verbindungen (mit Substantiven mit konditionaler Bedeutung).

Er kann die Prüfung nur unter der Voraussetzung bestehen, daß man ihm bei der Vorbereitung hilft. (= Er kann die Prüfung nur bestehen, wenn man ihm bei der Vorbereitung hilft.)

Ebenso: unter der Bedingung, unter dem Umstand

3. (D). Übertragener Gebrauch.

Der Roman handelt von den Verhältnissen unter Ludwig XIV.
Die Tagung findet unter der Leitung des Ministers statt.
Unter dem Aspekt des neuen Planes muß dieser Wirtschaftszweig bevorzugt werden.

unterhalb (G)

Lokal. Tiefere Lage. (= *unter 1.1.*) Ggs.: *oberhalb*

Das Feuer war unterhalb der zweiten Etage ausgebrochen.
Der Boxer darf den Gegner nicht unterhalb der Gürtellinie treffen.

unweit, unfern (G)

Lokal. Nahe Lage.

Unweit der Eisenbahnlinie entsteht eine neue Stadt.

Statt des Genitivs steht auch *von* (D):

Unweit von der Eisenbahnlinie entsteht eine neue Stadt.

von (D)

1. Lokal.

1.1. Allgemeiner Ausgangspunkt

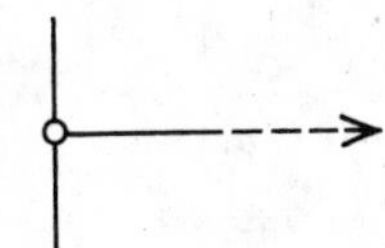

Er sprang von der Straßenbahn.
Ich komme gerade vom Arzt.
Schon von draußen hörte sie Musik.

1.2. Spezifizierter Ausgangspunkt. Mit zweiter Präposition hinter dem regierten Wort (Circumstellung).

Von der Brücke an fuhr das Auto langsam.
Vom Flugzeug aus war die Gegend gut zu überblicken.

1.3. Ausgangspunkt einer Strecke. Mit zweiter Präposition vor zweitem regiertem Wort, die den Zielpunkt angibt.

Der Bus fährt von Leipzig bis Dresden.
Wir fliegen von Berlin nach Moskau.
Das Kind läuft vom Vater zur Mutter.

2. Temporal. Zeitdauer mit Angabe des Anfangspunktes.

2.1. Mit zweiter Präposition oder *her* hinter dem regierten Wort (Circumstellung).

Von acht Uhr ab bin ich wieder zu Hause.
Vom nächsten Monat an arbeitet sie wieder.
Er spielt von Jugend auf Klavier.
Wir feiern von alters her Silvester zu Hause.

Zur Differenzierung des temporalen *von... an/ab* von *seit* und *ab* vgl. *ab 2. Anm.*

2.2. Mit *bis* als zweiter Präposition vor zweitem regierten Wort.

Von zehn Uhr bis zehn Uhr dreißig ist Pause.
Vom Morgen bis zum Abend arbeiteten sie auf den Feldern.
Von seiner Jugend bis ins hohe Alter rauchte und trank er nicht.

3. Modal.

3.1. Qualität. Eigenschaft. Vor Abstrakta.

Sie war eine Frau von großer Schönheit.
Wir sahen ein Theaterstück von hohem Niveau.

3.2. Qualität. Stoffliche Beschaffenheit. Vor Stoffnamen. (= *aus 3.*)

Sie kaufte einen Ring von (purem) Gold.
Der Ring ist von (purem) Gold.

4. Urheber, Agens (im Passiv). (= *durch 2.*)

Das Kind wurde von seinen Eltern nie geschlagen.
Dresden wurde von Flugzeugen zerstört.

5. Partitiv. Teil-von-Verhältnis. Auswahl.

Von allen Studenten war er der fleißigste.
Gib doch dem Kind etwas von dem Kuchen!

vor (D/A)

1. Lokal.

1.1. (D). Nicht zielgerichtet.

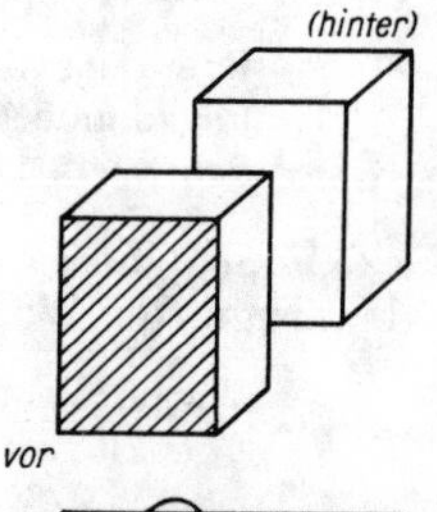

Das Taxi steht vor dem Hoteleingang.
Bei der Demonstration marschierte er vor mir.
Der Schauspieler steht vor dem Vorhang.

1.2. (A). Zielgerichtet.

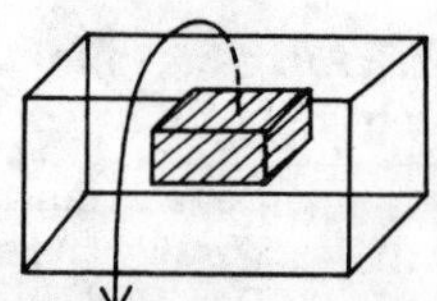

Das Taxi fährt vor den Hoteleingang.
Bei der Demonstration stellte er sich vor mich.
Der Schauspieler tritt vor den Vorhang.

2. (D). Temporal.

2.1. Zeitpunkt vor der Sprechergegenwart. Ggs.: *in 2.2.* Vgl. auch *seit.*

Vor einer Woche haben die Ferien begonnen.
Heute, am 6. Mai, vor sieben Jahren haben wir uns kennengelernt.
Gestern vor vierzehn Tagen ist er abgefahren. (= 14 Tage vor gestern)

2.2. Nachzeitigkeit. Mit Angabe des Endpunktes. Ggs.: *nach 2.*

Vor 1945 war Mecklenburg vorwiegend Agrarland.
Vor dem Schlafengehen soll der Patient spazierengehen.

2.3. Zeitpunkt nach der Sprechergegenwart.

Vor Ende dieses Monats wird die Arbeit nicht beendet sein.
Wir erwarten ihn nicht vor heute abend.

3. (D). Kausal. Mit Nullartikel.

Die Kinder schrien vor Begeisterung.
Vor Lärm konnte man nichts hören.
Vor Nebel war nichts zu sehen.

Zum Unterschied zwischen *vor* und *aus* vgl. *aus 2.*

während (G)[1]

Temporal. Gleichzeitigkeit. Zeitdauer. (= *auf 3.1., bei 2.1.*)

Während der Sommerferien arbeiten viele Studenten in den Betrieben des Bezirkes.
Während der Arbeit darf auf der Baustelle weder geraucht noch getrunken werden.

Zur Konkurrenz mit *auf* und *bei* vgl. *auf 3.1. Anm.*

wegen (G)[2]

Kausal. Grund, Argument. Auch in Poststellung.

Die Vorlesung fiel wegen (der) Erkrankung des Professors aus.
Wegen des schlechten Wetters (dem schlechten Wetter) sind wir zu Hause geblieben.
Des starken Frostes wegen heizen wir jetzt zweimal am Tag.

Anmerkung:
Eine morphologische Besonderheit (Konsonantenwechsel: r → t) weist die Verbindung mit Personalpronomen auf:

meinetwegen, deinetwegen ...

---

[1] Dativ, wenn Genitiv nicht erkennbar; im Sing. auch umgangssprachlich Dativ.
[2] Umgangssprachlich und süddeutsch / österreichisch auch Dativ.

wider (A)

Adversativ. Vor Abstrakta. Im gehobenen Stil. (= *gegen 2.2.*)

> Die beiden haben wider das Gesetz gehandelt.
> Er hat wider die militärische Ordnung verstoßen.

Normalsprachlich in Wendungen mit Nullartikel:

> Wider Willen mußte sie lachen.
> Wider Erwarten kam er pünktlich.

wie (ohne Kasusforderung)

Modal. Komparativ. Gleichheit im Vergleich.

> Sie liebte ihn wie einen Vater.
> Der Ausländer spricht Deutsch wie ein Muttersprachler.
> Heute ist es nicht so warm wie gestern.

Zum Verhältnis zwischen *wie* und *als* vgl. *als* unter *Anm.* (*2*) und (*3*).

zu (D)

1. Lokal. Zielgerichtet.

> Wir gehen zum Bahnhof.
> Sie fuhr zu ihren Eltern.
> Sie ist zum Arzt gegangen.

Vor geographischen Namen steht nicht *zu*, sondern *nach* (vgl. *nach 1.*).
Zum Unterschied zwischen *in*, *auf* und *zu* vor Amtsbezeichnungen vgl. *auf 2.*

2. Temporal. Gleichzeitigkeit. Zeitpunkt, Zeitdauer. Vor Substantiven wie *Essen*, *Abend*, *Jahresende* (bei fehlendem Attribut mit obl. Artikelverschmelzung). Vor Datumsangaben (auch in der Bedeutung *bis*, vgl. *bis 2.2.*). Vor Festtagsnamen (fak. bei religiösen Feiertagen mit Nullartikel).

> Kommt ihr heute zum Abendessen?
> Er hat uns zum Jahresende besucht.
> Diese Arbeit muß (bis) zum 1. September fertig sein.
> Zum Tag der Republik sind die Häuser geflaggt.
> Er will (zu) Ostern verreisen.

3. Final. Vor Deverbativa.

3.1. Zumeist mit Artikelverschmelzung. (= *für 1.*)

> Zum Gelingen des Festes waren viele Vorbereitungen nötig.
> Er ist zum Training auf den Sportplatz gegangen.

3.2. Mit modal-spezifizierender Nebenbedeutung. Obl. Artikelverschmelzung. (= *als*)

> Zum Andenken schenkte er ihr ein Armband.
> Sie tranken eine Limonade zur Erfrischung.

4. Distributiv.

4.1. Personengruppe. Vor endungslosen Ordinalia und vor Kardinalia mit Endung *-en* (von 2 bis etwa 12).

> Die Soldaten marschierten zu dritt in einer Reihe. (= insgesamt drei in einer Reihe)
> Die Soldaten marschierten zu dreien in einer Reihe. (= jeweils drei, mindestens zwei Reihen)

4.2. Relation zwischen zwei Zahlangaben.

> Sie kaufte zwei Kilo Äpfel zu einer Mark.
> Ich habe zwei Päckchen Kaffee zu hundert Gramm genommen.

Zur Doppeldeutigkeit von *zu* vgl. *für 6.*

4.3. Vor Substantiven wie *Teil, Hälfte, Drittel.*

> Er hat das Buch nur zur Hälfte gelesen.

5. Modal. Instrumental. Art der Fortbewegung. In festen Verbindungen. Bei Maskulina und Neutra mit Nullartikel.

> Das Manöver wurde zu Wasser, zu Lande und in der Luft durchgeführt.

Ebenso: zu Fuß, zu Pferd

6. Konsekutiv.

> Die Zwillinge sind sich zum Verwechseln ähnlich.
> Die Feier gestaltete sich zu einem großen Erlebnis.

zufolge (D)[1]

1. Kausal. Bei Substantiven wie *Wunsch, Befehl, Abmachung, Übereinkunft, Vertrag.* Zumeist in Poststellung.

> Dem Vertrag zufolge (zufolge des Vertrages) werden große Mengen Weizen importiert.

2. Modal. Entsprechung. Vor Substantiven wie *Meldung, Bemerkung, Aussage.* Gewöhnlich in Poststellung.

> Einer Pressemeldung zufolge ist der ausländische Gast eingetroffen.

Zum Unterschied von *gemäß, laut, nach, zufolge* vgl. *gemäß.*

zugunsten (G)[2]

Final. (= *im Interesse von*)

> Sie ist zugunsten eines Kollegen (einem Kollegen zugunsten) von der Reise zurückgetreten.
> Er hat zugunsten des Roten Kreuzes auf das Honorar verzichtet.

---

[1] Genitiv in Prästellung ist veraltet.

[2] Dativ in Poststellung ist veraltet.

zuliebe (D)

Final-Kausal. In Poststellung.

Seiner Frau zuliebe ist er zu Hause geblieben.

zwischen (D/A)

1. Lokal. Vor zwei mit *und* verbundenen Substantiven oder einem Substantiv im Plural.

1.1. (D). Nicht zielgerichtet.

Zwischen dem Schrank und dem Bett steht ein Tisch.
Das Lesezeichen steckt zwischen den Buchseiten.
Halle liegt zwischen Leipzig und Halberstadt.
Er marschierte zwischen meinem Freund und mir.

1.2. (A). Zielgerichtet.

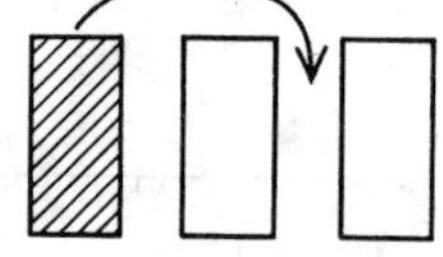

Sie haben den Tisch zwischen den Schrank und das Bett gestellt.
Sie legt das Lesezeichen zwischen die Buchseiten.
Er stellte sich zwischen meinen Freund und mich.

2. Modal/Temporal. Unbestimmtheit einer Maß- oder Temporalangabe. Vor zwei mit *und* verbundenen Zahlen, mit denen die Begrenzung angegeben wird. Mit Nullartikel. Ohne Kasusforderung.

Die Mäntel kosten zwischen 100,– und 150,– Mark.
Der Dichter ist zwischen 1410 und 1420 geboren.

Zum Ausdruck der Unbestimmtheit dient auch *bis*, vgl. dort.

3. (D nicht zielgerichtet, A zielgerichtet). Übertragener Gebrauch. Von der lokalen Bedeutung abgeleitet.

Der Handel zwischen den Vertragspartnern entwickelt sich immer intensiver.
Er hat versucht, einen Keil zwischen die Freunde zu treiben.
Zwischen den beiden gibt es keinen Streit.

Konjunktionen 8.

Formenbestand 8.1.

Nach ihrem Einfluß auf die Stellung des finiten Verbs in dem von einer Konjunktion eingeleiteten Satz sind zwei Gruppen von Konjunktionen zu unterscheiden: subordinierende Konjunktionen und koordinierende Konjunktionen.

1. Zu den *subordinierenden* Konjunktionen gehören

   die einfachen Konjunktionen:

   daß, weil, bevor, ehe, obwohl, als, obgleich, während, damit, falls, indem, wenn, sobald

   die zusammengesetzten Konjunktionen:

   als daß, so daß, (an)statt daß, ohne daß, als ob, als wenn, außer daß

   die mehrteiligen Konjunktionen:

   je ... desto, wenn auch ... so doch

2. Zu den *koordinierenden* Konjunktionen gehören

   die einfachen Konjunktionen:

   aber, oder, und, bzw., denn, sondern, allein, doch, jedoch, d. h.

   die mehrteiligen Konjunktionen:

   entweder ... oder, nicht nur ... sondern auch

Nicht zu den Konjunktionen werden gerechnet die „Konjunktionaladverbien" wie *deshalb, trotzdem* (vgl. 4.2.3.1.) und die „Pronominaladverbien" wie *darauf, daran* (vgl. 2.3.2.7.).
In die Beschreibung sind nicht aufgenommen einige seltene (z. T. veraltete) und nur einer gehobenen Stilschicht angehörige Konjunktionen, die im allgemeinen vollständig durch andere Konjunktionen vertreten werden:

dieweil(en) = weil; wohingegen = während; sintemal(en) = zumal; obzwar, obschon, wenngleich, wenn schon, wiewohl = obwohl

Syntaktische Beschreibung 8.2.

Zur allgemeinen Begriffsbestimmung der Konjunktionen und zu ihrer Abgrenzung von den Präpositionen vgl. 7.1.

8.2.1. Subordinierende Konjunktionen

8.2.1.1. Arten der Unterordnung

Die subordinierenden Konjunktionen betten den von ihnen eingeleiteten Nebensatz in einen übergeordneten Satz ein, der ein Hauptsatz (1) oder ein Nebensatz (2) sein kann. Das finite Verb steht bei den subordinierenden Konjunktionen am Ende des Nebensatzes (aber: *als* im irrealen Komparativsatz):

(1)	Er sah,	daß das Mädchen weinte.	
	(Hauptsatz)	(Nebensatz)	
(2)	Er sah,	daß das Mädchen weinte,	weil es gestürzt war.
	(Hauptsatz)	(Nebensatz 1. Grades)	(Nebensatz 2. Grades)

8.2.1.2. Korrelat

Die mit einer Konjunktion eingeleiteten subordinierten Nebensätze stellen in der Regel eine nähere Bestimmung zum Sachverhalt des übergeordneten Satzes dar; sie beziehen sich dabei auf ein Wort, das Korrelat, das freilich im konkreten Satz nicht immer in Erscheinung tritt. Vgl. 18.4.2.1. In diesem Kapitel werden die Korrelate nur angegeben, wenn sie obligatorisch stehen. Das trifft besonders bei der bedeutungsleeren Konjunktion *daß* zu, die erst in Verbindung mit solchen Korrelaten wie *dadurch, damit* u. a. eine bestimmte Bedeutung erhält und semantisch eingeordnet werden kann (vgl. Liste unter 8.4.). Die Korrelate sind im Satz verschiebbar und dürfen nicht mit den Komponenten der zusammengesetzten subordinierenden Konjunktionen verwechselt werden. Die Korrelate stehen im übergeordneten Satz. Alle Teile der Konjunktion stehen an der Spitze des abhängigen Nebensatzes.

Der Beifall war *so* stark, daß das Stück wiederholt werden mußte. (*so* = Korrelat)
Der Beifall war sehr stark, *so* daß das Stück wiederholt werden mußte. (*so* = Teil der Konjunktion)

Differenziertere Regeln zum Gebrauch des Korrelats vgl. 8.4. und 18.4.2.1.

8.2.1.3. Zusammengesetzte subordinierende Konjunktionen

Unter zusammengesetzten (unmittelbar nebeneinanderstehenden) subordinierenden Konjunktionen werden solche Konjunktionen verstanden, deren beide Komponenten in der Regel nicht trennbar sind. Eine Trennung ist nur möglich
1. durch ein Korrelat:

Er erlaubt sich ein Urteil, *ohne* daß er die Literatur gründlich kennt.
Er erlaubt sich ein Urteil *ohne die Tatsache*, daß er die Literatur gründlich kennt.

2. durch Verwandlung der ersten Komponente zum Korrelat, jedoch unter Bedeutungsveränderung:

Er war krank, *so* daß er ins Krankenhaus eingeliefert werden mußte.
Er war *so* krank, daß er ins Krankenhaus eingeliefert werden mußte.
Sie rauchte sehr viel, *so* daß sie krank wurde.
Sie rauchte *so* sehr viel, daß sie krank wurde.

Anmerkung:
Bei Verbindungen wie *vorausgesetzt, daß* und *es sei denn, daß* handelt es sich im ersten Teil um reduzierte Sätze, nicht um Konjunktionen.

Abgrenzung gegen Relativpronomen und Interrogativpronomen/-adverb 8.2.1.4.

1. Eine Abgrenzung der Konjunktionalsätze gegen die Relativsätze ergibt sich aus der Zugehörigkeit der Nebensätze zu einem Wort im übergeordneten Satz. Während der Relativsatz vom Verb unabhängig ist und sich auf ein bestimmtes Substantiv bezieht, das im konkreten Satz obligatorisch auftritt, bezieht sich der Konjunktionalsatz auf ein Korrelat im übergeordneten Satz, das im konkreten Satz oft nicht erscheint.
Die Konjunktionalsätze und die Relativsätze unterscheiden sich weiterhin durch die Funktion des Einleitungswortes (die Konjunktionen signalisieren die semantische Beziehung zwischen den Teilsätzen, die Relativa drücken lediglich eine Identitätsbeziehung mit einem Wort des übergeordneten Satzes aus) und in der Art der Einbettung (die Konjunktionen werden erst bei der Einbettung eingefügt, die Relativa setzen ein identisches Wort im untergeordneten Satz voraus, das sie bei der Einbettung obligatorisch ersetzen). Vgl. dazu 18.2.1.1.2.

2. Von den indirekten Fragesätzen (im syntaktischen Sinne) unterscheiden sich die Konjunktionalsätze dadurch, daß erstere (entweder ohne oder mit Veränderung der Satzintention) auf eine Ergänzungsfrage zurückgeführt werden können, in der das *w*-Wort bereits vor der Einbettung enthalten ist:

Er wollte wissen, *wann* Ostern ist. (indirekter Fragesatz)
← Er wollte wissen: *Wann* ist Ostern?

Er kann nicht kommen, *weil* er krank ist. (Konjunktionalsatz)
← *Er kann nicht kommen. Weil ist er krank.

Koordinierende Konjunktionen 8.2.2.

Arten der Nebenordnung 8.2.2.1.

Die koordinierenden Konjunktionen verbinden Hauptsätze, Nebensätze gleichen Grades oder Satzglieder.

1. Verbindung von Hauptsätzen

Wir sprechen dann von koordinierenden hauptsatzverbindenden Konjunktionen, wenn das finite Verb hinter der Konjunktion und dem ersten Satzglied steht. Sie füllen somit folgenden Rahmen:

Wir wollen spazieren gehen,... das Wetter ist schön. (denn)
Wir möchten spazieren gehen,... es regnet. (aber)
Wir gehen spazieren,... wir gehen ins Kino. (oder, und)

Diese Position unterscheidet die koordinierenden Konjunktionen von den Adverbien, auch von den „Konjunktionaladverbien" (vgl. 4.2.3.1.), die die gleiche satzverbindende Funktion wie die Konjunktionen haben, aber Satzglieder sind.
Wir unterscheiden solche koordinierende Konjunktionen, die nur Hauptsätze verbinden, von anderen, die daneben auch andere Funktionen und Positionen (die von Konjunktionaladverbien, Adverbien und Partikeln) haben können. Vgl. dazu die folgende Übersicht:

Gruppe	Position im Satz und Wortklasse				Konjunktion
	0.	1.	2.	3.	
I	**Konjunktion**	Satzglied	Finites Verb	Satzglied	bzw., und, denn, oder, das heißt, sondern
II a	**Konjunktion**	Satzglied	Finites Verb	Satzglied	doch
b	–	**Konjunktionaladverb**	Finites Verb	Satzglied	
IIIa	**Konjunktion**	Satzglied	Finites Verb	Satzglied	aber, allein
b	–	Satzglied + **Partikel**	Finites Verb	Satzglied	
c	–	Satzglied	Finites Verb	**Adverb**	
IVa	**Konjunktion**	Satzglied	Finites Verb	Satzglied	jedoch
b	–	**Konjunktionaladverb**	Finites Verb	Satzglied	
c	–	Satzglied	Finites Verb	**Adverb**	
d	–	Satzglied + **Partikel**	Finites Verb	Satzglied	

Gruppe I: Nur als Konjunktion werden verwendet: bzw., d. h., denn, oder, und

Wir gehen fort, und ihr bleibt zu Hause.

Gruppe II: Als Konjunktion und als Konjunktionaladverb: doch

Wir wollten ins Kino gehen, *doch* wir bekamen keine Karten mehr.
Wir wollten ins Kino gehen, *doch* bekamen wir keine Karten mehr.

Gruppe III: Als Konjunktion, Adverb und Partikel: aber, allein

Wir gehen fort, *aber* ihr bleibt zu Hause.
Wir gehen fort, ihr bleibt *aber* zu Hause.
Wir gehen fort, ihr *aber* bleibt zu Hause.

Gruppe IV: Als Konjunktion, Konjunktionaladverb, Adverb und Partikel: jedoch

Wir gehen fort, *jedoch* ihr bleibt zu Hause.
Wir gehen fort, *jedoch* sind wir bald wieder zu Hause.
Wir gehen fort, ihr bleibt *jedoch* zu Hause.
Wir gehen fort, ihr *jedoch* bleibt zu Hause.

Anmerkung:
Die hauptsatzverbindenden koordinierenden Konjunktionen der Gruppe I (mit Ausnahme von *denn*) ermöglichen das Zusammenziehen von Sätzen. Vgl. hierzu 18.3.3.

2. Verbindung von Satzgliedern

Alle koordinierenden hauptsatzverbindenden Konjunktionen außer *denn* verbinden auch Satzglieder:

Er oder sie wollte kommen.
Er legt das Buch nicht in, sondern vor das Regal.

3. Verbindung von Nebensätzen gleichen Grades

Die koordinierenden hauptsatzverbindenden Konjunktionen können Nebensätze gleichen Grades verbinden:

Er wußte, daß sie gut vorbereitet war und daß sie keine Angst vor der Prüfung hatte.

Die zweite subordinierende Konjunktion kann eliminiert werden:

Er weiß, daß er ihr viel geholfen hat und sie gut vorbereitet ist.

Bei identischem Subjekt in beiden Nebensätzen wird die subordinierende Konjunktion meist nur gemeinsam mit dem Subjekt weggelassen:

Er wußte, daß sie gut vorbereitet war und keine Angst vor der Prüfung hatte.

Aufgaben der koordinierenden Konjunktionen 8.2.2.2.

Die koordinierenden Konjunktionen stellen nicht nur eine syntaktische Beziehung her, sondern tragen auch dazu bei, die durch sie verbundenen Teile (Konjunkte) in ein bestimmtes semantisches Verhältnis zueinander zu setzen. Die koordinative Verknüpfung ist jedoch keine einfache Funktion der Konjunktionen (das semantische Verhältnis besteht oft auch ohne das Auftreten einer Konjunktion) und auch keine einfache Funktion der Konjunktbedeutungen (die

Verknüpfung derselben Konjunkte ist teilweise mit unterschiedlichen Konjunktionen möglich, die ein unterschiedliches semantisches Verhältnis signalisieren). Die koordinative Verbindung entsteht vielmehr im Resultat des Zusammenwirkens der semantischen Bedeutungen der Konjunkte und der (operativen) Bedeutungen der Konjunktionen.

1. Die koordinierenden Konjunktionen setzen voneinander unabhängige Hauptsätze in bestimmte semantische (kausale, kopulative, restriktive u. a.) Beziehungen zueinander:

> Wir gehen fort. Das Wetter ist schön.
> → Wir gehen fort, denn das Wetter ist schön.

Hier entsteht z. B. ein kausales Verhältnis.

2. Die koordinierenden Konjunktionen verkürzen die verbundenen Hauptsätze, indem sie identische Satzglieder zusammenfassen:

> Er geht spazieren. Er geht ins Kino.
> → Er geht spazieren und ins Kino.
> Er geht spazieren. Sie geht spazieren.
> → Er und sie gehen spazieren.

3. Die koordinierenden Konjunktionen ermöglichen es, daß man Nebensätze gleichen Grades (auch verkürzend) aneinanderreiht:

> Er hat gelesen, daß dieses Volk eine hohe Kulturstufe hatte.
> Er hat gelesen, daß dieses Volk eine der ältesten Schriftsprachen hatte.
> → Er hat gelesen, daß dieses Volk eine hohe Kulturstufe und eine der ältesten Schriftsprachen hatte.

4. Einige Konjunktionen (z. B. *und*, *aber*, *doch*, *jedoch*) stehen auch vor einem in der Oberfläche syntaktisch abgesonderten Satzglied:

> Er wollte Gewißheit haben, *und* möglichst noch heute.
> Sie hat studiert, *aber* nur drei Jahre.

In dieser Verwendung entsprechen die Sätze mit Konjunktion einerseits in der Bedeutung den Sätzen ohne Konjunktion (entweder abgesondert oder in den Satz integriert); andererseits bleibt die spezifische Bedeutung der Konjunktion erhalten, die in solchen Fällen zugleich syntaktisch verknüpft und kommunikativ (im Mitteilungswert) aufgliedert (in zwei Zentren). Es handelt sich um eine elliptische Ausdrucksweise, die gewählt wird, um Wiederholungen zu vermeiden.

Semantische Gruppen 8.3.

Die Liste gibt einen Überblick über alle in diesem Kapitel verwendeten semantischen Termini.
Die in Redezeichen eingeschlossenen Wörter vor der Konjunktion sind obligatorische Korrelate zu den subordinierenden Konjunktionen im übergeordneten Satz. In Redezeichen eingeschlossene Wörter hinter einer subordinierenden Konjunktion sind obligatorisch auftretende Partikeln. Die nach den Konjunktionen stehenden Zahlenangaben verweisen auf die in der folgenden Liste beschriebenen Varianten der Konjunktionen:

	Subordinierende Konjunktionen	Koordinierende Konjunktionen	Mehrteilige Konjunktionen
Adversativ	während 2.	aber allein doch jedoch sondern	
Alternativ	–	oder beziehungsweise	entweder ... oder
Ersatz	als daß 2. (an)statt (an)statt daß/(an)statt ... zu ehe	–	–
Final	außer um ... zu damit/um ... zu 1. daß	–	–
Kausal	„um so“ ... als da um so mehr als um so weniger als weil zumal	denn	–
Konditional	außer wenn bevor ehe falls sofern wenn 2./um ... zu 3.	und	–
–, Wunsch	wenn ... „doch/nur“	–	–
Konsekutiv	„zu“ ... als daß 1./um ... zu 2. so daß/„so“ ... daß	–	–

	Subordinierende Konjunktionen	Koordinierende Konjunktionen	Mehrteilige Konjunktionen
–, negativ	ohne daß/ohne ... zu 2.	–	–
Konzessiv	obwohl soviel ... „auch" trotzdem wie auch	–	ob ... oder wenn auch ... so doch
Kopulativ	sowie 2. um ... zu 4.	und	nicht nur ... sondern auch sowohl ... als auch (wie auch) weder ... noch
Modal, fehlender Begleitumstand	ohne daß/ohne ... zu 1.	–	–
–, Instrumental	indem „dadurch" ... daß	–	–
–, Komparativ – realer Vergleich	als 2.1. wie 1. „so" ... wie 2.	–	–
–, Komparativ – irrealer Vergleich	als 2.2. als ob als wenn wie wenn	–	–
–, Proportional	je je nachdem	–	je ... desto/ um so
–, Restriktiv	außer daß außer um ... zu außer wenn nur daß soviel soweit	aber	–
–, Spezifizierung	„insofern ... als 2.3. „damit" ... daß insofern (als) insoweit (als)	das heißt	–
–, steigernde Wiederholung	–	und	–
Temporal, Gleichzeitigkeit	als 1.1. seit(dem) 1. sobald 2. solange sooft 1. während 1. wenn 1.1./1.2. „solange" ... wie	–	–
–, Nachzeitigkeit	als 1.3. bevor bis ehe	–	–

	Subordinierende Konjunktionen	Koordinierende Konjunktionen	Mehrteilige Konjunktionen
–, Vorzeitigkeit	als 1.2. kaum daß nachdem seit(dem) 2. sobald 1. sooft 2. sowie 1. wenn 1.3.	–	–

Alphabetische Liste zum syntaktischen und semantischen Gebrauch der Konjunktionen 8.4.

aber

Koordinierend (HS, NS, SG). Adversativ. Zuweilen mit *doch* (nach *aber*) oder *wohl* (vor *aber*).

Sie war klein, aber er war groß.
Er wußte, daß er die Prüfung bestanden hatte, aber daß er noch viel arbeiten mußte.
Sie kannte ihn nicht, aber seinen Bruder.
Er war kein guter Läufer, aber *doch* ein guter Schwimmer (. . ., *wohl* aber ein guter Schwimmer).

Anmerkungen:
(1) Die adversative Bedeutung von *aber* schließt keine Unverträglichkeit ein; vielmehr setzt *aber* eine Verträglichkeit der Konjunktbedeutungen voraus, drückt einen Gegensatz erst auf der Basis bestimmter Gemeinsamkeiten aus. Bei direkter Gegenüberstellung (und Korrektur des 1. Konjunkts) nach einer syntaktischen Negation steht nicht *aber*, statt dessen *sondern* (vgl. dort).

*Das Kleid ist nicht rot, *aber* blau.
Das Kleid ist nicht rot, *sondern* blau.

(2) Auf der Grundlage der adversativen Bedeutung von *aber* sind 2 Varianten zu unterscheiden:

(a) Es wird eine semantische Opposition zwischen den beiden Konjunkten ausgedrückt (= *hingegen*):

Peter ist nicht dumm, aber faul.
Peter ist in Leipzig, aber Inge ist in Berlin.

(b) Es wird eine Behauptung entgegen andersartigen Erwartungen ausgedrückt, die Opposition wird von außerhalb der Konjunktbedeutungen in diese hineingetragen; es handelt sich um eine restriktive Bedeutung (= *wider Erwarten, allein, allerdings*):

Auf dem Tisch lagen keine Bücher, aber Zeitungen.
Er ist zu ihm gegangen, aber er hat ihn nicht angetroffen.

allein

Koordinierend (HS). Adversativ. Im gehobenen Stil. (= *aber*)

Sie gingen spazieren, allein sie hatten keine Freude daran.

als

Subordinierend.

1. Temporal.

1.1. Gleichzeitigkeit. Zeitpunkt. Einmaligkeit in der Vergangenheit.

Als der Verband gegründet wurde, zählte er nur wenige Mitglieder.

1.2. Vorzeitigkeit. Einmaligkeit in der Vergangenheit. (= *nachdem*)

Als die Sonne aufgegangen war, begannen sie mit dem Bergaufstieg.
Als der Startschuß ertönte, sprangen die Schwimmer ins Wasser.

1.3. Nachzeitigkeit (selten).

Er hatte sich schlafen gelegt (kaum hatte er sich schlafen gelegt), als das Telefon klingelte.

Das mit *als* eingeleitete Geschehen liegt immer vor der Sprechzeit (d. h. in der Vergangenheit).

2. Modal.

2.1. Komparativ. Realer Vergleich. Ungleichheit. Im HS Komparativform eines Adjektivs/Adverbs oder *anders, auf andere Weise.* NS immer Nachsatz.

Die DDR hat sich schneller entwickelt, als es sich ihre Gegner vorgestellt haben.
Er arbeitet anders, als du gearbeitet hast.
Der Mathematiker hat die Aufgabe auf andere Weise gelöst, als es der Gutachter vorgeschlagen hat.

Anmerkung:
Komparative Bedeutung haben auch NS mit *als wenn* und Konjunktiv. Sie drücken jedoch einen hypothetischen Vergleich aus. (Vgl. *als 2.2.*)

So ist es besser, als wenn wir es anders gemacht hätten.

2.2. Komparativ. Hypothetischer Vergleich. Gleichheit. Finites Verb (meist im Konjunktiv) unmittelbar nach *als.* NS immer Nachsatz. (= *als ob*)

Ich tat so, als sehe / sähe ich sie nicht.
Er hat den Eindruck, als sei / wäre / (ist) sie krank gewesen.
Die ausländische Studentin spricht (so gut) Deutsch, als sei / wäre sie eine Deutsche.

Zum Gebrauch des Konjunktivs vgl. genauer 1.9.2.1.2.

Anmerkung:
 Eine Irrealität dagegen wird ausgedrückt in imperativischen Ausrufen, die

auf einen entgegengesetzten (realen) Sachverhalt hinweisen sollen. Die Sätze stehen isoliert.

> Als gäbe es außer dir niemanden, der im Ausland war!
> (= es waren noch viele andere dort)
> Als lebten wir nicht im 20. Jahrhundert!

2.3. Modal. Spezifizierung. Mit kausaler Nebenbedeutung. Im HS obligatorisch „*insofern*“, „*insoweit*“ oder „*um so* + Komparativ“. NS immer Nachsatz.

> Das Buch war insofern interessant, als es eine Weiterentwicklung darstellte.
> Diese Diskussion beschäftigte uns insoweit, als sie Einfluß auf unseren Betrieb hatte.
> Dieses Buch hat mich um so mehr interessiert, als darin meine Heimat beschrieben wird.
> Er hatte um so weniger Anspruch auf Zusatzlohn, als er seine normalen Verpflichtungen kaum erfüllte.
> Die Zusammenkunft war um so schöner, als alle Kollegen gekommen waren.

Anmerkung:
Von den Verbindungen *um so* + Komparativ sind *um so mehr* und *um so weniger* fest geworden und haben eine deutliche kausale Bedeutung (zusätzlicher Grund, = *zumal*). Sie treten auch als Konjunktionen auf (vgl. dort).

als daß

Subordinierend.

1. Konsekutiv. Im HS wird das Übermaß eines Sachverhalts (durch *zu* + Adjektiv/Adjektivadverb/Partizip) angegeben, auf Grund dessen im NS eine zu erwartende Folge ausbleibt. (= *so* . . ., *daß nicht*). NS immer Nachsatz (meist mit Konjunktiv). Bei Gleichheit des Subjekts in HS und NS steht für *als daß* oft *um* + Infinitiv mit *zu*.[1]

> Er ist zu krank, als daß er das Bett verlassen könnte (um das Bett verlassen zu können / um das Bett zu verlassen).
> Das Gebäude war zu zerstört, als daß man es hätte wieder aufbauen können.
> Die Diskussion war zu interessant, als daß jemand nach Hause gegangen wäre (ist).

Zum Gebrauch des Konjunktivs vgl. genauer 1.9.2.1.4.

2. Ersatz. Der Sachverhalt im HS wird dem Sachverhalt im NS vorgezogen. (= *anstatt daß*). NS immer Nachsatz. Im HS obl. *lieber*, *besser*.

> Er fuhr lieber mit der Straßenbahn, als daß er den weiten Weg zu Fuß machte.

---

[1] Vgl. Anm. zu *ohne* . . . *zu*

als ob

seltener: *als wenn, wie wenn*
Subordinierend. Modal. Hypothetischer Vergleich. Gleichheit. NS meist Nachsatz (meist mit Konjunktiv). (= *als 2.2.*)

Er tat, als ob er fest *schlafe / schliefe* / (*schlief*).
Er erweckte den Eindruck, als ob er sehr überarbeitet *sei / wäre*.

Auch in imperativischen Ausrufen (vgl. *als 2.2.*):

Als ob wir nicht im 20. Jahrhundert lebten!
Als ob wir diese Entwicklung nicht schon lange vorausgeahnt hätten!

(an)statt daß / (an)statt ... zu

Subordinierend. Ersatz. Der NS zeigt eine nicht wahrgenommene Möglichkeit, der HS als Ersatz eine andere Möglichkeit. Bei Gleichheit des Subjekts von HS und NS steht für (*an*)*statt daß* oft (*an*) *statt* + Infinitiv mit *zu*.

Er ging ins Theater, (an)statt daß er seinen Freund besuchte [(an)statt seinen Freund zu besuchen].

außer daß

Subordinierend. Modal. Restriktiv. Der NS schränkt die Aussage des HS ein. (= *nur daß*)

Er war geheilt, außer daß er in der Aufregung manchmal ein wenig stotterte.

außer um ... zu

Subordinierend. Restriktiv-final. Obl. Nachstellung der Infinitivkonstruktion. Identität des Subjekts in HS und Infinitivkonstruktion.

Er ging nicht von ihrer Seite, außer um die Arzneimittel zu holen.

außer wenn

Subordinierend. Restriktiv-konditional. Im NS wird eine Bedingung genannt für die entgegengesetzte Folge, die im HS angegeben ist.

Er wird die Prüfung bestehen, außer wenn er sich nicht genügend vorbereitet.
Ich gehe täglich spazieren, außer wenn es regnet.

Anmerkungen:
(1) Zwischen *wenn* und *außer wenn* besteht ein komplementäres Verhältnis.

Ich gehe spazieren, *außer wenn* es regnet. = Ich gehe *nicht* spazieren, *wenn* es regnet.
Er wird die Prüfung bestehen, *außer wenn* er sich *nicht* genügend vorbereitet. = Er wird die Prüfung bestehen, *wenn* er sich genügend vorbereitet.

(2) Trotzdem sind Sätze mit *wenn nicht* und solche mit *außer wenn* nicht einfach austauschbar, da die letzteren zusätzliche pragmatische Voraussetzungen enthalten (Sprecher erwartet das Geschehen im HS und geht von einer Normannahme aus):

> Du brauchst deine Suppe nicht zu essen, *wenn* du sie *nicht* magst. (Sprecher kennt den Geschmack des Gesprächspartners nicht.)
> Du brauchst deine Suppe nicht zu essen, *außer wenn* du sie magst. (Sprecher setzt voraus, daß der Gast die Suppe nicht mag.)
> Ich gehe spazieren, *wenn* es *nicht* regnet.
> Ich gehe spazieren, *außer wenn* es regnet.

(3) Den drei subordinierenden Konjunktionen *außer daß, außer um ... zu* und *außer wenn* ist die restriktive Bedeutung (= *mit Ausnahme von*) gemeinsam; die entsprechende Präposition *außer* (vgl. dort) hat dagegen nicht nur eine restriktive, sondern auch eine kopulative und eine lokale Bedeutungsvariante.

bevor

Subordinierend. Temporal. Nachzeitigkeit. Unmittelbare Aufeinanderfolge. (= *ehe*)

> Bevor er zur Arbeit geht, bringt er das Kind in den Kindergarten.
> Der Student arbeitet eine Gliederung aus, bevor er seine Arbeit niederschreibt.

Anmerkungen:
(1) Wenn der HS ein Element der Negation enthält, kann der NS eine konditionale Bedeutung annehmen (*bevor nicht* = *wenn nicht*). Im NS tritt ein fak. Negationselement auf, das jedoch keinen Einfluß auf die Bedeutung hat:

> Er will den Arbeitsplatz nicht verlassen, bevor er (nicht) den Fehler an der Maschine gefunden hat.
> Die Promovendin möchte ihre Dissertation nicht abschließen, bevor sie (nicht) alle Probleme gelöst hat.

(2) Auf diese Weise können manche Sätze doppeldeutig sein:

> Er bezahlt die Rechnung nicht, bevor er (nicht) Gehalt bekommen hat.
> a) = erst dann, wenn ... (= temporal)
> b) = nur dann, falls ... (= konditional)

beziehungsweise (bzw.)

Koordinierend (HS, NS, SG). Alternativ. (= *oder*)

> Er will kommen, bzw. sie will anrufen.
> Sie wußten, daß sie verloren hatten bzw. keine Aussichten auf einen Sieg mehr hatten.
> Er *bzw.* seine Frau *wird* herkommen.

Vgl. im Unterschied dazu:

> Er *und* seine Frau *werden* herkommen.

bis

Subordinierend. Temporal. Nachzeitigkeit. Endpunkt. Ziel.

> Ich warte auf dich, bis du wiederkommst.
> Bis der Regen aufhört, bleibst du hier.
> Er stand am Ufer, bis das Boot außer Sicht war.

Anmerkung:
Bei negiertem HS kann *bis* die Bedeutung *bevor nicht* annehmen:

> Bis die Arbeit fertig ist, können wir *nicht* nach Hause gehen.

da

Subordinierend. Kausal. Der Sachverhalt im HS wird durch einen Grund im NS erläutert.

> Da es heute regnet, nimmt er einen Schirm.
> Er konnte gestern die Versammlung nicht besuchen, da er krank war.

Anmerkung:
Statt *da* wird *weil* verwendet,

(1) wenn der NS nach dem HS steht, der Inhalt des HS dem Hörer bekannt ist, dagegen der Inhalt des NS die einzige neue Information darstellt:

> Warum gehst du ins Theater?
> Ich gehe ins Theater, *weil* mich das Stück interessiert.

(2) wenn der Inhalt des HS schon im Kontext (z. B. in einer vorangegangenen Frage) enthalten ist, der HS – um eine Wiederholung zu vermeiden – weggelassen wird und der NS deshalb in isolierter Form (z. B. in Form einer Antwort) erscheint:

> Warum kommt er nicht zum Unterricht?
> *Weil* er krank ist.

(3) wenn *da* (das als gehoben empfunden wird) aus Gründen der Stilschicht nicht angemessen ist.

damit / um . . . zu

Subordinierend. Final. Der NS nennt das Ziel, der HS die Voraussetzung. Bei Gleichheit des Subjekts im HS und NS steht statt des NS mit *damit* auch eine Infinitivkonstruktion mit *um* + Infinitiv mit *zu*.

> Er schenkte ihr Briefpapier, damit sie ihm öfter schriebe.
> Ich habe ihn angerufen, damit er mich morgen besucht.
> Er fährt an die Ostsee, damit er sich erholt (um sich zu erholen).
> Er muß sich beeilen, damit er den Zug noch erreicht (um den Zug noch zu erreichen).

Anmerkung:
damit als subordinierende Konjunktion trägt den Akzent auf der zweiten Silbe. Bei Anfangsbetonung handelt es sich um das Pronominaladverb oder das Korrelat *„damit"*. Vgl. *daß* unter *Anm.*

das heißt (d. h.)

Koordinierend (HS, NS, SG). Spezifizierung.

> Wir reisen morgen in die Sowjetunion, d. h., wir fahren nach Moskau.
> Der Professor sagte, daß die Arbeit zu beenden, d. h. die Konzeption abzuschließen sei.
> Sie, d. h. seine Frau und er, wollen kommen.

daß

Subordinierend. Wir unterscheiden *daß*-Sätze mit obligatorischem Korrelat, mit fakultativem Korrelat, mit obligatorisch fehlendem Korrelat und Nebensätze, in denen *daß* mit einer zweiten Komponente (als zusammengesetzte Konjunktion) steht.
Der *daß*-Satz kann ein Subjekt oder Objekt im HS vertreten (Korrelat im HS: *es*). Zu diesen Subjekt- oder Objektsätzen vgl. 18.4.2.2. und 18.4.2.3.

Anmerkungen:
(1) Wenn der *daß*-Satz ein Präpositionalobjekt vertritt, heißt das Korrelat nicht *es*, sondern ist ein Pronominaladverb (vgl. dazu 2.3.2.7.), gebildet aus der betreffenden Präposition + Präfix *da-* (vor konsonantisch anlautenden Präpositionen wie *von, bei*) oder *dar-* (bei vokalisch anlautenden Präpositionen wie *an, auf*): *dabei, davon, daran, darauf*...
(2) Der *daß*-Satz kann sich auch (ähnlich dem Relativsatz) auf ein Substantiv beziehen:

> Die Tatsache, daß er kommt, freut mich.
> Über die Tatsache, daß er kommt, freue ich mich.
> Es freut mich die Tatsache, daß er kommt.

(3) Bei einigen Verben im HS ist alternativ ein Anschluß mit *daß* oder mit dem Infinitiv möglich. Beim *daß*-Satz können HS und NS ein unterschiedliches Subjekt haben. Ein Ersatz des NS durch eine Infinitivkonstruktion ist von verschiedenen Bedingungen (z. B. der Identität der Subjekte in HS und NS) abhängig (vgl. dazu 18.4.1.5.):

> *Er* hofft (es), daß *sie* ihn besucht.
> *Er* hofft (es), daß *er* sie besuchen kann (sie besuchen zu können).

Der Konjunktion *daß* läßt sich keine besondere Bedeutung zuordnen. (Vgl. aber: *Anm.*). Die Bedeutungsvarianten ergeben sich erst aus der Verbindung von *daß*

1. mit Korrelaten im HS
(„*dadurch*", „*damit*"),

2. mit dem zweiten Teil der zusammengesetzten Konjunktion
(*als daß, so daß, (an)statt, daß, ohne daß, außer, daß*).

Die Verbindungen unter 1. werden nachfolgend erläutert.
Die Verbindungen unter 2. erscheinen unter dem jeweils ersten Teil in alphabetischer Reihenfolge.

daß erscheint mit folgenden Korrelaten im HS:

1. Im HS steht obligatorisch das Korrelat „*dadurch*". Modal. Instrumental. Der NS nennt das Mittel, das zum Erfolg führt, wie er im HS ausgedrückt wird.

> Die sozialistischen Länder erreichten ihre wirtschaftlichen Erfolge dadurch, daß sie ihre Volkswirtschaft planmäßig entwickelt haben.
> Dadurch, daß er sofort operiert wurde, konnte ihm das Leben gerettet werden.

2. Weniger das Mittel, sondern mehr die Art und Weise (Spezifizierung) wird durch das Korrelat „*damit*" ausgedrückt.

> Dem Kranken konnte damit geholfen werden, daß man ihm ein Betäubungsmittel verabreichte.

Anmerkung:
Als Konkurrenzform für die Konjunktion *damit* kann *daß* in finaler Bedeutung stehen:

> Sie räumten die Kisten aus dem Weg, daß niemand darüber fiele.

denn

Koordinierend (HS). Kausal. Beide Konjunkte treffen zu, das zweite, mit *denn* eingeleitete Konjunkt gibt den Grund für das erste Konjunkt an. (= *da*, *weil*)

> Wir gehen spazieren, denn das Wetter ist schön.
> Das Arbeitsergebnis war ausgezeichnet, denn alle Mitarbeiter haben sich sehr angestrengt.

doch

Koordinierend (HS, NS, SG). Adversativ. (= *jedoch*, *aber*)

> Wir wollten ihn besuchen, doch er war nicht zu Hause.
> Wir wußten, daß das nicht erlaubt war, doch daß man es auch nicht verboten hatte.
> Sie war nicht häßlich, doch auch nicht hübsch.

Zu *doch* als Verstärkung von *aber* vgl. *aber*.

ehe

Subordinierend. Temporal. Nachzeitigkeit. (= *bevor*)

> Ehe er zur Arbeit geht, bringt er das Kind in den Kindergarten.

Anmerkungen:
(1) Eine konditionale Bedeutung kann ausgedrückt werden, wenn im HS ein Element der Negation steht (vgl. *bevor*).

(2) Neben der temporalen Bedeutung kann mit *ehe* auch ein Ersatz ausgedrückt werden. Der Sachverhalt im HS wird dem Sachverhalt im NS vorgezogen (= *anstatt daß*):

> Ehe er den weiten Weg zu Fuß machte, fuhr er lieber mit der Straßenbahn.

Diese Bedeutung ist an das Auftreten zusätzlicher Wörter im HS (*lieber, besser*) geknüpft.

entweder ... oder

Mehrteilig. Koordinierend (HS, NS, SG). Alternativ. Nach *entweder* finites Verb an 1. oder 2. Stelle.

> Entweder wir gehen ins Kino, oder wir besuchen unsere Freunde.
> Entweder gehen wir ins Kino, oder wir besuchen unsere Freunde.
> Du weißt, daß du entweder die Prüfung bestehen mußt oder daß du nicht mehr weiterstudieren kannst.
> Wir gehen entweder ins Konzert oder ins Theater.

falls

Subordinierend. Konditional. (= *wenn 2.*)

> Er wird uns besuchen, falls er in die DDR kommt.

indem

Subordinierend. Modal. Instrumental. Der NS nennt das Mittel, mit dem das im HS ausgedrückte Ziel erreicht wird. (= *dadurch daß*)

> Er beruhigte das Kind, indem er es streichelte.
> Man setzt diese Maschine in Betrieb, indem man den rechten Hebel herunterdrückt.
> Indem er mit dem Kind rechnete, half er ihm, die Prüfung zu bestehen.

insofern (als), insoweit (als)

Subordinierend. Modal. Spezifizierung. Mit fak. *als.*

> Der Abend war interessant, insofern (als) es die musikalischen Darbietungen betraf.
> Die Dissertation war ausgezeichnet, insoweit (als) sie theoretische Fragestellungen behandelte.

insofern, insoweit als Korrelate vgl. *als 2.3.*

je ... desto / um so

Mehrteilig. Subordinierend. Der mit *je* eingeleitete NS (Wortfolge: Konjunktion – Komparativ – Satzglied – finites Verb) ist dem mit *desto / um so* eingeleiteten HS (Wortfolge: Konjunktion – Komparativ – finites Verb – Satzglied) untergeordnet. NS gewöhnlich als Vordersatz (aber vgl. unter *Anm.*).
Modal. Proportional. Der Sachverhalt im HS liegt oder entwickelt sich proportional zum Sachverhalt im NS. Im NS wird das Primäre genannt.

> Je öfter er übte, um so (desto) besser konnte er spielen.
> Je weiter er nach Süden reiste, um so (desto) wärmer war es.
> Je länger er das Bild betrachtete, um so (desto) besser gefiel es ihm.

Anmerkungen:
(1) Wenn *je ... desto* Nebensätze verbindet, steht der mit *je* eingeleitete NS *hinter* dem *desto / um so* enthaltenden NS:

Er merkte, daß er *um so* besser spielen konnte, *je* öfter er übte.

(2) Wenn der mit *je* eingeleitete NS als Nachsatz steht, sind für den HS als Ersatz für *desto / um so* folgende Formen möglich:

immer + Komparativ:

Er wurde immer lustiger, je mehr er trank.

und zwischen einem Komparativ und seiner Wiederholung:

Das Auto fuhr schneller und schneller, je steiler der Abhang wurde.

je nachdem

Subordinierend. Immer in Verbindung mit *ob* oder einem Fragewort. Modal. Proportional. Der Sachverhalt im HS wird abhängig gemacht von verschiedenen Möglichkeiten, die im NS genannt werden.

Je nachdem ob das Wetter schön oder schlecht ist, gehen wir spazieren oder bleiben wir zu Hause.
Wir gehen spazieren oder bleiben zu Hause, je nachdem wie das Wetter ist.

jedoch

Koordinierend (HS, NS, SG). Adversativ. (= *doch, aber*)

Wir gehen fort, jedoch ihr bleibt zu Hause.
Ich weiß, daß er unfreundlich ist, jedoch ein gutes Herz hat.
Wir gingen nicht ins Theater, jedoch ins Kino.

kaum daß

Subordinierend. Temporal. Vorzeitigkeit. Unmittelbare Aufeinanderfolge. Noch unmittelbarer als bei *als 1.2.*

Kaum daß das Klingelzeichen ertönt war, strömten die Kinder aus dem Klassenzimmer.
Sie begannen zu essen, kaum daß das Essen auf dem Tisch stand.

nachdem

Subordinierend. Temporal. Vorzeitigkeit. Einem Plusq. im NS entspricht im HS zumeist Prät., einem Perf. im NS ein Präs. oder ein Fut. I im HS. (= *als 1.2.*)

Nachdem wir in der Stadt angekommen waren, suchten wir uns ein Hotelzimmer.
Nachdem wir in der Stadt angekommen sind, suchen wir uns ein Hotelzimmer.
Nachdem wir mit ihm gesprochen haben, werden wir seine Angelegenheit klären.

nicht nur ... sondern auch

Koordinierend (HS, NS, SG). Kopulativ, drückt eine Hinzufügung, einen hervorgehobenen Zusatz aus. (= *und zusätzlich auch*)

Er hat nicht nur ein Hochschulstudium abgeschlossen, sondern (er hat) auch promoviert.
Wir wußten nicht, daß er nicht nur ein Hochschulstudium abgeschlossen hat, sondern (daß er) auch promoviert hat.
Er kauft nicht nur Bücher, sondern auch Schallplatten.

nur daß

Subordinierend. NS immer als Nachsatz. Modal. Restriktiv.

Er verfügte über ein umfangreiches Fachwissen, nur daß er noch nicht genügend Erfahrung gesammelt hatte.

ob

Subordinierend. Der *ob*-Satz kann wie der *daß*-Satz ein Subjekt oder Objekt im HS ersetzen. *ob* steht nach Ausdrücken der Frage, der Unsicherheit oder des Zweifels in der indirekten Entscheidungsfrage.

Er fragte seinen Lehrer, ob er die Arbeiten schon durchgesehen habe.
Es war nicht sicher, ob sie kommt.
Ob das Geld angekommen ist, weiß ich nicht.

Vereinzelt erscheint *ob* auch in direkten Entscheidungsfragen:

Ob Peter heute kommt?

Obwohl *daß* und *ob* relativ bedeutungsarm sind, sind beide weder miteinander austauschbar (*daß* steht bei Ausdrücken der Sicherheit, *ob* bei Ausdrücken der Unsicherheit), noch schließen sie sich gegenseitig immer aus (es bleibt jedoch ein Bedeutungsunterschied erhalten):

Ich bin sicher, *daß* er kommt.
Ich bin unsicher, *ob* er kommt.
Er hat uns geschrieben, *daß* er kommt.
Er hat uns geschrieben, *ob* er kommt (oder nicht).

ob ... oder (*ob*)

Mehrteilig. *ob* ist subordinierend, *oder* koordinierend. Nach *oder* wird alternativ zum ersten NS oder SG (eingeleitet mit *ob*) ein zweiter NS oder ein zweites SG genannt. Die beiden mit *oder* verbundenen Teile werden insgesamt – als NS, eingeleitet mit *ob* – in einen übergeordneten Satz eingebettet.
Konzessiv. Im NS werden die verschiedenen Möglichkeiten genannt, deren Irrelevanz für den Sachverhalt im HS betont wird.

Wir gehen spazieren, ob es regnet oder (ob) die Sonne scheint.

Anmerkung:
Bei vorangestelltem NS steht im HS das finite Verb an zweiter Stelle; die erste Stelle besetzt das Subjekt oder ein anderes nicht-verbales Satzglied:

> Ob es regnet oder die Sonne scheint, *wir gehen* (doch) spazieren.
> Ob er es will oder nicht, *mit diesem Resultat muß* er rechnen.

obwohl

Subordinierend. Bei vorangestelltem NS fak. *so* (in Spitzenstellung) und *doch* (nach finitem Verb und Subjekt) im HS. Konzessiv. Die im NS genannten Fakten haben nicht die zu erwartenden Folgen.

> Er arbeitet noch, obwohl er schon alt ist.
> Obwohl er schon alt ist, (so) arbeitet er (doch) noch.
> Sie sitzen auf dem Balkon, obwohl es schon recht kühl ist.

oder

Koordinierend (HS, NS, SG). Alternativ.

> Morgen fahren wir in die Stadt, oder wir bleiben zu Hause.
> Er wußte nicht, ob er die Prüfung bestanden hatte oder ob er durchgefallen war.
> Wir fahren nach Berlin oder nach Leipzig.

Anmerkung:
Die Konjunktion *oder* vereinigt in sich zwei Bedeutungen, die zwar deutlich unterscheidbar sind, aber im Sprachgebrauch nicht klar unterschieden werden:

(1) inklusives *oder* (Konjunktbedeutungen sind verträglich):

> Er fährt in die Stadt oder in die Bibliothek (oder beides).

(2) exklusives *oder* (= *entweder ... oder*; Konjunktbedeutungen sind unverträglich):

> Er besteht die Prüfung, oder er besteht sie nicht.
> *Er besteht die Prüfung, oder er besteht sie nicht, oder beides.
> Die Nummer des Autos ist eine gerade oder eine ungerade Zahl.
> *Die Nummer des Autos ist eine gerade oder eine ungerade Zahl oder beides.

ohne daß / ohne ... zu

Subordinierend. Bei Gleichheit des Subjekts von HS und NS steht für *ohne daß* oft *ohne* + Infinitiv mit *zu*.[1]

---

[1] Bei der Gleichheit des Subjekts in HS und NS – als Bedingung für den Ersatz eines konjunktionalen Nebensatzes durch eine Infinitivkonstruktion – handelt es sich manchmal um die Gleichheit nicht des grammatischen, sondern des logischen Subjekts:

> Es gelang *ihr*, ohne sich übermäßig anzustrengen.

Vgl. dazu genauer 18.4.1.5.

1. Modal. Fehlender Begleitumstand.

Er ging durch den Regen, ohne daß er den Regenschirm aufspannte (ohne den Regenschirm aufzuspannen).
Er half mir, ohne daß ich ihn darum bat.

2. Konsekutiv. Der NS nennt das Nichteintreten einer sich erwartungsgemäß aus dem HS ergebenden Folge.

Sie schrie vor Schmerzen, ohne daß der Arzt ihr hätte helfen können.
Sie litt unter schweren Schmerzen, ohne daß sie klagte (ohne darüber zu klagen).

seit(dem)

Subordinierend. Temporal.

1. Gleichzeitigkeit. Zeitdauer bis Sprechergegenwart mit Anfangspunkt in der Vergangenheit. Nur bei durativen Verben im Präs. und Prät.

Seit(dem) ich ihn kenne, ist er Nichtraucher.
Seit(dem) sie auf dem Lande wohnte, ging es ihr besser.

2. Vorzeitigkeit. Genauer Anfangspunkt in der Vergangenheit. Im HS Dauer bis Sprechergegenwart. Nur bei perfektiven Verben im Perf. und Plusq.

Seit(dem) er aus dem Krankenhaus entlassen ist, arbeitet er in einem anderen Betrieb.
Seit(dem) seine Frau gestorben war, ging er zu keiner Veranstaltung mehr.

so daß

Subordinierend. NS als Nachsatz. Konsekutiv. Der NS gibt die Folge aus dem Sachverhalt des HS an.

Es war kalt, so daß wir froren.
In der Nacht hatte es geregnet, so daß die Waldwege schlammig waren.

Anmerkung:
Wenn *so* im HS steht, ist es Korrelat und weist auf einen besonderen Grad hin:

Es war *so* kalt, *daß* wir froren.

sobald

seltener: *sowie*

Subordinierend. Temporal.

1. Vorzeitigkeit. Unmittelbare Aufeinanderfolge (= *als 1.2., kaum daß*). Bei perfektiven Verben im NS.

Sobald (sowie) sie ihren Freund sah (gesehen hatte), eilte sie auf ihn zu.
Sobald der Zug ankommt (ankommen wird), werden wir anrufen.

Anmerkung:
Die Tempora in HS und NS werden verwendet wie bei *als* und *wenn*.

2. Gleichzeitigkeit (= *wenn 1.1.* und *1.2.*). Bei durativen Verben im NS.

> Sobald es läutet (läutete), setzen (setzten) sich die Schüler auf ihre Plätze.
> Sobald er in Dresden ist, sucht er seinen Freund auf.

sofern

Subordinierend. Konditional. Aus einer Bedingung wird eine Folge vorausgesagt. (= *wenn 2., falls*)

> Wir werden den Zug noch erreichen, sofern wir uns beeilen.
> Sofern du mir hilfst, schaffe ich die Prüfung.

solange

Subordinierend. Temporal. Gleichzeitigkeit. Zeitdauer mit gleichem Beginn und gleichem Ende.

> Solange es Kriege gibt, ist die Existenz der Völker bedroht.
> Ich bleibe hier, solange du hier bist.
> Er gönnte sich keine Ruhe, solange er an dem Buch schrieb.

Anmerkung:
Als synonyme Formen müssen solche Sätze aufgefaßt werden, in denen *solange* Korrelat im HS und *wie* subordinierende Konjunktion ist:

> Ich bleibe *solange* hier, *wie* du hier bist.

sondern

Koordinierend (HS, NS, SG). Adversativ. Vgl. *aber*.

> Er kaufte sich für das Geld kein Auto, sondern er machte eine Reise.
> Ich habe gehört, daß Professor Schulze nicht zu uns kommt, sondern daß er ins Ausland fährt.
> Wir gingen nicht ins Kino, sondern ins Theater.

Anmerkung:
Im Unterschied zu *aber* setzt *sondern* eine syntaktische (d. h. nicht lexikalisch inkorporierte) Negation im vorausgehenden HS (NS, SG) voraus und wird nur beim direkten Gegensatz verwendet:

> Das Haus ist nicht groß, sondern klein.
> *Das Haus ist groß, sondern nicht klein.
> *Das Haus ist nicht groß, aber klein.

Werden jedoch neben dem Gegensatz bestimmte Gemeinsamkeiten ausgedrückt, kann *sondern* oder *aber* stehen:

> Er fährt nicht mit dem Auto, sondern (aber) mit der Straßenbahn. (gemeinsam: fahren)
> Er ist nicht in der Wohnung, sondern (aber) im Keller. (gemeinsam: Haus)

Während *aber* die semantische Funktion des Verneinens hat, hat *sondern* die pragmatische Funktion des Korrigierens bzw. Bestreitens. *Aber* drückt einen Kontrast aus, *sondern* stellt eine Bewertung der Sachverhalte durch den Sprecher dar: Der 1. Sachverhalt wird als falsch (ungültig), der 2. Sachverhalt als richtig (gültig) bewertet, der 1. Sachverhalt folglich durch den 2. Sachverhalt korrigiert. Deshalb ist *sondern* nach negierten Sätzen nicht möglich, wenn das zweite Konjunkt nicht als Korrektursatz anzusehen ist, weil entweder Indikatoren mit konzessiv-einschränkender Funktion (die Partikel *zwar* im 1. Konjunkt, *wenigstens, doch, immerhin* im 2. Konjunkt) oder mit anderer kommunikativer Funktion (z. B. *ja, schon, wohl*) enthalten sind oder weil eine Inklusionsbeziehung besteht (durch die eingeräumt wird, daß das 1. Konjunkt nicht völlig falsch ist):

*Sie ist zwar nicht klug, *sondern* (wenigstens) fleißig.
Sie ist zwar nicht klug, *aber* (wenigstens) fleißig.

*Peter war nicht anwesend, *sondern* Inge war ja (wohl) anwesend.
Peter war nicht anwesend, *aber* Inge war ja (wohl) anwesend.

*Es ist keine Katze, *sondern* ein Tier.
Es ist keine Katze, *aber* ein Tier.

Umgekehrt ist *aber* nach negierten Sätzen nicht möglich, wenn Indikatoren für eine korrigierende Funktion (z. B. die Partikeln *eher, vielmehr*) vorhanden sind oder wenn zwischen den kontrastierenden Einheiten ein antonymisches oder hyponymisches Verhältnis vorliegt:

*Sie ist nicht unbegabt, *aber* eher (vielmehr) unwillig.
Sie ist nicht unbegabt, *sondern* eher (vielmehr) unwillig.

*Sie ist nicht groß, *aber* klein.
Sie ist nicht groß, *sondern* klein.

*Es regnet nicht, *aber* es gießt.
Es regnet nicht, *sondern* es gießt.

sooft

Subordinierend. Temporal. Wiederholung. Der Sachverhalt im HS wiederholt sich entsprechend dem Sachverhalt im NS (= *jedesmal wenn*)

1. Gleichzeitigkeit.

Sooft er zu Hause war, freuten sich die Kinder.
Er grüßt mich freundlich, sooft er mich trifft.

2. Vorzeitigkeit.

Sooft er nach Hause kam, freuten sich die Kinder.
Er erkältete sich, sooft er bei kühlem Wetter badete.

soviel

Subordinierend. Modal. Restriktiv. Im NS wird die Aussage des HS subjektiv eingeschränkt.

Soviel ich gehört habe, ist er krank.
Es handelt sich um einen Unfall, soviel man sieht.

Anmerkung:
Tritt neben *soviel* im NS *auch* auf, so erhält der Satz restriktiv-konzessive Bedeutung:

Der Student schafft es nicht, *soviel* er *auch* arbeitet.
(= obwohl er viel arbeitet)

soweit

Subordinierend. Modal. Restriktiv.

Soweit ich das Buch beurteilen kann, handelt es sich um eine Arbeit von internationaler Bedeutung.
Er wird die Prüfung sehr gut bestehen, soweit ich ihn kenne.

Anmerkung:
soweit kann auch einen Lokalsatz einleiten [vgl. 19.2.(3)].

sowie (1. = *sobald*, vgl. dort; 2. = *und*, vgl. dort)

sowohl . . . als auch (wie auch)

Koordinierend (SG). Kopulativ. (= *und*)

Er ist sowohl Arzt als auch (wie auch) Künstler.
Seine Arbeiten sind sowohl wissenschaftlich neu als auch (wie auch) verständlich geschrieben.

Bei Verneinung der beiden Konjunkte steht für *sowohl... als auch* die Konjunktion *weder... noch* (vgl. dort).

(an)statt

Koordinierend. Nur zwischen SG (zwischen HS und NS steht dafür (*an*)*statt daß* / (*an*)*statt zu*). Ersatz.

Er schrieb mir (an)statt ihm.
Wir tranken Tee (an)statt Kaffee.

statt daß / statt . . . zu (= *anstatt daß*, vgl. dort)

trotzdem

Subordinierend. Konzessiv. (= *obwohl*)

Trotzdem die DDR eine geringe Rohstoffbasis hat, entwickelt sie sich wirtschaftlich sehr schnell.
Er kam zur Arbeit, trotzdem er eine leichte Grippe hatte.
Trotzdem das Wetter während des ganzen Urlaubs schlecht war, haben wir uns gut erholt.

Anmerkung:
trotzdem ist auch in koordinierender Funktion als Konjunktionaladverb üblich:

Die DDR hat eine geringe Rohstoffbasis; *trotzdem* entwickelt sie sich wirtschaftlich sehr schnell.

um so mehr als, um so weniger als

Subordinierend. NS als Nachsatz. Kausal. Der NS nennt einen zusätzlichen, verstärkenden Grund für den Sachverhalt im HS. (= *zumal*)

Er geht selten ins Kino, um so weniger als er keine Zeit hat.
Er geht oft ins Kino, um so mehr als er keinen Fernseher hat.

Anmerkung:
um so mehr und *um so weniger* im HS sind Korrelate für die Konjunktion *als* (vgl. dort).

um . . . zu

Subordinierend.

1. Final (statt eines NS mit *damit*; vgl. dort).

Er fährt an die Ostsee, *damit* er sich erholt.
→ Er fährt an die Ostsee, *um* sich *zu* erholen.

2. Konsekutiv (statt eines NS mit *daß* oder *als daß*, im ersten Falle bei negiertem NS unter gleichzeitigem Ersatz der Partikel *so* durch die Partikel *zu* im HS). Drückt eine Folge aus, die auf Grund des Maßes des im HS genannten Geschehens eintritt (a) oder auf Grund des zu geringen Maßes (b) bzw. des Übermaßes des im HS genannten Geschehens (c) nicht eintritt.

(a) Der Hörsaal war groß *genug*, *daß* man darin die Tagung ausrichten konnte.
→ Der Hörsaal war groß *genug*, *um* darin die Tagung aus*zu*richten (ausrichten *zu* können).

(b) Der Hörsaal war *nicht* groß *genug*, daß man darin die Tagung ausrichten konnte.
→ Der Hörsaal war *nicht* groß *genug*, *um* darin die Tagung aus*zu*richten (ausrichten *zu* können).

(c) Das Wasser war *zu* kalt, *als daß* man darin baden konnte.
→ Das Wasser war *zu* kalt, *um* darin baden *zu* können.
Das Wasser war *so* kalt, *daß* man *nicht* darin baden konnte.
→ Das Wasser war *zu* kalt, *um* darin baden *zu* können.

3. Konditional (statt eines Satzgefüges mit *wenn*).
Drückt ein Geschehen aus, zu dem der HS die Bedingung nennt.

Er muß fleißig sein, *wenn* er die Prüfung bestehen will.
→ Er muß fleißig sein, *um* die Prüfung *zu* bestehen.

4. Kopulativ (statt einer Satzverbindung mit *und*).

Er betrat das Lokal *und* verließ es nach einer Stunde wieder.
→ Er betrat das Lokal, *um* es nach einer Stunde wieder *zu* verlassen.

Zu den Bedingungen, unter denen die entsprechenden NS (oder HS) durch *um . . . zu* ersetzt werden können, vgl. 18.4.1.5.

und

Koordinierend (HS, NS, SG). Kopulativ.

Er geht ins Konzert, und seine Tochter geht ins Theater.
Er wußte, daß er die Diplomprüfung gut bestanden hatte und daß er eine Aspirantur aufnehmen konnte.
Sie und ihre Freundin wohnen im Hotel.

Anmerkungen:
(1) Nach einigen Wendungen kann ein mit *und* angefügter Aussagesatz oder Imperativsatz einen *daß*-Satz bzw. eine Infinitivkonstruktion ersetzen.

Es fehlte nicht viel und das Kind wäre aus dem Fenster gefallen.
(= Es fehlte nicht viel (daran), daß das Kind aus dem Fenster gefallen wäre.)
Er ist imstande und betrügt seine Kollegen.
(= Er ist imstande, seine Kollegen zu betrügen.)

Ebenso: etwas wagen und ..., so freundlich sein und ..., jemandem helfen und ...

(2) Die Konjunktion *und* kann über ihre kopulative Bedeutung hinaus Sätze verbinden, deren Konjunktbedeutungen in anderen Verhältnissen zueinander stehen.
So kann sie – abhängig von den jeweiligen Konjunktbedeutungen – z. B. ausdrücken

(a) ein *temporales* Verhältnis (der Aufeinanderfolge):

Peter heiratete Inge, *und* sie bekamen ein Kind.
← Peter heiratete Inge, *und danach* bekamen sie ein Kind.

(b) ein *lokales* Verhältnis:

Inge ist in der Küche, *und* sie bäckt Kuchen.
← Inge ist in der Küche, *und dort* bäckt sie Kuchen.

(c) ein *direktionales* Verhältnis:

Die Tür war offen, *und* es zog.
← Die Tür war offen, *und von dort* zog es.

(d) ein *explanatives* Verhältnis:

Die Zahl 5 ist eine Primzahl, *und* sie ist nur durch 1 und durch sich selbst teilbar.
← Die Zahl 5 ist eine Primzahl, *und deshalb* ist sie nur durch 1 und durch sich selbst teilbar.

(e) ein *instrumentales* Verhältnis:

Peter arbeitete fleißig *und* bestand die Prüfung.
← Peter arbeitete fleißig, *und dadurch* bestand er die Prüfung.

(f) ein *konditionales* Verhältnis (dabei im 1. HS Imperativ, im 2. HS Präs. oder Fut.):

Geh nach Hause, *und* du wirst sehen, daß du Besuch hast!
← *Wenn* du nach Hause gehst, wirst du sehen, daß du Besuch hast.

(g) ein *modales* Verhältnis im Sinne der steigernden Wiederholung (*und* zwischen Adjektiven im Komparativ):

Steiler *und* steiler wurde der Weg.
Er sprach lauter *und* lauter.

(h) ein *konzessives* Verhältnis:

Peter ist herzkrank, *und* er raucht sehr viel.
← Peter ist herzkrank, *und trotzdem* raucht er sehr viel.

(i) ein *konsekutives* Verhältnis:

Die Schleuse wurde geöffnet, *und* das Schiff konnte weiterfahren.
← Die Schleuse wurde geöffnet, *so daß* das Schiff weiterfahren konnte.

(3) Zur Verbindung von SG dient vereinzelt statt *und* auch *sowie*:

Er hat Romane, Novellen und Erzählungen sowie einige Hörspiele geschrieben.

während

Subordinierend.

1. Temporal. Gleichzeitigkeit. Zeitdauer.

Während die Sonne schien, lagen wir am Strand.

2. Adversativ.

Während es gestern schön war, ist das Wetter heute schlecht.

Anmerkungen:
(1) Rein adversative Bedeutung liegt vor,
wenn die beiden Teilsätze nicht im Verhältnis der Gleichzeitigkeit stehen:

Während es am Sonntag regnete, schien am Montag die Sonne.

wenn zwischen beiden Teilsätzen ein antonymisches (= kontradiktorisches) Verhältnis vorliegt, das zusätzlich durch die Gegenüberstellung zweier Elemente gestützt ist:

Während *er* die Prüfung bereits *bestanden* hat, hat *sie* sie noch *nicht bestanden*.

(2) Rein temporale Bedeutung liegt vor,
wenn nur eine Gegenüberstellung nicht-antonymischen Charakters vorliegt, die nicht zusätzlich durch die Gegenüberstellung zweier Sachverhalte gestützt ist:

Der Lehrer sah immer auf die Uhr, während er die Hausaufgaben diktierte.
Er las, während er aß.

wenn die beiden Sachverhalte sich überhaupt nicht gegenüberstehen, sondern gleichzeitig verlaufen, sich ansonsten aber beziehungslos zueinander verhalten:

Während die Sonne schien, lagen wir am Strand.

(3) Temporale oder adversative Bedeutung ist möglich,

wenn beide Teilsätze gleichzeitig verlaufen und zwei Gegenüberstellungen enthalten, von denen jedoch keine antonymischen Charakter hat:

> Während er arbeitete, schlief sie.
> Während die Kinder im Garten spielten, pflückten die Eltern die Erdbeeren.

weder ... noch

Koordinierend (HS, NS, SG). Kopulativ. Setzt zwei negierte Konjunkte voraus, verbindet diese und signalisiert zugleich die Negation. (= *nicht... und auch nicht*)

> Ich habe ihn weder besucht, noch habe ich ihm geschrieben.
> Er erinnerte sich, daß ich ihn weder besucht noch (daß ich) ihm geschrieben habe.
> Sie trinkt am Abend weder Alkohol noch Kaffee.

Bei Bejahung der beiden Konjunkte steht für *weder... noch* die Konjunktion *sowohl... als auch* (vgl. dort).

weil

Subordinierend. Kausal. Der NS gibt den Grund für den Sachverhalt im HS an. Der NS kann als selbständiger Satz, als Antwort auf eine direkte Frage stehen. (= *da, denn*)

> Er kommt nicht zum Unterricht, weil er krank ist.
> Warum ist er nicht gekommen? – Weil er krank ist.

wenn

Subordinierend.

1. Temporal.

1.1. Gleichzeitigkeit. Zeitpunkt. Einmaliges Geschehen in Gegenwart und Zukunft. Vgl. aber *als* (für einmaliges Geschehen in der Vergangenheit).

> Der Unterricht ist zu Ende, wenn das Klingelzeichen ertönt.
> Wenn die Sonne am höchsten steht, ist Mittag.

1.2. Gleichzeitigkeit. Zeitpunkt. Wiederholtes Geschehen. (= *jedesmal wenn, immer wenn*)

> Wenn es regnete, blieben wir zu Hause.
> Wenn es läutet, setzen sich die Schüler auf ihre Plätze.

1.3. Vorzeitigkeit. Abschluß eines Geschehens.

> Er liest die Zeitung, wenn er gefrühstückt hat.
> Wenn der Besuch gekommen ist, beginnen wir mit dem Essen.
> Wenn der Vater nach Hause kommt, essen wir.

 Vgl. aber *als* und *nachdem* für die Vergangenheit.

2. Konditional. (= *falls*)

2.1. Der NS nennt eine Bedingung, der HS die Folge.

Wenn das Wetter schön ist, gehen wir spazieren.
Die Brigade wird den Titel erringen, wenn sie ihr Wettbewerbsprogramm erfüllt.

Anmerkungen:
(1) *wenn* steht mit Konjunktiv zum Ausdruck der irrealen Bedingung:

Wenn er lauter sprechen würde, könnte man ihn besser verstehen.
Wir hätten uns den Film angesehen, wenn wir Karten bekommen hätten.

Vgl. dazu genauer 1.9.2.1.3.

(2) Manche NS mit *wenn* sind zugleich temporal und konditional interpretierbar:

Wenn er in die DDR kommt, besucht er uns.
temporal: = *immer wenn, dann wenn*
konditional: = *falls, im Falle daß*

Eindeutig konditional sind nur die Sätze mit *wenn* und Konjunktiv. Auch das Korrelat *so* weist auf einen Konditionalsatz hin. Die NS mit *wenn* und Indikativ sind dagegen sowohl temporal als auch konditional interpretierbar. Auf einen Temporalsatz weisen zusätzliche Wörter wie *immer* oder *jedesmal*. Das Korrelat *dann* läßt beide Möglichkeiten offen.

2.2. Isolierte Wunschsätze. Indikativ und Konjunktiv. Zumeist mit den Partikeln *doch* oder/und *nur*.

Wenn doch der Briefträger käme!
Wenn er doch (nur) gekommen wäre!
Wenn er nur zu uns kommt!

Zum Modusgebrauch im einzelnen vgl. 1.9.2.1.5.

wenn auch ... so doch

Mehrteilig. Subordinierend. *wenn auch* leitet den NS ein, *so doch* den HS. *auch* wird zumeist (von *wenn*), *doch* immer (von *so*) getrennt. Bei Vorderstellung des HS fällt *so* obl. und *doch* fak. weg. Konzessiv. (= *obwohl*)

Wenn auch einige nicht dabei waren, so war es doch ein unterhaltsamer Abend.
[Es war (doch) ein unterhaltsamer Abend, wenn auch einige nicht dabei waren.]
Wenn es auch kalt ist, so zieht er doch keinen Mantel an.
Wenn er die Prüfung auch nicht besonders gut abgelegt hat, so war er doch fleißig.

Zu weiteren Besonderheiten des Konzessivsatzes mit *wenn auch* vgl. 19.4.3.

wie

Subordinierend. Modal. Komparativ. Realer Vergleich. Gleichheit.

1. Vergleich der Art und Weise eines Geschehens mit der Stellungnahme des Sprechers oder mit der Art und Weise des Geschehens unter anderen Bedingungen. Mit fak. Korrelat *so* im HS.

> Der Dozent hat (so) geprüft, wie ich es mir vorgestellt hatte.
> Er macht seine Arbeit (so), wie er sie immer gemacht hat.

2. Vergleich einer Gradangabe unter verschiedenen Bedingungen. Mit obl. Korrelat *so* im HS.

> Er ist so alt, wie ich bin.

Zu *wie* als temporale Konjunktion vgl. *solange* unter *Anm.*

wie auch

Subordinierend. Konzessiv. Mit fak. *immer; auch* wird zumeist von *wie* getrennt. Bei Vorderstellung des NS steht im HS das Subjekt vor dem finiten Verb.

> Sie konnten den Berg nicht ersteigen, wie sehr sie sich auch (immer) anstrengten.
> Wie morgen das Wetter auch sein mag, wir müssen verreisen.

Zu *wie auch* und anderen Verbindungen von Fragewörtern mit *auch* vgl. näher 19.4.3.

wie wenn (= *als ob*; vgl. dort)

zumal

Subordinierend. Kausal. Zusätzlicher Grund.

> Der Lehrer lobte den Schüler, zumal sich dessen Leistungen schon seit längerer Zeit verbesserten.

Anmerkung:
weil steht für den einfachen, eindeutigen Grund:

> Der Arbeiter wurde ausgezeichnet, weil er die Norm überfüllt hatte.

zumal steht für einen das kausale Verhältnis verstärkenden, einen weiteren Grund:

> Der Arbeiter wurde mit einer hohen Auszeichnung geehrt, zumal er schon das zweite Mal viele Gelder für den Betrieb eingespart hatte.

Partikeln 9.

Partikeln als Wortklasse 9.1.

Die Partikeln stellen im Deutschen eine relativ geschlossene Klasse dar, die etwa 40 Wörter umfaßt, die weder deklinierbar noch konjugierbar oder komparierbar sind.

Syntaktische Merkmale und Abgrenzung von anderen Wortklassen 9.1.1.

1. Die Partikeln sind keine selbständigen Satzglieder, sondern nur Teile von Satzgliedern. Das unterscheidet sie sowohl von den Adverbien (vgl. 4.), die Satzglieder sind, als auch von den Modalwörtern (vgl. 10.), die mehr als Satzglieder sind, weil sie in der zugrunde liegenden Struktur latente Sätze darstellen, und von den Interjektionen sowie anderen Satzäquivalenten (vgl. 12.).

2. Weil die Partikeln keine Satzglieder sind, sind sie auch nicht allein erststellenfähig: Sie können als einziges Stellungsglied nicht die Position vor dem finiten Verb im deutschen Aussagesatz (Hauptsatz) besetzen, sondern sind immer nur zusammen mit ihrem Bezugswort im Satz verschiebbar:

Ziemlich gut hat er die Prüfung bestanden. (Partikel)
* *Ziemlich* hat er die Prüfung gut bestanden.
Aber: *Diesmal* hat er die Prüfung gut bestanden. (Adverb)
Vermutlich hat er die Prüfung gut bestanden. (Modalwort)

3. Partikeln sind (auf Grund ihrer fehlenden Satzgliedschaft) nicht als selbständige Antworten möglich. Das unterscheidet sie einerseits von den Adverbien, die – da sie Satzglieder sind – als selbständige Antworten auf Ergänzungsfragen (Satzgliedfragen) auftreten, andererseits von den Modalwörtern, die – da sie latente Sätze sind – als selbständige Antworten auf Entscheidungsfragen (Satzfragen) erscheinen:

Wie gut hat er die Prüfung bestanden?
*Ziemlich.
Wann hat er die Prüfung (gut) bestanden?
Diesmal.
Hat er die Prüfung (gut) bestanden?
Vermutlich.

Modalwörter antworten auf Satzfragen, Adverbien auf Satzgliedfragen, Partikeln auf überhaupt keine Fragen:

Kommt er heute?	Vermutlich.
(Satzfrage)	*Spät.
	*Nur.
Wann kommt er heute?	*Vermutlich.
(Satzgliedfrage)	Spät.
	*Nur.

Anmerkungen:

(1) Die genannten Merkmale 1. bis 3. stehen in einem geordneten und hierarchischen Zusammenhang untereinander: Grundlegend ist das Merkmal 1.; die Merkmale 2. und 3. sind Oberflächenreflexe von 1. und zugleich als operationelle Kriterien benutzbar.

(2) Der Komplex dieser Merkmale verbietet nicht nur eine ungeordnete Anwendung von Merkmalen für die Partikeln, sondern zugleich eine Überbetonung oder Verabsolutierung von *einzelnen* Merkmalen, z. B. der fehlenden Erststellenfähigkeit, des expressiven Charakters (Reduzierung der Partikeln auf expressive „Abtönungspartikeln“ oder „Würzwörter“) oder der Unbetontheit bzw. Unbetonbarkeit, die nicht auf alle Partikeln zutrifft:

Wie heißt du *dénn*? (wenn du nicht Peter heißt)
Woher kommst du *denn*? (daß du so braun gebrannt bist)

9.1.2. Wesen der Partikeln

1. Unter *morphologischem* Aspekt sind die Partikeln weder deklinierbar noch konjugierbar oder komparierbar.

2. Unter *syntaktischem* Aspekt sind die Partikeln keine Satzglieder, folglich nicht allein, sondern nur zusammen mit ihrem Bezugswort im Satz verschiebbar und auch nicht als selbständige Antwort auf eine Satz- oder Satzgliedfrage verwendbar. Im Unterschied zu den Adverbialbestimmungen sind sie nicht fähig, die erste Stelle im Satz (vor dem finiten Verb) allein auszufüllen. In dieser Hinsicht ähneln sie den Attributen, unterscheiden sich aber von den Attributen dadurch, daß sie nicht auf (sprachliche) Prädikationen zurückführbar sind.

3. Unter *semantischem* Aspekt gibt es Partikeln, die ein Wort im Satz näher bestimmen, erläutern, spezifizieren oder graduieren. Es gibt jedoch auch Partikeln, deren semantischer Gehalt sehr gering ist, die nahezu ohne eigentliche (denotative) Bedeutung sind, die vielmehr die Anteilnahme des Sprechers bzw. die Art der Sprechhandlung signalisieren, die also mehr kommunikativen als semantischen Wert haben.

4. Unter *kommunikativem* Aspekt drücken die Partikeln oft feine Nuancen aus und sind Indikatoren für bestimmte Sprechhandlungen oder dienen dazu, die Äußerung im konversationellen Kontext zu verankern, den Sprechakt im Sinne des Sprechers zu modifizieren, den Interpretationsprozeß des Hörers und die Interaktion zu steuern bzw. – allgemein gesprochen – die Äußerung und den Sprechakt auf die Gegebenheiten der Interaktion zu beziehen (vgl. genauer 9.3.). Gerade in dieser kommunikativen Funktion sind die

Partikeln gleichermaßen schwer beschreib- und (zumal für Ausländer) erlernbar. Auf der anderen Seite ist die deutsche Sprache im Verhältnis zu manchen anderen Sprachen partikelreich. Der Partikelreichtum ist um so größer, je mehr sich ein Text der Umgangssprache nähert. Besonders hoch ist folglich die Frequenz der Partikeln in der Alltagssprache des Dialogs, wo sie viele – mitunter sogar wesentliche – kommunikative Nuancen ausdrücken.

In Abhängigkeit von der Dominanz der semantischen oder der kommunikativen Funktion der Partikeln lassen sich zwei Gruppen von Partikeln unterscheiden (vgl. genauer unter 9.3.):

(a) solche Partikeln, bei denen die kommunikative Funktion dominiert, z. B.

> aber, also, auch, bloß, denn, doch, eigentlich, einfach, etwa, gerade, halt, ja, mal, noch, nun, nur, schon, überhaupt, vielleicht, wohl

(b) solche Partikeln, bei denen die semantische Funktion dominiert, z. B.

> beinahe, bereits, etwas, ganz, höchst, immer, nahezu, recht, sehr, so, überaus, viel, weit, weitaus, zu.

Zu der Gruppe (a) vgl. 9.3. und 9.5., zu der Gruppe (b) vgl. 9.4.

Syntaktische Subklassen der Partikeln 9.2.

Syntaktisch unterteilen sich die Partikeln in bestimmte Subklassen dadurch, daß sie zu verschiedenen anderen Wortklassen (als Beziehungswörtern) treten können. Auf diese Weise kann man folgende Subklassen unterscheiden:

1. Partikeln, die zu Substantiven, Verben, Adjektiven und Adverbien treten können:

> *Sogar* die Hauptstadt hat er besucht.
> Er schnarcht *sogar*.
> Seine Arbeit ist *sogar* überdurchschnittlich.
> Er arbeitet *sogar* dort.

Ähnlich:

> aber, auch, beinahe, bereits, bloß, eben, erst, etwa, gar, gerade, geradezu, ja, nahezu, nicht einmal, noch, nur, schon

Von den Partikeln dieser Subklasse stehen einige sowohl vor als auch nach einem Substantiv:

> *Etwa* eine Stunde hat er gearbeitet.
> Eine Stunde *etwa* hat er gearbeitet.
>
> *Bereits* zwei Jahre hat er keinen Urlaub genommen.
> Zwei Jahre *bereits* hat er keinen Urlaub genommen.

2. Partikeln, die zu Substantiven, Adjektiven und Adverbien treten können:

Er ist *ganz* sein Vater.
Die Arbeit ist *ganz* gut.
Er arbeitet *ganz* gern.

Ähnlich: besonders, fast

3. Partikeln, die zu Verben, Adjektiven und Adverbien treten können:

Er fürchtet sich *sehr.*
Er ist *sehr* fleißig.
Er arbeitet *sehr* gern.

Ähnlich: doch, durchaus, immer, so, zu

Anmerkung:
Die Partikel *zu* erscheint bei Verben nur vor Infinitiven und stellt dann eine andere Variante dar, als wenn sie vor Adjektiven und Adverbien auftritt:

Er hat viel *zu* arbeiten. (ohne denotative Bedeutung)
Er ist viel *zu* langsam. (graduierend)

4. Partikeln, die zu Adjektiven und Adverbien treten können:

Er ist *weit* fleißiger als sein Bruder.
Er arbeitet *weit* fleißiger als sein Bruder.

Ähnlich: etwas, höchst, recht, überaus, viel, weitaus, ziemlich

Anmerkungen:
(1) Die Partikeln dieser Subklasse haben graduierenden Charakter; es handelt sich um „Intensifikatoren" bzw. Gradpartikeln.

(2) Beim Gebrauch zu beachten ist die Tatsache, daß es Beschränkungen für das Auftreten bei den verschiedenen Steigerungsstufen des Adjektivs gibt:

viel und *weit*	stehen nur vor einem Komparativ;
weitaus	steht vor einem Komparativ oder Superlativ;
etwas	steht vor einem Komparativ oder Positiv;
höchst, recht überaus, ziemlich	stehen nur vor einem Positiv.

Vgl. die folgenden Beispiele:

Er ist *weit* (*weitaus, viel*) größer als sein Bruder.
Er ist *weitaus* am größten unter den Geschwistern.
Der Film ist *höchst* (*recht, überaus, ziemlich, zu, etwas*) spannend.
Der heutige Film ist *etwas* spannender als der gestrige.

5. Partikeln, die zu Substantiven und (ursprünglichen) Adverbien treten können:

Zumal seine Mutter hat er lange nicht besucht.
Zumal dort ist er lange nicht gewesen.

 Ähnlich: beispielsweise, allein

Anmerkung:
Dabei ist auch Nachstellung möglich:

Seine Mutter *zumal* hat er lange nicht besucht.

6. Partikeln, die zu Verben treten können:

Kommt er *denn*?
Komm *mal* her!

Ähnlich: also, nicht, nun, überhaupt

Anmerkung:
Die genannten Vorkommensmöglichkeiten der Partikeln sind rein syntaktische Kombinationsmöglichkeiten und sagen vorerst nichts über die Semantik aus; aus semantischen Gründen kann natürlich nicht jede genannte Partikel zu jedem Wort der genannten Wortklasse hinzutreten:

*Er legt das Buch *sehr* auf den Tisch.
*Er arbeitet *zu* ausgezeichnet.

Kommunikative Leistung der Partikeln 9.3.

Die syntaktische Subklassifizierung sagt über die eigentliche Leistung der Partikeln nur wenig aus. Überhaupt ist eine Beschreibung dieser Wortklasse allein unter syntaktischen und semantischen Aspekten nicht ausreichend, weil bei einem Teil der Partikeln [bei der unter 9.1.2.4. genannten Gruppe (a)] die *semantisch-denotative* Bedeutung sehr gering, ihre *kommunikativ-pragmatische* Funktion aber um so größer ist. Deshalb ist es notwendig, den Blick umzukehren und die Partikeln unter dem (primären) Aspekt ihrer kommunikativ-pragmatischen Funktion zu betrachten.
Dies liegt für die Sprache generell nahe, ist doch die Sprache als Zeichensystem kein Selbstzweck, sondern – in dialektischer Weise – zugleich Mittel, Ergebnis und Voraussetzung der kommunikativen Tätigkeit (die wiederum in andere gesellschaftliche Tätigkeiten eingebunden und aus ihnen zu verstehen ist).
Deshalb gibt es in der Sprache nicht nur *grammatische* Konventionen (die in der Zuordnung von Laut und Bedeutung, von Syntax und Semantik begründet liegen, die systemintern sind), sondern auch *kommunikative* Konventionen, die sich aus dem Verhältnis des sprachlichen Zeichens insgesamt zu seiner kommunikativen Funktion ergeben. Mit der Äußerung eines Satzes wird nicht nur ein *lokutiver* Akt vollzogen (d. h. der entsprechende Satz mit seiner Bedeutung artikuliert), sondern in Verbindung damit zugleich ein *illokutiver* Akt ausgeübt, d. h. eine sprachliche Tätigkeit bzw. Handlung ausgeübt (z. B. eine Warnung, eine Frage, eine Feststellung, eine Aufforderung, ein Ratschlag, eine Drohung). Der illokutive Akt ist die mit der verbalen Äußerung in der gesellschaftlichen Interaktion ver-

bundene *Sprechhandlung*. Wenn z. B. der Satz „Der Hund ist bissig" geäußert wird (lokutiv), so ist damit zugleich in einer bestimmten Situation eine Warnung als Sprechhandlung vollzogen (illokutiv). Wie es innerhalb der grammatischen Konvention keine direkte und unmittelbare Zuordnung von Laut und Bedeutung gibt, so ist auch die mit der kommunikativen Konvention gegebene Zuordnung von sprachlicher Äußerung und Sprechhandlung nicht direkt und linear. Vielmehr sind die sprachlichen Einheiten oft multifunktional und üben die verschiedensten kommunikativen Funktionen aus. So kann ein formaler „Aussagesatz" durchaus nicht nur eine Aussage, sondern – abhängig vom Handlungskontext – manchmal auch einen Ratschlag, eine Aufforderung oder eine Erlaubnis ausdrücken, ebenso wie ein formaler „Fragesatz" manchmal gar keine Frage, sondern eine Aufforderung oder eine andere Sprechhandlung wiedergibt (vgl. unter 16.).
Es gibt jedoch in der Sprache Mittel, die die Äußerung auch relativ unabhängig vom Kontext im Hinblick auf die von ihr ausgedrückte Sprechhandlung eindeutig oder wenigstens eindeutiger machen. Diese Mittel werden *illokutive Indikatoren* oder Indikatoren für Sprechhandlungen genannt. Zu diesen illokutiven Indikatoren gehören die Partikeln [der unter 9.1.2.4. genannten Gruppe (a)], da sie den gemeinten Sprechakt eindeutiger machen können:

Du kannst *mal* das Fenster schließen. (schwache Aufforderung)
Du kannst *ja* das Fenster schließen. (Ratschlag)
Du kannst *doch* das Fenster schließen.
(Zustimmung zu einem Wunsch des Sprechpartners)

Die kommunikative Leistung der Partikeln besteht darin, daß sie solche – wenn auch nicht immer ganz eindeutige – Indikatoren für Sprechhandlungen sind oder daß sie dazu dienen, die Äußerung im konversationellen Kontext zu verankern und die Funktion des Sprechaktes unter den gegebenen Bedingungen der Interaktion mit sprachlichen Mitteln zu verdeutlichen: Der Sprecher kann auf diese Weise die propositionale Bedeutung der Äußerung modifizieren und den Interpretationsprozeß des Hörers und damit die Interaktion steuern. Die Partikeln erfüllen somit in der Kommunikation eine wichtige Aufgabe, so daß sie nicht als bloße „Abtönungspartikeln" oder „Würzwörter", erst recht nicht als „Flickwörter" oder „Redefüllsel" angesehen werden können. Die genannte kommunikative Funktion der Partikeln gilt freilich nur für die in 9.1.2.4 unter (a) genannte Gruppe; vornehmlich gehören dazu solche Partikeln, die auch oder nur beim Verb auftreten. Dagegen dominiert bei der unter (b) genannten Gruppe (vornehmlich solche, die auch bei Adjektiven und Adverbien erscheinen und „Intensifikatoren" bzw. Gradpartikeln sind) die semantische Funktion. Diese Gruppe (b) wird in 9.4. zunächst beschrieben.

Semantische Funktion der Partikeln (Liste) 9.4.

Es werden einige derjenigen Partikeln beschrieben, bei denen eine deutliche semantische Funktion erkennbar ist. Die Beschreibung erfolgt durch eine Liste mit alphabetischer Reihenfolge. Links werden die Satzbeispiele angegeben, in der Mitte synonymische Paraphrasen (zur Bedeutungserschließung) – dabei stehen echte Substitute ohne Klammern, erklärende Ausdrücke ohne direkte Substitutionsmöglichkeit in Klammern – und rechts die Bedeutungsmerkmale der betreffenden Partikel (oder ihrer Variante).

aber (unbetont)

1.	Der Freund aber kam nicht.	jedoch, dagegen	Einschränkung, Gegenüberstellung
2.	Er hat aber viele Bücher.	wirklich, tatsächlich	Verstärkung

allein

	Allein das Ministerium ist weisungsberechtigt.	nur, bloß	Begrenzung

beinahe

	Beinahe einen Monat war er hier. Der Stoff ist beinahe schwarz.	fast, nahezu	Einschränkung des Bezugswortes

bereits

	Bereits zwei Jahre arbeitet er an seiner Dissertation.	schon, (länger oder früher als erwartet)	Präzisierung von Zeitpunkt, Zeitdauer u. a.

besonders

1.	Besonders im Sommer ist das Meer schön.	in erster Linie, vor allem	Hervorhebung
2.	Er arbeitet besonders gut.	in hohem Maße	Steigerung

durchaus

	Der Inhalt ist durchaus richtig.	unbedingt, ganz und gar	Verstärkung

eben

	Eben diesen Mann habe ich getroffen.	genau, gerade	Hervorhebung

erst

	Er hat erst zwei Stunden gearbeitet. Er kommt erst morgen.	(weniger oder später als erwartet)	Präzisierung von Zeitpunkt, Zeitdauer u. a.

etwa

1.	Etwa drei Tage bleibt er hier. Etwa dort liegt der Bahnhof.	ungefähr	Einschränkung des folgenden Bezugswortes
2.	Wir wählen etwa folgendes Beispiel.	beispielsweise	Begrenzung (auf *eine* Möglichkeit)

etwas

	Der Weg war etwas anstrengend(er).	ein wenig, ein bißchen	Abschwächung

fast

	Fast alle Studenten haben die Prüfung bestanden. Die Hitze war fast unerträglich.	nahezu, beinahe	Einschränkung des Bezugswortes

ganz

1. (betont oder unbetont)			
	Der Keller ist ganz leer. Er ist ganz sein Vater.	völlig, absolut	Verstärkung
2. (unbetont)			
	Die Arbeit ist ganz ordentlich.	ziemlich	Einschränkung, Abschwächung

gerade

1.	Er hat gerade 1000 Mark gespart. Gerade diesen Lehrer haben wir gesucht.	genau	Identifizierung, Präzisierung
2.	Gerade Menschen in warmen Klimazonen sind wenig widerstandsfähig.	ausgerechnet	Verstärkung (gegenüber einer andersartigen Erwartung)

geradezu

	Dieses Buch begeistert mich geradezu. Die Entdeckung ist geradezu sensationell.	tatsächlich, in der Tat	Verstärkung einer Aussage

höchst

	Das Buch ist höchst interessant.	sehr, in hohem Maße	Verstärkung, Steigerung

immer

	Das Wetter wird immer schlechter.	in zunehmendem Maße	Steigerung

nahezu

	Dieses Gebiet ist nahezu unbewohnt.	fast, beinahe	Einschränkung des Bezugswortes

noch

1.	Der Schüler hat noch eine Frage.	außerdem, darüber hinaus	Zusatz, Hinzufügung
2.	Diese Arbeit war noch schwieriger.	in höherem Maße	Steigerung (bei Komparativ)
3.	Er kommt noch heute/heute noch.	nicht später als	Einschränkung eines Zeitpunktes
4.	Peter schläft noch.	(später als erwartet)	Präzisierung von Zeitpunkt u. a. (früher begonnenes Geschehen hält an)

nur

	Er erhielt nur einen dritten Preis.	lediglich, (weniger als erwartet)	Abschwächung, Einschränkung (gegenüber einer höheren Erwartung)

recht

	Die Aufgabe war recht schwierig.	ziemlich	Abschwächung

schon

	Schon mit wenig Zeit ist das zu schaffen. Er kommt schon heute (heute schon). Schon zwei Stunden hat er gearbeitet.	bereits, (früher oder mehr als erwartet)	Präzisierung von Zeitpunkt, Zeitdauer u. a.

sehr

	Er fürchtet sich sehr. Er arbeitet sehr fleißig.	in hohem Maße	Verstärkung, Steigerung

selbst

	Selbst der Arzt konnte ihm nicht helfen.	sogar, auch	Verstärkung (gegenüber anderen Erwartungen)

so

1.	Er ist so groß wie sein Vater.	ebenso	Graduierung im Vergleich
2.	Er hat so viel gearbeitet, daß er schwitzt. (betont)	(sehr)	Steigerung

sogar

Er erhielt sogar den ersten Preis. Sogar mit dieser Antwort ist der Lehrer zufrieden.	(mehr als erwartet) darüber hinaus, selbst	Verstärkung

überaus

Der Brigadier arbeitet überaus schnell.	sehr, übermäßig	Verstärkung, Steigerung

viel, weit, weitaus

Er arbeitet viel (weit, weitaus) besser als sein Bruder.	in hohem Maße	Steigerung, Verstärkung

ziemlich

Ziemlich viele Besucher waren gekommen.	mäßig	Einschränkung

zu

Das Wetter war zu kalt.	übermäßig	Übermaß, Überschreitung einer Norm

zumal

Zumal seinen Freund hat er verärgert.	vor allem, besonders	Hervorhebung

Anmerkungen:

(1) Manche der in der Liste auftauchenden Partikeln (vgl. *aber, eben, etwa, schon*) erscheinen nochmals bei der Beschreibung der Partikeln mit dominant kommunikativer bzw. illokutiver Funktion (vgl. 9.5.), dort allerdings in anderer Verwendung. Zu einigen Unterschieden vgl. 9.6.

(2) Manche der in der Liste auftauchenden Partikeln erscheinen zugleich als Lexeme anderer Wortklassen (auch in diesem Falle in anderer Verwendung), z. B.

(a) als *Adverb* (das ist gewiß der häufigste Fall):

Eben diesen Mann habe ich getroffen.
(= *genau, gerade*; Partikel)
Eben ist der Zug angekommen.
(= *soeben*; Adverb)

Allein der Arzt kann darüber entscheiden.
(= *nur, bloß*; Partikel)
Allein kann er diese Arbeit nicht schaffen.
(= *ohne andere*; Adverb, meist betont)
Er arbeitet *besonders* gut.
(= *sehr, in hohem Maße*; Partikel)
Er muß dieses Thema *besonders* behandeln.
(= *getrennt, für sich allein*; Adverb)
Erst zwei Stunden hat er gearbeitet.
(= *nur, weniger als erwartet*; Partikel)
Erst war er beim Arzt, dann im Institut.
(= *zuerst*; Adverb)
Gerade diesen Studenten kennen wir nicht.
(= *genau, ausgerechnet*; Partikel)
Gerade ist er aus Berlin zurückgekommen.
(= *soeben*; Adverb)
Immer kränker ist er im letzten Jahr geworden.
(= *in zunehmendem Maße*; Partikel)
Immer ist er krank.
(= *zu jeder Zeit*; Adverb)
Schon heute will er kommen.
(= *bereits, früher als erwartet*; Partikel)
Er hat die Aufgabe *schon* gelöst.
(= *sehr schnell, früher als erwartet*; Adverb)
Selbst Peter kam zu der Versammlung.
(= *sogar*; Partikel)
Peter kam *selbst* zu der Versammlung.
(= *höchstselbst, in eigener Person*; Adverb)

(b) als *Konjunktion*:

Er hat *aber* viele Bücher.
(= *wirklich, tatsächlich*; Partikel)
Aber er hat die Prüfung gut bestanden.
(= *jedoch, im Gegensatz dazu*; Konjunktion)
Diese Arbeit war *noch* schwieriger.
(= *in höherem Maße*; Partikel)
Diese Arbeit war weder anstrengend *noch* schwierig.
(= *nicht*; Konjunktion)
Zumal das Pokalspiel hat die Mannschaft verloren.
(= *vor allem*; Partikel)
Zumal die Mannschaft das Pokalspiel verloren hat, kann man nicht viel erwarten.
(= *weil*; Konjunktion)

(c) als *Adjektiv*:

Er arbeitet jetzt *weit* besser als vorher.
(= *viel*; Partikel)
Der Weg zum Stadion war *weit*.
(= *entfernt*; Adjektiv)
Die Dissertation war *ganz* gut.
(= *ziemlich*; Partikel)
Man hat die *ganze* Dissertation gedruckt.
(= *gesamt*; Adjektiv)

9.5. Illokutive Funktion der Partikeln

9.5.1. Methoden der Beschreibung

Die Erfassung der Funktion der Partikeln, deren Leistung primär auf kommunikativ-pragmatischer Ebene liegt (Gruppe (a) unter 9.1.2.4.), ist weit schwieriger. Sie erfolgt mit Hilfe folgender Methoden:

(1) Es muß eine Opposition hergestellt werden zwischen dem Vorhandensein und dem Nicht-Vorhandensein der betreffenden Partikel, damit der kommunikativ-illokutive Wert der Partikel deutlich wird:

Wie spät ist es?
Wie spät ist es *eigentlich*?

(2) Es muß eine weitere Opposition hergestellt werden zwischen dem Vorhandensein mehrerer Partikeln, die in der gleichen Äußerung in paradigmatischer Opposition zueinander stehen und auf diese Weise voneinander unterschieden werden können:

Wie spät ist es { *bloß* / *denn* / *eigentlich* / *überhaupt* / *wohl* } ?

(3) Als Hintergrund muß im Auge behalten werden, wie die Kommunikationssituation beschaffen sein muß, in der ein Satz mit der betreffenden Partikel geäußert wird. Zur Verbalisierung einiger Aspekte der Kommunikationssituation bietet sich die Prüfung an, ob ein und welcher Nachsatz auf den illokutiven Wert der entsprechenden Partikel noch einmal hinweisen kann (oftmals wird erst durch diesen Nachsatz der illokutive Wert eindeutig):

Wie heißt du dénn? (wenn du nicht Peter heißt)
Woher kómmst du denn? (daß du so braun gebrannt bist)

(4) Schließlich kann auch versucht werden, die Partikel in Äußerungen einzufügen, in denen sie nicht stehen kann; auf diese Weise ist mitunter die Ursache für die kommunikative Störung und indirekt der illokutive Wert der Partikel feststellbar.

9.5.2. Distributionsbeschränkungen

Das Vorkommen der Partikeln mit vorwiegend kommunikativem Wert ist in starkem Maße an zwei Faktoren gebunden:

(1) an die formalen Satzarten (Aussagesatz, Fragesatz, Aufforderungssatz, beim Fragesatz wieder differenziert in Entscheidungs- und Ergänzungsfrage),

(2) an die kommunikativen Sprecherintentionen (Aussage, Frage, Aufforderung).

Formaler Äußerungstyp (Satzart) und kommunikative Sprecherintention entsprechen einander nicht direkt und geradlinig (vgl. genauer unter 16.). So ergeben sich für einige wichtige Partikeln im Deutschen folgende Vorkommensmöglichkeiten nach dem formalen Äußerungstyp und nach der Sprecherintention (in der folgenden Matrix mit + eingetragen):

formaler Äußerungstyp	Aussagesatz		Entscheidungsfrage		Ergänzungsfrage			Aufforderungssatz
Sprecherintention	mit Aussageintention	mit Ausrufeintention	mit Frageintention	mit Ausrufeintention	mit Frageintention	mit Ausrufeintention	mit impliziter Antwort	
aber		+		+		+		+
auch	+		+			+	+	+
bloß	+		+	+	+	+	+	+
denn			+		+		+	
doch	+	+		+		+		+
eben	+	+						+
eigentlich	+		+		+		+	
etwa			+					
halt	+	+						+
ja	+	+		+				+
mal	+							+
nur	+		+	+	+	+	+	+
schon	+						+	+
vielleicht		+	+	+		+		
wohl	+		+		+		+	

Aus dieser Übersicht lassen sich einige Distributionsbeschränkungen für die einzelnen Partikeln ablesen:

aber kommt nur in Sätzen mit Ausrufe- oder Aufforderungsintention vor, gleichgültig, um welche formale Satzart es sich handelt:

> Du kommst aber unpünktlich!
> Sei aber vorsichtig!

denn erscheint nur in Fragesätzen, die der Intention nach Fragen sind oder eine implizite Antwort enthalten:

> Kommt er denn?
> Warum sollte man ihn denn ausgezeichnet haben?

doch kommt nicht in Fragesätzen vor, die der Intention nach Fragen sind, wohl aber in den meisten anderen Äußerungstypen:

> Die Speisen sind doch schmackhaft.
> Du kommst doch unpünktlich!

eben und *halt* haben dieselben Distributionsbeschränkungen; sie treten nicht in Fragesätzen, sondern nur in Aussage- und Aufforderungssätzen auf:

Er hat eben Pech.
Arbeite eben besser!

eigentlich kommt nicht bei Ausrufe- und Aufforderungsintention, aber in Aussagesätzen und Fragesätzen (mit Frageintention oder als implizite Antwort) vor:

Die Speisen sind eigentlich schmackhaft.
Hast du eigentlich Geld bei dir?

etwa tritt nur in Entscheidungsfragen mit Frageintention auf:

Ist das Essen etwa schmackhaft?
Bist du etwa krank?

ja erscheint nicht in Fragen mit Frageintention und in einigen anderen Fragesätzen, wohl aber in Aussagesätzen und in Aufforderungssätzen:

Er hat ja gewonnen.
Komm ja pünktlich!

mal tritt nicht in Fragesätzen und bei Ausrufeintention, sondern nur bei Aussageintention in Aussagesätzen und bei Aufforderungsintention in Aufforderungssätzen auf:

Der Zug hat mal Verspätung.
Komm mal her!

schon kommt nicht bei Frage- und Ausrufeintention, sondern nur in Aussagesätzen, in Aufforderungssätzen und in rhetorischen Fragen vor:

Die Speisen sind schon schmackhaft.
Beweg dich schon schneller!

vielleicht erscheint nur in den Äußerungstypen mit Ausrufeintention sowie in der Entscheidungsfrage mit Frageintention:

Das war vielleicht eine Überraschung!
War die Prüfung vielleicht ein Erfolg?

wohl tritt in Aussagesätzen mit Aussageintention und in Fragesätzen mit Frageintention (bzw. mit impliziter Antwort), aber nicht in Sätzen mit Ausrufe- und Aufforderungsintention auf:

Das Buch ist wohl mißlungen.
Wie spät ist es wohl?

In der folgenden Übersicht werden einige wesentliche Partikeln mit vorwiegend kommunikativer Funktion (mit ihren Varianten) beschrieben. Dies geschieht in alphabetischer Reihenfolge und im Anschluß an die Tabelle unter 9.5.2.

In der unbetonten Partikel *aber* ist – wie in der Konjunktion *aber* – eine Gegenüberstellung enthalten, aber – im Unterschied zu der Konjunktion *aber* – eine Opposition nicht innerhalb eines Textes zwischen einem Vorgänger- und einem Nachfolgesatz, sondern entweder

(a) eine Opposition zwischen dem, was der Sprecher erwartet hatte, und dem, was tatsächlich eingetreten ist und was der Sprecher bemerkt; diese Opposition führt zur Überraschung und zum Erstaunen seitens des Sprechers und tritt deshalb nur in Sätzen mit Ausrufeintention auf (= $aber_1$):

Das war *aber* eine Reise!
Die Aufführung dauert *aber* lange!

(b) oder eine Opposition zwischen einem Vorgängersatz (der nicht formuliert zu sein braucht) und einer Aufforderung (im Imperativsatz); durch diese Aufforderung wird der Inhalt des Vorgängersatzes – in bezug auf den Hörer – eingeschränkt (= $aber_2$):

Hole die Milch! Sei *aber* vorsichtig bei dem Glatteis!
Beeile dich! Falle *aber* nicht hin!

Die Partikel *auch* kann betont oder unbetont auftreten. Wenn *auch* betont ist, treten 2 Varianten auf:

$auch_1$ enthält in abgeschwächter Form Bedeutungselemente des Adverbs *auch* (= *überdies*) und fügt einen Tatbestand zu mehreren anderen gleichartigen Tatbeständen hinzu (= *ebenfalls, ebenso, gleichfalls*):

Diese These lehne ich *aúch* ab (wie du).
Die Frau sagte *aúch* nichts (wie der Mann).

$auch_2$ bestätigt oder bekräftigt eine Aussage, die getroffen worden ist (= *ja schließlich, wirklich, tatsächlich*):

Wir glaubten ihm *aúch* (,obwohl die Lüge durchschaubar war).

Das unbetonte *auch* tritt in 3 Varianten auf:

$auch_3$ erscheint in der Entscheidungsfrage (mit Frageintention), indiziert einen Zweifel oder eine Vergewisserung, oftmals sogar mit einer drohenden Nuance. Der Sprecher suggeriert dem Hörer, daß der Sachverhalt so zu sein habe, daß mit *ja* geantwortet wird:

(Die Mutter zum Kind:) Hast du es *auch* verstanden?
(Der Weihnachtsmann zu den Kindern:) Seid ihr *auch* alle artig gewesen?

auch$_4$ erscheint in der Ergänzungsfrage, die keine eigentliche Frage, sondern im Grunde bereits eine Antwort ist. Der Sprecher will sich nicht beim Hörer informieren, sondern erwartet beim Hörer eine negative Antwort oder gar keine Antwort:

> Was liegt *auch* daran? (Nichts)
> Warum sollte er *auch* weggefahren sein? (Er ist nicht weggefahren)
> Was war das *auch* für ein Erfolg! (Es war in Wirklichkeit kein Erfolg)

auch$_5$ in Aufforderungssätzen schränkt den Inhalt der Aufforderung etwas ein (vgl. *aber*$_2$):

> Sei *auch* schön artig!
> (= Sei *aber* schön artig!)

Die Partikeln *bloß* und *nur* sind austauschbar und kommen in vielen Satzarten vor; danach sind sie wie folgt zu differenzieren: *bloß*$_1$ und *nur*$_1$ kommen in Aussagesätzen mit Aussageintention vor und drükken eine Einschränkung des Satzinhalts durch den Sprecher aus (= *lediglich*):

> Er erhielt *nur* (*bloß*) einen Trostpreis.
> Ich vermute *nur* (*bloß*), daß er im Urlaub ist.

bloß$_2$ und *nur*$_2$ in Sätzen mit Ausrufeintention meinen die subjektive Verstärkung und Hervorhebung eines augenblicklichen Gefühls oder eines Wunsches seitens des Sprechers:

> War das doch *nur* (*bloß*) eine Überraschung!
> Wenn er *nur* (*bloß*) bald käme!

bloß$_3$ und *nur*$_3$ in Entscheidungsfragen mit Frageintention drücken – ähnlich wie *bloß*$_1$ und *nur*$_1$ in Aussagesätzen – eine Einschränkung aus:

> Ist der Schüler *nur* (*bloß*) fleißig?
> War das *nur* (*bloß*) ein Zufallserfolg?

Aus diesem Grund können die beiden Partikeln auch nicht in Sätzen bei solchen Wörtern auftauchen, die auf Grund ihrer lexikalischen Bedeutung keine solche Einschränkung zulassen:

> *War die Arbeit nur (bloß) ausgezeichnet?
> *War er nur (bloß) Präsident?

bloß$_4$ und *nur*$_4$ in Ergänzungsfragen drücken umgekehrt – ähnlich wie *bloß*$_2$ und *nur*$_2$ – eine Verstärkung, das große Bemühen und die nachdrückliche subjektive Anteilnahme des Sprechers aus, beim Kommunikationspartner eine Information zu erhalten:

> Wie spät ist es *nur* (*bloß*)?
> Was ist *nur* (*bloß*) mit ihm geschehen?

bloß$_5$ und *nur*$_5$ (betont) kommen in Aufforderungssätzen mit oder ohne Imperativ vor und drücken eine dringende Aufforderung aus, die zugleich mit der Androhung unangenehmer Konsequenzen verbunden ist:

Komm *núr* (*blóß*) nach Hause (, dann bekommst du deine Strafe).
Núr (*blóß*) langsam! (auf keinen Fall schnell).

bloß$_6$ und *nur*$_6$ (unbetont) kommen ebenfalls in Aufforderungssätzen vor und drücken eine gewisse subjektive Interesselosigkeit aus:

Laß ihn *nur* (*bloß*) reden! (Es stört uns nicht)
Schwimme *nur* (*bloß*)! (Das andere ist unwichtig)

denn$_1$ (unbetont) kommt nur in Fragesätzen vor, verstärkt eine Frage – zugleich mit subjektiver Anteilnahme –, nimmt auf Vorausgehendes Bezug und setzt im allgemeinen voraus, daß der Hörer über die erfragte Information bereits verfügt:

Findest du das *denn* richtig? (daß er so antwortet)
Wie spät ist es *denn*?

denn$_2$ (betont) kommt auch nur in Fragesätzen vor (ugs.), nimmt auf Vorausgehendes Bezug, verstärkt und wiederholt eine Frage, auf die der Sprecher vorher keine befriedigende Antwort erhalten hat:

Wie heißt du *dénn*? (wenn du nicht Peter heißt)
Was bist du *dénn*? (wenn du nicht Mathematiker bist)

doch$_1$ (unbetont) in Aussagesätzen drückt eine Bestätigung (= *wirklich, tatsächlich*) aus, die der Sprecher auf den Hörer zu übertragen versucht, der dadurch die gleiche Einstellung wie der Sprecher zu dem Gesagten einnehmen soll. Es handelt sich also illokutiv um eine Aufforderung an den Hörer zur Zustimmung:

Er arbeitet *doch* fleißig. (oder etwa nicht?)
Das mußt du *doch* zugeben. (nicht wahr?)

doch$_2$ (unbetont) in Aussagesätzen drückt eine Verstärkung durch Erinnerung an Bekanntes, aber Vergangenes und in Vergessenheit Geratenes aus, das auf diese Weise vom Sprecher ins Bewußtsein zurückgerufen und auf den Hörer übertragen werden soll:

Wir müssen *doch* morgen nach Berlin (ich hatte es ganz vergessen)
Heute ist *doch* Sitzung.

Bei *doch*$_2$ wird ein Konsensus der Gesprächsteilnehmer geschaffen oder wiederhergestellt, eine gemeinsame Kommunikationsbasis vorausgesetzt (vgl. auch *eben, ja*), die den Kommunikationspartnern vorher bekannt war und an die nun erinnert wird.

doch$_3$ (betont) hat in Aussagesätzen einen adversativen oder konzessiven Inhalt (= *trotzdem*), bezeichnet einen Gegensatz zur bisherigen Vorstellung, der auf den Hörer übertragen werden soll:

Wir müssen *dóch* morgen nach Berlin (, trotz unseres gegenteiligen Wunsches).
Heute ist *dóch* Sitzung (Sie fällt nicht aus, wie wir geglaubt hatten).

Wenn *doch* in Ergänzungsfragen mit Frageintention erscheint, verhält es sich ähnlich wie *doch*$_2$:

> Wo arbeitest du *doch*? (Ich habe es vergessen)

Eine besondere Verwendungsweise stellt *doch*$_4$ (unbetont) dar, das in Sätzen vorkommt, die formal Fragesätze (Entscheidungsfragen) sind, die Wortstellung des Aussagesatzes haben (die Wortstellung der Entscheidungsfrage ist ausgeschlossen) und Vergewisserungs- bzw. rhetorische Fragen sind, bei denen *ja* als Antwort erwartet wird und der Sprecher durch die Formulierung der Frage Sorge und Zweifel aus dem Wege geräumt haben möchte:

> Das scháffst du doch bis morgen? (Ich nehme an und möchte mich noch einmal vergewissern, daß du das bis morgen wirklich schaffst)

doch$_5$ in Sätzen mit Ausrufeintention (unabhängig vom formalen Äußerungstyp) oder Aufforderungsintention ist unbetont und kann Wünsche ausdrücken und Aufforderungen verstärken:

> Káme der Brief *doch* bald! (= *nur, bloß*. Ich wünsche es mir dringend)
> Hilf deinen Eltern *doch*! (= *endlich*; es wird höchste Zeit)

In Sätzen mit Ausrufeintention kann jedoch auch ein adversatives Element enthalten sein, das entweder einen Gegensatz in der Vorstellung des Sprechers durch eine überraschende Feststellung des Sprechers (im Gegensatz zur bisherigen Vorstellung) signalisiert – so in (a), dann unbetont (*doch*$_6$) – oder ein adversatives Verhältnis zwischen der neuen Erkenntnis und der bisherigen Annahme (oder der Aussage eines anderen) ausdrückt – so in (b), dann betont (*doch*$_7$):

> (a) Du schnárchst *doch*! (Ich habe es nicht geahnt)
> (b) Du schnarchst *dóch*! (obwohl du immer das Gegenteil behauptet hast)

eben und *halt* (unbetont) drücken sowohl im Aussagesatz als auch in der Aufforderung eine Einsicht des Sprechers in objektive Tatbestände aus, die resignierend als unabänderlich oder als unerheblich aufgefaßt werden. Das Bewußtsein des Sprechers, nicht eingreifen und nichts verändern zu können, soll auf den Hörer übertragen werden:

> Das Spiel ist *eben* (*halt*) verloren. (Das kann ich nicht ändern)
> Arbeite *eben* (*halt*)! (Da kann man nichts machen)

Im Aussagesatz mit *eben* wird eine Übereinstimmung der Gesprächsteilnehmer geschaffen oder wiederhergestellt, eine gemeinsame Kommunikationsbasis vorausgesetzt (vgl. auch *doch, ja*), indem ein Sachverhalt so hingestellt wird, als sei er unumgänglich und für die gemeinsam Betroffenen nun Handlungsgrundlage.

492 *eigentlich* als Partikel drückt einen neuen Aspekt aus, der ins Ge-

spräch kommt, der meist einen schwerwiegenden, wesentlicheren Gedanken enthält, demgegenüber das bisher Gesagte vordergründig, oberflächlich und unwesentlich wird (= *im Grunde genommen, bei tieferer Überlegung*):

> Er hat die Partie *eigentlich* verloren. (obwohl er oberflächlich noch gut dasteht)
> Was denkst du *eigentlich*? (im Inneren deines Wesens)

etwa (unbetont) kommt nur in der Entscheidungsfrage vor und möchte dem Hörer suggerieren, daß er mit *nein* antworten soll:

> Rauchst du *etwa*? (Du rauchst doch nicht?)
> Findest du dieses Verhalten *etwa* korrekt? (Das kannst du gar nicht, weil es nicht korrekt ist)

In Aussagesätzen drückt ja_1 (unbetont) eine resümierende Feststellung, die Bestätigung einer bekannten Tatsache aus, die mit Erstaunen und Überraschung verbunden ist:

> Die Prüfung ist *ja* bald vorüber. (Wir wissen es alle)
> Er hat das Spiel *ja* verloren. (Wer hätte das gedacht!)

ja_2 (unbetont) in Aussagesätzen signalisiert auch eine resümierende Feststellung, die jedoch der Begründung für ein nicht explizites Geschehen oder für etwas Allgemeingültiges und Anerkanntes dient:

> Er lügt *ja*. (Kümmere dich doch nicht um ihn, weil er nicht die Wahrheit spricht)
> Er ist dazu *ja* nicht fähig. (Das ist dir doch bekannt)

Bei *ja* in Aussagesätzen (ja_1 und ja_2) wird eine Übereinstimmung der Gesprächsteilnehmer geschaffen oder wiederhergestellt, eine gemeinsame Kommunikationsbasis vorausgesetzt (vgl. auch *doch, eben*), indem auf eine Erfahrung hingewiesen wird, die die Kommunikationspartner im Grunde teilen und deren Gewißheit deshalb als fraglos garantiert erscheint.

ja_3 (unbetont) in Sätzen mit Ausrufeintention drückt ein Staunen und eine Überraschung über einen als außergewöhnlich empfundenen Sachverhalt aus. Es konstatiert zugleich und drückt Einmütigkeit mit dem Hörer aus, der die Überraschung teilt:

> Das ist *ja* heute kalt!
> Es regnet *ja*!
> Das Kind bekommt *ja* Zähne!

ja_4 (betont) kommt in Aufforderungssätzen vor und verstärkt die Aufforderung, macht sie dringender, verbindet sie mit einer Drohung:

> Lies *já* das Buch durch! (sonst geht es dir schlecht)
> Arbeite *já* fleißig! (sonst wirst du die Prüfung nicht bestehen)

Die Partikel *mal* (unbetont) signalisiert etwas Zwangloses und Unverbindliches; sie mindert die Gewichtigkeit des Geschehens im Aussagesatz:

> Er will die Arbeit *mal* abschließen.
> Du mußt *mal* zum Arzt gehen.

Bei der Aufforderung ist derselbe kommunikative Wert enthalten; gleichzeitig wird jedoch der Gesprächspartner aufgefordert und ermuntert, das in der Aufforderung Ausgedrückte zu tun:

> Komm *mal* her!
> Geh *mal* zum Arzt!

schon$_1$ in der Aussage bestätigt den Inhalt, drückt die Überzeugung von der Richtigkeit des Sachverhaltes aus, schränkt ihn aber zugleich ein (= *an und für sich, wohl*), drückt dem Empfänger gegenüber eine bestimmte Zuversicht aus, so daß die gemachte Einschränkung als unerheblich empfunden werden soll:

> Er arbeitet *schon* fleißig. (aber bisher ohne rechten Erfolg)

schon$_2$ in der Aufforderung drückt eine Verbindlichkeit, eine Ermunterung, eine Ermahnung, eine gewisse Ungeduld und damit im Grunde (durch die Verbindlichkeit) eine Abschwächung in der Aufforderung aus (= *endlich*):

> Schreib ihm *schon*! (überwinde dich!)

schon$_3$ im Fragesatz ohne Frageintention (rhetorische Frage) drückt zumindest Zweifel, wenn nicht eine vorausgesetzte negative Antwort aus, die als unabänderlich aufgefaßt wird und an der man nichts ändern kann:

> Was lag ihm *schon* an dem Buch? (Nichts lag ihm an dem Buch)
> Wer konnte ihm *schon* helfen? (Niemand konnte ihm helfen)

vielleicht$_1$ (unbetont) in Sätzen mit Ausrufeintention drückt ein Staunen über einen als außergewöhnlich empfundenen Sachverhalt aus; damit verbunden ist die Absicht, den Hörer – der bis dahin am Sachverhalt kaum beteiligt war – vom Satzinhalt zu überzeugen:

> Siehst du *vielleicht* schlecht aus!
> War das *vielleicht* eine anstrengende Arbeit!

vielleicht$_2$ (unbetont) kommt in Entscheidungsfragen mit Frageintention vor; der Inhalt der Frage wird unverbindlich als Lösung hingestellt, der Fragende erwartet eine negative Antwort oder setzt sie schon voraus:

> Ist das *vielleicht* eine Lösung? (Nein, es ist keine Lösung)
> Arbéitet er *vielleicht*? (Nein, er arbeitet nicht)

Im Aussagesatz mit Aussageintention kann *vielleicht*$_1$ wegen seines emotionalen Gehalts nicht erscheinen; wenn es dennoch auftritt, wird die Aussage- automatisch zur Ausrufeintention (bei Beibehaltung der gleichen Wortstellung und des gleichen formalen Äußerungstyps):

Der Arzt ist *vielleicht* tüchtig!

Tritt ein *vielleicht* in einem Aussagesatz auf, der tatsächlich Ausdrucksform einer Aussageintention ist, handelt es sich nicht um die Partikel, sondern um das (betonbare) Modalwort *vielleicht*:

Er hat ihn *vielléicht* besucht.
← Es ist vielleicht so, daß er ihn besucht hat.

wohl$_1$ in Aussagesätzen bestätigt einen Sachverhalt, schränkt ihn aber zugleich ein:

Er hat die Prüfung *wohl* bestanden. (aber nicht sehr gut)
Er arbeitet *wohl*. (aber nicht sehr fleißig)

wohl$_2$ (unbetont) signalisiert eine vorsichtige Zurückhaltung gegenüber dem Hörer in der Frage:

Hat er das Buch *wohl* gelesen?
Wann hat er *wohl* Prüfung?

wohl drückt in beiden Fällen eine eingeschränkte Erkennbarkeit aus.

Homonymie bei Partikeln 9.6.

In manchen Fällen erscheint ein Lexem, das als Partikel mit vorwiegend kommunikativer (illokutiver) Funktion verwendet wird, auch in anderen Funktionen, z. T. mit Unterschieden, z. T. aber auch ohne Unterschied in der Betonung. Es lassen sich mehrere Gruppen von Homonymie unterschieden:

1. Dasselbe Lexem steht als Partikel *mit* illokutiver Funktion und als Partikel *ohne* illokutive Funktion:

(a) Kommt er *etwa*?
(b) Er hat *etwa* eine Stunde gewartet. (= *ungefähr*)

(a) Komm *schon*!
(b) Er kommt *schon* heute. (= *bereits*)

Bei (b) handelt es sich zwar noch um eine Partikel, aber um eine solche, die keine illokutive, sondern eine semantische Funktion hat und zu der in 9.1.2.4. unter (b) genannten Gruppe gehört. Besonders schwierig ist die Unterscheidung bei *schon*, wo bereits der Bezug auf die Wortklasse bzw. das Satzglied differenzierend wirkt. Gehört *schon* syntaktisch zu Subjekt, Objekt oder Adverbialbestimmung (also nicht zum Verb), so ist es immer eine Partikel mit semantischer

Funktion (mit einschränkend-temporaler Bedeutung; = *bereits*), niemals eine Partikel mit illokutiver Funktion:

> Ich arbeite schon eine Woche daran.
> Ich habe schon schlechteres Bier getrunken.

Wenn dagegen *schon* einen direkten syntaktischen Bezug zum Verb hat, so kann es entweder in semantischer Funktion mit einschränkend-temporaler Bedeutung (= *bereits*) *oder* als illokutive Partikel auftreten. Unter welchen Bedingungen *schon* in dieser oder in der anderen Funktion erscheint, läßt sich weitgehend aus der Distribution erschließen, z. B.:

(1) Wenn *schon* im Aussagesatz vor temporalen oder lokalen Adjektiven bzw. Adverbien als Prädikativa auftritt, hat es semantische Funktion:

> Es ist *schon* spät.

Wenn es dagegen vor qualitativen Adjektiven/Adverbien oder Substantiven als Prädikativa auftritt, fungiert es als illokutive Partikel:

> Er ist *schon* fléißig.
> Es ist *schon* ein Erfólg.

(2) Wenn *schon* durch *bereits* substituiert werden kann, ist es eine Partikel mit semantischer Funktion. Wenn es durch *ja* oder *wohl* substituiert werden kann, ist es eine illokutive Partikel.

(3) Bei bestimmten Verben (z. B. *glauben, stimmen*) hat *schon* immer eine illokutive Funktion:

> Ich glaube *schon*, daß er kommt.

(4) Bei Aussagen für die Zukunft (folglich auch bei perfektiven Verben in Präsens-Form) hat *schon* immer eine illokutive Funktion:

> Er wird uns *schon* besuchen.

Wir vergleichen:

> Er *sucht* das Buch *schon*.
> (nicht-illokutive Funktion, da duratives Verb mit Gegenwartsbedeutung)
> Er *findet* das Buch *schon*.
> (illokutive Funktion, da perfektives Verb mit Zukunftsbedeutung)

(5) Es gibt auch Fälle, bei denen nur die Situation den Ausschlag geben kann, ob die Partikel im entsprechenden Satz semantisch oder illokutiv zu interpretieren ist:

> Der Lehrer kommt *schon*.
> (a) = (Er kommt früher als erwartet) = nicht illokutiv
> (b) = (Er wird vermutlich kommen) = illokutiv

(6) Werden Fragesätze mit „*wie oft?*", „*wie lange?*" oder mit „*wieviel?*" (also mit temporalen Interrogativadverbien) eingeleitet, so handelt es sich um die semantische Funktion der Partikel *schon* (mit

temporaler Bedeutung wie im Aussagesatz). Werden Fragesätze jedoch mit „*wer*?“ oder „*was*?“ eingeleitet, handelt es sich um eine illokutive Partikel (in der rhetorischen Frage mit vorauszusetzender negativer Antwort):

Wie oft hast du ihn *schon* gesehen? (temporal)
Wie lange hat er *schon* gewartet? (temporal)

Wer sollte ihm *schon* helfen? (illokutiv)
Was hat ihm das *schon* genützt? (illokutiv)

(7) In Befehlssätzen ist *schon* – falls es sich auf das Prädikat bezieht – immer eine illokutive Partikel:

Hilf ihm *schon*!

Wir weisen auch auf die Unterschiede hin zwischen:

Die Arbeit kostet *eben* viel Zeit.
(illokutive Funktion der Partikel)

Eben diesen Mann habe ich getroffen.
(= *genau, gerade*; semantische, nicht-illokutive Funktion der Partikel)

2. Es gibt Fälle, wo das gleiche Lexem betont und unbetont vorkommt (, sich also Unterschiede durch den Satzakzent ergeben).

(1) Dabei bleiben die Lexeme in beiden Fällen Partikel mit illokutiver Funktion:

(a) Wo wóhnst du *denn*?
(b) Wo wohnst du *dénn*? (wenn du nicht in Berlin wohnst)
(c) Er verläßt *ja* den Betrieb. (Das beruhigt uns)
(d) Verlasse *já* das Haus! (Ich rate es dir, weil sonst eine Drohung realisiert werden kann)

Dabei sind zwischen (c) und (d) Unterschiede in der Satzart obligatorisch, zwischen (a) und (b) ausgeschlossen.

(2) Im betonten (oder zumindest betonbaren) Falle bleibt das Lexem nicht mehr Partikel, sondern gehört einer anderen Wortklasse an:

Das hat er mir *eben* geságt.
Das hat er mir *ében* gesagt. (= *soeben*)
= *Eben* (= *soeben*) hat er es mir gesagt. (= Adverb)
Das ist *vielleicht* eine Überráschung!
Das ist *vielléicht* eine Überraschung. (= *vermutlich*)
= *Vielleicht* ist es eine Überraschung. (= Modalwort)

3. Es gibt jedoch auch Fälle, wo sich bei dem gleichen Lexem keine Unterschiede im Satzakzent zeigen.

(1) Das Lexem ist in beiden Fällen Partikel:

(a) Kennst du ihn *etwa*?
(b) Er hat *etwa* eine Stunde gewartet. (= *ungefähr*)

(a) Er muß *schon* Vertrauen haben.
(b) Er wartet *schon* eine Stunde. (= *bereits*)

Hier handelt es sich zwar in den Fällen (a) und (b) jeweils um unbetonte Partikeln, aber nur in (a) um solche mit illokutiver Funktion.

(2) In einem der beiden Fälle bleibt das Lexem jeweils nicht mehr Partikel, sondern gehört einer anderen Wortklasse an:

Er ist *aber* fleißig.
Er ist nicht sehr begabt, *aber* fleißig. (Konjunktion)

Das war *doch* ein großer Erfolg!
War das nicht ein Erfolg? *Doch.* (Satzäquivalent)

Er ist *eben* krank.
Er ist *eben* (soeben) hier gewesen. (Adverb)

Dort kommt er *ja.*
Kommt er dort? *Ja.* (Satzäquivalent)

Er löst die Aufgabe *schon.*
Er hat die Aufgabe *schon* (bereits) gelöst. (Adverb)

Kommt *mal* her!
Er ist *mal* (= einmal) hier gewesen. (Adverb)

Damit verbunden sind zahlreiche Möglichkeiten von homonymen Sätzen, z. B.:

Er wird die Aufgabe *schon* gelöst haben.
(a) = *bereits* (temporales Adverb)
(b) = *vermutlich* (Partikel)

Kommt er *etwa* um 12 Uhr?
(a) = *ungefähr* (nicht-illokutive Partikel)
(b) = *vielleicht* (illokutive Partikel)

Er ist *eben* abgereist.
(a) = *soeben* (temporales Adverb)
(b) = *halt* (Partikel)

Sie hat *selbst* an das Buch gedacht.
(a) = *höchstselbst, in eigener Person* (Adverb)
(b) = *sogar* (nicht-illokutive Partikel)

9.7. Kombination mehrerer Partikeln im Satz

Vereinzelt kann es vorkommen, daß mehrere Partikeln nebeneinander im Satz erscheinen. Dabei gelten bestimmte Reihenfolgebeziehungen, die sich aus der Zuordnung der Partikeln zu bestimmten Positionsklassen ergeben:

(1) denn, doch (unbetont), eigentlich, etwa, ja
(2) aber, eben, halt, vielleicht, wohl
(3) doch (betont), schon
(4) auch, mal
(5) bloß, nur
 (6) noch

Normalerweise gilt die Reihenfolge (1) – (2) – (3) – (4) – (5) – (6). Vgl. die Beispiele:

Wird er *denn auch noch* unpünktlich kommen?
Er hat *doch auch nur* seine Pflicht getan.
Er besucht uns *eben doch nur noch* selten.
Das ist *denn doch auch nur* ein kleiner Erfolg.
Damit ist *doch wohl schon* der Abstieg entschieden.
Er hat *eben auch bloß* zwei Hände.
Hat er *etwa doch* (*doch etwa*) *auch nur* zwei Partien gewonnen?
Er hat *eigentlich wohl schon* seine Arbeit abgeschlossen.
Komm *halt doch mal* zu mir!
Geh *doch schon mal* nach Hause!

Anmerkungen:
(1) Unbetontes *doch* (1) und *aber* (2) können ihre Positionen vertauschen:

Er hat *doch aber* das Spiel gewonnen.
Er hat *aber doch* das Spiel gewonnen.

(2) Die Kombinierbarkeit von Partikeln im Satz ist generell beschränkt, da nicht alle Partikeln in allen (formalen) Satzarten und bei allen (kommunikativen) Sprecherintentionen vorkommen können (vgl. 9.5.2.). So schließen sich z. B. *eben* (*halt*) und *etwa* auf Grund dieser Distributionsbeschränkungen aus. Darüber hinaus wird die Kombinierbarkeit durch die Vereinbarkeit der kommunikativen Leistungen stark eingeschränkt.

10. Modalwörter

10.1. Formenbestand

Die Modalwörter sind im Deutschen eine relativ geschlossene Klasse und lassen sich nach der Deklinierbarkeit in 2 Gruppen unterscheiden:

1. Modalwörter, die nicht attributiv verwendet und folglich auch nicht dekliniert und kompariert werden können:

allerdings, anscheinend, fraglos, freilich, gottlob, hoffentlich, kaum, leider, schwerlich, selbstredend, sicherlich, vielleicht, wahrlich, wohl, womöglich, zweifellos, zweifelsohne ...

Dazu gehören auch die meisten von Adjektiven und Partizipien abgeleiteten Wörter auf *-weise*, z. B.:

anerkennenswerterweise, ärgerlicherweise, bedauerlicherweise, begreiflicherweise, begrüßenswerterweise, beschämenswerterweise, dankenswerterweise, eigennützigerweise, enttäuschenderweise, erfreulicherweise, erstaunlicherweise, fälschlicherweise, freundlicherweise, glücklicherweise, günstigerweise, klugerweise, korrekterweise, leichtsinnigerweise, nützlicherweise, nutzloserweise, unglücklicherweise, vergeblicherweise, vorsichtigerweise ...

2. Modalwörter, die zugleich auch attributiv verwendet werden, damit in die Klasse der Adjektive übertreten und folglich in dieser Position dekliniert werden können:

angeblich, augenscheinlich, bestimmt, gewiß, mutmaßlich, natürlich, offenbar, offenkundig, offensichtlich, scheinbar, selbstverständlich, sicher, tatsächlich, unbedingt, unstreitig, unzweifelhaft, vermutlich, vorgeblich, wahrhaftig, wahrscheinlich, wirklich ...

Anmerkungen:
(1) Obwohl die unter 2. genannten Modalwörter zu Adjektiven werden, sind nur wenige von ihnen (*wahrscheinlich, selbstverständlich, offenkundig, natürlich, offensichtlich*) komparierbar.

(2) Zu den Modalwörtern rechnen nur solche Wörter auf *-weise*, die von Adjektiven oder Partizipien abgeleitet sind, nicht solche, die von Verben, Substantiven oder Numeralien abgeleitet sind (*leihweise; familienweise, probeweise, stufenweise, gesprächsweise, vergleichsweise, schrittweise, schätzungsweise; hundertweise, dutzendweise* u. a.).

(3) Aber auch *nicht alle* von Adjektiven abgeleiteten Bildungen auf *-weise* sind Modalwörter. Nicht zu den Modalwörtern gehören z. B. *ähnlicherweise, gleicherweise, mißbräuchlicherweise* (Adverbien).

(4) In manchen Fällen tauchen doppelte Formen (ohne und mit *-weise*) auf, die beide Modalwörter sind und ohne wesentlichen Bedeutungsunterschied

gebraucht werden: *notwendig – notwendigerweise, wahrscheinlich – wahrscheinlicherweise, zufällig – zufälligerweise.*

(5) In der Regel jedoch müssen die Modalwörter auf *-weise* sowohl von den entsprechenden Bildungen ohne *-weise* als auch von substantivischen Ausdrücken mit *in ... Weise* deutlich getrennt werden (auch in der Bedeutung):

> Er handelt *klug* – Er handelt *in kluger Weise* – Er handelt *klugerweise.* (Adv., objektiv – Adv., objektiv – Modalwort, subjektiv)
> Er fährt *vorsichtig – in vorsichtiger Weise – vorsichtigerweise.*
> Er fährt *leichtsinnig – in leichtsinniger Weise – leichtsinnigerweise.*
> Er schreibt *korrekt – in korrekter Weise – korrekterweise.*
> Er spricht *seltsam – in seltsamer Weise – seltsamerweise.*

Syntaktische Beschreibung 10.2.

Die Modalwörter unterscheiden sich morphologisch und in den Stellungseigenschaften an der Oberfläche nicht von den Adverbien:

> Er kommt *pünktlich* zur Schule. (= Adverb)
> Er kommt *vermutlich* zur Schule. (= Modalwort)

Deshalb gibt es deutsche Sätze, die – entsprechend der Interpretation als Adverb oder als Modalwort – verschieden verstanden werden können:

> (1) Er spricht *bestimmt* mit ihm.

Dieser Satz erlaubt eine Interpretation (1a) als Adverb (= *nachdrücklich, eindringlich*) oder eine Interpretation (1b) als Modalwort (= *ohne Zweifel, sicherlich, ganz gewiß*). Im Falle (1a) wird etwas über die Art und Weise des Sprechens (objektiv) ausgesagt, im Falle (1b) eine Einstellung des Sprechers über das Sprechen (subjektiv) ausgedrückt. Diesem Bedeutungsunterschied entsprechen folgende syntaktische Merkmale, durch die sich die Modalwörter von den Adverbien unterscheiden:

1. Im Unterschied zu den modalen Adverbien lassen sich die Modalwörter transformieren in einen übergeordneten Matrixsatz (der statt des Modalwortes ein lexikalisch entsprechendes Verb, Adjektiv oder Partizip enthält):

> Er kommt *vermutlich.*
> ← Ich vermute (es wird vermutet, es ist vermutlich so), daß er kommt.
>
> Er kommt *wahrscheinlich.*
> ← Es ist wahrscheinlich, daß er kommt.
>
> Er kommt *pünktlich.*
> ← *Es ist pünktlich, daß er kommt.

2. Falls eine Paraphrase auch für die modalen Adverbien vorgenommen wird, so erscheint der propositionale Gehalt des Satzes nach

den Modalwörtern als untergeordneter *daß*-Satz, nach den modalen Adverbien als *wie*-Satz:

Es ist vermutlich (wahrscheinlich, leider) so, *daß* er kommt.
Es ist schnell (pünktlich, regelmäßig), *wie* er kommt.

Entsprechend lassen sich auch mehrdeutige Sätze eindeutig machen:

Das Flugzeug ist *sicher* gelandet.
← (a) Es ist sicher, *daß* das Flugzeug gelandet ist.
(= *wahrscheinlich*)
← (b) Es ist sicher, *wie* das Flugzeug gelandet ist.
(= *ohne Risiko*)

3. Die Modalwörter lassen sich im Unterschied zu den modalen Adverbien paraphrasieren durch einen Schaltsatz:

Er hat den Zug *vermutlich* nicht erreicht.
← Er hat den Zug – wie ich vermute (so vermute ich) – nicht erreicht.

4. Bei einer Entscheidungsfrage ist es möglich, allein mit einem Modalwort zu antworten, nicht aber, allein mit einem modalen Adverb zu antworten:

Er kommt *vermutlich.* Kommt er? *Vermutlich.*
Er kommt *pünktlich.* Kommt er? **Pünktlich.*

Im Unterschied dazu können die modalen Adverbien (nicht aber die Modalwörter) durch Fragewörter in einer Ergänzungsfrage erfragt werden:

Wie kommt er? *Schnell. Pünktlich.* **Vermutlich.* **Leider.*

Durch die Möglichkeit oder Unmöglichkeit, auf verschiedene Fragen zu antworten, unterscheidet sich das Modalwort nicht nur vom Adverb, sondern auch von der Partikel (vgl. dazu genauer 9.). Die Unmöglichkeit, als Antwort auf eine Ergänzungsfrage zu fungieren, deutet darauf hin, daß die Modalwörter keine Satzglieder sind, die Möglichkeit, mit ihnen auf Entscheidungsfragen zu antworten, weist darauf hin, daß sie mehr als Satzglieder sind. In direkter Weise können die Modalwörter überhaupt nicht erfragt werden (weil sie auf einer anderen Ebene als der propositionale Gehalt des Satzes liegen).

5. Die Modalwörter sind – im Unterschied zu den modalen Adverbien – in Fragesätzen, in Imperativsätzen und in irrealen Wunschsätzen in der Regel nicht möglich [vgl. aber 10.4. Anm. (1)]:

Kommt er *schnell* (*pünktlich*)?
*Kommt er *vermutlich* (*leider*)?
Kommt *schnell* (*pünktlich*)!
*Kommt *vermutlich* (*leider*)!
Käme er doch *schnell* (*pünktlich*)!
*Käme er doch *vermutlich* (*leider*)!

6. Das Negationswort *nicht* steht immer *vor* dem modalen Adverb, jedoch *hinter* dem Modalwort (vgl. 11.3.2. unter 13. und 14.):

Er kommt *nicht* pünktlich.
Er kommt vermutlich *nicht*.

Die umgekehrte Stellung ist im Deutschen nicht zulässig:

*Er kommt pünktlich *nicht*.
*Er kommt *nicht* vermutlich.

Dieses verschiedene Verhalten bei der Negation läßt erkennen, daß eine Sondernegation des Adverbs möglich ist, nicht aber des Modalwortes. Das Modalwort selbst ist nicht negierbar; es handelt sich in solchen Fällen um eine Satznegation der Proposition:

← Ich vermute, daß er nicht kommt.

Durch die Negation lassen sich nicht nur Adverbien und Modalwörter deutlich trennen, sondern auch mehrdeutige Sätze – wie oben (1) – eindeutig machen:

(1a) Er spricht *nicht* bestimmt mit ihm.
(1b) Er spricht bestimmt *nicht* mit ihm.

7. Das modale Adverb kann durch ein Prowort substituiert werden, das Modalwort nicht:

Er kommt *schnell*.
→ Er kommt *so*.
Er kommt *vermutlich*.
→ *Er kommt *so*.

8. Modalwörter können im Unterschied zu den modalen Adverbien nicht kompariert und auch kaum koordiniert werden:

Er kommt pünktlicher (schneller).
*Er kommt vermutlicher (sicherer).
Er kommt pünktlich und schnell.
*Er kommt vermutlich und leider.

9. Modalwörter können im Unterschied zu den modalen Adverbien nicht in explizit performativen Sätzen vorkommen, d. h. in solchen Sätzen, die eine Sprechhandlung nicht nur bezeichnen, sondern sie zugleich ausführen:

Ich frage dich (hiermit) eindeutig (nachdrücklich), wann du kommst.
*Ich frage dich (hiermit) vermutlich (leider), wann du kommst.

Wesen der Modalwörter 10.3.

Die unter 10.2. genannten Merkmale lassen das Wesen der Modalwörter deutlich werden, wie umgekehrt das Wesen der Modalwörter das Verhalten bei den Tests erklärt. Die Modalwörter bezeichnen

nicht das objektive Merkmal des Geschehens (wie die Adverbien), sondern drücken die subjektiv-modale Einschätzung des Geschehens durch den Sprechenden aus. Nicht die Art und Weise des Geschehens wird von ihnen wiedergegeben, sondern die Einstellung (Stellungnahme) des Sprechers zum Geschehen. Die Modalwörter stehen nur an der konkreten Oberfläche innerhalb des Satzverbandes; in der zugrunde liegenden Struktur stehen sie außerhalb des Satzzusammenhangs, sind weder Satzglieder noch Teile von ihnen. Sie beziehen sich in der Regel nicht auf ein einzelnes Wort, sondern auf den ganzen Satz (dem sie eine modale Färbung verleihen), mit dem sie oberflächlich verwachsen sind, dem gegenüber sie jedoch eine besondere „Ebene" darstellen (eine Ebene der subjektiven Einstellung gegenüber der Ebene des objektiven Aussageinhalts bzw. des propositionalen Gehalts des Satzes). Weil sie in den Satz nur eingeschoben oder eingeschaltet sind, spricht man zu Recht auch von *Schaltwörtern*, *Einschubwörtern* oder *Parenthetika*, Termini, die auf das syntaktische Wesen der Modalwörter hinweisen (der Terminus „Modalwort" weist auf *semantische* Eigenschaften) und die Nähe zu den Schaltsätzen (vgl. 10.2.3. und 18.3.1.) deutlich werden lassen.
Wie die Adverbien, so sind auch die Modalwörter abgeleitete und kondensierte Ausdrücke, sind kondensierte Varianten zu expliziteren Strukturen, die weniger kondensiert sind und deren Zusammensetzung folglich durchsichtiger ist. Dieser Zusammenhang kann in der Regel durch Paraphrasierungen nachgewiesen werden (wie z. B. in 10.2. unter 1., 2., 3.). Die Modalwörter unterscheiden sich von den Adverbien jedoch im Hinblick darauf, durch *welche* Konstruktionen sie paraphrasiert werden können, von *welchen* Konstruktionen sie (abgeleitete) Kondensate darstellen. Die Adverbien sind Kondensate von *Prädikaten* (also auf der gleichen propositionalen Ebene anzusiedeln wie der objektive Aussageinhalt) und stellen folglich (latente) Prädikate über Prädikate dar. Die Modalwörter dagegen sind keine Prädikate, sondern Operatoren, sind *Einstellungsoperatoren*, die Sprechereinstellungen ausdrücken und die Propositionen in bewertete Äußerungen überführen (sie sind also nicht Teile der propositionalen Bedeutung und dürfen folglich auch nicht auf der gleichen semantischen Ebene interpretiert werden wie die bewerteten Propositionen selbst):

Er kommt *pünktlich* zur Schule.
← Er kommt zur Schule. Das Kommen (zur Schule) ist (geschieht) pünktlich.
Er kommt *vermutlich* zur Schule.
← Er kommt – wie wir vermuten – zur Schule.

Dieser Unterschied wird besonders deutlich durch den Negationstest (vgl. 10.2. unter 6.), der von grundsätzlicher Bedeutung für die Unterscheidung zwischen Adverbien und Modalwörtern ist. Prädikate können immer negiert werden, Operatoren jedoch nicht. Mit dieser Tatsache hängen auch deutliche Unterschiede zwischen den

Sätzen mit Modalwörtern und ihren Paraphrasen durch entsprechende Matrixsätze (vgl. 10.2. unter 1.) zusammen; abgesehen davon, daß zur Paraphrasierung unterschiedliche Matrixsätze verwendet werden müssen (abhängig von der rein morphosyntaktisch bedingten lexikalischen Realisierung durch ein Verb, ein Adjektiv u. a.), sind die Modalwörter nicht negierbar, wohl aber die entsprechenden Paraphrasen durch Matrixsätze:

*Er kommt nicht vermutlich.
Ich vermute nicht, daß er kommt.
Es wird nicht vermutet, daß er kommt.

Der negierbare Matrixsatz gehört zur propositionalen Bedeutung, das entsprechende Modalwort nicht. Mit den Matrixsätzen wird *über* eine Einstellung gesprochen, mit den Modalwörtern werden Einstellungen *ausgedrückt.* Folglich sind die Modalwörter nicht Behauptungen, sondern *Kommentare* (des Sprechers) zu Behauptungen. Auf diese Weise rücken die Modalwörter in die Nähe zu anderen Kommentarformen, vor allen Dingen zu den Schaltsätzen (vgl. 10.2.3. und 18.3.1.). Die Modalwörter üben nicht nur die gleiche Funktion aus wie die Schaltsätze, sie teilen mit den Schaltsätzen auch wesentliche Eigenschaften (vor allem die Nicht-Negierbarkeit und die Nicht-Erfragbarkeit), die die entsprechenden Paraphrasen durch Matrixsätze nicht aufweisen. Deshalb können sie als Schaltwörter, d. h. als kondensierte (oder reduzierte) Schaltsätze, aufgefaßt werden.
Aus dem Status der Modalwörter – *syntaktisch* als Schaltwörter, *semantisch* als Einstellungsoperatoren, *kommunikativ-pragmatisch* als Kommentare – erklärt sich ihr Verhalten auch unter den anderen in 10.2. genannten Tests. Weil die Modalwörter weder Satzglieder noch Teile von ihnen sind, können sie weder erfragt (vgl. dort unter 4.) noch durch Prowörter ersetzt werden (vgl. dort unter 7.). Weil sie Einstellungsoperatoren sind, können sie nicht in explizit performativen Äußerungen stehen (vgl. dort unter 9.), können sie auch nicht im Bezugsbereich anderer Operatoren stehen, die propositionale Operatoren sind: Deshalb sind sie nicht negierbar (vgl. dort unter 6.), nicht komparierbar und kaum koordinierbar (vgl. dort unter 8.) – negierbar, quantifizierbar und koordinierbar sind nur propositionale Operatoren, die aus (einfachen) Propositionen (komplexe) Propositionen bilden. Schließlich können die Modalwörter auch nicht angewandt werden auf Satzkonstruktionen, die im Bereich anderer Operatoren (anderen Typs) stehen: Deshalb können sie in Frage-, Imperativ- und Wunschsätzen nicht auftreten (vgl. dort unter 5.).
Mit dem Charakter als Einstellungsoperatoren hängt es zusammen, daß sich die Modalwörter auf eine Prädikation, d. h. auf den gesamten Satz beziehen. Auch dann, wenn sie sich scheinbar nur auf ein Wort beziehen (und dadurch attributiven Charakter annehmen, sei es in deklinierter – vgl. 10.1.2. – oder in undeklinierter Form), handelt es sich um eine oberflächliche Beziehung, die von einer Prädikation abgeleitet ist:

Er hat eine *zweifellos* gute Dissertation geschrieben.
← Er hat eine Dissertation geschrieben. Die Dissertation ist zweifellos gut.
Die Dissertation ist *zweifellos* gut.
← Die Dissertation ist – ohne Zweifel (wir zweifeln nicht daran) – gut.

10.4. Semantische Subklassen der Modalwörter

Innerhalb der Modalwörter lassen sich mehrere semantische Subklassen unterscheiden. Zur Unterscheidung werden im folgenden die Merkmale [± factiv], [± Sprecherbezug], [± Subjektsbezug] – dieses Merkmal wieder in verschiedenen Varianten – und [± emotional] benutzt. Das Merkmal [+ factiv] bedeutet, daß das Tatsache-Sein (die Faktizität) der Proposition, auf die sich das Modalwort bezieht, vorausgesetzt ist; das Merkmal [– factiv], daß das Tatsache-Sein der entsprechenden Proposition nicht vorausgesetzt ist. Dieser Unterschied wird deutlich in folgenden Paraphrasierungsmöglichkeiten:

Er ist *bedauerlicherweise* verunglückt. [+ factiv]
→ Die Tatsache, daß er verunglückt ist, ist bedauerlich.
→ Daß er verunglückt ist, ist eine (bedauerliche) Tatsache.
→ Er ist verunglückt. Und wir bedauern es (es ist bedauerlich), daß er verunglückt ist.
Er ist *wahrscheinlich* verunglückt. [– factiv]
→ *Die Tatsache, daß er verunglückt ist, ist wahrscheinlich.
→ *Daß er verunglückt ist, ist eine (wahrscheinliche) Tatsache.
→ *Er ist verunglückt. Und es ist wahrscheinlich (wir halten es für wahrscheinlich), daß er verunglückt ist.

Unterscheidbar ist weiter der Sprecher- und der Subjektsbezug des Modalwortes:

Der Fahrer hat *vermutlich* überholt. [+ Sprecherbezug]
→ Der *Sprecher* vermutet (wir vermuten), daß der Fahrer überholt hat.
Der Fahrer hat *wahrscheinlich* überholt. [+ Sprecherbezug]
→ Es ist wahrscheinlich für den *Sprecher* (für uns), daß der Fahrer überholt hat.
→ Der *Sprecher* hält (wir halten) es für wahrscheinlich, daß der Fahrer überholt hat.
Der Fahrer hat *leichtsinnigerweise* überholt. [+ Subjektsbezug]
→ Es ist leichtsinnig von dem *Subjekt* (Fahrer), daß er überholt hat.

Diese Unterscheidung von Sprecher- und Subjektsbezug (oder: zwischen subjektiver und objektiver Modalität) hat eine Entsprechung bei den Modal*verben* (vgl. dazu 1.6.). Bei den Modal*wörtern* stehen die beiden Merkmale [+ Sprecherbezug] und [+ Subjektsbezug] jedoch nicht in absoluter Opposition zueinander, da der Subjektsbezug einen Sprecherbezug nicht aus-, sondern einschließt:

Der Fahrer hat *leichtsinnigerweise* überholt. [± Sprecherbezug]
→ Der *Sprecher* hält (ich halte) es für leichtsinnig vom *Subjekt* (Fahrer), daß er überholt hat.

Damit ist zunächst ein direkter Subjektsbezug, aber über diesen zugleich ein indirekter Sprecherbezug [± Sprecherbezug] gegeben. Das gilt sogar für jene Subklasse, in der dieser Sprecherbezug nur implizit gegeben ist (so implizit, daß er kaum lexikalisiert werden kann):

Er war *angeblich* in Dresden.
→ *Er* gibt an, in Dresden gewesen zu sein (, aber der *Sprecher* distanziert sich von der Aussage des Subjekts).

Falls ein Subjektsbezug vorliegt, ist eine weitere Differenzierung möglich, je nachdem, ob dem Subjekt eine Eigenschaft zugesprochen wird, die als Auslöser (Grund) des Geschehens erscheint ([von] + Subjekt), ob die Handlung sich auf das Subjekt als Adressaten auswirkt ([für] + Subjekt) oder ob das Subjekt als Agens eines Verbalgeschehens auftritt ([Ag] + Verb):

Der Fahrer hat *leichtsinnigerweise* überholt. [Subjektsbezug] [von]
→ Es ist leichtsinnig *von dem Fahrer*, daß er überholt hat.
Der Fahrer hat *nutzloserweise* überholt. [Subjektsbezug] [für]
→ Es ist nutzlos *für den Fahrer*, daß er überholt hat.
Der Fahrer hat *angeblich* überholt. [Subjektsbezug] [Ag]
→ *Der Fahrer* gibt an, daß er überholt hat.

Das Merkmal [+ emotional] bedeutet, daß eine *emotionale* Bewertung im Spiele ist, im Unterschied zu einer *modalen* Bewertung, die die Realität (z. B. den Sicherheitsgrad) einer Aussage betrifft ([– emotional]).
Mit Hilfe dieser Merkmale lassen sich folgende Subklassen der Modalwörter unterscheiden (jeweils an einigen Lexemen als Beispielen exemplifiziert):

1. [– factiv] [+ Sprecherbezug] [– Subjektsbezug] [– emotional]:

anscheinend, hoffentlich, kaum, möglicherweise, mutmaßlich, scheinbar, schwerlich, vermutlich, vielleicht, wahrscheinlich, wohl, womöglich ...

Die Modalwörter dieser Gruppe drücken das Verhältnis des Sprechers zur Realität der Aussage in der Weise aus, daß der Sprecher *Vermutung* oder *Zweifel* am Inhalt der Aussage ausdrückt, die teils durch die Berufung auf einen äußeren Tatbestand (z. B. *anscheinend, scheinbar*) oder vom Sprecher selbst begründet wird.

2. [+ factiv] [+ Sprecherbezug] [– Subjektsbezug] [– emotional]:

allerdings, augenscheinlich, bestimmt, evidentermaßen, fraglos, freilich, gewiß, natürlich, offenbar, offenkundig, offensichtlich, selbstredend, selbstverständlich, sicher(lich), tatsächlich, unbedingt, unstreitig, unzweifelhaft, wahrhaftig, wahrlich, wirklich, zweifellos, zweifelsohne ...

Die Modalwörter dieser Gruppe drücken ebenfalls das Verhältnis des Sprechers zur Realität der Aussage aus, jedoch in der Weise, daß der Sprecher *Sicherheit* im Hinblick auf diese Aussage äußert, die Aussage grundsätzlich bestätigt, in vielen Fällen sogar verstärkt, in wenigen Fällen (z. B. *allerdings, freilich*) einschränkt.

3. [+ factiv] [+ Sprecherbezug] [– Subjektsbezug] [+ emotional]:

   anerkennenswerterweise, ärgerlicherweise, bedauerlicherweise, begreiflicherweise, begrüßenswerterweise, dankenswerterweise, enttäuschenderweise, erfreulicherweise, erstaunlicherweise, glücklicherweise, gottlob, leider, unglücklicherweise ...

Die Modalwörter dieser Gruppe drücken keine Bewertung des Sicherheitsgrades der Aussage (wie 1. und 2.), sondern ein emotionales Verhältnis des Sprechers zur Aussage aus, teils positive, teils negative Emotionen.

4. [+ factiv] [+ Subjektsbezug] [von] [± Sprecherbezug] [– emotional]:

   dummerweise, eigennützigerweise, freundlicherweise, fälschlicherweise, klugerweise, korrekterweise, leichtsinnigerweise, neugierigerweise, richtigerweise, vorsichtigerweise ...

Die Modalwörter dieser Gruppe drücken weder eine Bewertung des Sicherheitsgrades der Aussage noch ein emotionales Verhältnis des Sprechers zur Aussage aus, sondern eine Verhaltensweise des Subjekts, die als Auslöser oder Grund des Geschehens (*aus Dummheit, Eigennutz* usw.) erscheint und vom Sprecher eingeschätzt bzw. bewertet wird.

5. [+ factiv] [+ Subjektsbezug] [für] [± Sprecherbezug] [– emotional]:

   beschämenderweise, günstigerweise, nützlicherweise, nutzloserweise, schädlicherweise, vergeblicherweise ...

Die Modalwörter dieser Gruppe drücken ebenfalls eine Verhaltensweise des Subjekts aus, aber eine solche, die sich auf das Subjekt (als Adressaten) auswirkt und vom Sprecher eingeschätzt bzw. bewertet wird.

6. [– factiv] [+ Subjektsbezug] [Ag] [± Sprecherbezug] [– emotional]:

   angeblich, vorgeblich ...

Die Modalwörter dieser Gruppe drücken eine Handlung des Subjekts aus, an der der Sprecher *Zweifel* hat; der Sprecher distanziert sich von der Behauptung des Subjekts.

Anmerkungen:

(1) Da die mit [± Sprecherbezug] gekennzeichneten Modalwörter nur einen indirekten Sprecherbezug haben, erfüllen sie manche der unter 10.2. genannten Kriterien nicht vollständig; vor allem die Lexeme der Gruppen 4. und 5. kommen zum großen Teil auch in Fragesätzen, Imperativsätzen und Wunschsätzen vor (vgl. 10.2. unter 5.).

(2) Einige Modalwörter bereiten bei der Verwendung besondere Schwierigkeiten:

(a) Er gab seinen Plan *scheinbar* auf.
(= dem äußeren Scheine nach, nicht in Wirklichkeit; in Wirklichkeit verfolgte er seinen Plan weiter)
(b) Er gab seinen Plan *anscheinend* auf.
(= wie es scheint; über die Wirklichkeit wird nichts ausgesagt)
(c) Er gab seinen Plan *augenscheinlich* auf.
(= dem Augenschein nach, der als Bestätigung aufgefaßt wird)

In (b) wird eine Vermutung des Sprechers ausgedrückt, in (a) jedoch ein Anschein für falsch, in (c) ein solcher Anschein für richtig erklärt.

Modalwort-ähnliche Ausdrücke 10.5.

1. Manchmal werden auch einige *Negationswörter* zu den Modalwörtern gerechnet. Unter ihnen sind wieder 3 Subklassen zu unterscheiden:

(1) Die Negationswörter *keinesfalls, keineswegs* und *mitnichten* teilen zwar mit den Modalwörtern einige wesentliche Eigenschaften (sie beziehen sich auf den gesamten Satz und können allein auf eine Entscheidungsfrage antworten; sie können wie die Modalwörter in den Satzverband eingegliedert werden und haben dieselben Stellungseigenschaften). Streng genommen drücken sie jedoch nicht die Modalität des Satzes, sondern die Satzqualität (affirmativ-negativ) aus; sie sind deshalb auch keine Einstellungsoperatoren.

(2) Das Negationswort *nein* (ebenso wie die positiven Entsprechungen *ja* und *doch*) rechnen wir deshalb nicht zu den Modalwörtern, da es im Unterschied zu ihnen auch im aktualen Satz obligatorisch außerhalb des Satzverbandes auftritt (vgl. dazu 12.1.).

(3) Dagegen teilt das Negationswort *nicht* oberflächliche Positionseigenschaften mit den Modalwörtern:

Er hat ihn { vermutlich / leider / bedauerlicherweise / klugerweise / angeblich / *nicht* } besucht.

Dennoch rechnen wir das Negationswort *nicht* – ebenso wie die unter (1) und (2) genannten Negationswörter – nicht zu den Modalwörtern, da eine Permutation an den Satzanfang nicht möglich ist, eine prädikative Verwendung (und damit eine Paraphrase durch einen Matrixsatz oder Schaltsatz) nicht zulässig ist und kein Einstellungsoperator, sondern ein propositionaler Operator vorliegt.

Da es außerdem noch andere Negationswörter gibt, die sich syntaktisch anders als die Modalwörter verhalten, werden die Negationswörter an anderer Stelle (vgl. 11.) behandelt.

2. Nicht zu den Modalwörtern werden gerechnet solche undeklinierbaren Wörter, die eine Summierung, Begründung, Reihenfolge, Hervorhebung u. ä. bezeichnen (z. B. *allenfalls, jedenfalls, ohnehin, sozusagen, übrigens, vielmehr*). Syntaktisch teilen sie nur einige Eigenschaften der Modalwörter (sie können die Stelle vor dem finiten Verb allein einnehmen; sie können als reduzierte Matrixsätze aufgefaßt werden: ← *Es ist allenfalls / jedenfalls / ohnehin so, daß* . . .). Dagegen können sie nicht als selbständige Antwort auf eine Entscheidungsfrage auftreten. Semantisch drücken sie keine Modalität im strengen Sinne aus (sind kaum als Einstellungsoperatoren aufzufassen), sondern die oben genannten Beziehungen (die zwischen mehreren aufeinanderfolgenden Sätzen bestehen); sie fungieren deshalb eher wie Konjunktionaladverbien.

3. Ganz ähnlich wie die Modalwörter verhalten sich bestimmte „Einordnungsadverbien", die die Aussage (vom Sprecher her) limitieren:

(1) (a) Er hat das Problem *wissenschaftlich* betrachtet.
(b) *Wissenschaftlich* ist das kein Problem.
(2) (a) Er hat die Lösung *mathematisch* gefunden.
(b) *Mathematisch* ist er ein Laie.

In den unter (a) genannten Äußerungen wird die *objektive* Art und Weise des Vorgangs charakterisiert (← *auf wissenschaftliche, mathematische Weise*), in den unter (b) genannten Äußerungen dagegen wird die Aussage – wie bei den Modalwörtern – vom Sprecherstandpunkt aus *subjektiv* kommentiert (und eingeschränkt). Ähnlich verhalten sich Wörter wie *wirtschaftlich, gesundheitlich, örtlich, zeitlich, verstandesmäßig, gefühlsmäßig, juristisch, arbeitsrechtlich, theoretisch, praktisch* u. a. Sie können als verkürzte Partizipialkonstruktionen (vgl. 18.4.1.6.) angesehen (als eliminiertes Partizip muß *gesehen* oder *betrachtet* vorausgesetzt werden) und – wie die Modalwörter – als Kondensate von Schaltsätzen verstanden werden:

← (1b') Wissenschaftlich gesehen, ist das kein Problem.
Wenn man es wissenschaftlich sieht, ist das kein Problem.
Das ist – *wissenschaftlich gesehen* – kein Problem.
← (2b') Mathematisch betrachtet, ist er ein Laie.
Wenn man es mathematisch betrachtet, ist er ein Laie.
Er ist – *mathematisch betrachtet* – ein Laie.

Die Einordnungsadverbien enthalten somit ganz ähnliche pragmatische Implikationen wie die Modalwörter: Auch sie drücken Einstellungen des Sprechers aus und enthalten Kommentare vom Sprecherstandpunkt aus. Dieser Ähnlichkeit der Funktion entspricht auch eine Ähnlichkeit des syntaktischen Verhaltens in bestimmten Tests (Paraphrase durch Schaltsatz, keine Negierbarkeit, keine Verwendung in Imperativsätzen, kein Satzgliedstatus, folglich auch keine Erfragbarkeit, unter bestimmten Kontexten als alleinige Antwort auf Entscheidungsfrage möglich).

4. Ähnlich verhalten sich die „parenthetischen Adverbialien“:

> *Offen gesagt*(,) hat er seine Aufgabe nicht erfüllt.
> *Theoretisch formuliert*(,) hat er das erst zu Beweisende schon vorausgesetzt.

Auch hier handelt es sich um Kommentare – allerdings nicht zum ausgedrückten Sachverhalt wie bei den Einordnungsadverbien, sondern zum Sprechakt bzw. der Form des Sprechaktes selbst. Auch hier liegen Partizipialkonstruktionen vor (bei denen eine Eliminierung des Partizips aber nur selten möglich ist, wie z. B. *kurz, genauer*), bei denen das Partizip kein Einstellungsverb (wie bei 3.), sondern ein Verbum dicendi ist. Auch andere Tests erfüllen diese Ausdrücke ähnlich wie die Modalwörter und die Einordnungsadverbien (z. B. Paraphrase durch Schaltsatz, keine Negation).

5. Schließlich gibt es Modaladverbien, die in homonymer Weise ähnlich wie Modalwörter zum Ausdruck der Stellungnahme des Sprechers verwendet werden können:

> (1a) Das Kind sah dem Film *ruhig* zu.
> (1b) Wir können diese Maßnahmen *ruhig* verwirklichen.
>
> (2a) Diesmal hat die Mannschaft *besser* gespielt.
> (2b) Ihr geht jetzt *besser* wieder an die Arbeit.
>
> (3a) Du gehst *gern* zeitig zu Bett.
> (3b) Das kannst du *gern* tun.

Bei den unter (a) genannten Äußerungen liegt ein normales Modaladverb vor, das eine Prädikation über den Verbalkomplex darstellt und sich direkt auf das Prädikat bezieht. Bei den unter (b) genannten Äußerungen dagegen handelt es sich um pragmatische Implikationen des Sprechers:

> ← (1b’) Es bestehen keine Einwände (Bedenken), daß wir diese Maßnahmen verwirklichen.
> ← (2b’) Ich halte es für besser, wenn ihr jetzt wieder an die Arbeit geht.
> ← (3b’) Ich habe nichts dagegen, daß du das tust.

Bei diesen Paraphrasen erscheint – im Unterschied zu den Modalwörtern – in der Regel anderes lexikalisches Material. Mit den Modalwörtern gemeinsam haben solche Modaladverbien mehrere Eigenschaften in syntaktischen Proben (z. B. Paraphrase durch Schaltsatz und Matrixsatz, fehlende Negierbarkeit, Komparierbarkeit und Erfragbarkeit).
In manchen Fällen sind nicht nur Lexeme – wie in (1) bis (3) –, sondern ganze Sätze mehrdeutig:

> Die jungen Leute sind jetzt *glücklich* verheiratet.
> ← (a) objektiv; Art und Weise des Verheiratet-Seins
> ← (b) subjektiv; *glücklicherweise, endlich*; Sprecher hat es immer vorausgesehen, aber es hat lange gedauert

Er hat es *einfach* gesagt.
← (a) objektiv; auf einfache Art und Weise
← (b) subjektiv; *ohne Bedenken und Zurückhaltung*; Sprecher hätte Bedenken.

10.6. Konkurrenzformen zu den Modalwörtern

Als Konkurrenzformen (bzw. Paraphrasen) der Modalwörter sind andere Möglichkeiten zum Ausdruck der Modalität aufzufassen:

1. Modale Vollverben (oder Adjektive) in übergeordneten Matrixsätzen:

Vermutlich ist er krank.
← Wir *vermuten*, daß er krank ist.
Hoffentlich ist er nicht krank.
← Wir *hoffen*, daß er nicht krank ist.
Wahrscheinlich ist er krank.
← Es ist *wahrscheinlich*, daß er krank ist.

2. Modale Vollverben (oder Adjektive) in Schaltsätzen:

Er hat die Prüfung vermutlich bestanden.
← Er hat die Prüfung – wie wir *vermuten* – bestanden.
Er hat die Prüfung wahrscheinlich bestanden.
← Er hat die Prüfung – das ist *wahrscheinlich* – bestanden.

3. Modalverben (vgl. 1.6.), z. T. in Verbindung mit dem Modus des Verbs:

Vermutlich (wahrscheinlich, vielleicht) ist er krank.
→ Er *kann* (*könnte*), *mag*, *dürfte* krank sein.
Er ist bestimmt (gewiß, zweifellos) krank.
→ Er *muß* krank sein.
Er ist angeblich (vorgeblich) krank gewesen.
→ Er *will* (*soll*) krank gewesen sein.

4. Tempusformen, die einen Modalfaktor enthalten (vgl. 1.7.):

Er hat sich wahrscheinlich (vermutlich, vielleicht) verspätet.
→ Er *wird* sich verspätet *haben*.

5. Präpositionalgruppen:

Er war anscheinend im Garten.
← Er war *dem Anschein nach* im Garten.
Er war zweifellos im Garten.
← Er war *ohne Zweifel* im Garten.

Dazu rechnen auch solche Präpositionalgruppen, die keine direkten lexikalischen Entsprechungen in Modalwörtern haben (*meinem Erachten nach*, *nach meiner Ansicht* u. a.).

Negationswörter 11.

Syntaktische Beschreibung 11.1.

Zu den Negationswörtern im Deutschen gehören:

nicht, nichts, nie, niemals, niemand, nirgends, nirgendwo, nirgendwohin, nirgendwoher, kein, keinesfalls, keineswegs, nein, weder – noch

Von ihnen sind die meisten (*nicht, nichts, nie, niemals, nirgends, nirgendwo, nirgendwohin, nirgendwoher, keinesfalls, keineswegs, nein, weder – noch*) unflektierbar. Nur *niemand* und *kein* haben einen ausgeprägteren Formenbestand.
Vgl. dazu 5.2.1.2.(3) und 2.3.2.4.2.

Auf Grund ihrer verschiedenen Positionen im Satz müssen die Negationswörter im Deutschen unterschiedlichen Wortklassen zugeordnet werden:

(1) ... kommt.	(*keiner, niemand, nichts*)
(2) Er läuft ...	(*nie, niemals, nirgends, nirgendwo, nicht, nirgendwohin, keinesfalls, keineswegs)*
(3) Er liest ... Buch	(*kein*)
(4) Kommt er? ..., er kommt nicht.	(*nein*)
(5) ... ein Schüler war krank.	(*nicht*)
(6) Er ist ... dumm ... faul.	(*weder – noch*)

Im Satzbeispiel (1) sind die Negationswörter substantivische Pronomina (sie sind ersetzbar durch *der Freund, er* u. a.). Im Beispiel (2) sind sie Adverbien (sie sind ersetzbar durch *dort, heute* u. a.). Im Beispiel (3) sind sie Artikelwörter (sie sind ersetzbar durch *ein, mein* u. a.), im Beispiel (4) sind sie Satzäquivalente (sie sind ersetzbar durch *ja, doch* u. a.). Im Beispiel (5) sind die Negationswörter Partikeln (sie sind ersetzbar durch *auch, nur* u. a.), im Beispiel (6) sind sie Konjunktionen (sie sind ersetzbar durch *sowohl – als auch, entweder – oder* u. a.).
Durch diese Beispiele wird deutlich, daß nicht nur die Negationswörter insgesamt, sondern daß auch einzelne Negationswörter verschiedenen syntaktischen Klassen angehören. Von einer eindeutigen Zuordnung zu einer bestimmten Wortklasse kann man sprechen bei *nie, niemals, nirgends, nirgendwo, nirgendwohin, nirgendwoher* (Adverb), bei *niemand* und *nichts* (substantivisches Pronomen), bei *nein* (Satzäquivalent) und bei *weder – noch* (Konjunktion). Die restlichen Negationswörter können – je nach ihrem Kontext – in verschiedene Wortklassen eingehen: *Kein* kann als substantivisches Pronomen (1) oder als Artikelwort (3) auftreten; *nicht* ist entweder Adverb (2) oder Partikel (5).

Anmerkungen:
Manchmal ergeben sich Abgrenzungs- und Verwendungsschwierigkeiten bei einzelnen Negationswörtern:

1. *kein* (Artikelwort) – *nicht* (Adverb)

Wenn *kein* Artikelwort ist, kann es in den meisten Fällen nicht wegfallen, ohne daß der Satz ungrammatisch wird:

Werner ist *kein* Faulpelz.
→ *Werner ist Faulpelz.

Das unterscheidet *kein* von *nicht*, das grundsätzlich strukturell fakultativ ist und deshalb auch dort weggelassen werden kann, wo es in einer ähnlichen Umgebung wie *kein* steht:

Werner ist *nicht* Lehrer.
→ Werner ist Lehrer.

Kein als Artikelwort kann nur weggelassen werden, wenn

(1) das zugehörige Substantiv im Plural steht:

Er hat keine Freunde. – Er hat Freunde.

(2) das zugehörige Substantiv mit Nullartikel steht:

Er hat keine Butter. – Er hat Butter.

(3) das zugehörige Substantiv als Bezeichnung von Beruf, Nationalität, Funktion, Weltanschauung oder eines Titels mit Nullartikel im Prädikativum steht (vgl. 5.4.3.2.2.):

Er ist kein Lehrer. – Er ist Lehrer.
Er ist kein Engländer. – Er ist Engländer.
Er ist kein Christ. – Er ist Christ.
Er ist kein Professor. – Er ist Professor.

Dabei haben manche mit *kein* verneinten Sätze eine doppelte Bedeutung und gehen auf 2 affirmative Sätze zurück:

Er ist *kein* Schauspieler.
← (a) Er ist Schauspieler (von Beruf).
← (b) Er ist *ein* Schauspieler (nicht von Beruf, sondern nach seinen Eigenschaften und Fähigkeiten).

Demgegenüber sind mit *nicht* negierte Sätze eindeutig:

Er ist nicht Lehrer.
← Er ist Lehrer (von Beruf).

2. *nicht* (Partikel) – *nichts* (substantivisches Pronomen)

Auf Grund einer verschiedenen Substituierbarkeit ergibt sich auch der Unterschied zwischen

(1) Er liest *nicht anders* als sein Freund.
(2) Er liest *nichts anderes* als sein Freund.

Das hervorgehobene Glied ist in (1) ersetzbar durch ein Adverb (z. B.: *nicht besser, nicht deutlicher*), in (2) durch ein Substantiv (z. B.: *nichts Besseres, kein anderes Buch*).

3. *kein* (Artikelwort) – *keiner* (substantivisches Pronomen)

Entsprechend der in 2. genannten verschiedenen Ersetzbarkeit muß es auch heißen:

Kein Mensch [entsprechend Rahmen (3) unter 11.1.]
Keiner der Menschen [entsprechend Rahmen (1) unter 11.1.]

Wesen der Negationswörter 11.2.

Semantische Beschreibung der Negationswörter 11.2.1.

1. Das gemeinsame semantische Kennzeichen *aller* Negationswörter besteht darin, daß mit ihnen der Sprechende den Inhalt seiner Aussage verneint. Es kann jedoch durch die Negationswörter der gesamte Satzinhalt (Satznegation, totale Negation) oder auch nur ein Teil des Satzes – etwa ein Wort oder eine Wortgruppe – verneint werden (Sondernegation, partielle Negation):

Er kommt heute *nicht*. (= Satznegation)
Er kommt *nicht* heute, sondern morgen. (= Sondernegation)

2. Die *einzelnen* Negationswörter unterscheiden sich nicht nur hinsichtlich ihrer Zugehörigkeit zu verschiedenen syntaktischen Klassen (vgl. 11.1.), sondern auch durch ihre eigene Semantik[1]:

nichts	– Hum
niemand	+ Hum
kein	± Hum
nie	+ Temp
niemals	+ Temp
nirgends	+ Loc
nirgendwo	+ Loc
nirgendwohin	+ Dir, + sprecherabgewandt
nirgendwoher	+ Dir, + sprecherzugewandt
keinesfalls	+ Mod
keineswegs	+ Mod

Auf Grund dieser Merkmale können nicht alle Negationswörter bei allen Verben erscheinen (obwohl sie in die syntaktischen Rahmen von 11.1. einsetzbar sind): So sind etwa in den Satz „Er hat ... gefunden" die Negationswörter *niemand*, *keinen*, *nichts* (also alle zur Wortklasse der Substantivwörter gehörenden Negationswörter) einsetzbar, in den syntaktisch gleich strukturierten Satz „Er hat ... erhalten" jedoch nur *nichts* oder *keinen* (Brief) einsetzbar, weil das Verb *erhalten* in seiner Umgebung nur einen Akkusativ mit dem semantischen Merkmal [-Anim] zuläßt, das Verb *finden* hingegen von

[1] Dabei werden als Abkürzungen verwendet: Hum (menschlich), Temp (Zeit), Loc (Ort), Dir (Richtung), Mod (modal).

diesen Umgebungsbeschränkungen frei ist. Diese Merkmale erklären es auch, warum *nie* und *niemals* (als Negationen der Zeit), *nirgends* und *nirgendwo* (als Negationen des Ortes), *keinesfalls* und *keineswegs* frei ausgetauscht werden können, nicht aber *nichts* und *niemand*, *nirgendwohin* und *nirgendwoher*:

Er arbeitet *nirgendwo.*
*Er arbeitet *nirgendwoher.*
*Er arbeitet *nirgendwohin.*

*Er legt das Buch *nirgendwo.*
*Er legt das Buch *nirgendwoher.*
Er legt das Buch *nirgendwohin.*

*Er stammt *nirgendwo.*
*Er stammt *nirgendwohin.*
Er stammt *nirgendwoher.*

Anmerkung:
Die zur Wortklasse der Substantivwörter gehörenden Negationswörter unterscheiden sich auch in ihrer Gebundenheit an ein Genus; *nichts* ist als [+ Neutr.], *niemand* als [+ Mask.] und *keiner* als [Mask./Fem./Neutr.] zu charakterisieren:

Nichts, *was* er sagte, überzeugte sie.
Niemand, *der* im Zimmer war, hat es gehört.
Keiner, *der* (keine, *die* . . ., keines, *das* . . .) im Zimmer war, hat es gehört.

11.2.2. Verhältnis von Bejahung und Verneinung

Die meisten Negationswörter im Deutschen entstehen durch die Kombination des Negationselements mit dem entsprechenden positiven Wort:

neg + ein	→ kein
neg + Nullartikel	→ kein
neg + jemand	→ niemand (Person)
neg + etwas	→ nichts (Sache)
neg + irgendwo	→ nirgendwo, nirgends (Ort)
neg + irgendwann	→ nie, niemals (Zeit)
neg + irgendwoher	→ nirgendwoher (Richtung zum Sprecher hin)
neg + irgendwohin	→ nirgendwohin (Richtung vom Sprecher weg)

Diese Negationstransformationen werden in folgenden Beispielen deutlich:

Er ißt *einen* Apfel.	→ Er ißt *keinen* Apfel.
Er ißt Butter.	→ Er ißt *keine* Butter.
(Aber: Er schreibt *den* Brief.	→ Er schreibt den Brief *nicht.*)
Er sieht *jemanden.*	→ Er sieht *niemanden.*
Er ißt *etwas.*	→ Er ißt *nichts.*
Er findet den Bleistift *irgendwo.*	→ Er findet den Bleistift *nirgends.*
Er kommt *irgendwann.*	→ Er kommt *niemals.*
Er kommt *irgendwoher.*	→ Er kommt *nirgendwoher.*
Er geht *irgendwohin.*	→ Er geht *nirgendwohin.*

Stellung des Negationswortes *nicht* 11.3.

Satz- und Sondernegation 11.3.1.

1. Die Stellung des Negationswortes *nicht* ist im Deutschen nicht völlig frei und auch nicht bloß von rhythmischen Gründen abhängig. Es gibt eine Menge von Fällen, in denen bestimmte Positionen für die Negation unzulässig sind. Auch wenn im konkreten Satz – unter ganz bestimmten Bedingungen – Satz- und Sondernegation zusammenfallen, bleibt ein Unterschied, weil in vielen Fällen beide Arten der Negation sowohl in der Bedeutung als auch in der Stellung unterschieden werden müssen.
Die *Satznegation* trifft immer die gesamte Prädikation (d. h. die Zuordnung von Subjekt und Prädikat); wird das finite Verb verneint, so wird zugleich der gesamte Satz verneint. Im Gegensatz zur Satznegation trifft die *Sondernegation* niemals den ganzen Satz, sondern nur Teile des Satzes: Sie hat deshalb eher attributive Funktion und eine unmittelbare Beziehung auf das verneinte Glied. Die Sondernegation trifft teils ganze Satzglieder (1), teils Wörter, die nur Teile von Satzgliedern sind (2), vereinzelt sogar Teile von Wörtern (3):

(1) Er kommt nicht *am Abend*, sondern erst *am Morgen*.
(2) Er traf sie nicht *vor*, sondern *nach* der Vorstellung.
(3) Sie haben das Auto nicht *be*-, sondern *ent*laden.

Je nach der Art der Negation (Satznegation oder Sondernegation verschiedener Glieder) unterscheidet sich die Bedeutung:

(4) *Nicht* alle Studenten waren verheiratet.
(5) Alle Studenten waren *nicht* verheiratet.

Im Falle einer normalen Intonation[1] handelt es sich bei (4) um eine Sondernegation des Artikelwortes (gemeint ist: nicht alle, aber die meisten), bei (5) um eine Satznegation (die gesamte Prädikation wird verneint). Diese verschiedene Bedeutung wird jeweils durch eine besondere Stellung signalisiert. Vor allem das Negationswort *nicht* kann durch seine Stellung die Bedeutung des Satzes vielfach variieren und unterliegt deshalb komplizierten Stellungsregeln. Die genannten Regularitäten für (4) und (5) gelten jedoch nur für die normale Intonation; sie können durch besondere Hervorhebung einzelner Glieder wie folgt modifiziert werden:

(5) Alle Studenten waren nicht verheiratet.
(= Satznegation, 100 % der Studenten)
(5a) **A**lle Studenten waren n**i**cht verheiratet.
(= Sondernegation, etwa 90 % der Studenten)

---

[1] Bei normaler Intonation liegt keine Hervorhebung eines bestimmten Gliedes im Satz vor.

Durch die veränderte Intonation nimmt (5a) die Bedeutung von (4) an. Die intonatorische Hervorhebung des Negationswortes *nicht* und des von ihr betroffenen Gliedes – wie in (5a) – bedeutet somit keine Verstärkung der Negation, sondern eine inhaltliche Einschränkung (von der Satz- zur Sondernegation).

2. Da die Bedeutung bei Satz- und Sondernegation meist verschieden ist, basieren die folgenden Regularitäten auf der Annahme, daß sich in der Grundstruktur die Satznegation von den verschiedenen möglichen Sondernegationen unterscheidet, daß beide aber in den konkreten Sätzen unter bestimmten Bedingungen positionell zusammenfallen. Deshalb gibt es einerseits aktuale Sätze mit einer doppelten Interpretation (als Satz- und als Sondernegation):

Er legt das Buch *nicht* auf den Tisch.

Andererseits kann die gleiche Satznegation manchmal im konkreten Satz verschieden realisiert werden:

Ich traf ihn *nicht* im Café.
Ich traf ihn im Café *nicht*.

3. Damit im Zusammenhang steht die Rolle des Kontextes und der Intonation:

(6) Der Vorhang fiel zwischen den Akten *nicht*.
(7) Der Vorhang fiel *nicht* zwischen den Akten.
(8) Er wollte sich im Harz *nicht* erholen.
(9) Er wollte sich *nicht* im Harz erholen.

Während (6) und (8) eindeutig als Satznegation interpretiert werden, enthalten Satz (7) und (9) eine Satznegation nur bei normaler Intonation (zur Intonation in den verschiedenen Satzarten vgl. 16.), bei intonatorischer Hervorhebung der Präpositionalgruppe jedoch eine Sondernegation. Wenn also Satz- und Sondernegation positionell zusammenfallen, entscheidet die Intonation über ihre Differenzierung: Normale Intonation weist auf Satznegation, die Sondernegation dagegen fordert die intonatorische Hervorhebung des der Negation folgenden negierten Gliedes. Ebenso kann der Kontrast die Entscheidung zugunsten der Sondernegation treffen:

Er wollte sich *nicht* im Harz, sondern an der Ostsee erholen.

Die kontrastive Fortsetzung des Satzes ist jedoch für die Sondernegation nicht obligatorisch:

Er kommt oft *nicht*.
Er kommt *nicht* oft.

In den meisten Fällen erscheint allerdings eine kontrastive Fortsetzung des Satzes oder ein entsprechender Kontext (bzw. Situationszusammenhang). Oftmals wirken intonatorische Hervorhebung des der Negation folgenden negierten Gliedes und kontrastive Fortsetzung des Satzes – als die beiden Zeichen der Sondernegation – zusammen.

Spezielle Regeln für die Stellung von *nicht* 11.3.2.

1. Das Negationswort *nicht* steht als Sondernegation unmittelbar vor dem negierten Glied, das ein Wort oder ein Satzglied, aber niemals das finite Verb sein kann (denn eine solche „Verbnegation" würde automatisch zur Satznegation):

> Er ist *nicht* aus-, sondern umgestiegen.
> Er fährt *nicht* mit der Straßenbahn, sondern mit dem Bus.
> Der Student hat *nicht* gut, sondern ausgezeichnet gearbeitet.

(1) Die Sondernegation braucht dann nicht unmittelbar vor dem negierten Glied zu stehen, wenn das negierte Glied durch starke Betonung hervorgehoben ist:

> H**eu**te ist der Freund n**i**cht gekommen. (= Sondernegation)
> Heute ist der Freund nicht gekommen. (= Satznegation)

Anmerkung:
Wenn die Sondernegation nicht unmittelbar vor dem negierten Glied steht, erscheint sie meist – in „Kontraststellung" – am Ende des Satzes bzw. vor dem zweiten Teil des verbalen Rahmens:

> Fl**ei**ßig arbeitet der Schüler *nicht*.
> Fl**ei**ßig hat der Schüler *nicht* gearbeitet.

(2) In seltenen Fällen kann die Sondernegation auch vor einem Teil des Prädikats (dem infiniten Teil) stehen, ohne daß dadurch die gesamte Prädikation verneint wird:

> Er hat das Fahrrad in den Schuppen *nicht* gestellt, sondern gelegt.

Anmerkung:
In den meisten Fällen werden auch solche Sätze anders gebildet:

> Er hat das Fahrrad *nicht* in den Schuppen gestellt, sondern gelegt.

2. Das Negationswort *nicht* als Satznegation strebt nach dem Ende des Satzes und bildet zusammen mit dem finiten Verb eine Negationsklammer. Darin drückt sich die enge Zusammengehörigkeit des *nicht* mit dem verneinten Prädikatsverb aus, denn im deutschen Satz mit dem finiten Verb an zweiter Stelle verhalten sich äußere und innere Verbnähe umgekehrt proportional. Je enger ein Element inhaltlich-strukturell zum finiten Verb gehört, desto weiter strebt es äußerlich in der Stellung (topologisch) vom Verb weg und nach dem Satzende zu (vgl. dazu 14.1.2.):

> Er *besuchte* seinen Lehrer trotz der engen Bindungen *nicht*.

Anmerkung:
Entsprechend den Regularitäten des verbalen Rahmens und der Ausrahmung (mit besonderem Intonationsbogen) können jedoch die nicht-valenzgebundenen Glieder aus dem Rahmen heraustreten.

> Er *besuchte* seinen Lehrer *nicht* trotz der engen Bindungen.

3. Enthält der Satz jedoch eine infinite Verbform (Infinitiv, Partizip) oder einen trennbaren ersten Verbteil, haben diese Formen Anspruch auf den Endplatz im Satz (weil ihre Klammer mit dem Verb enger ist als die der Negation). Die Satzverneinung *nicht* muß in diesen Fällen unmittelbar vor die infiniten Verbformen oder den trennbaren Verbteil treten:

Er wird morgen *nicht* abreisen.
Er ist gestern *nicht* abgereist.
Er reist heute *nicht* ab.

Bei den trennbaren Verbteilen kann die Satznegation mit der Sondernegation positionell zusammenfallen (dabei ist die Sondernegation jedoch durch Intonation und Kontrastivität erkennbar):

Er steigt dort *nicht* **au**s, sondern **ei**n!

4. Auch das Prädikativ hat einen Anspruch auf den Endplatz im Satz, so daß die Satznegation *nicht* auch vor das Prädikativ tritt.

(1) Das gilt obligatorisch, wenn das Prädikativum ein Substantiv oder Adjektiv ist:

Er wird nicht Lehrer.
*Er wird Lehrer nicht.
Er wird nicht krank.
*Er wird krank nicht.

In diesen Fällen fallen Satz- und Sondernegation positionell zusammen; eine spezielle Sondernegation ist bei den bedeutungsarmen Kopulaverben nicht möglich.

(2) Das gilt fakultativ, wenn das Prädikativ ein Adverb ist:

Er ist nicht dort.
(= Satz- oder Sondernegation)
Er ist dort nicht.
(= Satznegation)

5. Die Negation *nicht* steht auch vor Adjektivadverbien in adverbialer Verwendung. Im Unterschied dazu lassen ursprüngliche Adverbien (in der gleichen adverbialen Position) sowohl Voran- als auch Nachstellung von *nicht* zu:

Der Schüler arbeitet *nicht* fleißig.
*Der Schüler arbeitet fleißig *nicht.*
Der Schüler arbeitet *nicht* dort.
Der Schüler arbeitet dort *nicht.*

6. Die Satznegation *nicht* steht in der Regel nach reinen Kasusobjekten:

Er findet das Buch *nicht.*

(1) Eine Voranstellung der Negation ist dann möglich, wenn der Umfang der Objekte größer ist und diese – nach dem Gesetz der wach-

senden Glieder – dazu neigen, aus der Negationsklammer herauszutreten:

(a) Er untersuchte den psychischen Zustand des Kranken *nicht*.
(b) Er untersuchte *nicht* den psychischen Zustand des Kranken.

Im Falle (b) fallen Satz- und Sondernegation zusammen; die Satznegation wird durch Intonation und / oder Kontrastivität zur Sondernegation.

(2) Die Satznegation *nicht* steht obligatorisch vor dem Akkusativ, wenn dieser nicht die Funktion des passivfähigen Objekts ausübt, sondern (meist in adverbialer Bedeutung) mit dem (bedeutungsarmen) Verb eine enge semantische Einheit darstellt:

Er spielt *nicht* Klavier. (= auf dem Klavier)
*Er spielt Klavier *nicht*.

Er fährt *nicht* Auto. (= mit dem Auto)
*Er fährt Auto *nicht*.

Er nahm *nicht* Abschied. (= verabschiedete sich)
*Er nahm Abschied *nicht*.

Aber:
Er nahm das Geld *nicht*.

7. Die Satznegation *nicht* kann sowohl vor als auch nach Präpositionalobjekten stehen:

Er zweifelt *nicht* an seinem Vorhaben.
Er zweifelt an seinem Vorhaben *nicht*.

Er erinnert sich *nicht* an mich.
Er erinnert sich an mich *nicht*.

Anmerkung:
Bei der Stellung von *nicht* vor dem Präpositionalobjekt fallen Satz- und Sondernegation zusammen und können nur durch Intonation und/oder Kontrast unterschieden werden.

8. Die Satznegation *nicht* steht vor den Adverbialbestimmungen der verschiedensten Art, die durch die Valenz eng an das Verb gebunden sind (obligatorische oder fakultative Aktanten sind) und deshalb mit dem Verb eine Satzklammer bilden (vgl. dazu auch 14.1.2.1.):

Er legt das Buch *nicht* auf den Schrank.
*Er legt das Buch auf den Schrank *nicht*.

Die Versammlung dauert *nicht* den ganzen Tag.
*Die Versammlung dauert den ganzen Tag *nicht*.

Er verhielt sich *nicht* ruhig.
*Er verhielt sich ruhig *nicht*.

Satznegation und Sondernegation der Adverbialbestimmung fallen in diesen Fällen im konkreten Satz positionell zusammen.

9. Die Satznegation *nicht* kann vor oder hinter den freien lokalen An-

gaben stehen, unabhängig davon, ob diese morphologisch durch eine Präpositionalgruppe oder ein Adverb repräsentiert werden:

Ich traf ihn im Café (dort) *nicht.*
Ich traf ihn *nicht* im Café (dort).

Aber als Sondernegation nur:

Ich traf ihn *nicht* im Café, sondern auf der Straße.

10. Die Satznegation *nicht* steht vor oder hinter freien Kausalangaben, wenn diese durch Präpositionalgruppen repräsentiert sind (bei Voranstellung positioneller Zusammenfall mit der Sondernegation); sie steht hinter freien Kausalangaben, wenn diese durch Adverbien repräsentiert sind:

Er erschien wegen des Essens *nicht.*	(Satznegation)
Er erschien *nicht* wegen des Essens.	(Sondernegation oder Satznegation)
Er erschien deshalb *nicht.*	(Satznegation)
*Er erschien *nicht* deshalb.	
Er erschien *nicht* deshalb, sondern ...	(Sondernegation)

Anmerkung:
Von dieser Regularität weicht die Stellung der Satznegation *nicht* in Nebensätzen oder Hauptsätzen im Perfekt etwas ab:

Wir wissen, daß er wegen des Essens *nicht* erschienen ist.	(= Satznegation)
Wir wissen, daß er *nicht* wegen des Essens erschienen ist.	(= Sondernegation)
Er ist wegen des Essens *nicht* erschienen.	(= Satznegation)
Er ist *nicht* wegen des Essens erschienen.	(= Sondernegation)

In diesen Fällen wird – im Unterschied zum Hauptsatz in den einfachen Zeiten – bei der Satznegation die Nachstellung auch bei präpositionalen Kausalangaben obligatorisch und die Voranstellung automatisch als Sondernegation verstanden, weil eine dem präsentischen Hauptsatz entsprechende Ausrahmung der Kausalangabe unzulässig ist.

11. (1) Die Satznegation *nicht* kann sowohl vor als auch nach freien Temporalangaben stehen, wenn diese Temporalangaben Präpositionalgruppen sind:

Er besucht mich am Abend *nicht.*	(= Satznegation)
Er besucht mich *nicht* am Abend.	(= Sonder- oder Satznegation)

(2) Wird die freie Temporalangabe durch einen Akkusativ repräsentiert, so steht die Satznegation *nicht* hinter ihr (im Unterschied zur Sondernegation der Temporalangabe):

Der Autobus fährt *nicht* zwei Tage.	(= Sondernegation)
Der Autobus fährt zwei Tage *nicht.*	(= Satznegation)

12. Sind die freien Temporalangaben reine Adverbien, so sind zwei Fälle unterscheidbar:

(1) Die Satznegation *nicht* steht *nach* solchen Temporaladverbien, die unabhängig vom Standpunkt des Sprechenden sind (*heute, morgen, gestern, oft, lange* u. a.):

Er besuchte uns gestern *nicht*. (= Satznegation)

Vorangestelltes *nicht* ist immer Sondernegation:

Er besuchte uns *nicht* gestern, sondern vorgestern.

(2) Die Negation *nicht* steht *vor* solchen Temporaladverbien, die vom Standpunkt der Sprechenden abhängig sind (*gleich, bald, spät, zeitig* u. a.) und mit einigen durativen Verben unverträglich sind (*Er blieb gestern*. Aber: **Er blieb spät*.):

Er besucht uns *nicht* bald.
*Er besucht uns bald *nicht*.

Es handelt sich um eine Sondernegation, nicht um eine Satznegation, die hier von der Bedeutung her ausgeschlossen bleibt.

13. Die Negation *nicht* steht *vor* freien Modalangaben, unabhängig davon, ob diese in Gestalt einer Präpositionalgruppe oder eines Modaladverbs realisiert sind:

(1) Er las *nicht* mit guter Aussprache.
(2) *Er las mit guter Aussprache *nicht*.
(3) Er las *nicht* richtig.
(4) *Er las richtig *nicht*.

Allerdings handelt es sich in den Fällen (1) und (3) um Sondernegationen (Er las zwar, aber nicht mit guter Aussprache / aber nicht richtig), nicht um Satznegationen. In Sätzen mit einer Modalbestimmung kann nur diese, nicht aber die gesamte Prädikation negiert werden (ähnlich wie in 12.(2), aber im Gegensatz zu 8., bei dem die Negation auch obligatorisch vor der Adverbialbestimmung steht, aber sowohl als Satz- als auch als Sondernegation verstanden werden kann).

14. Im Gegensatz zu den Modaladverbien (vgl. Fall 13) steht bei Modalwörtern die Negation *nicht* obligatorisch hinter ihnen:

Er besucht uns vermutlich *nicht*.
*Er besucht uns *nicht* vermutlich.

Anmerkung:
Im Unterschied zu den Modaladverbien sind die Modalwörter selbst nicht negierbar, da sie Einstellungsoperatoren sind (vgl. 10.3.).

15. Bei Nebensätzen gelten die gleichen bisher genannten Regularitäten mit dem einen Unterschied, daß bei eingeleiteten Nebensätzen das finite Verb den letzten Platz beansprucht und folglich die Satznegation *nicht* jeweils um eine Stelle nach vorn rücken muß:

. . . , daß er *nicht* arbeitet.
. . . , daß er *nicht* Lehrer wird.

. . . , daß er den Freund *nicht* sieht.
. . . , daß er *nicht* an uns denkt.
. . . , daß er das Buch *nicht* auf den Tisch legt.
. . . , daß er uns *nicht* gern besucht.
. . . , daß er uns vermutlich *nicht* besucht.

11.4. Nicht-Übereinstimmung von Form und Inhalt

11.4.1. Negationsbedeutung ohne oder mit anderem Negationsträger

Da die Negation keine syntaktische, sondern eine semantisch-kommunikative Kategorie ist, wird sie nicht nur durch die in 11.1. bis 11.3. beschriebenen Negationswörter ausgedrückt, die *explizite syntaktische* Negationsträger und zugleich Lexikoneinheiten darstellen. Zu den Konkurrenzformen dieser Negationswörter gehören solche, bei denen die Negation mit Hilfe anderer Mittel oder überhaupt nicht ausgedrückt ist:

1. Es gibt *explizite lexikalische* Negationsträger, vor allen Dingen bestimmte *Wortbildungsmittel*:

(1) Adjektive erhalten eine Sondernegation nicht nur durch *nicht*, sondern auch durch das Präfix *un-*:

Das Buch ist *nicht* interessant.
→ Das Buch ist *un*interessant.
Das Drama ist *nicht* aufführbar.
→ Das Drama ist *un*aufführbar.

Anmerkung:
Nicht alle Adjektive erlauben diese Form der Negation (**unkurz*, **unlang*, **unschlecht*, **unbegeistert*), vor allem nicht ursprüngliche Adjektive mit einem eindeutigen Antonym (*kurz – lang, dick – dünn* u. a.).

(2) Ebenso nehmen manche Substantive das Präfix *un-* zu sich:

*Un*anständigkeit, *Un*aufführbarkeit . . .

(3) Bei manchen Adjektiven erscheint als Negationsträger auch das Suffix *-los*. Es handelt sich um Adjektive, die in der negativen Form direkt vom Substantiv abgeleitet sind (denen oft eine direkte positive Entsprechung fehlt):

erfolg*los*, hilf*los*, recht*los* . . .

Anmerkung:
Im Hinblick auf die beiden expliziten lexikalischen Negationsträger *un-* und *-los* bei Adjektiven lassen sich folgende Gruppen unterscheiden:

(a) Adjektive nur mit *un-*: ungastlich, unmännlich, unnötig, unschlüssig ...
(b) Adjektive nur mit *-los*: hilflos, erfolglos, sprachlos, namenlos, zeitlos ...
(c) Adjektive sowohl mit *un-* als auch mit *-los*:
- *ohne* Bedeutungsunterschied: unmäßig / maßlos, ungefährlich / gefahrlos, unzählig / zahllos, unnütz / nutzlos ...
- *mit* Bedeutungsunterschied: unruhig / ruhelos, unförmig / formlos, unehrlich / ehrlos, unrecht / rechtlos, untröstlich / trostlos ...

(4) Eine Negation wird auch ausgedrückt durch das Element *miß-* bei Verben und Substantiven:

gefallen + neg → *miß*fallen
gelingen + neg → *miß*lingen
Gunst + neg → *Miß*gunst
Erfolg + neg → *Miß*erfolg

Anmerkung:
miß- bezeichnet jedoch in anderen Fällen nicht eine Negation, sondern eine Fehlhandlung:

*miß*deuten (= falsch deuten)
*miß*verstehen (= falsch verstehen)

(5) Auch einige fremde Präfixe wie *a(n)-*, *des-*, *dis-*, *in-* bewirken eine Negation bei Substantiven und Adjektiven:

grammatisch + neg → *a*grammatisch
Interesse + neg → *Des*interesse
Proportion + neg → *Dis*proportion
konsequent + neg → *in*konsequent

2. Es gibt *implizite morphosyntaktische* Negationsträger, die die Negation durch kein spezifisches Lexem an der Oberfläche signalisieren, sie aber inhaltlich enthalten:

(1) Dazu rechnet man einige *Konjunktionen*, die den von ihnen eingeleiteten Nebensatz verneinen:

Er kommt, *ohne daß* er grüßt / *ohne zu* grüßen.
(= Er grüßt *nicht*.)
Er arbeitet, *anstatt daß* er schläft / *anstatt zu* schlafen.
(= Er schläft *nicht*.)
Das Wetter war zu heiß, *als daß* man hätte arbeiten können.
(= Man konnte *nicht* arbeiten.)

(2) Auch der *Konjunktiv Plusquamperfekt* (und bisweilen auch der Konjunktiv Präteritum) in irrealen Konditional- und Wunschsätzen impliziert eine Negation:

Wenn das Wetter schön *gewesen wäre*, *wären* wir spazieren *gegangen*.
(= Das Wetter ist *nicht* schön gewesen, wir sind *nicht* spazieren gegangen.)
Wenn der Brief doch heute *gekommen wäre*!
(= Der Brief ist heute *nicht* gekommen.)

Wenn die Haifische Menschen *wären*, ...
(= Die Haifische sind *keine* Menschen.)

3. Es gibt *implizite lexikalische* Negationsträger, d. h. Verben, die eine Negation des ihnen untergeordneten Satzes ausdrücken, ohne daß diese Negation dort signalisiert wird. Es handelt sich dabei um folgende Verbgruppen:

(1) um Verben des Zurückweisens (z. B. *entkräften*, *widerlegen*, *abstreiten*, *bestreiten*, *ablehnen*, *als falsch nachweisen*):

Er bestreitet, sie im Theater gesehen zu haben.
(Er hat sie im Theater *nicht* gesehen.)

(2) um Verben des Verneinens (z. B. *negieren*, *verneinen*, *widerrufen*, *in Abrede stellen*, *ableugnen*, *für ungültig erklären*):

Er verneint es, in der Stadt gewesen zu sein.
(Er ist *nicht* in der Stadt gewesen.)

(3) um Verben des Verbietens (z. B. *verbieten*, *untersagen*, *abraten*, *warnen*, *abhalten*, *verhindern*, *hindern*, *zurückhalten*):

Er untersagt ihr, in die Stadt zu fahren.
(Sie soll *nicht* in die Stadt fahren.)

(4) um Verben der Weigerung (z. B. *sich weigern*, *unterlassen*, *ablehnen*, *absehen von*, *sich sparen*, *Abstand nehmen*, *verzichten*, *versäumen*):

Ich weigere mich, die Aufgabe zu übernehmen.
(Ich übernehme die Aufgabe *nicht*.)

Anmerkungen:
(1) Obwohl sich die genannten Konkurrenzformen für die Negation durch syntaktische Negationsträger paraphrasieren lassen, sind sie nicht generell austauschbar.

(2) Im Unterschied zu syntaktischen Negationsträgern (die in jedem Text neu generiert werden) sind die lexikalischen Negationsträger mit dem zu negierenden Inhalt zu einer lexikalischen Einheit verschmolzen, sind geronnene Tätigkeiten und als solche fertige, vorgeformte, gespeicherte und in der aktuellen Kommunikation nur reproduzierte Einheiten, die der Nomination des *Ergebnisses* der Negierung dienen.

(3) Im Unterschied zu den expliziten Negationsträgern gehören die impliziten Negationsträger zur „latenten" oder „verdeckten" Grammatik; es sind gemeinte kategoriale Merkmale ohne selbständigen sprachlichen Ausdruck an der Oberfläche.

11.4.2. Negationsträger ohne Negationsbedeutung

Umgekehrt gibt es Fälle, bei denen in der aktualen Gestalt des Satzes ein – allerdings fakultatives – *nicht* stehen kann, ohne daß der Satz inhaltlich eine Negation ausdrückt:

1. Ausrufesätze: Was weiß er *nicht* alles!
(= Was weiß er alles! Er weiß alles.)
2. Fragesätze: Kannst du mir *nicht* helfen?
(= Kannst du mir helfen? Du kannst mir helfen.)

Anmerkungen:
(1) In den Fällen 1 und 2 gehört *nicht* eigentlich nicht zu den Negationswörtern, sondern ist eine Partikel.

(2) Im Falle 2 handelt es sich um eine rhetorische Frage mit einer erwarteten positiven Antwort. Ähnlich taucht *nicht* in der Vergewisserungsfrage auf. Vgl. dazu 16.2.1. Anm. (3).

(3) Auch im Falle der mehrteiligen Konjunktion *nicht nur... sondern auch* hat *nicht* keine Negationsbedeutung:

Er kämpft *nicht nur* für den Frieden, *sondern auch* für den Sozialismus.
(= Er kämpft für den Frieden und für den Sozialismus.)

Im Unterschied zu 1. und 2. ist *nicht* jedoch hier obligatorisch.

Besonderheiten 11.4.3.

1. Enthält ein Satz bereits ein Negationswort – sei es ein Pronomen (*keiner, niemand, nichts*) oder ein Adverb (*nie, nirgends, nirgendwohin*) –, so ist ein zusätzliches Auftreten von *nicht* ausgeschlossen. Eine doppelte Negation ist in der deutschen Gegenwartssprache nicht zulässig, es sei denn als besonderes Stilmittel zur vorsichtigen Bejahung (nur in der Kopplung *nicht – un-* und in der Kopplung *nicht ohne*):

*Niemand besuchte ihn nicht.
Er liest ein *nicht un*interessantes Buch. (= ein ziemlich interessantes Buch)
Er hat die Ansprache *nicht ohne* Spannung verfolgt. (= mit Spannung)

Auch *kaum* und *nicht* schließen einander aus, da *kaum* eine negative Bedeutung hat:

Er wird mich *nicht* besuchen.
Er wird mich *kaum* besuchen. (= höchstwahrscheinlich nicht)
*Er wird mich *kaum nicht* besuchen.

2. Als weitere Besonderheiten des Deutschen seien vermerkt:

(1) Das Negationswort *noch nicht* bezeichnet ein Geschehen, das bis in die Sprechergegenwart nicht eingetreten ist, das Negationswort *nicht mehr* umgekehrt ein Geschehen, das in der Vergangenheit bestand, aber in der Sprechergegenwart nicht mehr besteht:

Er ist *noch nicht* in der Schule.
(Er war und ist nicht in der Schule, wird aber in die Schule kommen.)

Er ist *nicht mehr* in der Schule.
(Er war in der Schule, ist aber nicht länger dort.)

(2) *sogar* + neg ↔ *nicht einmal*:

Er ist *sogar* drei Wochen verreist.	(= Verstärkung, Steigerung)
Er ist *nicht einmal* drei Wochen verreist.	(= Abschwächung, Minderung)

(3) Die Negationswörter *noch nicht, noch immer nicht, immer noch nicht, noch lange nicht, noch gar nicht, nicht mehr* und *nicht einmal* werden nicht durch andere Wörter getrennt, wohl aber das Negationswort *kein ... mehr*.

Er ist *nicht mehr* Lehrer.
Er ist *kein* Lehrer *mehr*.

Satzäquivalente 12.

Syntaktische Beschreibung 12.1.

Als Satzäquivalente werden solche Wörter bezeichnet, die nicht Teil eines Satzes sind, sondern selbst Sätze darstellen. Zu solchen Wörtern mit Satzcharakter gehören Wörter wie *hallo, pfui, au, pst, ah, ja, nein, danke* usw.
Die Satzäquivalente müssen von anderen Wortklassen bzw. -formen abgegrenzt werden, denen ebenfalls in bestimmtem Maße Satzcharakter zugeschrieben werden kann. Das sind 1. die Modalwörter und 2. die Imperativformen (einschließlich bestimmter imperativischer Ersatzformen).

1. Abgrenzung der Satzäquivalente von den Modalwörtern

Geht man allein von der Grundstruktur aus, so ergibt sich eine grundsätzliche Übereinstimmung zwischen Satzäquivalenten und Modalwörtern: Sowohl bei den Satzäquivalenten als auch bei den Modalwörtern handelt es sich um zugrunde liegende Sätze. Ein deutlicher Unterschied besteht dagegen in der syntaktischen Repräsentation beider Wortklassen. Während die Satzäquivalente ihren selbständigen Satzcharakter auch in der konkreten Äußerung erkennen lassen, sind die Modalwörter Teile von Sätzen. Die Satzäquivalente stehen stets außerhalb des Satzverbandes (abgesondert oder isoliert), die Modalwörter treten dagegen im Satzverband als ein normales Stellungsglied auf. Man vergleiche:

Vielleicht kommt er.	(Modalwort)
*Ja kommt er.	(Satzäquivalent)
→ Ja, er kommt.	

Dieser Unterscheidung widersprechen auch nicht jene Modalwörter, die wie die Satzäquivalente in abgesonderter Stellung auftreten:

Tatsächlich, es schneit.	(Modalwort)
Ah, es schneit.	(Satzäquivalent)

Den Unterschied macht die Wortstellungstransformation deutlich. Während das Modalwort in den Satz hineintreten und die erste Stelle einnehmen kann, ist dies beim Satzäquivalent nicht möglich:

→ Tatsächlich schneit es.
→ *Ah schneit es.

2. Abgrenzung der Satzäquivalente von den Imperativformen

Geht man allein von der syntaktischen Repräsentation aus, so muß man sowohl den Imperativformen (Sing. und Pl.) als auch bestimmten imperativischen Ersatzformen den gleichen Satzcharakter wie den Satzäquivalenten zuerkennen. Wie die Satzäquivalente erscheinen auch die Imperativformen gewöhnlich als „Einwortsätze“:

Geh! Kommt!
Setzen! Aufgestanden! Hilfe!

Der Unterschied wird erst deutlich, wenn man die Imperativformen auf ihre Grundstruktur zurückführt, wobei obligatorisch ein zusätzliches Subjekt auftritt:

Geh! ← Geh du!
Setzen! ← Setz du dich!
← Setzt ihr euch!
← Setzen Sie sich!

12.2. Semantische Beschreibung

Dem grundsätzlich gleichen syntaktischen Verhalten der oben genannten Wörter, aus dem sich die Wortklasse der Satzäquivalente ergibt, entspricht nicht ein ebenso einheitlicher semantischer Charakter dieser Wörter. Auf Grund semantischer Besonderheiten ergeben sich folgende Gruppen:

1. Interjektionen
2. ja, nein, doch
3. bitte, danke

1. Interjektionen

Die Interjektionen können nach dem subjektiven Kriterium der von ihnen ausgedrückten Gefühlswerte (Freude, Schmerz, Zweifel usw.) eingeteilt werden. Dabei ist zwischen Interjektionen mit einem relativ eindeutigen Gefühlsausdruck und Interjektionen, die in ihrer Bedeutung nur vom Kontext her zu bestimmen sind, zu unterscheiden. Der Satzart nach repräsentieren die Interjektionen in der Regel Ausrufesätze, was graphisch durch das Ausrufezeichen und intonatorisch durch eine stärkere Druckbetonung zum Ausdruck kommt.

(1) Interjektionen mit eindeutigem Gefühlsausdruck
Freude: *heißa, hurra, juchhe*
Ekel: *äks, pfui, puh*
Furcht: *uh, hu(hu)*
Schmerz: *au(a), (o) weh*
Spott: *ätsch*
Verwunderung: *hoho, nanu*

„Hurra!“ schrien die Fußballanhänger, als das Ausgleichstor fiel.
„Hu, hu!“ machte der Junge hinter der Tür, um seine Schwester zu erschrecken.

„Pfui, schäme dich!“ sagte die Mutter zu ihrem Kind. „Solche Wörter sagt man nicht.“
„Au, du hast mich getreten!“ sagte das Mädchen zu ihrem Tanzpartner.
„Nanu, wo kommst du denn her?“ rief er aus, als er mich sah.

(2) Interjektionen mit mehrdeutigem Gefühlsausdruck

ach (Bedauern, Schmerz, Sehnsucht, Verwunderung, plötzlicher Einfall)
ah (Bewunderung, Freude, Verwunderung)
hm (Behagen, Nachdenken, Verwunderung, Zustimmung)

„Ach, du armes Kind! Tut es sehr weh?“ (Bedauern, Mitleid)
„Ach Gott! Wie soll ich die ganze Arbeit allein schaffen?“ (Klage, Schmerz)
„Ach, wenn es doch immer so blieb!“ (Sehnsucht; Volkslied)
„Die Arbeit ist schon fertig? Ach!“ (Verwunderung)
„Ach, was ich noch sagen wollte! . . .“ (plötzlicher Einfall)

Anmerkung:
Eine besondere Gruppe bilden Interjektionen wie *heda, hallo, pst, sch* u. ä. Diese Interjektionen sind nicht expressive Gefühlsäußerungen, sondern besondere Ausdrucksformen der Aufforderung. Der Satzart nach handelt es sich nicht um Ausrufe-, sondern um Aufforderungssätze.

„Heda! Machen Sie das Tor auf!“
„Hallo! Hallo! Hört hier denn niemand?“
„Pst, pst! Seid doch endlich still.“

2. ja, nein, doch

Die Satzäquivalente *ja, nein, doch* sind Antworten auf Entscheidungsfragen. Jedes dieser Elemente steht alternativ-obligatorisch zu dem den Inhalt der Frage wiederholenden Antwortsatz:

Stimulus: „Bist du bei ihm gewesen?“
Reaktion: (1) „*Ja.*“
(2) „Ich war dort.“
(3a) „*Ja*, ich war dort.“

Bei (1) handelt es sich um die isolierte Stellung des Satzäquivalents, bei (3a) um die abgesonderte Stellung. Die Kombination (3a) ist in der Regel nur bei Hervorhebung üblich. Häufiger steht das Satzäquivalent in abgesonderter Stellung vor einer weiterführenden Aussage:

Reaktion: (3b) „Ja, aber ich habe ihn nicht angetroffen.“

Für die Bedeutungsunterscheidung von *ja, nein* und *doch* gilt folgende Grundregel:
Durch *ja* wird die Bestätigung, durch *nein* die Verneinung einer Entscheidungsfrage ohne Negationselement ausgedrückt; *nein* dient außerdem zur Bestätigung einer Entscheidungsfrage mit Negationselement, *doch* zur Verneinung derselben. Vgl. dazu genauer 16.2.1.

3. bitte, danke

bitte und *danke* als Satzäquivalente drücken entsprechend ihrer Entstehung aus Verbformen Bitte bzw. Dank aus. In dieser Bedeutung kann *bitte* auch eine höfliche Umschreibung von *ja*, *danke* eine höfliche Umschreibung von *nein* sein. Vielfach stehen *bitte* und *danke* jedoch als bloße Höflichkeitsformeln.
Das Verhalten von *bitte* und *danke* im konkreten Satz ist verschieden. Während *danke* nur als Sprecherreaktion auf eine Frage oder Aussage steht, kann *bitte* außerdem in Aufforderungen erscheinen. Als Sprecherreaktion treten *bitte* und *danke* häufig in isolierter Stellung auf (1), *bitte* in Aufforderungen ist gewöhnlich nur in abgesonderter Stellung möglich (2).

(1) Stimulus: „Ich danke Ihnen für Ihre Bemühungen."
Reaktion: „*Bitte* (, gern geschehen)."
Stimulus: „Ich habe das Buch für Sie mitgebracht."
Reaktion: „*Danke* (, das war sehr nett von Ihnen)."
Stimulus: „Möchten Sie noch eine Tasse Tee?"
Reaktion: „*Bitte* (, aber nur halb voll)." (= Ja.)
„*Danke* (, ich möchte nicht mehr)." (= Nein.)
Stimulus: „Darf ich hier Platz nehmen?"
Reaktion: „*Bitte* (, der Platz ist noch frei)." (= Ja.)
„*Nein* (, der Platz ist besetzt)."

(2) Stimulus: „*Bitte*, treten Sie ein!"
„*Bitte*, nehmen Sie Platz!"

Anmerkung:
Das abgesonderte *bitte* – vor allem in Aufforderungen – kann auch eingeschoben oder nachgetragen stehen. Gelegentlich wird es dabei nicht durch Kommas abgetrennt:

„Treten Sie (,) *bitte* (,) ein!"
„Nehmen Sie Platz, *bitte*!"

Der Satz

Satzglieder 13.

Wesen der Satzglieder 13.1.

Die Umstellprobe und die Ersatzprobe zeigen, daß es neben den Wortklassen noch eine weitere Ebene in der Grammatik gibt, die zwischen Wort und Satz liegt: die *Satzglieder.*

Er legt das Buch *auf den Tisch.*
Umstellprobe: *Auf den Tisch* legt er das Buch.
Ersatzprobe: *Dorthin* legt er das Buch.

Dieses Beispiel läßt deutlich werden, daß ein Satzglied entweder aus einem Wort oder aus mehreren Wörtern bestehen kann, daß dasselbe Satzglied durch verschiedene Wortklassen repräsentiert werden kann.
Die Satzglieder lassen sich im Hauptsatz (Aussagesatz) um das finite Verb (2. Position) herum bewegen:

Er *liest* gern Romane.
Gern *liest* er Romane.
Romane *liest* er gern.

Keine Satzglieder sind demnach:

1. alle Wörter, die sich nicht allein um das finite Verb in der 2. Position bewegen lassen; sie stellen niedrigere Einheiten als Satzglieder dar:

(1) Präpositionen
(2) Partikeln
(3) Sondernegationen
(4) Attribute
(5) Artikelwörter

2. alle Wörter, die sich auf mindestens zwei Satzglieder beziehen:

(1) Satznegationen
(2) Konjunktionen

(3) Interjektionen und andere Satzäquivalente (*ja – nein, bitte – danke*), die auch im konkreten Satz außerhalb des Satzverbandes stehen. (vgl. 12.)

Als Satzglieder sind dagegen anzusehen:

(1) Nebensätze
(2) Infinitiv- und Partizipialkonstruktionen
(3) einfache Infinitive (mit oder ohne *zu*).

Dabei stellen (1) und (2) – da sie sich selbst wieder in Glieder zerlegen lassen – zugleich höhere Einheiten als Satzglieder dar. Bei (1) bis (3) handelt es sich um syntaktische Einheiten, die sich durch ihren verbalen Charakter von den anderen Satzgliedern unterscheiden und deshalb von der Behandlung in diesem Kapitel ausgeschlossen werden.

13.2. Liste der morphologisch-syntaktischen Stellungsglieder

Die morphologische Analyse der Strukturen, die durch die Umstellprobe als Glieder ermittelt sind, ergibt die morphologisch-syntaktischen *Stellungsglieder*:

1. finites Verb

Er *arbeitet.*

2. Infinitiv des Verbs

Er wird *arbeiten.*
Er hat *zu arbeiten.*

3. Partizip des Verbs

Er hat *gearbeitet.*
Sie ist *entzückend.*

4. Präposition + Partizip des Verbs

Alle hielten die Rede *für gelungen.*
Ich halte die Aufgabe *für lohnend.*

5. Nominativ des Substantivs (oder des substantivischen Pronomens)

Der Pionier (*er*) schreibt einen Brief.

6. Akkusativ des Substantivs (oder des substantivischen Pronomens)

Der Brigadier begrüßt *den Arbeiter* (*ihn*).

7. Dativ des Substantivs (oder des substantivischen Pronomens)

Der Schüler antwortet *dem Lehrer* (*ihm*).

8. Genitiv des Substantivs (oder des substantivischen Pronomens)

Der Veteran erinnert sich *jenes Tages* (*dessen*).

9. Präposition + Substantiv (oder substantivisches Pronomen)

Die Mutter wartet *vor der Schule*.
Er denkt *an seinen Freund* (*an ihn*).

10. Adjektiv (undekliniert oder dekliniert)

Er ist *gesund*.
Der Stoff ist *der teuerste*.

11. Präposition + Adjektiv

Die Professorin hält das Thema *für interessant*.

12. Adverb

Er sitzt *dort*.

13. Präposition + Adverb

Sie kommt *von dort*.

Diese Stellungsglieder enthalten jeweils ein Element der vier Haupt-Wortklassen im Deutschen (Verb, Substantiv, Adjektiv, Adverb), die selbständige Wortklassen und keine bloßen Funktionswörter (wie Artikel, Präposition, Konjunktion, Partikel, Modalwort) sind. Allerdings sind die Stellungsglieder – wie sie nur durch Oberflächenproben an konkreten Sätzen ermittelt worden sind – noch keine Satzglieder im vollen Sinne des Wortes.

Beschreibung der syntaktisch-strukturellen Funktionsglieder (= Satzglieder) 13.3.

Die *Satzglieder* werden durch folgende Faktoren charakterisiert:

1. ihre Abhängigkeitsstruktur;
2. die Substitutionsmöglichkeiten, d. h. die morphologisch-syntaktischen Stellungsglieder, durch die sie repräsentiert werden können;
3. die Transformationsmöglichkeiten;
4. ihre Valenzeigenschaften, d. h. ihr obligatorisches, fakultatives oder freies Auftreten.

Anmerkungen:
(1) Die Unterscheidung zwischen „Stellungsgliedern" und „Funktionsgliedern" beruht darauf, daß Stellungsglieder (durch Oberflächenproben ermittelte) Konstituenten sind, die ihren Platz in der Konstituentenstruktur des Satzes haben, daß Funktionsglieder nicht direkt, sondern über die Konstituentenstruktur (über die Stellungsglieder) mit den Wortklassen verbunden sind. Die Konstituentenstruktur vermittelt somit zwischen Wortklasse und

Satzglied: Jede Wortklasse ist Teil einer bestimmten Konstituente, und die Konstituenten üben im Rahmen der gesamten Konstituentenstruktur eine bestimmte Funktion aus, durch die sich der Status des Satzglieds (als Funktionsglied) realisiert.
Bei der Zuordnung von Wortgruppen und Konstituenten (z. B. Substantivgruppen, Präpositionalgruppen) und Satzgliedern wird unterschieden zwischen *einfunktionalen* Konstituenten (die nur *einen* Platz in der Konstituentenstruktur einnehmen können) und *mehrfunktionalen* Konstituenten (die *mehrere* Plätze in der Konstituentenstruktur einnehmen können). Mehrfunktionale Wortgruppen sind z. B. die Substantivgruppe (die als Subjekt, als Objekt, als Prädikativ oder als Adverbiale fungieren kann) oder die Präpositionalgruppe (die als Adverbiale, als Objekt oder als Prädikativ fungieren kann). Eine einfunktionale Konstituente ist das finite Verb, das nur als Prädikat fungieren kann.

(2) Wie die Satzglieder nicht *morphologisch* definiert werden können, so können sie auch nicht *semantisch* definiert werden: Eine Konstituente ist nicht deshalb ein Subjekt, *weil* sie morphologisch als Substantiv im Nominativ auftritt (sie könnte in diesem Falle auch Prädikativ sein) oder *weil* sie semantisch ein Agens darstellt (ein solches Agens kann auch durch ein anderes Satzglied repräsentiert werden). Ebensowenig ergibt sich der Satzglied-Charakter aus der *kommunikativen* Mitteilungsperspektive (Thema-Rhema-Gliederung), kann etwa das Subjekt mit dem Thema („das, worüber etwas ausgesagt wird") identifiziert werden. Vielmehr sind diese Ebenen (die morphologische, syntaktische, semantische und kommunikative Ebene) indirekt und vermittelt einander zugeordnet. Die Oberflächenkasus (Nominativ, Akkusativ usw.) üben unterschiedliche Funktionen als Satzglieder aus (vgl. dazu genauer 2.4.3.4.), und umgekehrt werden die einzelnen Satzglieder durch unterschiedliche morphologische Stellungsglieder realisiert. Wie die morphologischen Oberflächenkasus unterschiedliche Satzglieder repräsentieren können, so haben die Satzglieder (als syntaktische Funktionen) ihrerseits unterschiedliche semantische Funktionen (z. B. Agens, Patiens): zu dieser Zuordnung von Satzgliedern und semantischen Kasus vgl. ausführlicher in 2.4.3.5.1. und in 13.4.

Nach diesen Kriterien werden folgende Satzglieder unterschieden, die hier nur nach ihren differenzierenden Eigenschaften beschrieben werden.

13.3.1. Prädikat

13.3.1.1. Finites Verb

1. Das finite Verb ist dasjenige Satzglied, das eine feste Position im Satz einnimmt und um das herum im Hauptsatz (Aussagesatz) sich die anderen Satzglieder bewegen. In der Abhängigkeitsstruktur nimmt es folgenden Platz ein:

liest
er ein Buch

2. Am finiten Verb können Veränderungen vorgenommen werden im Tempus (1), im Genus (2), im Modus (3) und in der Modalität (4):

(1) Er *liest* ein Buch.
→ Er *hat* ein Buch *gelesen.*
(2) Er *liest* ein Buch.
→ Ein Buch *wird* von ihm *gelesen.*
(3) Er *kam* pünktlich.
→ Er *käme* pünktlich.
(4) Er *liest* ein Buch.
→ Er *möchte* ein Buch *lesen.*

3. Das finite Verb ist obligatorisch:

Er *liest* ein Buch.
→ *Er ein Buch.

Anmerkung:
Ausnahmen sind bestimmte „Einwortsätze“ ohne finites Verb:

Feuer! – Hilfe! – Wo liegt das Buch? *Dort. – Still!*

Grammatischer Prädikatsteil 13.3.1.2.

In bestimmten Konstruktionen (z. B. Perfekt, Passiv) besteht das Prädikat aus zwei oder mehr Teilen. Der nicht-finite, aber verbale Teil des Prädikats wird als grammatischer Prädikatsteil bezeichnet.

1. Der grammatische Prädikatsteil hat folgende Abhängigkeitsstruktur:

```
┌─hat────┬───gelesen
er      das Buch
```

2. Der grammatische Prädikatsteil kann durch folgende morphologische Stellungsglieder repräsentiert werden:

(1) Infinitiv des Verbs (bei temporalen und modalen Hilfsverben)

Er wird das Buch *lesen.*
Er will das Buch *lesen.*

(2) Partizip des Verbs

Er hat das Buch *gelesen.*

3. Die zusammengesetzten Tempus- (1) und Genusformen (2) ebenso wie die abgeleiteten Formen des Modus (3) und der Modalität (4) lassen sich auf die einfachen Grundformen zurückführen:

(1) Er *hat* ein Buch *gelesen.*
→ Er *liest* ein Buch.
(2) Das Buch *wurde gelesen.*
→ Man *las* das Buch.
(3) Er *käme* pünktlich.
→ Er *kam* pünktlich.
(4) Er *will* heute *kommen.*
→ Er *kommt* heute.

4. Die grammatischen Prädikatsteile sind obligatorisch. Ihre Eliminierung führt entweder zu ungrammatischen Sätzen

Er *wird* eine Frage *stellen.*
→ *Er *wird* eine Frage.

oder zu grammatischen bzw. semantischen Veränderungen des Satzes

Er *hat* das Buch *gelesen.*
↛ Er *hat* das Buch.

13.3.1.3. Lexikalischer Prädikatsteil

Als lexikalischer Prädikatsteil wird der nicht-finite Teil des Prädikats verstanden, der aus lexikalischen oder Wortbildungsgründen steht.

1. Der lexikalische Prädikatsteil hat die gleiche Abhängigkeitsstruktur wie der grammatische Prädikatsteil:

```
┌fährt———Auto
er
```

2. Als lexikalischer Prädikatsteil erscheinen folgende morphologische Stellungsglieder:

(1) Substantiv (neben Vollverben)

Er fährt *Auto.*
Die Assistentin schreibt *Maschine.*

(2) Substantiv (neben kopulaähnlichen Verben)

Dieses Ergebnis bedeutet *eine Niederlage.*
Das Fest stellt *ein großes Ereignis* dar.

(3) Präfix und Adverb („Verbzusätze")

Das kommt ihm überzeugend *vor.*
Sie geht ins Haus *hinein.*

(4) Adjektiv

Wir essen uns *satt.*
Die Sekretärin schreibt gern *blind.*

(5) Reflexivpronomen *sich* (bei reflexiven Verben und in reflexiven Formen)

Sie entschließt *sich* zu diesem Lehrgang.
Das Kind schämt *sich* vor der Mutter.
Das Buch liest *sich* spannend.

Anmerkung:
Als lexikalischer Prädikatsteil wird das Reflexivpronomen *sich* nur in den Arten der Verwendung angesehen, in denen es nicht durch andere Glieder

substituiert werden kann (vgl. 1.10.). Das Reflexivpronomen *sich* in reflexiven Konstruktionen ist dagegen Sonderfall eines Objekts.

(6) Substantive und Präpositionalgruppen neben Funktionsverben (als nominale Komponenten im Funktionsverbgefüge) (vgl. ausführlicher 1.4.3.1.)

Wir geben ihm *Nachricht.*
Das Theater bringt das Stück *zur Aufführung.*

(7) Infinitiv des Verbs (mit oder ohne *zu*)

Sie lernten sich *kennen.*
Er hat gut *reden.*
Er hat nichts *zu sagen.*
Er pflegt gründlich *zu arbeiten.*

Anmerkung:
Bei den unter (7) genannten Infinitiven handelt es sich nur um solche, die mit dem finiten Verb eine enge Einheit bilden und keine gesonderte Prädikation enthalten:

Er lernt sie kennen.
← *Er lernt sie. Er kennt sie.

Aber:

Er sah sie kommen.
← Er sah sie. Sie kam.

3. Der lexikalische Prädikatsteil ist obligatorisch

Wir *essen* uns *satt.*
→ *Wir *essen* uns.

oder fakultativ

Er *fährt Auto.*
→ Er *fährt.*

Prädikativ (= Subjektsprädikativ) 13.3.1.4.

Das Prädikativ steht bei bestimmten Klassen von Verben. Es wird zumeist als nicht-finiter und nicht-verbaler Teil des Prädikats aufgefaßt (weil die bei ihm auftretenden Verben – z. B. die Kopulaverben – semantisch relativ leer sind), obwohl es sich durch die Permutierbarkeit und die Abhängigkeitsstruktur als selbständiges Satzglied erweist. Abhängig von den Klassen der finiten Verben können zwei Arten des Prädikativs unterschieden werden, die sich in gewissem Maße – in der Abhängigkeitsstruktur und in den Transformationen – voneinander unterscheiden. Grundsätzlich ist das Prädikativ obligatorisch:

Er ist *groß.*
→ *Er ist.

13.3.1.4.1. Prädikativ bei Kopulaverben *(sein, werden, bleiben)*

1. Das Prädikativ bei Kopulaverben hat folgende Abhängigkeitsstruktur:

```
┌────ist────┐
er──────────groß
```

2. Dieses Prädikativ kann durch folgende morphologisch-syntaktische Stellungsglieder repräsentiert werden:

(1) Substantiv im Nominativ

Er ist *Student.*
Der Lehrer wird ein guter *Schuldirektor.*

(2) Adjektiv (oder Partizip)

Seine Tochter ist *begabt.*
Der Bastler ist *geschickt.*
Der Patient wird nach der Operation bald *gesund.*

(3) Präposition + Substantiv

Diese Frage ist *von Bedeutung.*

(4) (Präposition +) Adverb

Diese Zeitung ist *von heute.*
Der Lehrer ist *dort.*
Sein Versuch war *vergebens / anders.*

3. Das Prädikativ bei *sein* kann in ein Attribut transformiert werden:

(1) Hans ist *Student.*
→ der Student Hans
(2) Der Lehrer ist *begabt.*
→ der begabte Lehrer
(3) Das Problem ist *von Bedeutung.*
→ das Problem von Bedeutung
(4) Die Zeitung ist *von heute.*
→ die Zeitung von heute

Anmerkungen:
(1) Im Unterschied zu *sein* ist die Verwendung von *bleiben* und *werden* als Kopulaverben dieser Gruppe eingeschränkt:

Seine Tochter ist begabt.
*Seine Tochter bleibt begabt.
*Seine Tochter wird begabt.

(2) Die als temporale oder lokale Adverbien in 2. (4) auftretenden Glieder und die entsprechenden Präpositionalgruppen werden manchmal nicht als Prädikative, sondern als Adverbialbestimmungen aufgefaßt:

Die Versammlung ist *am Abend (abends).*
Der Lehrer ist *in der Schule (dort).*

Eine solche Interpretation setzt jedoch die Trennung von mehreren Bedeutungsvarianten des Verbs *sein* voraus [im Falle unserer Beispiele Ersatz von *sein* durch *stattfinden* bzw. *sich befinden* und nach diesem Kriterium Ausschluß aus der Gruppe der nur kopulativen Verben (*sein*-Verben)] und kann nicht allein durch die temporale oder lokale Bedeutung motiviert werden (da Satzgliedern nicht in *direkter* Weise Bedeutungen zugeordnet sind und Ort u. a. nicht nur bei den Adverbialbestimmungen, sondern auch bei anderen Satzgliedern vorkommt; vgl. ausführlicher 13.4.).

Prädikativ in passiven Sätzen mit den Verben *nennen, finden* u. a. 13.3.1.4.2.

1. Das Prädikativ bei diesen Verben entspricht einem Objektsprädikativ in aktiven Sätzen (vgl. 13.3.1.5.) und entsteht aus diesem durch eine Passivtransformation. Es hat folgenden Ort in der Abhängigkeitsstruktur:

```
┌—wird————————genannt
|                 |
sie——————————ein Talent
```

2. Dieses Prädikativ kann durch folgende morphologisch-syntaktische Stellungsglieder repräsentiert werden:

(1) Substantiv im Nominativ

Die Leipziger Messe wird *ein Welthandelsplatz* genannt.

(2) (Präposition +) Adjektiv

Sie wird *liebenswert* genannt.
Seine Ausführungen werden *für wichtig* gehalten.

(3) Präposition + Substantiv

Sie wird *für ein Talent* gehalten.
Der Schwimmer wird *als Spitzensportler* bezeichnet.

(4) Adverb

Er wird *so* genannt.

3. Für das Prädikativ in passiven Sätzen ist die Passivtransformation charakteristisch:

Die Leipziger Messe wird *ein Welthandelsplatz* genannt.
← Man nennt die Leipziger Messe *einen Welthandelsplatz.*
Sie wird *für klug* gehalten.
← Man hält sie *für klug.*

Anmerkung:
Die syntaktischen Unterschiede zwischen den beiden Arten von Subjektsprädikativen finden semantisch ihren Ausdruck darin, daß bei den passiven Sätzen mit *nennen* u. a. das Prädikativ nicht direkt auf das Subjekt bezogen wird, sondern immer über das Verb (das nicht *sein* ist): Wenn sie ein Talent *genannt wird,* braucht sie noch kein Talent zu *sein.* Der nur bei diesen Sätzen vorhandene zusätzliche Akzent einer Sprecherstellungnahme zeigt sich auch in einer verschiedenen Attribuierungstransformation:

der Student *ist* begabt. (= 13.3.1.4.1.)
→ *der begabt *seiende* Student
→ der begabte Student

Der Student *wird* begabt *genannt.* (= 13.3.1.4.2.)
→ der begabt *genannte* Student
↛ der begabte Student

Vgl. dazu auch 13.3.1.5.3.

13.3.1.5. Objektsprädikativ

1. Das Objektsprädikativ ist ein nicht-verbaler Teil des Prädikats, der sich nicht auf das Subjekt (wie 13.3.1.4.), sondern auf das Objekt bezieht und folgende Abhängigkeitsstruktur hat:

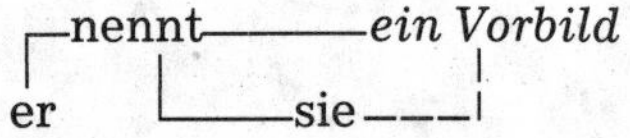

```
┌─nennnt────────ein Vorbild
│      │                  │
er     └──────sie ───────┘
```

2. Das Objektsprädikativ kann durch folgende morphologisch-syntaktische Stellungsglieder repräsentiert werden:

(1) Substantiv im Akkusativ

Der Journalist nennt die Leipziger Messe *einen Welthandelsplatz.*

(2) (Präposition +) Adjektiv

Er findet sie *liebenswert.*
Ich halte seine Worte *für wichtig.*

(3) Präposition + Substantiv

Alle finden es *in Ordnung.*

(4) Adverb

Man nennt ihn *so.*

3. Das Objektsprädikativ kann wie folgt transformiert werden:

(1) in ein Subjektsprädikativ durch eine Passivtransformation (vgl. 13.3.1.4.2.):

Er findet sie *liebenswert.*
→ Sie wird von ihm *liebenswert* gefunden.

Er nennt sie *ein Vorbild.*
→ *Ein Vorbild* wird sie von ihm genannt.

(2) in ein Attribut:

Er nennt die Freundin *entzückend.*
→ die entzückend genannte Freundin

Daneben kann es gemeinsam mit anderen Gliedern noch wie folgt transformiert werden:

(3) in einen Nebensatz:

Er findet sie *entzückend.*
→ Er findet, daß sie entzückend ist.

Die Transformation (3) hängt davon ab, ob im Stellenplan des Verbs ein NS enthalten ist:

Sie schilt ihn *einen Lügner.*
→ Sie schilt ihn, daß er ein Lügner sei.
Sie nennt ihn *einen Helden.*
→ *Sie nennt ihn, daß er ein Held sei.

Anmerkungen:
1. Das Objektsprädikativ kommt nur bei einer beschränkten Zahl von Verben vor (*nennen, finden, halten für, bezeichnen als* u. a.). Das Vorkommen von *als* und *für* ist nur eine morphologische Besonderheit, die keinen Einfluß auf Syntax und Semantik hat.

2. Die bei *nennen* vorkommenden zwei Akkusative haben einen unterschiedlichen syntaktischen Status: Der eine Akkusativ ist Objekt und wird durch die Passivtransformation zum Subjekt, der zweite Akkusativ ist Objektsprädikativ und wird durch die Passivtransformation zum Subjektsprädikativ (vgl. 13.3.1.4.2.):

Er nennt *seinen Freund ein Vorbild.*
→ *Sein Freund* wird (von ihm) *ein Vorbild* genannt.

Subjekt — Subjektsprädikativ

4. Das Objektsprädikativ ist obligatorisch:

Er findet sie *entzückend.*
↛ Er findet sie.

Anmerkung:
Als besondere Art des Objektsprädikativs muß das Adjektiv in folgenden Sätzen angesehen werden:

Der Alkohol machte ihn *müde.*
Er trinkt das Glas mit einem Zuge *leer.*

Es handelt sich um kausative Verben, die einen Zustand bewirken, der dem Objekt zugesprochen wird:

← Der Alkohol machte (veranlaßte), daß er müde war.
← Er macht (veranlaßt, trinkt), daß das Glas leer ist.

Eine Passivtransformation ist möglich (das Adjektiv wird zu einer besonderen Art des Subjektsprädikativs), dabei bleibt jedoch die Kausativität ausgedrückt (das unterscheidet diese Art des Subjektsprädikativs von den beiden anderen Arten – vgl. unter 13.3.1.4.1. und 13.3.1.4.2.):

→ Er wurde von dem Alkohol müde *gemacht.*
→ Das Glas wurde von ihm in einem Zuge leer *getrunken.*

13.3.2. Subjekt

1. Das Subjekt hat folgende Abhängigkeitsstruktur:

```
        ┌──────liest──────┐
Der Arbeiter          ein Buch
```

2. Das Subjekt wird morphologisch durch ein Substantiv (oder ein substantivisches Pronomen) im Nominativ repräsentiert:

Der Arbeiter (er) liest ein Buch.

3. Für die Formen des Substantivs als Subjekt sind zwei Transformationen charakteristisch:

(1) Durch eine Nominalisierungstransformation wird das substantivische Subjekt zum Genitivattribut:

Der Arbeiter liest.
→ das Lesen *des Arbeiters*
Das Kind weint.
→ das Weinen *des Kindes*

(2) Durch eine Passivtransformation wird das substantivische Subjekt zum Präpositionalobjekt (mit *von* oder *durch*):

Der Arbeiter liest das Buch.
→ Das Buch wird *von dem Arbeiter* gelesen.

Dem entsprechen zwei Transformationen für das substantivische Pronomen als Subjekt:

(3) Durch eine Nominalisierungstransformation wird das substantivische Pronomen zum Possessivpronomen:

Er liest.
→ *sein* Lesen

(4) Unter der Passivtransformation verhält sich das substantivische Pronomen wie das Substantiv als Subjekt [vgl. (2)]:

Er liest das Buch.
→ Das Buch wird *von ihm* gelesen.

4. Das Subjekt ist in der Regel obligatorisch:

Er liest ein Buch.
→ *Liest ein Buch.

In einigen Fällen steht ein fakultatives Korrelat an Stelle des Subjekts:

(1) Mich gelüstet *es* danach.
→ Mich gelüstet danach.
(2) Mich freut *die Tatsache*, daß er kommt.
→ Mich freut, daß er kommt.

 Vgl. dazu 6.2.

Anmerkungen:
(1) Der Imperativ der 2. Person hat im konkreten Satz kein Subjekt:

Lies! – Lest!

Ebenso haben verschiedene Konkurrenzformen des Imperativs im konkreten Satz kein Subjekt:

Lesen! – Stillgestanden!

Vgl. dazu 16.3. (5).

(2) Als formales Subjekt (weitgehend oder vollständig funktionsleer) muß *es* in einer bestimmten Verwendung angesehen werden (vgl. 6.3.1.):

Es handelt sich um schwer lösbare Probleme.
Es gibt viele ungeklärte Fragen.

Objekt 13.3.3.

Allgemeines 13.3.3.1.

Folgende Arten von Objekten werden unterschieden:

Akkusativobjekt
Dativobjekt
Genitivobjekt
Präpositionalobjekt

Die Objekte haben folgende Merkmale:

1. Sie nehmen folgenden Ort in der Abhängigkeitsstruktur ein:

```
┌─liest─┐
er      das Buch
```

2. Die Objekte werden – wie das Subjekt – morphologisch durch ein Substantiv (allerdings im Akkusativ, Dativ, Genitiv oder mit Präposition) oder ein entsprechendes substantivisches Pronomen repräsentiert:

Das Mädchen liest *ein Buch (es).*
Er hilft *seinem Freund (ihm).*
Der Ausländer erinnert sich *seines Freundes (seiner).*
Der Vater denkt *an seine Kinder (an sie).*

Anmerkungen:
(1) Objekte können immer durch ein Pronomen, aber niemals durch ein Adverb substituiert werden. Deshalb ist das Substantiv im Akkusativ im folgenden Satz auch kein Akkusativ*objekt*:

Er liest *den ganzen Tag.*
→ Er liest *heute (oft, täglich).*

(2) Im Unterschied zu den anderen Objekten hat das Präpositionalobjekt eine zusätzliche morphologische Repräsentationsmöglichkeit durch ein Pronominaladverb. Wenn das im Objekt dargestellte Substantiv keine Person ist,

kann es durch ein Pronominaladverb substituiert werden (vgl. dazu genauer 2.3.2.7.):

Sie dachten *an das Geschenk.*
→ Sie dachten *daran.*

3. Die Objekte sind entweder obligatorisch (1) oder fakultativ (2):

(1) Er zeigt ihm *den Weg.*
→ *Er zeigt ihm.

Der Pionier erweist *ihm* Hilfe.
→ *Der Pionier erweist Hilfe.

Die Bevölkerung gedenkt *des Arbeiterveteranen.*
→ *Die Bevölkerung gedenkt.

Der Dozent verweist *auf seinen Artikel.*
→ *Der Dozent verweist.

(2) Er liest *ein Buch.*
→ Er liest.

Der Pionier hilft *seinem Freund.*
→ Der Pionier hilft.

Er erinnert sich *seines Freundes.*
→ Er erinnert sich.

Er wartet *auf seine Eltern.*
→ Er wartet.

Anmerkung:
Der freie Dativ und ähnliche Präpositionalgruppen werden nicht als Objekt, sondern als sekundäres Satzglied angesehen (vgl. 13.3.5.).

Neben den unter 1. bis 3. genannten Gemeinsamkeiten aller Objekte gibt es einige spezifische Merkmale, die die einzelnen Objekte voneinander unterscheiden.

13.3.3.2. Akkusativobjekt

1. Das Akkusativobjekt wird durch eine Passivtransformation zum Nominativsubjekt des passiven Satzes:

Er liest *das Buch.*
→ *Das Buch* wird von ihm gelesen.

2. Das Akkusativobjekt wird durch eine Nominalisierungstransformation zum Genitivattribut:

Er liest *das Buch.*
→ das Lesen *des Buches*

Anmerkung:
Da durch eine Nominalisierungstransformation sowohl das Subjekt als auch das Akkusativobjekt zum Genitivattribut wird, ist das Genitivattribut manchmal mehrdeutig:

die Kontrolle *der Dienststelle*
← (1) *Die Dienststelle* kontrolliert X.
← (2) X kontrolliert *die Dienststelle.*

3. In Einzelfällen ist – bei Verben ohne nominativisches Subjekt – eine Verwandlung des Akkusativs in den Nominativ möglich:

Mich friert.
→ *Ich* friere.

Anmerkung:
Als formales Objekt (weitgehend oder vollständig funktionsleer) muß *es* in einer bestimmten Verwendung angesehen werden (vgl. 6.3.2.):

Sie haben *es* auf uns abgesehen.
Er meint *es* gut mit ihr.

Dativobjekt 13.3.3.3.

1. Das Dativobjekt bleibt von der Passivtransformation unberührt:

Er hilft *seinem Freund.*
→ *Seinem Freund* wird geholfen.

2. Das Dativobjekt wird durch eine Nominalisierungstransformation zum präpositionalen Attribut:

Er hilft *dem Freund.*
→ seine Hilfe *für den Freund*

Genitivobjekt 13.3.3.4.

1. Das Genitivobjekt bleibt von der Passivtransformation unberührt:

Die Bevölkerung gedachte *der Befreiungskämpfer.*
→ *Der Befreiungskämpfer* wurde gedacht.

2. Das Genitivobjekt wird durch eine Nominalisierungstransformation zum präpositionalen Attribut:

Sie erinnern sich *des Befreiungstages.*
→ ihre Erinnerung *an den Befreiungstag*

3. Das Genitivobjekt wird häufig in ein Präpositionalobjekt transformiert:

Er erinnert sich *seines Freundes.*
→ Er erinnert sich *an seinen Freund.*

Präpositionalobjekt 13.3.3.5.

1. Das Präpositionalobjekt bleibt von der Passivtransformation unberührt:

Man wartete *auf die ausländischen Gäste.*
→ *Auf die ausländischen* Gäste wurde gewartet.

2. Das Präpositionalobjekt wird durch eine Nominalisierungstransformation zum präpositionalen Attribut:

Die Regierung hofft *auf verbesserte Beziehungen.*
→ die Hoffnung (der Regierung) *auf verbesserte Beziehungen*

3. Das Präpositionalobjekt kann in einigen Fällen in ein Kasusobjekt transformiert werden:

Er schreibt *an seinen Vater* einen Brief.
→ Er schreibt *seinem Vater* einen Brief.

Sie erinnert sich *an die Befreiung.*
→ Sie erinnert sich *der Befreiung.*

13.3.3.6. Objekt zum Prädikativ

1. Im Unterschied zu den unter 13.3.3.2. bis 13.3.3.5. genannten Objekten hängt das Objekt zum Prädikativ nicht vom finiten Verb, sondern von einem Adjektiv als Prädikativ ab. Es hat daher eine andere Abhängigkeitsstruktur:

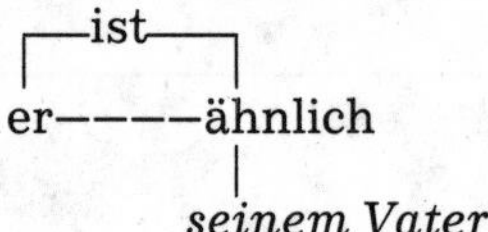

2. Die morphologischen Repräsentationsmöglichkeiten sind dieselben wie bei den anderen Objekten. Das Objekt zum Prädikativ kann auftreten als Substantiv (im Akkusativ, Dativ, Genitiv oder mit Präposition) oder als entsprechendes substantivisches Pronomen (bzw. Pronominaladverb):

Diese Ware ist *ihr Geld (es)* wert.
Der Sohn ist *seinem Vater (ihm)* ähnlich.
Er ist *seines Freundes (seiner)* würdig.
Der Junge ist wütend *über den Vorwurf (über ihn, darüber).*

3. Wie alle anderen Objekte, so kann auch das Objekt zum Prädikativ obligatorisch (1) oder fakultativ (2) sein:

(1) Der Sohn ist *seinem Vater* ähnlich.
→ *Der Sohn ist ähnlich.

(2) Er ist *seinem Vater* dankbar.
→ Er ist dankbar.

Anmerkung:
Das Objekt zum Prädikativ darf nicht verwechselt werden mit dem Objektsprädikativ (vgl. 13.3.1.5.). Beide haben eine völlig verschiedene Abhängigkeitsstruktur: Das Objekt zum Prädikativ ist ein Objekt, das von einem Prädikativ (Adjektiv) abhängig ist, das Objektsprädikativ ist ein Prädikativ (Substantiv, Adjektiv oder Adverb), das sich auf ein Objekt bezieht.

Adverbialbestimmung 13.3.4.

Syntaktische Beschreibung 13.3.4.1.

Die verschiedenen Arten der Adverbialbestimmung verhalten sich syntaktisch gleich. Sie haben folgende Merkmale:

1. Die Adverbialbestimmungen haben folgende Abhängigkeitsstruktur:

arbeitet

er *mit Begeisterung*

2. Obwohl durch diese Abhängigkeitsstruktur noch kein Unterschied zu den Objekten deutlich wird (vgl. 13.3.3.1.1.), gibt es bestimmte Unterschiede zwischen Objekten und Adverbialbestimmungen:

(1) Objekte können in der Regel durch Personalpronomina, Adverbialbestimmungen durch Adverbien substituiert werden:

Er las *den ganzen Roman.*
→ Er las *ihn.*
Er las *den ganzen Tag.*
→ Er las *damals / dann.*

(2) Bei Präpositionalobjekten ist die Präposition syntaktisch vom finiten Verb regiert (ist folglich ohne erkennbare Semantik), bei adverbialen Präpositionalgruppen ist die Präposition nicht vom finiten Verb determiniert, sondern sie spezifiziert semantisch die Beziehung zu dem von ihr regierten Wort:

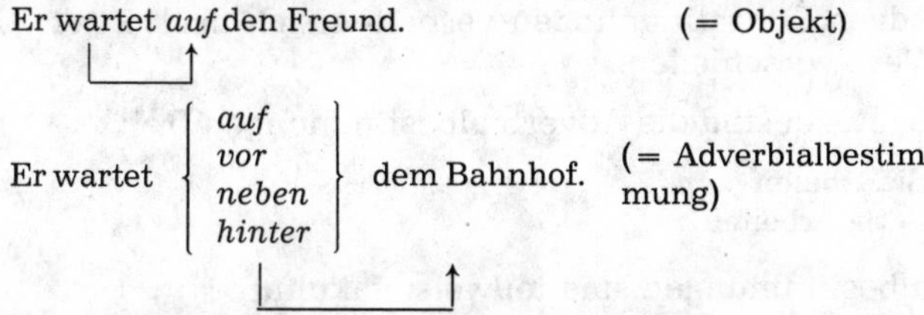

(3) Daraus ergibt sich, daß beim Präpositionalobjekt nur ganz bestimmte Präpositionen vom übergeordneten Verb oder Adjektiv her gefordert und zulässig sind (in den meisten Fällen nur eine einzige), daß dagegen präpositionale Adverbialbestimmungen in der Regel mehrere Präpositionen zulassen.
Zu partiellen weiteren Unterschieden zwischen Objekt und Adverbialbestimmung vgl. 3., 4., 5. und 6.

3. Die Adverbialbestimmungen können durch folgende Satzglieder morphologisch repräsentiert werden:

(1) (Präposition +) Adverb

Der Gast kommt *heute.*
Der Lehrling arbeitet *fleißig.*
Er arbeitet *bis morgen.*

(2) Substantiv im Akkusativ

Das Mädchen liest *den ganzen Tag.*

(3) Substantiv im Genitiv

Er kommt *des Morgens.*

(4) Präposition + Substantiv (bzw. Pronominaladverb)

Er arbeitet *mit Begeisterung.*
Ich wohne *darin.*

4. Unter einer Nominalisierungstransformation werden die Adverbialbestimmungen in Attribute transformiert, wenn sie durch ein Adjektivadverb repräsentiert sind:

Er arbeitet *fleißig.*
→ sein *fleißiges* Arbeiten

Diese Transformation ist in der Regel mit lexikalischen Veränderungen verbunden, wenn die Adverbialbestimmung durch ein Adverb repräsentiert ist:

Er kommt *heute.*
→ sein *heutiges* Kommen

Er hält sich *dort* auf.
→ sein *dortiger* Aufenthalt

Bei einer Repräsentation durch ein Substantiv ist diese Transformation meist ausgeschlossen.

5. Die Adverbialbestimmungen verhalten sich nach ihrer Bindung an das Verb verschieden:

(1) In der Regel sind die Adverbialbestimmungen frei:

Sie arbeitet *gern.*
→ Sie arbeitet.

(2) Lokalbestimmungen sind teilweise fakultativ:

Er fährt *dorthin.*
→ Er fährt.

(3) Einige Lokal-, Temporal- und Modalbestimmungen sind obligatorisch:

Ich wohne *dort.*
→ *Ich wohne.

Der Vortrag dauert *zwei Stunden.*
→ *Der Vortrag dauert.

Er verhält sich *ruhig.*
→ *Er verhält sich.

Anmerkung:
In einigen Fällen ist das Auftreten *einer* Adverbialbestimmung obligatorisch; es ist jedoch die Art der Adverbialbestimmung nicht festgelegt:

Er wurde *1970* geboren.
Er wurde *in Dresden* geboren.
*Er wurde geboren.
Das Unglück ereignete sich *auf der Hauptstraße / gestern / aus Unvorsichtigkeit.*
*Das Unglück ereignete sich.

6. Auf Grund der unter 5. (1) gezeigten losen Bindung der freien Adverbialbestimmungen an das Verb kann diesen freien Adverbialbestimmungen eine Abhängigkeitsstruktur zugewiesen werden, die sich von der Abhängigkeitsstruktur sowohl der obligatorischen und fakultativen Adverbialbestimmungen (vgl. 13.3.4.1.1.) als auch von der der Objekte (vgl. 13.3.3.1.1.) unterscheidet:

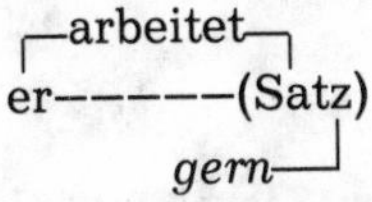

```
┌─arbeitet─┐
er------(Satz)
          │
     gern─┘
```

In dieser Abhängigkeitsstruktur zeigt sich, daß die freien – im Unterschied zu den obligatorischen und fakultativen – Adverbialbestimmungen reduzierte Sätze sind, auf die sie zurückgeführt werden können:

(1) Er arbeitet *in Dresden.* (frei)
← Er arbeitet. Sein Arbeiten ist (geschieht) in Dresden.
(2) Er wohnt *in Dresden.* (obligatorisch)
← *Er wohnt. *Das Wohnen ist (geschieht) in Dresden.

Bei (1) handelt es sich logisch um *zwei* Urteile (Prädikationen), bei (2) um ein Relationsurteil.

Anmerkung:
Wie es ein Objekt zum Prädikativ gibt (vgl. 13.3.3.6.), so gibt es vereinzelt auch eine Adverbialbestimmung zum Prädikativ, die sich – im Unterschied zu den bisher genannten Adverbialbestimmungen – nicht auf das finite Verb bezieht und in der Abhängigkeitsstruktur mit dem Objekt zum Prädikativ übereinstimmt:

Er ist wohnhaft *in Leipzig.*

Semantische Klassen 13.3.4.2.

1. Temporalbestimmung

Mein Freund kommt *heute (jeden Tag).*

2. Lokalbestimmung

Er arbeitet *dort (im Betrieb).*

3. Modalbestimmung

Die Sekretärin schreibt *schnell (mit großer Geschwindigkeit).*

4. Kausalbestimmung

(1) Kausalbestimmung im engeren Sinne

Ich habe ihm *wegen seiner Verletzung* beim Einsteigen geholfen.

(2) Konditionalbestimmung

Mit etwas Fleiß könnte er seine Leistungen verbessern.

(3) Konzessivbestimmung

Er kam *trotz seiner Erkältung.*

(4) Konsekutivbestimmung

Die beiden Schwestern sehen sich *zum Verwechseln* ähnlich.

(5) Finalbestimmung

Die Familie fährt *zur Erholung* ins Gebirge.

Zur näheren Spezifizierung der semantischen Klassen vgl. 19. (dort die entsprechenden Nebensätze mit ihren spezifischen Konjunktionen) und 7.3. (dort die Satzglieder mit den spezifischen Präpositionen).

13.3.5. Sekundäre Satzglieder

Unter primären Satzgliedern werden solche verstanden, die vom Prädikat des Satzes (von dessen Valenz) determiniert sind (Subjekt, Objektiv, Prädikativ, z. T. Adverbialbestimmung) und nicht von einer Grundstruktur abgeleitet werden können, weil sie selbst Bestandteile dieser Grundstruktur sind. Sekundäre Satzglieder sind dagegen solche, die nicht vom Prädikat des Satzes (von dessen Valenz) determiniert, vielmehr von einer anderen Grundstruktur ableitbar und deshalb nur lose mit dem finiten Verb verbunden sind. Nach ihrer Abhängigkeit sind – außer den Attributen (vgl. 15.) – sekundäre Satzglieder zum ganzen Satz und solche zu einzelnen Gliedern im Satz zu unterscheiden.

13.3.5.1. Sekundäre Satzglieder zum Satz

1. Die auf den gesamten Satz bezogenen sekundären Satzglieder zeigen folgende Abhängigkeitsstruktur:

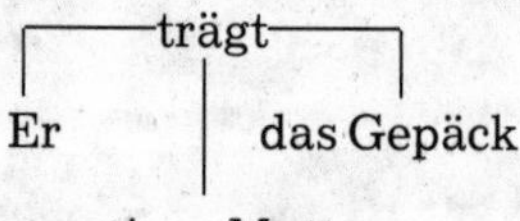

2. Die auf den gesamten Satz bezogenen sekundären Satzglieder können durch folgende Stellungsglieder repräsentiert werden:

(1) Substantiv im Dativ

Er trägt *seiner Mutter* das Gepäck.
Der Schlüssel fiel *dem Kind* ins Wasser.
Falle *mir* nicht!

(2) Modalwort

Er hat uns *leider* nicht informiert.
Vielleicht ist er in den Urlaub gefahren.

(3) Präposition + Substantiv

Er trägt *für seine Mutter* das Gepäck.
Zu unserem Bedauern ist er nicht angereist.

3. Die auf den gesamten Satz bezogenen sekundären Satzglieder sind frei:

Er trägt *für seine Mutter* das Gepäck.
→ Er trägt das Gepäck.

Anmerkungen:
(1) Bei den Substantiven im Dativ handelt es sich um verschiedene Arten des „freien Dativs", und zwar um den Dativus commodi, den Dativus incommodi, den Dativ des Zustandsträgers, den Dativ des Maßstabs und den ethischen Dativ (vgl. dazu genauer unter 2.4.3.4.), bei der Verbindung von Präposition + Substantiv um Paraphrasen für die freien Dative oder die Modalwörter.

(2) Entsprechend diesen Unterschieden lassen sich die verschiedenen Arten der sekundären Satzglieder zum gesamten Satz auch unterschiedlich ableiten und erklären:

Der Pförtner öffnet *der Frau* die Tür.
← Der Pförtner öffnet die Tür. *Das Öffnen* ist (geschieht) *für* die Frau, *an Stelle* der Frau und *zugunsten* der Frau. (= Dativus commodi)

Der Schlüssel fiel *dem Jungen* ins Wasser.
← Der Schlüssel fiel ins Wasser. *Das Fallen* (des Schlüssels ins Wasser) *passierte* dem Jungen (dem der Schlüssel *anvertraut* war, der den Schlüssel hatte), der einem *negativen* und *ungewollten* Geschehen unterliegt. (= Dativus incommodi)

Dieser Erfolg ist *dem Schüler* eine Freude.
← Dieser Erfolg ist eine Freude. *Die Freude* (das Erfreutsein) wird dem Schüler zugesprochen. Der Schüler *hat* (empfindet) die Freude. (= Dativ des Zustandsträgers)

Er arbeitet *mir* zu langsam.
← *Ich* bin der Meinung: Er arbeitet zu langsam. (= Dativ des Maßstabs)

Falle *mir* nicht!
← Falle nicht! *Mir* ist das wichtig (*Ich* sage das mit emotionaler Anteilnahme). (= ethischer Dativ)

Er hat uns *leider* nicht informiert.
← Es ist *leider* so, daß er uns nicht informiert hat. (= Modalwort)

(3) Oberflächlich zeigen die sekundären Satzglieder zum Satz eine starke Ähnlichkeit zum Objekt (wenn es sich um Dative handelt) oder zur Adverbialbestimmung (wenn es sich um Modalwörter handelt). Zu den Unterschieden der freien Dative zum Objektsdativ vgl. 2.4.3.4., zu den Unterschieden der Modalwörter zu den Adverbien und Adverbialbestimmungen vgl. 10.2.

13.3.5.2. Sekundäre Satzglieder zu einzelnen Gliedern

13.3.5.2.1. Prädikatives Attribut

Die prädikativen Attribute stehen in der Position von Adverbien im konkreten Satz. Sie hängen aber im Unterschied zu den Adverbien nicht vom Verb, sondern von einem substantivischen Glied (vom Subjekt oder vom Objekt) ab. Nach dieser Beziehung werden zwei Arten von prädikativen Attributen unterschieden: das prädikative Attribut zum Subjekt und zum Objekt. Beide haben folgende gemeinsame Merkmale:

1. Die prädikativen Attribute werden durch folgende morphologische Stellungsglieder repräsentiert:

(1) Adjektiv (oder Partizip)

Er kommt *gesund* an.
Er traf sie *verärgert* an.

(2) Adverb

Er kommt *so* an.
Ich traf ihn *so.*

(3) Präposition + Substantiv

Er kommt *im dunklen Anzug* an.
Sie traf ihn *im dunklen Anzug.*

2. Die prädikativen Attribute sind frei:

Er kommt *gesund* an.
→ Er kommt an.
Er traf sie *verärgert* an.
→ Er traf sie an.

Während diese Merkmale den prädikativen Attributen gemeinsam sind, gibt es andere Merkmale, durch die sie sich unterscheiden.

Anmerkung:
Das prädikative Attribut nimmt eine Art Zwischenstellung ein: Es bezieht sich einerseits – wie jedes andere Attribut – auf ein Subjekt (oder Objekt), hat aber andererseits – ähnlich wie die Adverbialbestimmung – auch ein zeitliches Verhältnis zum Prädikat, da es nur eine vorübergehende Eigenschaft bezeichnet für die Zeit, die im Prädikat ausgedrückt ist. Diese zweiseitige syntaktische Bezogenheit unterscheidet das prädikative Attribut einerseits vom einfachen Attribut (das sich nur auf sein Bezugswort bezieht) und andererseits von den Adverbialbestimmungen (die direkt auf das Prädikat

bezogen sind). Das prädikative Attribut ist eine Art zweites (logisches) Prädikat im Satz, ein Nebenprädikat zum Subjekt (oder Objekt), aber ein unvollständiges und potentielles (latentes) Prädikat, ein sekundäres Prädikat, das in der vollständigeren und zugrunde liegenden Struktur erkennbar wird (vgl. die Ableitungen unter 13.3.5.2.1.1. und 13.3.5.2.1.2.). Deshalb sind auch keine schroffen Grenzen zwischen syntaktischem Prädikat und syntaktischem Attribut anzunehmen; beide sind verschiedene Syntaktifizierungsstufen für das logische Prädikat.

Prädikatives Attribut zum Subjekt 13.3.5.2.1.1.

1. Das prädikative Attribut zum Subjekt nimmt folgenden Ort in der Abhängigkeitsstruktur ein:

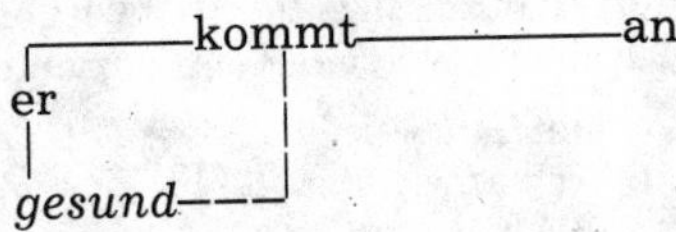

2. Das prädikative Attribut zum Subjekt läßt sich in ein Prädikativ zum Subjekt transformieren:

Er kommt *gesund* an.
← Er kommt an. Er ist *gesund* (zu diesem Zeitpunkt).
← Wenn er ankommt, ist er *gesund*.

Er starb *jung*.
← Er starb. Er war *jung* (zu diesem Zeitpunkt).
← Als er starb, war er *jung*.

Prädikatives Attribut zum Objekt 13.3.5.2.1.2.

1. Das prädikative Attribut zum Objekt nimmt folgenden Ort in der Abhängigkeitsstruktur ein:

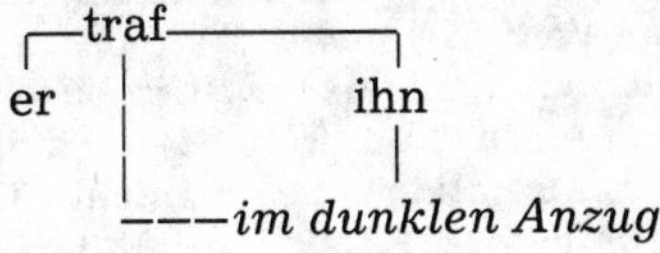

2. Das prädikative Attribut zum Objekt läßt sich in ein Prädikativ zum Objekt transformieren:

Er traf sie *verärgert* an.
← Er traf sie an. Sie war *verärgert* (zu diesem Zeitpunkt).
← Als er sie antraf, war sie *verärgert*.

Er aß die Mohrrüben *roh*.
← Er aß die Mohrrüben. Die Mohrrüben waren *roh* (zu diesem Zeitpunkt).
← Als er die Mohrrüben aß, waren sie *roh*.

Anmerkungen:
1. Da das prädikative Attribut zum Subjekt und zum Objekt in der gleichen Position des konkreten Satzes stehen, ist manchmal eine doppelte Interpretation möglich:

Der Lehrer traf seinen Freund *im dunklen Anzug.*
= (1) *Der Lehrer* ist im dunklen Anzug. (zum Subjekt)
= (2) *Sein Freund* ist im dunklen Anzug. (zum Objekt)

2. Weiterhin wird das prädikative Attribut oft mit der Adverbialbestimmung verwechselt, mit der es in der äußeren Form und Position im konkreten Satz übereinstimmt:

Ich traf ihn *im Kino.* (= Adverbialbestimmung)
Ich traf ihn *im dunklen Anzug.* (= prädikatives Attribut)

Trotz dieser oberflächlichen Ähnlichkeit unterscheiden sich die prädikativen Attribute von den Adverbialbestimmungen durch ihre zugrunde liegende Abhängigkeitsstruktur (vgl. oben) und durch eine verschiedene Beziehung:

Man trug ihn *verletzt* vom Sportplatz. (= prädikatives Attribut)
← Man trug ihn vom Sportplatz. *Er* war verletzt.
Man trug ihn *eilig* vom Sportplatz. (= Adverbialbestimmung)
← Man trug ihn vom Sportplatz. *Das Tragen* war (geschah) eilig.

3. Schließlich darf das prädikative Attribut auch nicht mit dem Objektsprädikativ (vgl. 13.3.1.5) verwechselt werden, mit dem es auch in der gleichen Position des konkreten Satzes steht, von dem es sich aber nicht nur in der morphologischen Repräsentationsmöglichkeit und in den Valenzeigenschaften, sondern auch in der Abhängigkeitsbeziehung unterscheidet:

(1) Er trifft seine Freundin *verärgert* an. (= prädikatives Attribut)
← Er trifft seine Freundin an. Sie ist verärgert.
→ Er trifft seine verärgerte Freundin an.
(2) Er nennt seine Freundin *verärgert.* (= Objektsprädikativ)
↚ Er nennt seine Freundin. Sie ist verärgert.
→ *Seine verärgerte Freundin wird genannt.
→ seine verärgert genannte Freundin

Im Falle (1) ist die Freundin tatsächlich verärgert, im Falle (2) muß sie nicht tatsächlich verärgert sein, sie wird nur verärgert *genannt.* Im Objektsprädikativ besteht also eine Beziehung zum Verb (*nennen, finden, halten für, bezeichnen als* u. a.), im prädikativen Attribut nicht (als Verb tritt nur *sein* auf, das eliminiert werden kann). Darum unterscheiden sich beide auch dadurch, daß sie – falls sie durch eine Passivtransformation in den Nominativ treten – die beiden verschiedenen Arten des Subjektsprädikativs (vgl. 13.3.1.4.) repräsentieren:

(1) Er sieht seine Freundin *verärgert.* (= prädikatives Attribut)
→ Seine Freundin wird von ihm gesehen. Seine Freundin *ist* verärgert.
(2) Er nennt seine Freundin *verärgert.* (= Objektsprädikativ)
→ Seine Freundin *wird* von ihm verärgert *genannt.*

4. Das prädikative Attribut unterscheidet sich auch vom normalen Attribut (vgl. 15.). Im Unterschied zu diesem bezeichnet es keine dauernde Eigenschaft des Subjekts bzw. Objekts, sondern eine – durch die Beziehung auf die Aktzeit des Verbs – zeitlich beschränkte Eigenschaft (deshalb die gestri-

chelte Linie zum Verb in den obigen Skizzen der Abhängigkeitsstrukturen und die Angabe der Zeit bei den entsprechenden Transformationen). Vgl. den Unterschied:

(1) Das Mädchen kommt *fröhlich* nach Hause. (= prädikatives Attribut)
← Das Mädchen kommt nach Hause. Es ist (zu diesem Zeitpunkt) fröhlich.
↚ Das Mädchen ist (immer) fröhlich.
↚ Das fröhliche Mädchen kommt nach Hause.

(2) Das *fröhliche* Mädchen kommt nach Hause. (= Attribut)
← Das Mädchen kommt nach Hause. Es ist (immer) fröhlich.

Vgl. dazu auch 15.1.1.

Possessiver Dativ 13.3.5.2.2.

Die possessiven Dative stehen in der Position von Objekten im konkreten Satz. Sie hängen aber im Unterschied zu den Objekten nicht vom Verb, sondern von einem substantivischen Glied (von Subjekt, Objekt oder Adverbialbestimmung) ab. Nach dieser Abhängigkeitsbeziehung werden drei Arten von possessiven Dativen unterschieden. Sie haben folgende gemeinsame Merkmale:

1. Der possessive Dativ wird durch ein Substantiv im Dativ (bzw. durch ein entsprechendes Personalpronomen) morphologisch repräsentiert:

Dem Kranken (ihm) tat der Magen weh.
Der Arzt operierte *dem Kranken (ihm)* den Magen.
Er hat *seinem Freund (ihm)* in die Augen gesehen.

2. Der possessive Dativ kann in einen Genitiv transformiert werden, wenn er durch ein Substantiv repräsentiert ist:

→ Der Magen *des Kranken* tat weh.
→ Der Arzt operierte den Magen *des Kranken.*
→ Er hat in die Augen *seines Freundes* gesehen.

Der possessive Dativ kann in ein Possessivpronomen transformiert werden, wenn er durch ein Personalpronomen repräsentiert ist:

→ *Sein* Magen tat weh.
→ Der Arzt operierte *seinen* Magen.
→ Er hat in *seine* Augen gesehen.

3. Der possessive Dativ ist immer frei:

→ Der Magen tat weh.
→ Der Arzt operierte den Magen.
→ Er hat in die Augen gesehen.

Während diese Merkmale den verschiedenen Arten des possessiven Dativs gemeinsam sind, unterscheiden sie sich durch die Abhängigkeit.

13.3.5.2.2.1. Possessiver Dativ zum Subjekt

Der possessive Dativ zum Subjekt hat folgenden Ort in der Abhängigkeitsstruktur:

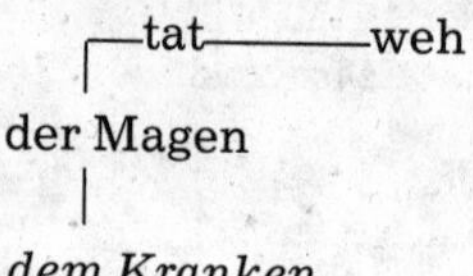

13.3.5.2.2.2. Possessiver Dativ zum Objekt

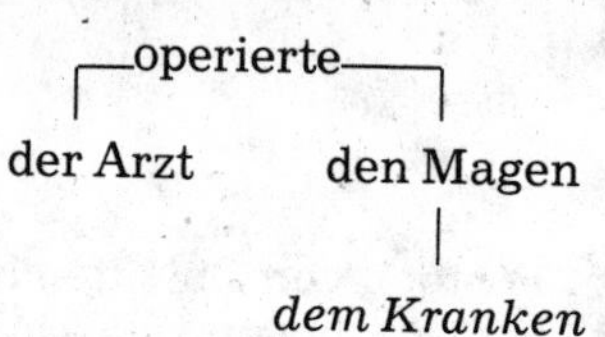

13.3.5.2.2.3. Possessiver Dativ zur Adverbialbestimmung

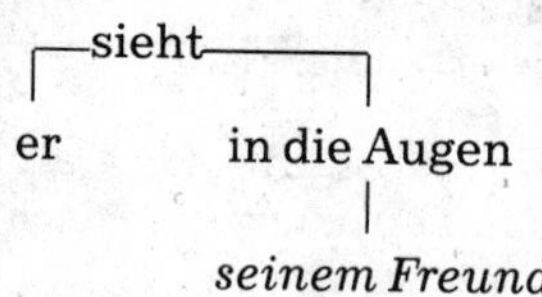

Anmerkungen:

1. Der possessive Dativ darf nicht mit dem Dativobjekt (vgl. 13.3.3.3.) und auch nicht mit den anderen Formen des freien Dativs (vgl. genauer 2.4.3.4.) verwechselt werden, mit denen er in der Form und in der konkreten Position im Satz übereinstimmt. Er unterscheidet sich von ihnen nicht nur in der Abhängigkeitsstruktur und teilweise in den Valenzeigenschaften, sondern auch in den möglichen Transformationen:

(1) Er gibt *dem Freund* ein Buch. (= Dativobjekt)
← *Er gibt ein Buch. Das Geben ist *für den Freund.*
↛ Er gibt ein Buch *des Freundes.*

(2) Er trägt *der Mutter* den Koffer. (= freier Dativ der interessierten Person, dativus commodi)
← Er trägt den Koffer. Das Tragen ist (geschieht) *für die Mutter.*

(3) Sie wäscht *dem Kind* die Füße. (= possessiver Dativ)
→ Sie wäscht die Füße *des Kindes.*

2. Ähnlich wie der possessive Dativ verhält sich der Träger-Dativ (vgl. 2.4.3.4.). Beim possessiven Dativ stehen Körperteil-Lexeme (die zu der im Dativ genannten Person in einer Teil-von-Beziehung stehen), beim Träger-Dativ dagegen Kleidungsstück-Lexeme (die zu der im Dativ genannten Person in einer Träger-Relation stehen).

3. Der possessive Dativ und der Träger-Dativ stimmen in der Abhängigkeitsstruktur mit dem prädikativen Attribut überein; beide haben sie eine attributive Beziehung auf ein substantivisches Bezugswort.

Satzglieder und semantische Kasus

1. Wie die Satzglieder durch unterschiedliche morphologische Stellungsglieder repräsentiert werden, so repräsentieren sie ihrerseits unterschiedliche semantische Beziehungen. Satzglieder können nicht *direkt* semantisch interpretiert werden, sind keine *direkten* Abbilder außersprachlicher Sachverhalte und Beziehungen:

(1) Er kauft *den Anzug.*
(2) *Der Anzug* wird gekauft.
(3) das Kaufen *des Anzugs*

Allen drei Äußerungen liegt der gleiche Sachverhalt in der außersprachlichen Wirklichkeit zugrunde: *der Anzug* ist in allen drei Fällen das Patiens des Kaufens. Syntaktisch – in Begriffen der Satzglieder – erscheint dieses Patiens jedoch in (1) als Objekt, in (2) als Subjekt und in (3) als Attribut.

2. Da es keine Übereinstimmung zwischen syntaktischen Funktionen (Satzgliedern) und semantischen Funktionen gibt, bedarf es einer gesonderten Beschreibung der semantischen Funktionen und ihrer Zuordnung zu den syntaktischen Funktionen. Diese semantischen Funktionen werden als *semantische Kasus* oder semantische Rollen (Agens, Patiens, Lokativ, Instrument(al), Resultat usw.) beschrieben, ohne daß es bisher ein vollständiges und allerseits akzeptiertes Inventar und System dieser semantischen Kasus gibt. Diese semantischen Kasus sind Beziehungen, sind Funktionen und als solche von der lexikalischen Bedeutung der Prädikate determiniert, d. h. von den Beziehungen der im Verb lexikalisierten elementaren logisch-semantischen Prädikate zu ihren Argumenten als Leerstellen bestimmt. Die semantischen Kasus sind somit einerseits eine – bereits linearisierte und z. T. lexikalisierte bzw. syntaktifizierte – Abstraktion dieser zugrunde liegenden logisch-semantischen Beziehungen zwischen Prädikaten und Argumenten, andererseits selbst die Grundlage für die Umsetzung in (syntaktische) Satzglieder und – über diese vermittelt – in Oberflächenkasus (Nominativ, Genitiv, Dativ, Akkusativ). Die Beziehungen zwischen diesen Ebenen bestehen in einer indirekten, vermittelten, nicht-linearen Zuordnung.

3. Die Beziehungen der einzelnen Satzglieder zu den semantischen Kasus sind unterschiedlicher Natur. Die semantischen Funktionen können als semantische Kasus nur bei den nominalen Gliedern beschrieben werden (da sie Entsprechungen sind für Argumente, nicht für Prädikate), und auch nur bei solchen nominalen Gliedern, die Bestandteile der Bedeutungsstruktur der betreffenden Prädikate, also keine zusätzlichen Prädikate sind (das ergibt sich aus ihrem unter 2. gezeigten Status). Auf diese Weise entziehen sich die Prädikate selbst sowie die (freien) Adverbialbestimmungen einer Beschreibung mit Hilfe der semantischen Kasus. Zur semantischen Funktion der Prädikate vgl. ausführlicher unter 1.4.1. Die semantische Funk-

tion der Adverbialbestimmungen ergibt sich aus den semantischen Klassen der Adverbialbestimmungen (vgl. 13.3.4.2.) und bedarf deshalb keiner weiteren Spezifizierung, weil die Adverbialbestimmung – eben durch diese semantischen Subklassen, die in direkter Weise auf die Bedeutung Bezug nehmen – ein *spezifiziertes* Satzglied ist. Im Unterschied dazu sind das Subjekt und das Objekt semantisch *unspezifizierte* Satzglieder, da sie nicht direkt auf die Bedeutung Bezug nehmen. Unter 4. wird versucht, die wichtigsten semantischen Funktionen (in Gestalt der semantischen Kasus) dieser unspezifizierten Satzglieder zusammenzustellen.

4.

Semantische Funktion	Subjekt	Objekt
(1) Agens (als belebt vorgestellter Urheber einer Handlung, Träger einer Tätigkeit, Täter)	*Die Mieter* stellen den Schrank an die Wand. *Die Mutter* wäscht die Hemden.	Der Schrank wurde *von dem neuen Mieter* an die Wand gestellt. Der Vorschlag stammt *von einem Physiker.*
(2) Ursache (unbelebter Verursacher einer Kausalbeziehung)	*Das Laub* raschelt. *Das Wasser* unterspült das Haus.	Das Resultat beruht *auf neuen Hypothesen.* Die Lieferung hängt *von der Zentrale* ab.
(3) Vorgangsträger (wird durch Vorgang in Zustand oder Beschaffenheit verändert)	*Die Rose* ist verblüht. *Das Kind* entwickelt sich gut.	– –
(4) Zustandsträger (wird durch verbales Geschehen nicht verändert)	*Peter* hat Fieber. *Die Wäsche* ist trocken.	–
(5) Patiens („affiziertes Objekt", wird durch Agens in Zustand, Beschaffenheit oder Lage verändert)	*Peter* wird verletzt. *Die Milch* kocht.	Der Boxer verletzt *seinen Gegner.* Der Schüler öffnet *die Tür.* Er kaut *an einem Grashalm.*
(6) Resultat („effiziertes Objekt" bzw. „Subjekt", entsteht erst im Verlaufe des verbalen Geschehens)	*Das Haus* wird jetzt gebaut. Es sind *Risse* an der Decke entstanden.	Die Mutter bäckt *einen Kuchen.* Er arbeitet *an seiner Dissertation.*
(7) Adressat	*Der Schüler* erhält Hilfe (Unterstützung). *Das Kind* bekommt die Puppe geschenkt.	Der Lehrer hilft *dem Schüler.* Der Lehrer unterstützt *den Schüler.* Er schreibt *an den Vater* einen Brief.

Semantische Funktion	Subjekt	Objekt
(8) Instrument(al) (Mittel, das ein dahinter stehendes Agens voraussetzt)	*Das Messer* schneidet das Brot. *Der Schlüssel* öffnet die Tür.	Zum Brotschneiden benutzt er *das Messer.* Der Einbrecher bediente sich *mehrerer Nachschlüssel.*
(9) Ort (Lokativ)	*Die Kiste* enthält viele Bücher. *Die Stadt* ist wie ausgestorben.	Er betritt *das Zimmer.* Er gräbt *den Garten* um.
(10) Träger physischer Prozesse (unterliegt einem Vorgang oder Zustand)	*Sein Kopf* brummt. *Der Finger* blutet.	–
(11) Träger psychischer Prozesse	*Der Spieler* ärgert sich über die Niederlage. *Das Kind* fürchtet sich vor dem Gewitter.	Die Niederlage ärgert *den Spieler.* Das Gewitter erschreckte *das Kind.* *Der Mutter* mißfällt die Antwort der Tochter.
(12) Gegenstand (und Auslöser) psychischer Prozesse	*Das Gewitter* erschreckt das Kind. *Das Bild* hat ihm gut gefallen. *Die Niederlage* ärgert den Spieler.	Der Spieler ärgert sich *über die Niederlage.* Er freut sich *am Erfolg* der Tochter.
(13) Erkenntnisträger (Träger einer Erkenntnisbeziehung)	*Der Trainer* erkennt die Situation. *Der Chemiker* weiß eine bessere Lösung.	*Dem Trainer* ist die Situation bekannt. Das Verhalten ist *dem Vorgesetzten* unverständlich.
(14) Erkenntnisgegenstand	*Die Situation* ist dem Trainer bekannt. *Diese Problematik* ist dem Wissenschaftler neu.	Der Chemiker weiß *eine Lösung.* Er ist *des Weges* kundig. Er denkt *an seine Schulzeit.*
(15) Wahrnehmungsträger (Träger einer Wahrnehmungsbeziehung)	*Die Mutter* beobachtet das Kind. *Die Polizei* hört einen Hilferuf.	Das Kind wird *von der Mutter* beobachtet. Der Hilferuf wurde *von der Polizei* gehört.
(16) Wahrnehmungsgegenstand	*Das Kind* wird von der Mutter beobachtet. *Sein Hilferuf* wurde gehört.	Die Mutter beobachtet *das Kind.* Die Polizei hört *einen Hilferuf.*

Semantische Funktion	Subjekt	Objekt
(17) Relationsträger		
(a) dominierendes Glied einer Zugehörigkeitsbeziehung (z. B. Ganzes – Teil, Lebewesen – Körperteil, Besitzer – Besitztum)	*Die Sektion* hat zwei Abteilungen. *Die Frau* hat blondes Haar.	Zwei Abteilungen gehören *zu dieser Sektion.* Der Sohn ähnelt *dem Vater.*
(b) untergeordnetes Glied einer Zugehörigkeitsbeziehung	*Zwei Abteilungen* gehören zu dieser Sektion. *Die Prüfungsbedingungen* entsprechen den Praxisanforderungen. *Der Sohn* ähnelt dem Vater.	Diese Sektion hat *zwei Abteilungen.* Das Auto hat *ein Schiebedach.* Das Ministerium verfügt *über viele Mitarbeiter.*
(18) Existenz oder Vorhandensein (bzw. Verfügbarkeit) eines Gegenstandes oder Ereignisses	*Ein schweres Gewitter* ereignete sich gestern. Es fand *ein Kongreß* statt.	Es gab gestern *ein schweres Gewitter.* Dieser Wassergraben bildete *ein Hindernis.*
(19) lokalisierter Gegenstand	*Viele Bücher* sind in der Kiste. *Viele Autos* waren vor dem Haus.	Die Kiste enthält *viele Bücher.* Vor dem Haus gab es *viele Autos.*
(20) Inhalt	–	Er fuhr nach dem Sieg *eine Ehrenrunde.* Sie tanzte *einen Walzer.* Der Angeklagte war *der Fahrerflucht* schuldig (verdächtig).
(21) nicht-vorhandener Teil eines Ganzen („Privativ")	–	Das Kind bedarf *besonderer Fürsorge.* Diese Thesen entbehren *der Logik.*

5. Die Vielfalt der semantischen Kasus für Subjekt und Objekt läßt deutlich erkennen, daß die Satzglieder *nicht direkt* semantisch interpretierbar sind, daß die meisten semantischen Rollen durch Subjekt *und* Objekt und innerhalb der Objekte durch die verschiedenen morphologischen Arten der Objekte (Akkusativ-, Dativ-, Genitiv-, Präpositionalobjekt) ausgeübt werden können; deshalb sind als Beispiele auch Objekte von verschiedener Art gewählt worden. Dennoch gibt es semantische Kasus, die für die einzelnen Satzglieder spezifisch und charakteristisch sind: Das Agens wird vorwiegend im Subjekt ausgedrückt (nur in wenigen Fällen im Objekt, in erster Linie auf dem Wege des Agens-Anschlusses in passivischen Sätzen), das Patiens und das Resultat vorwiegend im Akkusativobjekt, der Adressat vorwiegend im Dativ, das privative Verhältnis vorwiegend im Genitiv. Das Präpositionalobjekt enthält keine semantischen Kasus, die

nicht auch von anderen Objekten (Akkusativ, Dativ) ausgedrückt werden können.
Diese Präferenzbeziehungen erlauben es jedoch nicht, in direkter Weise von einem Satzglied auf einen semantischen Kasus zu schließen und umgekehrt. Vielmehr bedarf es – damit die semantischen Rollen in korrekter Weise in Satzglieder umgesetzt werden – besonderer Überführungs- oder Entsprechungsregeln, über die noch nicht sehr viel bekannt ist. Klar ist z. B., daß fast alle deutschen Sätze ein Subjekt haben müssen, daß zur Besetzung dieser Funktion mehrere semantische Kasus zur Verfügung stehen, daß von ihnen das Agens den Vorzug hat, daß das Agens jedoch (selbst wenn es vorhanden ist) dann nicht mehr ausgedrückt werden kann, wenn die Subjektsfunktion durch einen anderen Kasus (z. B. Instrumental) besetzt ist:

Die Mutter schneidet das Brot (mit dem Messer).
Das Messer schneidet das Brot.

Die indirekten Beziehungen zwischen Satzgliedern und semantischen Kasus haben zur Folge, daß in zahlreichen Fällen semantisch äquivalente oder nahezu äquivalente Sätze verschieden syntaktifiziert werden können, d. h., daß der gleiche semantische Kasus durch unterschiedliche Satzglieder repräsentiert wird (vgl. vor allem in 4. die unter (7), (8), (11), (12), (13), (14), (17), (18), (19) genannten Beispiele). Wie sich syntaktische und semantische Funktion nicht dekken, so bedarf es der Unterscheidung zwischen morphosyntaktischen Satzmodellen (auf der Basis der Satzglieder und ihrer Repräsentation durch Oberflächenkasus) und semantischen Satzmodellen (auf der Basis der semantischen Kasus). Vgl. dazu genauer unter 17.

14. Satzgliedstellung

Die Stellung der Satzglieder wird im Deutschen von Bedingungen verschiedener Ebenen bestimmt. Das sind

1. syntaktische Bedingungen
2. morphologische Bedingungen
3. intentionale Bedingungen

Die syntaktischen Bedingungen gelten vor allem für den Bereich des Prädikats und seiner Teile, während die morphologischen Bedingungen die Glieder außerhalb des Prädikats betreffen. Durch beide Faktoren wird die Normalstellung der Satzglieder teils obligatorisch, teils fakultativ festgelegt. Durch die Sprecherintention werden diese grammatischen Regularitäten in verschiedener Weise modifiziert.

14.1. Syntaktische Bedingungen

Zu den syntaktischen Bedingungen gehören die Bedingungen, die vom *Stellungstyp* her gegeben sind, und die Bedingungen, die von der *syntaktischen Verbnähe* her gegeben sind.

14.1.1. Stellungstyp

Der Stellungstyp legt die Stellung des *finiten Verbs* und die Stellung der *übrigen Prädikatsteile* fest. Aus dem Zusammenwirken der Stellungstypregeln für das finite Verb und der übrigen Prädikatsteile ergibt sich der verbale *Rahmen.*

1. Stellung des finiten Verbs

Es sind drei obligatorische Stellungstypen des finiten Verbs zu unterscheiden:

Stellungstyp 1:

Glied 1	*fin. Verb*	*Glied 3*	*Glied n*	(Zweit-
Er	liest	das Buch	heute.	stellung)

Stellungstyp 2:

fin. Verb	*Glied 2*	*Glied 3*	*Glied n*	(Erst-
Liest	er	das Buch	heute?	stellung)

Stellungstyp 3:

Konj.	*Glied 1*	*Glied 2*	*fin. Verb*	(End-
. . ., daß	er	das Buch	liest.	stellung)

Nach dem Stellungstyp 1 werden gebildet:
Aussagesätze

Er *liest* ein Buch.

Ergänzungsfragen

Was *liest* er?

uneingeleitete Objekt- und Subjektsätze

Ich denke, er *liest* das Buch noch.
Es ist besser, du *kommst* pünktlich.

Nach dem Stellungstyp 2 werden gebildet:
Entscheidungsfragen

Liest er das Buch?

Aufforderungssätze (Imperativsätze)

Lies nun endlich das Buch!

uneingeleitete Konditional- und Konzessivsätze

Habe ich am Wochenende Zeit, lese ich das Buch.
Habe ich auch nur wenig Zeit, ich werde das Buch lesen.

Hauptsätze im Satzgefüge in Nachstellung.

Wenn er Zeit hat, *liest* er das Buch.

Anmerkung:
Bei nachgestellten Hauptsätzen handelt es sich nur oberflächlich um Erststellung des finiten Verbs. In Wirklichkeit liegt hier Zweitstellung (Stellungstyp 1) vor, weil der voranstehende Nebensatz als Satzglied aufzufassen ist.

Nach dem Stellungstyp 3 werden die eingeleiteten Nebensätze gebildet:

Ich denke, daß er das Buch noch *liest.*
Ich habe ihn gefragt, wann er mir das Buch *zurückgibt.*

2. Stellung der übrigen Prädikatsteile

Die Stellung der übrigen Prädikatsteile hängt von den Stellungstypen des finiten Verbs ab:

Stellungstyp 1:

Glied 1	*fin. Verb*	*Glied 3*	*Glied n*	*Prädikatsteil*	(Endstellung)
Er	hat	das Buch	gestern	gelesen.	

Stellungstyp 2:

fin. Verb	*Glied 2*	*Glied 3*	*Glied n*	*Prädikatsteil*	(Endstellung)
Hat	er	das Buch	gestern	gelesen?	

Stellungstyp 3:

Konj.	*Glied 1*	*Glied 2*	*Prädikatsteil*	*fin. Verb*	(vorletzte Stelle)
. . ., daß	er	das Buch	gelesen	hat.	

Diese Stellungsregeln sind für folgende Prädikatsteile obligatorisch:

(1) infinite Verbformen (grammatischer Prädikatsteil)

Er hat das Buch gestern *gelesen.*
Ich will das Buch morgen *lesen.*

(2) trennbare Verbteile (lexikalischer Prädikatsteil)

Er legt die Kartei alphabetisch *an.*
Sie nimmt an der Versammlung nicht *teil.*
Man nimmt dir die Bemerkung sicher nicht *übel.*
Er geht nach dem Essen gern *spazieren.*

Anmerkungen:
(1) Wie der grammatische und der lexikalische Prädikatsteil verhält sich grundsätzlich auch das Prädikativ. Man vgl. dazu 14.4.1.4.

(2) Die Stellungstypregeln für die Prädikatsteile gelten für die meisten, jedoch nicht für alle unter 13.3.1.3. aufgeführten Gruppen lexikalischer Prädikatsteile. Ihre Geltung erstreckt sich auf die Gruppen (1), (3), (4), die die trennbaren Verbteile oder diesen gleichzustellende Wörter darstellen. Den Stellungstypregeln folgen auch die Substantive der Gruppe (2) und die Infinitive der Gruppe (7), jene als prädikativähnliche Wörter (vgl. Anm. 1) und diese als Wörter, die wie die infiniten Verbformen als grammatische Prädikatsteile fungieren. Die Substantive der Gruppe (6) streben zwar auch nach der Stellung der Prädikatsteile, verhalten sich aber grundsätzlich wie die ihnen morphologisch entsprechenden Objekte. Das als Gruppe (5) genannte Reflexivpronomen folgt eigenen Stellungsregeln. Man vgl. dazu 14.4.1.3.(2)

(3) Wenn in einem Satz mehrere grammatische oder lexikalische Prädikatsteile auftreten, ergibt sich eine bestimmte Reihenfolge. Vgl. dazu 14.1.1.3.

3. Verbaler Rahmen

Bedingt durch die getrennte Stellung von finitem Verb und den übrigen Prädikatsteilen wird im Stellungstyp 1 und 2 ein verbaler Rahmen – auch Satzklammer genannt – gebildet, in den die nichtprädikativen Satzglieder eingeschlossen sind. Im Stellungstyp 1 tritt nur das erste Glied (vgl. dazu 14.3.1.1.) aus diesem Rahmen heraus, im Stellungstyp 2 werden alle nicht-prädikativen Satzglieder in diesen Rahmen gestellt. Im Stellungstyp 3 gibt es genau genommen keinen verbalen Rahmen, denn die verbalen Teile nehmen die letzte und vorletzte Stelle im Satz ein. Trotzdem kann man auch hier von einem

Rahmen sprechen, der nicht durch die verbalen Teile allein, sondern durch das Einleitungswort des Nebensatzes (Konjunktion, Pronomen oder Adverb) als rahmeneröffnender Teil und die zum Prädikat gehörenden Satzglieder als rahmenschließende Teile entsteht.
Die Rahmenbildung kann als ein Grundprinzip des deutschen Satzes gelten. Es ist jedoch nicht immer klar, wann von einem Rahmen zu sprechen ist. Das hängt damit zusammen, daß als rahmenschließende Teile nicht nur die infiniten Verbformen und die trennbaren Verbteile, sondern auch andere Wörter angesehen werden können. Die folgende Übersicht zeigt die Wortgruppen, Wörter und Wortteile, die oft die letzte Stelle im Satz und somit eine rahmenbildende Funktion haben.

(1) Partizip II und Infinitiv in den analytischen Verbformen

Er *wurde* von den Freunden nach dem Befinden seiner Frau *gefragt.* (Passiv)
Ich *werde* morgen wegen meiner Erkältung zum Arzt *gehen.* (Futur)

(2) Infinitiv bei Modalverben und modalverbähnlichen Verben

Du *solltest* dir unbedingt den neuen sowjetischen Film *ansehen.*
Sie *scheint* den Mann schon von früher zu *kennen.*

(3) Trennbarer erster Teil bei trennbaren Verben

Er *las* die Geschichte den Kindern an einem Abend *vor.* (Präfix)
Er *fährt* wegen seiner Knieverletzung nicht *Rad.* (Substantiv)

(4) Substantiv und Adjektiv als Prädikativ bei Kopulaverben

Er *wird* wegen eines Herzfehlers nicht *Soldat.*
Sie *ist* wahrscheinlich schon seit einiger Zeit nicht ganz *gesund.*

(5) Adverbien und präpositionale Substantivgruppen als obligatorische Richtungsangaben bei Verben der Ortsveränderung

Ich *komme* wegen dringender Arbeiten in letzter Zeit nur selten *dorthin (ins Kino).*

(6) Substantivgruppen als nominale Teile von Funktionsverbgefügen

Mit dem Experiment *stellt* der Kandidat die Richtigkeit der Thesen *unter Beweis.*
Sie *findet* in ihrer Arbeit bei ihren Kolleginnen immer *Unterstützung.*

(7) Satznegation *nicht*

Er *besuchte* den Lehrer trotz der Einladung *nicht.*

Wenn von den unter (1)–(7) genannten rahmenschließenden Gliedern gleichzeitig mehrere im Satz erscheinen, ergibt sich eine bestimmte Reihenfolge. Gemäß dem Gesetz der syntaktischen Verbnähe (vgl. 14.1.2.) stehen Partizip II und Infinitiv am weitesten hinten. Davor stehen die trennbaren ersten Teile von trennbaren Verben – dabei wird die Abtrennung vom Partizip II oder Infinitiv aufgehoben – oder das Prädikativ (die trennbaren ersten Teile und das Prädikativ schließen einander aus). Vor die trennbaren ersten Teile kommen bei Verben der Ortsveränderung die Richtungsangaben und bei Funktionsverben die nominalen Teile zu stehen. Die Satznegation steht am weitesten vorn.

> Der Gast ist *nicht in den Wagen eingestiegen.* (Satznegation + Richtungsangabe + trennbarer Verbteil + Partizip II)
>
> Ich kann auf seine Wünsche *nicht Rücksicht nehmen.* (Satznegation + nominaler Teil des Funktionsverbgefüges + Infinitiv)

Besteht der grammatische Prädikatsteil aus mehreren infiniten Verbformen, dann gilt für die Reihenfolge dieser Formen folgende Grundregel: Die infinite Form, die zuerst in eine finite Form transformiert werden kann, steht in der letzten Position der infiniten Gruppe; vor ihr steht die infinite Form, die nach dieser in eine finite Form transformiert werden kann usw. Diese Regel gilt für alle drei Stellungstypen.

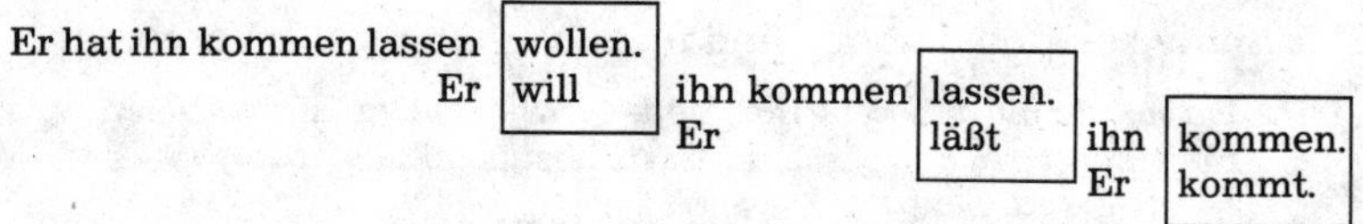

In der deutschen Gegenwartssprache wird der Rahmen öfters durchbrochen. Verschiedene Glieder treten hinter das rahmenschließende Glied. Diese Erscheinung wird *Ausrahmung* genannt.

Es sind zwei Arten der Ausrahmung zu unterscheiden:

1. die durch die Art der Satzglieder bedingte Ausrahmung
2. die durch die Sprecherintention bedingte Ausrahmung

Die erste Art der Ausrahmung ist eine neutrale, nicht auf besondere stilistische Wirkungen zielende Ausrahmung, die bereits grammatikalisiert ist und die Normalstellung für die betreffenden Glieder darstellt. Die zweite Art der Ausrahmung erfolgt aus stilistischen Gründen.

Die grammatikalisierte Ausrahmung betrifft vor allem folgende Fälle:

(1) Satzglieder mit den Präpositionen *wie* und *als* (Komparativbestimmungen)

> Du hast dich benommen *wie ein kleines Kind.*
> Er ist diesmal noch schneller geschwommen *als im Länderkampf gegen Polen.*

(2) Nebensätze

> Wir sind (deshalb) nicht gefahren, *weil das Wetter so schlecht war.*
> Man hat ihn zur Auszeichnung vorgeschlagen *auf Grund der Tatsache, daß es bereits sein zweiter Verbesserungsvorschlag ist.*

Er hat mich in das Wochenendhaus eingeladen, *das seinen Eltern gehört.*

(3) Infinitive mit *zu* (nicht erweitert und erweitert)

Es hat aufgehört *zu regnen.*
Erst nach einer Woche war er imstande, *sich allein in der Stadt zurechtzufinden.*
Er ist weggefahren, *ohne sich zu verabschieden.*

Der stilistisch bedingten Ausrahmung sind vor allem präpositionale Gruppen fähig. Sie erfolgt erstens, wenn die zwischen finitem Verb und Prädikatsteil stehenden Satzglieder sehr umfangreich oder sehr zahlreich sind und die Gefahr besteht, daß das Prädikat nicht als Ganzes erfaßt wird. Um eine stilistisch bedingte Ausrahmung handelt es sich zweitens, wenn ein vom Sprecher besonders betontes Satzglied hinter den Prädikatsteil gestellt wird.

(1) Diese Aufgabe *kann* nur durch eine weitere Erhöhung des Bildungsniveaus *gelöst werden* auf der Grundlage eines einheitlichen Systems des Bildungswesens, dessen einzelne Stufen vom Kindergarten und der Schule, der Berufsausbildung und der Erwachsenenbildung bis zu den Universitäten, Hoch- und Fachschulen aufeinander abgestimmt sind.
(2) Ihr einziger Sohn ist gefallen *in diesem furchtbaren Krieg.*

Syntaktische Verbnähe 14.1.2.

Die Stellung einer Reihe weiterer Satzglieder innerhalb der vom Prädikat konstituierten Stellungstypen ist in der Regel nicht frei. Sie unterliegt bestimmten Bedingungen, zu denen neben der morphologischen Repräsentation dieser Satzglieder vor allem ihr syntaktischer Bezug zum Verb – ihre Verbnähe – gehört.
Das Prinzip der syntaktischen Verbnähe äußert sich in einer generellen Regel, die besagt, daß die dem finiten Verb enger verbundenen, in syntaktischer Hinsicht näher stehenden Glieder sich im Aussagesatz (HS) stellungsmäßig weiter entfernt vom Verb befinden (syntaktische Verbnähe = topologische Verbferne):

Er hat damals nicht in Dresden gewohnt.
0 4 3 2 1

Das Prinzip der syntaktischen Verbnähe kommt weiterhin in einigen speziellen Regeln zum Ausdruck, die bestimmt werden:
– durch die Valenzbeziehungen der Satzglieder zum Verb
– durch die verschiedenen Beziehungen der Satzgliedarten zum Verb

1. Valenzbeziehungen der Satzglieder zum Verb

Die Valenzbeziehung kann für ein Satzglied eine bestimmte Position im Satz festlegen. So stehen notwendige (obligatorische und fakultative) Adverbialbestimmungen in der Regel hinter freien Adverbialbestimmungen. Eine Änderung dieser Satzgliedstellung weist darauf hin, daß das freie Glied hervorgehoben ist.

Er fährt in diesem Sommer *an die Ostsee.*
(freie Temporalbestimmung + notwendige Lokalbestimmung)
Sie sieht heute *sehr blaß* aus.
(freie Temporalbestimmung + notwendige Modalbestimmung)

2. Beziehungen der Satzgliedarten zum Verb

Die Satzgliedart schränkt die Stellungsmöglichkeiten der notwendigen Glieder weiter ein. Das betrifft vor allem das Subjekt und die Objekte, wenn diese nebeneinander zu stehen kommen. Trotz des hinsichtlich der Valenz grundsätzlich gleichen Charakters nehmen das Nominativsubjekt und das reine Dativ- und Akkusativobjekt auf Grund ihres verschiedenen Satzgliedcharakters eine unterschiedliche Stellung im Satz ein. An erster Stelle steht gewöhnlich das Subjekt, darauf folgt das Dativobjekt und zuletzt das Akkusativobjekt:

	Nominativsubjekt	Dativobjekt	Akkusativobjekt
Heute zeigt	die Lehrerin	den Schülern	die Dias.

Eine veränderte Satzgliedfolge ergibt Sätze mit hervorhebender Wortstellung:

Heute zeigt den Schülern die Dias die Hortnerin (und nicht die Lehrerin).

14.2. Morphologische Bedingungen

Die morphologischen Bedingungen für die Stellung der nicht-prädikativen Satzglieder engen die von den syntaktischen Bedingungen her gegebenen Stellungsmöglichkeiten weiter ein. Es sind folgende Arten von morphologischen Bedingungen zu unterscheiden:

– die Repräsentation der Satzglieder durch bestimmte Wortklassen (Substantiv – Pronomen/Adverb)
– die Repräsentation der Satzglieder durch bestimmte Formen (reiner Kasus – Präpositionalkasus)
– der Artikelgebrauch bei substantivischen Satzgliedern.

1. Repräsentation der Satzglieder durch bestimmte Wortklassen

(1) Die Repräsentation eines Satzgliedes durch ein Substantiv oder durch ein Personalpronomen – die anderen substantivischen Pronomina verhalten sich ähnlich wie Substantive – kann die Stellung des Satzgliedes verändern. Dies betrifft die reinen Objekte im Dativ und Akkusativ (und die diesen Objekten entsprechenden sekundären Satzglieder), wobei grundsätzlich zwei Möglichkeiten zu unterscheiden sind:

(a) Wenn die Satzglieder von Wörtern der *gleichen* Subklasse der Wortklasse „Substantivwörter" repräsentiert werden, ändert sich ihre Stellung je nachdem, ob es sich um Substantive oder Personalpronomina handelt. Bei Substantiven ist die Reihenfolge *Dativ – Akkusativ*, bei Personalpronomina ist die Reihenfolge umgekehrt *Akkusativ – Dativ*:

Die Lehrerin zeigt den Schülern die Dias.
Die Lehrerin zeigt sie (= Dias) ihnen (= Schüler).

(b) Wenn die Satzglieder von Wörtern *verschiedener* Subklassen der Wortklasse „Substantivwörter" – von Substantiven und Personalpronomina – repräsentiert werden, steht das Pronomen gewöhnlich an erster Stelle:

Die Lehrerin zeigt ihnen (= Schüler) die Dias.
Die Lehrerin zeigt sie (= Dias) den Schülern.

(2) Die Repräsentation eines Satzglieds durch eine präpositionale Substantivgruppe oder durch ein Adverb kann die Stellung des Satzgliedes verändern. Dies betrifft vor allem die freien Adverbialbestimmungen, und zwar in gleicher Weise wie die Objekte, wenn sie in Form von Substantiven oder Personalpronomina auftreten [vgl. oben die Regel (b)]. Demgemäß steht eine freie Adverbialbestimmung in Form eines Adverbs gewöhnlich an erster Stelle, in Form einer präpositionalen Substantivgruppe dagegen an zweiter Stelle:

Er bleibt am Sonnabend *wegen seiner Erkältung* zu Hause.
→ Er bleibt *deshalb* am Sonnabend zu Hause.

Sie arbeitet seit zehn Jahren *in einem Verlag*.
→ Sie arbeitet *dort* seit zehn Jahren.

2. Repräsentation der Satzglieder durch bestimmte grammatische Formen

Die Repräsentation durch einen reinen Kasus oder durch einen Präpositionalkasus legt die Reihenfolge der Satzglieder fest, und zwar in der Weise, daß die Satzglieder im Präpositionalkasus gewöhnlich am Ende stehen:

Er dankt dem Freund *für die Hilfe*. (nach Dativ)
Er hält die Entscheidung *für einen Fehler*. (nach Akkusativ)
Er legt dem Direktor die Briefe *zur Unterschrift* vor. (nach Dativ und Akkusativ)

3. Artikelgebrauch bei substantivischen Satzgliedern

Der Artikelgebrauch bei substantivischen Satzgliedern kann die Stellung dieser Glieder verändern. Als Grundregel gilt, daß Substantive mit unbestimmtem Artikel oder Nullartikel am Ende stehen:

Ich schenke dem Kind *ein Buch*.
Ich schenke das Buch *einem Kind*.

Er borgt den Studenten *Bücher*.
Er borgt die Bücher *Studenten*.

Die unter 1. bis 3. genannten morphologischen Bedingungen legen die Normalstellung teils obligatorisch, teils fakultativ fest. Nicht in jedem Falle besagt jedoch eine Abweichung von diesen Regeln, daß es sich um ungrammatische oder hervorhebende Stellung handeln muß. Öfters wird die Position eines Satzgliedes erst durch das Zusammenwirken mehrerer morphologischer (und syntaktischer) Faktoren genauer festgelegt. So wird z. B. bei substantivischen Objekten die regelmäßige Reihenfolge *Dativ – Akkusativ* öfters durchbrochen. Hier kann man also nur von einer fakultativen Regel sprechen. Ist jedoch das Dativobjekt ein Personalpronomen, ist diese Reihenfolge strenger festgelegt (eine Änderung ist nur bei Hervorhebung möglich). Sie ist als obligatorisch anzusehen, wenn der substantivische Akkusativ einen unbestimmten Artikel hat. Andererseits durchkreuzen sich manche Regeln der Satzgliedstellung. So wird etwa die Regel über die Stellung des Subjekts nach dem finiten Verb bzw. nach der einleitenden Konjunktion, soweit es sich um ein substantivisches Subjekt handelt, durch Objekte in Form eines Personalpronomens aufgehoben.

14.3. Sprecherintention

In der sprachlichen Kommunikation werden durch die Sprecherintention die syntaktischen und morphologischen Bedingungen der Satzgliedstellung teils eingehalten, teils aber auch modifiziert. Im ersten Falle sprechen wir von neutraler Satzgliedstellung (Normal- oder Nullstellung), im zweiten Falle von hervorhebender Satzgliedstellung.

14.3.1. Neutrale Satzgliedstellung

Die syntaktischen und morphologischen Bedingungen und die diesen entsprechenden speziellen Regularitäten der neutralen Satzgliedstellung sind unter dem kommunikativ-inhaltlichen Aspekt der Sprecherintention auf bestimmte Grundfunktionen zurückzuführen: Die kommunikative Grundfunktion der Stellung der prädikativen Teile (finites Verb, grammatischer und lexikalischer Prädikatsteil) ist es, die verschiedenen Satzarten zu realisieren (Aussagesatz, Fragesatz usw.). Auf Grund des (unbedingt-)obligatorischen Charakters dieser Regeln spricht man hier von grammatischen Regularitäten. Davon zu unterscheiden sind die sogenannten kommunikativen Regularitäten, die entweder alternative (bedingt-obligatorische) oder fakultative Varianten zulassen. Diese Regularitäten betreffen vor allem den nichtprädikativen Bereich und haben im wesentlichen zwei kommunikative Funktionen zu erfüllen:

1. die Funktion der Satzverflechtung
2. die Funktion der Differenzierung des Mitteilungswertes der Satzglieder

1. Der Begriff der *Satzverflechtung* besagt, daß am Satzanfang bzw. im vorderen Teil des Satzes die Glieder stehen, die den Anschluß an den vorhergehenden Satz herzustellen haben. Satzverflechtende Elemente sind neben einigen Nichtgliedern (Konjunktionen, Partikeln) besonders das Subjekt (vor allem in pronominaler Form) und verschiedene Adverbialbestimmungen (vor allem temporaler und lokaler Art):

Klaus war in den Ferien an der Ostsee. Dort hat er sich eine Sammlung von Seesternen und Muscheln angelegt.

Von Bedeutung ist in diesem Zusammenhang, wie in den einzelnen Satzarten (= Stellungstypen) die unmittelbare Anschlußstelle an den vorhergehenden Satz besetzt ist. Für die Stellungstypen 2 und 3 ist diese Frage irrelevant, da in beiden der Anschluß entsprechend der Satzart fest geregelt ist. Im Stellungstyp 1 jedoch, der schon deshalb besonders wichtig ist, weil er der weitaus häufigste Typ ist, gibt es keine feste Regelung für die Anschlußstelle. Bei neutraler Satzgliedstellung kann diese Position von folgenden Gliedern eingenommen werden:

(1) Subjekt

Die Schüler / Sie schreiben ein Diktat.

(2) Adverbialbestimmung

Heute schreiben die Schüler ein Diktat.

(3) Objekt

Zu einer modernen Wohnung / Dazu gehört ein Kühlschrank.
Seiner Mutter geht es jetzt wieder besser.

(4) Sekundäres Satzglied

Dem Schüler war die Aufgabe zu schwer,
Dem Kranken / Ihm tut der Magen weh.

Die Möglichkeit, die erste Stelle zu besetzen, ist für diese verschiedenen Satzglieder prinzipiell gleich. Während es sich aber beim Subjekt und bei der Adverbialbestimmung um die fakultative Normstellung dieser Glieder handelt (möglich ist noch ihre Stellung nach dem finiten Verb), nehmen die übrigen Satzglieder die erste Position bei neutraler Satzgliedstellung nur gelegentlich ein. Zumeist liegt bei der Besetzung der ersten Position durch ein Objekt oder ein sekundäres Satzglied hervorhebende Satzgliedstellung vor:

An seinen Freund hat er nicht geschrieben.
Dem Sohn muß die Mutter die Haare waschen.

2. Die Reihenfolge der Satzglieder im Satz wird nach dem *Mitteilungswert* geregelt. Danach steht das Satzglied mit dem geringsten Mitteilungswert (das Bekannte) am weitesten vorn, gefolgt von dem Satzglied mit dem nächsthöheren Mitteilungswert usw. Das Satzglied mit dem höchsten Mitteilungswert (das Neue) steht demzufolge in der letzten nicht obligatorisch-grammatisch besetzten Position. Von hierher finden viele Regularitäten des nichtprädikativen Bereichs ihre Erklärung. So stehen notwendige Adverbialbestimmungen nach freien Adverbialbestimmungen, weil sie – bedingt durch ihre engere Bindung an das Verb – einen höheren Mitteilungswert besitzen. Umgekehrt stehen Objekte, die durch Personalpronomina repräsentiert werden, vor substantivischen Objekten, weil sie einen geringeren Mitteilungswert haben. Im Falle der Pronomina überlagern sich übrigens die Funktionen der Satzverflechtung und des Mitteilungswertes. Die pronominalen Objekte stehen nicht nur deshalb vorn, weil sie einen geringeren Mitteilungswert haben (Bekanntes ausdrücken), sondern weil sie gleichzeitig den Anschluß zum vorhergehenden Satz herstellen, Mittel der Satzverflechtung sind. Das ist jedoch kein Widerspruch, sondern ganz natürlich, denn die wichtigste Eigenschaft der Satzverflechtung besteht darin, daß Elemente des vorhergehenden Satzes wiederaufgenommen werden, d. h. bereits Bekanntes (ein geringerer Mitteilungswert) ausgedrückt wird – wie z. B. bei den Personalpronomina.

14.3.2. Hervorhebende Satzgliedstellung

Durch die Regeln der neutralen Satzgliedstellung werden nur die von der Sprechergemeinschaft allgemein akzeptierten Stellungsregularitäten erfaßt. Der Einzelsprecher hat nun die Möglichkeit, diese Regeln in verschiedener Weise zu modifizieren. Dies geschieht dadurch, daß die der Satzgliedstellung zukommenden Funktionen von anderen Sprachmitteln übernommen werden. Solche Sprachmittel sind die Betonung (Hervorhebung) und die Intonation, die eine unterschiedliche Wirkung auf die Satzgliedstellung haben. Während die Hervorhebung verschiedene Stellungsregularitäten (sogar der Stellungstypen) aufheben kann (1), führt eine besondere Intonation zur Aufhebung der Funktionen der Satzgliedstellung (2).

(1) Im allgemeinen ist die Stellung des grammatischen Prädikatsteils im Aussagesatz auf die Endstellung beschränkt. Bei Hervorhebung ist jedoch auch Erststellung möglich:

Morgen wird er den Brief *schreiben.*
→ *Schreiben* wird er den Brief morgen.

(2) Die Entscheidungsfrage hat im allgemeinen die durch den Stellungstyp 2 festgelegte Satzgliedstellung. Durch eine interrogative Intonation kann jedoch auch ein Aussagesatz zum Fragesatz werden:

Die Schüler haben ein Diktat geschrieben?

Stellung der einzelnen Satzglieder 14.4.

Prädikat 14.4.1.

1. Finites Verb

Die Stellung des finiten Verbs ist durch die drei Stellungstypen festgelegt. Das finite Verb ist danach in Zweit-, Erst- und Endstellung möglich. Vgl. genauer 14.1.1.1.

2. Grammatischer Prädikatsteil

Die Stellung der grammatischen Prädikatsteile – der infiniten Verbformen – ist ebenfalls durch die drei Stellungstypen festgelegt. Das sind die Endstellung und die vorletzte Stelle (vor dem finiten Verb). Man vgl. dazu unter 14.1.1.2.

3. Lexikalischer Prädikatsteil

(1) Für den lexikalischen Prädikatsteil gelten, soweit es sich um die *trennbaren Verbteile* handelt, die gleichen Regeln des Stellungstyps wie für den grammatischen Prädikatsteil. Wenn neben einem solchen lexikalischen Prädikatsteil noch ein grammatischer Prädikatsteil erscheint, tritt der lexikalische Prädikatsteil vor den grammatischen (mit Aufhebung der Abtrennung).

Er fährt erst morgen *ab*.
Sie ist schon gestern *ab*gefahren.

Wir machten vor dem Gasthaus *halt*.
Unsere Freunde wollten dort nicht *halt*machen.

(2) Das *Reflexivpronomen* als lexikalischer Prädikatsteil (bei reflexiven Verben im engeren Sinne und in reflexiven Formen) folgt eigenen Regeln. Es steht

(a) im Stellungstyp 1 mit Subjekt vor dem finiten Verb
unmittelbar nach dem finiten Verb

Das Kind schämt *sich* jetzt seiner Bemerkung.

(b) im Stellungstyp 1 mit Subjekt nach dem finiten Verb und in den Stellungstypen 2 und 3
unmittelbar vor, manchmal auch unmittelbar nach dem Subjekt

Jetzt schämt *sich* das Kind (das Kind *sich*) seiner Bemerkung.

Anmerkung:
Wenn bei (b) das Subjekt durch ein Personalpronomen repräsentiert ist, steht das Reflexivpronomen nur nach dem Subjekt:

Jetzt schämt er sich seiner Bemerkung.

Ein Akkusativobjekt in Form eines Personalpronomens tritt in der Regel vor dativisches Reflexivpronomen:

Erregt verbat es *sich* die Frau (die Frau es *sich*).

(3) Zur Stellung der lexikalischen Prädikatsteile, die nicht trennbare Verbteile und Reflexivpronomen sind, vgl. 14.1.1.2. Anm. (2).

4. Prädikativ (= Subjektsprädikativ)

(1) Das Prädikativ beim Verb *sein* (teilweise auch bei *werden* und *bleiben*)
Das Prädikativ steht in den Stellungstypen 1 und 2 im allgemeinen in der letzten Position, im Stellungstyp 3 in der vorletzten Position (vor dem finiten Verb):

Er ist gern *Lehrer*. Er ist *begabt*.
Ist er gern *Lehrer*? Ist er *begabt*?
Sie sagt, daß er gern *Lehrer* ist. Sie sagt, daß er *begabt* ist.

Anmerkungen:
(a) Wenn in den Stellungstypen 1 und 2 die letzte und im Stellungstyp 3 die vorletzte Position durch einen grammatischen Prädikatsteil besetzt ist, steht das Prädikativ unmittelbar vor dem Prädikatsteil:

Er ist gern *Lehrer* geworden.
Wirst du mit der Arbeit bald *fertig* werden?
Er hat gesagt, daß ihm der Abend *unvergeßlich* bleiben wird.

(b) Bei Hervorhebung kann das Prädikativ im Aussagesatz seinen Platz mit dem Subjekt tauschen und die erste Stelle einnehmen:

Eine Millionenstadt ist Berlin.
Wichtig ist diese Frage für mich nicht.

Der Austausch mit dem Subjekt in anderen Positionen ist stark eingeschränkt (vor allem durch morphologische Bedingungen):

*Jetzt ist Lehrer mein Freund. (Prädikativ mit Null-Artikel)
→ Jetzt ist mein Freund Lehrer.

(c) Präpositionalobjekte zum adjektivischen Prädikativ stehen häufig nach dem Prädikativ. Vgl. dazu 14.4.3.2.

(d) Freie Adverbialbestimmungen stehen nach dem Prädikativ, wenn dieses durch das Pronomen *es* repräsentiert wird:

Er ist gern *Lehrer* geworden.
→ Er ist *es* gern geworden.

(2) Das Prädikativ in passiven Sätzen mit den Verben *nennen, bezeichnen als* usw.

Die Stellung dieses Prädikativs entspricht der Stellung des Prädikativs beim Verb *sein* mit einem grammatischen Prädikatsteil:

Er wird *ein Talent* genannt.
Seine Entscheidung wurde *als falsch* bezeichnet.

5. Objektsprädikativ

Das Objektsprädikativ entspricht in seiner Stellung dem Prädikativ beim Verb *sein*:

Man nennt ihn *ein Talent*.
Alle bezeichnen seine Entscheidung *als falsch*.

Subjekt 14.4.2.

Beim Subjekt (= Subjektsnominativ) ist zwischen dem Subjekt, das durch ein Personalpronomen repräsentiert wird, und dem durch ein Substantiv repräsentierten Subjekt zu unterscheiden.

1. Die Stellung des pronominalen Subjekts ist im Rahmen der Stellungstypen obligatorisch festgelegt:

(1) Das Subjekt steht im Stellungstyp 1 unmittelbar vor oder nach dem finiten Verb (1. oder 3. Position):

Er will heute einen Brief an seine Eltern schreiben.
Heute schreibe *ich* ihnen einen Brief.

(2) Das Subjekt steht im Stellungstyp 2 unmittelbar nach dem finiten Verb (2. Position):

Wirst *du* den Brief heute schreiben?

(3) Das Subjekt steht im Stellungstyp 3 unmittelbar nach der einleitenden Konjunktion:

Er hat gesagt, daß *er* den Brief heute schreiben will.

2. Das substantivische Subjekt unterscheidet sich in seiner Stellung vom pronominalen Subjekt, wenn im Satz reine Objekte in Form eines Personalpronomens erscheinen. Diese können noch vor das Subjekt treten und es somit von seiner Position unmittelbar nach dem finiten Verb bzw. nach der einleitenden Konjunktion verdrängen:

Morgen zeigt *der Lehrer* es ihnen.
→ Morgen zeigt es *der Lehrer* ihnen.
→ Morgen zeigt es ihnen *der Lehrer*.

Anmerkung:

Während die Stellung des Subjekts in den Stellungstypen 2 und 3 durch obligatorische Regeln über die Stellung zu anderen Satzgliedern abgegrenzt werden kann, ist dies beim Stellungstyp 1 nicht möglich. Das Subjekt ist im Stellungstyp 1 nicht auf die erste Position festgelegt, sondern wechselt diese besonders häufig mit freien Adverbialbestimmungen (ein Wechsel mit anderen

Satzgliedern ist zumeist mit Hervorhebung verbunden), wobei es dann die dritte Position einnimmt. Entscheidend dafür, ob das Subjekt oder eine Adverbialbestimmung die erste Position besetzt, ist das Prinzip der Satzverflechtung.

14.4.3. Objekt

14.4.3.1. Objekt zum finiten Verb

Die Stellung der Objekte im Rahmen der Stellungstypen ist relativ frei:
Die Objekte stehen in den Stellungstypen 1 und 2 zwischen dem finiten Verb und dem grammatischen bzw. lexikalischen Prädikatsteil (soweit vorhanden), im Stellungstyp 3 zwischen der einleitenden Konjunktion und dem finiten Verb (bzw. dem grammatischen oder lexikalischen Prädikatsteil). Die Stellung eines Objekts im Stellungstyp 1 vor dem finiten Verb ist seltener und zumeist mit Hervorhebung verbunden.

Stellungsbeschränkungen ergeben sich für die Objekte:
– durch Regularitäten in der Stellung gegenüber dem Subjekt und den Adverbialbestimmungen
– durch Regularitäten für die Reihenfolge mehrerer Objekte

1. Stellung der Objekte zum Subjekt und zu den Adverbialbestimmungen

Während die Stellung der Objekte zu den Adverbialbestimmungen – vor allem zu freien Adverbialbestimmungen – auf Grund der relativ freien Stellung beider Gliedarten nur teilweise durch Regeln zu erfassen ist (vgl. dazu 14.4.4.2.), läßt sich die Reihenfolge von Subjekt und Objekt durch eine allgemeine Regel bestimmen. Dabei muß der Fall ausgeschlossen werden, daß im Stellungstyp 1 das Subjekt vor dem finiten Verb erscheint. In diesem Fall stehen die Objekte (unmittelbar oder getrennt durch Adverbialbestimmungen bzw. das Reflexivpronomen *sich*) *nach* dem finiten Verb. Sonst gilt die Regel, daß die Objekte (unmittelbar oder getrennt durch Adverbialbestimmungen bzw. *sich*) *nach* dem Subjekt stehen. Eine Ausnahme bilden die reinen Objekte in Form eines Personalpronomens: Wenn das Subjekt durch ein Substantiv repräsentiert wird, können sie *vor oder nach* dem Subjekt stehen.

Heute schreibt der Student *seinen Eltern*. (reiner Kasus)
Heute schreibt er *seinen Eltern*.
Heute schreibt er *ihnen*.
Heute schreibt der Student *ihnen* (*ihnen* der Student).

Heute schreibt der Student *an seine Eltern*. (präpositionaler Kasus)
Heute schreibt er *an seine Eltern*.
Heute schreibt er *an sie*.
Heute schreibt der Student *an sie*.

Abweichungen von diesen Regeln deuten auf Hervorhebung des Subjekts.

2. Reihenfolge mehrerer Objekte

Die meisten Kombinationen von Objekten sind Zweierkombinationen. Dabei ist zwischen Kombinationen von Objekten im reinen Kasus, Kombinationen von reinen und präpositionalen Objekten und Kombinationen von Objekten im Präpositionalkasus zu unterscheiden.

(1) Objekte im reinen Kasus

Wenn zwei reine Objekte im Satz vorhanden sind, bezeichnet eines gewöhnlich eine Person. Dieses Objekt steht bei neutraler Wortstellung an erster Stelle. Abweichungen von dieser Regel ergeben sich bei der häufigen Kombination Dativ + Akkusativ durch besondere morphologische Bedingungen. Man vgl. dazu 14.2.1. (1) und 14.2.3.

(a) Dativ + Akkusativ

Der Vater erzählt den Kindern das Märchen.
Der Schüler beantwortet dem Lehrer die Frage.

(b) Akkusativ + Genitiv

Die Frau bezichtigt den Nachbarn der Lüge.
Der Staatsanwalt klagt den Mann des Raubes an.

(c) Akkusativ + Akkusativ

Das Studium des Sohnes kostet die Eltern kein Geld.
Der Vater fragt die Tochter die Vokabeln ab.

(2) Objekte im reinen und im präpositionalen Kasus

Die Stellung dieser Glieder wird durch die Regel bestimmt, daß präpositionale Satzglieder gewöhnlich am Ende stehen (vgl. 14.2.2.).

(a) Dativ + Präpositionalkasus

Der Lehrer dankte dem Schüler für die Hilfe.
Der Sohn gratuliert dem Vater zum Geburtstag.

(b) Akkusativ + Präpositionalkasus

Die Mutter verteilt den Kuchen an die Kinder.
Der Pförtner hinderte den Besucher am Betreten des Instituts.

Anmerkung:
Auf ein Akkusativobjekt können auch zwei präpositionale Objekte folgen:

Er übersetzt das Buch aus dem Russischen ins Deutsche.
Die Studentin bittet den Dozenten für ihr Zuspätkommen um Entschuldigung.

(3) Objekte im Präpositionalkasus

Wie bei zwei reinen Objekten, so bezeichnet auch bei zwei präpositionalen Objekten eines gewöhnlich eine Person, die bei neutraler Wortstellung an erster Stelle steht:

> Sie bedankt sich bei dem Polizisten für die Hilfe.
> Er klagte gegen den Fahrer auf Schadenersatz.

14.4.3.2. Objekt zum Prädikativ

Bei den Objekten zum Prädikativ ist von der Unterscheidung zwischen Objekten im reinen Kasus und im Präpositionalkasus auszugehen.

1. Objekte im reinen Kasus stehen *vor* dem Prädikativ:

> Er ist *Kälte* gewöhnt. (A)
> Ist er *seinem Vater* ähnlich? (D)
> Es heißt, daß er *großer Leistungen* fähig ist. (G)

2. Präpositionalobjekte stehen *vor oder nach* dem Prädikativ. Bei der Nachstellung handelt es sich um die Ausrahmung des Satzgliedes.

> Er ist *an dem Unfall* schuld / schuld *an dem Unfall.*

Anmerkungen:
(1) Unter bestimmten Bedingungen wird bei den Präpositionalobjekten *eine* Stellung vorgezogen:

(a) Nachstellung wird vorgezogen, wenn die zwischen finitem Kopulaverb und Prädikativ stehenden Satzglieder sehr umfangreich oder sehr zahlreich sind und die Gefahr der Überlastung des Rahmens besteht (vgl. dazu auch 14.1.1.3.):

> Diese Aufgabe *ist* nur durch eine weitere Erhöhung des Bildungsniveaus *lösbar* auf der Grundlage eines einheitlichen Systems des Bildungswesens, dessen einzelne Stufen aufeinander abgestimmt sind.

(b) Nachstellung wird auch bei den Adjektiven als Prädikativ vorgezogen, die gewöhnlich mit einem Präpositionalobjekt mit Nullartikel vorkommen:

> Das Land ist reich an *Bodenschätzen.*
> Niemand ist frei von *Fehlern.*

(c) Voranstellung wird vorgezogen bei manchen Adjektiven, die von Verben abgeleitet sind und noch als rahmenschließender grammatischer Prädikatsteil empfunden werden:

> Ich bin *an mein Wort* gebunden.
> Wir sind *auf seine Hilfe* angewiesen.

(2) Wie Objekte verhalten sich auch einige notwendige Adverbialbestimmungen zum Prädikativ:

> Der Wagen ist *vier Meter* lang.
> Er ist *in Dresden* wohnhaft / wohnhaft *in Dresden.*

Bei einigen präpositionalen Adverbialbestimmungen ist nur die Voranstellung üblich:

Der Vogel ist *im Norden* heimisch.
Nach dem Studium wurde er *in einer Kleinstadt* ansässig.

(3) Stehen bei einem Prädikativ zwei Objekte, folgt der präpositionale Kasus gewöhnlich dem reinen Kasus:

Er ist dem Lehrer für die Ratschläge dankbar / dem Lehrer dankbar für die Ratschläge.

Adverbialbestimmung 14.4.4.

Für die Stellung der Adverbialbestimmungen ist die Unterscheidung in notwendige (obligatorische und fakultative) und freie Adverbialbestimmungen wichtig.

1. Notwendige Adverbialbestimmung

Die notwendige Adverbialbestimmung steht in den Stellungstypen 1 und 2 des rahmenlosen Satzes gewöhnlich in der letzten Position, im Stellungstyp 3 in der vorletzten Position (vor dem finiten Verb). Ist die letzte bzw. vorletzte Position durch einen grammatischen oder einen lexikalischen Prädikatsteil besetzt, so steht die notwendige Adverbialbestimmung unmittelbar vor diesem. Vgl. auch 14.1.2.1.

Er fährt heute *nach Dresden.*
Wird er morgen *nach Dresden* fahren?
Sie sagt, daß er morgen *nach Dresden* fährt (fahren wird).

2. Freie Adverbialbestimmung

(1) Die Stellung dieser Adverbialbestimmung im Rahmen der Stellungstypen ist relativ frei:

(a) Im Stellungstyp 1 steht die freie Adverbialbestimmung vor dem finiten Verb oder zwischen dem finiten Verb bzw. dem Subjekt und den übrigen Prädikatsteilen (soweit vorhanden):

Trotz seiner Erkältung ist der Student gekommen.
Der Student ist *trotz seiner Erkältung* gekommen.
Gestern ist der Student *trotz seiner Erkältung* gekommen.

Die Stellung vor dem finiten Verb ist – vor allem bei den freien Modalbestimmungen – oft mit Hervorhebung verbunden:

Ich habe das Buch mit großem Interesse gelesen.
→ *Mit großem Interesse* habe ich das Buch gelesen.

(b) Im Stellungstyp 2 steht die freie Adverbialbestimmung zwischen dem finiten Verb + Subjekt und den übrigen Prädikatsteilen (soweit vorhanden):

Fährst du *morgen*?
Werden die Freunde *am Sonntag* kommen?

(c) Im Stellungstyp 3 steht die freie Adverbialbestimmung zwischen dem Einleitungswort + Subjekt und dem finiten Verb (bzw. den übrigen Prädikatsteilen):

> Da der Kranke *sofort nach seiner Einlieferung in die Klinik* operiert wurde, konnte ihm das Leben gerettet werden.
> Sie sagt, daß ihr Sohn *auf Grund seines Fleißes* Sieger geworden ist.

Gelegentlich tritt die freie Adverbialbestimmung auch vor ein substantivisches Subjekt:

> Wohnt *hier* dein Freund?
> Er sagt, daß *heute* sein Freund kommt.

(2) Die Reihenfolge zweier oder mehrerer aufeinanderfolgender freier Adverbialbestimmungen ist schwach geregelt. Gewisse Beschränkungen ergeben sich daraus, daß Temporal- und Kausalbestimmungen bei neutraler Satzgliedstellung gewöhnlich vor freien Lokal- und Modalbestimmungen stehen:

> Wir sind wegen der nassen Fahrbahn sehr langsam gefahren. (Kausalbestimmung + Modalbestimmung)
>
> Ich habe am Vormittag im Garten gearbeitet. (Temporalbestimmung + Lokalbestimmung)
>
> Er treibt in seiner Freizeit mit Begeisterung Sport. (Temporalbestimmung + Modalbestimmung)

Am weitesten vorn stehen (auf Grund der Mitteilungsperspektive) Adverbialbestimmungen in Form von Konjunktionaladverbien. Man vgl.:

> Er hat mehrere Tage *wegen einer Erkältung* gefehlt.

Oder:

> Er hat *wegen einer Erkältung* mehrere Tage gefehlt.

Aber nur:

> (Er ist erkältet.) Er hat *deswegen* mehrere Tage gefehlt.

(3) Wie die Stellung der freien Adverbialbestimmungen allgemein, so ist auch ihre Stellung zu den Objekten relativ frei:

> Er gibt *nach der Stunde* dem Lehrer den Brief.
> Er gibt dem Lehrer *nach der Stunde* den Brief.
> Er gibt dem Lehrer den Brief *nach der Stunde*.

Beschränkungen ergeben sich vor allem auf Grund morphologischer Bedingungen: Reine Objekte in Form von Personalpronomina stehen gewöhnlich *vor* der Adverbialbestimmung, substantivische Objekte mit unbestimmtem oder Nullartikel stehen gewöhnlich *nach* der freien Adverbialbestimmung:

> Er gibt *ihm* nach der Stunde *einen* Brief.

(4) Übersicht über die Grundreihenfolge aller Satzglieder im Stellungstyp 1 mit Normalstellung des Subjekts an erster Stelle:

1	2	3	4	
Subjekt	fin. Verb	Adverbialbest. 1 (frei)	Adverbialbest. 2 (frei)	
		Temporalbest. Kausalbest.	Lokalbest. Modalbest.	

5	6	7	8	9
Objekt 1 (Person)	Objekt 2 (Nicht-Person)	Adverbial-best. 3 (notwendig)	Prädikats-teile 1	Prädikats-teile 2
Dat./Akk. Akk. Dat./Akk./Präp.-Kasus	– Akk. – Gen. – Präp.-Kasus	Richtungs-angabe	trennbarer Verbteil Prädikativ	Infinitiv Partizip II

Sekundäre Satzglieder 14.4.5.

1. Sekundäre Satzglieder zum Satz

(1) Die sekundären Satzglieder *im Dativ* verhalten sich stellungsmäßig wie die entsprechenden Objekte zum finiten Verb und zum Prädikativ:

Er trägt *seiner Mutter* das Gepäck. (Er trägt es *ihr.*)
Die Aufgabe ist *dem Schüler* zu schwer.

Bei einem Prädikativ kann das sekundäre Satzglied auch seine Stellung mit dem Subjekt tauschen. Es handelt sich dann nicht um Hervorhebung.

Die Gegend war *dem Besucher* fremd.
→ *Dem Besucher* war die Gegend fremd.

(2) Die sekundären Satzglieder mit der Präposition *für* zum finiten Verb sind in ihrer Stellung relativ frei; nur bei Repräsentation des reinen Objekts durch ein Personalpronomen ist die Stellung festgelegt.

Er hat das Radio *für die Prämie (dafür)* gekauft.

Und:

Er hat *für die Prämie (dafür)* das Radio gekauft.

Aber nur:

Er hat es *dafür* gekauft.

Die sekundären Satzglieder mit der Präposition *für* zum Prädikativ verhalten sich wie die entsprechenden Präpositionalobjekte (vgl. 14.4.3.2.).

Diese Frage ist *für mich* wichtig / wichtig *für mich.*

2. Sekundäre Satzglieder zu einzelnen Satzgliedern

(1) Prädikatives Attribut

Das prädikative Attribut entspricht stellungsmäßig einer freien Modalbestimmung (vgl. 14.4.4.2.):

> Er kam *krank* nach Hause.
> Ich habe ihn *in schlechter Stimmung* angetroffen.

(2) Possessiver Dativ

(a) Der possessive Dativ zum Subjekt
Die Stellung des possessiven Dativs zum Subjekt hängt von der morphologischen Repräsentation des Subjekts ab: Wenn das Subjekt ein Substantiv ist, folgt der possessive Dativ den Stellungsregeln für das Subjekt, während das Subjekt sich stellungsmäßig wie ein Dativobjekt verhält. Ist das Subjekt ein Personalpronomen, verhält sich der possessive Dativ stellungsmäßig wie ein Dativobjekt.

> *Mir* tut schon seit Tagen das rechte Knie weh.
> Es tut *mir* schon seit Tagen weh.

(b) Der possessive Dativ zum Objekt und zur Adverbialbestimmung
Beide Dative entsprechen in der Stellung dem Dativobjekt zum finiten Verb:

> Heute hat der Arzt *dem Patienten* den Magen operiert.
> Heute hat der Arzt *ihm / ihr* der Arzt den Magen operiert.

Attribut 15.

Syntaktische und semantische Beschreibung 15.1.

Attribut und Satzglieder 15.1.1.

Das Attribut unterscheidet sich in zweifacher Hinsicht von den Satzgliedern. Der erste Unterschied ist ein vom konkreten Satz ablesbarer, stellungsmäßiger Unterschied: Während die Satzglieder im Satz allein verschiebbar sind, kann das Attribut in der Regel nur gemeinsam mit einem Satzglied verschoben werden. Das Attribut ist kein selbständiges Stellungsglied, sondern immer nur Gliedteil.

Er beantwortet den Brief heute.
→ *Heute* beantwortet er den Brief. (Adverbialbestimmung)
→ *Den Brief* beantwortet er heute. (Objekt)

Er beantwortet den Brief des Freundes heute.
→ *Des Freundes beantwortet er den Brief heute.
→ Den Brief *des Freundes* beantwortet er heute. (Attribut)

In seltenen Fällen kann das Attribut auch von seinem Bezugswort getrennt werden:

Viel *von Dresden* wurde zerstört.
→ Viel wurde *von Dresden* zerstört.
→ *Von Dresden* wurde viel zerstört.

Neben dem mehr oberflächlichen Unterschied in der Stellung gibt es noch einen tieferen Unterschied zwischen Attribut und Satzgliedern, der nicht am konkreten Satz, sondern nur bei der Zurückführung der konkreten Sätze auf Grundstrukturen deutlich wird. Das Attribut ist grundsätzlich eine potentielle Prädikation, meist in nominalisierter Form, d. h., es läßt sich auf eine prädikative Grundstruktur zurückführen. Auch manche Satzglieder (z. B. freie Adverbialbestimmungen) sind potentielle Prädikationen, aber im Unterschied zu ihnen liegt dem Attribut nicht eine Prädikation zum Verb (und damit zum ganzen Satz), sondern zu einem Wort, das nicht Verb ist (also nicht zum ganzen Satz), zugrunde:

Das kleine Kind schläft fest.
← Das Kind schläft.
← Das Kind ist klein. (Attribut)
← Sein Schlaf ist fest. (Adverbialbestimmung)

Anmerkung:
Das prädikative Attribut steht im konkreten Satz in derselben Position wie die Adverbialbestimmung, unterscheidet sich von ihr aber in der Abhängigkeitsbeziehung: es bezieht sich nicht auf das Verb, sondern auf das Substantiv. Ihm liegt also die gleiche potentielle Prädikation (*sein*-Satz) wie den ad-

jektivischen Attributen zugrunde. Von den adjektivischen Attributen unterscheidet es sich aber dadurch, daß es ein Stellungsglied ist wie die übrigen Satzglieder, d. h. allein im Satz verschoben werden kann. Auf Grund dieser Zwischenstellung erfolgt die Darstellung des prädikativen Attributs gesondert unter 13.3.5.2.1.

15.1.2. Attribut und Wortklassen

Das Attribut wird durch verschiedene Wortklassen repräsentiert. Welche Wortklassen im einzelnen als Attribut erscheinen, wird durch die beiden obengenannten Merkmale bestimmt. Nach dem Stellungsmerkmal sind alle Wörter Attribut, die vor oder nach einem Satzglied stehen und mit diesem verschoben werden.

1. In Vorderstellung erscheinen Artikelwörter, Präpositionen, Partikeln, Adjektive und Partizipien. Von diesen sind auf Grund des Prädikationsmerkmals nur die Adjektive und Partizipien als Attribute anzusehen, denn weder bei den Artikelwörtern noch bei den Präpositionen und Partikeln handelt es sich um zugrunde liegende Prädikationen:

der Fehler
← *Fehler ist der

wegen Krankheit
← *Krankheit ist wegen

nur Kinder
← *Kinder sind nur

der interessante Vortrag
← der Vortrag ist interessant

die geplante Reise
← die Reise ist geplant

Zur Adjektivdeklination als dem besonderen morphologischen Merkmal, durch das die adjektivischen und partizipialen Attribute in Vorderstellung zusätzlich gekennzeichnet werden, vgl. 3.1.1.

2. In Nachstellung erscheinen Substantive (bzw. substantivische Pronomina), Adverbien und Infinitive.[1] Sowohl beim Substantiv als auch beim Adverb und beim Infinitiv ist die Zurückführung auf eine Prädikation möglich, so daß sie sämtlich als Attribute anzusehen sind. Ein Unterschied zwischen diesen Attributen besteht darin, daß das Adverb und der Infinitiv nur durch ihre Stellung als Attribut erkennbar sind, während das attributive Substantiv zusätzlich durch besondere Kasusformen (Genitiv/Präpositionalkasus) morphologisch gekennzeichnet ist.

das Haus meines Vaters
← mein Vater hat ein Haus

---

[1] Zum Nebensatz als Attribut vgl. 18.4.2.6.

der Student dort
← der Student ist dort

seine Hoffnung zu gewinnen
← er hofft, daß er gewinnt

Anmerkung:
Nicht in jedem Falle reichen die Merkmale der Kasusform und/oder Stellung aus, um die nachgestellten Attribute deutlich als solche gegenüber den Satzgliedern zu kennzeichnen. So ist der Präpositionalkasus zuweilen auch als Objekt, das Adverb als Adverbialbestimmung interpretierbar:

Der Schriftsteller schreibt gern Erzählungen *über Kinder.*
(1) ← Er schreibt gern über Kinder. (Objekt)
(2) ← Die Erzählungen sind über Kinder. (Attribut)

Er hat mir über die Versammlung *gestern abend* berichtet.
(1) ← Er hat mir gestern abend berichtet. (Adverbialbestimmung)
(2) ← Die Versammlung war gestern abend. (Attribut)

Beim Adverb ist es darüber hinaus möglich, daß das Glied, nach dem das Adverb steht, ebenfalls doppelt zu interpretieren ist (als Adverbialbestimmung oder als Attribut):

Er steht am Haus rechts.
(1. = Er steht am rechten Haus. *rechts* ist Attribut zur Adverbialbestimmung *am Haus.*
2. = Er steht auf der rechten Seite des Hauses. *am Haus* ist Attribut zur Adverbialbestimmung *rechts.*)

Die einzelnen Attribute 15.1.3.

Adjektiv und Adverb 15.1.3.1.

Das attributive Adjektiv und das attributive Adverb sind prinzipiell aus der gleichen Prädikation – dem *sein*-Satz – abzuleiten:

der fleißige Student
← der Student ist fleißig
der Student dort
← der Student ist dort

Daneben gibt es eine größere Zahl Adjektive – die nur attributiv verwendeten Adjektive (vgl. 3.4.2.) –, denen spezielle Prädikationen zugrunde liegen:

das medizinische Personal
← das Personal ist aus (dem Bereich) der Medizin

der bulgarische Wein
← der Wein ist aus Bulgarien

der zehnte Jahrestag
← der Jahrestag ist der zehnte (Jahrestag)

Trotz der prinzipiell gleichen prädikativen Grundstruktur gibt es bestimmte Unterschiede zwischen Adjektiv und Adverb im konkreten Satz:

1. Die Attribuierung ist beim Adjektiv ein allgemeines Merkmal. Nur wenige, zumeist aus Substantiven gebildete Adjektive sind nicht attributfähig. Vgl. dazu 3.4.3. Bei den Adverbien hat die Attribuierung als Ausnahme zu gelten. Attribuierbar ist nur eine kleine Zahl ursprünglicher Adverbien mit temporaler oder lokaler Bedeutung. Vgl. dazu 4.3.1. und 4.3.2.

2. Das attributive Adjektiv erscheint gewöhnlich vorangestellt-flektiert, das Adverb nachgestellt-unflektiert. Nachstellung des Adjektivs und Voranstellung des Adverbs sind nur unter bestimmten Bedingungen möglich. Vgl. dazu 15.2.3.

3. Das attributive Adjektiv kann durch notwendige (valenzgebundene) und nichtnotwendige (valenzunabhängige) Glieder erweitert sein. Einer Erweiterung in diesem Sinne ist das Adverb nicht fähig. Vgl. dazu 15.2.4.1.

4. Das adjektivische Attribut ist als solches stets eindeutig. Beim Adverb sind verschiedentlich Homonymien möglich. Vgl. dazu 15.1.2.2. Anm.

15.1.3.2. Partizip I und II

1. Die attributiven Partizipien I sind syntaktisch abzuleiten

(1) aus dem Präsens Aktiv transitiver und intransitiver Verben:

das lesende Mädchen
← das Mädchen liest

Anmerkungen:

(a) Bei manchen Partizipien ist die Ableitung über einen *sein*-Satz möglich:

der entscheidende Augenblick
← der Augenblick ist entscheidend
← der Augenblick entscheidet

Vgl. dazu genauer 1.6.3.1.2. Variante 4.

(b) Nicht um Partizipien, sondern um Adjektive handelt es sich, wenn kein verbaler Ursprung erkennbar ist:

die dringende Hilfe
← *die Hilfe dringt
← die Hilfe ist dringend

Manche attributiven Partizipien sind homonym und können sowohl als Partizipien verbalen Charakters wie als Partizipien adjektivischen Charakters verstanden werden. Im allgemeinen werden die Homonymien durch Kontextelemente eindeutig:

das reizende Kind
→ das ganz reizende Kind (adjektivisch)
→ das den Hund reizende Kind (verbal)

(2) aus dem Präsens Aktiv reflexiver Konstruktionen und reflexiver Verben im engeren Sinne:

das sich waschende Kind
← das Kind wäscht sich (reflexive Konstruktion)
das sich schämende Kind
← das Kind schämt sich (reflexives Verb im engeren Sinne)

(3) aus der Verbindung Modalverb + Infinitiv Passiv über die Verbindung *sein* + *zu* + Infinitiv bei transitiven Verben (im Präsens):

die anzuerkennende Leistung
← die Leistung ist anzuerkennen
← die Leistung kann (muß) anerkannt werden

Diese als Gerundiv bezeichnete Sonderform des attributiven Partizips I kann nur von passivfähigen transitiven Verben gebildet werden. Sie ist nur attributiv möglich, prädikativ erscheint statt des Partizips I der Infinitiv. Vgl. dazu genauer 1.6.3.1.2. Variante 5. Bedeutungsmäßig sind die Partizip I- und die Infinitiv-Konstruktion identisch, und zwar stellen sie Passiv-Paraphrasen mit der modalen Nebenbedeutung der Möglichkeit oder Notwendigkeit dar.

2. Die attributiven Partizipien II sind syntaktisch abzuleiten

(1) aus dem Perfekt Vorgangspassiv bei transitiven Verben:

der gelobte Schüler
← der Schüler ist gelobt worden

(2) aus dem Perfekt Vorgangspassiv über das Zustandspassiv bei transitiven Verben:

das geöffnete Fenster
← das Fenster ist geöffnet
← das Fenster ist geöffnet worden

Ob im Einzelfalle die Ableitung entsprechend (1) oder (2) zu erfolgen hat, hängt von der Möglichkeit der Bildung des Zustandspassivs ab. Vgl. dazu 1.8.8.2.

(3) aus dem Perfekt Aktiv bei intransitiven Verben, die perfektiv sind und ihre zusammengesetzten Vergangenheitsformen mit *sein* bilden (Verben der Zustands- und Ortsveränderung):

die verblühte Blume
← die Blume ist verblüht
der eingefahrene Zug
← der Zug ist eingefahren

Anmerkungen:
(a) Von nicht-präfigierten intransitiven Verben der Ortsveränderung, die die Vergangenheit mit *sein* bilden, ist nur dann ein attributives Partizip II möglich, wenn eine adverbiale Angabe dabei steht:

der Junge ist nach Hause / sehr schnell / . . . gelaufen
→ der nach Hause / sehr schnell / . . . gelaufene Junge

Aber nicht:

der Junge ist gelaufen
→ *der gelaufene Junge

(b) Intransitive Verben, die die Vergangenheit mit *haben* bilden, können kein attributives Partizip II bilden:

die Blume hat geblüht
→ *die geblühte Blume

(4) aus dem Perfekt Aktiv reflexiver Konstruktionen und reflexiver Verben im engeren Sinne über das Zustandsreflexiv:

das gewaschene Kind
← das Kind ist gewaschen
← das Kind hat sich gewaschen (reflexive Konstruktion)

das erkältete Kind
← das Kind ist erkältet
← das Kind hat sich erkältet (reflexives Verb im engeren Sinne)

Anmerkungen:
(a) Die Bildung des attributiven Partizips II hängt bei den reflexiven Konstruktionen und den reflexiven Verben im engeren Sinne von der Möglichkeit der Bildung des Zustandsreflexivs ab. Verben, die kein Zustandsreflexiv bilden, können auch kein attributives Partizip II bilden:

das Kind hat sich geschämt
→ *das Kind ist geschämt
→ *das geschämte Kind

Zu den Bedingungen für die Bildung des Zustandsreflexivs vgl. 1.10.7. Anm.

(b) Das attributive Partizip II der reflexiven Konstruktionen ist homonym, da auf Grund des fehlenden Reflexivpronomens das Partizip auch im Sinne von (1) – als passivisches Partizip eines transitiven Verbs – interpretierbar ist:

das gewaschene Kind
← das Kind ist gewaschen worden

(c) Bei manchen Partizipien II ist keine der unter (1)–(4) genannten Ableitungen aus verbalen Grundformen möglich. Hier handelt es sich um Partizipien adjektivischen Charakters:

die beliebte Schauspielerin
← *die Schauspielerin beliebt
← die Schauspielerin ist beliebt

Einige Partizipien II sind homonym und können sowohl als Partizipien verbalen Charakters wie als Partizipien adjektivischen Charakters verstanden werden. Im allgemeinen werden die Homonymien durch Kontextelemente eindeutig:

der geschickte Junge
→ der im Basteln geschickte Junge (adjektivisch)
→ der von der Mutter zum Nachbarn geschickte Junge (verbal)

1. Substantiv im Genitiv

Attribute, die durch ein Substantiv im Genitiv repräsentiert werden, müssen auf verschiedene Weise abgeleitet werden, da ihnen verschiedene Arten von Prädikationen zugrunde liegen, denen auch verschiedenartige inhaltliche Beziehungen entsprechen (Subjekt, Objekt, Prädikativ und andere).

(1) Genitivus possessivus (= Haben-Verhältnis)

das Haus meines Vaters
← mein Vater hat ein Haus

(2) Genitivus definitivus (= Sein-Verhältnis)

die Pflicht der Dankbarkeit
← die Dankbarkeit ist eine Pflicht

(3) Genitivus explicativus (= Bedeuten-Verhältnis)

der Strahl der Hoffnung
← der Strahl bedeutet Hoffnung

(4) Genitivus partitivus (= Teil-von-Verhältnis)

die Hälfte des Buches
← die Hälfte ist Teil von dem Buch

(5) Genitivus subjectivus (= Subjekt-Prädikats-Verhältnis)

die Lösung des Schülers
← der Schüler löst (die Aufgabe)

(6) Genitivus objectivus (= Objekt-Prädikats-Verhältnis)

die Lösung der Aufgabe
← (der Schüler) löst die Aufgabe

(7) Genitiv des Eigenschaftsträgers (= Sein-Verhältnis, aber im Unterschied zu (2) steht im Prädikativ ein Adjektiv)

die Größe des Zimmers (von 20 m^2)
← das Zimmer ist (20 m^2) groß

(8) Genitiv der Eigenschaft (= Kennzeichnen-Verhältnis)

ein Mann der Vernunft
← Vernunft kennzeichnet den Mann

(9) Genitivus auctoris (= Verhältnis des Schaffens)

das Werk des Dichters
← der Dichter hat das Werk geschaffen

(10) Genitiv des Produkts (= Verhältnis des Geschaffen-Seins, Umkehrung von (9); das Produkt steht im Genitiv)

der Dichter des Werkes
← das Werk ist Produkt des Dichters

(11) Genitiv der Zugehörigkeit (= Gehören-zu-Verhältnis)

die Schule meines Bruders
← mein Bruder gehört zu der Schule

(12) Genitiv des dargestellten Objekts (= Darstellen-Verhältnis)

das Bild Goethes
← das Bild stellt Goethe dar

Infolge der verschiedenartigen Beziehungen, die der attributive Genitiv ausdrücken kann, entstehen manchmal mehrdeutige Äußerungen. In der Äußerung *das Bild Goethes* z. B. kann Goethe der Besitzer des Bildes (1), der Schöpfer des Bildes (9) oder das auf dem Bild dargestellte Objekt (12) sein.

2. Substantiv im Präpositionalkasus

Wie dem substantivischen Attribut im Genitiv, so liegen auch dem substantivischen Attribut im Präpositionalkasus verschiedenartige inhaltliche Beziehungen zugrunde. Im einzelnen handelt es sich um solche Beziehungen, die sich durch Objektsbeziehungen und durch adverbiale Beziehungen ausdrücken lassen. Die Präpositionen spielen dabei eine unterschiedliche Rolle. Während bei den Objektsbeziehungen die Präposition nichts über die Art der Beziehung aussagt, ist bei den adverbialen Beziehungen die Art der Beziehung weitgehend aus der Bedeutung der Präposition ablesbar.

die Teilnahme (des Schülers) am Wettbewerb ← der Schüler nimmt am Wettbewerb teil	(Objekt)
die Freude (des Wissenschaftlers) über den Erfolg ← der Wissenschaftler freut sich über den Erfolg	(Objekt)
die Abhängigkeit (der Entscheidung) vom Zufall ← die Entscheidung hängt vom Zufall ab	(Objekt)
das Haus in der letzten Reihe ← das Haus ist (befindet sich) in der letzten Reihe	(lokal)
die Ankunft (des Gastes) am Abend ← der Gast kommt am Abend an	(temporal)
die Antwort (des Kollegen) in der Erregung ← der Kollege hat in der Erregung geantwortet	(modal)
die Briefmarke für zehn Pfennig ← die Briefmarke kostet zehn Pfennig	(Maß- und Wertangabe)
Farben aus Teerprodukten ← Farben sind aus Teerprodukten hergestellt	(stoffliche Herkunft)
die Ähnlichkeit (der Brüder) zum Verwechseln ← die Brüder ähneln sich zum Verwechseln	(konsekutiv)
usw.	

Anmerkungen:

(1) Substantivische Attribute mit der Präposition *durch* können neben adverbialen Beziehungen auch eine Subjektsbeziehung ausdrücken:

die Lösung (der Aufgabe) durch den Schüler
← der Schüler löst die Aufgabe

Attribute mit der Präposition *durch* zum Ausdruck der Subjektsbeziehung sind nur möglich, wenn dem Bezugswort ein transitives Verb zugrunde liegt. Gewöhnlich erscheint neben dem präpositionalen Attribut noch ein Genitiv-Attribut, das das Objekt der Handlung bezeichnet.
Bei anderen präpositionalen Attributen, die neben einem Genitiv-Attribut auftreten, sind die inhaltlichen Beziehungen umgekehrt: Das Genitiv-Attribut bezeichnet das Subjekt und das präpositionale Attribut das Objekt (oder eine adverbiale Beziehung). Vgl. dazu die obigen Beispiele.

(2) Wenn im präpositionalen Attribut ein substantivisches Pronomen steht, werden dadurch zumeist Objektsbeziehungen ausgedrückt. Je nachdem, ob das Attribut ein Lebewesen oder ein Nicht-Lebewesen bezeichnet, erscheint die Präposition in Verbindung mit einem Personal- bzw. Demonstrativpronomen oder in einer Wortverbindung mit dem Adverb *da(r)-* (sog. Pronominaladverb):

die Angst vor dem Prüfer
→ die Angst *vor ihm*
die Angst vor der Prüfung
→ die Angst *davor*

Für die präpositionalen Substantive, die Nicht-Lebewesen als adverbiale Beziehungen bezeichnen, treten neben den Pronominaladverbien auch Adverbien ein:

der Garten hinter dem Haus
→ der Garten *dahinter*
→ der Garten *hinten (dort)*

3. Präpositionalkasus mit „von“

Die Präposition *von* nimmt unter den übrigen Präpositionen eine Sonderstellung ein, da sie als Ersatzform des Genitivs auch verschiedene inhaltliche Beziehungen des Genitivattributs ausdrücken kann:

das Bild *Goethes*
→ das Bild *von Goethe*

Der Präpositionalkasus mit *von* tritt an die Stelle des Genitivs, wenn dieser formal nicht deutlich wird. Das ist zum Teil dann der Fall, wenn das attributive Substantiv mit Nullartikel gebraucht wird.

(1) Attributives Substantiv im Singular mit Nullartikel:

die Gewinnung von Kohle
der Einfluß von Wind und Wetter

Steht vor dem attributiven Substantiv ein anderes Artikelwort oder / und ein Adjektiv bzw. Partizip, wird das Substantiv im Genitiv gebraucht:

die Gewinnung wertvoller Kohle
die Gewinnung der wertvollen Kohle
der Einfluß des Windes und des Wetters

Der Gebrauch des Präpositionalkasus mit *von* in diesen Fällen ist umgangssprachlich:

das Haus von meinem Vater
die Hälfte von dem Buch

(2) Attributives Substantiv im Plural mit Nullartikel

der Bau von Kraftwerken
die Aufführung von Dramen

Steht vor dem attributiven Substantiv ein anderes Artikelwort oder / und ein Adjektiv bzw. Partizip, wird das Substantiv im Genitiv (häufiger) oder im Präpositionalkasus mit *von* gebraucht:

der Bau moderner Kraftwerke (der Bau von modernen Kraftwerken)
die Aufführung dieser Dramen (die Aufführung von diesen Dramen)

Steht vor dem Substantiv eine Kardinalzahl mit Nullartikel, ist nur *von* möglich:

der Preis von sechs Büchern

(3) Attributive Eigennamen mit Nullartikel

Attributive Eigennamen ohne Genitivzeichen (Personennamen und geographische Namen auf *-s, -x, -z*; Namen von Institutionen) erscheinen in Nachstellung obligatorisch im Präpositionalkasus mit *von*:

das „Kapital" von Marx
die Parks von Paris
eine Sendung von Radio DDR

Attributive Eigennamen mit Genitivzeichen erscheinen in Nachstellung fakultativ im Präpositionalkasus:

die Bilder von Dürer / die Bilder Dürers
die Parks von Dresden / die Parks Dresdens

Attributive Eigennamen mit Adjektiv bzw. Partizip stehen nicht mit Nullartikel. In diesem Fall wird der Name zumeist im Genitiv gebraucht:

die Briefe des jungen Engels (die Briefe von dem jungen Engels)
eine Photographie des zerstörten Dresdens (eine Photographie von dem zerstörten Dresden)

Bei Vorderstellung des attributiven Eigennamens ist nur der Genitiv möglich:

Dürers Bilder
Dresdens Parkanlagen

Eigennamen ohne Genitivzeichen werden gewöhnlich nicht vorangestellt. Eine Ausnahme bilden die Personennamen, bei denen in der Schriftsprache ein Apostroph gesetzt wird:

Marx' Kapital
Engels' Briefe

(4) Der Präpositionalkasus mit *von* steht weiterhin zur Vermeidung von zwei aufeinanderfolgenden Genitiven (vor allem bei Eigennamen):

die Antwort von Peters Freund

(5) Regelmäßige Ersatzform ist der Präpositionalkasus mit *von* bei substantivischen Pronomina, die nicht artikelfähig sind:

das Haus von ihm
die Aufgabe von jemandem
die Hälfte davon
die Größe von jedem (aber: die Größe eines jeden / von einem jeden)

4. Merkmalloser Kasus

Maß- und Mengenangaben als Bezugswörter haben substantivische Attribute im Singular gewöhnlich im merkmallosen Kasus mit Nullartikel nach sich. Dabei ist zu unterscheiden zwischen Maß- und Mengenangaben, die im Singular und Plural vorkommen, und Maß- und Mengenangaben, die nur im Singular möglich sind.

(1) Im Singular und Plural stehen feminine Maß- und Mengenangaben wie *Flasche, Kiste, Portion, Tafel, Tonne* und Zeitangaben wie *Tag, Woche, Jahr*:

eine *Flasche* Sekt – drei *Flaschen* Sekt
ein *Jahr* Arbeit – zwei *Jahre* Arbeit

(2) Nur im Singular stehen maskuline und neutrale Maß- und Mengenangaben wie *Blatt, Bund, Glas, Kilo, Liter, Meter, Paar, Sack, Stück*:

ein *Stück* Zucker – zwei *Stück* Zucker

Anmerkungen:
(a) Substantivische Attribute im Plural und / oder mit einem adjektivischen Attribut treten gewöhnlich in den gleichen Kasus wie die Maß- und Mengenangabe:

Er kaufte zwei Paar (wollene) Strümpfe.
Er sprach von zwei Paar (wollenen) Strümpfen.

Hier ist ein Glas süßer Wein.
Er trank ein Glas süßen Wein.

(b) Eine Sondergruppe bilden die unbestimmten Mengenangaben wie *Anzahl, Gruppe, Haufen, Reihe, Stapel* usw., bei denen gewöhnlich ein substantivisches Attribut im Plural erscheint. Hier steht das Attribut entweder im merkmallosen Kasus mit Nullartikel oder im Präpositionalkasus mit *von* und Nullartikel:

eine Gruppe Touristen – eine Gruppe von Touristen

Substantivische Zahlenangaben wie *Tausend, Million, Dutzend* lassen den Präpositionalkasus mit *von* nur bei Unbestimmtheit zu:

eine Million Menschen – zehn Millionen Menschen – Millionen (von) Menschen

15.1.3.4. Infinitiv mit *zu*

Dem attributiven Infinitiv mit *zu* liegt – wie verschiedenen substantivischen Attributen – eine Objektsbeziehung zugrunde:

die Hoffnung (des Sportlers), den Pokal zu gewinnen
← der Sportler hofft (darauf), den Pokal zu gewinnen
(← der Sportler hofft (darauf), daß er den Pokal gewinnt)
(← der Sportler hofft auf den Pokalgewinn)

Bei einer Reihe von Substantiven ist es aus lexikalischen Gründen nicht möglich, den attributiven Infinitiv auf eine Objektsbeziehung zurückzuführen:

die Idee (des Schriftstellers), einen Roman zu schreiben

Daß aber grundsätzlich auch hier eine Objektsbeziehung anzunehmen ist, wird daran deutlich, daß solche Substantive durch synonymische Ausdrücke umschrieben werden können, bei denen der attributive Infinitiv auf eine Objektsbeziehung zurückführbar ist:

der Plan (des Schriftstellers), einen Roman zu schreiben
← der Schriftsteller plant, einen Roman zu schreiben

15.2. Formenbestand

Der Formenreichtum des Attributs ergibt sich daraus, daß

1. das Attribut zu Wörtern verschiedener Wortklassen tritt
2. das Attribut durch verschiedene Wortklassen repräsentiert wird
3. das Attribut verschiedene Stellungsmöglichkeiten hat
4. das Attribut durch zusätzliche Glieder erweitert ist bzw. erweitert werden kann und
   zwei und mehr Attribute miteinander verbunden bei einem Bezugswort stehen können.

15.2.1. Die Wortklassen mit Attribut

Das Attribut bezieht sich auf nichtverbale Wörter. In der Regel handelt es sich dabei um Substantive, in beschränktem Umfang können es aber auch substantivische Pronomina und Adverbien sein, die das Substantiv in seiner Satzgliedfunktion vertreten. Da die Mehrzahl der Formbesonderheiten mit dem Auftreten des Attributs beim Substantiv verbunden ist, wird im folgenden nur das Attribut beim Substantiv berücksichtigt. Die Darstellung des Attributs beim Pronomen und Adverb erfolgt gesondert unter 15.2.5.

Die Wortklassen als Attribut 15.2.2.

Die verschiedenen Wortklassen (bzw. Formen von Wortklassen), die als Attribut fungieren können, sind unter 15.1.2. im einzelnen nachgewiesen und abgeleitet.

In grober Übersicht handelt es sich um

Adjektive:

der *billige* Stoff, die *zwei* Kinder, die *goldene* Uhr, das *rechte* Gebäude, der *zehnte* Jahrestag

Adverbien:

das Buch *hier*, das Wetter *gestern*

Partizipien:

der *schreibende* Arbeiter, der *zu vollendende* Bau, die *abgeschlossene* Arbeit, der *eingefahrene* Zug

Substantive (bzw. substantivische Pronomina):

das Buch *des Dozenten* (das Buch von ihm), der Glückwunsch *zum Geburtstag* (der Glückwunsch dazu), der Besuch *am Sonntag*, die Flasche *Sekt*

Infinitive:

die Hoffnung *zu gewinnen*, die Fähigkeit *zu abstrahieren*

Stellung des Attributs 15.2.3.

Zwei prinzipielle Stellungsmöglichkeiten des Attributs sind zu unterscheiden: Vorderstellung und Nachstellung. Entscheidend dafür, welche dieser beiden Stellungen das Attribut einnimmt, ist die Wortklasse: *Vor* dem Bezugswort stehen Adjektive und Partizipien (in flektierter Form), *nach* dem Bezugswort stehen Adverbien (unflektiert), Substantive im Genitiv und im Präpositionalkasus und der Infinitiv mit *zu*. Von dieser Grundregel gibt es eine Reihe von Ausnahmen:

(1) Obligatorisch dem Bezugswort vorangestellt werden attributive Substantive im Genitiv und im Präpositionalkasus, wenn es sich um notwendige Erweiterungsglieder zu substantivierten Adjektiven handelt [vgl. unter 15.2.4.1. (1)]:

der *des Lesens* Kundige
die *auf den Film* Neugierigen

(2) Fakultativ dem Bezugswort vorangestellt werden im Genitiv gebrauchte Eigennamen mit Nullartikel und einige Verwandtschaftsnamen. Das Attribut ersetzt dabei den bestimmten Artikel des Bezugswortes:

Wir besuchen *Goethes* Gartenhaus. (neben: Wir besuchen *das* Gartenhaus *Goethes / von Goethe.*)
Er folgt (des) Vaters Rat. (neben: Er folgt *dem* Rat des Vaters / von Vater.)

Eine Voranstellung anderer Substantive im Genitiv kommt nur in festen Wendungen oder im gehobenen Stil vor:

aller Laster Anfang, *seines Glückes* Schmied
der Arbeit Lohn, *der Menschheit* Glück

(3) Kardinalia stehen nach dem Bezugswort, wenn sie die Bedeutung von Ordinalia haben [vgl. dazu auch 3.6.2.4. (1)]:

Lektion *acht* (= die achte Lektion)

(4) Um Reste älteren Sprachgebrauchs bzw. Verbindungen nach älterem Muster handelt es sich, wenn Adjektive in unflektierter Nachstellung erscheinen [vgl. 3.1.1. Anm. (2)]:

Röslein *rot*, Karpfen *blau*

(5) Vor allem bei einem Subjekt mit bestimmtem Artikel kann ein Lokaladverb auch in Vorderstellung erscheinen.

Nebenan das Haus gehört einem Ingenieur.
Dort der Mann wird dir helfen.

(6) Eine Möglichkeit der Hervorhebung des attributiven Adjektivs und Partizips im literarischen Stil besteht darin, diese in abgesonderter Nachstellung zu verwenden. Diese Nachstellung ist nur möglich, wenn die Adjektive und Partizipien zumindest paarweise auftreten oder wenn sie nähere Bestimmungen bei sich haben. Die Absonderung erfolgt dadurch, daß das Attribut in Kommas eingeschlossen und nicht flektiert wird:

Das Mädchen, jung und unternehmungslustig, fuhr an die See.
Der Junge, siebzehn Jahre alt, kam in die Lehre.
Die Kinder, von der Sonne gebräunt, liefen über den Strand.

Bei nichtqualitativen Adjektiven im Plural ist die flektierte Form üblich:

Viele Londoner Angestellte, städtische wie staatliche, demonstrierten.

Ein wichtiges Stilmittel ist die abgesonderte Nachstellung in Zeitungsinseraten, Speisekarten usw. Häufig stehen die adjektivischen und partizipialen Attribute neben ebenfalls abgesonderten Appositionen (vgl. 15.2.6.2.) und substantivischen Attributen im Präpositionalkasus:

Kalbfellmantel, schwarz, neuwertig, 500,—M, zu verkaufen
Wir empfehlen Ihnen: Damen-Schlafanzüge aus Kräuselkrepp, bunt geblümt, mit Dederon-Spitzengarnierung und ¾ langen Ärmeln, Größen 82—50 . . . 30,45 M

Das mehrgliedrige Attribut 15.2.4.

Erweiterung des adjektivischen und partizipialen Attributs 15.2.4.1.

In zahlreichen Fällen sind das attributive Adjektiv und das attributive Partizip durch zusätzliche Glieder erweitert. Diese Glieder übernehmen das Adjektiv und das Partizip aus der prädikativen Form, von der sie abgeleitet sind. Dabei ist zwischen notwendigen Gliedern (im Sinne der Valenz: obligatorischen und fakultativen Aktanten) und nichtnotwendigen Gliedern (im Sinne der Valenz: freien Angaben) zu unterscheiden.

1. Notwendige Erweiterungsglieder

Das Adjektiv und das Partizip verhalten sich gegenüber den notwendigen Erweiterungsgliedern prinzipiell gleich. Unterschiede bestehen allein in quantitativer Hinsicht: Während das Adjektiv selten mehr als eine notwendige Ergänzung bei sich hat, kann das Partizip – entsprechend der Valenz des Verbs im einfachen Satz – bis drei notwendige Glieder bei sich haben.[1] Gleich ist dagegen die Art der notwendigen Glieder. Sowohl beim Adjektiv als auch beim Partizip kommen fak.-notwendige und obl.-notwendige Glieder vor. Auch hinsichtlich der Stellung der Erweiterungsglieder gibt es keine Unterschiede. In beiden Fällen entspricht ihre Stellung der Satzgliedstellung des eingeleiteten NS. Die Rolle der einleitenden Konjunktion des NS übernimmt dabei das die Erweiterungskette einleitende Artikelwort. Auf diese Weise entsteht wie im NS ein Rahmen. Dieser sogenannte *nominale Rahmen* stellt eine für das Attribut im Deutschen typische Konstruktion dar:

der seiner Sorgen ledige Mann
der in Leipzig wohnhafte Professor
die (großer Leistungen) fähige Studentin
die (der Mutter) (bei der Hausarbeit) behilfliche Tochter

der das Buch auf den Tisch legende Lehrer
das (von dem Lehrer) auf den Tisch gelegte Buch
der (das Buch) (aus dem Russischen) (ins Deutsche) übersetzende Schriftsteller
das (von dem Schriftsteller) (aus dem Russischen) (ins Deutsche) übersetzte Buch

2. Nichtnotwendige Erweiterungsglieder

Über die notwendigen Glieder hinaus können das attributive Adjektiv und das attributive Partizip nichtnotwendige Glieder verschiede-

[1] Die scheinbare Reduktion beim Partizip um ein Glied gegenüber dem Verb kommt dadurch zustande, daß ein notwendiges Glied als Bezugswort des Attributs erscheint. Beim passivischen Partizip II ergibt sich darüber hinaus die Verwandlung des obligatorischen Subjekts in ein fakultatives Glied. Diese erfolgt jedoch nicht bei der Attribuierung, sondern bereits beim Verb durch die Transformation des Aktivs ins Passiv.

ner Art (Adverbialbestimmungen, sekundäre Satzglieder, Modalwörter, Partikeln) aufnehmen. Die Stellung dieser Glieder entspricht ebenfalls der Satzgliedstellung im eingeleiteten NS. Auf diese Weise wird der nominale Rahmen weiter aufgefüllt. Er kann syntaktisch beliebig erweitert werden, hat jedoch (durch die Verträglichkeit) semantische und (durch die Verständlichkeit) kommunikative Grenzen:[1]

> das auf der Dresdner Kunstausstellung wegen seiner Maltechnik von vielen Betrachtern immer wieder gelobte Bild

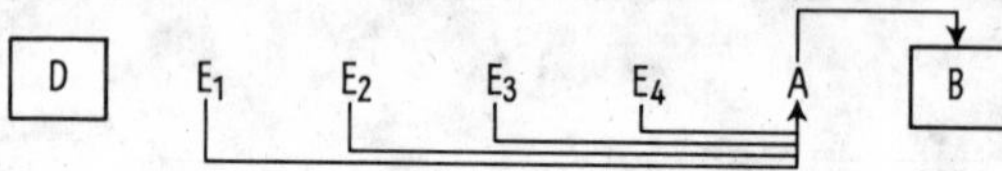

Die Auflösung dieses Rahmens erfolgt über einen Relativsatz

> das Bild, das auf der Dresdner Kunstausstellung wegen seiner Maltechnik von vielen Betrachtern immer wieder gelobt worden ist,

in einen Hauptsatz

> Das Bild ist auf der Dresdner Kunstausstellung wegen seiner Maltechnik von vielen Betrachtern immer wieder gelobt worden.

Wie das Schema zeigt, stehen alle Erweiterungsglieder in einem koordinativen Verhältnis zueinander. Subordinative Beziehungen kommen im nominalen Rahmen mit Erweiterungsgliedern zum Ausdruck, wenn ein substantivisches Erweiterungsglied (E_1) seinerseits zum Bezugswort (B_2) eines adjektivischen oder partizipialen Attributs (A_2) wird und dieses ein Erweiterungsglied (E_2) hat:

> das wegen der vom Maler angewandten Maltechnik gelobte Bild

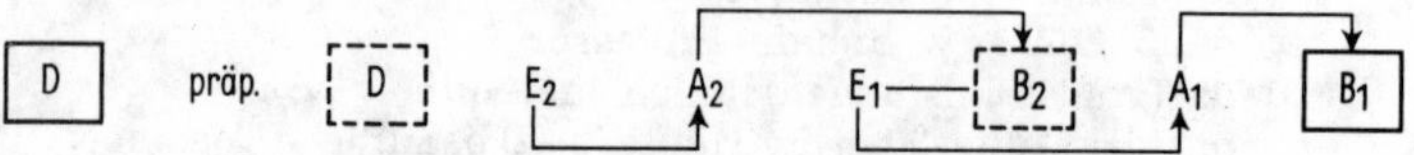

Auf diese Weise entstehen beim erweiterten Attribut Abhängigkeitsverhältnisse, wie sie bei der Verbindung voneinander abhängiger Nebensätze auftreten (vgl. 18.4.1.3.). Solche erweiterten Attribute verschiedenen Grades sind in den Fachsprachen weit verbreitet, führen aber zuweilen zu einem schwer durchschaubaren Rahmenbau. Auch das folgende Zitat von F. Engels verlangt vom Leser die syntaktische Analyse des Attributs:

---

[1] Zeichenerklärung: A = Attribut, B = Bezugswort, D = Artikelwort, E = Erweiterungsglied

Durch die Entdeckung der organischen Zelle hatte sich das Wunder der Entstehung der Organismen aufgelöst

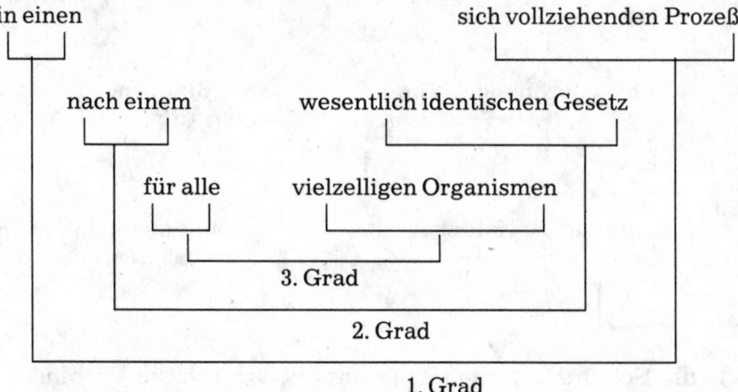

Die Auflösung dieses nominalen Rahmens erfolgt über drei Relativsätze

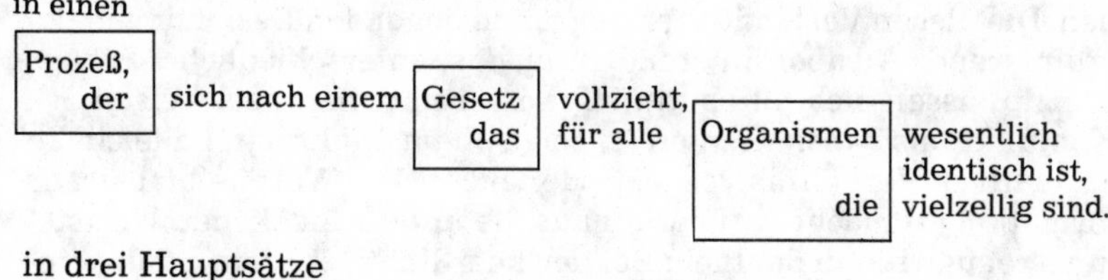

in drei Hauptsätze

Der Prozeß vollzieht sich nach einem Gesetz.
Das Gesetz ist für alle Organismen wesentlich identisch.
Die Organismen sind vielzellig.

Verbindung von adjektivischen und partizipialen Attributen 15.2.4.2.

Von der „Erweiterung“ ist die „Verbindung“ zu unterscheiden: Während jene darin besteht, daß das partizipiale / adjektivische *Attribut* ein Glied oder mehrere Glieder aufnimmt, handelt es sich bei dieser darum, daß ein substantivisches *Bezugswort* zwei oder mehrere Attribute aufnimmt. Die Erweiterung ist also eine Fähigkeit des Attributs, die Verbindung dagegen eine Fähigkeit des Bezugswortes. Bei der Verbindung ist ein koordinatives und ein subordinatives Verhältnis der verschiedenen Attribute zueinander möglich.[1]
Beide Arten der Verbindung lassen sich im Vergleich zur Erweiterung schematisch darstellen:

---

[1] Zur graphischen Kennzeichnung des Unterschieds zwischen koordinierender und subordinierender Verbindung vgl. 20.1.

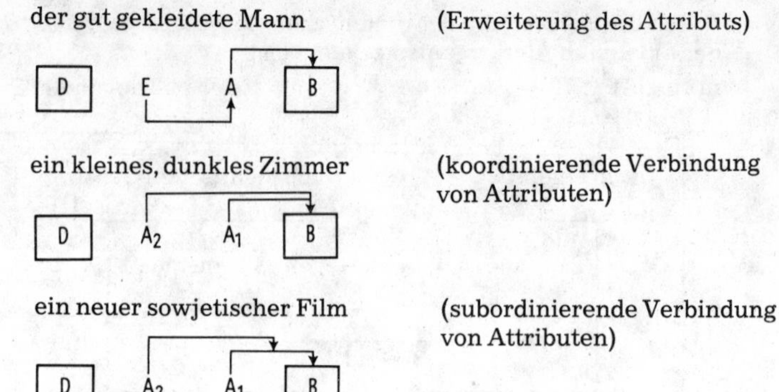

Wie die Schemata zeigen, entsteht auch durch die Verbindung mehrerer adjektivischer oder partizipialer Attribute ein nominaler Rahmen. Im Unterschied zu dem durch die Erweiterungsglieder gebildeten Rahmen bleibt aber dieser Rahmen in der Regel übersichtlich, da selten mehr als drei oder vier Attribute bei einem Bezugswort stehen. Die diesen Verbindungen zugrunde liegenden Beziehungen (koordinierend – subordinierend) und das unterschiedliche Bezugsprinzip lassen sich durch zwei Transformationen nachweisen. Die Konjunktionstransformation (1) zeigt, ob im konkreten Falle ein koordinatives Verhältnis vorliegt oder nicht. Die Wortstellungstransformation (2) macht darüber hinaus die unterschiedlichen Wortstellungsregularitäten deutlich: Bei der koordinativen Verbindung sind die einzelnen Attribute frei austauschbar; für die subordinative Verbindung gilt die generelle Regel, daß das untergeordnete Glied vor dem übergeordneten Glied steht.

(1) ein kleines, schmales, dunkles Zimmer
→ ein kleines und schmales und dunkles Zimmer
die häufigen erweiterten adjektivischen Attribute
→ *die häufigen und erweiterten und adjektivischen Attribute

(2) ein kleines, schmales, dunkles Zimmer
→ ein schmales, kleines, dunkles Zimmer
→ ein dunkles, kleines, schmales Zimmer
die häufigen erweiterten adjektivischen Attribute
→ *die erweiterten häufigen adjektivischen Attribute
→ *die adjektivischen häufigen erweiterten Attribute

Eine Komplizierung erfährt der aus der Verbindung von adjektivischen und partizipialen Attributen gebildete Rahmen durch Erweiterungsglieder (E_2, E_3), die von einem oder mehreren dieser Attribute (A_2, A_3) aufgenommen werden:

die in den Fachsprachen häufigen durch verschiedene nähere Bestimmungen erweiterten adjektivischen Attribute

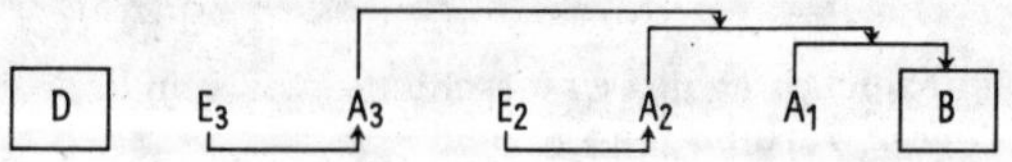

Mehrgliedrige substantivische Attribute 15.2.4.3.

Eine Mehrgliedrigkeit, wie sie sich in den verschiedenen Rahmenbildungen des adjektivischen und partizipialen Attributs zeigt, ist auch beim substantivischen Attribut möglich. Dabei ist zwischen einer koordinativen Mehrgliedrigkeit, die der koordinativen Verbindung adjektivischer und partizipialer Attribute entspricht, und einer nur bei den substantivischen Attributen vorkommenden Form der subordinativen Mehrgliedrigkeit zu unterscheiden. Beide Formen kommen sowohl beim Genitivattribut als auch beim Präpositionalattribut vor. Für die Stellung der Attribute gelten dabei folgende Regeln: Bei der Koordination ist die Stellung der einzelnen Attribute frei, bei der Subordination steht das untergeordnete Attribut stets nach dem übergeordneten Attribut.

Koordination

die Muskeln der Arme, Beine, des Nackens und des Halses (Genitivattribute)
die Wanderung zur Weinlese nach Freyburg (Präpositionalattribute)

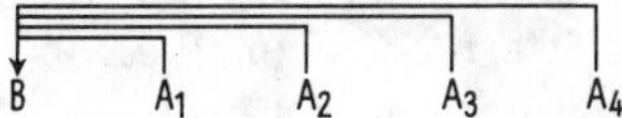

Subordination

die Diskussion der Punkte der Tagesordnung der Konferenz der Außenminister (Genitivattribute)
der Verzicht auf die Reise ins Ausland (Präpositionalattribute)

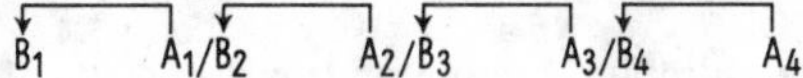

Im konkreten Satz treten das Genitivattribut und das Präpositionalattribut häufig miteinander verbunden auf. Außerdem ist es möglich, daß Subordination und Koordination miteinander abwechseln. Für die koordinative Verbindung gilt in diesem Falle die Regel, daß der Präpositionalkasus nach dem reinen Kasus steht (die Stellung der subordinativen Attribute ist durch die Regel festgelegt, daß das untergeordnete Glied nach dem übergeordneten steht):

die Freiheit der Arbeiterklasse nach dem Sturz des Kapitalismus

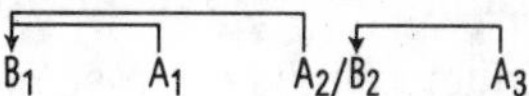

Durch zusätzliche adjektivische bzw. partizipiale Attribute und Erweiterungsglieder zu diesen kann sich der Aufbau des nachgestellten substantivischen Attributs weiter komplizieren, so daß es zu dem vorangestellten adjektivischen und partizipialen Attribut vergleichbaren schwer überschaubaren Rahmenbildungen kommt.

15.2.5. Attribut bei substantivischen Pronomina und bei Adverbien

1. Attribut bei substantivischen Pronomina

Während die Substantive in unbeschränktem Maße Attribute aufnehmen können, ist dies bei den substantivischen Pronomina von den einzelnen Pronomina und von der Form der Attribute her begrenzt. Attribute kommen vor bei Personal-, Interrogativ-, Demonstrativ- und Indefinitpronomina; dabei handelt es sich im wesentlichen um substantivische Attribute, nicht um adjektivische oder partizipiale Attribute.

(1) Substantive im Genitiv

Attributive Substantive im Genitiv sind nur bei den substantivischen Pronomina möglich, die auch als Artikelwörter gebraucht werden (Interrogativpronomina *was für einer, welcher*; Demonstrativpronomina *der, derjenige, dieser, jener, ein solcher*: Indefinitpronomina *alle, einige, irgendeiner, jeder, keiner, mancher, mehrere*). In vielen Fällen handelt es sich um einen Genitivus partitivus. Diese Verbindungen sind als Ellipsen zu den entsprechenden Verbindungen mit substantivischen Bezugswörtern zu sehen, die zur Vermeidung von Wiederholungen bevorzugt werden. Man vgl.:

Welches Buch *seiner Bücher* hast du gelesen?
→ Welches *seiner Bücher* hast du gelesen?

Der Vorschlag des Leiters und der Vorschlag *seines Stellvertreters* wurden diskutiert.
→ Der Vorschlag des Leiters und der *seines Stellvertreters* wurden diskutiert.

Ich kenne manche Freundinnen *ihrer Freundinnen* nur flüchtig.
→ Ich kenne manche *ihrer Freundinnen* nur flüchtig.

Gegenüber den Artikelwörtern erscheinen bei einigen substantivischen Pronomina im Nom. Mask. und im Nom./Akk. Neutr. als morphologische Besonderheit die sog. vollen Deklinationsformen:

Ich habe kein Buch *seiner Bücher* gelesen.
→ Ich habe kein**es** *seiner Bücher* gelesen.
Irgendein Schüler *der Klasse 9b* hat es mir gesagt.
→ Irgendein**er** *der Klasse 9b* hat es mir gesagt.

(2) Substantive im Präpositionalkasus mit *von*

Wie beim Substantiv (vgl. 15.1.3.3.3.), so ist auch bei den substantivischen Pronomina der Präpositionalkasus mit *von* zumeist eine Ersatzform des Genitivs. Diese Verbindung wird gewählt, wenn das attributive Substantiv kein kasuskennzeichnendes Artikelwort hat (Substantiv mit Nullartikel) oder wenn als Attribut ein substantivisches Pronomen steht:

Es war keiner *von Dresden* anwesend.
Der Lehrer kennt jeden *von uns.*

 Der Präpositionalkasus mit *von* kommt aber auch als fakultative Variante bei attributiven Substantiven mit kasuskennzeichnendem Artikelwort vor:

Ich habe keines *von seinen Büchern* gelesen.

Bei substantivischen Pronomina, die nicht als Artikelwörter vorkommen (Interrogativpronomina *wer* und *was*; Indefinitpronomina *etwas, jemand, irgendwer, niemand, nichts*), ist der attributive Anschluß im Genitiv nicht möglich. Hier ist der Präpositionalkasus mit *von* die obligatorische Verbindung.

Wem *von den Studenten* hast du geschrieben?
Hast du jemanden *von der Gruppe* getroffen?
Etwas *von dem Obst* gibst du dem Bruder!

(3) Substantive im Präpositionalkasus

Neben attributiven Substantiven im Genitiv und im Präpositionalkasus mit *von* kommen bei substantivischen Pronomina auch Substantive mit anderen Präpositionen vor. Die inhaltlichen Beziehungen, die von diesen Attributen ausgedrückt werden, sind ebenso unterschiedlich wie bei den Attributen im Präpositionalkasus zu Substantiven (vgl. 15.1.3.3.2.):

Wer *in diesem* Haus ist Arzt?
Neben fernbeheizten Wohnungen gibt es auch solche *mit Ofenheizung.*
Irgendeiner *aus der Klasse 9b* hat es mir gesagt.
Er hat uns alles *über seine Reise* berichtet.

Das Attribut kann auch vom pronominalen Bezugswort getrennt stehen:

Was ist *an Vorschlägen* geäußert worden?

(4) Adjektive, Adverbien und Infinitive

Außer Substantiven gibt es sehr begrenzt auch Adjektive, Adverbien und Infinitive als Attribute bei substantivischen Pronomina:

(a) Kardinalia in Nachstellung

Wir *vier* arbeiten gut zusammen.

(b) Neutrale substantivisch gebrauchte Adjektive in Nachstellung (nur bei nicht als Artikelwörter gebrauchten Indefinitpronomina)

Hier steht etwas sehr *Interessantes.*
Ich habe nichts *Neues* gehört.
Der Hund läßt niemand(en) *Fremdes* herein.

(c) Lokaladverbien

Wir / Diese / Alle *hier* haben ihre Arbeiten abgeschlossen.

(d) Infinitiv mit *zu* (bei *etwas* und *nichts*)

Hast du etwas *zu lesen* für mich?
Es gab bei der Feier nichts *zu trinken.*

2. Attribut bei Adverbien

Die Attribute des Adverbs können sein:

(1) Substantive im Präpositionalkasus

Dort *am Waldrand* steht ein Reh.
Rechts *von dem Baum* befindet sich eine Bank.

Das Substantiv im Präpositionalkasus kann auch vor dem Adverb stehen. In diesem Fall ist nicht eindeutig zu bestimmen, welches Wort Attribut ist (vgl. dazu 15.1.2.2. Anm.):

Er steht am Haus rechts.

Statt eines Substantivs kann auch ein substantivisches Pronomen im attributiven Präpositionalkasus stehen:

Er steht rechts *von ihm / davon.*

(2) Adverbien (vorangestellt)

Das Haus liegt *hoch* oben.
Er spielt *links* außen.

15.2.6. Apposition

Auch die Apposition ist eine Art Attribut. Sie zeichnet sich durch folgende Merkmale aus:

(1) Die Apposition ist referenzidentisch mit ihrem Bezugswort, d. h., Apposition und Bezugswort beziehen sich auf den gleichen Sachverhalt in der außersprachlichen Realität (semantisch).

(2) Die Apposition ist immer weglaßbar und kann an die Stelle ihres Bezugswortes im Satz substituiert werden (syntaktische Oberfläche).

(3) Die Apposition ist ein reduzierter Kopulasatz. Es gelten folglich die gleichen Selektionsbeziehungen zwischen Apposition und Bezugswort wie zwischen Subjekt und Prädikativ des entsprechenden zugrunde liegenden Kopulasatzes (syntaktische Grundstruktur).

(4) Die Apposition wird durch ein Substantiv repräsentiert (morphologisch).

(5) Das als Apposition fungierende Substantiv ist im Kasus mit dem Bezugswort identisch (morphologisch).

In formaler Hinsicht ist zwischen einer engen und einer lockeren Apposition zu unterscheiden. Die enge Apposition ist nicht durch Kommas vom Bezugswort abgetrennt und kommt in Vorder- und Nachstellung vor. Die lockere Apposition wird durch Kommas abgetrennt und ist immer nachgestellt. Die enge und die lockere Apposition unterscheiden sich auch in der Flexion: Während die lockere Apposition gewöhnlich mit dem Bezugswort im Kasus übereinstimmt,

ist die enge Apposition zumeist morphologisch nicht gekennzeichnet. Diese fehlende Kennzeichnung der engen Apposition erlaubt im allgemeinen auch die Bestimmung dessen, welches Wort der Verbindung Apposition und welches Wort das Bezugswort ist, denn im Unterschied zur Apposition wird das Bezugswort flektiert. Deutlich wird dies besonders dann, wenn Bezugswort und Apposition als Genitiv-Attribut erscheinen. Vgl. dazu unten die Beispiele.
Zu den Appositionen im hier charakterisierten Sinne gehören auch die substantivischen Gruppen mit der Präposition *als*. Zu den Flexionsbesonderheiten der *als*-Gruppen vgl. 7.3.3. unter „als" Anm. (1).

1. Enge Apposition

(1) Vornamen

Bezugswort ist der Familienname oder ein zweiter Vorname. Die Apposition steht vor dem Bezugswort. Bezugswort und Apposition haben Nullartikel:

Heinrich Mann, *Johann* Sebastian

Kasuskennzeichnung erfolgt nur beim Bezugswort, nicht bei der Apposition:

die Romane Heinrich Manns, die Söhne Johann Sebastians

Anmerkung:
(a) Beinamen erscheinen in Nachstellung und werden gemeinsam mit dem Bezugswort flektiert:

Nathan *der Weise*
die Ringparabel Nathans *des Weisen*

(b) Wenn das Bezugswort mit einem anderen Artikelwort als dem Nullartikel gebraucht wird, erfolgt auch beim Bezugswort keine Kasuskennzeichnung (vgl. dazu auch 2.3.1.3.):

die Novellen des jungen Heinrich Mann

(2) Verwandtschaftsbezeichnungen, Berufsbezeichnungen, Titel, Anredeformen

Bezugswörter sind Personennamen. Die Apposition steht vor dem Bezugswort. Bezugswort und Apposition haben Nullartikel:

Onkel Gerhard, *Tante* Christa
Klempnermeister Schulze, *Lehrer* Müller
Professor Schmidt, *Oberbürgermeister* Bär, *Dr. (= Doktor)* Klein
Herr Meier, *Genosse* Wiener, *Kollege* Kuhn

Bei Verwandtschaftsbezeichnungen, Berufsbezeichnungen und Titeln als Apposition wird der Kasus nur am Bezugswort, nicht an der Apposition gekennzeichnet:

das Haus Onkel Gerhards
das Geschäft Klempnermeister Schulzes
die Vorlesung Professor Schmidts

Anredeformen als Apposition werden zumeist mit dem Bezugswort flektiert (obligatorisch oder fakultativ):

der Vortrag Herr**n** Meiers
der Diskussionsbeitrag Genosse(**n**) Wieners

Ungekennzeichnet bleibt die Anredeform *Fräulein*:

die Eltern Fräulein Lehmanns

(3) Personennamen

Bezugswörter sind Verwandtschaftsbezeichnungen, Berufsbezeichnungen, Titel und Anredeformen mit einem anderen Artikelwort als dem Nullartikel. Die Apposition hat Nullartikel und steht nach dem Bezugswort:

mein Onkel *Gerhard*
der Klempnermeister *Schulze*
der Professor *Schmidt*
dieser Herr *Meier*

Kasuskennzeichnung erfolgt nur beim Bezugswort, nicht bei der Apposition:

das Haus meines Onkel**s** Gerhard
das Geschäft des Klempnermeister**s** Schulze
die Vorlesung des Professor**s** Schmidt
der Vortrag dieses Herr**n** Meier

Anmerkung:
Ob bei der Verbindung „Verwandtschaftsbezeichnung / Berufsbezeichnung / Titel / Anredeform + Personenname" der erste Teil oder der zweite Teil als Apposition fungiert, hängt von dem gewählten Artikelwort ab. Wenn beide Teile Nullartikel haben – wie bei (2) –, ist die Verwandtschaftsbezeichnung usw. Apposition; wenn der erste Teil ein anderes Artikelwort als den Nullartikel hat und der zweite Teil Nullartikel hat – wie bei (3) –, ist der Personenname Apposition.

(4) Sachnamen

Bezugswörter sind Gattungsnamen. Die Apposition steht nach dem Bezugswort:

der Bezirk *Dresden*
der VEB *Gießereianlagen*
das Hotel *„Stadt Erfurt"*
das MS *„Heinrich Heine"*
die Komödie *„Der Revisor"*
der Monat *Juli*
das Jahr *1980*

Sachnamen nach Gattungsnamen werden nicht flektiert:

die Planerfüllung des Bezirks *Dresden*
die Arbeiter des VEB (= volkseigenen Betriebes) *Gießereianlagen*
der Inhalt der Komödie *„Der Revisor"*

(5) Verbindung mehrerer Appositionen

Öfters stehen bei einem Bezugswort gleichzeitig mehrere Appositionen:

Johann Sebastian Bach
(der) König Heinrich IV.
(der) Rektor Professor Dr. Schmitt
(der) Herr Studienrat Meier
der VEB Bibliographisches Institut Leipzig

Mehrere Appositionen verhalten sich bei der Flexion im allgemeinen gemäß den unter 1. bis 4. genannten Regeln:

die Werke Johann Sebastian Bachs

die Regierungszeit König Heinrichs IV. (= des Vierten)
die Regierungszeit des Königs Heinrich IV. (= der Vierte)

der Vortrag Rektor Professor Dr. Schmitts
der Vortrag des Rektors Professor Dr. Schmitt

das Buch Herrn Studienrat Meiers
das Buch des Herrn Studienrat Meier

Daneben auch:

die Aufgaben des Kollegen Abteilungsleiter(s)
die Rede des Herrn Vorsitzenden

2. Lockere Apposition

Die lockere Apposition wird bei der Verbindung mehrerer Appositionen bevorzugt, besonders wenn diese umfangreicher sind:

Professor Dr. Schall, *Ärztlicher Direktor des Bezirkskrankenhauses Neustadt,*
seine beiden Söhne, *Andreas und Michael,*
mein Freund Hans, *ein begeisterter Schachspieler,*
Donnerstag, *der 7. September 1972*

Die lockere Apposition stimmt gewöhnlich mit dem Bezugswort im Kasus überein. Daneben kommt bei Appositionen mit Nullartikel auch der Nominativ vor. Datumsangaben können auch im Akkusativ stehen.

der Vortrag Professor Dr. Schalls, des Ärztlichen Direktors (auch: Ärztlicher Direktor) des Bezirkskrankenhauses Neustadt
am Donnerstag, dem (auch: den) 7. September 1972

3. Apposition bei substantivischen Pronomina

Vereinzelt kommt die Apposition auch bei substantivischen Pronomina vor. Bezugswort kann nur das Personalpronomen der 1. und 2. Person sein. Die Apposition (eng oder locker) erscheint immer in Nachstellung.

Ich *Dummkopf* habe ihm alles geglaubt.
Ich gratuliere dir *Glücklichem* zu deinem Preis.
Du, *Hans,* komm bitte einmal her!
Für Sie, *liebe Kommilitonen,* beginnt ein neuer Lebensabschnitt.

16. Satzarten

Im Deutschen lassen sich fünf Satzarten unterscheiden: Aussage-, Frage-, Aufforderungs-, Wunsch- und Ausrufesatz. Diese Satzarten werden einerseits *inhaltlich* als verschiedene Äußerungsmodalitäten – der Aussagesatz z. B. als Sprecherbehauptung – und andererseits *formal* als Satzarten im wörtlichen Sinne mit verschiedenen intonatorischen, morphosyntaktischen und lexikalischen Merkmalen – der Aufforderungssatz z. B. als Imperativsatz – verstanden. Für das richtige Verständnis der Satzarten ist die Feststellung wesentlich, daß die inhaltliche und die formale Ebene nur teilweise übereinstimmen. Zwar läßt sich jeder formalen Satzart eine bestimmte Äußerungsmodalität als Grundbedeutung zuschreiben, doch können auch andere Satzarten diese Bedeutung – als Paraphrasen – ausdrücken, und es kann umgekehrt eine Satzart neben ihrer Grundbedeutung auch andere Äußerungsmodalitäten – als Transpositionen – wiedergeben. Um die Grundbedeutung einer Satzart handelt es sich jeweils dann, wenn sich diese Bedeutung unabhängig vom Kontext ergibt, während die Bedeutungen der Satzarten als Paraphrasen und Transpositionen nur in bestimmten Kontexten auftreten können.

Im folgenden werden vor allem die fünf formalen Satzarten mit ihren Grundbedeutungen und in ihrer formalen Charakterisierung beschrieben, wobei auch verschiedene Nebenformen mit ihren Sonderbedeutungen berücksichtigt werden, während von den zahlreichen Paraphrasen und Transpositionen nur eine Auswahl geboten wird. Zu den Satzarten in indirekter Rede vgl. 1.9.2.1.1.3.

16.1. Aussagesatz

Mit einem Aussagesatz wird vom Sprecher behauptet, daß ein Sachverhalt tatsächlich, künftig oder hypothetisch existent ist. Aussagesätze sind durch Zweitstellung des finiten Verbs (im Indikativ oder Konjunktiv) gekennzeichnet. Die Intonation ist terminal (fallend).

Er will sich ausruhen. ... ⁄ ..

In kommunikativer Hinsicht ist zwischen Aussagesätzen als Fragevoraussetzungen und Aussagesätzen als Antwortsätzen zu unterscheiden. Die Antwortsätze sind durch Fragen bedeutungsmäßig und oft auch strukturell vorgegeben und erscheinen deshalb vielfach – vor allem im Dialog – als unvollständige, verkürzte Sätze:

Jemand hat das Fenster geöffnet. (Aussagesatz als Fragevoraussetzung)
Wer hat es getan?
Der Vater (hat es getan). (Aussagesatz als Antwortsatz)

Fragesatz 16.2.

Fragesätze werden vom Sprecher formuliert, wenn er über einen Sachverhalt nicht ausreichend informiert ist und der Gesprächspartner diese Information liefern soll. Fragesätze sind also Aufforderungen bestimmter Art, die im Unterschied zu den eigentlichen Aufforderungssätzen (vgl. 16.3.) aber nicht auf aktionale Reaktion, sondern auf verbale Reaktion gerichtet sind.

1. Entscheidungsfrage

Bei der Entscheidungsfrage ist dem Sprecher der volle Sachverhalt bekannt. Er ist aber nicht sicher, ob der Sachverhalt existent ist. Mit der Entscheidungsfrage wird der Gesprächspartner aufgefordert, diese Unsicherheit durch seine Antwort zu beseitigen. Entscheidungsfragen sind durch Erststellung des finiten Verbs gekennzeichnet. Die Intonation ist interrogativ (steigend).

Kommt Peter heute ? — • • ◡

Die Antwort auf eine Entscheidungsfrage erfolgt entweder mit Hilfe des Satzäquivalents *ja*, mit dem die Existenz des Sachverhalts bestätigt wird, oder mit dem Satzäquivalent *nein*, mit dem die Existenz des Sachverhalts verneint wird. Häufig werden auch Antworten mit Modalwörtern gewählt, die es erlauben, die Bestätigung oder Verneinung einer Frage zu verstärken oder abzuschwächen bzw. die Antwort auch offen zu lassen:

Fährst du mit? – Unbedingt / natürlich / sicherlich / (höchst-)wahrscheinlich / möglicherweise / vielleicht / kaum / keineswegs.

Zu den zusätzlichen Bedeutungsschattierungen der Modalwörter als Antworten auf Entscheidungsfragen vgl. 10.4.
Eine Wiederholung des in der Entscheidungsfrage gegebenen Sachverhalts erfolgt in der Antwort nur bei Hervorhebung. Oft wird jedoch unmittelbar eine weiterführende Aussage angeschlossen.

Sprechen alle Studenten Deutsch? – Nein, (nicht alle sprechen Deutsch), einige sind Anfänger.

Anmerkungen:
(1) Bei einer Entscheidungsfrage mit Negationswort kehrt sich das Verhältnis von Bestätigung und Verneinung in der Antwort um. Die der Bestätigung der Frage ohne Negationswort entsprechende Verneinung wird dabei mit *doch* an Stelle von *ja* ausgedrückt. Man vgl.:

Hat er gut gespielt?
Ja, er hat gut gespielt. (Bestätigung)
Nein, er hat nicht gut gespielt. (Verneinung)

Hat er nicht gut gespielt? (= Hat er schlecht gespielt?)
Nein, er hat nicht gut gespielt. (Bestätigung)
Doch, er hat gut gespielt. (Verneinung)

Wenn das Negationswort in der Entscheidungsfrage keine Verneinung ausdrückt, sondern – wie in der Vergewisserungsfrage, vgl. Anm. (3) – eine abtönende Partikel (nur unbetont möglich) ist, ist das Verhältnis von Bestätigung und Verneinung in der Antwort wie in der Antwort auf eine Entscheidungsfrage ohne Negationswort, und dementsprechend werden auch die Satzäquivalente gewählt:

Hat er nicht gut gespielt? (= Er hat doch gut gespielt?)
Ja, er hat gut gespielt. (Bestätigung)
Nein, er hat nicht gut gespielt. (Verneinung)

(2) Gelegentlich werden Entscheidungsfragen auch als Sätze mit Zweitstellung des finiten Verbs und interrogativer Intonation oder als Sätze mit der Konjunktion *ob*, Endstellung des finiten Verbs und ebenfalls interrogativer Intonation formuliert. Im zweiten Falle handelt es sich um elliptische indirekte Entscheidungsfragen [vgl. dazu 1.9.2.1.1.3.(2)].

Peter kommt heute?
Ob Peter heute kommt?

(3) Eine besondere Art der Entscheidungsfragen sind die *Vergewisserungsfragen*. Vergewisserungsfragen sind Entscheidungsfragen, die einen geringen Unsicherheitsgrad haben und auf die der Sprecher eine bestätigende Antwort erwartet. Das finite Verb steht wie im Aussagesatz an zweiter Stelle, die Intonation ist dagegen interrogativ; als fakultatives Element enthält die Vergewisserungsfrage die Partikel *doch*.

Sie sprechen (doch) Deutsch?
Du gehst (doch) mit ins Theater?

Vergewisserungsfragen sind auch manche Entscheidungsfragen mit Spitzenstellung des finiten Verbs und unbetontem Negationswort. Das Negationswort drückt in diesem Fall keine Verneinung aus, sondern ist eine abtönende Partikel. Als Antwort wird auch hier eine Bestätigung erwartet.

Sind Sie nicht Lehrer? (= Sie sind doch Lehrer?)

(4) Eine besondere Art der Entscheidungsfragen sind auch die *Alternativfragen*. Alternativfragen bestehen aus zwei (selten mehr) mit der Konjunktion *oder* alternativ nebengeordneten Entscheidungsfragen (oft elliptisch als zwei alternativ nebengeordnete Satzglieder in einer Frage):

Kommst du mit oder bleibst du hier?
Kommst du heute oder (kommst du) morgen?

Bei einer Alternativfrage ist der Sprecher nicht sicher, welcher der beiden Sachverhalte existent ist. In der Antwort wird der eine oder der andere Sachverhalt bestätigt, indem die explizite Aussage der Frage – gewöhnlich in verkürzter Form – wiederholt wird. Eine Antwort mit *ja* oder *nein* ist bei Alternativfragen nicht möglich.

Schreiben wir einen Aufsatz oder eine Übersetzung? – (Wir schreiben) einen Aufsatz.

Schreiben wir den Aufsatz morgen oder übermorgen? – (Wir schreiben den Aufsatz) übermorgen.

Oft wird eine (verkürzte) Alternativfrage im Anschluß an eine Ergänzungsfrage gestellt:

Was schreiben wir, (schreiben wir) einen Aufsatz oder eine Übersetzung?
Wann schreiben wir den Aufsatz, (schreiben wir ihn) morgen oder übermorgen?

2. Ergänzungsfrage

Bei der Ergänzungsfrage ist der Sprecher nicht unsicher, ob der Sachverhalt existent ist. Im Gegensatz zur Entscheidungsfrage ist ihm jedoch nicht der volle Sachverhalt bekannt. Mindestens eine Sachverhaltskomponente ist unbekannt, und mit der Ergänzungsfrage wird der Gesprächspartner aufgefordert, diese Komponente zu spezifizieren. Die verschiedenen Komponenten werden durch spezielle Fragewörter (*w*-Wörter) erfragt, die platzfest an erster Stelle erscheinen. Außer dem Fragewort sind Zweitstellung des finiten Verbs und terminale Intonation für die Ergänzungsfrage kennzeichnend.

Fragewörter können (a) Pronomina oder (b) Adverbien sein:

(a) Unbekannte Personen oder Nicht-Personen werden durch Interrogativpronomina (bzw. Pronominaladverbien) erfragt:

Wer hilft dem Ausländer? – *Die Studenten* helfen ihm. (Person)
Was hilft dem Ausländer? – *Die Lehrbücher* helfen ihm. (Nicht-Person)
Über wen spricht der Dozent? – Er spricht *über Einstein.* (Person)
Worüber spricht der Dozent? – Er spricht *über die Relativitätstheorie.* (Nicht-Person)

Vgl. dazu genauer 2.3.2.2. und 2.3.2.7.

(b) Unbekannte Begleitumstände (Zeitpunkt, Ort, Mittel usw.) werden durch Frageadverbien erfragt:

Wann fährst du? – Ich fahre *am Sonntag.*
Wo wirst du wohnen? – Ich werde *in einem Heim* wohnen.
Wie kommst du hin? – Wir fahren *mit dem Bus.*

Vgl. dazu auch 4.2.3.2.

Anmerkungen:
(1) Im Unterschied zu anderen Fragewörtern fragen die Interrogativpronomina *welcher* und *was für ein-* nicht nach unbekannten Sachverhaltskomponenten, sondern nach unbekannten Merkmalen („Auswahl" oder „Beschaffenheit", vgl. 2.2.2.2.) von Sachverhaltskomponenten. Die Sachverhaltskomponenten selbst sind bekannt und werden gewöhnlich in der Frage mit genannt:

Welchen *Ball* möchtest du haben? – Ich möchte den blauen Ball.
Was für eine *Blume* ist das? – Das ist eine Nelke.

Wenn die Sachverhaltskomponente eine Quantitätsangabe ist, kann mit *welcher* (+ Substantiv) oder *wie* (+ Adjektiv) gefragt werden:

Welche *Höhe* hat der Eiffelturm?
Wie *hoch* ist der Eiffelturm?

Welches *Gewicht* hat ein Kubikmeter Luft?
Wie *schwer* ist ein Kubikmeter Luft?

(2) Das Interrogativpronomen *was* als Objekt in Verbindung mit den Verben *tun* und *machen* fragt nicht nach Nicht-Personen, sondern nach dem Prädikat (bestehend aus einem Tätigkeitsverb mit seinen valenzbedingten Ergänzungen):

Was macht Peter? – Er schreibt einen Brief an seinen Onkel.

Um Fragen nach dem ganzen Satz handelt es sich bei folgenden Fragen mit dem Interrogativpronomen *was*:

Was ist mit Hans? – Er hat sich den Arm gebrochen.
Was ist passiert? – Er ist auf der Treppe gestürzt.

Ergänzungsfragen der o. g. Art unterscheiden sich von anderen Ergänzungsfragen dadurch, daß sie nicht *Wort*fragen, sondern – wie sonst nur die Entscheidungsfragen – *Satz*fragen darstellen. Aus diesem Grunde dürfen die Begriffe Ergänzungsfrage und Wortfrage einerseits und Entscheidungsfrage und Satzfrage andererseits nicht gleichgesetzt werden.

16.3. Aufforderungssatz

Aufforderungssätze werden vom Sprecher formuliert, wenn ein (noch) nicht existenter Sachverhalt vom Gesprächspartner realisiert werden soll. Für solche Sätze ist neben der Spitzenstellung des finiten Verbs und der terminalen Intonation eine besondere Moduswahl charakteristisch: Bei der vertraulichen Anredeform (Sing.: *du*, Pl.: *ihr*) erscheint das finite Verb im Imperativ, bei der Höflichkeitsform (Sing. / Pl.: *Sie*) steht das finite Verb in einer Form, die mit der 3. Pers. Pl. Konj. Präs. identisch ist. Mit der Moduswahl hängt auch zusammen, ob im Aufforderungssatz der Gesprächspartner – als Subjekt – genannt wird oder nicht:
Die Verwendung der vertraulichen Anredeform ist gewöhnlich mit Eliminierung des Subjekts verbunden. Das Subjekt wird nur genannt, wenn es aus einer größeren Gruppe hervorgehoben werden soll. Bei der Höflichkeitsform ist dagegen das Subjekt im aktualen Satz obligatorisch.

Bring mir das Buch!	(vertrauliche Form, Sing.)
Bring *du* mir das Buch!	(vertrauliche Form, Sing., mit Hervorhebung)
Antwortet mir sofort!	(vertrauliche Form, Pl.)
Antwortet *ihr* mir!	(vertrauliche Form, Pl., mit Hervorhebung)
Seien *Sie* vorsichtig!	(Höflichkeitsform)

Vgl. dazu auch 1.9.1.2. und 1.9.2.2.

Anmerkungen:

1. Wenn die Aufforderung an eine Gruppe gerichtet ist, in die sich der Sprecher einbezieht, wird wie bei der Höflichkeitsform eine Verbform gewählt, die mit dem Konj. Präs. identisch ist – in diesem Fall die 1. Pers. Pl. Auch hier ist das Subjekt im aktualen Satz obligatorisch.

> Gehen *wir* hinüber!
> Seien *wir* vorsichtig!

2. Für den Aufforderungssatz mit Imperativ gibt es zahlreiche Konkurrenzformen (Paraphrasierungen). Dabei ist zwischen dem Gebrauch anderer Satzarten in der Funktion einer Aufforderung und dem Gebrauch reduzierter Satzformen als Aufforderungen zu unterscheiden.

(1) Fragesätze (vor allem Entscheidungsfragen)

> Könnten Sie mir bitte die genaue Uhrzeit sagen? (= Sagen Sie mir bitte die genaue Uhrzeit!)
> Holt ihr nun gefälligst euere Sachen? (= Holt gefälligst euere Sachen!)
> Wann machst du nun endlich mal das Fenster zu? (= Mach nun endlich mal das Fenster zu!)

Fragesätze mit Aufforderungscharakter sind oftmals wie Aufforderungssätze durch das Satzäquivalent *bitte* und / oder Partikeln wie *gefälligst*, *mal* etc. gekennzeichnet.

(2) Aussagesätze (im Präsens oder Futur)

> Du gehst jetzt!
> Du wirst jetzt gehen! } (= Geh jetzt!)

Die Funktion der Aufforderung kann in diesen Sätzen durch Modalverben oder Vollverben mit der Bedeutung ‚Aufforderung' explizit gemacht werden:

> Du mußt mir helfen.
> Ich brauche deine Hilfe. } (= Hilf mir!)
>
> Ich fordere Sie zur Mitarbeit auf.
> Ich bitte Sie darum, mitzuarbeiten. } (= Arbeiten Sie mit!)

(3) Sätze mit Konj. Präs. und Pronomen *man*

> Man lasse den Tee fünf Minuten ziehen! (= Lassen Sie den Tee fünf Minuten ziehen!)

Aufforderungen dieser Art sind an eine unbestimmte Zahl von Personen gerichtet und finden sich vor allem in Gebrauchsanweisungen, Kochrezepten etc. In der Gegenwartssprache wird diese Form allerdings mehr und mehr durch den Infinitiv verdrängt. Vgl. auch 1.9.2.1.5.1.

(4) Isolierte Nebensätze

> Daß du *ja* sofort nach Hause kommst! (= Komm sofort nach Hause!)
> Daß ihr *mir* gut aufpaßt! (= Paßt gut auf!)
> Wenn Sie *bitte* einen Moment warten *wollen*! (= Warten Sie bitte einen Moment!)
> Wenn Sie *vielleicht mal* nachsehen *könnten*? (= Sehen Sie mal nach!)

Aufforderungen dieser Art liegen Satzgefüge aus einem ersparten HS und einem NS mit der Konjunktion *daß* (Objektsatz) oder *wenn* (Konditionalsatz) zugrunde. Wie vielfach in Aufforderungssätzen wird die Satzbedeutung zusätzlich durch besondere Elemente (in den Beispielen kursiv gedruckt) markiert.

(5) Einwortsätze

Infinitiv:

Absteigen! Singen! Aufhören!

Partizip II:

Hiergeblieben! Stillgestanden! Aufgepaßt!

Substantive, Adjektive und Adverbien:

Achtung! Hilfe! Feuer!
Schnell! Leise!
Zurück! Weg! Nach vorn!

16.4. Wunschsatz

Wunschsätze haben mit Aufforderungssätzen gemeinsam, daß sie auf die Realisierung eines (noch) nicht existenten Sachverhalts gerichtet sind. Im Unterschied zu Aufforderungssätzen enthalten sie jedoch keine direkte Aufforderung an den Gesprächspartner nach Realisierung des Sachverhalts, sondern bringen einen lediglich rhetorischen Wunsch zum Ausdruck, dem das Wissen des Sprechers um die Nichtrealisierbarkeit des Sachverhalts unter den gegebenen Umständen zugrunde liegt (deshalb auch als *irrealer Wunschsatz* bezeichnet). Zur Form des Wunschsatzes vgl. 1.9.2.1.5.2.

16.5. Ausrufesatz

Mit einem Ausrufesatz will der Sprecher nicht nur über einen Sachverhalt informieren – wie mit dem Aussagesatz –, sondern mit der Information soll auch eine subjektive Emotion über den Sachverhalt ausgedrückt werden. Die emotionale Bewegung – Bewunderung oder Verwunderung – gilt zumeist einem durch ein Adjektiv oder Adverb repräsentierten Qualitätsausdruck. In der syntaktischen Struktur gleicht der Ausrufesatz

(a) einem Aussagesatz (mit den Partikeln *aber, vielleicht* oder dem Qualitätsausdruck in Spitzenstellung)

Du hast das *aber* schön gemacht!
Heiß ist es hier!

(b) einem Fragesatz (Entscheidungsfrage mit terminaler Intonation oder Ergänzungsfrage mit Fragewort *wie* – letztere auch als isolierter Nebensatz mit Endstellung des finiten Verbs –, beide Fragesatzarten mit Partikeln wie *aber, doch, nur*)

Hast du aber im letzten Monat (viel) zugenommen!
Bin ich erschöpft!
Wie schön war es doch heute! (Wie schön es doch heute war!)
Wie erschöpft ich bin!

Zu den Partikeln im Ausrufesatz vgl. genauer 9.5.2.

Transpositionen der Satzarten 16.6.

Neben ihren oben beschriebenen Grundbedeutungen können die Satzarten auch die Bedeutung anderer Satzarten ausdrücken. Die Möglichkeiten der Transposition von einer Satzart in die andere sind recht zahlreich und können hier nur auswahlweise genannt werden.

1. Aussagesatz

(1) Aussagesatz als Fragesatz

Sie sprechen (doch) Deutsch? (= Sprechen Sie (nicht) Deutsch?)

Es handelt sich hier um die sog. Vergewisserungsfragen, bei denen man nur hinsichtlich der Wortstellung von transponierten Aussagesätzen sprechen kann. Geht man von der Intonation als formalem Merkmal der Satzart aus, muß man von Fragesätzen sprechen (Intonation interrogativ). Vgl. dazu oben unter 16.2.1. Anm. (3).

(2) Aussagesatz als Aufforderungssatz

Du bringst mir morgen das Buch mit! (= Bring mir morgen das Buch mit!)
Du mußt jetzt nach Hause gehen! (= Geh jetzt nach Hause!)

Vgl. dazu oben unter 16.3. Anm. 2. (2).

(3) Aussagesatz als Ausrufesatz

Heute ist es aber heiß!
Du hast vielleicht Nerven!

Aussagesätze mit Ausrufeintention sind gewöhnlich durch die Partikeln *aber* oder *vielleicht* gekennzeichnet. Daneben ist noch als Merkmal die hervorhebende Spitzenstellung möglich:

Heiß ist es heute!
Nerven hast du!

Vgl. dazu oben 16.5.

2. Fragesatz

(1) Fragesatz als Aussagesatz

Ist es nicht schön hier? (= Hier ist es schön.)
Willst du, daß ich mich beschwere? (= Du willst doch nicht, daß ich mich beschwere.)
Wer konnte das wissen? (= Niemand konnte das wissen.)

Wenn Aussagen in Form von Fragesätzen formuliert werden, ist damit zumeist eine Umkehrung von Verneinung und Bejahung verbunden. Fragesätze dieser Art werden auch als rhetorische Fragen bezeichnet; in verneinter Form gleichen sie bestimmten Vergewisserungsfragen [vgl. 16.2.1. Anm. (3)].

(2) Fragesatz als Aufforderungssatz

Würden Sie mir bitte ein Glas Wasser geben? (= Geben Sie mir bitte ein Glas Wasser!)
Vielleicht gehst du heute mal nicht weg? (= Geh heute mal nicht weg!)

Vgl. dazu oben unter 16.3. Anm. 2. (1).

(3) Fragesatz als Ausrufesatz

Wie herrlich geht heute die Sonne unter!
Was behaupten die Leute nicht alles!

Bei den Fragesätzen mit Ausrufeintention handelt es sich vor allem um Ergänzungsfragen mit Fragewort *wie*. Die Ausrufesätze in Form von Entscheidungsfragen können nur bedingt als transponierte Fragesätze gelten, da sie nicht interrogative, sondern terminale Intonation haben:

Bist du aber im letzten Jahr gewachsen!

Vgl. dazu oben unter 16.5.

Satzmodelle 17.

Morphosyntaktische und semantische Satzmodelle 17.1.

Da weder die Oberflächenkasus noch die Satzglieder in direkter Weise semantisch interpretierbar sind (vgl. 2.4.3.5.1. und 13.4.), also keine 1:1-Entsprechung bzw. lineare Zuordnung von morphosyntaktischen Gliedern und semantischen Funktionen besteht, muß man zwischen *morphosyntaktischen* und *semantischen* Satzmodellen unterscheiden. Beide sind *Grundstrukturen* des deutschen Satzes und enthalten folglich nicht alle im Satz vorkommenden oder irgendwie möglichen Glieder. Die morphosyntaktischen Satzmodelle ergeben sich aus den Oberflächenkasus und den Satzgliedern, die durch Valenz an den Valenzträger gebunden und von ihm gefordert sind, sie ergeben sich durch die valenzgebundenen (valenzdeterminierten) Glieder des Satzes. Als morphosyntaktische Strukturmodelle geben sie keinen direkten Aufschluß über den Inhalt eines Satzes; dieser Inhalt ist vielmehr von der lexikalischen Füllung der morphosyntaktischen Modelle abhängig, von den semantischen Funktionen, die die einzelnen Satzglieder ausüben. Aus diesen semantischen Funktionen bzw. den semantischen Kasus (vgl. 13.4.) ergeben sich die semantischen Satzmodelle.

Morphosyntaktische Satzmodelle 17.2.

Wesen und Kriterien 17.2.1.

1. Da die Struktur des deutschen Satzes ihr Zentrum im Verb hat, muß das Verb als Haupt-Valenzträger im Satz angesehen werden. Das Verb legt durch seine Valenz (vgl. 1.3.5.) einen Stellenplan für den Satz fest. Weil das Verb Haupt-Valenzträger im Satz ist, werden Wesen und Kriterien für die morphosyntaktischen Satzmodelle auch am Verb entwickelt. Folglich werden die durch das Verb als Haupt-Valenzträger konstituierten Satzmodelle auch an den Anfang gestellt (vgl. 17.2.2.). Es können jedoch auch valenzgebundene Glieder zu anderen Wortklassen auftreten, die selbst schon von der Valenz eines Verbs (in diesem Falle: Kopulaverb) abhängig sind. Auf diese Weise muß mit einer Hierarchie von Valenzbeziehungen gerechnet werden, bei der die Verben als *primäre*, die anderen Wortklassen (vor allem das prädikative Adjektiv, aber auch vereinzelt das prädi-

kative Substantiv) als *sekundäre* Valenzträger angesehen werden können:

Er ist *aller Sorgen* ledig.

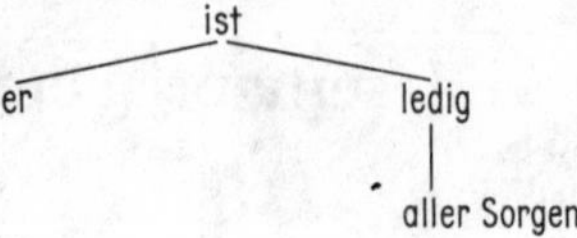

Deshalb werden – im Anschluß an das Verb und analog zum Verb – in 17.2.3. und 17.2.4. Satzmodelle vorgestellt, die sich aus der Valenz von Adjektiv und Substantiv ergeben.

2. Unter *Valenz* wird die Fähigkeit der Verben verstanden, bestimmte Leerstellen im Satz zu eröffnen, die besetzt werden müssen bzw. besetzt werden können. Sie werden besetzt durch *obligatorische Aktanten* (die im Stellenplan des Verbs enthalten und in der Regel nicht weglaßbar sind) oder *fakultative Aktanten* (die auch im Stellenplan des Verbs enthalten, aber unter bestimmten Kontextbedingungen weglaßbar sind). Außer den obl. und fak. Aktanten treten im Satz *freie Angaben* auf, die von der Valenz des Verbs nicht determiniert sind und deshalb in den Satzmodellen nicht enthalten sind. Sie sind – syntaktisch beliebig auftretende – Erweiterungen der Grundstrukturen:

Peter arbeitet *oft / manchmal / fleißig / gern.*

Die Abgrenzung zwischen obl. Valenz, fak. Valenz und freien Angaben erfolgt auf folgende Weise:

(1) Er legt das Buch *auf den Tisch.*	(= obl. Aktant)
(2) Er steigt *in die Straßenbahn* ein.	(= fak. Aktant)
(3) Er arbeitet *in Dresden.*	(= freie Angabe)

Der Unterschied zwischen obl. und fak. Valenz einerseits und freier Angabe andererseits ist ein tieferer Unterschied, da er die syntaktische Klassifizierung der Verben betrifft und vom Kontext unabhängig ist. Freie Angaben sind reduzierte Sätze (eigene Prädikationen im logischen Sinne) und können auf vollständige Sätze zurückgeführt werden; obl. und fak. Aktanten sind dagegen Besetzungen von Leerstellen des Verbs (Argumente des Prädikats) und nicht auf Sätze zurückführbar:

(1) ↚ *Er legt das Buch, als er auf dem Tisch war.
(2) ↚ Er steigt ein, als die Straßenbahn da war.
(3) ← Er arbeitete, *als er in Dresden war.*

Der Unterschied zwischen obl. und fak. Valenz ist oberflächlicherer Natur und vom Kontext abhängig (von der Vorerwähntheit, vom Kontrast u. a.). Die obl. Aktanten einerseits werden von den fak. Aktanten und den freien Angaben andererseits durch den Eliminierungstest (die Weglaßprobe) geschieden. Ein Glied ist dann obligatorisch, wenn bei seiner Eliminierung der Satz ungrammatisch wird; sonst ist es fakultativ oder frei:

(1) → *Er legt das Buch.
(2) → Er steigt ein.
(3) → Er ißt.

In einigen Fällen sind auch obl. Aktanten weglaßbar:

(4) Das Huhn legt.
← Das Huhn legt *Eier*.

Diese scheinbar fak. Aktanten werden zu den obl. Aktanten gerechnet, weil es sich um eine elliptische Reduzierung handelt, bei der – unabhängig vom Kontext – auch in der reduzierten Struktur nur eine bestimmte Leerstellenbesetzung möglich ist; bei anderer Leerstellenbesetzung wird der Satz ungrammatisch.

3. Als strukturelles Zentrum des Satzes, von dem die Valenz getragen wird und an das die Aktanten gebunden sind, wird das *finite Verb* in Verbindung mit dem *grammatischen* oder *lexikalischen Prädikatsteil* aufgefaßt. Vgl. dazu die Abhängigkeitsstrukturen in 13.3. Bei den grammatischen Prädikatsteilen werden die abhängigen Glieder als Aktanten zum infiniten Verb beschrieben, das – temporale oder modale – Hilfsverb wird als Modifizierung des infiniten Verbs angesehen:

Er {will / wird} das Buch lesen.

← Er liest das Buch.

Die lexikalischen Prädikatsteile werden als Einheit aufgefaßt, gleichgültig, ob sie mit dem finiten Verb zusammengeschrieben werden oder nicht:

Er glaubt, daß sie pünktlich abfährt.

Er glaubt, daß sie Maschine schreibt.

4. Damit ist folgende Eingliederung der Satzglieder in die Satzmodelle verbunden: Als Aktanten des Verbs werden aufgefaßt das Subjekt, das Prädikativ (Subjekts- und Objektsprädikativ), die Objekte und einige Adverbialbestimmungen, Nebensätze, Infinitive usw. Dabei sind Subjekte und Prädikativa in der Regel obligatorische Aktanten, die Objekte sind entweder obl. oder fak. Aktanten. Die Adverbialbestimmungen sind meist frei, nur einige sind obl. oder fak. Aktanten. Frei sind immer die sekundären Satzglieder (darunter das prädikative Attribut, der dativus commodi, der possessive Dativ) und die Attribute (als Satzgliedteile).

5. Wie die Adverbialbestimmungen sind auch die *Nebensätze* und *Infinitivkonstruktionen* meist nicht durch Valenz an das Verb des übergeordneten Satzes gebunden. Trotzdem gibt es viele Fälle, in denen Nebensätze und Infinitive (wie die ihnen entsprechenden Objekte, Subjekte usw.) im Stellenplan des übergeordneten Verbs enthalten sind, so daß sie bereits in der Liste der Grundstrukturen auftauchen. Aber auch wenn die NS (und die Infinitive) Aktanten des Verbs im übergeordneten Satz sind, enthalten sie selbst wieder ein Prädikat mit einer Leerstelle oder mit mehreren Leerstellen. Insofern gelten innerhalb dieser Nebensätze und Infinitive die gleichen Regularitäten wie für die einfachen Sätze: Die Satzmodelle treffen also nicht nur auf die HS, sondern auch auf die NS zu.

6. Bei der in 17.2.2. folgenden Liste der deutschen Satzmodelle handelt es sich um abstrakte Strukturmodelle, um Satzschemata oder Satzbaupläne, für die die verwendeten Verben nur als Illustrationsbeispiele dienen. Damit kann und soll kein Verzeichnis der Verben nach ihrer Valenz geliefert werden, das eine Sache des Lexikons ist.[1] Zahlreiche Verben gehören vielmehr zu mehreren Satzmodellen, dann nämlich, wenn sie mehrere Varianten (1) haben (die sich in der Valenz unterscheiden) oder eine alternative Valenz mit Bedeutungsunterschied (2) aufweisen:

(1) Die Suppe *kocht.*
Die Mutter *kocht* (die Suppe).

(2) Er *schreibt* (das Buch).
Er *schreibt* (an dem Buch).

Im Falle (1) unterscheidet sich das einwertige Verb *kochen* von dem Verb *kochen* mit einem obl. und einem fak. Aktanten. Demzufolge gehört *kochen* zu zwei verschiedenen Satzmodellen. Im Falle (2) hat *schreiben* zwar in beiden Fällen neben dem Nominativ einen zweiten (fak.) Aktanten, aber dessen syntaktischer Status ist verschieden. Auch diese Verschiedenheit spiegelt sich darin, daß das Verb in zwei verschiedenen Satzmodellen erscheint.

7. Eine andere Art von Alternativität liegt vor, wenn ein Satzglied (etwa: eine Präpositionalphrase oder ein Akkusativ) durch einen Nebensatz oder durch eine Infinitivkonstruktion ersetzt werden kann, ohne daß sich die Bedeutung des Verbs ändert und ohne daß verschiedene Varianten des Verbs angenommen werden können:

(3) Er hofft *auf ein baldiges Wiedersehen.*
Er hofft (darauf), *daß er ihn bald wiedersieht.*
Er hofft (darauf), *ihn bald wiederzusehen.*

Obwohl es sich bei (3) um keine verschiedenen Varianten des Verbs, sondern um alternative Repräsentationen ohne semantischen Un-

[1] Vgl. dazu etwa G. Helbig/W. Schenkel: Wörterbuch zur Valenz und Distribution deutscher Verben. Leipzig [4]1978.

terschied handelt – im Unterschied zu (1) und (2) –, gehen auch diese verschiedenen alternativen Repräsentationsformen in verschiedene Satzmodelle ein. Sie werden deshalb als verschiedene Satzmodelle behandelt, weil semantische Gleichheit oder Verschiedenheit kein Kriterium für Strukturmodelle sein kann; sonst müßten auch folgende Sätze *einem* Strukturmodell zugeordnet werden:

(5) Er gratuliert *mir.*
(6) Er beglückwünscht *mich.*
(7) Der Lehrer hilft *dem Schüler.*
(8) Der Lehrer unterstützt *den Schüler.*

Außerdem hängt die Möglichkeit solcher alternativen Repräsentationen wie in (3) von den einzelnen Verben ab, nicht vom Satzmodell. So kann das Akkusativobjekt manchmal durch einen NS ersetzt werden [etwa: im Modell (14)], manchmal dagegen nicht [etwa: im Modell (10)]. Fast generell kann die Präpositionalgruppe durch einen entsprechenden NS ersetzt werden (vgl. Modelle (23) und (24), (27) und (28), bei denen absichtlich das gleiche Verb als Illustration der Modelle gewählt wurde). Solche alternativen Repräsentationsformen der Aktanten stellen also auch verschiedene Satzmodelle dar, unabhängig davon, daß der NS manchmal die einzige Repräsentationsform des Aktanten ist [wie im Beispiel für Modell (8)], in anderen Fällen nur eine mögliche Repräsentationsform unter anderen ist [wie im Beispiel für das Modell (24)]. Auch der Infinitiv ist manchmal die einzige Repräsentationsform des Aktanten [wie im Beispiel für Modell (15)], in anderen Fällen nur eine mögliche Repräsentationsform unter anderen [wie im Beispiel für das Modell (9)]. Auf diese Unterschiede mußte aus praktischen Gründen verzichtet werden, da diese Differenzierung den Überblick über die Satzmodelle erheblich erschweren würde.

Aus den gleichen Gründen wird bei den Satzmodellen auf folgende Informationen verzichtet:

(1) Wenn die NS als Aktanten in bestimmten Satzmodellen auftreten, so ist nicht jeder NS möglich, sondern nur ein Typ oder mehrere Typen, die charakterisiert werden können durch das Einleitungswort (ein mit *daß*, ein mit einem *w*-Wort, ein mit *ob* eingeleiteter NS):

Der Arzt *fragte, ob* der Patient Schmerzen habe.
*Der Arzt *fragte, daß* der Patient Schmerzen habe.

Der Patient *antwortete, daß* er keine Schmerzen habe.
*Der Patient *antwortete, ob* er keine Schmerzen habe.

Die Möglichkeit eines *daß*-, eines *w*- oder eines *ob*-NS ist abhängig von der Semantik des einzelnen Verbs. Eine Berücksichtigung dieser Modelle würde die Liste der Satzmodelle unter 17.2.2. weiter differenzieren und unübersichtlich gestalten.

(2) Ebenso findet keine Berücksichtigung die Tatsache, daß bei der Nennung eines Aktanten in den Satzmodellen nicht jede semantische Gruppe dieser Aktanten zulässig ist. Es gibt vielmehr syntak-

tisch-semantische Selektionsbeschränkungen, die die Verwendung der Aktanten auf bestimmte Klassen (etwa: belebt, unbelebt, menschlich, abstrakt) beschränken:

Der Arzt bewundert seine Leistungsfähigkeit.
*Die Leistungsfähigkeit bewundert den Arzt.

(3) Schließlich gibt es unbeschränkt die Möglichkeit, einen NS des gleichen Typs (z. B. *wer-* oder *was-*Satz für den Nominativ als Subjekt, *was-* oder *wen-*Satz für den Akkusativ als Objekt) für das entsprechende Satzglied einzusetzen:

Der Bekannte kann mich besuchen.
Wer mich kennt, kann mich *besuchen.*

Als Aktanten werden diese NS nicht in die Liste der Satzmodelle aufgenommen, weil sie – im Gegensatz zum *daß-*Satz – für die Unterscheidung von Satzmodellen nicht distinktiv sind.

8. Für die folgende Liste der Satzmodelle werden folgende *Konventionen* angenommen und folgende *Abkürzungen* verwendet:

(1) Da ein Substantiv als Subjekt oder Objekt immer durch ein entsprechendes Personalpronomen, eine adverbiale Präpositionalphrase (pS_A) immer durch ein entsprechendes Adverb ersetzt werden kann, werden ein Personalpronomen und ein Adverb überhaupt nicht vermerkt.

(2) Das Reflexivpronomen wird bei den reflexiven Verben (vgl. 1.10.) verschieden behandelt. Als Aktant gilt nur das Reflexivpronomen in der reflexiven Konstruktion, das durch ein Substantiv (im Akkusativ oder Dativ) substituierbar ist (z. B. Er wäscht *sich / das Kind.*). Ist eine Substituierbarkeit des Reflexivpronomens nicht möglich, ist also die Besetzung der entsprechenden Stelle nicht variabel (wie z. B. im Falle: Er schämt *sich.*), so gehört es zum Verb und ist lexikalischer Prädikatsteil (vgl. 13.3.1.3.).

(3) Wie das Reflexivpronomen, so wird auch das unpersönliche Pronomen *es* (vgl. dazu genauer 6.) nur dann als Aktant gewertet, wenn es durch ein Substantiv oder einen anderen Aktanten substituierbar ist, die Besetzung der entsprechenden Stelle also variabel ist. Deshalb gilt *es* nicht als Aktant in einem Satz wie *Es schneit,* wohl aber in einem Satz wie *Es* (= das Geschenk) *freut mich.* Das Pronomen *es* wird freilich als Aktant nicht verzeichnet, wenn es bloßes Korrelat ist (wie im Falle: Ich hoffe *es,* daß er kommt.), das in der Regel dann nicht mehr steht, wenn das betreffende Glied, für das das Korrelat steht (Subjekt, Nebensatz, Infinitiv), vor dem Verb steht:

Es kommt mein Freund.
→ Mein Freund kommt.

(4) In die Beispiele der Satzmodelle sind nur diejenigen Korrelate (wie auch die Reflexivpronomen bei den reflexiven Verben) aufgenommen, die obligatorisch als formales Element zum Verb gehören

(obwohl sie keine Aktanten sind), nicht aber diejenigen, die weglaßbar sind.
Zur Rolle der Korrelate überhaupt vgl. 18.4.2.1.

(5) Nicht aufgenommen in die Satzmodelle sind alle Sätze im Passiv, da diese nicht zu den Grundstrukturen gehören, sondern von den Grundstrukturen nach bestimmten Regeln abgeleitet werden können (vgl. 1.8.4.).

(6) Nicht aufgenomen sind die Satzmodelle mit Funktionsverbgefügen. Zu den Valenzverhältnissen dort vgl. 1.4.3.4.15.

(7) Folgende Abkürzungen, die z. T. über die in den anderen Kapiteln dieser Grammatik hinausgehen bzw. diese spezifizieren, werden verwendet:

V	= Verb
S	= Substantiv
KV	= Kopulaverb (*sein* u. a.)
A	= Aktant (durchnumeriert als A_1, A_2 usw.)
S_n	= Substantiv im Nominativ (als Subjekt)
S_{np}	= Substantiv im Nominativ (als Prädikativ)
S_a	= Substantiv im Akkusativ (als Objekt)
S_{aA}	= Substantiv im Akkusativ (als Adverbialbestimmung)
S_{ap}	= Substantiv im Akkusativ (als Prädikativ)
S_d	= Substantiv im Dativ
S_g	= Substantiv im Genitiv
pS	= Präposition + Substantiv (als Objekt)
pS_A	= Präposition + Substantiv (als Adverbialbestimmung)
pS_p	= Präposition + Substantiv (als Prädikativ)
Adj	= Adjektiv bzw. Adjektivadverb (als Adverbialbestimmung)
Adj_p	= Adjektiv (als Prädikativ)
pAdj	= Präposition + Adjektiv bzw. Adjektivadverb (als Adverbialbestimmung)
$pAdj_p$	= Präposition + Adjektiv (als Prädikativ)
NS	= Nebensatz (als Objekt)
NS_S	= Nebensatz (als Subjekt)
Inf_{zu}	= Infinitiv mit *zu* (als Objekt)
Inf_{zuS}	= Infinitiv mit *zu* (als Subjekt)
Inf	= Infinitiv ohne *zu*

Liste der Satzmodelle mit Verb als (primärem) Valenzträger 17.2.2.

1. Verben ohne Aktanten

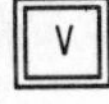

(1) Es blitzt.

2. Verben mit keinem obl. und 1 fak. Aktanten

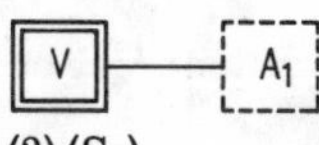

(2) (S_a) Es regnet (Blüten).

3. Verben mit 1 obl. Aktanten

(3) S_n Die Pflanze geht ein.
(4) S_a Mich friert.
Es gibt viele Bücher.
(5) S_d Es graut mir.
Mir schwindelt.
(6) pS Es geht um eine wichtige Frage.
(7) Adj Es geht lustig zu.
(8) NS_S Es heißt, daß das Raumschiff nach mehreren Monaten im All zurückgekehrt ist.
(9) Inf_{zuS} Zu rauchen gehört sich nicht.

4. Verben mit 1 obl. und 1 fak. Aktanten

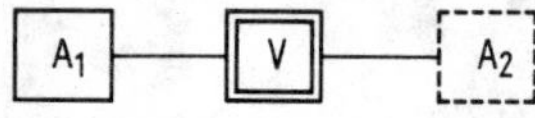

(10) S_n, (S_a) Die Mutter kauft (Milch) ein.
(11) S_n, (S_d) Das Kind folgt (seiner Mutter).
(12) S_n, (pS_A) Der Arzt steigt (in die Straßenbahn) ein.
(13) S_n, (pS) Die Schneiderin arbeitet (an einem Kleid).
(14) S_n, (NS) Das Kind wartet ab (, ob jemand kommt).
(15) S_n, (Inf_{zu}) Er weigert sich (, das Vorhaben zu unterstützen).
(16) S_n, (Inf) Die Mitarbeiterin hilft (schreiben).
(17) S_d, (pS) Ihm graut (vor einem längeren stationären Aufenthalt im Krankenhaus).
(18) S_d, (NS) Ihm graut (davor, daß er für längere Zeit stationär ins Krankenhaus muß).
(19) S_d, (Inf_{zu}) Ihm graut (davor, für längere Zeit stationär ins Krankenhaus zu müssen).
(20) NS_S, (S_d) Es gelingt (dem Arzt), daß er den Patienten rettet.
(21) Inf_{zuS}, (S_d) Es gelingt (dem Arzt), den Patienten zu retten.

5. Verben mit 1 obl. und 2 fak. Aktanten

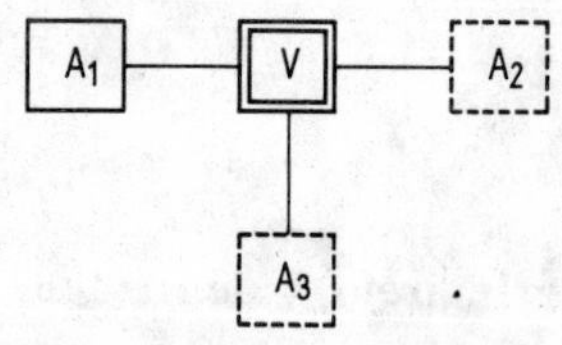

(22) S_n, (S_a), (S_d) Die Mutter erzählt (den Kindern) (eine Geschichte).
(23) S_n, (S_d), (pS) Der Lehrer dankt (dem Schüler) (für die Hilfe).
(24) S_n, (S_d), (NS) Der Lehrer dankt (dem Schüler), (daß er ihm geholfen hat).
(25) S_n, (S_d), (Inf_{zu}) Der Polizist hilft (dem Kind), (über die Straße zu gehen).
(26) S_n, (S_d), (Inf) Das Kind hilft (der Mutter) (arbeiten).
(27) S_n, (p_1S), (p_2S) Das Kind bedankt sich (bei dem Polizisten) (für die Hilfe).
(28) S_n, (pS), (NS) Der Messegast bedankt sich (bei dem Polizisten), (daß er ihm geholfen hat).

6. Verben mit 1 obl. und 3 fak. Aktanten

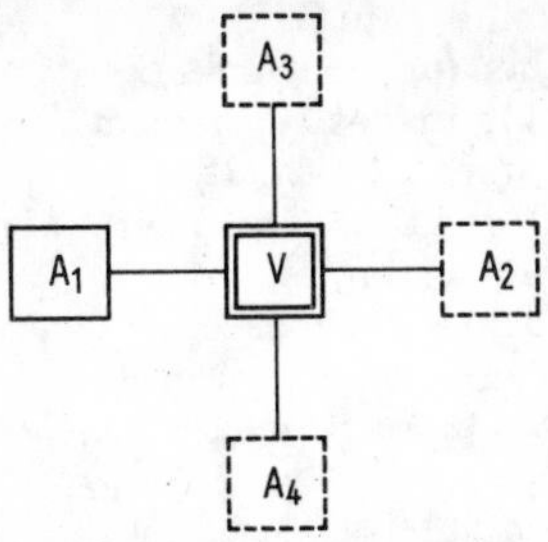

(29) S_n, (S_d), (pS), (NS) — Der Arzt antwortet (dem Patienten) (auf seine Frage), (daß er komme).

(30) S_n, (S_a), (p_1S), (p_2S) — Der Schriftsteller übersetzt (das Buch) (aus dem Russischen) (in das Deutsche).

7. Verben mit 2 obl. Aktanten

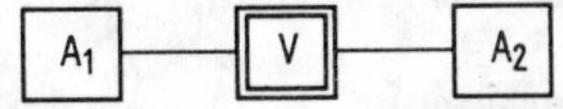

(31) S_n, S_a	Der Direktor erwartet seine Gäste.
(32) S_n, S_d	Der Raum gehört der Universität.
(33) S_n, S_g	Die Klasse gedachte des verstorbenen Schülers.
(34) S_n, pS	Der Dozent verweist auf das neue Buch.
(35) S_n, pS_A	Der Arzt wohnt in Leipzig.
(36) S_n, S_{np}	Das Mädchen wird Lehrerin.
(37) S_n, Adj_p	Die Lehrerin ist krank.
(38) S_n, pS_p	Er wird zum Verräter.
(39) S_n, pAdj	Die Kritik geht zu weit.
(40) S_n, S_{aA}	Die Versammlung dauerte zwei Stunden.
(41) S_n, NS	Der Arzt findet, daß der Patient besser aussieht.
(42) S_n, Inf_{zu}	Das Pferd droht zusammenzubrechen.
(43) S_n, Inf	Der Schüler geht einkaufen.
(44) NS_S, S_a	Daß er nicht kommt, ärgert den Lehrer.
(45) NS_S, S_d	Es gefällt ihm, daß er eingeladen wird.
(46) NS_S, S_g	Daß er in Dresden war, bedarf keines Beweises.
(47) NS_S, pS	Aus der Verfassung der DDR folgt, daß sich die DDR für den Frieden verantwortlich fühlt.
(48) NS_S, Adj_p	Daß er kommt, ist bekannt.
(49) Inf_{zuS}, S_a	Es freut den Arzt, seinen Kollegen wiederzusehen.
(50) Inf_{zuS}, S_d	Es gefällt ihm, eingeladen zu werden.
(51) Inf_{zuS}, Adj_p	Ihn zu sehen ist wichtig.
(52) S_a, pS	Den Kranken verlangt nach Ruhe.
(53) S_d, Adj	Dem Lehrer geht es gut.

8. Verben mit 2 obl. und 1 fak. Aktanten

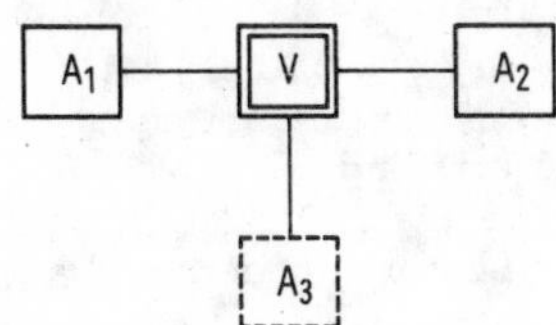

(54) S_n, S_a, (S_d)	Der Schüler beantwortet (dem Lehrer) die Fragen.
(55) S_n, S_{a1}, (S_{a2})	Das Studium kostet (die Familie) kein Geld.
(56) S_n, S_a, (pS)	Die Mutter verteilt den Kuchen (an die Kinder).
(57) S_n, S_a, (S_g)	Der Staatsanwalt klagt den Mann (des Mordes) an.
(58) S_n, S_a, (pS_A)	Der Sohn begleitet seinen Vater (in die Stadt).
(59) S_n, S_a, (NS)	Der Sektionsdirektor befragt den Studenten (, ob er den Forschungsauftrag übernehmen könnte).
(60) S_n, S_a, (Inf_{zu})	Die Mutter beauftragt die Tochter (, die Wäsche zu waschen).
(61) S_n, S_d, (pS_A)	Der Lehrer begegnete dem Trotz des Kindes (mit Gelassenheit).
(62) S_n, pS_A, (S_a)	Der Weg führte (die Touristen) ins Tal.
(63) S_n, p_1S, (p_2S)	Der Fußgänger klagte (gegen den Autofahrer) auf Schadenersatz.
(64) S_n, NS, (S_d)	Der Student verschwieg (dem Dozenten), daß er zu Hause war.
(65) S_n, NS, (pS)	Der Schüler entgegnete (auf die Frage), daß er krank gewesen sei.
(66) S_n, NS, ($pAdj_p$)	Der Arzt beurteilt (es als entscheidend), wie die Operation verlaufen ist.
(67) S_n, NS, (pS)	Der Polizist bemerkt (am Geräusch), daß sich jemand nähert.
(68) S_n, Inf_{zu}, (S_a)	Der Diskussionsleiter bittet (die Zuhörer), Fragen zu stellen.
(69) S_n, NS, (S_a)	Der Referent bittet (die Zuhörer), daß sie Fragen stellen.
(70) S_n, S_a, (Inf)	Er sieht sie (kommen).
(71) S_n, Inf_{zu}, (S_d)	Der Direktor empfahl (einer Kommission), die Lehrpläne zu überarbeiten.
(72) NS_S, S_a, (pS)	Daß er gut schwimmen konnte, rettete ihn (vor dem Ertrinken).
(73) NS_S, S_a, (S_d)	Daß der Schüler verreist war, beantwortete (dem Lehrer) die Frage.
(74) NS_S, S_{a1}, (S_{a2})	Daß er studiert, kostet (die Familie) kein Geld.
(75) NS_S, pS, (S_a)	Daß er sich aussprach, führte (ihn) zur Einsicht.

9. Verben mit 2 obl. und 2 fak. Aktanten

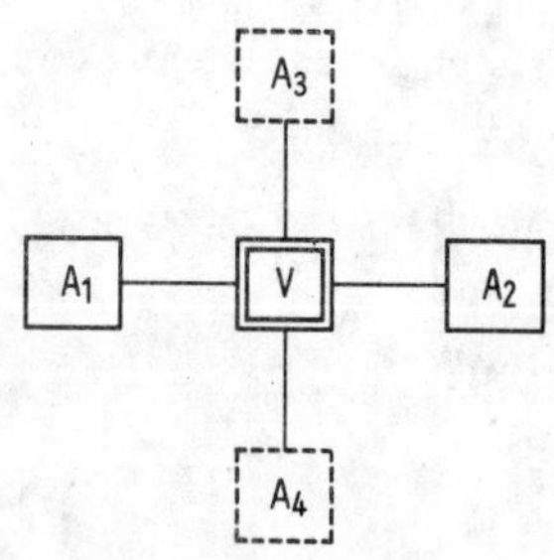

(76) S_n, S_a, (Inf), (pS_A)	Der Arzt hat viele Patienten (im Wartezimmer) (sitzen).
(77) S_n, p_1S, (S_a), (p_2S)	Der Referent bittet (die Zuhörer) (für diesen Zwischenruf) um Verständnis.
(78) S_n, NS, (S_d), (pS)	Der Schüler entgegnete (dem Lehrer) (auf dessen Frage), daß er aufgepaßt habe.

10. Verben mit 3 obl. Aktanten

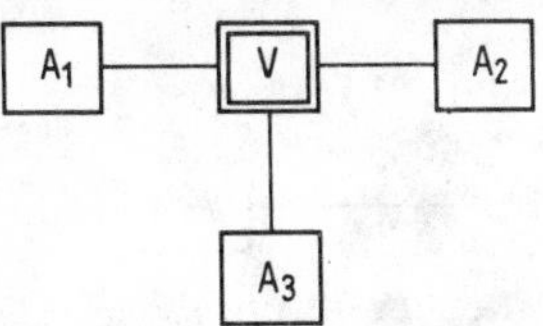

(79) S_n, S_a, S_{ap}	Der Meister nannte die Frau eine gute Arbeiterin.
(80) S_n, S_a, Adj_p	Der Lehrer nennt den Schüler fleißig.
(81) S_n, S_a, $pAdj_p$	Der Lehrer bezeichnet den Schüler als fleißig.
(82) S_n, S_a, pS_p	Der Direktor bezeichnet den Mathematiker als guten Lehrer.
(83) S_n, S_a, S_d	Der Hund brachte dem Mann eine Verletzung bei.
(84) S_n, S_a, S_g	Sie bezichtigt den Nachbarn der Lüge.
(85) S_n, S_a, pS_A	Der Lehrer legt das Buch auf den Tisch.
(86) S_n, S_a, NS	Die Mutter gewöhnt die Kinder daran, daß sie zeitig aufstehen.
(87) S_n, S_a, Inf_{zu}	Die Mutter gewöhnt die Kinder daran, pünktlich aufzustehen.
(88) S_n, S_a, Inf	Die Mutter legt das Kind schlafen.
(89) S_n, S_d, Adj	Das Rauchen bekommt ihm schlecht.
(90) S_a, S_d, NS	Der Dozent bringt den Studenten bei, wie sie einen Text interpretieren sollen.
(91) S_n, S_d, Inf_{zu}	Der Dozent bringt den Studenten bei, einen Text komplex zu interpretieren.
(92) S_n, Adj, Inf	Der Mann hat gut reden.
(93) S_n, S_a, pS	Der Polizist hindert den Einbrecher an der Flucht.
(94) S_n, $pAdj_p$, NS	Die sozialistische Gesellschaft betrachtet es als notwendig, daß die Jugend viel lernt.
(95) S_n, $pAdj_p$, Inf_{zu}	Arbeiterkinder zu fördern, halten wir für nötig.
(96) S_n, pS_p, NS	Der sozialistische Staat betrachtet es als wichtige Aufgabe, daß der Sport gefördert wird.
(97) S_n, pS_p, Inf_{zu}	Der sozialistische Staat betrachtet es als wichtige Aufgabe, den Sport zu fördern.

Liste der Satzmodelle mit Adjektiv als (sekundärem) Valenzträger 17.2.3.

1. Adjektiv ohne Aktanten

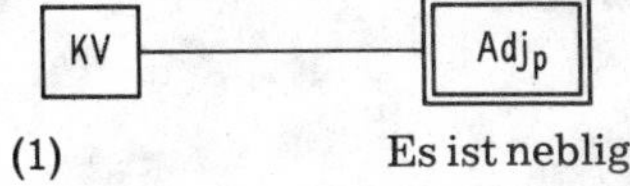

(1)	Es ist neblig.

2. Adjektive mit 1 obl. Aktanten

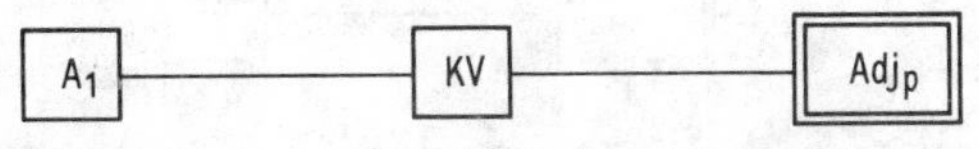

(2) Sn	Das Mädchen ist charakterfest.
(3) Sd	Dem Jungen ist schwindlig.

(4) NS_S	Ob der Zug pünktlich kommt, ist fraglich.
(5) Inf_{zuS}	Ihn zu sehen ist schwierig.

3. Adjektive mit 1 obl. und 1 fak. Aktanten

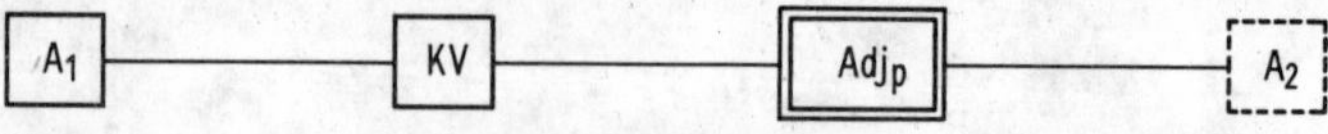

(6) Sn, (pS)	Der Chemiker ist interessiert (an der Lösung).
(7) Sd, (pS)	Dem Jungen ist bange (um seine Zukunft).
(8) Sn, (Sg)	Der Angeklagte ist (der Tat) geständig.
(9) Sn, (Inf_{zu})	Der Angeklagte ist geständig (, die Tat ausgeführt zu haben).
(10) Sn, (NS)	Er ist stolz (, daß er die Prüfung bestanden hat).
(11) Sn, (Sd)	Die Arbeit ist (ihm) nützlich.
(12) NS_S, (Sd)	Daß er abgelehnt wurde, war (ihm) verständlich.

4. Adjektive mit 1 obl. und 2 fak. Aktanten

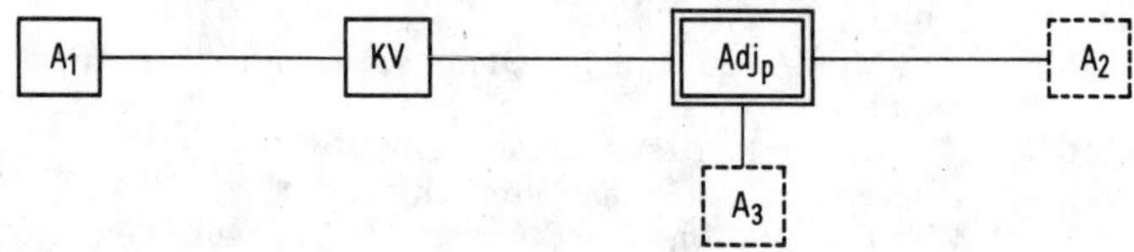

(13) Sn, (Sd), (pS)	Wir sind (dem Arzt) (für den Hinweis) dankbar.
(14) Sn, (Sd), (NS)	Wir sind (dem Arzt) dankbar (, daß er uns den Hinweis gegeben hat.)
(15) Sn, (pS), (pS)	Die Bürger sind sich (mit den Abgeordneten) (in dieser Frage) einig.
(16) Sn, (pS), (NS)	Sie sind sich (mit ihren Partnern) einig (, daß der Vertrag verlängert werden soll).
(17) Sn, (pS) (Inf_{zu})	Sie sind sich (mit ihren Partnern) einig (, den Vertrag zu verlängern).

5. Adjektive mit 2 obl. Aktanten

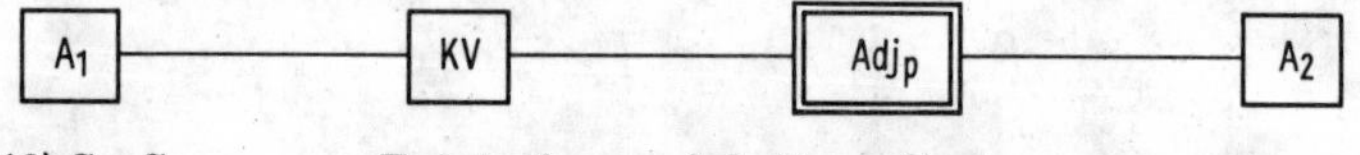

(18) Sn, Sa	Er ist schwere Arbeit gewöhnt.
(19) Sn, Sg	Der Lehrer ist der Fremdsprache nicht mächtig.
(20) Sn, Sd	Diese Lösung ist allen Beteiligten genehm.
(21) Sn, pS	Er ist mit seinem Kollegen befreundet.
(22) Sn, pS_A	Der Schriftsteller ist in Dresden ansässig.
(23) NS_S, Sd	Was er sagt, ist ihr einerlei.
(24) Sn, pAdj	Der Schüler ist als faul bekannt.
(25) Sn, Adj	Der Lehrer ist gut gelaunt.

6. Adjektive mit 2 obl. und 1 fak. Aktanten

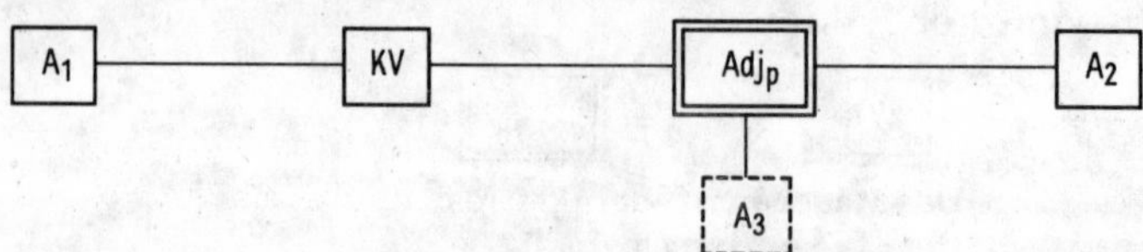

(26) Sn, Sd, (pS_A) Der Mann ist der Frau (bei der Hausarbeit) behilflich.
(27) Sn, Sd, (Inf_{zu}) Er ist ihr behilflich (, die Korrekturen zu lesen).
(28) Sn, pS, (pS) Die Partei ist sich mit den anderen Parteien (über die Veranstaltung) einig.
(29) Sn, pS, (NS) Der Direktor ist sich mit der Parteileitung einig (, daß eine Feier veranstaltet wird).
(30) Sn, Adj, (Sd) Die Nachbarn sind (uns) freundlich gesinnt.

7. Adjektive mit 3 obl. Aktanten

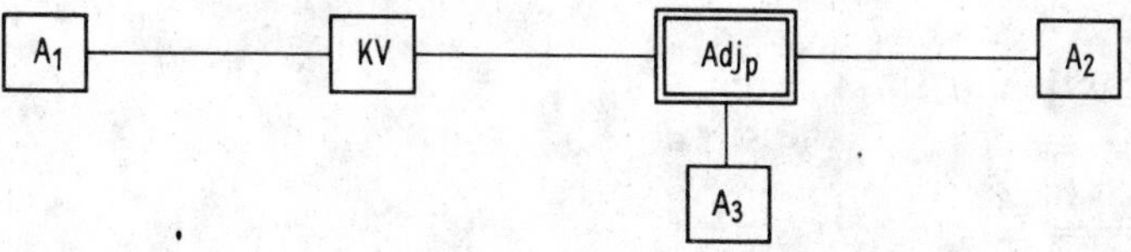

(31) Sn, Sa, pS Seine Arbeitsstelle ist einen Kilometer von der Stadt entfernt.
(32) Sn, Sa, Sd Er ist seinen Kollegen eine Antwort schuldig.

Anmerkungen:
(1) Über die Zugehörigkeit der Adjektive zu den einzelnen Valenzgruppen und damit zu ihrer Einordnung in die Satzmodelle vgl. 3.4.

(2) Die Mehrzahl der Adjektive im Deutschen ist einwertig; der 1. Aktant des Adjektivs ist in der Regel das substantivische Bezugswort, das bei prädikativer Verwendung des Adjektivs als Subjektsnominativ, bei (abgeleiteter) attributiver Verwendung des Adjektivs als substantivisches Bezugswort des Attributs in Erscheinung tritt.[1]

Satzmodelle mit Substantiv als (sekundärem) Valenzträger 17.2.4.

1. Die syntaktische Valenz der Substantive unterscheidet sich von der Valenz der Verben und Adjektive dadurch,

(a) daß sie in gleicher Weise nur bei denjenigen Substantiven beschreibbar ist, die Nominalisierungen von Verben und Adjektiven (also: deverbale und deadjektivische Bildungen) sind;

(b) daß diese Substantive in der Regel die gleichen Valenzeigenschaften haben wie die ihnen entsprechenden Verben und Adjektive;

(c) daß die Aktanten des Substantivs in der Regel fakultativ, nicht obligatorisch sind;

(d) daß die Aktanten in anderer morphologischer Repräsentation, vor allem als Attribute, auftreten.

Dadurch ergibt sich eine andere Darstellung für die Satzmodelle, in denen Substantive (sekundäre) Valenzträger sind.

---

[1] Zur Valenz der einzelnen Adjektive (alphabetisch) vgl. K.-E. Sommerfeldt/ H. Schreiber: Wörterbuch zur Valenz und Distribution deutscher Adjektive. Leipzig [1]1974.

2. Unabhängig von der Einbettung in den Satz (und damit vom Kasus des Substantivs) lassen sich zunächst folgende Klassen von Substantivgruppen unterscheiden:

(1) Substantive ohne Aktanten

– das Schneien

(2) Substantiv mit 1 Aktanten

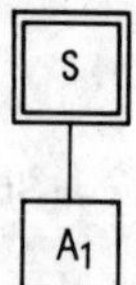

Sg das Spielen des Jungen
pS seine Reise nach Moskau

(3) Substantive mit 2 Aktanten

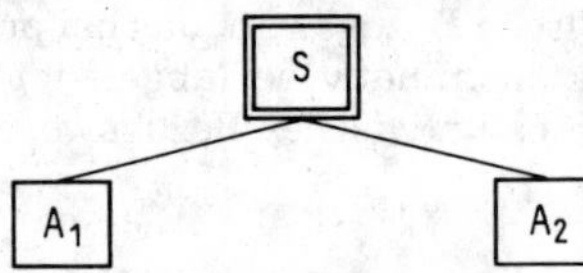

Sg, pS die Reise der Delegation nach Moskau

(4) Substantive mit 3 Aktanten

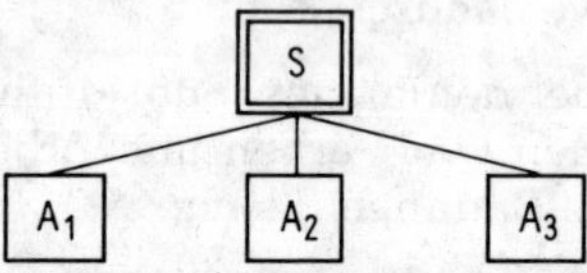

Sg, pS, pS die Überreichung der Zeugnisse an die Abiturienten durch den Direktor

3. Durch Einfügung dieser Substantivgruppen in den Satz ergeben sich Satzmodelle, bei denen – in Analogie zum Adjektiv – das valenztragende Substantiv neben einem Kopulaverb als Prädikativum auftritt und der Subjektsnominativ als Aktant angesehen wird (so daß sich gegenüber 2. die Valenzzahl um 1 erhöht).
Entsprechend der unterschiedlichen morphologischen Repräsentation des Substantivs im Prädikativ werden zunächst 3 Gruppen unterschieden, nach der Zahl der vom Substantiv abhängigen Aktanten weitere Subgruppen.

(1) Sn – KV – Sn

(a) Substantive mit 1 Aktanten (A_1 = Sn)

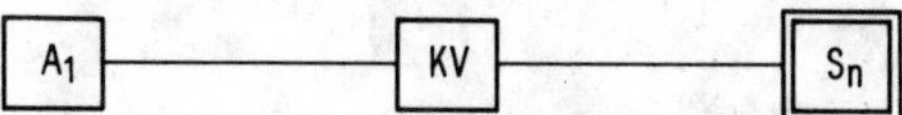

Dieses Kleid ist ein Geschenk.

(b) Substantive mit 2 Aktanten (A_1 = Sn, A_2 = Sg)

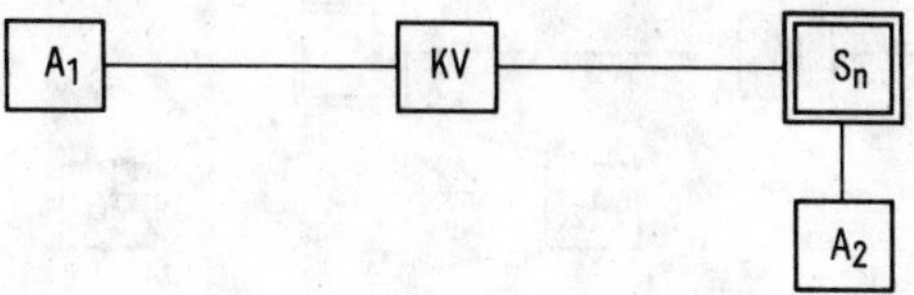

Goethe war der Lehrer mehrerer Dichtergenerationen.

(c) Substantive mit 3 Aktanten (A_1 = Sn, A_2 = Sg, A_3 = pS)

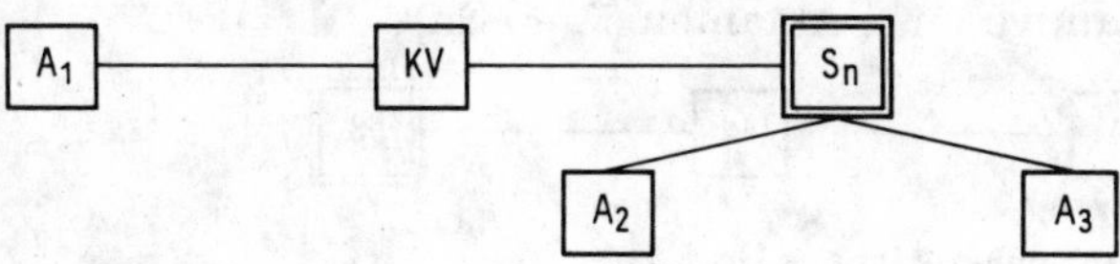

Das wichtigste Argument war die Unterstützung der Sportler durch die Regierung.

(d) Substantive mit 4 Aktanten (A_1 = Sn, A_2 = Sg, A_3 = pS, A_4 = pS)

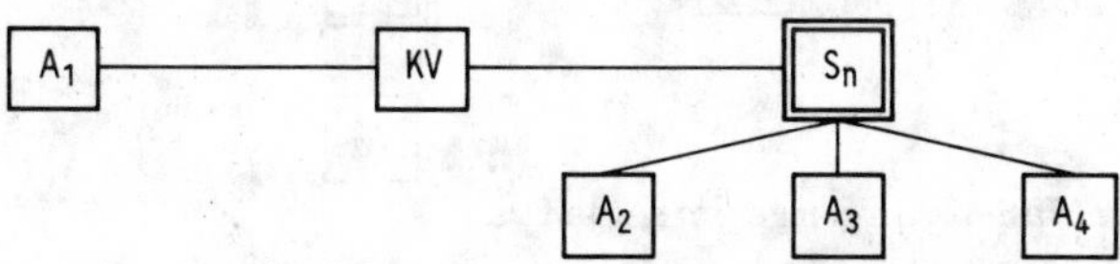

Das wichtigste Ereignis im Jahre 1945 war die Befreiung Europas vom Hitlerfaschismus durch die Anti-Hitler-Koalition.

(2) Sn – KV – Sg

(a) Substantive mit 1 Aktanten (A_1 = Sn)

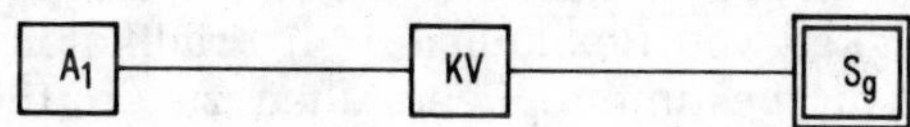

Er ist des Teufels.

(b) Substantive mit 2 Aktanten (A_1 = Sn, A_2 = Adj)

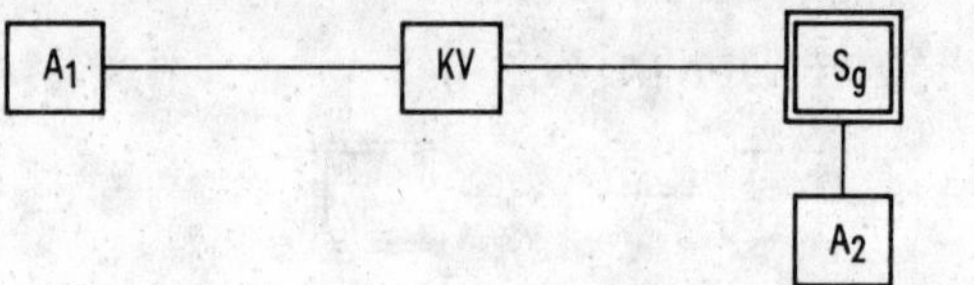

Er ist frohen Mutes.

(c) Substantive mit 3 Aktanten (A_1 = Sn, A_2 = Adj, A_3 = pS)

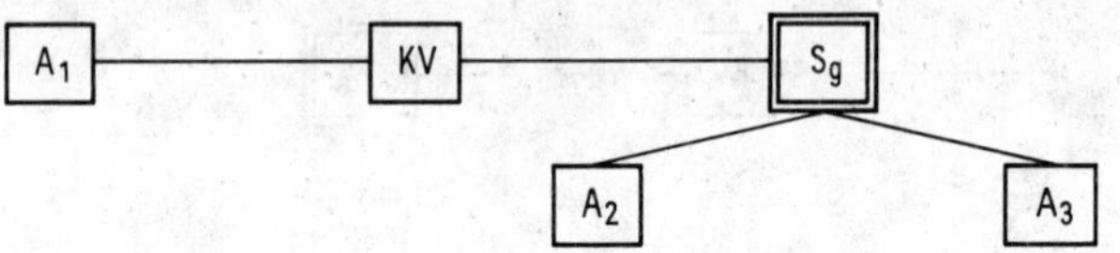

Er ist gleichen Sinnes wie sein Freund.

(3) Sn – KV – pS

(a) Substantive mit 1 Aktanten (A_1 = Sn)

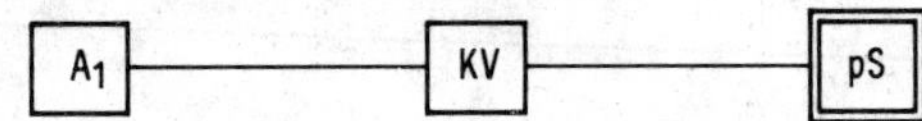

Der Schrank ist aus Holz.

(b) Substantive mit 2 Aktanten (A_1 = Sn, A_2 = pS)

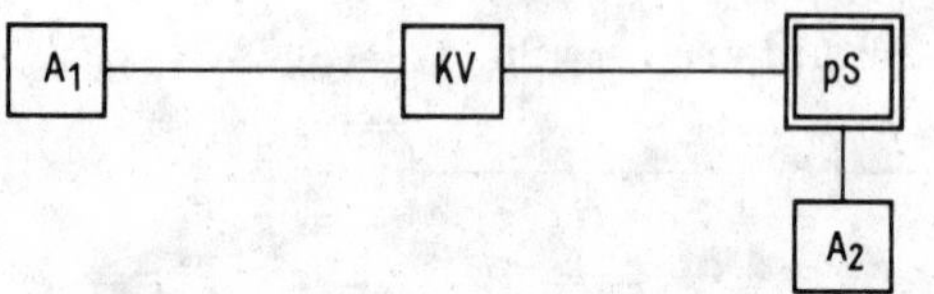

Der Mann ist in Sorge um seine Frau.

17.3. Semantische Satzmodelle

17.3.1. Wesen und Beschreibungsinventar

Die semantischen Satzmodelle ergeben sich aus der semantischen Valenz, d. h. der Fähigkeit von (lexikalisierten) Prädikaten, durch ihre Bedeutungsstruktur bestimmte Leerstellen zu eröffnen, die durch semantische Kasus zu besetzen sind. Bestimmend für die semantischen Satzmodelle ist somit die Bedeutung des Prädikats, von der es abhängt, *wieviele* und *welche* semantischen Kasus gefordert werden. Nicht eingeschlossen in die Satzmodelle sind solche Glieder (Modifikatoren), die einen loseren Zusammenhang zum Prädikat haben und nicht in dessen Bedeutungsstruktur eingeschlossen sind.

Nach der *Zahl* der in den semantischen Satzmodellen enthaltenen Kasus sind solche zu unterscheiden, die nur *einen* semantischen Kasus haben [determinierende Sätze von der Art P(x)], und andere, die *mehr als einen* semantischen Kasus haben [relationale Sätze von der Art P(x, y) oder P(x, y, z)]. Die *Art* der anzusetzenden semantischen Kasus ist in der Linguistik bisher nicht endgültig und einhellig geklärt. Wir gehen bei der Liste der semantischen Satzmodelle (unter 17.3.2.) von folgenden semantischen Kasus aus und benutzen die folgenden Abkürzungen dafür (vgl. dazu bereits 13.4.):

Ag	Agens
Caus	Ursache
Pat	Patiens
VT	Vorgangsträger
ZT	Zustandsträger
R	Resultat
Ad	Adressat
I	Instrument(al)
Loc	Lokativ (Ort)
LG	lokalisierter Gegenstand
Tps	Träger psychischer Prozesse
Gps	Gegenstand psychischer Prozesse
Tph	Träger physischer Prozesse
ET	Erkenntnisträger
EG	Erkenntnisgegenstand
WT	Wahrnehmungsträger
WG	Wahrnehmungsgegenstand
RT_d, RT_u	Relationsträger (dominierendes und untergeordnetes Glied einer Zuordnungsbeziehung)
Ex	Existenz, Vorhandensein
Inh	Inhalt
Priv	Privativ
Id_1	Identificatum (identifiziertes Glied einer Identitätsbeziehung)
Id_2	Identificans (identifizierendes Glied einer Identitätsbeziehung)
E_1	Eingeordnetes (eingeordnetes Glied einer Einordnungsbeziehung)
E_2	Einordnendes (einordnendes Glied einer Einordnungsbeziehung)

Liste 17.3.2.

1. *Determinierende Sätze* sind solche Sätze, die außer dem Prädikat (P) nur *einen* semantischen Kasus enthalten und folglich die semantische Struktur P(x) haben:

(1) P Caus	Das Laub raschelt.
(2) P VT	Die Rose verblüht.
(3) P ZT	Das Kind schläft.
	Die Wäsche ist trocken.
(4) P Pat	Das Essen kocht.

(5) P R	Die Risse (in der Wand) sind jetzt entstanden.
(6) P Tph	Sein Kopf brummt.
(7) P Tps	Das Kind fürchtet sich.
(8) P Ex	Es gab ein Gewitter.
(9) P Loc	Die Stadt ist ruhig.
(10) P Ag	Er arbeitet.

2. *Relationale Sätze* sind solche Sätze, die außer dem Prädikat (P) zwei oder drei semantische Kasus enthalten und folglich die semantische Struktur P(x, y) oder P (x, y, z) haben:

(11) P Ag Pat	Die Mutter wäscht die Hemden.
(12) P Ag Ad	Er hilft seiner Mutter. Seine Mutter bekommt von ihm Hilfe.
(13) P Ag R	Der Betrieb produziert optische Geräte.
(14) P Ag Instr	Er hat die Werkzeuge benutzt.
(15) P Ag Loc	Der Lehrer betritt das Zimmer.
(16) P Ag Inh	Er fuhr eine Ehrenrunde.
(17) P Caus Pat	Das Wasser unterspülte das Haus.
(18) P I Pat	Das Messer schneidet das Brot.
(19) P Loc LG	Die Kiste enthält viele Bücher.
(20) P Tps Gps	Das Kind fürchtet sich vor dem Gewitter.
(21) P ET EG	Der Politiker erkennt die Situation.
(22) P WT WG	Die Mutter sieht das Kind.
(23) P RT_d RT_u	Die Frau hat blondes Haar. Der Sohn ähnelt seinem Vater.
(24) P ZT Inh	Der Angeklagte war des Mordes schuldig.
(25) P ZT Priv	Der Kranke bedarf der Fürsorge.
(26) P ZT Caus	Die Lieferung ist von der Zentrale abhängig.
(27) P Id_1 Id_2	Berlin ist die Hauptstadt (der DDR).
(28) P E_1 E_2	Berlin ist eine Großstadt. Die Baumgruppe bildete ein Hindernis.
(29) P Ag Pat Ad	Er gab seinem Vater das Buch.
(30) P Ag Ad I	Er drohte dem Überfallenen mit der Pistole. Er half seinem Freund mit Geld.
(31) P Ag Pat I	Er schneidet das Brot mit dem Messer.
(32) P Ag R Ad	Er schreibt dem Lehrer einen Brief.
(33) P Ag R I	Der Betrieb fertigt Maschinen am Band.
(34) P Ag Loc LG	Er stellt den Schrank an die Wand.
(35) P Ag Loc I	Er fuhr mit dem Zug nach Dresden.
(36) P Ag Pat Inh	Der Ankläger beschuldigte ihn des Mordes.
(37) P ET E_1 E_2	Der Diplomat hielt den Botschafter für einen klugen Politiker.
(38) P ET EG I	Er erkannte den Aufbau der Substanz mit dem Mikroskop.
(39) P ET EG Ad	Der Arzt empfahl dem Patienten ein neues Medikament.

Anmerkung:
In dieser Liste der semantischen Satzmodelle sind nicht aufgenommen die passivischen Sätze, bei denen das Agens in der Regel im konkreten Satz weggelassen werden kann, aber semantisch immer vorausgesetzt ist.

Verhältnis zu den morphosyntaktischen Satzmodellen 17.3.3.

Die in 17.3.2. aufgeführten Beispiele deuten bereits an, daß es keine direkte Entsprechung von morphosyntaktischen und semantischen Satzmodellen gibt. Vielmehr sind einerseits viele morphosyntaktische Satzmodelle homonym, d. h., es können ihnen – bedingt durch die lexikalische Bedeutung des Prädikats und der semantischen Charakteristik der Aktanten – unterschiedliche semantische Satzmodelle zugeordnet werden, z. B.:

Sn – V – Sa	P Ag Pat	Der Schlosser repariert das Auto.
	P Ag Ad	Er unterstützt seine Mutter.
	P Ag R	Die Tochter bäckt den Kuchen.
	P Ag I	Der Dieb benutzt den Nachschlüssel.
	P Ag Loc	Der Lehrer betritt das Zimmer.
	P Ag Inh	Er fuhr eine Ehrenrunde.
	P Caus Pat	Das Erdbeben zerstörte das Haus.
	P I Pat	Der Schlüssel öffnet die Tür.
	P Loc LK	Die Kiste enthält viele Bücher.
	P Tps Gps	Das Gewitter erschreckte den Hund.
	P ET EG	Der Physiker durchschaut das Problem.
	P WT WG	Der Wanderer hörte die Rehe.
	P RT_d RT_u	Die Stadt hat fünf Neubaukomplexe.
	P ZT Priv	Der Kranke braucht Hilfe.

Andererseits können einige semantische Satzmodelle in unterschiedlicher Weise morphosyntaktisch repräsentiert werden, d. h., sie entsprechen unterschiedlichen morphosyntaktischen Satzmodellen, z. B.:

P TpS Gpș	Sn V Sd	Das Bild gefällt dem Lehrer.
	Sn V Sa	Das Bild entzückt den Lehrer.
	Sn V Sa pS	Der Lehrer hat Gefallen an dem Bild.
	Sn V pS	Ich freue mich über das Bild.
P RT_d RT_u	Sn V Sa	Die Frau hat blondes Haar.
	Sn V pS	Das Haus gehört zu diesem Wohnkomplex.
	Sn V Sd	Der Sohn ähnelt seinem Vater.
P Loc LG	Sn V Sa	Die Kiste enthält viele Bücher.
	Sn V pS	Viele Bücher sind in der Kiste.

Vgl. dazu auch 13.4., besonders 1., 4. und 5. Aus dieser fehlenden Übereinstimmung darf jedoch nicht geschlossen werden, daß die Beziehungen zwischen morphosyntaktischen und semantischen Satzmodellen beliebig sind. Es handelt sich um reguläre Beziehungen, die jedoch sehr kompliziert und auch noch nicht vollständig erforscht sind.

18. Zusammengesetzter Satz

Zusammengesetzte Sätze entstehen durch die Zusammenfügung mehrerer Grundstrukturen zu einer komplexen Einheit. Die Zusammenfügung erfolgt durch *koordinative* oder *subordinative* Verbindung.

18.1. Koordinative Verbindung

Wird das Prinzip der koordinativen Verbindung auf zwei oder mehrere Hauptsätze angewandt, so entsteht eine *Satzverbindung.* Das Prinzip der koordinativen Verbindung tritt jedoch auch bei Nebensätzen und Satzgliedern auf (Nebenordnung von NS und SG).

18.1.1. Formen der Koordination in der Satzverbindung

Die beiden Teile der Satzverbindung können entweder asyndetisch oder syndetisch verknüpft sein.

1. Asyndetische Konstruktion

Bei der asyndetischen Konstruktion fehlt ein formales Verknüpfungszeichen (Konjunktion, Konjunktionaladverb) zwischen den beiden Teilen der Satzverbindung. Trotzdem wird der enge Zusammenhang der beiden Sätze durch die Semantik und durch die Intonation deutlich. Der erste Satz der asyndetischen Konstruktion hat progrediente Intonation.

Die Lesefähigkeit wird entwickelt,
die Sprachbeherrschung wird verbessert. . . . . — . .
Sei pünktlich, der Zug wartet nicht!

2. Syndetische Konstruktion

Bei der syndetischen Konstruktion sind die beiden Teile der Satzverbindung durch ein formales Verknüpfungszeichen (koordinierende Konjunktion, Konjunktionaladverb) verbunden. Diese Verknüpfungszeichen leiten den zweiten Satz ein (Konjunktionen, Konjunktionaladverbien) oder stehen nach dem finiten Verb (Konjunktionaladverbien). Der erste Satz der syndetischen Konstruktion hat ebenfalls progrediente Intonation.

Peter studiert in Leipzig, *aber* seine Schwester studiert in Berlin.
Ich gehe nicht mit ins Kino, *denn* ich muß noch arbeiten.
Ich muß noch arbeiten, *deshalb* gehe ich nicht ins Kino.

Anmerkung:
Die asyndetische Konstruktion kann als elliptische Variante der jeweiligen syndetischen Konstruktion aufgefaßt und auf diese zurückgeführt werden.

Inhaltliche Beziehungen der Koordination in der Satzverbindung 18.1.2.

Die koordinative Verknüpfung mehrerer Teilsätze ist nicht nur eine Funktion der Konjunktionen, sondern das Resultat des Zusammenwirkens mehrerer Faktoren: der semantischen Bedeutung der Teilsätze (Konjunkte), der logischen Beziehungen der Konjunktbedeutungen und der operativen Bedeutungen der Konjunktionen. Die koordinative Verknüpfung realisiert sich nicht nur durch die aktuelle oder latente Anwesenheit von Konjunktionen, sondern auch durch bestimmte Beziehungen zwischen den Konjunkten, vor allem durch die semantische Gleichartigkeit der Konjunkte. Nach den inhaltlichen Beziehungen der koordinierten Teilsätze werden folgende Arten der Satzverbindung unterschieden:

1. Kopulative Satzverbindung

Die beiden Hauptsätze werden nur aneinandergereiht und nebeneinandergestellt, ohne daß eine logische Verbindung zwischen ihnen hergestellt wird. Das kopulative Verhältnis wird hergestellt durch Konjunktionen (*und*, *sowohl... als auch*, *weder... noch*, *nicht nur... sondern auch*) oder durch Konjunktionaladverbien (*auch*, *außerdem*, *ferner*, *zudem*, *überdies*, *ebenso*, *ebenfalls*, *gleichfalls*); es können jedoch Hauptsätze auch in kopulativer Weise asyndetisch aneinandergereiht werden.

> Der Ingenieur war viel im Ausland, *und* er lernte die Lebensbedingungen in fremden Ländern kennen.
> Der Ingenieur war viel im Ausland, er lernte die Lebensbedingungen in vielen Ländern kennen.

Anmerkungen:
(1) Innerhalb der kopulativen Satzverbindung kann manchmal eine Hervorhebung (*sogar*, *überdies*, *nämlich*, *und zwar*) oder eine Einteilung (*teils... teils*, *einerseits... andererseits*, *erstens... zweitens*) besonders akzentuiert sein.

(2) Das kopulative Verhältnis kann auch lokale (*dort*, *von dort*, *dorthin*), temporale (*da*, *dann*, *danach*) oder komparative Beziehungen (*ebenso*, *anders*, *ebenfalls*) enthalten.

(3) Von den zweiteiligen kopulativen Konjunktionen werden durch *sowohl... als auch* und durch *nicht nur... sondern auch* beide Sätze bejaht, durch *weder... noch* beide Sätze verneint.

2. Disjunktive Satzverbindung

Durch den Sachverhalt des zweiten Hauptsatzes wird der Sachverhalt des ersten Hauptsatzes ausgeschlossen. Im Unterschied zur kopulativen Satzverbindung gelten nicht die beiden Konjunkte zugleich, sondern es werden 2 Alternativen ausgedrückt, zwischen denen eine Wahl erfolgen muß. Das disjunktive (alternative) Verhältnis wird hergestellt durch Konjunktionen (*oder, entweder... oder*) oder durch Konjunktionaladverbien (*sonst, andernfalls*).

Er ist *entweder* schon zur Arbeit gegangen, *oder* er ist noch zu Hause.
Er muß dringend zum Zahnarzt gehen, *sonst* werden seine Zahnschmerzen noch schlimmer.

3. Adversative Satzverbindung

Wie bei der kopulativen Satzverbindung gelten beide Sachverhalte; aber im Unterschied zu dieser wird der Sachverhalt des zweiten Hauptsatzes dem Sachverhalt des ersten Hauptsatzes entgegengesetzt. Das adversative Verhältnis wird hergestellt durch Konjunktionen (*aber, doch, jedoch, sondern*) oder durch Konjunktionaladverbien (*dagegen, hingegen, indessen, vielmehr*); es können jedoch Hauptsätze auch in adversativer Weise asyndetisch nebeneinanderstehen.

Er beherrscht die Theorie seines Faches, *aber* er hat noch wenig praktische Erfahrungen.
Einsichten sind gut, Veränderungen sind besser.

4. Restriktive Satzverbindung

Der zweite Hauptsatz schränkt den Sachverhalt des ersten Hauptsatzes ein. Das restriktive Verhältnis wird hergestellt durch Konjunktionen (*aber, doch, allein, jedoch*) oder durch Konjunktionaladverbien (*freilich, zwar... (aber), wohl... (aber), nur, indessen*).

Er hat die DDR mehrmals besucht; *jedoch* in Dresden ist er noch nicht gewesen.
Er hat *zwar* die DDR mehrmals besucht, *aber* in Dresden ist er noch nicht gewesen.

Anmerkung:
Das restriktive Verhältnis steht dem adversativen und dem konzessiven Verhältnis sehr nahe; deshalb können auch einige Konjunktionen und Konjunktionaladverbien beide Verhältnisse ausdrücken. Im Unterschied zu *aber* können *sondern* und *vielmehr* kein restriktives Verhältnis ausdrücken.

5. Kausale Satzverbindung

Der zweite Hauptsatz enthält den Grund für den Sachverhalt des ersten Hauptsatzes. Das kausale Verhältnis wird hergestellt durch Konjunktion (*denn*) oder Konjunktionaladverb (*nämlich*); es kann aber auch unbezeichnet (asyndetisch) sein.

Er konnte das Problem nicht lösen, *denn* ihm fehlte die Sachkenntnis.
Die Studenten müssen fleißig lernen; nur durch gute Kenntnisse können sie aktiv beim Aufbau unseres Staates helfen.

Anmerkung:
Die kausale Satzverbindung drückt sowohl den Realgrund als auch den Erkenntnisgrund aus:

Das Thermometer zeigt 0 Grad, *denn* es ist draußen kalt. (= Realgrund)
Draußen ist es kalt, *denn* das Thermometer zeigt 0 Grad. (= Erkenntnisgrund)

6. Konsekutive Satzverbindung

Der zweite Hauptsatz gibt die Folge des im ersten Hauptsatz genannten Sachverhaltes an. Das konsekutive Verhältnis wird durch Konjunktionaladverbien ausgedrückt (*also, folglich, daher, darum, demnach, deshalb, deswegen, mithin, somit, infolgedessen*) oder bleibt formal unbezeichnet.

Dem Schüler fehlte die Sachkenntnis, *deshalb* konnte er das Problem nicht lösen.

Anmerkung:
Durch Umstellung der beiden Hauptsätze kann man die kausale Satzverbindung in eine konsekutive verwandeln und umgekehrt.

Der Schüler konnte das Problem nicht lösen, *denn* ihm fehlte die Sachkenntnis.

7. Konzessive Satzverbindung

Der zweite Hauptsatz gibt eine Folge an, die im Gegensatz zu der im ersten Hauptsatz genannten Voraussetzung steht. Deshalb schließt das konzessive Verhältnis ein kausales Verhältnis (von Grund und Folge) und ein adversatives Verhältnis (des Gegensatzes von Grund und Folge) ein. Die konzessive Satzverbindung wird signalisiert (a) durch Konjunktionaladverbien (*trotzdem, gleichwohl, nichtsdestoweniger, dessenungeachtet*) oder (b) durch das Konjunktionaladverb *zwar* im 1. HS, die koordinierende Konjunktion *aber* am Anfang des 2. HS und fak. *trotzdem* im 2. HS:

(a) Es regnete in Strömen; *trotzdem* gingen wir spazieren.
(b) Es regnete *zwar* in Strömen, *aber* wir gingen (*trotzdem*) spazieren.

Anmerkung:
Wie bei den Nebensätzen im Satzgefüge (vgl. dazu 19.), so stehen auch bei den Hauptsätzen in der Satzverbindung die unterschiedlichen semantischen Klassen nicht völlig gleichgeordnet nebeneinander, sondern in bestimmten Hierarchie- und Inklusionsbeziehungen. Am wenigsten spezifisch und am allgemeinsten sind die kopulativen und die disjunktiven Satzverbindungen. Die adversativen (z. B. *aber*) und die kausalen Satzverbindungen (z. B. *denn*) sind insofern spezifischer, als sie kopulative Beziehungen (z. B. *und*) in sich enthalten (weil sie voraussetzen, daß die beiden Sachverhalte zugleich gelten), darüber hinaus aber spezifischere Relationen (des Kontrasts bzw. der Begründung) ausdrücken.

18.2. Subordinative Verbindung

Das Prinzip der subordinativen Verbindung wird bei der Einbettung eines Nebensatzes in einen Hauptsatz angewandt. Bei dieser Einbettung entsteht ein *Satzgefüge*. Auch Nebensätze untereinander können subordinativ verbunden werden, wenn ein Nebensatz in einen übergeordneten Nebensatz eingebettet wird.

18.2.1. Formen der Subordination im Satzgefüge

Der Nebensatz kann in den übergeordneten Hauptsatz eingebettet werden entweder mit Hilfe eines Einleitungswortes (= eingeleiteter Nebensatz) oder ohne ein solches Einleitungswort (= uneingeleiteter Nebensatz).

18.2.1.1. Eingeleiteter Nebensatz

1. Nach der *Art* und *Form* des *Einleitungswortes* werden folgende Arten des eingeleiteten Nebensatzes unterschieden:

(1) Konjunktionalsätze (eingeleitet durch Konjunktionen):

> Er besucht uns, *obwohl* er krank ist.
> Wir wissen nicht, *ob* er kommt.

(2) Sätze mit *d*-Wörtern (eingeleitet durch das Relativpronomen *der* mit seinen Formen bzw. durch Präposition + *der*):

> Er hat das Buch gekauft, *das* er sich wünscht.
> Er hat das Buch gekauft, *auf das* er so lange gewartet hat.

(3) Sätze mit *w*-Wörtern (eingeleitet durch Fragewörter mit relativischer oder interrogativischer Funktion); dabei kann es sich handeln (a) um die Pronomina *welcher* und *was* mit ihren Formen, (b) um Adverbien, (c) um Pronominaladverbien:

> (a) Er hat das Buch gekauft, *welches* er sich wünscht.
> Ich frage ihn, *welches* (Buch) er sich wünscht.
> Er hat alles bekommen, *was* er sich gewünscht hat.
> Wir wissen nicht, *was* er sich wünscht.
> (b) Er hat Dresden besucht, *wo* er geboren ist.
> Wir fragen ihn, *wo* er geboren ist.
> (c) Er hat alles bekommen, *worauf* er gehofft hat.
> Wir fragen ihn, *worauf* er wartet.

2. Nach der *Art* der *syntaktischen Verknüpfung (Einbettung)* werden folgende Arten des eingeleiteten Nebensatzes unterschieden:

(1) Konjunktionalsätze

Das Einleitungswort hat keinen Satzgliedwert und ist vor der Einbettung in keinem der beiden Teilsätze enthalten. Es tritt erst bei der

Einbettung auf und signalisiert die semantische Beziehung zwischen den beiden Teilsätzen:

Er ist nicht zur Arbeit gekommen, *weil* er krank ist.
← Er ist nicht zur Arbeit gekommen + *weil* + Er ist krank.

Wir wissen nicht, *ob* er krank ist.
← Wir wissen nicht + *ob* + Er ist krank.

Anmerkung:
Relativ bedeutungsarm sind die Konjunktionen *daß* und *ob* (vgl. dazu genauer unter 8.4.). Aber auch sie sind keine bloßen syntaktischen Verknüpfungsmittel, vielmehr von Bedeutungskomponenten der Wörter im übergeordneten Satz abhängig und deshalb untereinander auch nicht austauschbar:

Er ist sicher, *daß* sie kommt.
Er ist unsicher, *ob* sie kommt.

(2) Relativsätze

Das Relativum als Einleitungswort hat Satzgliedwert im eingebetteten Satz und setzt vor der Einbettung ein in beiden Teilsätzen identisches Element voraus. Bei der Einbettung wird dieses identische Element im eingebetteten Satz obligatorisch durch das Relativum (als Prowort) substituiert, das damit nur die Identitätsbeziehung zu dem identischen Element im übergeordneten Satz (dem sogenannten Bezugswort) und nicht eine semantische Beziehung zwischen den beiden Teilsätzen signalisiert:

Er kauft das Buch, *das* (*welches*) im Schaufenster liegt.
← Er kauft *das Buch. Das Buch* (= das, welches) liegt im Schaufenster.

Er hat Dresden besucht, *wo* er geboren ist.
← Er hat *Dresden* besucht. In *Dresden* (= wo) ist er geboren.

Anmerkung:
Eine Modifikation tritt ein bei den weiterführenden Nebensätzen (vgl. genauer 18.4.2.5.), die zwar auch Relativsätze sind, deren Relativum jedoch als Prowort für den gesamten formal-übergeordneten Satz (nicht für ein Bezugswort) angesehen werden muß.

(3) Indirekte Fragesätze im syntaktischen Sinne (d. h. unabhängig davon, ob es Fragesätze im semantisch-kommunikativen Sinne sind)

Das *w*-Wort als Einleitungswort hat Satzgliedwert im eingebetteten Satz und ist bereits vor der Einbettung als Glied des einzubettenden Satzes vorhanden. Es bleibt bei der Einbettung als solches erhalten; es bezieht sich weder auf ein referenzidentisches Wort im übergeordneten Satz, noch signalisiert es die semantische Beziehung zwischen den beiden Teilsätzen:

Er fragt sie, *wann* sie kommt.
← Er fragt sie: „*Wann* kommst du?"
Ich weiß (nicht), *wann* sie kommt.
← *Wann* kommt sie. Ich weiß es (nicht).

18.2.1.2. Uneingeleiteter Nebensatz

1. Obwohl den uneingeleiteten Nebensätzen – im Unterschied zu den eingeleiteten Nebensätzen – die formalen Signale für die Subordination (das Einleitungswort und die Endstellung des finiten Verbs) fehlen, wird das Abhängigkeits- und Einbettungsverhältnis durch die Semantik und durch die Intonation deutlich. Die uneingeleiteten Nebensätze sind mit entsprechenden eingeleiteten Nebensätzen äquivalent und können aus ihnen durch Eliminierung der einleitenden Konjunktion und durch Veränderung der Position des finiten Verbs abgeleitet werden:

Er sagte, *daß* er krank gewesen *sei*.
→ Er sagte, er *sei* krank gewesen.

2. Auf Grund ihres *Satzgliedcharakters* lassen sich folgende *Arten* von uneingeleiteten Nebensätzen unterscheiden:

(1) Objektsätze (die Konjunktion *daß* wird eliminiert):

Ich dachte, *daß* er seine Prüfung schon abgelegt hätte.
→ Ich dachte, er hätte seine Prüfung schon abgelegt.

(2) Subjektsätze (die Konjunktion *daß* – seltener auch: *wenn*, *als ob* – wird eliminiert):

Es schien ihm, *daß* (*als ob*) der Vortrag bald zu Ende sei (ist).
→ Es schien ihm, der Vortrag sei (ist) bald zu Ende.
Es ist besser, *daß* (*wenn*) du pünktlich kommst.
→ Es ist besser, du kommst pünktlich.

(3) Konditionalsätze (die Konjunktion *wenn* oder *falls* wird eliminiert):

Wenn (*Falls*) er morgen kommt, können wir alles besprechen.
→ Kommt er morgen, können wir alles besprechen.

(4) Konzessivsätze (die Konjunktion *wenn* wird eliminiert, bzw. die Konjunktionen *obwohl*, *obgleich* oder *trotzdem* werden durch die Partikeln *auch* im Nebensatz und *doch* im Hauptsatz ersetzt):

Wenn die Arbeit auch schwer war, sie mußte doch geschafft werden (mußte sie doch geschafft werden).
→ War die Arbeit auch schwer, sie mußte doch geschafft werden (mußte sie doch geschafft werden).
Obwohl (*Obgleich*, *trotzdem*) die Arbeit schwer war, mußte sie geschafft werden.
→ War die Arbeit *auch* schwer, sie mußte (*doch*) geschafft werden (mußte sie *doch* geschafft werden).

Anmerkungen:
(1) Die uneingeleiteten Subjekt- und Objektsätze sind nicht nur von Verben, sondern auch von Adjektiven und Substantiven abhängig, jeweils von den gleichen semantischen Klassen (vgl. dazu genauer unter 4.), oftmals sogar von Wörtern mit dem gleichen Stamm:

Er *überzeugt* sie,
Sie ist *überzeugt*,
Sie hat die *Überzeugung*,
} sie müsse sich qualifizieren.

Der von einem Substantiv abhängige uneingeleitete Nebensatz wird nur in der Oberfläche als Attributsatz aufgefaßt, da er – bei Nominalisierungen von Verben (oder Adjektiven) – in der entsprechenden Grundstruktur ein Objektsatz ist (vgl. 18.4.2.6.).

(2) Bei den uneingeleiteten Konditional- und Konzessivsätzen gibt es – ebenso wie bei den entsprechenden eingeleiteten Konditional- und Konzessivsätzen – Formen *mit* und *ohne* Modalverb. Beim Konditionalsatz erscheint *sollen*, beim Konzessivsatz *mögen* oder *sollen*:

Wenn die Sonne scheint, gehen wir baden.
→ Scheint die Sonne, gehen wir baden.
Wenn die Sonne scheinen *sollte*, gehen wir baden.
→ *Sollte* die Sonne scheinen, gehen wir baden.
Wenn das Wetter auch schlecht ist, geht er doch baden.
→ Ist das Wetter auch schlecht, er geht doch baden.
Wenn das Wetter auch schlecht sein *mag* (*mochte*), geht (ging) er doch baden.
Mag (*Mochte*) das Wetter auch schlecht sein, geht (ging) er doch baden.
Sollte das Wetter auch schlecht sein, wir gehen doch baden.

Zur genaueren Beschreibung der Verwendung der Modalverben im Konditional- und Konzessivsatz vgl. 1.6. und 19. Die *uneingeleiteten* Konditional- und Konzessivsätze unterscheiden sich einerseits durch die genannten Modalverben, andererseits (bei fehlenden Modalverben) obligatorisch durch das Auftreten der Partikel *auch* (manchmal: *selbst*, *sogar*) im Nebensatz und manchmal der Partikel *doch* im Hauptsatz des Konzessivgefüges (das ist beim Konditionalgefüge ausgeschlossen) und fakultativ durch die Satzgliedstellung im Hauptsatz (nach einem Konditionalsatz steht im folgenden Hauptsatz das finite Verb an erster Stelle, nach einem uneingeleiteten Konzessivsatz an erster oder zweiter Stelle).

(3) *Nicht* zu den uneingeleiteten Nebensätzen rechnen wir die irrealen Wunschsätze:

Wenn er doch (nur) bald käme!
→ Käme er doch (nur) bald!

Diese Sätze entsprechen zwar formal den uneingeleiteten Konditionalsätzen, sind jedoch um den entsprechenden Hauptsatz reduziert und tragen – nach ihrem syntaktisch-semantischen Status sowie nach der Intonation – selbst Hauptsatzcharakter (vgl. 1.9.2.1.5.).

3. Auf Grund der *Satzgliedstellung* muß man folgende *Typen* von uneingeleiteten Nebensätzen unterscheiden:

(1) uneingeleitete Nebensätze mit *Zweitstellung* des finiten Verbs
(2) uneingeleitete Nebensätze mit *Erststellung* des finiten Verbs.

Ordnet man diese Typen den unter 2. aufgeführten Arten von uneingeleiteten Nebensätzen zu, ergeben sich folgende reguläre Beziehungen:

(a) Uneingeleitete Objekt- und Subjektsätze haben immer *Zweitstellung* des finiten Verbs (unabhängig davon, ob sie von Verben, Adjektiven oder Substantiven abhängig sind).

(b) Uneingeleitete Konditional- und Konzessivsätze haben immer *Erststellung* des finiten Verbs (unabhängig davon, ob dieses finite Verb ein Vollverb oder ein modales Hilfsverb ist). Beispiele dazu vgl. unter 2.

Anmerkung:
Vereinzelt treten auch uneingeleitete Nebensätze mit Endstellung des finiten Verbs auf; es handelt sich dabei um solche Satzgefüge, bei denen *so* an der Spitze sowohl des NS als auch des HS steht und der adverbiale NS proportionale, adversative oder konzessive Bedeutung hat:

> *So* unkompliziert sein Charakter *ist*, *so* unkompliziert sind auch seine Bücher.
> *So* notwendig eine Neuorientierung *ist*, *so* wenig kann man sich mit allgemeinen Hinweisen begnügen.
> *So* zufällig das Datum *ist*, *so* unverkennbar ist der inhaltliche Zusammenhang.

4. Nach den *Valenzeigenschaften* lassen sich valenzabhängige und valenzunabhängige uneingeleitete Nebensätze unterscheiden: Die uneingeleiteten Subjekt- und Objektsätze sind (wie die ihnen entsprechenden eingeleiteten Nebensätze) immer *valenzabhängig*, die uneingeleiteten Konditional- und Konzessivsätze sind (wie die ihnen entsprechenden eingeleiteten Nebensätze) immer *valenzunabhängig*. Deshalb ist das Auftreten von uneingeleiteten Subjekt- und Objektsätzen an die Verben (Adjektive, Substantive) des übergeordneten Satzes gebunden, die Verwendung von uneingeleiteten Konditional- und Konzessivsätzen dagegen ist unabhängig von Wörtern des übergeordneten Satzes (und von deren Valenz).
Uneingeleitete Objekt- und Subjektsätze unterliegen aus diesem Grunde starken Distributionsbeschränkungen:

(1) Uneingeleitete Objektsätze sind möglich bei Verben des *Sagens* und *Mitteilens* (Verba dicendi, im Nebensatz steht ein indirekter Aussagesatz):

> äußern, andeuten, angeben, ankündigen, antworten, anvertrauen, zum Ausdruck bringen, aussagen, aussprechen, behaupten, bekanntgeben, bekennen, bemerken, benachrichtigen, berichten, Bescheid geben, bestätigen, betonen, beweisen, darlegen, entgegnen, erklären, eröffnen, erwähnen, erwidern, erzählen, hinzufügen, informieren, meinen, melden, mitteilen, sagen, telegrafieren, unterstreichen, verständigen, vorausschicken, vorbringen, zugeben, zugestehen u. a.

(2) Uneingeleitete Objektsätze sind möglich bei Verben des *Wollens* und *Hoffens* (keine Verba dicendi im engeren Sinne, der entsprechende Wunsch bzw. die entsprechende Hoffnung können jedoch auch geäußert werden).

> erwarten, hoffen, wollen, wünschen u. a.

(3) Uneingeleitete Objektsätze sind möglich bei Verben des *Veranlassens* und *Aufforderns* (im Nebensatz wird indirekte Aufforderung ausgedrückt):

anempfehlen, anraten, anregen, anweisen, auffordern, befehlen, beraten, belehren, bitten, einreden, empfehlen, ermahnen, ermuntern, orientieren, raten, überreden, überzeugen, verlangen, warnen u. a.

Anmerkung:
Da es sich um indirekte Aufforderungen handelt, taucht im uneingeleiteten Objektsatz auch regelmäßig als formales Signal das Modalverb *sollen* (stärkere Aufforderung, Befehl) oder *mögen* (schwächere Aufforderung, Bitte) auf:

Er bittet sie: „Komm pünktlich!"
→ Er bittet sie, daß sie pünktlich kommt (kommen möge).
→ Er bittet sie, sie *möge* pünktlich kommen.
Er fordert sie auf: „Komm pünktlich!"
→ Er fordert sie auf, daß sie pünktlich kommt (kommen solle).
→ Er fordert sie auf, sie *solle* pünktlich kommen.

(4) Uneingeleitete Nebensätze sind möglich bei Verben der *Wahrnehmung* und des *Fühlens* (Verba sentiendi),
teils als Objektsätze:

ahnen, bemerken, den Eindruck haben, empfinden, entdecken, erfahren, erkennen, feststellen, finden, fühlen, hören, merken, sehen, spüren, wahrnehmen u. a.

teils als Subjektsätze:

sich bestätigen, sich bewahrheiten, einleuchten, sich ergeben, sich erweisen, feststehen, sich herausstellen, scheinen, stimmen, sich zeigen, zutage treten, zutreffen u. a.

(5) Uneingeleitete Objektsätze sind möglich bei Verben des *Denkens* und *Erkennens*:

annehmen, argumentieren, begreifen, begründen, berechnen, beschuldigen, beweisen, denken, einsehen, folgern, nachweisen, schließen, überlegen, unterstellen, verstehen, voraussetzen, wissen u. a.

Anmerkung:
Zu allen Gruppen (1) bis (5) sind uneingeleitete Nebensätze nicht nur bei den genannten *Verb*gruppen, sondern auch bei *Adjektiven* und *Substantiven* mit dem gleichen semantischen Gehalt möglich:
(1) Andeutung, Antwort, Behauptung, Erklärung, Eröffnung, Information, Meinung, Meldung u. a.
(2) Erwartung, Hoffnung, Wunsch u. a.
(3) empfehlenswert, ratsam, überzeugt; Anregung, Aufforderung, Befehl, Bitte, Empfehlung, Rat, Warnung u. a.
(4) erkennbar, feststellbar, klar, nachfühlbar, offenbar, offenkundig, offensichtlich, sichtbar, spürbar, wahrnehmbar; Ahnung, Eindruck, Empfindung, Entdeckung, Erfahrung, Feststellung, Gefühl u. a.
(5) begreiflich, begründbar, erklärbar, günstig, klug, möglich, nachweisbar,

richtig, sinnvoll, vernünftig, verständlich; Annahme, Argument, Nachweis, Beschuldigung, Einsicht, Möglichkeit, Überlegung, Voraussetzung u. a.

Die uneingeleiteten Nebensätze bei Adjektiven sind teils Objekt-, teils Subjektsätze, die bei Substantiven sind in der Oberfläche Attributsätze (in den verbalen Grundstrukturen Objekt- oder Subjektsätze).

18.2.2. Funktionale Beziehungen der Subordination im Satzgefüge

Im Satzgefüge können mannigfaltige Beziehungen funktionaler Art zwischen Haupt- und Nebensatz, zwischen übergeordnetem und eingebettetem Satz ausgedrückt werden:

1. Die Nebensätze üben im Verhältnis zu den übergeordneten Sätzen im Satzgefüge *syntaktische Funktionen* aus, die mit Hilfe der Begriffe für die Satzglieder beschrieben werden. Danach muß man unterscheiden zwischen Subjekt-, Objekt- und Adverbialsätzen sowie einigen Sätzen, die keine Entsprechungen in Satzgliedern haben oder nur Satzgliedteilen (Attributen) entsprechen. Vgl. dazu genauer 18.4.2.

2. Darüber hinaus üben diejenigen Nebensätze, die semantisch spezifizierten Satzgliedern entsprechen (vgl. 13.4.3), *semantische Funktionen* verschiedener Art aus. Solche semantischen Funktionen haben die Adverbialsätze, die auf diese Weise in solche Klassen zu differenzieren sind wie Temporalsätze, Lokalsätze, Modalsätze u. a. Vgl. dazu genauer 19. Die Nebensätze dagegen, die semantisch nichtspezifizierten Satzgliedern entsprechen (Subjekt- und Objektsätze), werden nicht in solche Klassen eingeteilt, obwohl auch ihnen bestimmte semantische Funktionen (wie Agens, Patiens, Ort usw.) in indirekter Weise entsprechen.

18.3. Besondere Arten der Verbindung von Sätzen

18.3.1. Schaltsatz

Der Schaltsatz ist äußerlich eine Form der unverbundenen koordinativen Verknüpfung von Hauptsätzen; allerdings ist der eine Hauptsatz in den anderen „eingeschaltet". Inhaltlich handelt es sich jedoch nicht um Koordination; der eingeschaltete HS ist im Verhältnis zum anderen HS untergeordnet und enthält einen Kommentar des Sprechers zum Inhalt der Aussage:

Die Prüfungstermine – sie waren vorverlegt worden – beunruhigten die Studenten.

← Die Prüfungstermine, die vorverlegt worden waren, beunruhigten die Studenten.

Der Zeitschriftenartikel wird – ich möchte es dir heute schon mitteilen – in Kürze erscheinen.
← Der Zeitschriftenartikel wird – wie ich dir heute schon mitteilen möchte – in Kürze erscheinen.

Schaltsätze treten auch in reduzierten Formen auf:

Dieses – ich muß schon sagen – überraschende Ergebnis hat uns sehr gefreut.
Das Experiment war – kurz gesagt – ein Mißerfolg.

Besonders häufig werden Schaltsätze durch Modalwörter ersetzt, die – als *Schaltwörter* – reguläre Reduzierungen von Schaltsätzen sind (vgl. 10.):

Das Experiment war – *wie ich vermute* – ein großer Erfolg.
→ Das Experiment war *vermutlich* ein großer Erfolg.

Auch im Falle des Schaltsatzes weisen der semantische Zusammenhang und die Intonation auf die enge Verbindung der beiden Teilsätze hin. Der erste Abschnitt des später weitergeführten HS und der Schaltsatz haben progrediente Intonation.

Satzperiode 18.3.2.

Als Satzperiode wird ein vielfach zusammengesetzter Satz bezeichnet. Er entsteht durch die Nebenordnung mehrerer Satzgefüge oder durch Unterordnung mehrerer Nebensätze – die einander gleich- oder untergeordnet sein können – unter einen Hauptsatz. In der Satzperiode treten somit die koordinative und die subordinative Art der Verbindung gleichzeitig auf. Die Satzperiode tritt vor allem in literarischer Prosa und in wissenschaftlichen Texten auf. Sie legt einen größeren Gedankengang in einem komplizierten, aber grammatisch geordneten, wenn auch manchmal wenig übersichtlichen Satz dar.

Ein Tierbändiger wurde eines Abends vor den Augen der Leute, die gekommen waren, um sich die Vorstellung anzusehen, von seinem Löwen, einem Prachtexemplar, angegriffen und so furchtbar zugerichtet, daß er, nachdem man ihn aus den Tatzen des Ungetüms befreit hatte, nur noch einen letzten überaus traurigen Blick auf seine Frau und auf seine Kinder werfen konnte ...

(Robert Walser)

Diese Periode hat folgende Struktur:

HS_a *Ein Tierbändiger wurde eines Abends vor den Augen der Leute,*
NS_1 die gekommen waren,
NS_2 um sich die Vorstellung anzusehen,
HS_b *von seinem Löwen,*
Appos. einem Prachtexemplar,
HS_c *angegriffen und so furchtbar zugerichtet,*
NS_{1a} daß er,

NS_2 nachdem man ihn aus den Tatzen des Ungetüms befreit hatte,
NS_{1b} nur noch einen letzten überaus traurigen Blick auf seine Frau und auf seine Kinder werfen konnte ...

HS_a Hauptsatz, 1. Teil
HS_b Hauptsatz, 2. Teil
HS_c Hauptsatz, 3. Teil
NS_1 Nebensatz 1. Grades (Zwischensatz)
NS_2 Nebensatz 2. Grades (erster NS_2 Nachsatz, zweiter NS_2 Zwischensatz)
NS_{1a} Nebensatz 1. Grades, 1. Teil
NS_{1b} Nebensatz 1. Grades, 2. Teil

18.3.3. Zusammengezogener Satz

Der zusammengezogene Satz ist eine besondere Art der koordinativen Verknüpfung in der Satzverbindung. Er entsteht aus der Satzverbindung durch die Reduktion (Tilgung) von identischen Satzgliedern. Ein zusammengezogener Satz liegt vor, wenn sich mindestens *ein* (identisches) Satzglied auf *mehrere* andere (verschiedene) Satzglieder der gleichen Art bezieht:

Er *studierte* in Jena, und seine Schwester *studierte* in Berlin. (Satzverbindung)
→ Er *studierte* in Jena und seine Schwester in Berlin. (zusammengezogener Satz; identisch: Prädikat, verschieden: Subjekt und Adverbialbestimmung)

Du hinterläßt mir eine Nachricht im Institut, oder *du* rufst mich zu Hause an. (Satzverbindung)
→ *Du* hinterläßt mir eine Nachricht im Institut oder rufst mich zu Hause an. (zusammengezogener Satz; identisch: Subjekt, verschieden: Prädikat, Objekt, Adverbialbestimmung)

Er besorgte *die Bücher*, und sie bezahlte *die Bücher*. (Satzverbindung)
→ Er besorgte und sie bezahlte *die Bücher*. (zusammengezogener Satz; identisch: Objekt, verschieden: Subjekt, Prädikat)

Er wohnte *in Leipzig*, und sie arbeitete *in Leipzig*. (Satzverbindung)
→ Er wohnte und sie arbeitete *in Leipzig*. (zusammengezogener Satz; identisch: Adverbialbestimmung, verschieden: Subjekt, Prädikat)

Peter hat seinem Sohn ein Buch *geschenkt*, und *Peter hat* seiner Tochter eine Schallplatte *geschenkt*. (Satzverbindung)
→ *Peter hat* seinem Sohn ein Buch und seiner Tochter eine Schallplatte *geschenkt*. (zusammengezogener Satz; identisch: Subjekt, Prädikat; verschieden: 2 Objekte)

Zum Umgraben *brauchen wir* erst einen Spaten, und später zum Zerkleinern der Schollen *brauchen wir* eine Hacke. (Satzverbindung)
→ Zum Umgraben brauchen wir erst einen Spaten und später zum Zerkleinern der Schollen eine Hacke. (zusammengezogener Satz; identisch: Subjekt, Prädikat; verschieden: Objekt, 2 Adverbialbestimmungen)

Anmerkungen:
(1) Der zusammengezogene Satz ist eine Übergangsform zwischen dem einfachen Satz und der Satzverbindung. Er hat eine große Ähnlichkeit mit der Aufzählung von Satzgliedern (im einfachen Satz). Solche Aufzählungen entstehen ebenfalls durch Tilgung von identischen Satzgliedern in der Satzverbindung, z. B.:

Er studierte in Jena und in Berlin.
Er besorgte und bezahlte *die Bücher.*
Sie wohnte und arbeitete *in Leipzig.*
Peter hat seinem Sohn ein Buch und eine Schallplatte *geschenkt.*

Dennoch bestehen folgende Unterschiede zwischen dem zusammengezogenen Satz und der Aufzählung von Satzgliedern:

(a) Im zusammengezogenen Satz treten neben mindestens einem identischen Glied *mindestens 2 verschiedene* Glieder auf, in der einfachen Aufzählung erscheint *nur 1 verschiedenes* Glied.

(b) In der neutralen Satzgliedfolge stehen die verschiedenen Glieder der Aufzählung positionell *unmittelbar* nebeneinander, im zusammengezogenen Satz stehen sie *nicht unmittelbar* nebeneinander.

(c) Der zusammengezogene Satz setzt identische Stellungsglieder voraus, bei der Aufzählung kann es sich auch um identische Teile handeln (z. B. Attribute, Präpositionen), die kleiner sind als Stellungsglieder.

(d) Beim zusammengezogenen Satz entsteht eine intonatorische Pause nach den verschiedenen Gliedern, bei der Aufzählung nicht.

(e) Die Aufzählung ist – unter entsprechenden semantischen Bedingungen – in der Regel unbeschränkt möglich, die Bildung zusammengezogener Sätze unterliegt mehreren syntaktischen Einschränkungen (z. B. hinsichtlich der Wortarten, der Position, der Valenz).

(2) Der zusammengezogene Satz unterscheidet sich von der Satzverbindung durch die Zeichensetzung (vgl. 20.2.1.).

Infinitiv- und Partizipialkonstruktionen 18.3.4.

Die Infinitiv- und Partizipialkonstruktionen stehen dem äußeren Anschein nach zwischen den Satzgliedern und den Nebensätzen. Mit den Nebensätzen haben sie *gemeinsam,*

(1) daß die in ihnen stehenden Infinitive und Partizipien durch Objekte, Adverbialbestimmungen, andere Satzglieder und weitere Konstituentensätze erweiterbar sind:

Die Arbeiter hofften, *ihre Produktion wesentlich* zu erhöhen, *nachdem sie rationellere Verfahren eingeführt hatten.*

(2) daß ein Reflexivpronomen in der Konstruktion von dem (eliminierten) Subjekt der Konstruktion, nicht vom Subjekt des übergeordneten Matrixsatzes determiniert ist (wenn beide Subjekte differieren):

Er hat mir empfohlen, daß *ich mich* bei der Auskunft erkundige.
→ Er hat mir empfohlen, *mich* bei der Auskunft zu erkundigen.

Von den Nebensätzen *unterscheiden* sich die Konstruktionen dadurch,

(a) daß sie in der Oberfläche kein Subjekt und kein finites Verb enthalten (das Subjekt wird – im Unterschied zum Nebensatz – eliminiert, das finite Verb in eine infinite Verbform – Infinitiv oder Partizip – verwandelt):

> Er hofft, daß *er* seine Dissertation bald abschließen *kann*.
> → Er hofft, seine Dissertation bald abschließen zu *können*.

(b) daß es in der Oberfläche vereinzelt möglich ist, Teile der Konstruktion an die Spitze des übergeordneten Matrixsatzes zu stellen:

> Wir wollen versuchen, *den Aufsatz* in der neuen Zeitschrift *zu veröffentlichen*.
> → *Den Aufsatz* wollen wir versuchen, in der neuen Zeitschrift *zu veröffentlichen*.

Die Merkmale (1) und (2) sind primär, die Merkmale (a) und (b) haben nur oberflächlichen Charakter: Trotz des Fehlens eines syntaktischen Subjekts, eines finiten Verbs und zumeist auch eines Einleitungswortes enthalten die Konstruktionen die für jeden Satz notwendige Prädikation; sie enthalten ein latentes Subjekt, das zwar nicht in der Oberfläche der Konstruktion ausgedrückt, aber aus dem übergeordneten Satz zu erkennen ist; sie enthalten auch ein Prädikat, wenn auch nicht in Form eines finiten Verbs, so doch in Gestalt einer infiniten Verbform. Deshalb werden die Infinitiv- und Partizipialkonstruktionen – zwar nicht historisch, aber ihrer Struktur und Funktion nach – als reduzierte Nebensätze aufgefaßt (reduziert um das syntaktische Subjekt, um das finite Verb und zumeist auch um das Einleitungswort); sie üben die gleichen Funktionen wie die Nebensätze aus und bilden zusammen mit übergeordneten Sätzen (durch Subordination und Einbettung) Satzgefüge. Wie bei den Nebensätzen ist jeweils zu fragen, welchen Satzgliedwert im übergeordneten Satz die in diesen Satz eingebetteten Infinitiv- und Partizipialkonstruktionen haben. Im Unterschied zu den vollständigen Nebensätzen ist bei den Infinitiv- und Partizipialkonstruktionen zusätzlich zu fragen, mit welchem Glied des übergeordneten Matrixsatzes das eliminierte Subjekt der Infinitiv- und Partizipialkonstruktion übereinstimmt.
Vgl. dazu genauer unter 18.4.1.5. und 18.4.1.6.

Nebensätze 18.4.

Formenbestand 18.4.1.

Form der Nebensätze 18.4.1.1.

Die Nebensätze stehen in enger Verbindung zum übergeordneten Satz. Sie sind in der Regel Modifikationen eines Beziehungswortes im übergeordneten Satz.
An der Spitze des Nebensatzes steht gewöhnlich ein Einleitungswort (vgl. dazu genauer 18.2.1.1.), das die Verbindung zum übergeordneten Satz herstellt. Es hat im übergeordneten Satz ein obligatorisches, fakultatives oder aber ein im konkreten Satz nicht mehr auftretendes Korrelat.
Das finite Verb steht gewöhnlich am Ende des Nebensatzes. Die übrigen Satzglieder finden zwischen dem Einleitungswort und dem finiten Verb ihren Platz nach den gleichen Prinzipien, die auch die Wortfolge im Hauptsatz bestimmen.
Folgende Nebensatzarten zeigen keine Endstellung des finiten Verbs:

1. Konzessivsatz ohne Konjunktion:

Spitzenstellung des finiten Verbs

Sei die Arbeit auch schwer, sie muß geschafft werden.
Mag er auch noch wenig Erfahrung haben, so weiß er doch sehr viel.

2. Konditionalsatz ohne Konjunktion

Spitzenstellung des finiten Verbs

Kommt er morgen, (so / dann) können wir alles besprechen.
Solltest Du sie treffen, sage ihr bitte Bescheid.

3. Objektsatz ohne Konjunktion

Die Wortstellung ist wie im Hauptsatz. Konjunktionslose Objektsätze stehen nach den Verben des Sagens, Denkens und Fühlens.

Ich dachte, er *hätte* seine Prüfung abgelegt.
Ich hoffe, er *hat* seine Arbeit abgeschlossen.

4. Subjektsatz ohne Konjunktion

Zweitstellung des finiten Verbs (wie im Hauptsatz), vor allem bei einem Hauptsatz mit adjektivischem Prädikativ

Es ist besser, du *kommst* pünktlich.

5. *Hypothetischer* Komparativsatz mit Konjunktion *als*

Das finite Verb steht unmittelbar nach der Konjunktion *als*.

Es schien so, als *schliefe* sie fest.

18.4.1.2. Stellung der Nebensätze

Der Nebensatz tritt in drei Positionen auf:

1. Vordersatz

Weil seine Leistungen ausgezeichnet waren, bekam er eine Aspirantur.

2. Nachsatz

Er bekam eine Aspirantur, weil seine Leistungen ausgezeichnet waren.

3. Zwischensatz

Er bekam, weil seine Leistungen ausgezeichnet waren, eine Aspirantur.
Die Urlauber badeten, da das Wasser in der Ostsee noch zu kalt war, in der Meeresschwimmhalle.

Der häufigste Typ ist der Nachsatz.

18.4.1.3. Grad der Abhängigkeit der Nebensätze

1. Nebensätze gleichen Grades

Der Nebensatz ist Element einer Reihe gleichgeordneter Nebensätze, die vom Hauptsatz abhängen. Diese Nebensätze sind Nebensätze ersten Grades.

HS 1. Teil	*1. NS*	*2. NS*	HS 2. Teil
Die Studenten,	die ihre Prüfung abgelegt haben	und denen die Zeugnisse ausgestellt wurden,	verlassen Leipzig Ende der Woche.

2. Nebensätze verschiedenen Grades

Der Nebensatz ist Element einer Kette von Nebensätzen verschiedenen Grades. Der vom Hauptsatz abhängige Satz ist ein Nebensatz ersten Grades, ein von einem NS ersten Grades abhängiger Satz ist ein NS zweiten Grades, ein von einem NS zweiten Grades abhängiger Satz ist ein NS dritten Grades usw.

HS
Die Beispiele zeigen,

NS 1. Grades
wie notwendig es ist,

NS 2. Grades
daß wir alle Belege prüfen,

NS 3. Grades
damit Fehler vermieden werden.

Die Wortstellung im HS entspricht den Regeln der Wortstellung im Aussagesatz (Stellungstyp 1, vgl. 14.1.1.1.), wenn der NS ein Nach- oder Zwischensatz ist. Ist der NS dagegen ein Vordersatz, so steht im folgenden HS das finite Verb an erster Stelle, weil der voraufgehende NS als Äquivalent für ein Satzglied aufgefaßt wird:

Als er in Dresden ankam, *besuchte* er seinen Freund.

Von dieser Regel gibt es folgende Ausnahmen:

1. Wenn der NS als Vordersatz ein Konzessivsatz mit der Partikel *auch* ist (uneingeleiteter Konzessivsatz oder eingeleitet mit *wenn, wer, wem, wann, wo* usw.), steht im folgenden HS nicht das finite Verb, sondern das Subjekt oder ein anderes nicht-verbales Satzglied an erster Stelle:

Wenn er auch krank war, er *kam* immer zur Arbeit.
Wenn er auch krank war, immer *kam* er zur Arbeit.

Auch nach Konzessivsätzen mit einleitendem *w*-Wort + (*auch*) *immer* [z. B. *wer (auch) immer, was (auch) immer, wann (auch) immer, wie (auch) immer, wo (auch) immer, womit (auch) immer, welch* + Substantiv + *(auch) immer*] steht in dem folgenden Hauptsatz das finite Verb an zweiter Stelle; die erste Stelle wird vom Subjekt oder einem anderen nicht-verbalen Satzglied besetzt:

Was immer er zur Sprache bringt, er *tut* es mit Sachkenntnis.
Wo sie auch immer eingesetzt werden, die bestehenden Anordnungen *sollen* sie nie verletzen.
Wann er auch ißt, ihm *schmeckt* es immer.

Dasselbe gilt für HS nach NS mit *ob*, die die Irrelevanz des in ihnen ausgedrückten Geschehens für das Geschehen im HS ausdrücken und die den Konzessivsätzen nahestehen:

Ob er mit diesem Zug kommt oder nicht, wir *warten* heute auf ihn.
Ob er mit diesem Zug kommt oder nicht, heute *warten* wir auf ihn.

Ähnlich verhalten sich HS nach uneingeleiteten Konzessivsätzen (das finite Verb steht an erster oder zweiter Stelle im HS) und nach solchen (konzessiven) NS, die mit einem graduierenden *so* eingeleitet sind (das finite Verb steht immer an zweiter Stelle):

Mag es auch lange dauern, der Erfolg *bleibt* auf die Dauer nicht aus.
Steht die Forschung auch erst am Anfang, *sind* doch bereits interessante Ergebnisse erreicht worden.
So viele Gäste auch gekommen waren, alle *bekamen* reichlich zu essen und zu trinken.
So wichtig die Fakten sind, mit ihnen allein *kann* man das Problem nicht lösen.

2. Wenn ein Korrelat im HS (*so, da, dann* usw.) steht, nimmt nicht das finite Verb, sondern das Korrelat die erste Stelle im HS ein, da es

nicht als eigenes Satzglied rechnet, sondern nur den Inhalt des vorangegangenen NS zusammenfaßt:

Wenn er pünktlich kommt, dann *kann* ich ihn abholen.

3. Wenn jedoch das zum HS gehörige Korrelat vom HS isoliert wird und an die Spitze des Satzes tritt, kann der dem Korrelat folgende NS als Zwischensatz angesehen werden. In dem folgenden HS steht das finite Verb an erster Stelle:

Dadurch, daß der Patient operiert wurde, *konnte* er gerettet werden.

18.4.1.5. Infinitivkonstruktionen

1. Unter den Infinitivkonstruktionen können zwei Arten unterschieden werden:

(1) Infinitivkonstruktionen, die *valenzbedingt* sind und entsprechende Leerstellen der Wortarten (vor allem Verben, aber auch Adjektive und Substantive) im übergeordneten Satz ausfüllen:

Wir *freuen* uns, ihn zu sehen.
Ihn zu sehen ist *erfreulich.*
Wir hatten die *Freude,* ihn zu sehen.

(2) Infinitivkonstruktionen, die *valenzunabhängig* sind, freie adverbiale Angaben sind und keine Leerstellen von übergeordneten Wörtern ausfüllen, syntaktisch vielmehr zu beliebigen Verben treten können:

Er geht in das Bad,	(an)statt zu arbeiten.
Er geht in die Bibliothek,	um dort zu arbeiten.
Er geht in den Betrieb,	ohne dort zu arbeiten.

Valenzbedingte Infinitivkonstruktionen stehen für das Subjekt oder für das Objekt des übergeordneten Matrixsatzes oder können in der Oberfläche als Attribut angesehen werden. Die Infinitive erscheinen nur mit *zu,* ihnen entspricht ein (expliziter) konjunktionaler Nebensatz mit *daß.*
Valenzunabhängige Infinitivkonstruktionen sind freie Adverbialbestimmungen im Verhältnis zum übergeordneten Satz. Die Infinitive erscheinen mit *(an)statt zu, um zu* oder *ohne zu;* ihnen entsprechen konjunktionale Nebensätze mit *(an)statt daß, damit, als daß* oder *ohne daß.*

2. Das *Subjekt* des übergeordneten Satzes (bzw. ein Subjektsatz als NS) kann durch eine Infinitivkonstruktion vertreten werden,

(1) wenn das Subjekt des NS (das eliminierte Subjekt der Infinitivkonstruktion) identisch ist mit dem Objekt (Dativ oder Akkusativ) des übergeordneten Satzes:

Daß *er* das Spiel gewonnen hat, freut *ihn.*
→ Das Spiel gewonnen zu haben freut ihn.

Daß *ich* ihn treffe, ist *mir* peinlich.
→ Ihn zu treffen ist mir peinlich.

In diesem Falle ist das Prädikat des übergeordneten Satzes entweder ein Vollverb mit Akkusativ- oder Dativobjekt oder ein Kopulaverb + Adjektiv/Substantiv + Dativobjekt.

(2) wenn das Subjekt des NS (das eliminierte Subjekt der Infinitivkonstruktion) ein unbestimmt-persönliches *man* ist:

Daß *man* pünktlich kommt, ist ratsam.
→ Pünktlich zu kommen ist ratsam.

Daß *man* das Kind vernachlässigt, ist ein Versäumnis.
→ Das Kind zu vernachlässigen ist ein Versäumnis.

In diesem Falle steht im übergeordneten Satz kein Akkusativ oder Dativ.

3. Das *Objekt* des übergeordneten Satzes (bzw. ein Objektsatz als NS) kann durch eine Infinitivkonstruktion vertreten werden,

(1) wenn das Subjekt des NS (das eliminierte Subjekt der Infinitivkonstruktion) identisch ist mit dem Nominativsubjekt des übergeordneten Satzes:

Er entschließt sich (dazu), daß *er* bald abreist.
→ Er entschließt sich (dazu), bald abzureisen.

Er ist stolz (darauf), daß *er* den Wettkampf gewonnen hat.
→ Er ist stolz (darauf), den Wettkampf gewonnen zu haben.

Zu anderen Verben vgl. 1.5.

(2) wenn das Subjekt des NS (das eliminierte Subjekt der Infinitivkonstruktion) identisch ist mit dem Objekt (Akkusativ oder Dativ) des übergeordneten Satzes:

Die Lehrerin erlaubt *dem Schüler*, daß *er* früher nach Hause geht.
→ Die Lehrerin erlaubt dem Schüler, früher nach Hause zu gehen.

Der Arzt bittet *die Patientin*, daß *sie* am nächsten Tage wiederkommt.
→ Der Arzt bittet die Patientin, am nächsten Tage wiederzukommen.

Zu anderen Verben vgl. 1.5.

Anmerkung:
Im einzelnen sind folgende Fälle zu unterscheiden:

(a) Falls die Infinitivkonstruktion ein *Akkusativobjekt* bei *Verben* des übergeordneten Satzes repräsentiert, so entspricht ihr eliminiertes Subjekt dem Nominativsubjekt oder dem Dativobjekt des übergeordneten Satzes:

Sie verspricht ihm, daß *sie* die Angelegenheit regelt.
→ Sie verspricht ihm, die Angelegenheit zu regeln.

Sie empfiehlt *ihm*, daß *er* die Angelegenheit regelt.
→ Sie empfiehlt ihm, die Angelegenheit zu regeln.

(b) Falls die Infinitivkonstruktion ein *Genitivobjekt* bei *Verben* des übergeordneten Satzes repräsentiert, so entspricht ihr eliminiertes Subjekt dem Akkusativobjekt des übergeordneten Satzes:

Er beschuldigt *dich*, daß *du* das Buch nicht zurückgegeben hast.
→ Er beschuldigt dich, das Buch nicht zurückgegeben zu haben.

(c) Falls die Infinitivkonstruktion ein *Genitivobjekt* bei *Adjektiven* des übergeordneten Satzes repräsentiert, so entspricht ihr eliminiertes Subjekt dem Nominativsubjekt des übergeordneten Satzes:

Er ist gewiß, daß *er* seine Mitarbeiter für den Plan gewinnt.
→ Er ist gewiß, seine Mitarbeiter für den Plan zu gewinnen.

Peter ist sich bewußt, daß *er* seinen Freund verletzt hat.
→ Peter ist sich bewußt, seinen Freund verletzt zu haben.

(d) Falls die Infinitivkonstruktion ein *Präpositionalobjekt* bei *Verben* des übergeordneten Satzes repräsentiert, so entspricht ihr eliminiertes Subjekt dem Nominativsubjekt, dem Akkusativ- oder dem Dativobjekt des übergeordneten Satzes:

Er hofft, daß *er* seine Freundin bald wiedersieht.
→ Er hofft, seine Freundin bald wiederzusehen.

Er bittet *sie*, daß *sie* die Leitung des Betriebes übernimmt.
→ Er bittet sie, die Leitung des Betriebes zu übernehmen.

Er rät *ihr*, daß *sie* den Auftrag annimmt.
→ Er rät ihr, den Auftrag anzunehmen.

(e) Falls die Infinitivkonstruktion ein *Präpositionalobjekt* bei *Adjektiven* des übergeordneten Satzes repräsentiert, so entspricht ihr eliminiertes Subjekt dem Nominativsubjekt des übergeordneten Satzes:

Er ist froh, daß *er* seine Tochter besuchen kann.
→ Er ist froh, seine Tochter besuchen zu können.

4. Bei solchen Infinitivkonstruktionen, die in der Oberfläche als *Attribut* bei *Substantiven* des übergeordneten Satzes erscheinen (bzw. einen Attributsatz als NS vertreten), entspricht das eliminierte Subjekt (das Subjekt des NS) einem in der zugrunde liegenden Struktur vorhandenen Subjekt, das jedoch im konkreten Satz nicht als syntaktisches Subjekt erscheint:

Sein Bemühen, daß *er* die Prüfung gut besteht, wurde belohnt.
→ Sein Bemühen, die Prüfung gut zu bestehen, wurde belohnt.
(←*Er* bemühte sich, daß *er* die Prüfung gut besteht.)

Bei den Substantiven, zu denen die Infinitivkonstruktionen in der Oberfläche Attribut, in der zugrunde liegenden Struktur Objekt sind, handelt es sich um Nominalisierungen von Verben (*Erlaubnis, Hoffnung, Annahme, Absicht, Wunsch* u. a.).

Anmerkung:
Bei den Infinitivkonstruktionen, die in der Oberfläche als Attributsätze erscheinen, gibt es vereinzelt auch solche, die nicht als Nominalisierungen von Verben oder Adjektiven aufzufassen sind, die entweder (a) nur eine indirekte semantische Entsprechung in Verben (Adjektiven) oder (b) überhaupt keine solche Entsprechung haben:

(a) Er hat das *Recht*, diese Papiere zu lesen.
← Er hat die Erlaubnis (Ihm ist erlaubt, er ist berechtigt), diese Papiere zu lesen.
(b) Das war seine *Methode*, die Probleme zu lösen.

5. Ist die Infinitivkonstruktion eine *Adverbialbestimmung*, so sind folgende Fälle zu unterscheiden:

(1) Die Infinitivkonstruktion mit *(an)statt zu* drückt eine nicht wahrgenommene Möglichkeit aus, der übergeordnete Satz eine andere, als Ersatz vom Subjekt wahrgenommene Möglichkeit, die jedoch vom Sprecher als nicht richtig beurteilt wird. Sie entspricht einem Substitutivsatz mit *(an)statt daß* und setzt voraus, daß ihr eliminiertes Subjekt mit dem Subjekt des übergeordneten Satzes identisch ist:

Das Mädchen ging baden, (an)statt daß *es* die Hausaufgaben machte.
→ Das Mädchen ging baden, (an)statt seine Hausaufgaben zu machen.

(2) Die Infinitivkonstruktion mit *ohne zu* drückt aus

(a) einen fehlenden Begleitumstand des im übergeordneten Satz ausgedrückten Geschehens (Modalsatz):

Er überquerte die Straße, *ohne daß er* auf den Verkehr achtete.
→ Er überquerte die Straße, *ohne* auf den Verkehr *zu* achten.

(b) das Nicht-Eintreten einer Folge, die sich erwartungsgemäß aus dem im übergeordneten Satz ausgedrückten Geschehen ergeben sollte (negativer Konsekutivsatz):

Er hat sehr kalt gebadet, *ohne daß er* sich erkältet hat.
→ Er hat sehr kalt gebadet, *ohne* sich *zu* erkälten.

Die Interpretation (a) setzt Gleichzeitigkeit der beiden Geschehen, die Interpretation (b) Vorzeitigkeit des Geschehens im übergeordneten Satz voraus. In beiden Fällen entspricht die Infinitivkonstruktion einem NS mit *ohne daß*, entspricht ihr (eliminiertes) Subjekt dem Subjekt des übergeordneten Satzes. In beiden Fällen ändert sich bei Auftreten eines Negationselements im übergeordneten Satz die Bedeutung; bei (a) wird dann der vorhandene Begleitumstand, bei (b) die sich aus dem übergeordneten Satz ergebende Folge bezeichnet:

Er überquerte die Straße *nicht*, ohne auf den Verkehr zu achten.
(d. h.: Er achtete auf den Verkehr.)

Er hat *nie* sehr kalt gebadet, ohne sich zu erkälten.
(d. h.: Er hat sich erkältet.)

(3) Die Infinitivkonstruktion mit *um zu* hat mehrere Bedeutungsvarianten:

(a) Sie hat *finale* Bedeutung, drückt Absicht bzw. Zweck des im übergeordneten Satzes ausgesagten Geschehens aus und entspricht einem NS mit *damit*:

Der Schüler muß sich beeilen, *damit er* den Zug noch erreicht.
→ Der Schüler muß sich beeilen, *um* den Zug noch *zu* erreichen.

In der Regel entspricht das eliminierte Subjekt der Infinitivkonstruktion dem Subjekt des übergeordneten Satzes. Allerdings kommt es auch vor, daß es einem logischen Subjekt (und syntaktischem Objekt) des übergeordneten Satzes oder einem unbestimmt-persönlichen *man* entspricht:

Ein Hinweis genügte *dem Schüler*, damit *er* die Aufgabe löste.
→ Ein Hinweis genügte dem Schüler, um die Aufgabe zu lösen.
Man fuhr den Wagen vor die Garage, damit *man* ihn wusch.
→ Der Wagen wurde vor die Garage gefahren, damit man ihn wusch.
→ Der Wagen wurde vor die Garage gefahren, um ihn zu waschen.

(b) Sie hat *konsekutive* Bedeutung und bezeichnet

– eine Folge, die auf Grund des Übermaßes des im übergeordneten Satzes ausgedrückten Geschehens ausbleibt:

(a') Das Wasser war *so* kalt, *daß* man *nicht* darin baden konnte.
→ Das Wasser war *zu* kalt, *um* darin baden *zu* können.
(b') Das Wasser war *zu* kalt, *als daß* man darin baden konnte.
→ Das Wasser war *zu* kalt, *um* darin baden *zu* können.

– eine Folge, die auf Grund des erreichten Maßes des im übergeordneten Satz ausgedrückten Geschehens eintritt:

(c') Er war *so* klug, *daß* er seinen Fehler einsah.
→ Er war *so* klug, seinen Fehler ein*zu*sehen.
(d') Er war klug *genug*, *daß* er seinen Fehler einsah.
→ Er war klug *genug*, seinen Fehler ein*zu*sehen.

In (a') steht in dem zugrunde liegenden Satzgefüge mit NS *so* im HS, *daß* und ein Negationselement im NS, in (b') *zu* im HS und *als daß* im NS: Beide Sätze erweisen sich als synonym und erscheinen in der gleichen Gestalt bei der Überführung des NS in die Infinitivkonstruktion; der übergeordnete Satz enthält jetzt obligatorisch *zu*, die Infinitivkonstruktion wird mit *um zu* eingeleitet. Auch (c') und (d') sind weitgehend synonym: Im übergeordneten Satz stehen alternativ-obligatorisch *so* oder *genug*, im NS *daß*, in der Infinitivkonstruktion nur *zu*. Das eliminierte Subjekt der konsekutiven Infinitivkonstruktion entspricht entweder dem Subjekt des übergeordneten Satzes [vgl. (c') und (d')] oder einem unbestimmt-persönlichen *man* [vgl. (a') und (b')].

(c) Sie kann auch *konditionale* Beziehungen ausdrücken, entspricht dann aber nicht dem NS, sondern dem HS des Satzgefüges:

Wenn er etwas mehr Fleiß aufwendete, würde er die Prüfung bestehen.
→ Er müßte nur etwas mehr Fleiß aufwenden, *um* die Prüfung *zu* bestehen.

660 Der übergeordnete Satz, in dem die Infinitivkonstruktion eingebet-

tet ist, drückt die Bedingung aus (wie der NS). Die Subjektsverhältnisse sind ähnlich wie bei (b).

(d) Sie hat manchmal auch eine *kopulative* Bedeutung, drückt ein bloßes Nacheinander aus und entspricht einer Satzverbindung mit *und*:

> *Er* betrat das Lokal *und* verließ es nach einer Stunde wieder.
> → Er betrat das Lokal, *um* es nach einer Stunde wieder *zu* verlassen.

In dieser Variante (die aus stilistischen Gründen meist mißbilligt wird) muß das eliminierte Subjekt der Infinitivkonstruktion mit dem Subjekt des übergeordneten Satzes übereinstimmen.

6. Der Gebrauch der *Tempora* des Infinitivs in der Infinitivkonstruktion regelt sich nicht nach der absoluten, sondern nach der relativen Zeit. Infinitiv I steht bei *Gleichzeitigkeit* der Aktzeiten von Konstruktion und übergeordnetem Satz oder bei *Nachzeitigkeit* der Aktzeit der Konstruktion nach der Aktzeit des übergeordneten Satzes; Infinitiv II steht bei *Vorzeitigkeit* der Aktzeit der Konstruktion vor der Aktzeit des übergeordneten Satzes:

> Es freut die Arbeiter, das Theaterstück *zu sehen.*
> Es freut die Arbeiter, den Plan *erfüllt zu haben.*

Entsprechend der Bedeutung des Verbs im übergeordneten Satz ist nach manchen Verben (z. B. *anregen, auffordern, zwingen, beauftragen, bitten, abraten, empfehlen*) nur der Infinitiv I möglich:

> Er fordert mich auf, den Auftrag *auszuführen.*
> *Er fordert mich auf, den Auftrag *ausgeführt zu haben.*

Umgekehrt wird bei anderen Verben vorzugsweise ein Infinitiv II verwendet:

> Er wirft ihr vor, das Buch *gestohlen zu haben.*
> *Er wirft ihr vor, das Buch *zu stehlen.*

Partizipialkonstruktionen 18.4.1.6.

1. Im Unterschied zu den Infinitivkonstruktionen sind die Partizipialkonstruktionen *nicht valenzbedingt* und können folglich niemals Subjekte oder Objekte des übergeordneten Satzes vertreten. Obwohl die Partizipialkonstruktionen im Verhältnis zu den ihnen entsprechenden NS nicht-explizite Konstruktionen sind und als offene, undifferenzierte Formen oft mehrere syntaktische und semantische Interpretationen zugleich zulassen, lassen sich unter *syntaktischem* Aspekt 3 Subklassen unterscheiden: attributive Partizipialkonstruktionen, adverbiale Partizipialkonstruktionen und Partizipialkonstruktionen als Nebenprädikate. Die zuletzt genannten beiden Subklassen können als nicht-attributive Partizipialkonstruktionen zusammengefaßt werden.

2. Die *attributiven* und die *nicht-attributiven* Partizipialkonstruktionen unterscheiden sich in folgender Weise:

(1) Attributive Partizipialkonstruktionen beziehen sich immer auf ein Substantiv (selten: ein substantivisches Pronomen), nicht-attributive Partizipialkonstruktionen immer auf ein Verb des übergeordneten Satzes. Da dieser grundsätzliche Unterschied der *Beziehung* im Deutschen keine morphosyntaktischen Reflexe hat, muß man zur Unterscheidung auf topologische und semantische Eigenschaften als Kriterien zurückgreifen [vgl. (2) bis (7)].

(2) Die unterschiedliche Beziehung spiegelt sich in der Regel in einer unterschiedlichen *Stellung* und *Stellungsfestigkeit*. Die attributive Partizipialkonstruktion ist kein eigenes Stellungsglied und kann folglich die erste Stelle vor dem finiten Verb im Hauptsatz (Aussagesatz) nicht allein einnehmen (ohne daß die Bedeutung verändert wird). Eine solche Permutation an den Satzanfang ist dagegen bei der nicht-attributiven Partizipialkonstruktion (die ein eigenes Stellungsglied ist) möglich:

(1) Eine ärztliche Behandlung, *aufbauend auf einer eindeutigen Diagnose*, hätte den Patienten gerettet. (attributiv)
↛ (*)Aufbauend auf einer eindeutigen Diagnose, hätte eine ärztliche Behandlung den Patienten gerettet.

(2) Der Schriftsteller, *1930 in Berlin geboren*, hat vor kurzer Zeit einen neuen Roman veröffentlicht. (attributiv)
→ *1930 in Berlin geboren, hat der Schriftsteller vor kurzer Zeit einen neuen Roman veröffentlicht.

(3) Der Lehrer, *in Dresden angekommen*, besuchte sofort seinen Freund. (nicht-attributiv)
→ In Dresden angekommen, besuchte der Lehrer sofort seinen Freund.

(4) Die Eltern, *mit den Taschentüchern winkend*, verabschiedeten sich von ihren Kindern. (nicht-attributiv)
→ Mit den Taschentüchern winkend, verabschiedeten sich die Eltern von ihren Kindern.

(3) Die unterschiedliche Beziehung reflektiert sich auch in einem unterschiedlichen *Kontakt*: Die attributive Partizipialkonstruktion hat (zumeist direkten, in seltenen Fällen indirekten) Anfangskontakt mit einem Substantiv (seltener: mit einem substantivischen Pronomen), die nicht-attributive Partizipialkonstruktion dagegen hat (fakultativen) End- oder Anfangskontakt mit dem Verb des übergeordneten Matrixsatzes [vgl. die Beispiele (1) bis (4)]. Freilich gibt es Fälle, in denen die Partizipialkonstruktion sowohl Anfangskontakt mit einem Substantiv als auch Endkontakt mit einem Verb hat und folglich (mit Bedeutungsunterschied) doppelt interpretiert werden kann:

Der Schriftsteller, *zu Hause gemieden und im Ausland übersehen*, war nach 1900 völlig isoliert.
← (a) Der Schriftsteller, der zu Hause gemieden und im Ausland übersehen wurde, war nach 1900 völlig isoliert. (attributiv)

← (b) Zu Hause gemieden und im Ausland übersehen, war der Schriftsteller nach 1900 völlig isoliert. (nicht-attributiv, kausal)

(4) Die unterschiedliche Beziehung wird deutlich in einer unterschiedlichen *Paraphrasierbarkeit.* Attributive Partizipialkonstruktionen lassen sich ohne Bedeutungsveränderung durch einen attributiven Relativsatz, nicht-attributive Partizipialkonstruktionen durch einen expliziten konjunktionalen Nebensatz (bzw. durch eine Präpositionalgruppe mit entsprechender Präposition) paraphrasieren:

→ (1a) Eine ärztliche Behandlung, *die auf einer eindeutigen Diagnose aufbaut*, hätte den Patienten gerettet.

→ (2a) Der Schriftsteller, *der 1930 in Berlin geboren (worden) ist*, hat vor kurzer Zeit einen neuen Roman veröffentlicht.

→ (3a) *Nachdem er in Dresden angekommen war*, besuchte der Lehrer sofort seinen Freund.
Nach seiner Ankunft in Dresden besuchte der Lehrer sofort seinen Freund.

→ (4a) *Indem die Eltern mit den Taschentüchern winkten*, verabschiedeten sie sich von ihren Kindern.
Durch das Winken mit den Taschentüchern verabschiedeten sich die Eltern von ihren Kindern.

(5) Die unterschiedliche Beziehung drückt sich auch darin aus, daß zwischen einer attributiven Partizipialkonstruktion und dem entsprechenden Substantiv (als Bezugswort) semantische Beziehungen der *Kongruenz von semantischen Merkmalen* bestehen müssen, ebenso zwischen der nicht-attributiven Partizipialkonstruktion und dem Verb des übergeordneten Satzes. Wenn umgekehrt Bedeutungsmerkmale von Partizipialkonstruktion und Verb des übergeordneten Satzes keinerlei Beziehungen zueinander haben, läßt dies auf einen attributiven Charakter schließen; wenn Bedeutungsmerkmale von Partizipialkonstruktion und dem möglichen substantivischen Bezugswort keine Beziehungen zueinander haben, weist dies auf einen nicht-attributiven Charakter hin. So ist z. B. eine Beziehung zwischen den semantischen Merkmalen des Partizips und des substantivischen Bezugswortes in (1) und (2) sowie des Partizips und des übergeordneten Verbs in (3) und (4) – im letzten Falle: Winken als besondere Art des Verabschiedens – unverkennbar.

(6) Die unterschiedliche Beziehung hat auch zur Folge, daß sich die attributiven Partizipialkonstruktionen – im Unterschied zu den nicht-attributiven Partizipialkonstruktionen – ohne Bedeutungsveränderung in *erweiterte Partizipialattribute* verwandeln lassen (wobei aus dem Anfangskontakt ein Endkontakt zum Substantiv als Bezugswort wird und entsprechende morphosyntaktische Signale der Flexion auftreten):

→ (1b) Eine *auf einer eindeutigen Diagnose aufbauende* ärztliche Behandlung hätte den Patienten gerettet.

↮ (3b) Der *in Dresden angekommene* Lehrer besuchte sofort seinen Freund.

(7) Die unterschiedliche Beziehung reflektiert sich schließlich in dem unterschiedlichen Charakter des latenten (eliminierten) *Subjekts* der Partizipialkonstruktion (vgl. genauer unter 6.).

3. Innerhalb der nicht-attributiven Partizipialkonstruktionen unterscheiden sich die *adverbialen* und die *nebenprädikativischen* Partizipialkonstruktionen in folgender Weise:

(1) Während es sich bei Konstruktionen mit Nebenprädikat um *zwei Geschehen* handelt (das Geschehen in der Partizipialkonstruktion ist akzessorisch zum Geschehen im übergeordneten Satz), handelt es sich bei Konstruktionen mit adverbialer Partizipialkonstruktion um *ein Geschehen*, das im Matrixsatz als solches ausgedrückt wird und in der Partizipialkonstruktion hinsichtlich der Art, der Zeit, des Ortes, des Grundes usw. seines Verlaufs näher charakterisiert wird:

(5) In Dresden angekommen, besuchte der Arzt sofort seinen Freund. (adverbial)
(6) Sie schaute ihn, mit den Augen zwinkernd, hilflos an. (adverbial)
(7) Sich vor einer Erkältung fürchtend, rannte der Junge sofort nach Hause. (adverbial)
(8) Der Autor unterscheidet, vom 19. Jahrhundert angefangen, mehrere Phasen in der Entwicklung der modernen Kunst. (nebenprädikativisch)
(9) Die Sportler zogen, ein Lied singend, in das Stadion ein. (nebenprädikativisch)
(10) Auf manche Vorteile verzichtend, begann der Assistent mit einer größeren wissenschaftlichen Arbeit. (nebenprädikativisch)

(2) Dieser Unterschied reflektiert sich in einer unterschiedlichen *Paraphrasierbarkeit*. Adverbiale Partizipialkonstruktionen lassen sich ohne Bedeutungsveränderung paraphrasieren durch explizite adverbiale Nebensätze (mit einer Konjunktion, die das entsprechende Verhältnis signalisiert) und/oder durch adverbiale Präpositionalgruppen (die weniger explizit sind als die Nebensätze, aber mehr explizit als die Partizipialkonstruktion, und deren Präposition auf das entsprechende semantische Verhältnis hinweist). Nebenprädikativischen Partizipialkonstruktionen hingegen entspricht eine Paraphrase durch einen weiterführenden Nebensatz oder einen Hauptsatz mit *und* (entsprechende Paraphrasen sind bei adverbialen Partizipialkonstruktionen entweder nicht möglich oder verändern die Bedeutung, vor allem in der Weise, daß bei *und* das spezifische semantische Verhältnis gelöscht wird):

→ (5a) *Nachdem* er in Dresden angekommen war, besuchte der Arzt sofort seinen Freund.
Nach seiner Ankunft in Dresden besuchte der Arzt sofort seinen Freund.
→ (6a) Sie schaute ihn hilflos an, *indem* sie mit den Augen zwinkerte.
Sie schaute ihn *mit* zwinkernden Augen hilflos an.

→ (7a) *Weil* er sich vor einer Erkältung fürchtete, rannte der Junge sofort nach Hause.
Aus (*Wegen*) Furcht vor einer Erkältung rannte der Junge sofort nach Hause.

→ (8a) Der Autor unterscheidet mehrere Phasen in der Entwicklung der modernen Kunst, *wobei* er mit dem 19. Jahrhundert anfängt.
Der Autor unterscheidet mehrere Phasen in der Entwicklung der modernen Kunst *und* fängt (dabei) im 19. Jahrhundert an.

→ (9a) Die Sportler zogen in das Stadion ein, *wobei* sie ein Lied sangen.
Die Sportler zogen in das Stadion ein *und* sangen (dabei) ein Lied.

→ (10a) Der Assistent begann mit einer größeren wissenschaftlichen Arbeit, *wobei (womit)* er auf manche Vorteile verzichtete.
Der Assistent begann mit einer größeren wissenschaftlichen Arbeit *und* verzichtete (dabei/damit) auf manche Vorteile.

Auf Grund der Undifferenziertheit der Partizipialkonstruktionen kommt es oft vor, daß eine Entscheidung in der Zuordnung zu den einzelnen Subklassen schwer zu treffen ist, daß ambivalente Interpretationen möglich sind, z. B.:

Der Schriftsteller, sein Buch in viele Richtungen ausdrücklich offenhaltend, fordert zur Kritik immer wieder heraus.
← (a) Der Schriftsteller, der sein Buch in viele Richtungen ausdrücklich offenhält, fordert zur Kritik immer wieder heraus. (attributiv)
← (b) Indem (Weil) der Schriftsteller sein Buch in viele Richtungen ausdrücklich offenhält, fordert er zur Kritik immer wieder heraus. (adverbial)

Die Tochter schaute den Vater, um Verzeihung bittend, lange an.
← (a) Die Tochter schaute den Vater mit einem um Verzeihung bittenden Blick lange an. (adverbial; d. h.: Sie bittet durch den Blick um Verzeihung.)
← (b) Die Tochter schaute den Vater lange an, wobei (indem) sie ihn um Verzeihung bat. (nebenprädikativisch; d. h.: Sie bittet mit Worten um Verzeihung.)

4. Wenn die Partizipialkonstruktionen adverbialen Charakter haben, lassen sie unterschiedliche *semantische Möglichkeiten* zu, die dadurch erkennbar werden, daß die nicht-expliziten Partizipialkonstruktionen durch die ihnen entsprechenden expliziten adverbialen Nebensätze paraphrasiert werden (in denen die Konjunktionen die zugrunde liegenden semantischen Relationen formal signalisieren). Folgende semantischen Interpretationen sind dabei möglich:

(1) *modal*

Indem der Autor falsche Begriffe auf die Wirklichkeit anwandte, entstellte er sie.
→ Falsche Begriffe auf die Wirklichkeit *anwendend*, entstellte sie der Autor.

Der Soldat starb, *indem* er von den Kugeln der Feinde getroffen wurde.
→ Der Soldat starb, von den Kugeln der Feinde *getroffen*.

(2) *temporal*

Während er eine dicke Zigarre rauchte, entwickelte er seinen neuen Plan.
→ Eine dicke Zigarre *rauchend*, entwickelte er seinen neuen Plan.

Nachdem er in Dresden angekommen war, suchte er sofort seinen Freund auf.
→ In Dresden *angekommen*, suchte er sofort seinen Freund auf.

(3) *kausal*

Weil das Kind eine Erkältung befürchtete, lief es schnell nach Hause.
→ Eine Erkältung *befürchtend*, lief das Kind schnell nach Hause.

Weil der Kandidat von der Richtigkeit seiner These überzeugt war, lud er seine Opponenten ein.
→ Von der Richtigkeit seiner These *überzeugt*, lud der Kandidat seine Opponenten ein.

(4) *konditional*

Wenn man vom internationalen Höchststand ausgeht, kommt man zu einer realistischeren Bewertung.
→ Vom internationalen Höchststand *ausgehend*, kommt man zu einer realistischeren Bewertung.

Wenn diese Baumethoden mit anderen Industrien verglichen werden, sind sie im Rückstand.
→ Mit anderen Industrien *verglichen*, sind diese Baumethoden im Rückstand.

(5) *konzessiv*

Obwohl sie in hohem Maße ungeschichtlich dachten, erreichten sie bestimmte Einsichten.
→ *Obwohl* in hohem Maße ungeschichtlich *denkend*, erreichten sie bestimmte Einsichten.

Obwohl der Widerstandskämpfer von seinen Freunden gewarnt worden war, verließ er doch sein Versteck.
→ *Obwohl* von seinen Freunden *gewarnt*, verließ der Widerstandskämpfer doch sein Versteck.

Anmerkungen:
(a) Wie die Beispiele zeigen, kommen in allen Arten der semantischen Interpretationen sowohl Partizipien I als auch Partizipien II vor.

(b) Es gibt Partizipialkonstruktionen kausaler Art, in denen die Einleitungskonjunktion des NS fakultativ erhalten bleibt, und solche konditionaler Art, in denen sie obligatorisch erhalten bleibt:

Dieses Theaterstück wirkte völlig unklassisch, (*weil*) den üblichen ästhetischen Normen widersprechend.
Falls (wenn) vom Arzt nicht anders verordnet, muß man täglich drei Tropfen nehmen.

(c) Die konzessiv interpretierbaren Partizipialkonstruktionen haben immer eine Konjunktion. Falls die Konjunktion eliminiert wird, wird die entsprechende Konstruktion in kausalem Sinne uminterpretiert:

> *Obwohl* von seinen Freunden gewarnt, verließ der Widerstandskämpfer sein Versteck. (= konzessiv)
> Von seinen Freunden gewarnt, verließ der Widerstandskämpfer sein Versteck. (= kausal)

(d) Da die Partizipialkonstruktionen die genannten semantischen Beziehungen nicht explizit signalisieren (ebenso wie der entsprechende attributive Nebensatz), sind sie oft mehrdeutig und können – abhängig vom Kontext – manchmal semantisch unterschiedlich interpretiert werden:

> *Durch das Referat angeregt*, meldete sich der Abgeordnete zur Diskussion.
> ← *Nachdem* der Abgeordnete durch das Referat angeregt worden war, meldete er sich zur Diskussion. (temporal)
> ← *Weil* der Abgeordnete durch das Referat angeregt worden war, meldete er sich zur Diskussion. (kausal)

5. Während das Partizip I in der Partizipialkonstruktion *aktivische* Bedeutung hat, kann das Partizip II *aktivische* oder *passivische* Bedeutung haben – entsprechend einer unterschiedlichen syntaktischen Ableitung:

> (1) Das Kollektiv, auf Grund seiner vorbildlichen Leistung *ausgezeichnet*, feierte den Erfolg.
> ← Das Kollektiv, *das* auf Grund seiner vorbildlichen Leistung *ausgezeichnet worden war*, feierte den Erfolg.
> ← Das Kollektiv feierte den Erfolg. Das Kollektiv war ... ausgezeichnet worden.
> ← Das Kollektiv feierte den Erfolg. X hatte *das Kollektiv* ... ausgezeichnet.
>
> (2) Die Brigade, in Dresden *angekommen*, besuchte die Ausstellung.
> ← Als die Brigade in Dresden *angekommen war*, besuchte sie die Ausstellung.
> ← Die Brigade besuchte die Ausstellung. *Die Brigade* war in Dresden angekommen.

In (1) hat das Partizip II passivische Bedeutung und ist über das *Vorgangspassiv* abgeleitet; das (eliminierte) Oberflächensubjekt des Partizips entspricht einem *Objekt* in der zugrunde liegenden aktivischen Struktur. In (2) hat das Partizip II aktivische Bedeutung und ist über das *Perfekt Aktiv* abgeleitet; das (eliminierte) Oberflächensubjekt des Partizips entspricht einem *Subjekt* in der zugrunde liegenden Struktur.

Anmerkung:
Es treten homonyme Fälle mit der Möglichkeit einer doppelten Interpretation auf:

> Das Mädchen, frisch gewaschen und gekämmt, setzte sich an den Frühstückstisch.
> (a) ← Das Mädchen, das *sich* frisch *gewaschen* und *gekämmt hatte*, setzte sich an den Frühstückstisch.

(b) ← Das Mädchen, das frisch *gewaschen* und *gekämmt worden war*, setzte sich an den Frühstückstisch.

In (a) entsteht das Partizip (mit aktivischer Bedeutung) über das Zustandsreflexiv, in (b) entsteht es (mit passivischer Bedeutung) über das Vorgangspassiv. Vgl. dazu 1.8.

6. Die *adverbialen* (und nebenprädikativischen) Partizipialkonstruktionen treten im allgemeinen nur dann an Stelle der NS auf, wenn ihr (eliminiertes) Subjekt dem *Subjekt* des übergeordneten Satzes entspricht (vgl. die unter 1., 2. und 3. genannten Beispiele). Nur in Ausnahmefällen ist ein anderer Bezug möglich auf ein anderes Glied des übergeordneten Satzes, das als logisches Subjekt fungiert (und als syntaktisches Objekt erscheint):

Entsprechend seiner Gewohnheit langsam arbeitend, gelang *dem Schüler* die Fertigstellung der Arbeit nicht.

Die *attributiven* Partizipialkonstruktionen beziehen sich nicht notwendig auf das Subjekt des übergeordneten Satzes; ihr (eliminiertes) Subjekt entspricht dem *substantivischen* (seltener: pronominalen) *Bezugswort* im übergeordneten Satz, das zumeist im Nominativ steht (a), aber auch in einem anderen Kasus stehen kann (b):

(a) *Der Schriftsteller*, 1930 in Berlin geboren, hat ein neues Drama geschrieben.
(b) Der Arzt las *ein Buch*, überladen mit fremden wissenschaftlichen Termini.

7. Unter den Partizipialkonstruktionen sind einige *besondere Gruppen* auszusondern:

(1) Nahezu zum Stereotyp geworden sind häufige *konditionale* Partizipialkonstruktionen, die nur aus einem Partizip und einem Adjektivadverb bestehen:

Streng genommen, hat der Kandidat seine These nicht bewiesen.
← Wenn es streng genommen wird, hat der Kandidat seine These nicht bewiesen.
← Wenn *man* es streng nimmt, hat der Kandidat seine These nicht bewiesen.

Nach der Semantik des Verbs, von dem das Partizip gebildet ist, zerfallen diese Partizipialkonstruktionen in zwei Gruppen:

(a) in Verben des Sagens:

anders ausgedrückt, kurz gesagt, allgemein formuliert, genau(er) gesagt, anders gewendet ...

(b) in Verben des Betrachtens und geistigen Sehens:

inhaltlich gesehen, so betrachtet, grob geschätzt, streng genommen, richtig verstanden, so gedacht, damit verglichen ...

 Bei diesen Partizipialkonstruktionen entspricht ihr eliminiertes

Subjekt einem unbestimmt-persönlichem *man* im entsprechenden Nebensatz. Sie unterscheiden sich auch dadurch von den anderen Partizipialkonstruktionen, daß sie Einstellungen des Sprechers zur Aussage ausdrücken. Sie stehen den Modalwörtern nahe (vgl. dazu genauer 10.5. unter 3. und 4.) und können teilweise noch weiter um das Partizip verkürzt werden:

Mathematisch gesehen, ist er ein Experte.
→*Mathematisch* ist er ein Experte.

Die unter (a) genannten Konstruktionen kommentieren die eigenen Äußerungen des Sprechers, die unter (b) genannten Äußerungen enthalten eine Einstellung des Sprechers zum Inhalt der Aussage.

(2) Eine weitere besondere Gruppe stellen die Partizipialkonstruktionen dar, die noch weiter – um bedeutungsleere Partizipien wie *habend, seiend, haltend* – verkürzt worden sind. Bei solchen *verkürzten Partizipialkonstruktionen* – auch „freie Fügungen", „absolute Akkusative", „Partizipialkonstruktionen ohne Partizip" oder „mit unterdrücktem Partizip" genannt – entspricht deren (eliminiertes) Subjekt dem substantivischen Bezugswort im übergeordneten Satz (bei attributivem Charakter) (a) bzw. dem Subjekt des übergeordneten Satzes (bei nicht-attributivem Charakter) (b).:

(a) *Der Direktor, der* den Hut in der Hand hatte, betrat das Zimmer.
→ (*) Den Hut in der Hand *habend (haltend)*, betrat der Direktor das Zimmer.
→ Den Hut in der Hand, betrat der Direktor das Zimmer.

(b) Indem er die Kelle in der linken Hand hielt, bearbeitete *der Maurer* mit der rechten Hand die Ziegel.
→ (*) Die Kelle in der linken Hand *haltend*, bearbeitete der Maurer mit der rechten Hand die Ziegel.
→ Die Kelle in der linken Hand, bearbeitete der Maurer mit der rechten Hand die Ziegel.

8. Wie bei den Infinitivkonstruktionen, so regelt sich auch bei den Partizipialkonstruktionen der Gebrauch der *Tempora* nicht nach der absoluten, sondern nach der relativen Zeit.

(1) Das Partizip I drückt in der Regel *Gleichzeitigkeit* der Aktzeiten von Konstruktion und übergeordnetem Satz aus:

Ein Lied *singend*, ging er über die Straße.

Nur in Ausnahmefällen liegt Vorzeitigkeit der Aktzeit der Konstruktion vor der Aktzeit des übergeordneten Satzes vor:

Dort hielt, scharf *bremsend*, ein Taxi.

(2) Das Partizip II drückt in der Regel *Vorzeitigkeit* der Aktzeit der Konstruktion vor der Aktzeit des übergeordneten Satzes aus:

In Dresden *angekommen*, besuchte er die Ausstellung.
Der Kandidat, von der Richtigkeit seiner These *überzeugt*, lud seine Opponenten ein.

Diese Vorzeitigkeit gilt sowohl für Partizipien, die vom Perfekt Aktiv abgeleitet sind, als auch für solche, die über Vorgangspassiv oder Zustandsreflexiv abgeleitet sind (vgl. dazu 5.). Auch wenn im zweiten Falle der entsprechende Nachzustand (im Zustandspassiv oder -reflexiv) mit der Aktzeit des Geschehens im übergeordneten Satz gleichzeitig ist, liegt die den Nachzustand bewirkende Aktzeit davor. Es handelt sich um transformative Verben.

(3) Das Partizip II drückt mitunter *Gleichzeitigkeit* der Aktzeiten des Geschehens in Konstruktion und übergeordnetem Satz aus (nur dann, wenn die Verben ihrer Bedeutung nach nicht transformativ, sondern kursiv sind):

> Der Zug, von zwei Lokomotiven *gezogen*, dampfte den Berg hinauf.
> Die Sängerin, von allen Gästen *bewundert*, hatte großen Erfolg.

18.4.2. Syntaktische Beschreibung der Nebensätze

18.4.2.1. Das Korrelat

Alle Nebensätze – mit Ausnahme der weiterführenden Nebensätze – werden als nähere Bestimmung zu einem Wort im übergeordneten Satz betrachtet. Die Nebensätze haben im übergeordneten Satz ein Korrelat, auch wenn dieses Korrelat im konkreten Satz nicht mehr auftritt.

Korrelate sind obligatorisch:

(1) um eine Aussage mit der sinnentleerten Konjunktion *daß* eindeutig zu machen:

> *Auf Grund der Tatsache, daß* er krank war, wurde er von der Prüfung befreit.

(2) in Verbindung mit manchen Verben und Adjektiven, die einen bestimmten Kasus regieren:

> Ich verlasse mich *darauf, daß* du mir hilfst.
> Ich bin *es* überdrüssig, *daß* er immer zu spät kommt.

Alle Nebensätze sind Hinzufügungen zu einem entsprechenden Korrelat; sie können als Attributsätze im weitesten Sinne des Wortes angesehen werden. Die verschiedenen Bedeutungen der NS werden durch die Korrelate im übergeordneten Satz und die Einleitungswörter der NS deutlich.

Bei den Korrelaten handelt es sich um Wörter unterschiedlicher Wortklassen (Pronomina, Pronominaladverbien, Substantive), die jedoch – im Unterschied zu den mit spezifischen semantischen Merkmalen ausgestatteten Bezugswörtern der Attributsätze im engeren Sinne – sehr bedeutungsarm sind, d. h. nur über Bedeutungsmerkmale sehr allgemeiner und abstrakter Art (z. B. *Tatsache, Ort, Zeit*) verfügen. Sie gehen im Informationsgehalt nicht über die Bedeutung des NS hinaus und sind deshalb aus *semantischen* Gründen eigentlich weglaßbar (obwohl sie aus *syntaktischen* Gründen z. T. obligatorisch sind).

Subjektsatz 18.4.2.2.

Der Nebensatz tritt alternativ zu einem Substantiv im Nominativ auf. Die Subjektsätze sind Hinzufügungen zu einem Korrelat im HS. Das Korrelat ist *das, es* oder ein bedeutungsarmes Substantiv, das ähnlich wie ein nominalisiertes Verb fungiert (*die Tatsache*). Subjektsätze werden eingeleitet durch *daß, ob* oder ein Fragepronomen. In bestimmten Fällen werden sie durch eine Infinitivkonstruktion repräsentiert.

Mich enttäuscht sein Nichtkommen.
Mich enttäuscht es. Er ist nicht gekommen.
→ Mich enttäuscht (*es / das / die Tatsache*), daß er nicht gekommen ist.
→ Es enttäuscht mich, *daß* er nicht gekommen ist.
→ *Daß* er nicht gekommen ist, (*das*) enttäuscht mich.

Objektsatz 18.4.2.3.

Der Objektsatz tritt alternativ zu einem Substantiv in einem obliquen Kasus auf. Objektsätze werden eingeleitet durch *daß, ob* oder ein Fragepronomen. Sie können unter bestimmten Bedingungen durch eine Infinitivkonstruktion repräsentiert werden.
Objektsätze sind Hinzufügungen zu einem vom Verb (oder Adjektiv) abhängigen Korrelat im HS, das in einem obliquen Kasus steht.

Er begreift seinen Fehler.
Er begreift es. Er hat einen Fehler gemacht.
→ Er begreift (*es / das / die Tatsache*), daß er einen Fehler gemacht hat.
→ Er begreift (*es*), *daß* er einen Fehler gemacht hat.
→ *Daß* er einen Fehler gemacht hat, (*das*) begreift er.

Nach dem Auftreten der Korrelate werden unterschieden:

1. Gruppe: obligatorisches Korrelat

Er verläßt sich *darauf*, daß wir pünktlich sind.

2. Gruppe: fakultatives Korrelat

Er bittet (*darum*), daß wir kommen.

Das Korrelat ist im konkreten Satz – abhängig von den Verben – mehr oder minder üblich.

18.4.2.4. Adverbialsatz

Wie Subjekt- und Objektsatz haben auch Adverbialsätze ein Korrelat im HS, das entweder – je nach Konjunktion – obligatorisch oder fakultativ auftritt oder im konkreten Satz nicht sprachüblich ist. Auch Adverbialsätze sind Hinzufügungen zu einem Korrelat im HS. Dabei sind zwei Gruppen zu unterscheiden:

(1) Adverbialsätze treten alternativ zu einem valenzgebundenen Glied im HS auf:

Er wohnt in Berlin.
Er wohnt (dort), wo seine Eltern wohnen.

(2) Der Adverbialsatz tritt als freie Angabe auf, wenn er nicht durch die Valenz eines Verbs gebunden ist:

Er wurde wegen hervorragender Leistungen ausgezeichnet.
→ Er wurde ausgezeichnet. Er hat Hervorragendes geleistet.
→ Er wurde (deshalb / deswegen) ausgezeichnet, da / weil er Hervorragendes geleistet hat.
→ *Auf Grund der Tatsache, daß* er Hervorragendes geleistet hat, wurde er ausgezeichnet.
→ *Auf Grund dessen, daß* er Hervorragendes geleistet hat, wurde er ausgezeichnet.

18.4.2.5. Weiterführender Nebensatz

1. Der weiterführende NS steht nicht für ein Satzglied des übergeordneten HS, sondern bezieht sich in loser Weise auf den gesamten HS. Einem Satzgefüge mit einem weiterführenden NS liegen *inhaltlich* zwei *koordinativ* nebeneinanderstehende, unabhängig voneinander existierende Sachverhalte zugrunde, von denen einer dem anderen *formal* – als *subordinierter* NS – untergeordnet wird:

Er hat mich gestern besucht. Das hat mich sehr gefreut.
→ Er hat mich gestern besucht, was mich sehr gefreut hat.

Er hat mich gestern besucht. Darüber habe ich mich gefreut.
→ Er hat mich gestern besucht, worüber ich mich gefreut habe.

Da der weiterführende NS mit einem Relativum angeschlossen wird, wird er leicht mit einem Attributsatz verwechselt (dessen einleitendes Relativpronomen jedoch im Unterschied zum weiterführenden NS im übergeordneten Satz ein Bezugswort hat):

Er arbeitet völlig selbständig, *was* mir besonders gefällt. (weiterführender NS)
In diesem Geschäft gibt es *nichts, was* mir besonders gefällt. (Attributsatz)
Er hat das Examen mit Auszeichnung bestanden, *worüber* sich seine Eltern sehr freuten. (weiterführender NS)
Ein Bildband ist sicherlich *ein Geschenk, worüber* er sich sehr freuen würde. (Attributsatz)

Der fehlende Bezug auf ein Korrelat im HS unterscheidet den weiterführenden NS auch von anderen NS. So sind bestimmte Sätze als weiterführender NS (1) oder als Objekt- (2) bzw. Komparativsatz (3) interpretierbar, je nachdem, ob der NS auf ein Korrelat im HS bezogen oder auf einen selbständigen HS zurückgeführt werden kann.

Er hat geschrieben, *was* ich erwartet habe.
← (2) Er hat *das* geschrieben, was ich erwartet habe.
← (1) Er hat geschrieben. Ich habe es / das erwartet.

Er hat geschrieben, *wie* ich es erwartet habe.
← (3) Er hat *so* geschrieben, wie ich es erwartet habe.
← (1) Er hat geschrieben. Ich habe es so erwartet.

2. Im einzelnen lassen sich die weiterführenden NS durch folgende *Merkmale* (und operationelle Tests) charakterisieren:

(1) Die weiterführenden NS sind *platzfest* und stehen obligatorisch *nach* dem übergeordneten Satz, nicht als Vorder- oder Zwischensätze.

(2) Die weiterführenden NS entsprechen *keinem Satzglied* oder Gliedteil des übergeordneten Satzes, sind also auch nicht – wie die meisten anderen NS – in ein Satzglied oder Gliedteil transformierbar.

(3) Dagegen sind die weiterführenden NS – weil sie inhaltlich selbständiger sind, es sich inhaltlich um Koordination und nur formal um Subordination handelt – *hauptsatzfähig*, d. h. in einen Hauptsatz transformierbar (vgl. die Beispiele unter 1.). Allerdings treten bei dieser Transformation reguläre Veränderungen auf, die für die einzelnen Typen der weiterführenden NS spezifisch sind (vgl. dazu unter 3.). Aber alle weiterführenden NS haben Entsprechungen in (quasi-) koordinativen Verknüpfungen mit Prowörtern (Pronomen, Pronominaladverb, Pro-Adverb), aus denen sie abgeleitet werden können.

(4) Weiterführende NS beziehen sich nicht auf ein Wort im übergeordneten Satz, sondern auf den *gesamten übergeordneten Satz*. Deshalb haben sie kein direktes Bezugswort im übergeordneten Satz (wie die Attributsätze im engeren Sinne) und ist auch kein Korrelat im übergeordneten Satz einfügbar (wie bei den meisten Adverbialsätzen). Zu Beispielen vgl. unter 1.

(5) Die inhaltliche Selbständigkeit der weiterführenden NS geht so weit, daß sie nicht nur in Hauptsätze verwandelt werden können [vgl. unter (3)], sondern daß bei dieser Transformation der formal übergeordnete HS (von dem der weiterführende NS formal abhängig ist) in einen *Nebensatz* und sogar in ein *Satzglied* verwandelt werden kann:

Er hat mich gestern besucht, was mich sehr gefreut hat.
→ Ich habe mich sehr (darüber) gefreut, *daß er mich gestern besucht hat.*
→ Ich habe mich *über seinen gestrigen Besuch* sehr gefreut.

3. Folgende *Typen* von weiterführenden NS sind zu unterscheiden:

(1) mit *was* eingeleitete Relativsätze, die das Geschehen des übergeordneten Satzes selbständig weiterführen oder kommentieren:

Der Autor verwendete Volkslieder, *das* verlieh dem Stück eine lyrische Note.
→ Der Autor verwendete Volkslieder, *was* dem Stück eine lyrische Note verlieh.

Peter ist gekommen, *das* ist erfreulich.
→ Peter ist gekommen, *was* erfreulich ist.

(2) mit Pronominaladverbien (*wo* + Präposition) eingeleitete Relativsätze, die das Geschehen des übergeordneten Satzes selbständig weiterführen oder kommentieren:

Er rettete mehreren Hausbewohnern das Leben, *dafür* erhielt er eine Auszeichnung.
→ Er rettete mehreren Hausbewohnern das Leben, *wofür* er eine Auszeichnung erhielt.

Peter ist gekommen, *darüber* haben wir uns gefreut.
→ Peter ist gekommen, *worüber* wir uns gefreut haben.

(3) mit relativ gebrauchten *w*-Wörtern eingeleitete NS, die nicht *was* oder Pronominaladverbien enthalten, jedoch in ähnlicher Weise das Geschehen des übergeordneten Satzes selbständig weiterführen oder kommentieren:

Er suchte Streit, *deshalb* entfernten wir uns schnell.
→ Er suchte Streit, *weshalb (weswegen)* wir uns schnell entfernten.

(4) „freie" Relativsätze mit *der* (*die, das*), die den Inhalt des übergeordneten Satzes weiterführen:

Sie machte einen Versuch, *er (der)* scheiterte aber später restlos.
→ Sie machte einen Versuch, *der* aber später restlos scheiterte.

(5) mit *als* eingeleitete Konjunktionalsätze, die gegenüber dem übergeordneten Satz das eigentliche Geschehen bezeichnen (das durch den übergeordneten Satz nur temporal eingeordnet wird):

Es war im August, *da* wanderte er nach Italien.
→ Es war im August, *als* er nach Italien wanderte.

(6) mit *als* eingeleitete Konjunktionalsätze, die eine unmittelbare Nachzeitigkeit ausdrücken, im übergeordneten HS in der Regel *gerade (kaum, eben)* enthalten, im NS manchmal *auch schon* enthalten:

Wir waren gerade eingetreten, *da* regnete es (auch schon).
→ Wir waren gerade eingetreten, *als* es (auch schon) regnete.

(7) mit *wie* eingeleitete Konjunktionalsätze, die eine Bewertung oder Informationsquelle enthalten und das Geschehen im übergeordneten Satz einordnen oder „situieren":

Er arbeitet fleißig, *so* scheint es.
→ Er arbeitet fleißig, *wie* es scheint.

Anmerkungen:
(a) Nur die Typen (1), (2) und (3) können zum *Kern* der weiterführenden NS gerechnet werden, da nur sie alle die unter 2. genannten Merkmale erfüllen. Die Typen (4) bis (7) können nur als *Peripherie* der weiterführenden NS angesehen werden, da sie einige der unter 2. genannten Merkmale nicht oder nicht vollständig erfüllen: Typ (4) z. B. erfüllt das Merkmal (4) nicht, bezieht sich – als nicht-verbbezogener weiterführender NS – auf ein substantivisches Wort, nicht auf den gesamten Satz (und kann auch sonst schwer von den anderen Relativsätzen abgegrenzt werden), die Typen (5), (6) und (7) sind nicht platzfest und z. T. auch in Satzglieder (oder Modalwörter) verwandelbar.

(b) Die einzelnen Typen *unterscheiden* sich durch die Veränderungen, die sie bei der Transformation einer (quasi-)koordinativen Verknüpfung in ein Satzgefüge mit weiterführendem NS erfahren: Bei Typ (1) wird das Demonstrativpronomen *das* zum Relativpronomen *was*, bei Typ (2) das Pronominaladverb mit *da-* zu einem entsprechenden Pronominaladverb mit *wo-*, bei Typ (3) ganz parallel *deshalb* zu *weshalb* (als Konjunktionaladverbien), bei Typ (4) das Personalpronomen *er* oder Demonstrativpronomen *der* zum Relativpronomen *der*, bei den Typen (5) und (6) das Proadverb *da* zur Konjunktion *als*, bei Typ (7) das Proadverb *so* zur Konjunktion *wie*. Auch diese Unterschiede lassen die unter (a) genannten Subklassen erkennen: Bei den Typen (1) bis (3) wird ein *d*-Wort durch das direkt entsprechende *w*-Wort ersetzt, bei den Typen (5) bis (7) liegt in der zugrunde liegenden Satzverbindung ein formal ungleiches Proadverb vor.

4. Die *Gemeinsamkeit* und das *Wesen* aller weiterführenden NS liegen in der *syntaktischen Verknüpfungsart*, in der Art, wie die beiden Sätze inhaltlich koordiniert sind, formal aber subordiniert werden. Deshalb drückt das in 2. unter (3) genannte Merkmal das Wesen dieser weiterführenden NS aus, aus dem die anderen Merkmale nur abgeleitet sind.

Unterschiedlich sind die einzelnen Typen der weiterführenden NS
(a) nach der Art des *Einleitungswortes*: bei den Typen (1) bis (4) handelt es sich um Relativsätze, bei den Typen (5) bis (7) um Konjunktionalsätze;
(b) nach der *Bedeutung*: Es können die unterschiedlichsten Beziehungen ausgedrückt werden, z. B. temporale (*als, worauf, wonach*), konsekutive (*weshalb*), modale *(wie, wobei)*, instrumentale (*wodurch, womit*).

Attributsatz im engeren Sinne 18.4.2.6.

1. Aussonderung der Attributsätze im engeren Sinne

Aus den angeführten Ableitungen der NS wird deutlich, daß alle NS als Attributsätze im weitesten Sinne des Wortes gelten. Attributsätze im engeren Sinne sind Sätze, die verbunabhängig sind und sich an der Oberfläche auf ein Substantiv beziehen (ebenso wie Attribute selbst Ergänzungen zu einzelnen Wörtern, nie zum Verb sind). Dabei sind 3 Klassen zu unterscheiden:

(1) Attributsätze im engeren Sinne, die sich auf ein vollsemantisches Substantiv beziehen, der Verknüpfung nach Relativsätze sind und zusammen mit dem übergeordneten Satz auf zwei Grundstrukturen zurückzuführen sind:

Ich brauche das Buch, *das* im Schaufenster liegt.
← Ich brauche das Buch. Das Buch liegt im Schaufenster.

(2) NS, die nur an der Oberfläche Attributsätze sind, der Verknüpfung nach Konjunktionalsätze darstellen, sich auf Nominalisierungen von Verben beziehen und in der Grundstruktur als Objekt- bzw. Subjektsätze anzusehen sind:

Er hat die *Hoffnung, daß* sie kommt.
← Er *hofft*, daß sie kommt.

(3) NS, die ebenfalls nur an der Oberfläche Attributsätze sind, der Verknüpfung nach Konjunktionalsätze darstellen, sich jedoch auf bedeutungsleere (nicht vollsemantische, sondern weglaßbare) Substantive beziehen, die sich ähnlich wie Nominalisierungen von Verben verhalten:

Die Tatsache, daß er kommt, hat mich überrascht.
→ Daß er kommt, hat mich überrascht.

2. Semantische Klassifizierung der Attributsätze im engeren Sinne

Bei den unter (1) genannten Attributsätzen im engeren Sinne (die Relativsätze sind) ist in inhaltlicher Hinsicht zwischen 2 Subklassen zu differenzieren:

(1) Ein *restriktiver Attributsatz* liegt vor, wenn der HS ohne den eingebetteten NS im gegebenen Kontext mißverständlich ist, der NS also einen Gegenstand von anderen Gegenständen der gleichen Klasse unterscheidet, d. h. *spezifiziert* oder *einschränkt.* An Stelle des bestimmten / unbestimmten Artikels beim Bezugswort im HS kann das selektierende Artikelwort *derjenige* stehen. Der restriktive Attributsatz hat enklitische Intonation, d. h., es entsteht keine Pause zwischen HS und NS.

Ich kaufe das Buch, das im Schaufenster liegt.
→ Ich kaufe *dasjenige* Buch, das im Schaufenster liegt.

(2) Ein *nicht-restriktiver Attributsatz* ist eine vom Kontext her nicht notwendige Ergänzung, ist ein zweites logisches Prädikat, bietet eine zusätzliche Information zur Sache und *erläutert* sie. An Stelle des bestimmten / unbestimmten Artikels beim Bezugswort im HS kann das demonstrative Artikelwort *dieser / jener* stehen. Der nicht-restriktive Attributsatz hat Parenthese-Intonation, d. h., es entsteht eine Pause zwischen HS und NS.

Das Auto, das mit großen Kisten beladen war, fuhr an uns vorüber.
→ *Dieses* Auto, das mit großen Kisten beladen war, fuhr an uns vorüber.

3. Morphosyntaktische Möglichkeiten der Attributsätze im engeren Sinne

Während die Mehrzahl der NS im Deutschen durch spezielle Einleitungswörter gekennzeichnet ist, die morphologisch unveränderlich und semantisch eindeutig sind, dienen zur Wiedergabe von Attributsätzen verschiedene Einleitungswörter. Neben den morphologisch veränderlichen Pronomina *der* und *welcher*,[1] die wie das entsprechende substantivische Demonstrativpronomen (vgl. das Schema unter 2.3.2.3.) bzw. das entsprechende substantivische Interrogativpronomen (vgl. das Schema unter 2.3.2.2.2.) dekliniert werden, sind dies die formal unveränderlichen Pronominaladverbien mit *wo(r)-* (vgl. auch 2.3.2.7.) und einige besondere Pronomina, Adverbien und Konjunktionen wie *was, wo, als, wenn, wie*. Für den Gebrauch der verschiedenen Einleitungswörter sind die Wortart des Bezugswortes im HS und die Satzgliedfunktion des Einleitungswortes im NS bestimmend.

Folgende Grundregel gilt für den Gebrauch der Pronomina *der* und *welcher*:

In Genus und Numerus wird das Pronomen durch das Bezugswort im HS bestimmt, im Kasus durch seine Satzgliedfunktion im NS.

> *Der* Schüler, *der* gefehlt hat, muß die Arbeit nachholen. (Mask.)
> *Das* Kind, *das* krank ist, liegt im Bett. (Neutr.)
> *Die* Studenten, *die* ihr Examen abgeschlossen haben, fahren nach Hause. (Plural)
>
> Der Student, *der* mir das Buch geborgt hat, ist verreist. (Nominativsubjekt)
>
> Der Student, *dem* ich das Buch geborgt habe, kommt morgen zu mir. (Dativobjekt)

Auf Grund der verschiedenen Einleitungswörter und ihrer Formen ergeben sich folgende Gruppen:

(1) Das Bezugswort ist ein Substantiv oder ein substantivisches Pronomen, das Einleitungswort ist Nominativsubjekt oder reines Objekt. Als Einleitungswort ist nur das Pronomen *der* (bzw. *welcher*) mit seinen verschiedenen Kasus-, Genus- und Numerusformen möglich.

> Ich habe dem Ausländer, *der* mit mir studiert hat, eine Einladung geschickt.
> Einer der Schüler, *dessen* ich mich besonders gut erinnere, studiert jetzt in Prag.

(2) Das Bezugswort ist ein Substantiv oder ein substantivisches Pronomen, das Einleitungswort ist Präpositionalobjekt oder eine präpositionale Adverbialbestimmung. Als Einleitungswort steht das Pro-

---

[1] *welcher* ist als Relativpronomen mit *der* synonym, wird aber in der Gegenwartssprache nur noch selten verwendet. Es dient vor allem in der Literatursprache zur Vermeidung von Wiederholungen.

nomen *der* (bzw. *welcher*) mit seinen verschiedenen Formen und Präpositionen, bei Nicht-Personen auch das entsprechende Pronominaladverb.

> Der Lehrer, *an den* ich geschrieben habe, ist jetzt in Rente.
> Das Thema, *an dem* (*woran*) er arbeitet, hat ihm sein Betreuer vorgeschlagen.
> Der Fluß, *an dem (woran)* die Stadt liegt, bildet die Grenze.

Vgl. dazu genauer 2.3.2.7.2.(3).

Anmerkung:
Zahlreiche Präpositionen können keine Pronominaladverbien bilden. Hier steht auch bei Nicht-Personen als Einleitungswort nur das Pronomen *der* + Präposition:

> Der Fluß, *hinter dem (jenseits dessen)* das Nachbarland beginnt, ist sehr breit.

(3) Das Bezugswort ist ein Substantiv oder ein substantivisches Pronomen, das Einleitungswort ist Genitivattribut. Als Einleitungswörter stehen die possessiven Relativpronomina *dessen* (Mask./Neutr. Sing.) und *deren* (Fem. Sing. u. Plural aller Genera).

> Mein Freund, *dessen* Eltern auf dem Land wohnen, hat mich eingeladen.
> Er ermahnt die Schüler, mit *deren* Leistungen er unzufrieden ist.

(4) Das Bezugswort ist Personalpronomen der 1. oder 2. Person, das Einleitungswort ist Nominativsubjekt. Als Einleitungswort steht *der* oder *die* in Verbindung mit dem entsprechenden Personalpronomen. Das Verb des NS kongruiert mit dem Personalpronomen.

> Du, *der du* alles für ihn getan hast, verdienst keinen Vorwurf.
> Ich glaube Ihnen (Sing./Pl.), *der / die Sie* stets aufrichtig waren, auch in dieser Frage.

(5) Das Bezugswort ist das substantivische Pronomen *derjenige* (für eine Person), das Einleitungswort ist Nominativsubjekt oder Objekt. Als Einleitungswort steht das Pronomen *der* (bzw. *welcher*) mit seinen verschiedenen Formen.

> Denjenigen, *dem* ich zuerst begegne, (den) frage ich.

Die Attributsätze nach dem Bezugswort *derjenige* haben synonymische Varianten in den Subjekt- bzw. Objektsätzen mit *wer*:

> *Wem* ich zuerst begegne, den frage ich.

(6) Das Bezugswort ist ein neutrales substantivisches Demonstrativ- oder Indefinitpronomen (*das, etwas, nichts, manches* u. a.) oder ein neutrales substantivisch gebrauchtes Zahladjektiv bzw. Adjektiv im Superlativ (*eines, vieles, das Beste* usw.), das Einleitungswort ist Nominativsubjekt oder reines Akkusativobjekt. Als Einleitungswort steht das Pronomen *was*.

Der Kranke darf nichts lesen, *was* ihn aufregen könnte.
Es ist nicht immer das Teuerste, *was* Kinder freut.

Anmerkung:
Wenn das Einleitungswort nicht in einem reinen Kasus, sondern in einem präpositionalen Kasus gebraucht wird, ist zwischen zwei Fällen zu unterscheiden: Als *Akkusativobjekt* steht das Einleitungswort in Form eines Pronominaladverbs (*wo(r)-* + Präposition), als *Dativobjekt* ist es in der Form eines Pronominaladverbs oder des Pronomens *der* + Präposition möglich.

Das Schönste, *woran* ich mich erinnere, war der Flug.
Das Einzige, *woran (an dem)* ich zweifle, ist die Altersangabe.

Vgl. dazu auch 2.3.2.7.2.(3).

(7) Das Bezugswort ist ein Substantiv oder ein Adverb mit temporaler Bedeutung, das Einleitungswort ist eine Temporalbestimmung. Bei einem Bezugswort mit Artikel sind als Einleitungswort das Pronomen *der* + Präposition oder das Adverb *wo* und die Konjunktionen *wenn* (für Gegenwart / Zukunft und bei Wiederholung ohne Beschränkung) und *als* (für Einmaligkeit in der Vergangenheit) möglich. Nach einem artikellosen Bezugswort können nur *wo, wenn* oder *als* stehen.

In den Jahren, *in denen / wo / wenn* der Winter sehr kalt ist, soll der Sommer sehr heiß sein.
Im letzten Jahr, *in dem / wo / als* der Winter sehr kalt war, war der Sommer aber kühl.
Ostern (damals), *wo / als* es so kalt war, sind wir nicht weggefahren.

(8) Das Bezugswort ist ein Substantiv oder ein Adverb mit lokaler Bedeutung, das Einleitungswort ist eine Lokal- oder Direktionsangabe. Bei einem Bezugswort mit Artikel sind als Einleitungswort das Pronomen *der* + Präposition oder die Adverbien *wo* (für Lokalangaben) und *woher (von wo)* bzw. *wohin* (für Direktionsangaben) möglich. Nach einem artikellosen Bezugswort können nur die Adverbien stehen.

Das Dorf, *aus dem / woher* er stammt, liegt auf Rügen.
In Dresden (dort), *wo* er studiert hat, hat er auch geheiratet.

19. Semantische Klassen der Adverbialsätze

Im Unterschied zu den Subjekt-, Objekt- und Attributsätzen, die semantisch nicht-spezifizierten Satzgliedern bzw. Satzgliedteilen entsprechen und deshalb semantisch nicht weiter zu differenzieren sind, werden durch die Adverbialsätze verschiedene semantische Beziehungen wie Zeit, Ort, Bedingung, Folge usw. ausgedrückt, nach denen diese NS in entsprechende semantische Klassen eingeteilt werden können. Diese Klassen stehen nicht beziehungslos und gleichgeordnet nebeneinander, sondern bilden untereinander bestimmte Hierarchie- und Inklusionsbeziehungen. So muß man unterscheiden zwischen weniger spezifizierten, allgemeineren Klassen und spezifischeren Klassen, die jene voraussetzen und sich aus jenen ergeben. Zum Beispiel setzt das Verhältnis der Bedingung gewöhnlich ein zeitliches Verhältnis voraus, und bei der Bedingung selbst ist danach zu unterscheiden, ob es sich um eine Bedingung im direkten Sinne des Wortes oder um Grund, Ursache, Absicht, Zweck o. ä. handelt. Andere Beispiele für die Komplexität der adverbialen Beziehungen sind das konzessive Verhältnis, das sowohl ein Grund-Folge-Verhältnis wie ein adversatives Verhältnis enthält und dementsprechend eingeordnet werden kann, und das restriktive Verhältnis, das nicht nur bei den Modalsätzen, sondern auch bei den anderen Adverbialsätzen vorkommt.
In der folgenden Darstellung werden die adverbialen NS nach der traditionellen Klassifizierung in die vier Hauptgruppen der Temporal-, Lokal-, Modal- und Kausalsätze und einige weitere besondere NS wie die Substitutiv- und Adversativsätze eingeteilt. Bei den Hauptgruppen wird jeweils noch nach speziellen semantischen Merkmalen weiter differenziert, wobei jedoch auch hier jeder NS an sich beschrieben wird und die genannten Hierarchiebeziehungen wegen ihrer Komplexität nicht speziell dargestellt werden.

19.1. Temporalsatz

Der Temporalsatz gibt an, wann sich das Geschehen des HS vollzieht. Der NS kann dabei Gleichzeitigkeit eines Geschehens mit dem Geschehen des HS oder Vor- bzw. Nachzeitigkeit im Verhältnis des NS zum HS bezeichnen. Über die Angabe solcher *relativer* Zeitverhältnisse hinaus (vgl. dazu genauer 1.7.5.) werden mit den Temporalsätzen noch weitere spezielle Zeitangaben gemacht. Dazu gehören die Unterscheidungen nach Dauer und Zeitpunkt, nach Einmaligkeit und Wiederholung, nach Anfang und Ende u. a. Diesen verschiedenen Zeitverhältnissen entsprechen verschiedene Konjunktionen, mit denen die Temporalsätze eingeleitet werden, zum Teil auch verschiedene Korrelate im HS und bei der Vorzeitigkeit auch bestimmte Tempusformen (sog. consecutio temporum).

Gleichzeitigkeit 19.1.1.

1. Dauer eines Geschehens

(1) gleiche Dauer
Konjunktion: während
Korrelat unüblich

> Während ich in Berlin studierte, ging ich oft ins Theater.
> Während er arbeitete, spielte das Radio.

Zur Abgrenzung der Temporalsätze mit *während* von den Adversativsätzen vgl. 8.4. unter *während.*

(2) gleicher Anfangs- und Endpunkt
Konjunktion: solange
fak. Korrelat: solange

> Solange ich ihn kenne, (solange) arbeitet er in diesem Betrieb.
> Er wohnte im Internat, solange er die Oberschule besuchte.

Der Konjunktion *solange* bei durativen Verben entspricht bei perfektiven Verben die Konjunktion *bis.* Vgl.:

> Wir schauten aus dem Fenster, solange der Zug hielt.
> Wir schauten aus dem Fenster, bis der Zug abfuhr.

(3) gleiche Dauer bis Sprechergegenwart mit Anfangspunkt in der Vergangenheit
Konjunktion: seit(dem)
fak. Korrelat: seitdem

seit(dem) zum Ausdruck der Gleichzeitigkeit steht nur bei durativen Verben im Prät. und Präs.; bei perfektiven Verben (im Perf. oder Plusq.) handelt es sich um Vorzeitigkeit [19.1.2.(5)].

> Seit(dem) ich ihn kenne, (seitdem) ist er Nichtraucher.
> Ich kenne ihn erst, seitdem er neben mir wohnt.
> Seitdem sie auf dem Lande wohnte, ging es ihr besser.

2. Zeitpunkt eines Geschehens

(1) einmaliges Geschehen in Gegenwart und Zukunft
Konjunktion: wenn
fak. Korrelat: dann

> Die Unterrichtsstunde ist (dann) zu Ende, wenn das Klingelzeichen ertönt.
> Wenn morgen die Delegierten ankommen, (dann) werden sie vom Oberbürgermeister begrüßt.

Zur Abgrenzung von *wenn* im Konditionalsatz vgl. 8.4. unter *wenn.*

(2) einmaliges Geschehen in der Vergangenheit
Konjunktion: als
fak. Korrelat: da

Als wir spazierengingen, (da) trafen wir einige Bekannte.
Ich habe ihn besucht, als ich neulich in Dresden war.

(3) wiederholtes Geschehen
Konjunktionen: sooft, wenn
fak. Korrelate: immer (... dann), jedesmal (... dann)

Er klingelt (immer dann) bei mir, wenn er zur Arbeit geht.
Sooft ich ihn traf, (jedesmal) erzählte er mir die gleiche Geschichte.

In der Gegenwart und Zukunft kann *wenn* einmaliges oder wiederholtes Geschehen bezeichnen. Eindeutig ist die Aussage nur, wenn im HS die Korrelate *immer* oder *jedesmal* vorkommen.

19.1.2. Vorzeitigkeit

(1) einmaliges Geschehen in Gegenwart und Zukunft
Konjunktionen: wenn (mit fak. Korrelat *dann*)
nachdem (Korrelat unüblich)
Tempusgebrauch: Perfekt im NS, Präsens im HS

Wenn wir den Gipfel erreicht haben, (dann) machen wir Rast.
Nachdem sie ihre Prüfung abgelegt hat, geht sie ins Ausland.

(2) einmaliges Geschehen in der Vergangenheit
Konjunktionen: als (mit fak. Korrelat *dann*)
nachdem (Korrelat unüblich)
Tempusgebrauch: Plusquamperfekt im NS, Präteritum im HS

Der Anruf kam (dann), als sie das Haus verlassen hatte.
Nachdem die Arbeit beendet (worden) war, fuhr er auf Urlaub.

(3) wiederholtes Geschehen
Konjunktion: wenn
fak. Korrelate: immer (... dann), jedesmal (... dann)
Tempusgebrauch: in Gegenwart und Zukunft wie bei (1), in der Vergangenheit wie bei (2)

Wenn ich aufgestanden bin, (dann) mache ich (immer) erst zehn Minuten Gymnastik.
Wenn er seine Arbeit beendet hatte, ging er (jedesmal) ins Café.

(4) unmittelbare Aufeinanderfolge
Konjunktionen: sobald, sowie, kaum daß
fak. Korrelate: dann, da
Tempusgebrauch: entweder Tempusfolge wie bei (1) und (2) oder gleiche Tempora

Sowie ich in Prag angekommen bin (ankomme), (da) rufe ich dich an.
Kaum daß wieder die Sonne schien, war es unerträglich heiß.

(5) genauer Anfangspunkt in der Vergangenheit, Dauer bis Sprechergegenwart im HS
Konjunktion: seit(dem)
fak. Korrelat: seitdem
Tempusgebrauch: in Gegenwart und Zukunft wie bei (1), in der Vergangenheit wie bei (2)

> Ich fahre, seit das Semester begonnen hat, nur einmal im Monat nach Hause.
> Seit(dem) er die Arbeit beendet hatte, (seitdem) war er zufriedener.

seit(dem) zum Ausdruck der Vorzeitigkeit steht nur bei perfektiven Verben, zu *seit(dem)* bei durativen Verben vgl. oben unter 19.1.1.1.(3).

Nachzeitigkeit 19.1.3.

(1) Endpunkt eines Geschehens
Konjunktion: bis
fak. Korrelat: so lange

> Er blieb (so lange) in der DDR, bis er mit dem Studium fertig war.
> Bis er abreiste, haben wir uns täglich getroffen.

Zur Entsprechung von *bis* und *solange* vgl. 19.1.1.(2).

(2) Aufeinanderfolge
Konjunktionen: bevor, ehe
Korrelat unüblich

> Bevor er abreiste, besuchte er noch seinen Professor.
> Sie bringt das Kind in den Kindergarten, ehe sie zur Arbeit geht.

Bei verneinter Aussage ist zu unterscheiden zwischen NS als Vorder- und Zwischensatz (1) und als Nachsatz (2). Im ersten Falle ist das Negationselement in HS und NS obligatorisch, im zweiten Falle nur im HS.

> (1) Bevor / Ehe ich nicht den Sachverhalt kenne, treffe ich keine Entscheidung.
> (2) Ich treffe keine Entscheidung, bevor / ehe ich (nicht) den Sachverhalt kenne.

Die verneinten NS mit *bevor / ehe* haben eine konditionale Nebenbedeutung (vgl. auch 8.4. unter *bevor*).

Lokalsatz 19.2.

Der Lokalsatz gibt den Ort, die Richtung oder den Erstreckungsbereich eines Geschehens an. Dieser NS wird nicht mit Konjunktionen, sondern mit Lokaladverbien eingeleitet.

(1) Ort

Das Nachbargrundstück beginnt, *wo* die Büsche stehen.

(2) Richtung

Geh zurück, *woher* du gekommen bist.
Ihr könnt gehen, *wohin* ihr wollt.

(3) Erstreckungsbereich

Soweit das Auge reichte, war alles überschwemmt.

Wenn im HS ein Bezugswort zu dem mit *wo* (oder *woher, wohin*) eingeleiteten NS steht, handelt es sich nicht um einen Lokalsatz, sondern um einen Attributsatz:

Das Nachbargrundstück beginnt *dort* (an der Stelle), wo (an der) die Büsche stehen.

Vgl. dazu 18.4.2.6.3.(8).

19.3. Modalsatz

Mit den Modalsätzen erfolgt eine Angabe zur Art und Weise des Geschehens im HS. Oft stellt diese Artangabe das Mittel des Geschehens dar, weshalb im folgenden als erste Gruppe die Instrumentalsätze erscheinen. Eine zweite Gruppe bilden die NS, mit denen ein fehlender Begleitumstand des Geschehens im HS genannt wird. Einen anderen Charakter als diese beiden Gruppen, die die Modalsätze im eigentlichen Sinne darstellen, haben die Komparativsätze. Hier erfolgt die nähere Charakterisierung des HS-Geschehens nicht durch eine Artangabe, sondern durch einen Vergleich, und zwar zumeist durch den Vergleich mit einer bereits im HS genannten Artangabe. Bei dem Vergleich kann man zwischen einem Verhältnis der Gleichheit (auch verneint oder hypothetisch), einem Verhältnis der Ungleichheit und einem proportionalen Entsprechungsverhältnis unterscheiden. Entsprechend dieser Unterscheidung ergeben sich bei den Komparativsätzen verschiedene Untergruppen. Neben den Modalsätzen im eigentlichen Sinne und den Komparativsätzen lassen sich als eine dritte Hauptgruppe der Modalsätze die Restriktiv- und Spezifizierungssätze aussondern, mit denen die Geltung der Aussage des Geschehens im HS bestimmt oder auch eingeschränkt wird.

19.3.1. Instrumentalsatz

Der NS gibt das Mittel an, mit dem ein bestimmter Erfolg erzielt wird.
Konjunktionen: indem (Korrelat unüblich)

daß (mit obl. Korrelat *dadurch, damit*)

Er verbesserte seine Leistungen, indem er regelmäßig trainierte.
Dadurch, daß er mir seine Bücher zur Verfügung gestellt hat, hat er mir sehr geholfen.
Er beruhigte mich damit, daß er mir beim Umzug helfen würde.

Modalsatz des fehlenden Begleitumstandes 19.3.2.

Der NS gibt einen Begleitumstand an, der nicht anwesend ist (negierter Begleitumstand).
Konjunktion: ohne daß
Korrelat unüblich

Eine Kundin betrat den Laden, ohne daß der Verkäufer sie bemerkte. (= Der Verkäufer bemerkte sie nicht.)
Er half mir aus, ohne daß ich ihn darum gebeten hatte. (= Ich hatte ihn nicht darum gebeten.)

Bei Subjektgleichheit in HS und NS wird statt des NS gewöhnlich die Infinitivkonstruktion mit *ohne zu* gebraucht. Vgl. dazu 18.4.1.5.5.(2). Dort auch zur Abgrenzung der Modalsätze mit *ohne daß* bzw. *ohne zu* von den Konsekutivsätzen mit *ohne daß* und *ohne zu.*

Komparativsatz 19.3.3.

1. Verhältnis der Gleichheit

Der Vergleich erfolgt zum Grad (Qualität) des Geschehens im HS, der durch ein Adjektiv oder Adverb (im Positiv) repräsentiert wird, und ergibt eine Gleichheit zwischen den beiden Sachverhalten.
Konjunktion: wie
obl. Korrelat: so (auch mit verstärkendem *genau*)

Im Februar war es (genau) so kalt, wie es im Januar war.
Wir bleiben so lange dort, wie das Wetter schön ist.

Anmerkungen:
(1) Bei identischen Verben in HS und NS wird der NS oft zum Satzglied verkürzt:

Im Februar war es genau so kalt wie im Januar.

Regelmäßig wird der NS auch dann verkürzt, wenn der Vergleich in der Meinung oder Aussage einer Person besteht:

Er hat mir so schnell geantwortet, wie ich erwartet hatte (, daß er mir antwortet).

Wenn der Kontext eindeutig ist, kann die Gradangabe im HS auch fehlen. Das Korrelat ist dann fakultativ.

Er arbeitet noch immer (so), wie er früher gearbeitet hat.

(2) Bei dem Verhältnis der Gleichheit kann es sich auch um ein Verhältnis der verneinten Gleichheit handeln. Dieses Verhältnis wird durch ein Negationselement im HS oder im NS ausgedrückt:

Das Wetter ist *nicht* so kalt, wie es in den letzten Tagen war.
Er arbeitet so gründlich, wie er früher *nicht* gearbeitet hat.

(3) Wenn der Vergleich nicht zu einem Adjektiv oder Adverb, sondern zu einem Substantiv erfolgt, hat der Komparativsatz attributive Bedeutung. Modalsätze dieser Art bestimmen im Unterschied zu den eigentlichen Attributsätzen die Art oder Beschaffenheit des vom Substantiv bezeichneten Objekts der Realität. Beim Substantiv ist nur der unbestimmte oder Nullartikel möglich, fakultativ treten die Partikel *so*, das Artikelwort *solch-* oder die Wendung (*von*) *der Art* auf. Man vgl.:

Er hat (so) ein Wörterbuch / ein (solches) Wörterbuch / ein Wörterbuch (der Art), wie ich es brauche. (Modalsatz)
Er hat das (= dieses) Wörterbuch, das ich brauche. (Attributsatz)

2. Verhältnis der Ungleichheit

Der Vergleich erfolgt zum Grad (Qualität) des Geschehens im HS, der durch ein Adjektiv oder Adverb (im Komparativ) repräsentiert wird, und ergibt eine Ungleichheit zwischen den beiden Sachverhalten.
Konjunktion: als
Korrelat unüblich

Der Preis war höher, als er noch im letzten Jahr gewesen war.
Die Sekretärin schreibt schneller, als der Professor diktiert.

Anmerkungen:
(1) Bei Komparativsätzen, die Ungleichheit ausdrücken, sind die gleichen Reduktionen wie bei Komparativsätzen der Gleichheit möglich:

Der Preis für die Übernachtung war höher als im Vorjahr.
Der Film ist besser, als ich dachte (, daß er ist).

Bei fehlender Gradangabe steht obligatorisches Korrelat *anders*:

Er spricht jetzt *anders* darüber, als er früher gesprochen hat.

(2) Der gemeinsame Gegensatz der Ungleichheit und der verneinten Gleichheit (vgl. oben) zum Verhältnis der Gleichheit wird in folgenden Sätzen deutlich:

Er schreibt so schnell, wie er kann. (Gleichheit)
Er schreibt nicht so schnell, wie er kann. (verneinte Gleichheit)
Er schreibt langsamer, als er kann. (Ungleichheit)

3. Hypothetisches Verhältnis der Gleichheit

Handelt es sich bei dem Vergleich um die Gleichheit mit einem in der gegebenen Situation nicht realen, sondern nur angenommenen (hypothetischen) Sachverhalt, so wird der NS mit der Konjunktion *als ob* (oder nur *als* mit unmittelbar folgendem finitem Verb) und mit Konjunktiv (zu den Regularitäten vgl. 1.9.2.1.2.) gebraucht. Im HS steht obligatorisches Korrelat *so*.

Es ist heute so warm, als wäre es Frühling.
Er erzählt so lebendig, als ob er alles selbst erlebt hätte.

Sätze dieser Art sind als Reduktionen zu komplexen Komparativsätzen mit *wie* und subordiniertem Konditionalsatz erklärbar:

> Er sieht mich so entgeistert an, als ob ich ein Gespenst wäre.
> ← Er sieht mich so entgeistert an, wie er mich ansehen würde, wenn ich ein Gespenst wäre.

Anmerkungen:
(1) In der Regel sind die hypothetischen Komparativsätze wie die unter 1. und 2. genannten Komparativsätze Vergleichssätze zu Gradangaben. Wenn der Kontext eindeutig ist, kann jedoch auch hier die Gradangabe fehlen. Das Korrelat ist dann fakultativ.

> Er musterte sie (so), als ob er sie noch nie gesehen hätte.

(2) Im allgemeinen sind die hypothetischen Komparativsätze wie die anderen Modalsätze und die Adverbialsätze überhaupt im Sinne der Valenz freie Angaben. Bei einer Reihe von Verben jedoch fungieren sie als obligatorische Aktanten. Zu diesen Verben, die als „Eindrucksverben" bezeichnet werden, gehören u. a.:

> jemand / etwas / es wirkt (auf jemanden) (so), als ob ...
> jemand / etwas / es sieht (nur) (so) aus, als ob ...
> etwas sieht / fühlt / hört sich (so) an, als ob ...
> etwas / es klingt (jemandem) (so), als ob ...
> jemand fühlt / stellt / benimmt / gibt sich (so), als ob ...
> jemand tut (so) / tritt (so) auf / handelt (so), als ob ...

4. Proportionales Verhältnis

Besteht der Vergleich in der gleichmäßigen Entsprechung zweier Sachverhalte, die sich in einer Abhängigkeit des HS-Geschehens vom NS-Geschehen konkretisiert, sprechen wir von einem Proportionalsatz.
Im Proportionalsatz mit *je ... desto / um so* besteht das Entsprechungsverhältnis zwischen dem in der Entwicklung gesehenen Grad (Qualität) des HS-Geschehens, der durch ein Adjektiv oder Adverb repräsentiert ist, und einem entsprechenden Grad (Qualität) des NS-Geschehens. Der mit *desto / um so* eingeleitete Satz ist der HS, der mit *je* eingeleitete Satz ist der NS. Die Adjektive bzw. Adverbien in HS und NS stehen im Komparativ und folgen unmittelbar den Einleitungswörtern. Der HS ist gewöhnlich Nachsatz (vgl. aber 8.4. unter *je ... desto / um so* Anm.).

> Je mehr ich lese, um so reicher wird mein Wortschatz.
> Je näher der Prüfungstermin rückte, desto größer wurde seine Aufregung.

Vom Proportionalsatz mit *je ... desto / um so* ist der Proportionalsatz mit *je nachdem* zu unterscheiden. Hier stehen zwei alternative Geschehen im HS in einem Entsprechungs- und Abhängigkeitsverhältnis zu einem NS-Geschehen in Form einer Alternativfrage oder einer Ergänzungsfrage. Mit der Frageart wird das Entsprechungsverhältnis spezifiziert.

Je nachdem, ob wir an die See oder ins Gebirge fahren, müssen wir Badesachen oder eine Wanderausrüstung mitnehmen.
Die Vortragsreihe wird im September oder Oktober beginnen, je nachdem, wann der Professor von seiner Auslandsreise zurückkehrt.

Anmerkung:
Das in den Proportionalsätzen enthaltene Abhängigkeitsverhältnis läßt sich für die Proportionalsätze mit *je nachdem* durch die Umschreibung mit der synonymen Konstruktion *abhängig davon* verdeutlichen:

Abhängig davon, ob wir an die See oder ins Gebirge fahren, müssen wir Badesachen oder eine Wanderausrüstung mitnehmen.

19.3.4. Modalsatz der Spezifizierung

Im NS wird durch die Bestimmung des Geltungsbereichs die Aussage des HS spezifiziert.
Konjunktion: als
obl. Korrelate: insofern, insoweit
um so (+ Komparativ)

Eine Beurteilung der Lage ist insofern schwierig, als nicht alle Fakten bekannt sind.
Man kann ihm insoweit zustimmen, als dieser Lösungsweg ebenfalls möglich ist.
Eine Entscheidung in dieser Frage ist um so wichtiger, als davon die Lösung anderer Fragen abhängt.

Anmerkung:
Die Korrelate zu *als* können auch als Teile der Konjunktion auftreten. Man vgl. dazu unter 8.4. bei *insofern / insoweit (als)* und *um so mehr / um so weniger als.*

19.3.5. Restriktivsatz

Im NS erfolgt eine Einschränkung des Geltungsbereichs des HS-Geschehens durch den Bezug auf eine bestimmte Informationsquelle oder durch eine subjektive Stellungnahme des Sprechers (Modalitätsangabe). Der NS ist oft Vordersatz.
Konjunktionen: wie, soviel (wie), soweit
Korrelate (abhängig vom Verb): Pronomen *es*, Pronominaladverb

Wie mir Frau Müller erzählte, ist Peter krank.
Soviel (wie) mir bekannt ist, arbeitet er in einem Projektierungsbüro.
Soweit ich es beurteilen kann, ist das Experiment sehr wichtig.

Anmerkung:
Um Restriktivsätze handelt es sich auch bei den mit *außer* + 2. Konjunktion eingeleiteten NS. Die Einschränkung bezieht sich jedoch nicht nur auf modale Angaben, sondern ist auch bei temporalen, lokalen, konditionalen und finalen Angaben möglich. Man vgl. dazu unter 8.4. bei *außer (daß / um ... zu / wenn).*

Kausalsatz 19.4.

Die Gruppe der Kausalsätze wird in zwei Gruppen unterteilt.
Der NS gibt die *Ursache* (Grund, Bedingung, Gegengrund) an:

1. Kausalsatz im engeren Sinne
2. Konditionalsatz
3. Konzessivsatz

Der Nebensatz gibt die *Wirkung* (Folge, Zweck) an:

4. Konsekutivsatz
5. Finalsatz

Kausalsatz im engeren Sinne 19.4.1.

1. HS und NS umfassen naturnotwendige, gesetzmäßige Zusammenhänge von Ursache und Wirkung.
Konjunktionen: da, weil
fak. Korrelate: daher, darum, deshalb, deswegen, aus dem Grunde

> Das Auto begann (daher / darum / deshalb / deswegen / aus dem Grunde) zu schleudern, weil die Straße sehr glatt war.
> Da die Sonne am Himmel einen Bogen beschreibt, glaubte man früher, sie kreise um die Erde.

In der Antwort auf eine direkte Frage wird nur *weil* gebraucht:

> Warum ist er nicht gekommen? – Weil er krank ist.

Anmerkung:
Ein kausales Verhältnis kann auch durch andere Sprachmittel ausgedrückt werden. Zu den wichtigsten Konkurrenzformen des Kausalsatzes mit *da / weil* gehören:

(1) *daß*-Satz in Verbindung mit Präpositionalphrase (*auf Grund der Tatsache, auf Grund dessen*) im HS

> Auf Grund dessen, daß er nicht geimpft ist, kann er nicht ins Ausland fahren.

(2) Satzverbindung mit Konjunktionaladverbien (*daher, darum, deshalb, deswegen, aus dem Grunde*), Konjunktion *denn* oder Partikel *doch*

> Die Straße war sehr glatt, deshalb begann das Auto zu schleudern.
> Das Auto begann zu schleudern, denn die Straße war sehr glatt.
> Das Auto begann zu schleudern, war die Straße doch glatt.

(3) Präposition *wegen* und Präpositionalverbindung *auf Grund*

> Das Geschäft bleibt wegen Umbau bis zum 1. September geschlossen.
> Auf Grund von Messungen konnten wichtige Erkenntnisse gewonnen werden.

(4) lexikalische Mittel

Skorbut ist auf Mangel an Vitamin C zurückzuführen.
Mangel an Vitamin C ruft Skorbut hervor.
Die Ursache des Skorbuts ist Mangel an Vitamin C.

2. Der Nebensatz gibt einen zusätzlichen, verstärkenden Grund an.
Konjunktionen: zumal (da), um so mehr / um so weniger als
Korrelat unüblich

Der Roman wurde viel diskutiert, zumal (da) er in einer ungewöhnlichen sprachlichen Form geschrieben ist.
Ich gehe ziemlich oft ins Kino, um so mehr als ich keinen Fernseher habe.
Er geht nicht gern zu Tanzveranstaltungen, um so weniger als er weder raucht noch trinkt.

19.4.2. **Konditionalsatz**

Aus einer Bedingung wird eine Folge vorausgesagt.
Konjunktionen: wenn[1], falls, sofern
fak. Korrelat: so, dann

Wenn der Zug pünktlich ankommt, (so / dann) erreichen wir den Anschlußzug.
Ich werde, falls ich noch eine Platzkarte bekomme, morgen fahren.
Sofern du deine Schularbeiten erledigt hast, darfst du ins Kino gehen.

Vor allem der Konditionalsatz in Vorderstellung kommt auch konjunktionslos (mit Spitzenstellung des finiten Verbs) vor. In diesem Falle ist das Korrelat *so* üblich.

Läßt man eine Membran in der porösen Wandung einer oben offenen Tonzelle entstehen, indem man sie mit Kupfersulfatlösung gefüllt in eine Ferrocyankaliumlösung hineinstellt, *und verschließt dann den Tonzylinder mit einem Manometer*, so erhält man ein Osmometer.

In Verbindung mit dem Konjunktiv Prät. des Modalverbs *sollen* drückt der Konditionalsatz (mit / ohne Konjunktion) zusätzlich eine Eventualität aus:

Falls er die Arbeit nicht allein schaffen sollte, werde ich ihm helfen.
Sollte er schon gegangen sein, (so) hinterlasse ihm eine Nachricht.

Zum irrealen Konditionalsatz mit Konjunktiv vgl. 1.9.2.1.3.

Anmerkung:
Eine Bedingung kann außer durch den Konditionalsatz noch mit folgenden Sprachmitteln ausgedrückt werden:

1. *daß*-Satz in Verbindung mit Präpositionalphrase (*unter der Bedingung, unter der Voraussetzung, in dem Falle*) im HS

---

[1] Zur Abgrenzung von *wenn* im Temporalsatz vgl. 8.4. unter *wenn* Anm.

Er kann die Prüfung nur unter der Voraussetzung bestehen, daß man ihn bei der Vorbereitung unterstützt.

2. *daß*-Satz bzw. konjunktionsloser NS mit Partizip II (*vorausgesetzt, angenommen*). Bei konjunktionslosem NS ist das Korrelat *so* (oder *dann*) üblich.

Vorausgesetzt, daß du dich beeilst, (so) erreichst du den Zug.
Vorausgesetzt, du beeilst dich, so erreichst du den Zug.

3. Präpositionen *bei, mit* und *ohne* (bei Negation)

Bei / mit etwas Glück besteht er die Prüfung. (= Wenn er etwas Glück hat, besteht er die Prüfung.)
Ohne etwas Glück fällt er durch die Prüfung. (= Wenn er nicht etwas Glück hat, fällt er durch die Prüfung.)

Konzessivsatz 19.4.3.

1. Ein erwarteter Kausalzusammenhang bleibt unwirksam. Der im NS genannte Grund hat nicht die nach dem Gesetz von Ursache und Wirkung zu erwartende Folge.
Konjunktionen: obwohl, obgleich, trotzdem
In gehobener Sprache treten noch auf: obzwar, obschon, wiewohl, wenngleich
fak. Korrelate: dennoch, trotzdem, doch (auch kombiniert mit *so*)

Obwohl er krank war, (so) kam er (dennoch).
Wir verloren das Spiel, obgleich wir uns gut vorbereitet hatten.

2. Konzessive Bedeutung hat auch die Verbindung von *wenn* mit einem verschiebbaren *auch* (bzw. *selbst, sogar, und*):

Er zieht keinen Mantel an, wenn es auch kalt ist.
Selbst wenn wir langsam laufen, erreichen wir den Bus.

Vor allem wenn der NS als Vordersatz steht, kann die Konjunktion *wenn* ausfallen. Das finite Verb tritt dann an die Spitze des NS.

Hat er auch keine gute Prüfung abgelegt, so hat er doch bestanden.

Die Konzessivsätze mit (*wenn*) *auch* kommen auch mit den Modalverben *sollen* (im Konj. Prät.) und *mögen* (im Präs. und Prät. Indik.) vor. Durch *mögen* wird die Grundbedeutung dieser Sätze verdeutlicht, *sollen* verleiht den Konzessivsätzen die zusätzliche Bedeutung der Eventualität:

Mag er auch viel zu tun haben, er macht täglich seinen Spaziergang.
Auch wenn er nicht kommen sollte, werden wir seinen Beitrag besprechen.

Vgl. dazu auch 1.6.3.2.

3. Der Konzessivsatz hat besonders zahlreiche Ausdrucksformen. Um Sätze mit konzessiver Bedeutung handelt es sich auch bei den folgenden Nebensatzformen:

(1) Ergänzungsfragen mit Partikel *auch (immer)*

Wie zur Konjunktion *wenn* (vgl. oben Gruppe 2), so kann die Partikel *auch* (und ein fakultatives bzw. mit *auch* alternierendes *immer*) auch zu Interrogativpronomina und -adverbien treten. Das Fragewort leitet immer den NS ein, während die Partikel im Satz verschiebbar ist. Durch das Fragewort wird die konzessive Aussage spezifiziert (durch *wie* modal, durch *wann* temporal usw.), durch die Partikel dagegen generalisiert.

> Womit sich der Junge auch befaßt, ihm gelingt alles.
> Wann immer du mich besuchst, du bist mir stets willkommen.
> Aus welcher Richtung man sich der Stadt auch immer nähert, zuerst erblickt man die Burg.

(2) Alternativfragen

Konzessive Bedeutung haben auch Alternativfragen [vgl. dazu 16.2.1. Anm. (4)] in Nebensatzform mit satzeinleitendem *ob*:

> Ob es regnet oder stürmt, nie trägt er einen Hut.

Die konzessive Bedeutung kann durch vorangesetztes *gleichgültig* verdeutlicht werden:

> Gleichgültig, ob er Lust hat oder nicht, er muß dich abholen.

(3) Modalsätze

Auch mit der Partikel *so*, der dann unmittelbar ein Adjektiv oder Adverb (im Positiv) folgt, können NS mit konzessiver Bedeutung eingeleitet sein. Diese Sätze stehen den Sätzen mit Fragewort *wie* [vgl. Gruppe (1)] nahe und enthalten wie diese als fakultatives Element die generalisierende Partikel *auch*:

> So wichtig Fakten (auch) sind, ohne eine ausreichende Theorie sind sie wertlos.
> So viele Patienten die Ärztin am Tage (auch) hat, trotzdem wird sie nie nervös.

Anmerkungen:

(1) Gewöhnlich schließen HS, die auf NS folgen, mit dem finiten Verb an. Bei Konzessivsätzen ist, abhängig davon, zu welcher der o. g. Gruppen sie gehören, auch Zweitstellung (nach einem nominalen Satzglied) des finiten Verbs möglich bzw. notwendig. Vgl. dazu im einzelnen 18.4.1.4.

(2) Neben den verschiedenen Nebensatzformen dienen zum Ausdruck eines konzessiven Verhältnisses auch andere Sprachmittel:

(a) *daß*-Satz in Verbindung mit Präpositionalphrase (*trotz der Tatsache, trotz des Umstandes*) oder Partizip II (*ungeachtet dessen*) im HS

> Das Spiel wurde trotz der Tatsache, daß es stark regnete, fortgesetzt.
> Ungeachtet dessen, daß er wenig Zeit hatte, hat er mir geholfen.

(b) Satzverbindung mit verschiebbarem Konjunktionaladverb *zwar* und koordinierender Konjunktion *aber* (und fak. *trotzdem*)

> Zwar ist er krank (Er ist zwar krank), aber er kommt (trotzdem).

(c) Satzverbindung mit Konjunktionaladverb *trotzdem*

Ich habe gestern abend lange gearbeitet, trotzdem bin ich heute nicht müde.

(d) Präpositionen *trotz* und *ungeachtet*

Trotz schwerer Bedingungen beteiligen sich viele Schüler an dem Wettbewerb.
Seiner schlechten Kondition ungeachtet nahm er am Wettkampf teil.

Konsekutivsatz **19.4.4.**

1. Die Folge ergibt sich aus dem Geschehen des HS, das durch ein Verb oder durch ein Verb + Adjektiv, Adverb oder Substantiv repräsentiert ist.
Konjunktion: so daß
Korrelat unüblich

Er hinkt, so daß er nicht schnell gehen kann.
Er spricht stockend, so daß man ihn schlecht versteht.
Er hat Fieber, so daß er nicht aufstehen darf.

2. Die Folge ergibt sich aus einem besonderem Grad (Qualität) des Geschehens im HS, die durch ein Verb + Adjektiv, Adverb oder Substantiv repräsentiert ist.
Konjunktion: daß
obl. Korrelate: so (beim Substantiv auch *solch-*), genug

Er hinkt so stark, daß er nur langsam gehen kann.
Der Junge ist groß genug, daß er allein fahren kann.
Er hat solches Fieber, daß er phantasiert.

3. Der NS nennt das Nichteintreten einer Folge, die sich erwartungsgemäß aus dem im HS ausgedrückten Geschehen ergibt (negativer Konsekutivsatz).
Konjunktion: ohne daß
Korrelat unüblich

Er war im vergangenen Jahr schon zweimal zur Kur, ohne daß sich sein Gesundheitszustand gebessert hat. (= Sein Gesundheitszustand hat sich nicht gebessert.)

Bei Subjektgleichheit in HS und NS wird statt des NS gewöhnlich die Infinitivkonstruktion mit *ohne zu* gebraucht. Vgl. dazu 18.4.1.5.5.(2). Dort auch zur Abgrenzung der Konsekutivsätze mit *ohne daß* bzw. *ohne zu* von den Modalsätzen mit *ohne daß* und *ohne zu*.

4. Im HS wird das Übermaß eines Sachverhalts angegeben, auf Grund dessen eine im NS zu erwartende Folge ausbleibt (irrealer Konsekutivsatz)
Konjunktion: als daß
obl. Korrelat: zu
Im NS erscheint häufig das Modalverb *können* oder / und Konjunk-

tiv. Die Entsprechung zum Konsekutivsatz mit *(so) daß* läßt sich wie folgt schematisieren:

so … daß + neg + Indikativ Präs.	= *zu … als daß + pos + Konjunktiv Prät.*
Das Wasser ist so kalt, daß man nicht baden kann.	Das Wasser ist zu kalt, als daß man baden könnte.
so … daß + neg + Indikativ Prät.	= *zu … als daß + pos + Konjunktiv Plusq.*
Das Wasser war so kalt, daß man nicht baden konnte.	Das Wasser war zu kalt, als daß man hätte baden können.

Zum Konjunktiv im irrealen Konsekutivsatz vgl. genauer 1.9.2.1.4.2. Zum Gebrauch der Infinitivkonstruktion statt NS vgl. 18.4.1.5.5.(3).

19.4.5. Finalsatz

Der Finalsatz ist an ein personales Subjekt gebunden. Er drückt eine Absicht, einen Zweck, ein Ziel aus. Der finale Sinn ist mit einem Willenselement verbunden, das auf die Realisierung eines Geschehens gerichtet ist. Der NS ist gewöhnlich Nachsatz.

Konjunktionen: damit, (seltener und weniger deutlich:) daß
fak. Korrelate: darum, deshalb, deswegen, zu dem Zweck, in der Absicht

Das Willenselement wird in der Zurückführung des Finalsatzes auf einen Kausalsatz deutlich. Danach lassen sich zwei Varianten des Finalsatzes unterscheiden:

1. Das wollende Personalsubjekt und das realisierende Subjekt sind identisch:

Er beeilt sich, damit er den Zug noch erreicht.
← Er beeilt sich, weil er den Zug noch erreichen will (d. h. *er* will, daß *er* den Zug noch erreicht).

2. Das wollende Personalsubjekt und das realisierende Subjekt sind nicht identisch:

Er schreibt die Regeln an, damit wir sie abschreiben.
← Er schreibt die Regeln an, weil *er* will, daß *wir* sie abschreiben.

Um Nebenvarianten von 2. handelt es sich in den folgenden Sätzen, wo die Zurückführung auf den Kausal- bzw. Konditionalsatz als Personalsubjekt das unbestimmte *man* zeigt:

Der Schüler wird bestraft, damit er aus seinen Fehlern lernt.
← Der Schüler wird bestraft, weil *man* will, daß *er* aus seinen Fehlern lernt.

Die Äpfel müssen lagern, damit sie schmecken.
← Die Äpfel müssen lagern, wenn *man* will, daß *sie* schmecken.

Zum Gebrauch der Infinitivkonstruktion statt NS vgl. 18.4.1.5.5.(3).

Substitutivsatz 19.5.

Der NS zeigt eine nicht wahrgenommene Möglichkeit, der HS als Ersatz eine andere Möglichkeit. Vielfach ist damit eine Stellungnahme des Sprechers verbunden, indem die vom Subjekt vorgezogene Möglichkeit (im HS) vom Sprecher als nicht richtig beurteilt wird.
Konjunktionen: statt daß, anstatt daß
Korrelat unüblich

Anstatt daß sie sich ins Bett legte, ging die Kranke zur Arbeit.
Das Mädchen ist ins Kino gegangen, statt daß es seine Schularbeiten machte.

Zum Gebrauch der Infinitivkonstruktion statt NS vgl. 18.4.1.5.5.(1).

Anmerkung:
Gelegentlich wird die nicht wahrgenommene Möglichkeit auch durch einen NS mit *als daß* (in Nachstellung) oder *ehe* (zumeist in Vorderstellung) ausgedrückt. Im HS ist in diesen Fällen *lieber* oder *besser* notwendig, die den Ersatz verdeutlichen.

Er fuhr lieber mit der Straßenbahn, als daß er den weiten Weg zu Fuß machte.
Ehe du den weiten Weg läufst, fährst du besser mit der Straßenbahn.

Adversativsatz 19.6.

Das Geschehen des NS steht im Gegensatz zum Geschehen des HS.
Konjunktion: während
Korrelat unüblich

Während es gestern schön war, regnet es heute.

Die Konjunktion *während* leitet auch temporale NS ein. Zur Abgrenzung vgl. 8. 4. unter *während*.

Anmerkung:
Ein adversatives Verhältnis wird auch durch koordinierende Konjunktionen und Konjunktionaladverbien ausgedrückt. Man vgl.:

Gestern war es schön, *aber / doch* heute regnet es.
Gestern war es schön, heute *jedoch* regnet es.
Gestern war es schön, *im Gegensatz dazu / demgegenüber* regnet es heute.

20. Regeln für die Interpunktion im Deutschen

20.1. Kommasetzung im einfachen Satz

1. Das Komma steht im einfachen Satz bei Aufzählung, d. h. bei Nebenordnung gleichwertiger SG:

Der Arzt hat *montags, mittwochs, freitags* Sprechstunde.

Das gilt auch für die Nebenordnung vorangestellter Attribute (Adjektiv / Partizip):

Er hat einen *interessanten, informativen* Artikel geschrieben.

2. Ein Komma steht dagegen nicht,

(1) wenn bei vorangestellten Attributen (Adjektiv / Partizip) das erste Attribut dem zweiten Attribut nicht neben-, sondern untergeordnet ist:

Paris ist die *größte französische* Stadt.

(2) wenn es sich um eine inhaltliche Unterordnung von SG handelt (auch bei gleichem Satzgliedwert):

Er geht *im Sommer während seines Urlaubs oft* baden.

(3) wenn die nebengeordneten SG durch eine koordinierende Konjunktion verbunden sind:

Der Arzt hat montags, mittwochs *und* freitags Sprechstunde.

Anmerkung:
Es gibt Sätze, in denen eine verschiedene Interpretation im Sinne von 20.1.1. und 20.1.2.(1) und deshalb – je nach dem Sinn – eine verschiedene Zeichensetzung möglich ist:

Sie kauft ein *neues blaues* Kleid.
Sie kauft ein *neues, blaues* Kleid.

Im ersten Satz wird das neue blaue Kleid im Verhältnis gesehen zu einem alten blauen Kleid. Das erste Adjektiv ist dem Komplex untergeordnet, der aus dem zweiten Adjektiv und dem substantivischen Bezugswort gebildet ist.

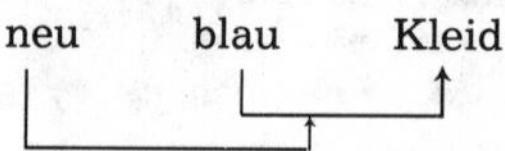

Im zweiten Satz dagegen ist das Kleid neu und blau; es liegt Nebenordnung vor:

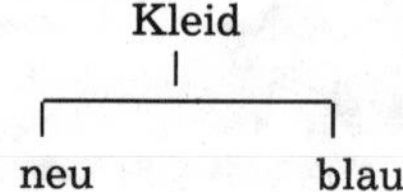

Ob Nebenordnung vorliegt, kann man dadurch ermitteln,
daß die beiden Adjektive austauschbar sind;
daß sie durch die Konjunktion *und* verbunden werden können, ohne daß sich die Bedeutung ändert.

3. Das Komma steht im einfachen Satz bei Nebenordnung gleichartiger SG, die in einem gegensätzlichen oder hervorhebenden Verhältnis zueinander stehen:

Er ist nicht besonders begabt, *aber* fleißig.
Er kennt viele Gebiete der DDR, *besonders* Thüringens und Sachsens.

4. Ein Komma steht dagegen nicht,

(1) wenn das Verhältnis der SG zueinander nicht adversativ, sondern kopulativ ist [vgl. auch 20.1.2.(3)]:

Er ist begabt *und* fleißig.
Das Wetter war stürmisch *und* kalt.

(2) wenn das Verhältnis alternativ ist:

Er ist begabt *oder* fleißig.
Das Wetter war im Urlaub kalt *oder* regnerisch.

5. Ein Komma steht vor und hinter nachgestellten Attributen (Adjektiv/Partizip),

(1) wenn es sich um mindestens zwei unflektierte Adjektive oder Partizipien handelt:

Das Haus, *alt und zerfallen*, wurde abgerissen.

(2) wenn es sich um ein flektiertes Adjektiv/Partizip oder mehrere handelt:

Die Wissenschaft, *die entwickelteste*, hat das Problem gelöst.

Aber ohne Komma bei einem unflektierten Adjektiv:

Röslein *rot*

Ebenso bei nachgestellten unflektierten Adverbien:

das Haus *dort*

6. Ein Komma steht vor und hinter nachgestellten lockeren Appositionen:

Peter, *mein Freund*, hat mich besucht.

Aber ohne Komma bei engen Appositionen (vgl. dazu 15.2.6.):

Mein Freund *Peter* hat mich besucht.

7. Ein Komma steht weiterhin

(1) wenn ein Korrelat den Inhalt eines SG zusammenfaßt:

In der Stadt, *da* habe ich ihn getroffen.

(2) nach satzeröffnendem *ja, nein, doch* und *danke* (als Satzäquivalenten; vgl. 12.):

Kommst du mit? – *Ja*, ich komme mit.
Nein, ich komme nicht mit.
Möchten Sie eine Zigarette? – *Danke*, ich rauche nicht.

vor satzschließendem *bitte*:

Geben Sie mir eine Zigarette, *bitte*!

fak. nach satzeröffnendem *bitte*, vor und nach eingeschlossenem *bitte*:

Bitte (,) geben Sie mir eine Zigarette!
Geben Sie mir (,) *bitte* (,) eine Zigarette!

(3) nach satzeröffnenden betonten Interjektionen:

Oh, das war eine schwere Prüfung!

Aber ohne Komma bei unbetonten Interjektionen:

O wären wir schon zu Hause!

(4) nach und vor der Anrede:

Liebe Kollegen, wir haben den Plan übererfüllt.
Wir haben den Plan übererfüllt, *liebe Kollegen*.

20.2. Kommasetzung im zusammengesetzten Satz

1. Ein Komma steht zwischen zwei Hauptsätzen, gleichgültig ob sie durch eine Konjunktion miteinander verbunden sind oder nicht:

Er geht in die Stadt, sie geht zur Arbeit.
Er geht in die Stadt, *und* sie geht zur Arbeit.

Anmerkung:
Ein Komma steht nicht, wenn es sich um einen zusammengezogenen Satz handelt (vgl. 18.3.3.), auch dann nicht, wenn dieser zwei verschiedene Subjekte und Prädikate enthält:

Er lief und sie fuhr *in die Stadt*.
Er besorgte und sie bezahlte *die Bücher*.
Die Kinder sahen und die Eltern kauften *die Bücher in der neuen Buchhandlung*.

2. Ein Komma steht zwischen übergeordneten und untergeordneten Sätzen:

(1) zwischen Hauptsatz und Nebensatz:

Ich hoffe, daß er pünktlich kommt.
Ich hoffe, daß du mich besuchst, und warte auf dich.

(2) zwischen Nebensätzen verschiedenen Grades:

Ich hoffe, daß er mich besucht, wenn er nach Leipzig kommt.
Ich hoffe, daß er mich besucht, wenn du in Leipzig bist, und mir das Buch mitbringt.

3. Ein Komma steht zwischen Nebensätzen gleichen Grades, wenn sie nicht durch *und* bzw. *oder* verbunden sind:

Ich freue mich, daß du kommst, daß du mir das Buch mitbringen willst.

Aber kein Komma bei Verbindung durch *und* bzw. *oder*:

Ich freue mich, daß du kommst *und* daß du mir das Buch mitbringen willst.

4. Ein Komma steht vor und hinter einem Schaltsatz (vgl. 18.3.1.):

Seine Leistungen, *es ist schon angedeutet worden*, sind nicht ausreichend.

Kommasetzung bei Infinitiven und Infinitivkonstruktionen 20.3.

1. Infinitivkonstruktionen (d. h. Infinitive mit *zu*, die durch andere Satzglieder erweitert sind) werden in der Regel durch Komma abgetrennt:

Er hoffte, *zu uns* zu kommen.
Er hoffte, *pünktlich* zu kommen.

2. Infinitivkonstruktionen werden dagegen nicht durch Komma abgetrennt,

(1) wenn sie Subjekt des übergeordneten Satzes sind und diesem vorausgehen:

Pünktlich zu kommen ist unsere Pflicht.

Aber:

Pünktlich zu kommen, das ist unsere Pflicht.
Unsere Pflicht ist, pünktlich zu kommen.
Pünktlich zu kommen, halten wir für unsere Pflicht.

(2) wenn sie von Verben abhängig sind, die sich wie Hilfsverben verhalten (vgl. dazu 1.3.1.):

Er *scheint* pünktlich zu kommen.
Er *pflegte* uns täglich zu besuchen.

(3) wenn eine Verschränkung von Infinitivkonstruktion und übergeordnetem Satz verliegt:

Wir wollen das Problem den Lesern zu erklären versuchen.

Aber (nach 20.3.1.):

Wir wollen versuchen, das Problem den Lesern zu erklären.

3. Nicht erweiterte Infinitive mit *zu* werden in der Regel nicht durch Komma abgetrennt:

Er hoffte *zu kommen.*

4. Nicht erweiterte Infinitive mit *zu* werden dagegen durch Komma abgetrennt,

(1) wenn statt *zu ohne zu, um zu* oder *anstatt zu* steht:

Er lobt den Schriftsteller, *ohne (anstatt)* ihn zu lesen.

(2) wenn *zu* an Stelle eines zu erwartenden *um zu* steht, es also finalen Charakter hat:

Er kam, *zu* helfen.

(3) wenn ohne Setzung des Kommas eine doppelte Deutung möglich wäre:

Es gelang ihr nicht, aufzufallen.
Es gelang ihr, nicht aufzufallen.

(4) wenn ein Korrelat im übergeordneten Satz auf den Infinitiv hinweist:

Er dachte nicht *daran,* zu arbeiten.

(5) wenn der Infinitiv Subjekt des Satzes ist und nach den übrigen Gliedern des Satzes steht, gleichgültig ob auf ihn ein Korrelat hinweist oder nicht:

Des Menschen Pflicht ist (es), *zu arbeiten.*

5. Vor Infinitiven ohne *zu* steht kein Komma:

Er hörte ihn ein Lied singen.
Er half ihr den Koffer tragen.

20.4. Kommasetzung bei Partizipien und Partizipialkonstruktionen

1. Partizipialkonstruktionen (d. h. Partizipien, die durch andere Satzglieder erweitert sind) werden in der Regel durch Komma abgetrennt:

Ein Lied singend, ging er über die Straße.

2. Partizipialkonstruktionen werden dagegen nicht durch Komma abgetrennt, wenn die Erweiterung nur aus einem einfachen Modaladverb besteht:

Laut singend ging er über die Straße.

3. Nicht erweiterte Partizipien werden in der Regel nicht durch Komma abgetrennt:

Singend ging er über die Straße.

4. Nicht erweiterte Partizipien werden dagegen durch Komma abgetrennt, wenn von ihnen ein weiterer Nebensatz oder eine Infinitivkonstruktion abhängig ist:

Er besuchte ihn, *entschlossen*, die Frage mit ihm zu besprechen.

5. Durch Komma abgetrennt werden verkürzte Partizipialkonstruktionen (sogenannte freie Fügungen), bei denen das bedeutungsarme Partizip (*habend*, *seiend*, *haltend* usw.) eliminiert ist [vgl. dazu 18.4.1.6.7.(2)]:

Den Hut in der Hand, betrat er das Zimmer.
Zur Auseinandersetzung bereit, kam er zur Arbeit.

Semikolon 20.5.

Das Semikolon steht fakultativ statt des Kommas zwischen zwei Hauptsätzen (im Fall 20.2.1.); es trennt stärker als das Komma, weniger stark als der Punkt:

Er geht in die Stadt; sie geht zur Arbeit.
Er hatte sie viele Jahre nicht gesehen; deshalb erkannte er sie nicht sogleich wieder.

Gedankenstrich 20.6.

Der Gedankenstrich steht meist statt des Kommas vor und hinter Schaltsätzen (im Fall 20.2.4.):

Seine Leistungen – es ist schon angedeutet worden – sind nicht ausreichend.
Der Student hat – wir haben es ihm vorausgesagt – seine Diplomprüfung nicht bestanden.

20.7. Punkt

Der Punkt steht

1. am Ende eines Aussagesatzes (am Ende eines Fragesatzes steht ein Frage-, am Ende eines Ausrufesatzes ein Ausrufezeichen);

2. zur Wiedergabe der Ordinalzahlen:

am 1. Mai 1970 – am 1. 5. 1970

3. nach solchen Abkürzungen, die gewöhnlich im vollen Wortlaut gesprochen werden:

usw., z. B.

Aber:

LPG, HO

20.8. Doppelpunkt

Der Doppelpunkt steht

1. vor einer im übergeordneten Satz angekündigten direkten Rede:

Der Lehrer sagte: „Öffnet die Bücher!"

2. vor einer im übergeordneten Satz angekündigten Aufzählung:

Die Grammatik besteht aus drei Komponenten: der Syntax, der Phonologie und der Semantik.

3. vor einer Zusammenfassung oder Erläuterung:

Wir fassen zusammen: Die bisherigen Untersuchungen haben zu keiner klaren Abgrenzung geführt.

4. Für die Schreibung nach dem Doppelpunkt gilt:

(1) Nach dem Doppelpunkt wird mit großem Buchstaben begonnen, wenn vor und hinter dem Doppelpunkt ein vollständiger Satz steht:

Wir wiederholen das Ergebnis: Der Verunglückte hat den Unfall selbst verursacht.

(2) Nach dem Doppelpunkt wird mit kleinem Buchstaben begonnen, wenn vor oder/und hinter dem Doppelpunkt kein vollständiger Satz steht:

Es gibt drei Arten von Infinitiven: nicht erweiterte Infinitive ohne *zu*, nicht erweiterte Infinitive mit *zu* und erweiterte Infinitive.

1. Die Anführungszeichen stehen vor und hinter einer wörtlich wiedergegebenen Rede (direkten Rede):

> Der Lehrer sagte: „Öffnet die Bücher!“

Dabei sind folgende Besonderheiten zu beachten:

(1) Die direkte Rede kann sich auch über mehrere Sätze erstrecken:

> Die Ärztin sagte: „Sie sind krank. Vorerst müssen Sie einige Tage im Bett bleiben. Danach müssen wir entscheiden, wann Sie wieder aufstehen dürfen.“

(2) Wenn der die direkte Rede ankündigende übergeordnete Satz zwischen der direkten Rede steht, so muß

der übergeordnete Satz in Kommas eingeschlossen werden,

sowohl der erste als auch der zweite Teil der direkten Rede in Anführungszeichen eingeschlossen werden,

der eingeschobene übergeordnete Satz und der zweite Teil der direkten Rede mit kleinem Buchstaben begonnen werden:

> „Ihr habt gut gelernt“, betonte der Lehrer, „und werdet die Prüfung bestehen.“

(3) Ist die direkte Rede kein Aussage-, sondern ein Frage- oder Ausrufesatz, so steht ein Frage- oder Ausrufezeichen statt des Punktes (am Satzende) oder des Kommas (bei nachgestelltem oder zwischengestelltem übergeordneten Ankündigungssatz):

> „Kommst du morgen?“ fragte der Lehrer.

2. Die Anführungszeichen stehen vor und hinter einzelnen Wörtern, Teilsätzen, Zitaten, Titeln, Fachausdrücken u. a. zur Hervorhebung oder Distanzierung:

> Manche bürgerlichen Sprachwissenschaftler sprechen von einer „inneren Form der Sprache“ und von einer „Zwischenwelt“.
> Die Zeitung „Neues Deutschland“ gehört zu den bekanntesten Publikationsorganen der DDR.

3. Steht innerhalb eines Zitats eine direkte Rede oder ein anderes Zitat bzw. innerhalb einer direkten Rede ein Zitat oder eine andere Hervorhebung, so wird die innere Hervorhebung (bzw. das innere Zitat bzw. die innere direkte Rede) in einfache Anführungszeichen eingeschlossen:

> In der Vorlesung sagt der Dozent: „Die These von einer ‚sprachlichen Zwischenwelt‘ ist unhaltbar.“

4. Tauchen im Zusammenhang mit den Anführungszeichen noch andere Satzzeichen auf, so gilt folgendes:

(1) Das Komma steht immer nach den Anführungszeichen:

„Wenn ihr die Prüfung bestehen wollt", sagte der Lehrer, „müßt ihr eure Leistungen verbessern."

(2) Punkt, Ausrufe- und Fragezeichen stehen

vor den Anführungszeichen bei der direkten Rede, wenn der gesamte Satz wörtlich wiedergegeben ist, also die Anführungszeichen die direkte Rede abschließen:

Der Lehrer sagte: „Öffnet die Bücher!"

nach den Anführungszeichen bei Zitierungen, Titeln, Teilsätzen (vgl. 20.9.2.), bei denen nicht der gesamte Satz wörtlich wiedergegeben ist:

Manche bürgerlichen Sprachwissenschaftler sprechen von einer „inneren Form der Sprache".

Literaturverzeichnis

Folgende Abkürzungen werden verwendet:

DaF	Deutsch als Fremdsprache (Leipzig)
Diss. (hekt.)	hektographierte Dissertation
DU	Deutschunterricht (Berlin)
Hrsg.	Herausgeber
IdS	Institut für deutsche Sprache (Mannheim)
LAB	Linguistische Arbeitsberichte (Sektion Theoretische und angewandte Sprachwissenschaft der Karl-Marx-Universität Leipzig)
LS	Linguistische Studien (Akademie der Wissenschaften der DDR, Zentralinstitut für Sprachwissenschaft, Berlin)
SG	Studia Grammatica (Berlin)
TPDA	Theorie und Praxis des Deutschunterrichts für Ausländer (Leipzig)
VJa	Voprosy jazykoznanija (Moskau)
WW	Wirkendes Wort (Düsseldorf)
WZ	Wissenschaftliche Zeitschrift
ZPSK	Zeitschrift für Phonetik, Sprachwissenschaft und Kommunikationsforschung (Berlin)

Da das Literaturverzeichnis nicht alle zu Rate gezogenen Arbeiten enthalten kann, wurden vorzugsweise solche Titel aufgenommen, von denen die Autoren die meisten Anregungen erhalten haben, in denen die Autoren selbst einen Erklärungs- und Motivationshintergrund für bestimmte Resultate und Entscheidungen in dieser Grammatik erörtern bzw. in denen die praktische Anwendung des grammatischen Regelwerks in Form von Übungsmaterialien gezeigt wird.

W. Abraham: Tiefenstrukturkasus und ihre Oberflächenrealisation bei zweiwertigen Verben im Deutschen. In: Leuvense Bijdragen 61/1972.

B. A. Abramow: Modelle der subjektlosen Sätze im Deutschen. In: DaF 6/1967.

V. G. Admoni: Vvedenie v sintaksis sovremennogo nemeckogo jazyka. Moskva 1955.

– : Die Struktur des Satzes. In: H. Moser (Hrsg.): Das Ringen um eine neue deutsche Grammatik. Darmstadt 1962.

– : Die umstrittenen Gebilde der deutschen Sprache von heute. In: Muttersprache 6/1962 u. 11/1964.

– : Der deutsche Sprachbau. Leningrad [3]1972.

– : Die Satzmodelle und die logisch-grammatischen Typen des Satzes. In: DaF 1/1974.

– : Status obobščennogo grammatičeskogo značenija v sisteme jazyka. In: VJa 1/1975.

E. Agricola (Hrsg.): Wörter und Wendungen. Wörterbuch zum deutschen Sprachgebrauch. Leipzig 1962.

E. H. Antonsen: Zur schwachen „Flexion" im Deutschen. In: Sprache der Gegenwart. Schriften des IdS. Bd. 23. Düsseldorf 1973.

W. W. Ardowa: Sammelnamen (Kollektiva) in der deutschen Gegenwartssprache. In: DaF 6/1972.
M. G. Arssenjewa u. a.: Grammatik der deutschen Sprache. Moskva 1962.
G. Austin: Der Konjunktiv II im ersten Jahr Deutsch. In: Zielsprache Deutsch 3/1975.

R. Bartsch: Adverbialsemantik. Frankfurt/M. 1972.
J. Bátori u. a.: Syntaktische und semantische Studien zur Koordination. Tübingen 1975.
P. Bauer: Reflexivpronomen und Verbvalenz. In: Leuvense Bijdragen 3/1973.
K. Baumgärtner / D. Wunderlich: Ansatz zu einer Semantik des deutschen Tempussystems. In: Der Begriff Tempus – eine Ansichtssache? Als: Beiheft zum WW 20. Düsseldorf 1969.
G. Bech: Das semantische System der deutschen Modalverben. In: Travaux de Cercle Linguistique de Copenhague 1949.
–: Studien über das deutsche Verbum infinitum. In: Dan. Hist. Filol. Medd. 35 und 36. 1955/56 und 1956/1957.
H. Becker: Sprachlehre. Leipzig 1941.
O. Behaghel: Deutsche Syntax. Heidelberg 1923–1932.
E. Beneš: Die Verbstellung im Deutschen, von der Mitteilungsperspektive her betrachtet. In: Philologica Pragensia 1962.
– : Die funktionale Satzperspektive (Thema-Rhema-Gliederung) im Deutschen. In: DaF 1/1967.
– : Die Ausklammerung im Deutschen als grammatische Norm und als stilistischer Effekt. In: Muttersprache 10/1968.
– : Das deutsche Passiv im Vergleich mit dem tschechischen. In: Sprache der Gegenwart. Schriften des IdS. Bd. 8. Düsseldorf 1970.
– : Präpositionswertige Präpositionalfügungen. In: Sprache der Gegenwart. Schriften des IdS. Bd. 33. Düsseldorf 1974.
G. Beugel: Zum temporalen „als". In: Sprache der Gegenwart. Schriften des IdS. Bd. 6. Düsseldorf 1971.
M. Bierwisch: Grammatik des deutschen Verbs. Als: SG II. Berlin 1963.
– : Über die Rolle der Semantik bei grammatischen Beschreibungen. In: Beiträge zur Sprachwissenschaft, Volkskunde und Literaturforschung. Festschrift für W. Steinitz. Berlin 1965.
F. Blatz: Neuhochdeutsche Grammatik mit Berücksichtigung der historischen Entwicklung der deutschen Sprache. 2. Bde. Karlsruhe 1896.
U. Booss: Zur Analyse des prädikativen Adjektivs. In: Sprache der Gegenwart. Schriften des IdS. Bd. 24. Düsseldorf 1973.
K. Boost: Die mittelbare Feststellungsweise (Eine Studie über den Konjunktiv). In: Zeitschrift für Deutschkunde 8/1940.
– : Neue Untersuchungen zum Wesen und zur Struktur des deutschen Satzes. Berlin 1964.
K. Brinker: Zum Problem der angeblich passivnahen Reflexivkonstruktionen in der deutschen Gegenwartssprache. In: Muttersprache 1/1969.
– : Zur Funktion der Fügung *sein* + *zu* + Inf. In: U. Engel/P. Grebe (Hrsg.): Neue Beiträge zur deutschen Grammatik. Hugo Moser zum 60. Geburtstag. Mannheim 1969.
– : Das Passiv im heutigen Deutsch. München/Düsseldorf 1971.
H. Brinkmann: Die Struktur des Satzes im Deutschen. In: Neuphilologische Mitteilungen 1959.
– : Die deutsche Sprache. Gestalt und Leistung. Düsseldorf ^{2}1971.
Th. Bungarten: Partizipialkonstruktionen in der deutschen Gegenwartssprache. Düsseldorf 1976.

A. Buscha/F. Kempter: Der Relativsatz. In der Reihe: TPDA. Leipzig 1980.
J. Buscha: Zu einigen Fehlerquellen beim Gebrauch der Modalverben im Deutschen. In: DaF 1/1965.
– : Die Hilfsverben in einer deutschen Grammatik für Ausländer. In: DaF 5/1971.
– : Zur Darstellung des Pronomens „es" in einer deutschen Grammatik für Ausländer. In: DaF 2/1972.
– : Zur Wortklassenbestimmung der Reflexiva in der deutschen Gegenwartssprache. In: DaF 3/1972.
– : Zur Form des Attributs im Deutschen. In: Sprachpflege 8/1972.
– : Die Modalverben im System der infiniten Verbformen. Ein Beitrag zur Wortklassenbestimmung im Deutschen. Diss. (hekt.) Leipzig 1973.
– : Zum Hilfsverbcharakter der Modalverben ohne Infinitiv. In: J. A. Shluktenko u. a. (Hrsg.): Aktuelle Probleme der gegenwärtigen Germanistik. Kiew 1975.
– : Zu Darstellungsfragen in einer deutschen Grammatik für Ausländer. In: Cizi jazyky ve škole 2/XXII (1978/79).
– : Zur Darstellung des Konjunktivs in einer deutschen Grammatik für Ausländer. In: DaF 1/1980 u. 2/1980.
– : Deutsches Übungsbuch. Leipzig [11]1980.
– : Reflexive Formen, reflexive Konstruktionen und reflexive Verben. In: DaF 3/1982.
J. Buscha/G. Heinrich/I. Zoch: Die Modalverben. In der Reihe: TPDA. Leipzig [4]1981.
J. Buscha/E. Wiese: Zur Klassifizierung der Verbindungen ‚Verb + sich' im Deutschen und ‚Verb + się' im Polnischen. In: G. Jäger/G. Helbig (Hrsg.), Studien zum deutsch-polnischen Sprachvergleich. Leipzig 1983.
A. Z. Bzdęga: Reflexivverben und Reflexivpronomen im Deutschen und Polnischen. In: LAB 20/1978.

W. Chafe: Bedeutung und Sprachstruktur. Berlin 1976.
I. J. Charitonowa: Theoretische Grammatik der deutschen Sprache – Syntax. Kiew 1976.
– : Zur Frage von Zentrum und Peripherie einer Wortart. In: G. Helbig (Hrsg.): Beiträge zur Klassifizierung der Wortarten. Leipzig 1977.
N. Chomsky: Syntactic Structures. The Hague 1964.
– : Aspekte der Syntax-Theorie. Berlin/Frankfurt (Main) 1969.
V. S. Chrakovskij (Red.): Problemy teorii grammatičeskogo zaloga. Hrsg. Akademie der Wissenschaften der UdSSR. Leningrad 1978.
D. Clément/W. Thümmel: Grundzüge einer Syntax der deutschen Standardsprache. Frankfurt/M. 1975.
R. Conrad: Studien zur Syntax und Semantik von Frage und Antwort. Als: SG XIX. Berlin 1978.
T. Czarnecki: Unterschiedliches und Gemeinsames beim deutschen und polnischen Konjunktiv. In: DaF 4/1972.

I. Dal: Kurze deutsche Syntax auf historischer Grundlage. Tübingen 1966.
J. van Dam: Handbuch der deutschen Sprache. 2 Bde. Groningen 1958/61.
F. Daneš: Pokus o strukturní analýsu slovesných významu. In: Slovo a Slovesnost 3/1971.
– : Satzglieder und Satzmuster. In: G. Helbig (Hrsg.): Beiträge zu Problemen der Satzglieder. Leipzig 1978.
–: (Hrsg.): Papers on Functional Sentence Perspective. Praha 1974.
K. Daniels: Substantivierungstendenzen in der deutschen Gegenwartssprache. Düsseldorf 1963.

I. Darski: Zur Einteilung der Verben nach der Art der Flexion und zur Bildung der Verbformen im Deutschen. In: LS/A 49.
K. Dieling: Die Tempussysteme des Deutschen und des Schwedischen – ein Vergleich der Bedeutungen und des Gebrauchs der Tempora. Diss. A (hekt.) Leipzig 1979.
A. Dimova: Die Polysemie des deutschen Pronomens „man" unter Berücksichtigung seiner Äquivalente im Bulgarischen. In: DaF 1/1981.
E. Drach: Grundgedanken der deutschen Satzlehre. Frankfurt/Main 1937.

H. Eggers: Wandlungen im deutschen Satzbau. In: Der Deutschunterricht 5/1961.
– : Zur Syntax der deutschen Sprache der Gegenwart. In: Studium generale 1/1962.
– : Beobachtungen zum präpositionalen Attribut in der deutschen Gegenwartssprache. In: WW. Sammelband I: Sprachwissenschaft. Düsseldorf 1962.
– : Sind Konsekutivsätze „Gliedsätze"? In: Sprache der Gegenwart. Schriften des IdS. Bd. 6. Düsseldorf 1970.
– : Die Partikel *wie* als vielseitige Satzeinleitung. In: Sprache der Gegenwart. Schriften des IdS. Bd. 19. Düsseldorf 1972.
G. N. Eichbaum: Zur Einteilung der Nebensätze. In: DaF 6/1967.
– : Zur Leistung der koordinierenden Konjunktionen. In: DaF 5/1977.
U. Engel: Adjungierte Adverbialia. In: Forschungsberichte des IdS. Heft 1. Mannheim 1968.
– : Satzbaupläne und Satzanalyse. In: Zielsprache Deutsch 3/1970.
– : Regeln zur „Satzgliedfolge". Zur Stellung der Elemente im einfachen Verbalsatz. In: Sprache der Gegenwart. Schriften des IdS. Bd. 19. Düsseldorf 1972.
– : Syntax der deutschen Gegenwartssprache. Berlin (West) 1977.
B. Engelen: Zum System der Funktionsverbgefüge. In: WW 5/1968.
– : Der Relativsatz. In: U. Engel/P. Grebe (Hrsg.): Neue Beiträge zur deutschen Grammatik. Hugo Moser zum 60. Geburtstag. Mannheim 1969.
– : Untersuchungen zu Satzbauplan und Wortfeld in der geschriebenen deutschen Sprache der Gegenwart. München 1975.
Kleine Enzyklopädie. Die deutsche Sprache. 2 Bde. Hrsg. E. Agricola/W. Fleischer/H. Protze. Leipzig 1969/1970.
J. Erben: Deutsche Grammatik. Ein Leitfaden. Frankfurt (Main) 1968.
– : Deutsche Grammatik. Ein Abriß. München [11]1972.
H. Erk/N. Koshuharowa: Das Pronomen „es". In: Deutschunterricht für Ausländer 1–2/1968.

Ch. J. Fillmore: Toward a Modern Theory of Case. In: D. A. Reibel/S. A. Schane (Hrsg.): Modern English Studies. Readings in Transformational Grammar. New Jersey 1969.
– : Plädoyer für Kasus. In: W. Abraham (Hrsg.): Kasustheorie. Frankfurt/M. 1971.
A. Findreng: Zur Kongruenz in Person und Numerus zwischen Subjekt und finitem Verb im modernen Deutsch. Oslo/Bergen/Tromsø 1976.
W. Flämig: Sagen – Fragen – Heischen. In: Der Deutschunterricht 5/1961.
– : Zum Konjunktiv in der deutschen Sprache der Gegenwart. Berlin 1962.
– : Untersuchungen zum Finalsatz im Deutschen (Synchronie und Diachronie). Berlin 1964.
– : Zur Funktion des Verbs – I. Tempus und Temporalität. In: DaF 4/1964.
– : Zur Funktion des Verbs. – II. Modus und Modalität. In: DaF 1/1965.

W. Flämig: Zur Funktion des Verbs. – III. Aktionsart und Aktionalität. In: DaF 2/1965.
– : Probleme und Tendenzen der Schulgrammatik. In: DU 6/1966.
– u. a.: Skizze der deutschen Grammatik. Berlin 1972.
W. Fleischer: Zur Funktion des Artikels in der deutschen Sprache der Gegenwart. In: Germanica Wratislavensia IX/1967.
– : Wortbildung der deutschen Gegenwartssprache. Leipzig 1969.
W. Fleischer/G. Michel: Stilistik der deutschen Gegenwartssprache. Leipzig 1975.
M. H. Folsom: Kriterien zur Abgrenzung der Modalverben. In: DaF 3/1972.
E. Forstreuter: Bedeutung und Anwendung einiger wichtiger Präpositionen unserer Gegenwartssprache. In: Sprachpflege 7/1975, 8/1975, 9/1975, 10/1975, 12/1975, 1/1976, 3/1976, 4/1976, 6/1976, 7/1976, 9/1976, 10/1976, 12/1976, 2/1977, 4/1977, 6/1977.
– : Vergleichende Betrachtungen zur Semantik einiger deutscher Präpositionen. In: G. Helbig (Hrsg.): Probleme der Bedeutung und Kombinierbarkeit im Deutschen. Leipzig 1977.
E. Forstreuter/K. Egerer-Möslein: Die Präpositionen. In der Reihe: TPDA. Leipzig 1978.
J. Fourquet: Aufbau der Mitteilung und Gliederung der gesprochenen Kette. In: ZPSK 2/1965.
– : Prolegomena zu einer deutschen Grammatik. Düsseldorf 1970.
– : Zum ‚subjektiven' Gebrauch der deutschen Modalverba. In: Sprache der Gegenwart. Schriften des IdS. Bd. 6. Düsseldorf 1970.
– : Zum Gebrauch des deutschen Konjunktivs. In: Sprache der Gegenwart. Schriften des IdS. Bd. 24. Düsseldorf 1973.
Ch. C. Fries: The Structure of English. London 1963.

K. Gabka (Hrsg.): Die russische Sprache der Gegenwart. Bd. 2. Leipzig 1975.
H. Gelhaus: Zum Tempussystem der deutschen Hochsprache. In: WW 1/1966; auch enthalten in: Der Begriff Tempus – eine Ansichtssache? Als: WW. Beiheft 20. Düsseldorf 1969.
– : Sind Tempora Ansichtssache? In: Der Begriff Tempus – eine Ansichtssache? Als: WW. Beiheft 20. Düsseldorf 1969.
R. Gläser: Bedeutungen und Leistungen der Konjunktive in der deutschen Sprache der Gegenwart. Eine grammatisch-stilistische Untersuchung. Diss. (hekt.) Jena 1970.
H. Glinz: Geschichte und Kritik der Lehre von den Satzgliedern in der deutschen Grammatik. Diss. Bern 1957.
– : Die innere Form des Deutschen. Bern/München 1961.
– : Der deutsche Satz. Wortarten und Satzglieder wissenschaftlich gefaßt und dichterisch gedeutet. Düsseldorf 1963.
L. Götze: Funktionsverbgefüge im Deutschunterricht für Ausländer. In: Zielsprache Deutsch 2/1973.
– : Mehrdeutigkeiten und pragmatische Implikationen der Satzadverbien. In: Zielsprache Deutsch 1/1976.
P. Grebe (Hrsg.): Der große Duden. Grammatik der deutschen Gegenwartssprache. Mannheim ^{1}1959, ^{2}1966, ^{3}1973.
H.-J. Grimm: Durchgebohrt oder durchbohrt? In: Sprachpflege 8/1969.
– : Der Artikel im modernen Deutsch. In: Sprachpflege 1/1970, 4/1970, 7/1970, 10/1970, 1/1971.
– : Synonymische Beziehungen zwischen einigen Artikelwörtern der deutschen Sprache. In: DaF 5/1971.
– : Probleme der semantischen Beschreibung deutscher Substantive für den Fremdsprachenunterricht. In der Reihe: TPDA. Leipzig 1975.

H.-J. Grimm: Zum Problem der Satzglieder in der deutschen Grammatik. In: DaF 1/1972.

H.-J. Grimm/G. Heinrich: Der Artikel. In der Reihe: TPDA. Leipzig 1974.

R. Große: Entwicklungstendenzen in der deutschen Sprache der Gegenwart. In: DaF 1/1964.

– : Zur Problematik von Satztyp und Kernsatz im Deutschen. In: R. Růžička (Hrsg.): Probleme der strukturellen Grammatik und Semantik. Leipzig 1968.

– : Die deutschen Modalverben in der neueren Forschung. In: WZ der Technischen Universität Dresden 2/1969.

M. M. Guchman: Über die verbalen analytischen Formen im modernen Deutschen. In: Beiträge zur Geschichte der deutschen Sprache und Literatur. Sonderband 82. Halle 1961.

– : Die Ebene der Satzanalyse und die Kategorie des Genus verbi. In: R. Lötzsch/R. Růžička (Hrsg.): Satzstruktur und Genus verbi. SG XIII. Berlin 1976.

E. V. Gulyga: Modal'nye slova v sovremennom nemeckom jazyke. UČ. ZAP. 1-ogo MGPIIJa. Bd. VII. Moskva 1955.

E.V. Gulyga/E. I. Šendel's: Grammatiko-leksičeskie polja v sovremennom nemeckom jazyke. Moskva 1969.

E. V. Gulyga/M. D. Nathanson: Syntax der deutschen Gegenwartssprache. Moskva/Leningrad 1966.

V. A. Gurevič: Upotreblenie modal'nych slov v sovremennom nemeckom jazyke. In: UČ. ZAP. LGPI. Bd. 190. Teil 1. Leningrad 1959.

W. Hackel: Fakultativer Wechsel zwischen Kardinalzahl und Ordinalzahl. In: Sprachpflege 4/1969.

– : „Der Begriff der Entfernung" oder „der Begriff Entfernung". In: Sprachpflege 7/1971.

B. Haftka: Bekanntheit und Neuheit als Kriterien für die Anordnung von Satzgliedern. In: DaF 3/1978.

B. Haltof/A. Steube: Zur semantischen Charakterisierung der Tempora im Deutschen und Russischen. In: LAB 1/1970.

W. Hartung: Die zusammengesetzten Sätze im Deutschen. Als: SG IV. Berlin 1964.

– : Die Passivtransformationen im Deutschen. In: SG I. Berlin 1965.

– : Die Negation in der deutschen Gegenwartssprache. In: DaF 2/1966.

– : Probleme der abstrakten Repräsentation von Attributen. In: ASG-Bericht Nr. 1. Berlin 1968.

W. Hartung u. a.: Sprachliche Kommunikation und Gesellschaft. Berlin 1974.

R. Harweg: Pronomina und Textkonstitution. München 1968.

– : Die Konjunktionen „da" und „weil" in Begründungen von Nebensätzen. In: Zeitschrift für vergleichende Sprachforschung 1–2/1976.

K. E. Heidolph: Verbindungen aus zwei Adjektiven und einem Substantiv im Deutschen. In: ZPSK 2/1961.

– : Einfacher Satz und Kernsatz im Deutschen: In: Acta Linguistica Scientiarum Hungaricae. Bd. 1–2/1964. Budapest.

– : Syntaktische Funktionen und semantische Rollen (I). In: LS/A 35. Berlin 1977.

– : Der Kasus bei Appositionen mit „als" – grammatische Regeln und Überlegungen zur Vermittlung. In: DaF 6/1979.

K. E. Heidolph/W. Flämig/W. Motsch (Hrsg.): Grundzüge einer deutschen Grammatik. Berlin 1980.

W. Heinemann: Negierung und kommunikative Adäquatheit – ein Beitrag zur handlungstheoretischen Grundlegung der Negation. Diss. B. (hekt.) Leipzig 1979.

H. M. Heinrichs: Studien zum bestimmten Artikel in den germanischen Sprachen. Gießen 1954.

G. Helbig: Der Begriff der Valenz als Mittel der strukturellen Sprachbeschreibung und des Fremdsprachenunterrichts. In: DaF 1/1965.

– Untersuchungen zur Valenz und Distribution deutscher Verben. In: DaF 3/1966 und 4/1966.

– : Zur Umgebungsanalyse deutscher Verben. In: WZ der Karl-Marx-Universität Leipzig. Gesellschafts- und Sprachwiss. Reihe 1–2/1967.

– : Die Bedeutung syntaktischer Modelle für den Fremdsprachenunterricht. In: DaF 4/1967 und 5/1967.

– : Zum Problem der Wortarten in einer deutschen Grammatik für Ausländer. In: DaF 1/1968.

– : Zum Problem der Genera des Verbs in der deutschen Gegenwartssprache. In: DaF 3/1968.

– : Zum Problem der Wortarten, Satzglieder und Formklassen in der deutschen Grammatik. In: R. Růžička (Hrsg.): Probleme der strukturellen Grammatik und Semantik. Leipzig 1968.

– : Der Funktionsbegriff in der modernen Linguistik. In: DaF 5/1968; auch enthalten in: WZ der Humboldt-Universität Berlin. Gesellschafts- und sprachwiss. Reihe 2/1969.

– : Zur Klassifizierung der deutschen Wortarten. In: Sprachpflege 4/1969.

– : Valenz und Tiefenstruktur. In: DaF 3/1969.

– : Valenz, Tiefenstruktur und Semantik. In: Glottodidactica (Poznań) III bis IV/1969.

– : Zur Einteilung der Nebensätze. In: DaF 4/1970.

– : Sind Negationswörter, Modalwörter und Partikeln im Deutschen besondere Wortklassen? In: DaF 6/1970.

– : Zur Theorie der Satzmodelle. In: Biuletyn Fonograficzny (Poznań) XI/1971.

– : Theoretische und praktische Aspekte eines Valenzmodells. In: G. Helbig (Hrsg.): Beiträge zur Valenztheorie. Halle 1971.

– : Zum Problem der Stellung des Negationswortes „nicht". In: DaF 2/1971.

– : Notizen zur semantischen Interpretation einiger polysemer Konjunktionen im Deutschen. In: DaF 6/1971.

– : Probleme der deutschen Grammatik für Ausländer. In der Reihe: TPDA. Leipzig [1]1972, [2]1972, [3]1974, [4]1976.

– : Zu Problemen des Attributs in der deutschen Gegenwartssprache. In: DaF 6/1972 und 1/1973.

– : Zur Verwendung der Infinitiv- und Partizipialkonstruktion in der deutschen Gegenwartssprache. In: DaF 5/1973.

– : Rezension zu R. Rath – Die Partizipialgruppe in der deutschen Gegenwartssprache: In: Linguistics (The Hague) 1973/117.

– : Die Funktionen der substantivischen Kasus in der deutschen Gegenwartssprache. Halle 1973.

– : Was sind indirekte Fragesätze? In: DaF 4/1974.

– : Zum Problem der Pronominaladverbien und der Pronominalität. In: DaF 5/1974.

– : Zu einigen besonderen Gruppen von Adjektiven und Adverbien. In: Sprachpflege 7/1974.

– : Zum Problem der Kasusfunktionen in der deutschen Gegenwartssprache. In: Beiträge zur Geschichte der deutschen Sprache und Literatur. Bd. 94. Halle 1974.

G. Helbig: Notizen zu einigen umstrittenen Fragen der Satzglieder (im besonderen: des prädikativen Attributs und des „Modalglieds") im Deutschen. In: LAB 10/1974.
– : Zu einigen Problemen des Passivs und des Reflexivums im Deutschen. In: J. A. Shluktenko u. a. (Hrsg.): Aktuelle Probleme der gegenwärtigen Germanistik. Kiew 1975.
– : Was ist ein unpersönliches Passiv? In: DaF 5/1975.
– : Valenz, Semantik und Satzmodelle. In: DaF 2/1976.
– : Zur Valenz verschiedener Wortklassen. In: DaF 3/1976.
– : K probleme passiva v sovremennom nemeckom jazyke. In: Inostrannye jazyki v škole 3/1977.
– : Partikeln als illokutive Indikatoren im Dialog. In: DaF 1/1977.
– : Zur semantischen Beschreibung des Passivs und anderer passivischer Formen. In: G. Helbig (Hrsg.): Probleme der Bedeutung und der Kombinierbarkeit im Deutschen. Leipzig 1977.
– : Zu einigen Problemen der Wortart-Klassifizierung im Deutschen. In: G. Helbig (Hrsg.): Beiträge zur Klassifizierung der Wortarten. Leipzig 1977.
– : Zur semantischen Charakteristik der Argumente des Prädikats. In: G. Helbig (Hrsg.): Probleme der Bedeutung und der Kombinierbarkeit im Deutschen. Leipzig 1977.
– : Rektion, Transitivität/Intransitivität, Valenz, Auto-/Synsemantie. In: DaF 2/1978.
– : Was sind „zusammengezogene Sätze"? In: DaF 2/1978.
– : Bemerkungen zum Begriff des Subjekts in der modernen Linguistik. In: DaF 5/1978.
– : Zum Status der Satzglieder und zu einigen sekundären Satzgliedern im Deutschen. In: G. Helbig (Hrsg.): Beiträge zu Problemen der Satzglieder. Leipzig 1978.
– : Zu den zustandsbezeichnenden Konstruktionen mit „haben" und „sein" im Deutschen. In: LAB 20/1978.
– : Zum Problem der „verallgemeinerten grammatischen Bedeutung" und der Semantik morphosyntaktischer Formen. In: LAB 23/1978.
– : Zum Status der Valenz und der semantischen Kasus. In: DaF 2/1979.
– : Probleme der Beschreibung von Funktionsverbgefügen im Deutschen. In: DaF 5/1979.
– : Grammatik aus kommunikativ-pragmatischer Sicht? In: I. Rosengren (Hrsg.): Sprache und Pragmatik. Lunder Symposium 1978. Lund 1979.
– : Was sind weiterführende Nebensätze? In: DaF 1/1980.
– : Zustandspassiv, *sein*-Passiv oder Stativ? In: Kopenhagener Beiträge zur Germanistischen Linguistik 1980. Sonderband 1: Festschrift für G. Bech.
– : Bemerkungen zu den Relativsätzen (als Subklasse der deutschen Nebensätze). In: LAB 26/1980.
– : Die deutschen Modalwörter im Lichte der modernen Forschung. In: Beiträge zur Erforschung der deutschen Sprache. Bd. 1. Leipzig 1981.
– : Die freien Dative im Deutschen. In: DaF 6/1981.
G. Helbig/J. Buscha: Kurze deutsche Grammatik für Ausländer. Leipzig [1]1974, [2]1975, [3]1980.
–/– : Deutsche Übungsgrammatik. Leipzig 1981.
G. Helbig/G. Heinrich: Das Vorgangspassiv. In der Reihe: TPDA. Leipzig [1]1972, [2]1978, [3]1980.
G. Helbig/F. Kempter: Das Zustandspassiv. In der Reihe: TPDA. Leipzig [1]1973, [2]1975, [3]1977.
–/– : Die uneingeleiteten Nebensätze im Deutschen und ihre Vermittlung im Fremdsprachenunterricht. In: DaF 3/1974.

G. Helbig/F. Kempter: Die uneingeleiteten Nebensätze. In der Reihe: TPDA. Leipzig [1]1974, [2]1976.
G. Helbig/H. Ricken: Die Negation. In der Reihe: TPDA. Leipzig [1]1973, [2]1975, [3]1977.
G. Helbig/W. Schenkel: Wörterbuch zur Valenz und Distribution deutscher Verben. Leipzig [1]1969, [2]1973, [3]1975, [4]1978, [5]1980.
G. Helbig/E. Wiese: Probleme der Beschreibung und Konfrontation des Passivs (Deutsch-Polnisch). In: G. Jäger/G. Helbig (Hrsg.), Studien zum deutsch-polnischen Sprachvergleich. Leipzig 1983.
–/– : Typen der passivischen Ausdrucksweise im Deutschen und im Polnischen. In: Polnisch-Deutscher Sprachvergleich I. Arbeitsbuch für Fortgeschrittene. Karl-Marx-Universität Leipzig. Sektion Theoretische und angewandte Sprachwissenschaft/Herder-Institut. Leipzig 1982.
G. Hell: Zur Frage der Adjektivdeklination. In: DaF 6/1972.
D. Herberg: Einige Bemerkungen zur geltenden Regelung der Getrennt- und Zusammenschreibung. In: Sprachpflege 1/1978.
H. J. Heringer: Wertigkeiten und nullwertige Verben im Deutschen. In: Zeitschrift für deutsche Sprache 1967.
– : Präpositionale Ergänzungsbestimmungen im Deutschen. In: Zeitschrift für deutsche Philologie 3/1968.
– : Die Opposition von ‚kommen' und ‚bringen' als Funktionsverben. In: Sprache der Gegenwart. Schriften des IdS. Bd. 3. Düsseldorf 1968.
– : Deutsche Syntax. Berlin (West) 1970.
– : Theorie der deutschen Syntax. München 1970.
W. Herrlitz: Funktionsverbgefüge vom Typ „in Erfahrung bringen". Tübingen 1973.
J. C. A. Heyse: Deutsche Grammatik. Hannover/Leipzig 1908.
D. Hook: Einige Erläuterungen zu den Vorsilben, die sowohl trennbar als auch untrennbar sein können. In: Deutschunterricht für Ausländer 1–2/1961.
–: Die Klassifizierung der starken Verben in der deutschen Gegenwartssprache. In: DaF 4/1968.

A. V. Isačenko: Die russische Sprache der Gegenwart. Teil 1. Halle 1962.
– : Kontextbedingte Ellipse und Pronominalisierung im Deutschen. In: Beiträge zur Sprachwissenschaft, Volkskunde und Literaturforschung. Festschrift für W. Steinitz. Berlin 1965.
– : Das syntaktische Verhältnis der Bezeichnungen von Körperteilen im Deutschen. In: SG V. Berlin 1965.
A. P. Iwanowa: Zur Verbindung von Verben mit dem objektiven Infinitiv. In: DaF 3/1969.
E. Iwasaki: Abtönungspartikeln im Deutschen und Japanischen. In: Energeia 1/1972.

G. Jäger: Einige Bemerkungen zum Problem der Repräsentationsebenen aus der Sicht des Sprachvergleichs. In: LS A/29/1. Berlin 1976.
G. Jäger/B. Koenitz: Zur Semantik der polnischen Gerundien I und der deutschen inkongruenten Partizipien I in adverbialer und nebenprädikativischer Funktion. In: Studien zum deutsch-polnischen Sprachvergleich. Hrsg. G. Jäger/G. Helbig. Leipzig 1983.
S. Jäger: Zum Modusgebrauch in den sogenannten irrealen Vergleichssätzen. In: Forschungsberichte des IdS. Heft 1. Mannheim 1968.
– : Zum Gebrauch des Konjunktivs in der indirekten Rede. In: Forschungsberichte des IdS. Bd. Heft 1. Mannheim 1968.

S. Jäger: Die Pronominalverschiebung bei der Transformation direkter Rede in indirekte Rede mit besonderer Berücksichtigung der Referenzidentität. In: Muttersprache 7–8/1970.

– : Empfehlungen zum Gebrauch des Konjunktivs. Sprache der Gegenwart. Schriften des IdS. 10. Düsseldorf 1970.

– : Der Konjunktiv in der deutschen Sprache der Gegenwart. München/Düsseldorf 1971.

A. Jäntti: Zum Reflexiv und Passiv im heutigen Deutsch. Eine syntaktische Untersuchung mit semantischen Ansätzen. Helsinki 1978.

V. E. Jarnatowskaja: Die Kategorie des Genus der Substantive im System der deutschen Gegenwartssprache. In: DaF 4/1968.

P. Jørgensen: Zur Darstellung der deutschen Substantivflexion. In: Moderna Språk 63 (1969).

W. K. Jude: Deutsche Grammatik. Braunschweig 1959.

J. Juhász: Zur Problematik des deutschen Attributiv-Satzes. In: Sprache der Gegenwart. Schriften des IdS. Bd. 24. Düsseldorf 1973.

W. Jung: Grammatik der deutschen Sprache. Leipzig 1966.

– : Die Leistung des Wörtchens „es" im Deutschen. In: Sprachpflege 2/1963.

Kategorija zaloga. Materialy konferencii. Leningrad 1970.

G. Kaufmann: Der Gebrauch der Modalverben *sollen, müssen* und *wollen.* In: Deutschunterricht für Ausländer 5–6/1962.

– : Grammatik der deutschen Grundwortarten. München 1967.

– : Das konjunktivische Bedingungsgefüge im heutigen Deutsch. Forschungsberichte des IdS. Band 12. Mannheim 1972.

– : Zu den durch „als", „als ob", „wie wenn", „als wenn" eingeleiteten Komparativsätzen. In: Zielsprache Deutsch 3/1973.

– : Zur „konzessiven" Bedeutung. In: Zielsprache Deutsch 1/1974.

– : Die indirekte Rede und mit ihr konkurrierende Formen der Redeerwähnung. München 1976.

S. D. Kaznelson: Sprachtypologie und Sprachdenken. Berlin 1974.

J. Korhonen: Studien zu Dependenz, Valenz und Satzmodell. Frankfurt/M./Las Vegas 1977/1978.

R. Klappenbach/W. Steinitz (Hrsg.): Wörterbuch der deutschen Gegenwartssprache. Berlin 1961–1977.

E. A. Kraševinnikova: Modal'nye glagoly i časticy v nemeckom jazyke. Moskva 1958.

A. Krivonosov: Die Distribution des Wortes „schon" in der deutschen Gegenwartssprache. In: WZ der Humboldt-Universität zu Berlin. Gesellschafts- und Sprachwissenschaftliche Reihe 4/1963.

– : Die Wechselbeziehungen zwischen den modalen Partikeln und der Satzintonation im Deutschen. In: ZPSK 6/1965.

– : Die Rolle der modalen Partikeln in der kommunikativen Gliederung der Sätze in bezug auf die Nebensatzglieder. In: ZPSK/1965.

– : Die modalen Partikeln in der deutschen Gegenwartssprache. Göppingen 1977.

D. Krohn: Dativ und Pertinenzrelation. Göteborg 1980.

P. Kromann: Alte Wortstellungsregeln in neuer Sicht. In: Deutsche Sprache 3/1975.

Z. Kwapisz: Die Kontraste im Bereich der reflexiven Konstruktionen im Polnischen und im Deutschen. Wrocław 1978.

E. Lang: Semantik der koordinativen Verknüpfung. Als: SG XIV. Berlin 1977.
– : Paraphraseprobleme I. Über verschiedene Funktionen von Paraphrasen beim Ausführen semantischer Analysen. In: LS A/42. Berlin 1977.
– : Zum Status der Satzadverbiale. In: Slovo a Slovesnost 40/1979.
E. Lang/R. Steinitz: Rezension zu R. Bartsch – Adverbialsemantik. In: Foundations of Language 14/1976.
–/– : Können Satzadverbiale performativ gebraucht werden? In: LS A/42. Berlin 1977.
S. Latzel: Der Infinitiv mit „zu". In: Muttersprache 7–8/1961.
– : Die deutschen Tempora Perfekt und Präteritum. München 1977.
O. Leys: Die Präpositionalinfinitive im Deutschen. In: Leuvense bijdragen 1/1971.
– : Das Reflexivpronomen: Eine Variante des Personalpronomens. In: Sprache der Gegenwart. Schriften des IdS. Band 30. Düsseldorf.
– : Zur Systematisierung von *es*. In: Deutsche Sprache 1/1979.
M. Ličen: „es" und „man" im Deutschunterricht – Eine kontrastive Analyse des Deutschen und Serbokroatischen. In: DaF 6/1980.
H. Liebsch/H. Döring: Deutsche Sprache – Handbuch für den Sprachgebrauch. Leipzig 1976.
K. B. Lindgren: Über den oberdeutschen Präteritalschwund. Helsinki 1957.
– : Morphem – Wort – Wortart – Satzglied. Versuch einer Begriffsklärung. In: WW 4/1967.
– : Methodische Probleme der Syntax des Infinitivs. In: Sprache der Gegenwart. Schriften des IdS. Bd. 1. Düsseldorf 1967.
– : Paradigmatische und syntagmatische Bindungen im heutigen Deutsch. In: Neuphilologische Mitteilungen 4/1974.
T. Ljungerud: Zur Nominalflexion in der deutschen Literatursprache nach 1900. Lund/Kopenhagen 1955.
– : Bemerkungen zur Movierung in der deutschen Gegenwartssprache. In: Sprache der Gegenwart. Schriften des IdS. Band 23. Düsseldorf 1973.
– : Bemerkungen zu den persönlichen Pronomen in der deutschen Gegenwartssprache. In: Sprachsystem und Sprachgebrauch. Festschrift für Hugo Moser. Teil 1. Düsseldorf 1974.
R. Lötzsch/W. Fiedler/K. Kostov: Die Kategorie des Genus verbi in ihrem Verhältnis zu einigen verwandten morphologischen Kategorien. In: R. Lötzsch/R. Růžička (Hrsg.): Satzstruktur und Genus verbi. SG XIII. Berlin 1976.
W. Ludwig: „War hier noch jemand ohne Fahrschein?" In: Sprachpflege 1/1960.

E. Marko: Beitrag zum Deklinationssystem des deutschen Substantivs. In: DaF 6/1972.
J. Mattausch: Die Negation im Deutschen. In: DaF 3/1964.
S. Metschkowa-Atanassowa: Zur Synonymie zwischen der Konstruktion „haben + zu + Infinitiv" und den Modalverben. In: DaF 2/1974.
O. I. Moskal'skaja: Vstojčivye slovosočetanija s grammatičeskoj napravlennost'ju. In: VJa 5/1961.
– : Problemy semantičeskogo modelirovanija v sintaksise. In: VJa 6/1973.
– : Grammatik der deutschen Gegenwartssprache. Moskau ^{2}1975.
– : Probleme der systemhaften Beschreibung der Syntax. Leipzig 1978.
– : Die Satzglieder aus satzsemantischer und syntagmatischer Sicht. In: G. Helbig (Hrsg.): Beiträge zu Problemen der Satzglieder. Leipzig 1978.
W. Motsch: Syntax des deutschen Adjektivs. Als: SG III. Berlin 1964.
– : Untersuchungen zur Apposition im Deutschen. In: SG V. Berlin 1965.

W. Mühlner: Zum Wesen des Fragesatzes auf der Grundlage der Valenz des Prädikats. In: ZPSK 4/1978.

O. Naes: Versuch einer allgemeinen Syntax der Aussagen: In: H. Moser (Hrsg.): Das Ringen um eine neue deutsche Grammatik. Darmstadt 1962.

W. Neumann: Notizen zur Genusbestimmung der deutschen Substantive und zur Definition des Wortes. In: DaF 1/1967.

– : Eine Hierarchie syntaktischer Einheiten. In: DaF 2/1967 u. 3/1967.

– : Rezension zu: W. Jung – Grammatik der deutschen Sprache. In: ZPSK 4/1967.

– : Über die Dialektik sprachlicher Strukturen. In: Deutsche Zeitschrift für Philosophie 2/1969.

– : Die Einheit des Marxismus-Leninismus als theoretisch-ideologische Grundlage für die Sprachwissenschaft. In: Potsdamer Forschungen A/6.

– u. a.: Theoretische Probleme der Sprachwissenschaft. Berlin 1976.

R. Pasch: Zum Status der Valenz. In: LS A/42. Berlin 1977.

H. Paul: Deutsche Grammatik. Bd. II u. III. Halle/S. 1958.

I. Persson: Das System der kausativen Funktionsverbgefüge. Lunder Germanistische Forschungen 1975.

P. Petkov: Über die Ausdrucksmittel im Deutschen für die nicht abgeschlossene und aspektuell abgeschlossene Handlung. In: ZPSK 6/1965.

M. Pfütze/J. Schäfer: Der Infinitiv nach Modal-, Voll- und Modifikationsverben. In: DU 1/1970.

P. von Polenz: Funktionsverben im heutigen Deutsch. In: WW. Beiheft 5. 1963.

H. Pütz: Über die Syntax der Pronominalform „Es" im modernen Deutsch. In: Studien zur deutschen Grammatik 3. Tübingen 1975.

A. von Raad: Der substantivische Attribut-Genitiv-Anschluß oder Präpositionalverbindung mit „von". In: A. von Raad/N. Voorwinden (Hrsg.), Studien zur Linguistik und Didaktik. Festschrift für C. Solteman. Leiden 1978.

R. Rath: Die Partizipialgruppe in der deutschen Gegenwartssprache. Düsseldorf 1971.

F. Raynaud: Die Modalverben im zeitgenössischen Deutsch. In: DaF 4/1976.

–: Noch einmal Modalverben! In: Deutsche Sprache 1/1977.

–: Der „modale infinitiv". bedeutung und leistung. In: WW 6/1977.

M. Regula: Grundlegung und Grundprobleme der Syntax. Heidelberg 1951.

H. Renicke: Die Theorie der Aspekte und Aktionsarten. In: Beiträge zur Geschichte der deutschen Sprache und Literatur 1950.

–: Zu den neuhochdeutschen Reflexiva. In: Zeitschrift für deutsche Philologie 75 (1956).

–: Grundlegung der neuhochdeutschen Grammatik. Berlin (West) 1961.

E. Riesel/E. Schendels: Deutsche Stilistik. Moskau 1975.

I. Rosengren: Ein freier Dativ. In: Germanistische Streifzüge. Acta Universitatis Stockholmiensis. Stockholmer Germanistische Forschungen 16. Stockholm 1975.

–: Die Beziehung zwischen semantischen Kasusrelationen und semantischen Satzgliedfunktionen – Der freie Dativ. In: W. Abraham (Hrsg.): Valence, Semantic Case and Grammatical Relations. Amsterdam 1978.

–: Status und Funktion der tiefenstrukturellen Kasus. In: G. Helbig (Hrsg.): Beiträge zu Problemen der Satzglieder. Leipzig 1978.

J. Růžička: Reflexive Verben und reflexive Verbalformen. In: R. Lötzsch/R. Růžička (Hrsg.), Satzstruktur und Genus verbi. Als: SG XIII. Berlin 1976.

R. Růžička: Über die Einheitlichkeit der Modalität. In: LAB 5. Leipzig 1972.
R. Růžička/A. Steube/G. Walther: Syntaktische und semantische Reflexivität. In: R. Lötzsch/R. Růžička (Hrsg.), Satzstruktur und Genus verbi. Als: SG XIII. Berlin 1976.

S. Saidow: Über die syntaktischen Funktionen der Modalwörter im Deutschen. In: Sprachpflege 10/1967.
–: Klassifikation der Modalwörter in der deutschen Sprache. In: DaF 4/1969.
L. Saltveit: Besitzt die deutsche Sprache ein Futur? In: Der Deutschunterricht 5/1960.
–: Zur Frage der Unterordnung von Sätzen. In: Sprache der Gegenwart. Schriften des IdS. Bd. 34. Düsseldorf 1975.
J. Schäfer: Ist unser traditionelles System der Modaladverbien sinnvoll? In: Sprachpflege 7/1968.
W. Schenkel: Zur erweiterten Attribuierung im nominalen Bereich. In: DaF 2/1967 u. 3/1967.
–: Zur erweiterten Attribuierung im Deutschen. Halle 1972.
–: Deutsche Satzmodelle für den Fremdsprachenunterricht. In: DaF 1/1969.
–: Formenbestand deutscher Satzmodelle. In: DaF 2/1969.
–: Die Valenz im adnominalen Bereich. In: G. Helbig (Hrsg.): Beiträge zur Valenztheorie. Halle 1971.
–: Zur Bedeutungsstruktur deutscher Verben und ihrer Kombinierbarkeit mit Substantiven. In der Reihe: TPDA. Leipzig 1976.
–: Zur semantischen Kombinierbarkeit deutscher Verben mit Substantiven. In: G. Helbig (Hrsg.): Probleme der Bedeutung und Kombinierbarkeit im Deutschen. Leipzig 1977.
M. Scherner: „Person“ als texttheoretische und textanalytische Grundkategorie. In: WW 2/1979.
F. Schmidt: Logik der Syntax. Berlin 1962.
K. Schmidt: Bedeutungsunterscheidung trennbarer (loser) und untrennbarer (fester) verbaler Zusammensetzungen durch die Betonung. In: DaF 3/1969.
W. Schmidt: Die deutschen Wortarten aus der Sicht der funktionalen Grammatik betrachtet. In: WZ der Pädagogischen Hochschule Potsdam. Gesellschafts- und Sprachwiss. Reihe. Sonderheft: Beiträge zur deutschen Sprachwissenschaft. 1964.
–: Grundfragen der deutschen Grammatik. Berlin 1965.
–: Ist das deutsche Perfekt ein Vergangenheitstempus? In: DaF 4/1968.
G. Schoenthal: Das Passiv in der deutschen Standardsprache. München 1976.
J. Schröder: Bemerkungen zu einer Semantik deutscher Präpositionen im lokalen Bereich. In: DaF 6/1976.
–: Ansatz zu einer Semantik der Präpositionen (unter besonderer Berücksichtigung des lokalen und temporalen Bereichs). In: G. Helbig (Hrsg.), Probleme der Bedeutung und Kombinierbarkeit im Deutschen. Leipzig 1977.
–: Valenz, Rektion und Präposition. In: DaF 6/1977.
–: Zum Zusammenhang von Lokativität und Direktionalität bei einigen wichtigen deutschen Präpositionen. In: DaF 1/1978.
–: Überlegungen zu zwei weiteren Untergruppen von Präpositionen im lokalen Bereich. In: DaF 6/1978.
–: Semantischer Instrumental in deutschen Präpositionsgefügen mit adverbialem Charakter. In: DaF 6/1979.
M. Schröder: freihalten oder frei halten? In: Sprachpflege 8/1976.
W. Schröder: Zu Wesen und Bedeutung des *würde* + Infinitiv-Gefüges. In: WW 2/1959.
D. Schulz/H. Griesbach: Grammatik der deutschen Sprache. München 1970.

V. Schwanzer: Zur Semantik der Modalverben im Slowakischen, Tschechischen und Deutschen. In: LAB 20. Leipzig 1978.
H. Seiler: Relativsatz, Attribut und Apposition. Wiesbaden 1960.
E. I. Šendel's: Grammatika nemeckogo jazyka. Moskva 1952.
B. A. Serebrennikow (Hrsg.): Allgemeine Sprachwissenschaft. Bd. I. Berlin 1973.
P. Sgall: Aktanten, Satzglieder und Kasus. In: G. Helbig (Hrsg.): Beiträge zu Problemen der Satzglieder. Leipzig 1978.
W. A. Sherebkow: Ausdruckswerte der indirekten Zeitformen der Zukunft im modernen Deutsch. In: DaF 4/1964.
–: Zum Ausdruck der Zukunft in der abhängigen Rede. In: Sprachpflege 10/1965.
–: Präsens oder Futur? In: DaF 2/1967.
–: Vom Zeitbezug beim deutschen Modalverb. In: DaF 6/1967.
A. Šimečkova: Zu den sowohl trennbar als auch untrennbar vorkommenden Verbalkonstruktionen im Deutschen. In: WZ der KMU Leipzig, Gesellschafts- und Sprachwiss. Reihe 2/1974.
H. Sitta: Semantische Probleme beim deutschen Possessivpronomen. In: Sprache der Gegenwart. Schriften des IdS. Band 23. Düsseldorf 1972.
K.-E. Sommerfeldt: Partizip oder Adjektiv. In: DU 12/1969.
–: Form und Bedeutung der Attribute beim Substantiv in der deutschen Sprache der Gegenwart. In: ZPSK 6/1970.
–: Zur Wortstellung in der Gruppe des Substantivs. In: DaF 1/1971.
–: Zur Valenz des Adjektivs. In: DaF 2/1971.
–: Ideal und Wirklichkeit. Zum Gebrauch der Modi als Mittel der Stellungnahme in der indirekten Rede. In: Sprachpflege 9/1971.
–: Zur Aufstellung von Satztypen substantivischer Sätze des Deutschen unter Einbeziehung der Valenz. In: DaF 3/1976.
K. E. Sommerfeldt/H. Schreiber: Wörterbuch zur Valenz und Distribution deutscher Adjektive. Leipzig 1974.
–/–: Wörterbuch zur Valenz und Distribution der Substantive. Leipzig 1977.
B. Sowinski: Deutsche Stilistik. Frankfurt/M. 1972.
W. Spiewok: Zuordnungsbeziehungen und Stilfragen im Bereich der nominalen Gruppe. In: Sprachpflege 10/1972.
E. Spitz: Beitrag zur Genusbestimmung der deutschen Substantive. In: DaF 4/1965.
–: Das deutsche substantivische Deklinationssystem und seine Realisierung. In: DaF 5/1967.
U. Spranger: Modalwortprobleme (1) In: DaF 5/1972.
G. Starke: Konkurrierende syntaktische Konstruktionen in der deutschen Sprache der Gegenwart. In: Zeitschrift für Phonetik, Sprachwissenschaft und Kommunikationsforschung 1/1969, 2/1969, 2–3/1970, 6/1970.
–: Satzmodelle mit prädikativem Adjektiv im Deutschen. In: DaF 3/1973.
–: Beiwörter auf „-weise". In: Sprachpflege 7/1973.
–: Zum Einfluß von Funktionsverbgefügen auf den Satzbau im Deutschen. In: DaF 3/1975.
–: Zum normgerechten Gebrauch von Aufzählungen in der Gegenwartssprache. In: Sprachpflege 10/1976, 11/1976, 12/1976.
–: Zur sprachlichen Wiedergabe temporaler Beziehungen. In: Sprachpflege 4/1978.
–: Zu einigen Besonderheiten der Satzgliedstellung in zusammengesetzten Sätzen des Deutschen. In: DaF 5/1980.
R. Steinitz: Nominale Pro-Formen. In: ASG-Bericht Nr. 2. Berlin 1968.
–: Adverbial-Syntax. Als: SG X. Berlin 1969.

R. Steinitz: Zur Semantik und Syntax durativer, inchoativer und kausativer Verben. In: LS A/35. Berlin 1977.
–: Der Status der Kategorie „Aktionsart" in der Grammatik (oder: Gibt es Aktionsarten im Deutschen?) In: LS A/76, Berlin 1981.
W. Steinitz: Zur Grammatik der deutschen Sprache der Gegenwart. In: DU 7/1952.
M. D. Stepanova: Metody synchronnogo analyza leksiki. Moskva 1968.
M. D. Stepanova/G. Helbig: Wortarten und das Problem der Valenz in der deutschen Gegenwartssprache. Leipzig 1978. Zugleich in russischer Sprache als „Časti reči i problema valentnosti v sovremennom nemeckom jazyke". Moskva 1978.
A. Steube: Über die Beziehungen der Zeitadverbien zum Satz und ihre Selektionsbeziehungen zu den relevanten Elementen im Satz. In: ASG-Bericht Nr. 3. Berlin 1969.
–: Unpersönliches Passiv. In: LAB 5. Leipzig 1972.
–: Reflexivierung in komplexen deutschen Sätzen. In: DaF 5/1975.
A. Steube/G. Walther: Zur passivischen Diathese im Deutschen. In: LAB 5. Leipzig 1972.
G. Stickel: Untersuchungen zur Negation im heutigen Deutsch. Braunschweig 1970.
H. Stolte: Kurze deutsche Grammatik auf Grund der fünfbändigen Deutschen Grammatik von H. Paul. Halle/S. 1949.
G. Stötzel: Ausdrucksseite und Inhaltsseite der Sprache. Methodenkritische Studien am Beispiel der deutschen Reflexivverba. München 1970.
P. Suchsland: Bemerkungen zur Funktion morphologischer Kategorien. In: DaF 6/1975.
–: Zur Definitionsgrundlage für deutsche Satzglieder (Versuch eines Überblicks). In: G. Helbig (Hrsg.), Beiträge zu Problemen der Satzglieder. Leipzig 1978.
L. Sütterlin: Die deutsche Sprache der Gegenwart. Leipzig 1900.

K. Tarvainen: Dependenzielle Satzgliedsyntax des Deutschen. Oulu 1979.
R. Thiel: Der zusammengezogene Satz. In: Sprachpflege 5/1975.

H. Vater: Das System der Artikelformen im gegenwärtigen Deutsch. Tübingen 1963.
D. Viehweger u. a.: Probleme der semantischen Analyse. Als: SG XV. Berlin 1977.
V. V. Vinogradov: Russkij jazyk. Moskva–Leningrad 1947.
–: O kategorii modal'nosti i modal'nych slovach v russkom jazyke. Trudy Instituta russkogo jazyka. Moskva–Leningrad 1950.

Hans Weber: Das Tempussystem des Deutschen und des Französischen. Berlin 1954.
Heinrich Weber: Das erweiterte Adjektiv- und Partizipialattribut im Deutschen. Linguistische Reihe. Bd. 4. München 1971.
L. Weisgerber: Zur Bezeichnung der „Tempora". In: Deutschunterricht im Ausland 1941.
–: „Gegenwart" oder „erste Stammform"? In: Zeitschrift für deutsche Bildung 1941.
–: Grundzüge der inhaltbezogenen Grammatik. Düsseldorf 1962.
W. Weiß: Die Negation in der Rede und im Bannkreis des satzkonstituierenden Verbs I. In: WW 2/1961.

W. Weiß: Die Negation zwischen Satzbezug und Verselbständigung. Die Negation im deutschen Satz II. In: WW 3/1961.
K. Welke: Das System der Modalverben im Deutschen. In: DaF 4/1964.
–: Dienen Modalverben der Umschreibung des Konjunktivs? In: DaF 3/1965.
–: Untersuchungen zum System der Modalverben in der deutschen Sprache der Gegenwart. Berlin 1965.
H. Weydt: Abtönungspartikeln. Die deutschen Modalwörter und ihre französischen Entsprechungen. Bad Homburg/Berlin/Zürich 1969.
H. Weydt (Hrsg.): Die Partikeln der deutschen Sprache. Berlin-West/New York 1979.
D. Wunderlich: Bemerkungen zu den verba dicendi. In: Muttersprache 4/1969.
–: Tempus und Zeitreferenz im Deutschen. München 1970.
–: (Hrsg.): Linguistische Pragmatik. Frankfurt/M. 1972.

R. Zimmermann: Subjektlose und intransitive Sätze im Deutschen und ihre englischen Äquivalente. In: Iral. Vol. X/3 (1972).
K. Zorn: Untersuchungen zur Grammatik, Semantik und Verwendung der Fügungen *haben + zu +* Infinitiv und *sein + zu +* Infinitiv in der deutschen Sprache der Gegenwart. Diss. (hekt.), Leipzig 1970.

Sachregister

Wortregister